SIXTH EDITION

PANORAMA

INTRODUCCIÓN A LA LENGUA ESPAÑOLA

José A. Blanco

Philip Redwine Donley, late
Austin Community College

VISTA HIGHER LEARNING
Boston, Massachusetts

On the cover: Alhambra in Granada, Spain

Creative Director: José A. Blanco
Publisher: Sharla Zwirek
Editorial Development: Judith Bach, María Victoria Echeverri, Jo Hanna Kurth, Carmen Nouel, Sarah Wu
Project Management: Tiffany Kayes, Faith Ryan
Rights Management: Annie Pickert Fuller
Technology Production: David Duque Trujillo, Egle Gutiérrez, Paola Ríos Schaaf
Design: Paula Díaz, Radoslav Mateev, Gabriel Noreña, Andrés Vanegas
Production: Oscar Díez, Sebastián Díez, Andrés Escobar, Daniel Lopera

Student Text (Casebound) ISBN: 978-1-54331-232-4
Instructor's Annotated Edition ISBN: 978-1-54331-234-8

Library of Congress Control Number: 2019939098

4 5 6 7 8 9 TC 24 23 22 21

Printed in Canada

Introduction

To Vista Higher Learning's great pride, **Panorama** and **Vistas**, the parent text from which **Panorama** is derived, became the best selling new introductory college Spanish program in more than a decade in its first edition, and its success has only grown over time. It is now our pleasure to welcome you to **Panorama, Sixth Edition**, your gateway to the Spanish language and to the vibrant cultures of the Spanish-speaking world.

A direct result of extensive reviews and ongoing input from students and instructors, **Panorama 6/e** includes both the highly successful, ground-breaking features of the original program, plus exciting new elements designed to keep **Panorama** the most student-friendly program available.

Original, hallmark features

- A unique, easy-to-navigate design built around color-coded sections that appear either completely on one page or on spreads of two facing pages
- Integration of an appealing video, up-front in each lesson of the student text
- Practical, high-frequency vocabulary in meaningful contexts
- Clear, comprehensive grammar explanations with high-impact graphics and other special features that make structures easier to learn and use
- Ample guided practice to make you comfortable with the vocabulary and grammar you are learning and to give you a solid foundation for communication
- An emphasis on communicative interactions with a classmate, small groups, the full class, and your instructor
- A process approach to the development of reading, writing, and listening skills
- Coverage of the entire Spanish-speaking world and integration of everyday culture
- Unprecedented learning support through on-the-spot student sidebars and on-page correlations to the print and technology components for each lesson section
- A complete set of print and technology components to help you learn Spanish

NEW! to the Sixth Edition

- Pronunciation tutorials with speech recognition
- 5 new **En pantalla** videos: 3 TV clips and 2 short films
- 4 new **Cultura** readings
- 2 new literary readings in **Lectura**
- New **Panorama cultural** videos
- Video Virtual Chats
- Redesigned textbook icons, including easy-to-identify chat activities
- New music feature **Con ritmo hispano**

Panorama 6/e has fifteen lessons, each of which is organized the same way. To familiarize yourself with the organization of the text, as well as its original and new features, take the **at-a-glance** tour.

table of contents

cultura	estructura	adelante
En detalle: El Viejo San Juan . . 150 **Perfil:** Punta del Este . . . . 151 **Con ritmo hispano:** Luis Fonsi 151	**5.1** **Estar** with conditions and emotions . . . . 152 **5.2** The present progressive 154 **5.3** **Ser** and **estar** . . . . 158 **5.4** Direct object nouns and pronouns . . . . 162 **Recapitulación** 166	**Lectura:** *Turismo ecológico en Puerto Rico* . . . . 168 **Panorama:** Puerto Rico 170
En detalle: Los mercados al aire libre . . . . 182 **Perfil:** Carolina Herrera . . . . . . 183 **Con ritmo hispano:** Gente de Zona 183	**6.1** **Saber** and **conocer** . . . . . 184 **6.2** Indirect object pronouns . . . . 186 **6.3** Preterite tense of regular verbs . . . . 190 **6.4** Demonstrative adjectives and pronouns . . . . 194 **Recapitulación** 198	**Lectura:** *¡Real Liquidación en Corona!* . . . . 200 **Escritura** . . . . 202 **Escuchar** . . . . 203 **En pantalla:** Anuncio . . . . 204 **En pantalla:** Cortometraje . . . . 205 **Panorama:** Cuba 206
En detalle: La siesta . . . . 218 **Perfil:** El mate . . . . 219 **Con ritmo hispano:** Susana Baca 219	**7.1** Reflexive verbs . . . . 220 **7.2** Indefinite and negative words . . . . 224 **7.3** Preterite of **ser** and **ir** . . . 228 **7.4** Verbs like **gustar** . . . . 230 **Recapitulación** 234	**Lectura:** *¡Qué día!* . . . . 236 **Panorama:** Perú 238
En detalle: Frutas y verduras de América . . . . 252 **Perfil:** Ferran Adrià: arte en la cocina . . . . 253 **Con ritmo hispano:** Ricardo Arjona 253	**8.1** Preterite of stem-changing verbs . . . . 254 **8.2** Double object pronouns . 257 **8.3** Comparisons . . . . 261 **8.4** Superlatives. . . . . 266 **Recapitulación** 268	**Lectura:** *Gastronomía* . . . . 270 **Panorama:** Guatemala 272

cultura	estructura	adelante

Consulta (*Reference*)

Icons and boxes

Icons

Familiarize yourself with these icons that appear throughout **Panorama, Sixth Edition.**

- Presentational content for this section available online
- Textbook activity available online
- Partner Chat or Video Virtual Chat activity available online
- Pair activity
- Group activity
- Activity with handout
- Listening activity/section
- Video available for this paragraph of **Panorama** spread

More activities

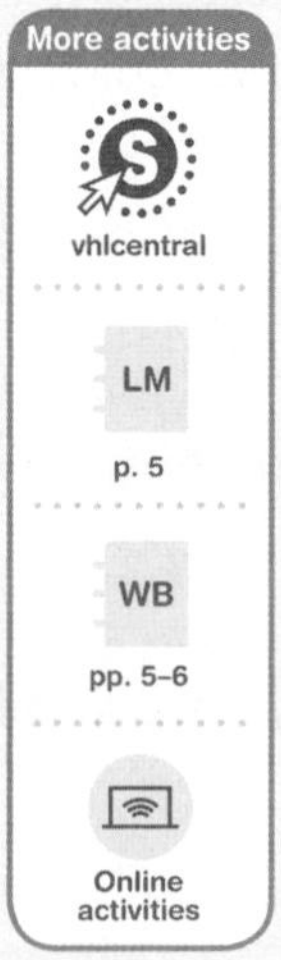

The *More activities* box indicates additional print and online activities.

New Features and Technology

Illustrations and Photos

New **Contextos** drawings are bright and colorful; they clearly depict the lesson vocabulary. Each large illustration includes at least one humorous element. All activity art is also new. Photos have been updated for the Sixth Edition.

Activities

Audio activities in the **Contextos** section have been revised for the Sixth Edition. The audio input for the first activity progresses from word to phrase to sentence. The audio input for the second activity progresses from sentences to short descriptions, dialogues, radio ads, etc. The activities are mostly true/false, multiple-choice, matching, or fill-in-the-blank.

Con ritmo hispano

This new feature in the **Cultura** section profiles musicians from the Spanish-speaking world. A box on the textbook page gives the birthdate, the birthplace, and a sentence or two about the artist. There is more information as well as activities on the Supersite.

CON RITMO HISPANO

Lin-Manuel Miranda (1980–)
Birthplace: New York City, New York

He won two Tony Awards for his musical *Hamilton* (2016) and one for *In the Heights* (2008), his musical about the predominantly Latino New York neighborhood of Washington Heights.

Go to **vhlcentral.com** to find out more about **Lin-Manuel Miranda** and his music.

Panorama cultural

There are 42 new **Panorama cultural** videos. They provide interesting visuals for two of the paragraphs on every **Panorama** spread.

Refuerzo de vocabulario

There is a new summative vocabulary activity in the **Repaso** section of the Supersite in which you identify and say the terms illustrated by photos. Speech recognition lets you know if you are correct.

Video Virtual Chats

Video Virtual Chat activities provide you with opportunities to develop your listening and speaking skills and to build confidence as you practice with video recordings of native speakers. Unlike other listening activities where you can easily pause and repeat, Video Virtual Chats require you to answer questions in real time—just as you do when you engage in conversations with fluent speakers in the target language. You also benefit from nonverbal and articulatory cues that are essential for production and pronunciation.

Video Virtual Chats are available in the **Comunicación** section of half of the **Contextos** and **Estructura** strands.

Pronunciation Tutorials with Speech Recognition

Pronunciation tutorials allow you to engage with the material via interactive quick checks throughout each tutorial.

Interactive feedback via embedded Speech Recognition gives you an opportunity to reflect on your language patterns and increases your awareness of pronunciation through low-stakes production practice.

Supersite

Each section of your textbook comes with activities on the **Panorama** Supersite, many of which are auto-graded for immediate feedback. Visit **vhlcentral.com** to explore this wealth of exciting resources.

CONTEXTOS
- Vocabulary hotspots with audio
- Vocabulary tutorials
- Audio activities
- Textbook activities
- Additional activities for extra practice
- Chat activities for conversational skill-building and oral practice

FOTONOVELA
- Streaming video of **Fotonovela**, with instructor-managed options for subtitles and transcripts in Spanish and English
- Pronunciation tutorials with speech recognition
- Textbook activities
- Additional activities for extra practice
- Audio files for **Pronunciación**
- Record-compare practice

CULTURA
- **Con ritmo hispano** information and activities
- **Conexión Internet** activity
- Textbook activities
- Additional activities for extra practice
- Additional reading
- Streaming video of **Flash cultura** series, with instructor-managed options for subtitles and transcripts in Spanish and English

ESTRUCTURA
- Interactive grammar tutorials
- Textbook activities
- Additional activities for extra practice
- Chat activities for conversational skill-building and oral practice
- Diagnostics in **Recapitulación** section

ADELANTE
- Audio-sync reading in **Lectura**
- Additional reading
- Writing activity in **Escritura** with composition engine
- Audio files for listening activity in **Escuchar**
- Textbook activities and additional activities for extra practice
- Streaming **En pantalla** TV clips and short films, with instructor-managed options for subtitles and transcripts in Spanish and English

PANORAMA
- Textbook activities
- Additional activities for extra practice
- **Conexión Internet** activity
- Streaming video of **Panorama cultural** series, with instructor-managed options for subtitles and transcripts in Spanish and English

VOCABULARIO
- Vocabulary list with audio
- Customizable study lists

Plus! Also found on the Supersite:

- All textbook and lab audio MP3 files
- Communication center for instructor notifications and feedback
- Live Chat tool for video chat, audio chat, and instant messaging without leaving your browser
- A single gradebook for all Supersite activities
- WebSAM online Workbook/Video Manual/Lab Manual
- vText online interactive student edition with access to Supersite activities, audio, and video

Lesson Openers
outline the content and features of each lesson.

La familia

3

Communicative Goals

You will learn how to:

- Talk about your family and friends
- Describe people and things
- Express possession

contextos

pages 70–73
- The family
- Identifying people
- Professions and occupations

fotonovela

pages 74–77

The Díaz family spends Sunday afternoon in Xochimilco. Marissa meets the extended family and answers questions about her own family. The group has a picnic and takes a boat ride through the canals.

cultura

pages 78–79
- Last names and families in the Spanish-speaking world
- Talented families in the Spanish-speaking world

estructura

pages 80–97
- Descriptive adjectives
- Possessive adjectives
- Present tense of **-er** and **-ir** verbs
- Present tense of **tener** and **venir**
- **Recapitulación**

adelante

pages 98–105

Lectura: A brief article about families
Escritura: A letter to a friend
Escuchar: A conversation between friends
En pantalla: Anuncio y cortometraje
Panorama: Ecuador

A PRIMERA VISTA
- ¿Cuántos chicos hay en la foto?
- ¿Hay un hombre detrás del chico?
- ¿Conversan ellos? ¿Trabajan? ¿Caminan?
- ¿Están en su casa?

A primera vista activities jump-start the lessons, allowing you to use the Spanish you know to talk about the photos.

Communicative goals highlight the real-life tasks you will be able to carry out in Spanish by the end of each lesson.

Supersite

- Supersite resources are available for every section of the lesson at **vhlcentral.com.** Icons show you which textbook activities are also available online, and where additional practice activities are available. The description next to the Ⓢ icon indicates what additional resources are available for each section: videos, recordings, tutorials, and more!
- Textbook activity

Supersite features vary by access level.

Contextos
presents vocabulary in meaningful contexts.

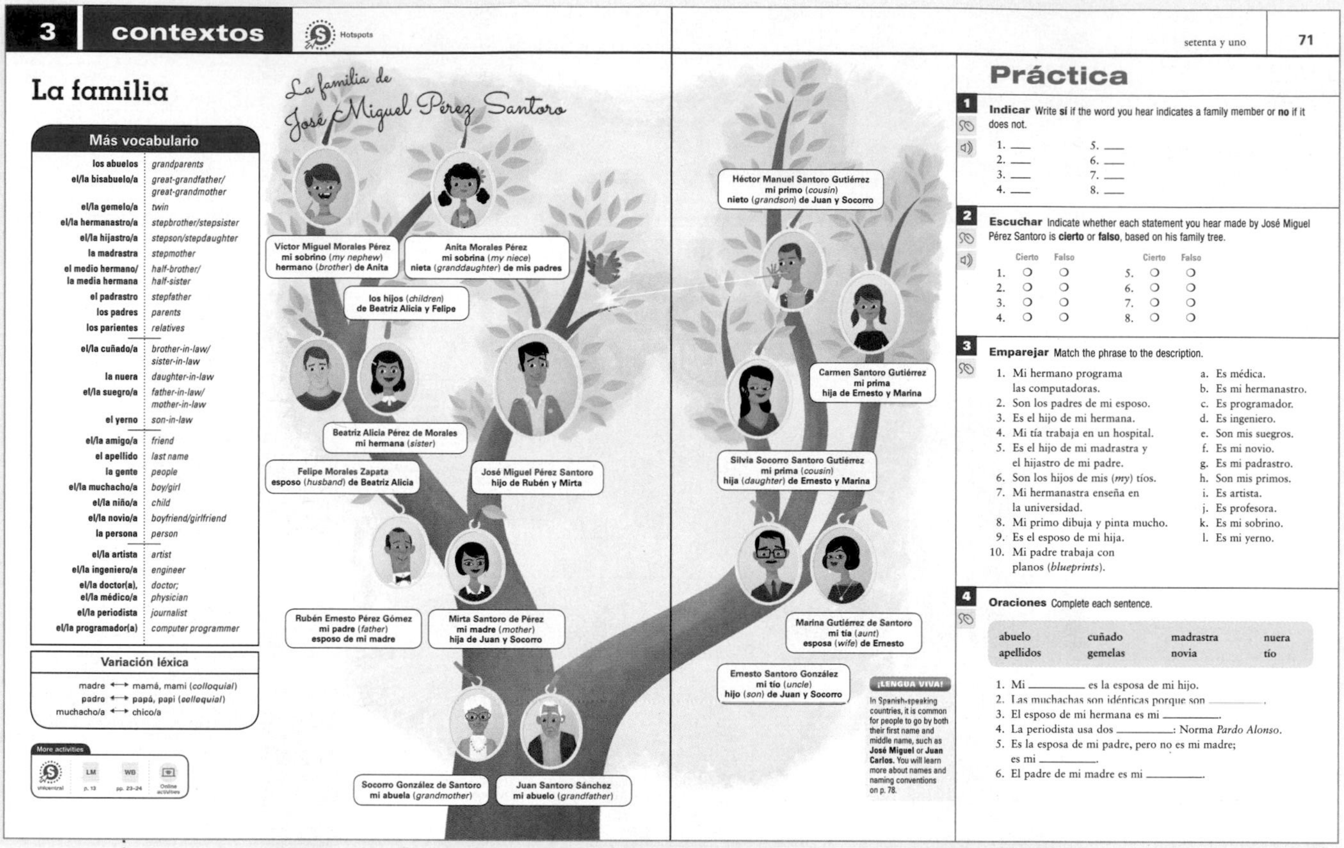

3 contextos

Hotspots

La familia

Más vocabulario

los abuelos	*grandparents*
el/la bisabuelo/a	*great-grandfather/great-grandmother*
el/la gemelo/a	*twin*
el/la hermanastro/a	*stepbrother/stepsister*
el/la hijastro/a	*stepson/stepdaughter*
la madrastra	*stepmother*
el medio hermano/la media hermana	*half-brother/half-sister*
el padrastro	*stepfather*
los padres	*parents*
los parientes	*relatives*
el/la cuñado/a	*brother-in-law/sister-in-law*
la nuera	*daughter-in-law*
el/la suegro/a	*father-in-law/mother-in-law*
el yerno	*son-in-law*
el/la amigo/a	*friend*
el apellido	*last name*
la gente	*people*
el/la muchacho/a	*boy/girl*
el/la niño/a	*child*
el/la novio/a	*boyfriend/girlfriend*
la persona	*person*
el/la artista	*artist*
el/la ingeniero/a	*engineer*
el/la doctor(a), el/la médico/a	*doctor; physician*
el/la periodista	*journalist*
el/la programador(a)	*computer programmer*

Variación léxica

madre ⟷ mamá, mami (*colloquial*)
padre ⟷ papá, papi (*colloquial*)
muchacho/a ⟷ chico/a

More activities: vhlcentral; LM p. 13; WB pp. 23–24; Online activities

¡LENGUA VIVA! In Spanish-speaking countries, it is common for people to go by both their first name and middle name, such as **José Miguel** or **Juan Carlos.** You will learn more about names and naming conventions on p. 78.

setenta y uno 71

Práctica

1 Indicar Write **sí** if the word you hear indicates a family member or **no** if it does not.

1. ___ 2. ___ 3. ___ 4. ___ 5. ___ 6. ___ 7. ___ 8. ___

2 Escuchar Indicate whether each statement you hear made by José Miguel Pérez Santoro is **cierto** or **falso**, based on his family tree.

	Cierto	Falso		Cierto	Falso
1.	❍	❍	5.	❍	❍
2.	❍	❍	6.	❍	❍
3.	❍	❍	7.	❍	❍
4.	❍	❍	8.	❍	❍

3 Emparejar Match the phrase to the description.

1. Mi hermano programa las computadoras.
2. Son los padres de mi esposo.
3. Es el hijo de mi hermana.
4. Mi tía trabaja en un hospital.
5. Es el hijo de mi madrastra y el hijastro de mi padre.
6. Son los hijos de mis (*my*) tíos.
7. Mi hermanastra enseña en la universidad.
8. Mi primo dibuja y pinta mucho.
9. Es el esposo de mi hija.
10. Mi padre trabaja con planos (*blueprints*).

a. Es médica.
b. Es mi hermanastro.
c. Es programador.
d. Es ingeniero.
e. Son mis suegros.
f. Es mi novio.
g. Es mi padrastro.
h. Son mis primos.
i. Es artista.
j. Es profesora.
k. Es mi sobrino.
l. Es mi yerno.

4 Oraciones Complete each sentence.

abuelo	cuñado	madrastra	nuera
apellidos	gemelas	novia	tío

1. Mi ________ es la esposa de mi hijo.
2. Las muchachas son idénticas porque son ________.
3. El esposo de mi hermana es mi ________.
4. La periodista usa dos ________: Norma *Pardo Alonso*.
5. Es la esposa de mi padre, pero no es mi madre; es mi ________.
6. El padre de mi madre es mi ________.

Más vocabulario boxes call out other important theme-related vocabulary in easy-to-reference Spanish-English lists.

Variación léxica presents alternate words and expressions used throughout the Spanish-speaking world.

Illustrations High-frequency vocabulary is introduced through expansive, full-color illustrations.

More activities The icons in the *More activities* boxes let you know exactly which print and technology components you can use to reinforce and expand on every section of every lesson.

Práctica This section always begins with two listening exercises and continues with activities that practice the new vocabulary in meaningful contexts.

Comunicación activities allow you to use the vocabulary creatively in interactions with a partner, a small group, or the entire class.

Supersite

- Audio support for vocabulary presentation
- Vocabulary tutorials
- Textbook activities
- Additional online-only practice activities
- Chat activities for conversational skill-building and oral practice
- Vocabulary activities in Activity Pack

Supersite features vary by access level.

Fotonovela follows the adventures of a group of students living and traveling in Mexico.

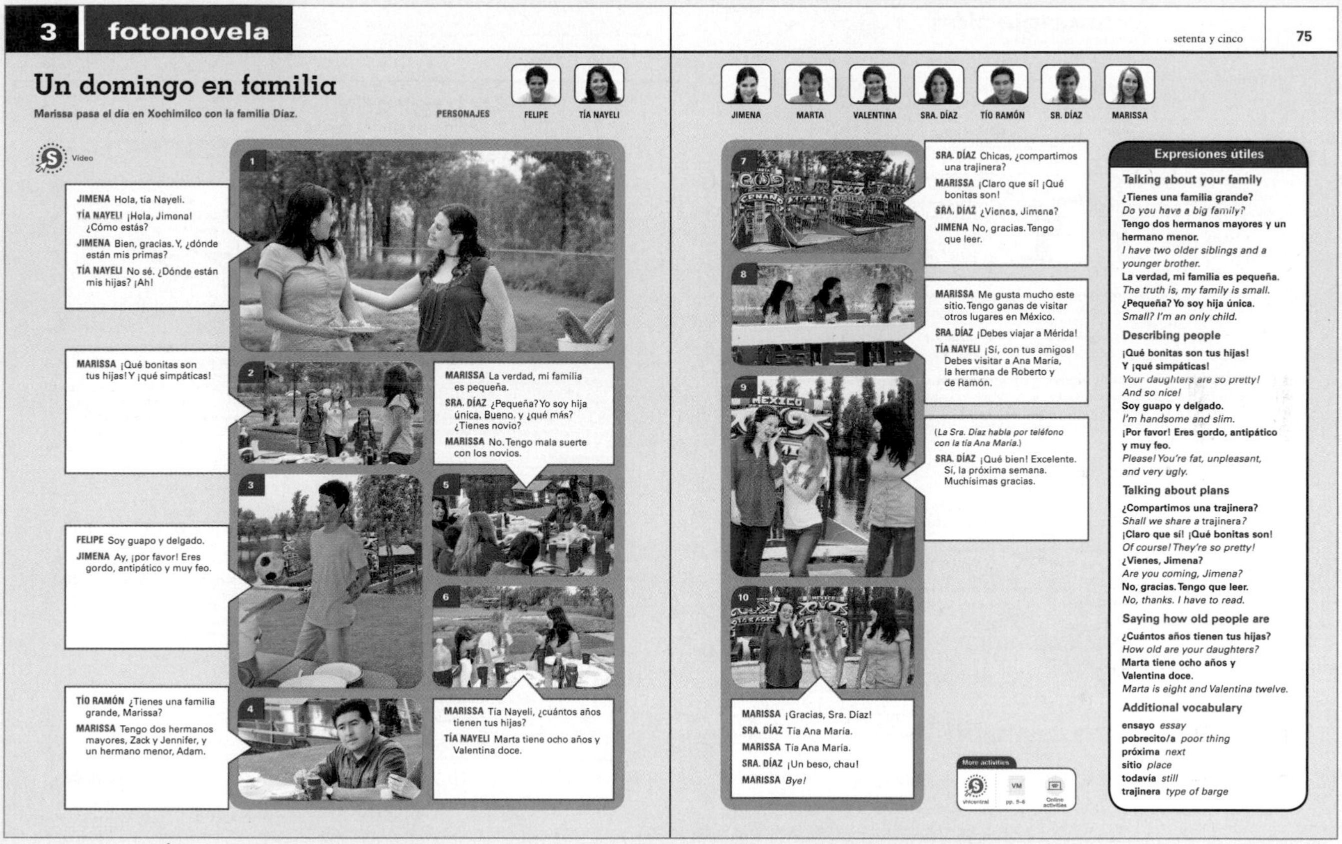
3 fotonovela

setenta y cinco 75

Un domingo en familia

Marissa pasa el día en Xochimilco con la familia Díaz.

PERSONAJES FELIPE TÍA NAYELI JIMENA MARTA VALENTINA SRA. DÍAZ TÍO RAMÓN SR. DÍAZ MARISSA

Video

1
JIMENA Hola, tía Nayeli.
TÍA NAYELI ¡Hola, Jimena! ¿Cómo estás?
JIMENA Bien, gracias. Y, ¿dónde están mis primas?
TÍA NAYELI No sé. ¿Dónde están mis hijas? ¡Ah!

2
MARISSA ¡Qué bonitas son tus hijas! Y ¡qué simpáticas!

3
FELIPE Soy guapo y delgado.
JIMENA Ay, ¡por favor! Eres gordo, antipático y muy feo.

4
TÍO RAMÓN ¿Tienes una familia grande, Marissa?
MARISSA Tengo dos hermanos mayores, Zack y Jennifer, y un hermano menor, Adam.

5
MARISSA La verdad, mi familia es pequeña.
SRA. DÍAZ ¿Pequeña? Yo soy hija única. Bueno, y ¿qué más? ¿Tienes novio?
MARISSA No. Tengo mala suerte con los novios.

6
MARISSA Tía Nayeli, ¿cuántos años tienen tus hijas?
TÍA NAYELI Marta tiene ocho años y Valentina doce.

7
SRA. DÍAZ Chicas, ¿compartimos una trajinera?
MARISSA ¡Claro que sí! ¡Qué bonitas son!
SRA. DÍAZ ¿Vienes, Jimena?
JIMENA No, gracias. Tengo que leer.

8
MARISSA Me gusta mucho este sitio. Tengo ganas de visitar otros lugares en México.
SRA. DÍAZ ¡Debes viajar a Mérida!
TÍA NAYELI ¡Sí, con tus amigos! Debes visitar a Ana María, la hermana de Roberto y de Ramón.

9
(La Sra. Díaz habla por teléfono con la tía Ana María.)
SRA. DÍAZ ¡Qué bien! Excelente. Sí, la próxima semana. Muchísimas gracias.

10
MARISSA ¡Gracias, Sra. Díaz!
SRA. DÍAZ Tía Ana María.
MARISSA Tía Ana María.
SRA. DÍAZ ¡Un beso, chau!
MARISSA *Bye!*

More activities: vhlcentral · VM pp. 5–6 · Online activities

Expresiones útiles

Talking about your family
¿Tienes una familia grande?
Do you have a big family?
Tengo dos hermanos mayores y un hermano menor.
I have two older siblings and a younger brother.
La verdad, mi familia es pequeña.
The truth is, my family is small.
¿Pequeña? Yo soy hija única.
Small? I'm an only child.

Describing people
¡Qué bonitas son tus hijas!
Y ¡qué simpáticas!
Your daughters are so pretty! And so nice!
Soy guapo y delgado.
I'm handsome and slim.
¡Por favor! Eres gordo, antipático y muy feo.
Please! You're fat, unpleasant, and very ugly.

Talking about plans
¿Compartimos una trajinera?
Shall we share a trajinera?
¡Claro que sí! ¡Qué bonitas son!
Of course! They're so pretty!
¿Vienes, Jimena?
Are you coming, Jimena?
No, gracias. Tengo que leer.
No, thanks. I have to read.

Saying how old people are
¿Cuántos años tienen tus hijas?
How old are your daughters?
Marta tiene ocho años y Valentina doce.
Marta is eight and Valentina twelve.

Additional vocabulary
ensayo *essay*
pobrecito/a *poor thing*
próxima *next*
sitio *place*
todavía *still*
trajinera *type of barge*

Personajes The photo-based conversations take place among a cast of recurring characters—a Mexican family with two college-age children, and their group of friends.

Icons signal activities by type (pair, group, audio, handout) and let you know which activities can be completed online.

Fotonovela Video The video episodes that correspond to this section are available for viewing online.

Expresiones útiles These expressions organize new, active structures by language function so you can focus on using them for real-life, practical purposes.

Conversations Taken from the **Fotonovela** Video, the conversations reinforce vocabulary from **Contextos**. They also preview structures from the upcoming **Estructura** section in context and in a comprehensible way.

Supersite

- Streaming video of the **Fotonovela** episode
- Textbook activities
- Additional online-only practice activities

Supersite features vary by access level.

Pronunciación & Ortografía
present the rules of Spanish pronunciation and spelling.

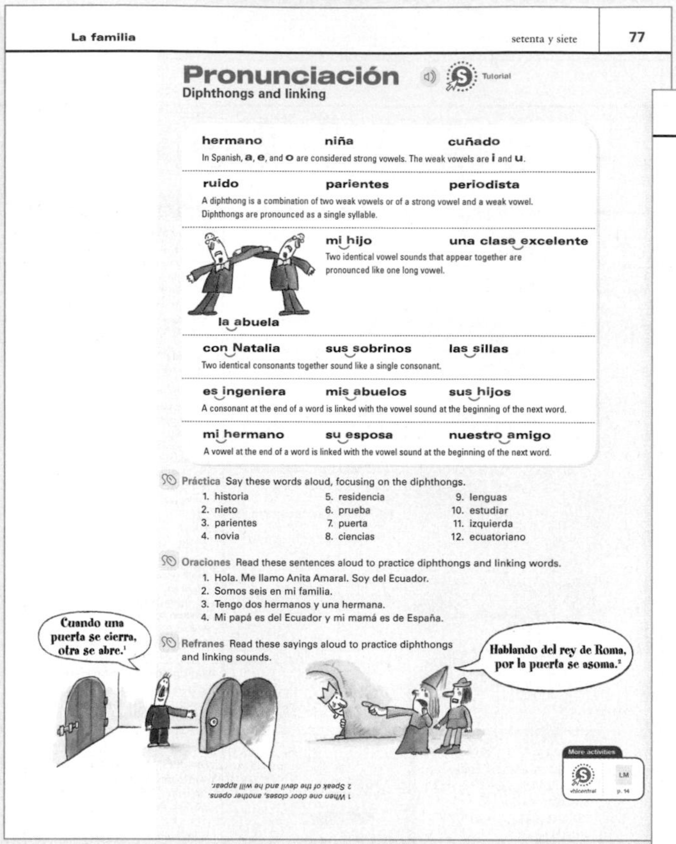

La familia — setenta y siete — 77

Pronunciación
Tutorial

Diphthongs and linking

hermano **niña** **cuñado**

In Spanish, **a**, **e**, and **o** are considered strong vowels. The weak vowels are **i** and **u**.

ruido **parientes** **periodista**

A diphthong is a combination of two weak vowels or of a strong vowel and a weak vowel. Diphthongs are pronounced as a single syllable.

mi hijo **una clase excelente**

Two identical vowel sounds that appear together are pronounced like one long vowel.

la abuela

con Natalia **sus sobrinos** **las sillas**

Two identical consonants together sound like a single consonant.

es ingeniera **mis abuelos** **sus hijos**

A consonant at the end of a word is linked with the vowel sound at the beginning of the next word.

mi hermano **su esposa** **nuestro amigo**

A vowel at the end of a word is linked with the vowel sound at the beginning of the next word.

Práctica Say these words aloud, focusing on the diphthongs.

1. historia
2. nieto
3. parientes
4. novia
5. residencia
6. prueba
7. puerta
8. ciencias
9. lenguas
10. estudiar
11. izquierda
12. ecuatoriano

Oraciones Read these sentences aloud to practice diphthongs and linking words.

1. Hola. Me llamo Anita Amaral. Soy del Ecuador.
2. Somos seis en mi familia.
3. Tengo dos hermanos y una hermana.
4. Mi papá es del Ecuador y mi mamá es de España.

Refranes Read these sayings aloud to practice diphthongs and linking sounds.

More activities — vhlcentral — LM p. 14

1 When one door closes, another opens.
2 Speak of the devil and he will appear.

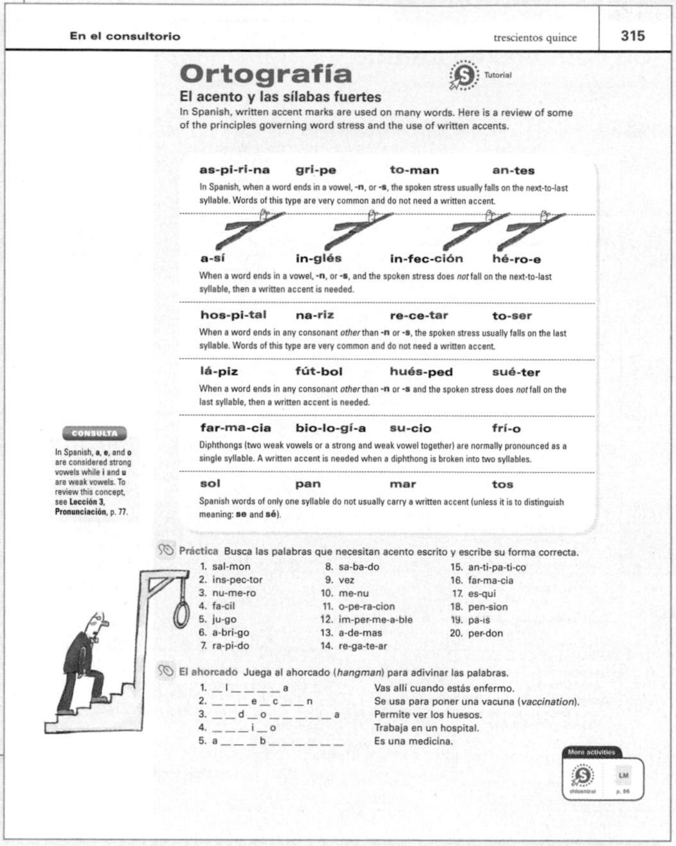

En el consultorio — trescientos quince — 315

Ortografía
Tutorial

El acento y las sílabas fuertes

In Spanish, written accent marks are used on many words. Here is a review of some of the principles governing word stress and the use of written accents.

as-pi-ri-na **gri-pe** **to-man** **an-tes**

In Spanish, when a word ends in a vowel, **-n**, or **-s**, the spoken stress usually falls on the next-to-last syllable. Words of this type are very common and do not need a written accent.

a-sí **in-glés** **in-fec-ción** **hé-ro-e**

When a word ends in a vowel, **-n**, or **-s**, and the spoken stress does *not* fall on the next-to-last syllable, then a written accent is needed.

hos-pi-tal **na-riz** **re-ce-tar** **to-ser**

When a word ends in any consonant *other* than **-n** or **-s**, the spoken stress usually falls on the last syllable. Words of this type are very common and do not need a written accent.

lá-piz **fút-bol** **hués-ped** **sué-ter**

When a word ends in any consonant *other* than **-n** or **-s** and the spoken stress does *not* fall on the last syllable, then a written accent is needed.

far-ma-cia **bio-lo-gí-a** **su-cio** **frí-o**

Diphthongs (two weak vowels or a strong and weak vowel together) are normally pronounced as a single syllable. A written accent is needed when a diphthong is broken into two syllables.

sol **pan** **mar** **tos**

Spanish words of only one syllable do not usually carry a written accent (unless it is to distinguish meaning: **se** and **sé**).

CONSULTA
In Spanish, **a**, **e**, and **o** are considered strong vowels while **i** and **u** are weak vowels. To review this concept, see **Lección 3, Pronunciación**, p. 77.

Práctica Busca las palabras que necesitan acento escrito y escribe su forma correcta.

1. sal-mon
2. ins-pec-tor
3. nu-me-ro
4. fa-cil
5. ju-go
6. a-bri-go
7. ra-pi-do
8. sa-ba-do
9. vez
10. me-nu
11. o-pe-ra-cion
12. im-per-me-a-ble
13. a-de-mas
14. re-ga-te-ar
15. an-ti-pa-ti-co
16. far-ma-cia
17. es-qui
18. pen-sion
19. pa-is
20. per-don

El ahorcado Juega al ahorcado (*hangman*) para adivinar las palabras.

1. __ l __ __ __ __ a — Vas allí cuando estás enfermo.
2. __ __ __ e __ c __ __ n — Se usa para poner una vacuna (*vaccination*).
3. __ __ d __ o __ __ __ __ __ a — Permite ver los huesos.
4. __ __ __ i __ o — Trabaja en un hospital.
5. a __ __ __ b __ __ __ __ __ __ — Es una medicina.

More activities — vhlcentral — LM p. 56

Pronunciación explains the sounds and pronunciation of Spanish in Lessons 1–9.

Ortografía focuses on topics related to Spanish spelling in Lessons 10–15.

Supersite

- Pronunciation tutorials with speech recognition
- Spelling tutorials
- Record-compare textbook activities

Supersite features vary by access level.

Cultura
exposes you to different aspects of Hispanic culture tied to the lesson theme.

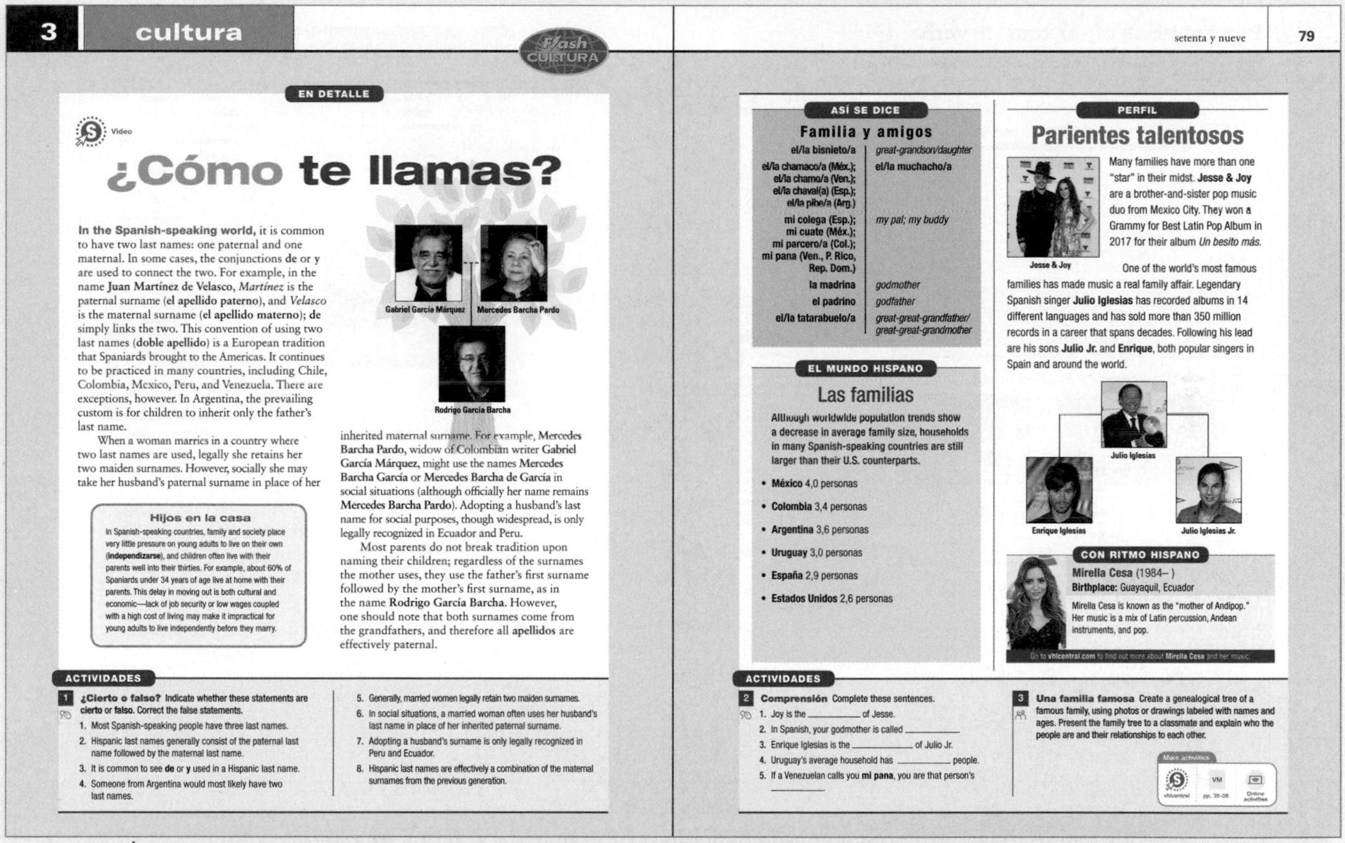

3 cultura

Flash CULTURA

EN DETALLE

Video

¿Cómo te llamas?

In the Spanish-speaking world, it is common to have two last names: one paternal and one maternal. In some cases, the conjunctions **de** or **y** are used to connect the two. For example, in the name **Juan Martínez de Velasco,** *Martínez* is the paternal surname (**el apellido paterno**), and *Velasco* is the maternal surname (**el apellido materno**); **de** simply links the two. This convention of using two last names (**doble apellido**) is a European tradition that Spaniards brought to the Americas. It continues to be practiced in many countries, including Chile, Colombia, Mexico, Peru, and Venezuela. There are exceptions, however. In Argentina, the prevailing custom is for children to inherit only the father's last name.

When a woman marries in a country where two last names are used, legally she retains her two maiden surnames. However, socially she may take her husband's paternal surname in place of her inherited maternal surname. For example, **Mercedes Barcha Pardo,** widow of Colombian writer **Gabriel García Márquez,** might use the names **Mercedes Barcha García** or **Mercedes Barcha de García** in social situations (although officially her name remains **Mercedes Barcha Pardo**). Adopting a husband's last name for social purposes, though widespread, is only legally recognized in Ecuador and Peru.

Most parents do not break tradition upon naming their children; regardless of the surnames the mother uses, they use the father's first surname followed by the mother's first surname, as in the name **Rodrigo García Barcha.** However, one should note that both surnames come from the grandfathers, and therefore all **apellidos** are effectively paternal.

Gabriel García Márquez

Mercedes Barcha Pardo

Rodrigo García Barcha

Hijos en la casa

In Spanish-speaking countries, family and society place very little pressure on young adults to live on their own (**independizarse**), and children often live with their parents well into their thirties. For example, about 60% of Spaniards under 34 years of age live at home with their parents. This delay in moving out is both cultural and economic—lack of job security or low wages coupled with a high cost of living may make it impractical for young adults to live independently before they marry.

ACTIVIDADES

1 **¿Cierto o falso?** Indicate whether these statements are **cierto** or **falso**. Correct the false statements.

1. Most Spanish-speaking people have three last names.
2. Hispanic last names generally consist of the paternal last name followed by the maternal last name.
3. It is common to see **de** or **y** used in a Hispanic last name.
4. Someone from Argentina would most likely have two last names.
5. Generally, married women legally retain two maiden surnames.
6. In social situations, a married woman often uses her husband's last name in place of her inherited paternal surname.
7. Adopting a husband's surname is only legally recognized in Peru and Ecuador.
8. Hispanic last names are effectively a combination of the maternal surnames from the previous generation.

setenta y nueve 79

ASÍ SE DICE

Familia y amigos

el/la bisnieto/a	*great-grandson/daughter*
el/la chamaco/a (Méx.); el/la chamo/a (Ven.); el/la chaval(a) (Esp.); el/la pibe/a (Arg.)	el/la muchacho/a
mi colega (Esp.); mi cuate (Méx.); mi parcero/a (Col.); mi pana (Ven., P. Rico, Rep. Dom.)	*my pal; my buddy*
la madrina	*godmother*
el padrino	*godfather*
el/la tatarabuelo/a	*great-great-grandfather/ great-great-grandmother*

EL MUNDO HISPANO

Las familias

Although worldwide population trends show a decrease in average family size, households in many Spanish-speaking countries are still larger than their U.S. counterparts.

- **México** 4,0 personas
- **Colombia** 3,4 personas
- **Argentina** 3,6 personas
- **Uruguay** 3,0 personas
- **España** 2,9 personas
- **Estados Unidos** 2,6 personas

PERFIL

Parientes talentosos

Many families have more than one "star" in their midst. **Jesse & Joy** are a brother-and-sister pop music duo from Mexico City. They won a Grammy for Best Latin Pop Album in 2017 for their album *Un besito más.*

Jesse & Joy

One of the world's most famous families has made music a real family affair. Legendary Spanish singer **Julio Iglesias** has recorded albums in 14 different languages and has sold more than 350 million records in a career that spans decades. Following his lead are his sons **Julio Jr.** and **Enrique**, both popular singers in Spain and around the world.

Julio Iglesias

Enrique Iglesias

Julio Iglesias Jr.

CON RITMO HISPANO

Mirella Cesa (1984–)
Birthplace: Guayaquil, Ecuador

Mirella Cesa is known as the "mother of Andipop." Her music is a mix of Latin percussion, Andean instruments, and pop.

Go to **vhlcentral.com** to find out more about **Mirella Cesa** and her music.

ACTIVIDADES

2 **Comprensión** Complete these sentences.

1. Joy is the ________ of Jesse.
2. In Spanish, your godmother is called ________
3. Enrique Iglesias is the ________ of Julio Jr.
4. Uruguay's average household has ________ people.
5. If a Venezuelan calls you **mi pana**, you are that person's ________.

3 **Una familia famosa** Create a genealogical tree of a famous family, using photos or drawings labeled with names and ages. Present the family tree to a classmate and explain who the people are and their relationships to each other.

More activities: vhlcentral · VM pp. 35–36 · Online activities

En detalle & Perfil Two articles on the lesson theme focus on a specific place, custom, person, group, or tradition in the Spanish-speaking world. In Spanish starting in Lesson 7, these features also provide reading practice.

Coverage While the **Panorama** section takes a regional approach to cultural coverage, **Cultura** is theme-driven, covering several Spanish-speaking regions in every lesson.

Así se dice & El mundo hispano These features expand cultural coverage to people, traditions, customs, and vocabulary throughout the Spanish-speaking world.

Con ritmo hispano This new feature profiles musicians of the Spanish-speaking world

Flash cultura An icon lets you know that the enormously successful **Flash cultura** Video offers specially shot content tied to the lesson theme.

Supersite

- **Con ritmo hispano** information and activities
- Textbook activities
- Additional online-only practice activities
- **Conexión Internet** activity with questions and keywords related to lesson theme
- Additional cultural reading
- Streaming video of **Flash cultura**

Supersite features vary by access level.

Estructura
presents Spanish grammar in a graphic-intensive format.

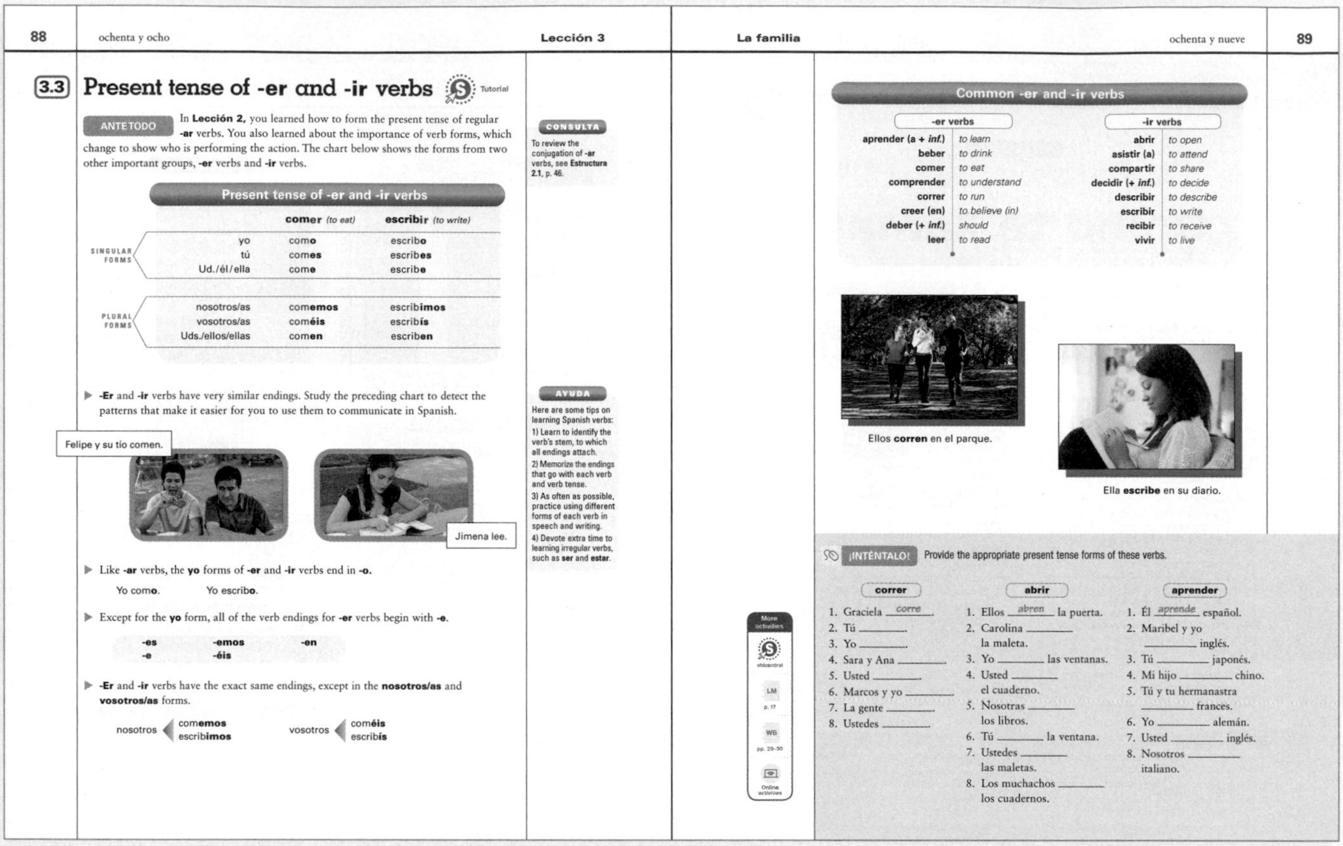

88 ochenta y ocho Lección 3

3.3 Present tense of -er and -ir verbs Tutorial

ANTE TODO In **Lección 2,** you learned how to form the present tense of regular **-ar** verbs. You also learned about the importance of verb forms, which change to show who is performing the action. The chart below shows the forms from two other important groups, **-er** verbs and **-ir** verbs.

CONSULTA
To review the conjugation of **-ar** verbs, see **Estructura 2.1**, p. 46.

Present tense of -er and -ir verbs

		comer *(to eat)*	**escribir** *(to write)*
SINGULAR FORMS	yo	com**o**	escrib**o**
	tú	com**es**	escrib**es**
	Ud./él/ella	com**e**	escrib**e**
PLURAL FORMS	nosotros/as	com**emos**	escrib**imos**
	vosotros/as	com**éis**	escrib**ís**
	Uds./ellos/ellas	com**en**	escrib**en**

▶ **-Er** and **-ir** verbs have very similar endings. Study the preceding chart to detect the patterns that make it easier for you to use them to communicate in Spanish.

Felipe y su tío comen.

Jimena lee.

AYUDA
Here are some tips on learning Spanish verbs:
1) Learn to identify the verb's stem, to which all endings attach.
2) Memorize the endings that go with each verb and verb tense.
3) As often as possible, practice using different forms of each verb in speech and writing.
4) Devote extra time to learning irregular verbs, such as **ser** and **estar**.

▶ Like **-ar** verbs, the **yo** forms of **-er** and **-ir** verbs end in **-o.**

Yo com**o**. Yo escrib**o**.

▶ Except for the **yo** form, all of the verb endings for **-er** verbs begin with **-e**.

-es **-emos** **-en**
-e **-éis**

▶ **-Er** and **-ir** verbs have the exact same endings, except in the **nosotros/as** and **vosotros/as** forms.

nosotros: com**emos**, escrib**imos** vosotros: com**éis**, escrib**ís**

La familia ochenta y nueve 89

Common -er and -ir verbs

-er verbs		-ir verbs	
aprender (a + *inf.*)	*to learn*	**abrir**	*to open*
beber	*to drink*	**asistir (a)**	*to attend*
comer	*to eat*	**compartir**	*to share*
comprender	*to understand*	**decidir (+ *inf.*)**	*to decide*
correr	*to run*	**describir**	*to describe*
creer (en)	*to believe (in)*	**escribir**	*to write*
deber (+ *inf.*)	*should*	**recibir**	*to receive*
leer	*to read*	**vivir**	*to live*

Ellos **corren** en el parque.

Ella **escribe** en su diario.

¡INTÉNTALO! Provide the appropriate present tense forms of these verbs.

correr
1. Graciela corre.
2. Tú ______.
3. Yo ______.
4. Sara y Ana ______.
5. Usted ______.
6. Marcos y yo ______.
7. La gente ______.
8. Ustedes ______.

abrir
1. Ellos abren la puerta.
2. Carolina ______ la maleta.
3. Yo ______ las ventanas.
4. Usted ______ el cuaderno.
5. Nosotras ______ los libros.
6. Tú ______ la ventana.
7. Ustedes ______ las maletas.
8. Los muchachos ______ los cuadernos.

aprender
1. Él aprende español.
2. Maribel y yo ______ inglés.
3. Tú ______ japonés.
4. Mi hijo ______ chino.
5. Tú y tu hermanastra ______ francés.
6. Yo ______ alemán.
7. Usted ______ inglés.
8. Nosotros ______ italiano.

Ante todo Ease into grammar with definitions of grammatical terms, reminders about what you already know of English grammar, and Spanish grammar you have learned in earlier lessons.

Charts To help you learn, colorful, easy-to-use charts call out key grammatical structures and forms, as well as important related vocabulary.

Compare & Contrast This feature focuses on aspects of grammar that native speakers of English may find difficult, clarifying similarities and differences between Spanish and English.

Student sidebars provide you with on-the-spot linguistic, cultural, or language-learning information directly related to the materials in front of you.

Diagrams Clear and easy-to-grasp grammar explanations are reinforced by colorful diagrams that present sample words, phrases, and sentences.

¡Inténtalo! offers an easy first step into each grammar point.

Supersite

- Grammar tutorials to explain each grammar point covered in the text
- Textbook activities

Supersite features vary by access level.

Estructura
provides directed and communicative practice.

Práctica

1 **Completar** Complete Susana's sentences about her family with the correct forms of the verbs. One of the verbs will remain in the infinitive.

1. Mi familia y yo ________ (vivir) en Mérida, Yucatán.
2. Tengo muchos libros. Me gusta ________ (leer).
3. Mi hermano Alfredo es muy inteligente. Alfredo ________ (asistir) a clases los lunes, miércoles y viernes.
4. Los martes y jueves Alfredo y yo ________ (correr) en el Parque del Centenario.
5. Mis padres ________ (comer) mucha lasaña los domingos y se quedan dormidos (*they fall asleep*).
6. Yo ________ (creer) que (*that*) mis padres deben comer menos (*less*).

2 **Oraciones** Form complete sentences by adding any other necessary elements.

modelo
yo / correr / amigos / lunes y miércoles
Yo corro con mis amigos los lunes y miércoles.

1. Manuela / asistir / clase / yoga
2. Isabel y yo / leer / biblioteca
3. Sofía y Roberto / aprender / hablar / inglés
4. Eugenio / abrir / correo electrónico (*e-mail*)
5. tú / comer / cafetería / universidad
6. mi novia y yo / compartir / libro de historia

3 **Consejos** In pairs, say what Mario and/or his family members are doing or should do to adjust to living in Japan for a year to learn Japanese. Then, create one more sentence using a verb not on the list.

modelo
recibir libros / deber practicar japonés
Estudiante 1: *Mario y su esposa reciben muchos libros en japonés.*
Estudiante 2: *Los hijos deben practicar japonés.*

aprender japonés	decidir explorar el país
asistir a clases	escribir listas de palabras en japonés
beber sake	leer novelas japonesas
deber comer cosas nuevas	vivir con una familia japonesa

Comunicación

4 **Entrevista** In pairs, use these questions to interview each other.

1. ¿Dónde comes al mediodía? ¿Comes mucho?
2. ¿Cuándo asistes a tus clases?
3. ¿Cuál es tu clase favorita? ¿Por qué?
4. ¿Dónde vives?
5. ¿Con quién vives?
6. ¿Qué cursos debes tomar el próximo (*next*) semestre?
7. ¿Recibes muchos mensajes de texto (*text messages*)? ¿De quién(es)?
8. ¿Crees en fantasmas (*ghosts*)?

5 **¿Acción o descripción?** In small groups, take turns choosing a verb. Then choose to act out the verb or give a description. The other members of the group will say what you are doing. Be creative!

abrir (un libro, una puerta, una mochila)	correr (en el parque, en un maratón)
aprender (a bailar, a hablar francés, a dibujar)	escribir (una composición, un mensaje de texto [*text message*], con lápiz)
asistir (a una clase de yoga, a un concierto de rock, a una clase interesante)	leer (una carta [*letter*] de amor, un mensaje electrónico [*e-mail message*], un periódico [*newspaper*])
beber (agua, Coca-Cola)	recibir un regalo (*gift*)
comer (pasta, un sándwich, pizza)	¿?
compartir (un libro, un sándwich)	

modelo
Estudiante 1: (*pantomimes typing on a keyboard*)
Estudiante 2: *¿Escribes un mensaje electrónico?*
Estudiante 1: *Sí.*

modelo
Estudiante 1: *Soy estudiante y tomo muchas clases. Vivo en Roma.*
Estudiante 2: *¿Comes pasta?*
Estudiante 1: *No, no como pasta.*
Estudiante 3: *¿Aprendes a hablar italiano?*
Estudiante 1: *¡Sí!*

Síntesis

6 **Horario** Your instructor will give you and a partner incomplete versions of Alicia's schedule. Fill in the missing information on the schedule by talking to your partner.

Práctica Guided, yet meaningful exercises weave current and previously learned vocabulary together with the current grammar point.

Activities with handouts In information gap activities, you and your partner each have only half of the information you need, so you must work together to accomplish the task at hand. Other activities with handouts include surveys.

Comunicación Opportunities for creative expression use the lesson's grammar and vocabulary.

Sidebars The **Notas culturales** expand coverage of the cultures of Spanish-speaking peoples and countries, while the other sidebars provide on-the-spot language support.

Síntesis activities integrate the current grammar point with previously learned points, providing built-in, consistent review.

Supersite

- Textbook activities
- Additional online-only practice activities
- Chat activities for conversational skill-building and oral practice
- Grammar activities in Activity Pack

Supersite features vary by access level.

Estructura

Recapitulación reviews the grammar of each lesson and provides a short quiz, available with auto-grading on the Supersite.

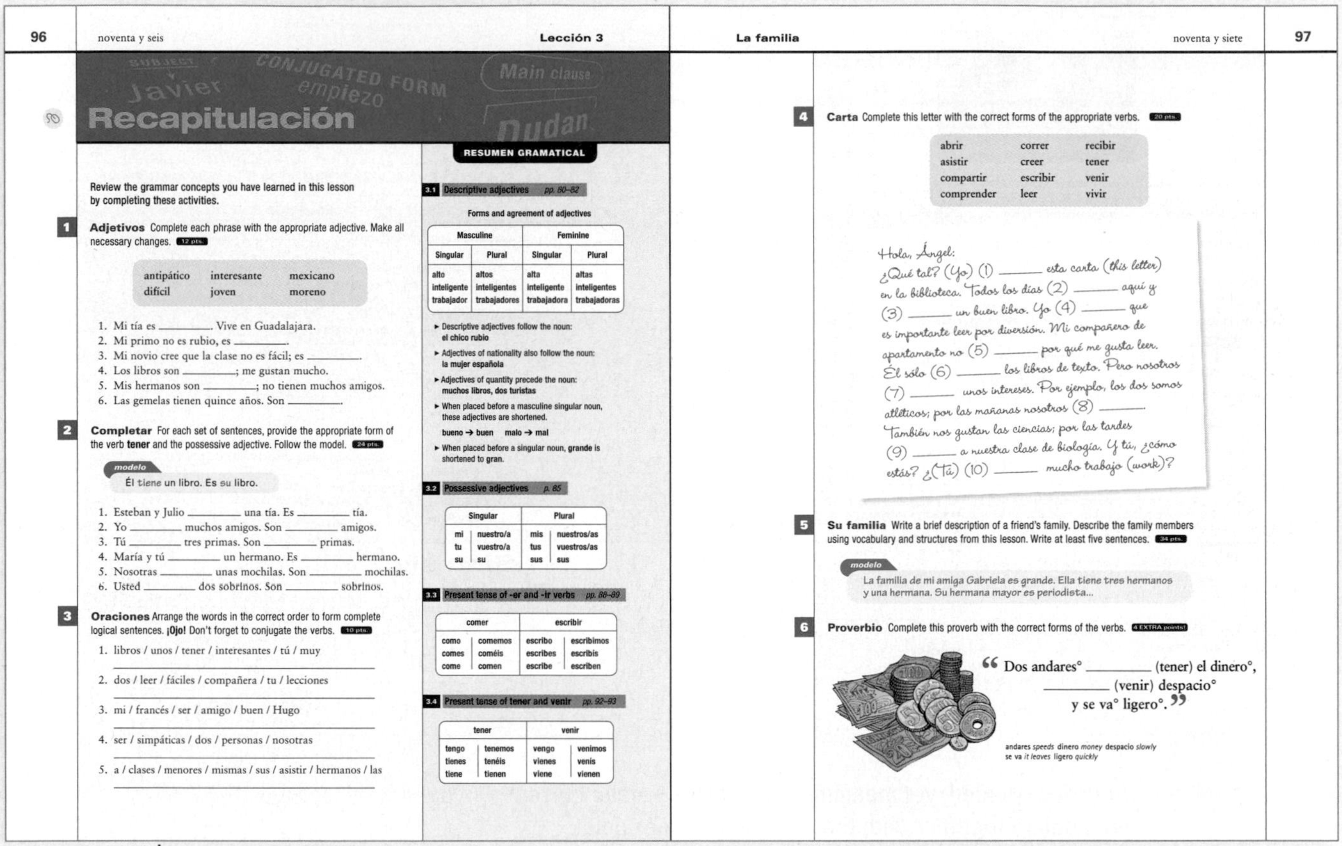

96 noventa y seis Lección 3

Recapitulación

RESUMEN GRAMATICAL

Review the grammar concepts you have learned in this lesson by completing these activities.

1 Adjetivos Complete each phrase with the appropriate adjective. Make all necessary changes. 12 pts.

antipático interesante mexicano
difícil joven moreno

1. Mi tía es ________. Vive en Guadalajara.
2. Mi primo no es rubio, es ________.
3. Mi novio cree que la clase no es fácil; es ________.
4. Los libros son ________; me gustan mucho.
5. Mis hermanos son ________; no tienen muchos amigos.
6. Las gemelas tienen quince años. Son ________.

2 Completar For each set of sentences, provide the appropriate form of the verb **tener** and the possessive adjective. Follow the model. 24 pts.

modelo
Él tiene un libro. Es su libro.

1. Esteban y Julio ________ una tía. Es ________ tía.
2. Yo ________ muchos amigos. Son ________ amigos.
3. Tú ________ tres primas. Son ________ primas.
4. María y tú ________ un hermano. Es ________ hermano.
5. Nosotras ________ unas mochilas. Son ________ mochilas.
6. Usted ________ dos sobrinos. Son ________ sobrinos.

3 Oraciones Arrange the words in the correct order to form complete logical sentences. **¡Ojo!** Don't forget to conjugate the verbs. 10 pts.

1. libros / unos / tener / interesantes / tú / muy
2. dos / leer / fáciles / compañera / tu / lecciones
3. mi / francés / ser / amigo / buen / Hugo
4. ser / simpáticas / dos / personas / nosotras
5. a / clases / menores / mismas / sus / asistir / hermanos / las

3.1 Descriptive adjectives *pp. 80–82*

Forms and agreement of adjectives

Masculine		Feminine	
Singular	Plural	Singular	Plural
alto inteligente trabajador	altos inteligentes trabajadores	alta inteligente trabajadora	altas inteligentes trabajadoras

- Descriptive adjectives follow the noun: **el chico rubio**
- Adjectives of nationality also follow the noun: **la mujer española**
- Adjectives of quantity precede the noun: **muchos libros, dos turistas**
- When placed before a masculine singular noun, these adjectives are shortened.
  bueno → buen malo → mal
- When placed before a singular noun, **grande** is shortened to **gran**.

3.2 Possessive adjectives *p. 85*

Singular		Plural	
mi	nuestro/a	mis	nuestros/as
tu	vuestro/a	tus	vuestros/as
su	su	sus	sus

3.3 Present tense of -er and -ir verbs *pp. 88–89*

comer		escribir	
como	comemos	escribo	escribimos
comes	coméis	escribes	escribís
come	comen	escribe	escriben

3.4 Present tense of tener and venir *pp. 92–93*

tener		venir	
tengo	tenemos	vengo	venimos
tienes	tenéis	vienes	venís
tiene	tienen	viene	vienen

La familia noventa y siete 97

4 Carta Complete this letter with the correct forms of the appropriate verbs. 20 pts.

abrir correr recibir
asistir creer tener
compartir escribir venir
comprender leer vivir

Hola, Ángel:
¿Qué tal? (Yo) (1) ______ esta carta (*this letter*) en la biblioteca. Todos los días (2) ______ aquí y (3) ______ un buen libro. Yo (4) ______ que es importante leer por diversión. Mi compañero de apartamento no (5) ______ por qué me gusta leer. Él sólo (6) ______ los libros de texto. Pero nosotros (7) ______ unos intereses. Por ejemplo, los dos somos atléticos; por las mañanas nosotros (8) ______. También nos gustan las ciencias; por las tardes (9) ______ a nuestra clase de biología. Y tú, ¿cómo estás? ¿(Tú) (10) ______ mucho trabajo (*work*)?

5 Su familia Write a brief description of a friend's family. Describe the family members using vocabulary and structures from this lesson. Write at least five sentences. 34 pts.

modelo
La familia de mi amiga Gabriela es grande. Ella tiene tres hermanos y una hermana. Su hermana mayor es periodista...

6 Proverbio Complete this proverb with the correct forms of the verbs. 4 EXTRA points!

"Dos andares° ________ (tener) el dinero°, ________ (venir) despacio° y se va° ligero°."

andares *speeds* dinero *money* despacio *slowly* se va *it leaves* ligero *quickly*

Resumen gramatical This review panel provides you with an easy-to-study summary of the basic concepts of the lesson's grammar, with page references to the full explanations.

Points Each activity is assigned a point value to help you track your progress. All **Recapitulación** sections add up to one hundred points, plus four additional points for successfully completing the bonus activity.

Activities A series of activities, moving from directed to open-ended, systematically test your mastery of the lesson's grammar. The section ends with a riddle or puzzle using the grammar from the lesson.

Supersite

- Textbook activity with diagnostics
- Additional online-only review activities
- Review activities in Activity Pack
- Vocabulary practice quiz with diagnostics

Supersite features vary by access level.

Adelante

Lectura develops reading skills in the context of the lesson theme.

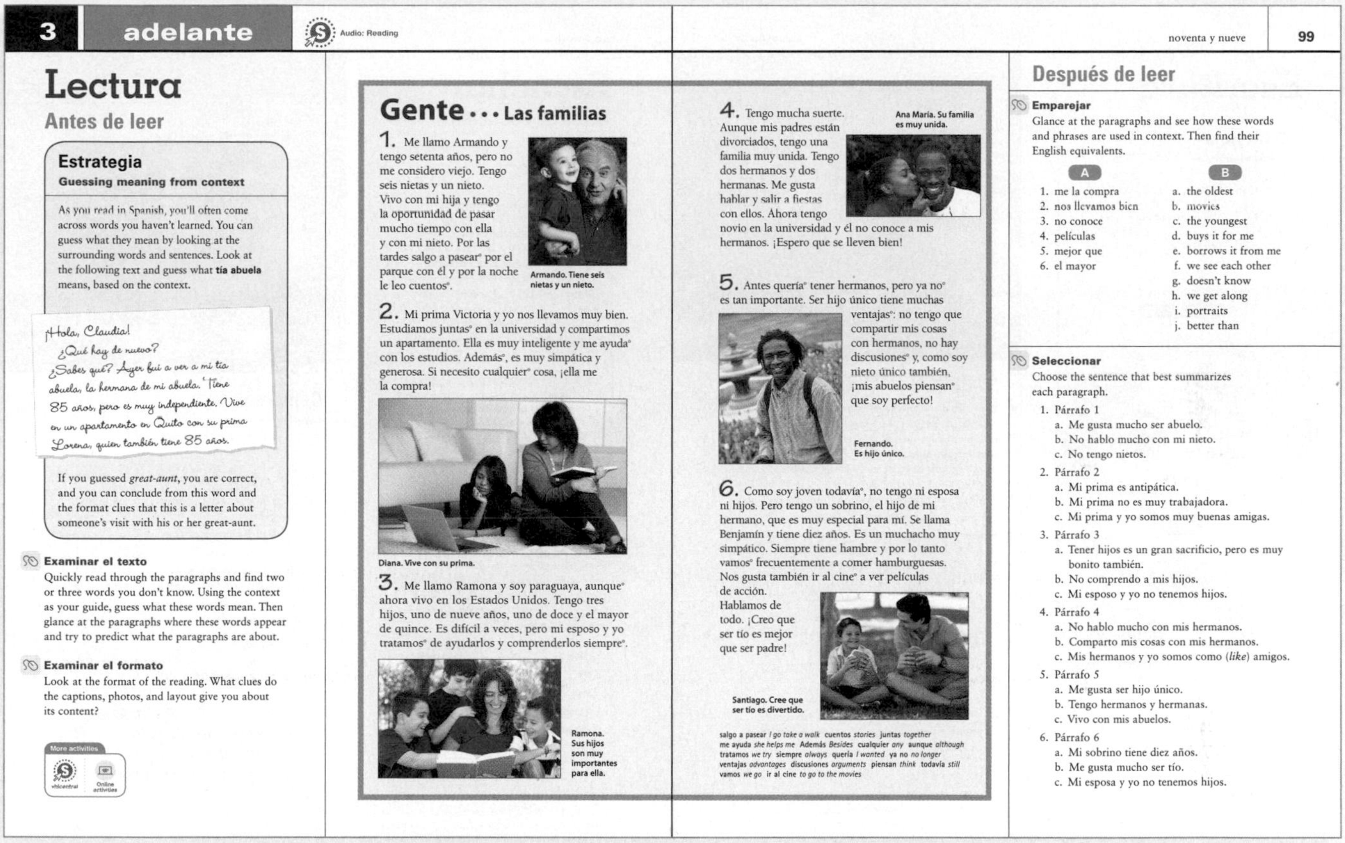

3 adelante

Audio: Reading

Lectura

Antes de leer

Estrategia

Guessing meaning from context

As you read in Spanish, you'll often come across words you haven't learned. You can guess what they mean by looking at the surrounding words and sentences. Look at the following text and guess what **tía abuela** means, based on the context.

¡Hola, Claudia!
¿Qué hay de nuevo?
¿Sabes qué? Ayer fui a ver a mi tía abuela, la hermana de mi abuela. Tiene 85 años, pero es muy independiente. Vive en un apartamento en Quito con su prima Lorena, quien también tiene 85 años.

If you guessed *great-aunt*, you are correct, and you can conclude from this word and the format clues that this is a letter about someone's visit with his or her great-aunt.

Examinar el texto

Quickly read through the paragraphs and find two or three words you don't know. Using the context as your guide, guess what these words mean. Then glance at the paragraphs where these words appear and try to predict what the paragraphs are about.

Examinar el formato

Look at the format of the reading. What clues do the captions, photos, and layout give you about its content?

More activities

vhlcentral Online activities

Gente . . . Las familias

1. Me llamo Armando y tengo setenta años, pero no me considero viejo. Tengo seis nietas y un nieto. Vivo con mi hija y tengo la oportunidad de pasar mucho tiempo con ella y con mi nieto. Por las tardes salgo a pasear° por el parque con él y por la noche le leo cuentos°.

Armando. Tiene seis nietas y un nieto.

2. Mi prima Victoria y yo nos llevamos muy bien. Estudiamos juntas° en la universidad y compartimos un apartamento. Ella es muy inteligente y me ayuda° con los estudios. Además°, es muy simpática y generosa. Si necesito cualquier° cosa, ¡ella me la compra!

Diana. Vive con su prima.

3. Me llamo Ramona y soy paraguaya, aunque° ahora vivo en los Estados Unidos. Tengo tres hijos, uno de nueve años, uno de doce y el mayor de quince. Es difícil a veces, pero mi esposo y yo tratamos° de ayudarlos y comprenderlos siempre°.

Ramona. Sus hijos son muy importantes para ella.

4. Tengo mucha suerte. Aunque mis padres están divorciados, tengo una familia muy unida. Tengo dos hermanos y dos hermanas. Me gusta hablar y salir a fiestas con ellos. Ahora tengo novio en la universidad y él no conoce a mis hermanos. ¡Espero que se lleven bien!

Ana María. Su familia es muy unida.

5. Antes quería° tener hermanos, pero ya no° es tan importante. Ser hijo único tiene muchas ventajas°: no tengo que compartir mis cosas con hermanos, no hay discusiones° y, como soy nieto único también, ¡mis abuelos piensan° que soy perfecto!

Fernando. Es hijo único.

6. Como soy joven todavía°, no tengo ni esposa ni hijos. Pero tengo un sobrino, el hijo de mi hermano, que es muy especial para mí. Se llama Benjamín y tiene diez años. Es un muchacho muy simpático. Siempre tiene hambre y por lo tanto vamos° frecuentemente a comer hamburguesas. Nos gusta también ir al cine° a ver películas de acción. Hablamos de todo. ¡Creo que ser tío es mejor que ser padre!

Santiago. Cree que ser tío es divertido.

salgo a pasear *I go take a walk* cuentos *stories* juntas *together* me ayuda *she helps me* Además *Besides* cualquier *any* aunque *although* tratamos *we try* siempre *always* quería *I wanted* ya no *no longer* ventajas *advantages* discusiones *arguments* piensan *think* todavía *still* vamos *we go* ir al cine *to go to the movies*

noventa y nueve 99

Después de leer

Emparejar

Glance at the paragraphs and see how these words and phrases are used in context. Then find their English equivalents.

A	B
1. me la compra	a. the oldest
2. nos llevamos bien	b. movies
3. no conoce	c. the youngest
4. películas	d. buys it for me
5. mejor que	e. borrows it from me
6. el mayor	f. we see each other
	g. doesn't know
	h. we get along
	i. portraits
	j. better than

Seleccionar

Choose the sentence that best summarizes each paragraph.

1. Párrafo 1
   a. Me gusta mucho ser abuelo.
   b. No hablo mucho con mi nieto.
   c. No tengo nietos.
2. Párrafo 2
   a. Mi prima es antipática.
   b. Mi prima no es muy trabajadora.
   c. Mi prima y yo somos muy buenas amigas.
3. Párrafo 3
   a. Tener hijos es un gran sacrificio, pero es muy bonito también.
   b. No comprendo a mis hijos.
   c. Mi esposo y yo no tenemos hijos.
4. Párrafo 4
   a. No hablo mucho con mis hermanos.
   b. Comparto mis cosas con mis hermanos.
   c. Mis hermanos y yo somos como (*like*) amigos.
5. Párrafo 5
   a. Me gusta ser hijo único.
   b. Tengo hermanos y hermanas.
   c. Vivo con mis abuelos.
6. Párrafo 6
   a. Mi sobrino tiene diez años.
   b. Me gusta mucho ser tío.
   c. Mi esposa y yo no tenemos hijos.

Antes de leer Valuable reading strategies and pre-reading activities strengthen your reading abilities in Spanish.

Readings Selections related to the lesson theme recycle vocabulary and grammar you have learned. The selections in Lessons 1–12 are cultural texts, while those in Lessons 13–15 are literary pieces.

Después de leer Activities include post-reading exercises that review and check your comprehension of the reading as well as expansion activities.

Supersite

- Audio-sync reading that highlights text as it is being read
- Textbook activities
- Additional reading

Supersite features vary by access level.

Adelante

In Lessons 3, 6, 9, 12, and 15, *Escritura* develops writing skills while *Escuchar* practices listening skills.

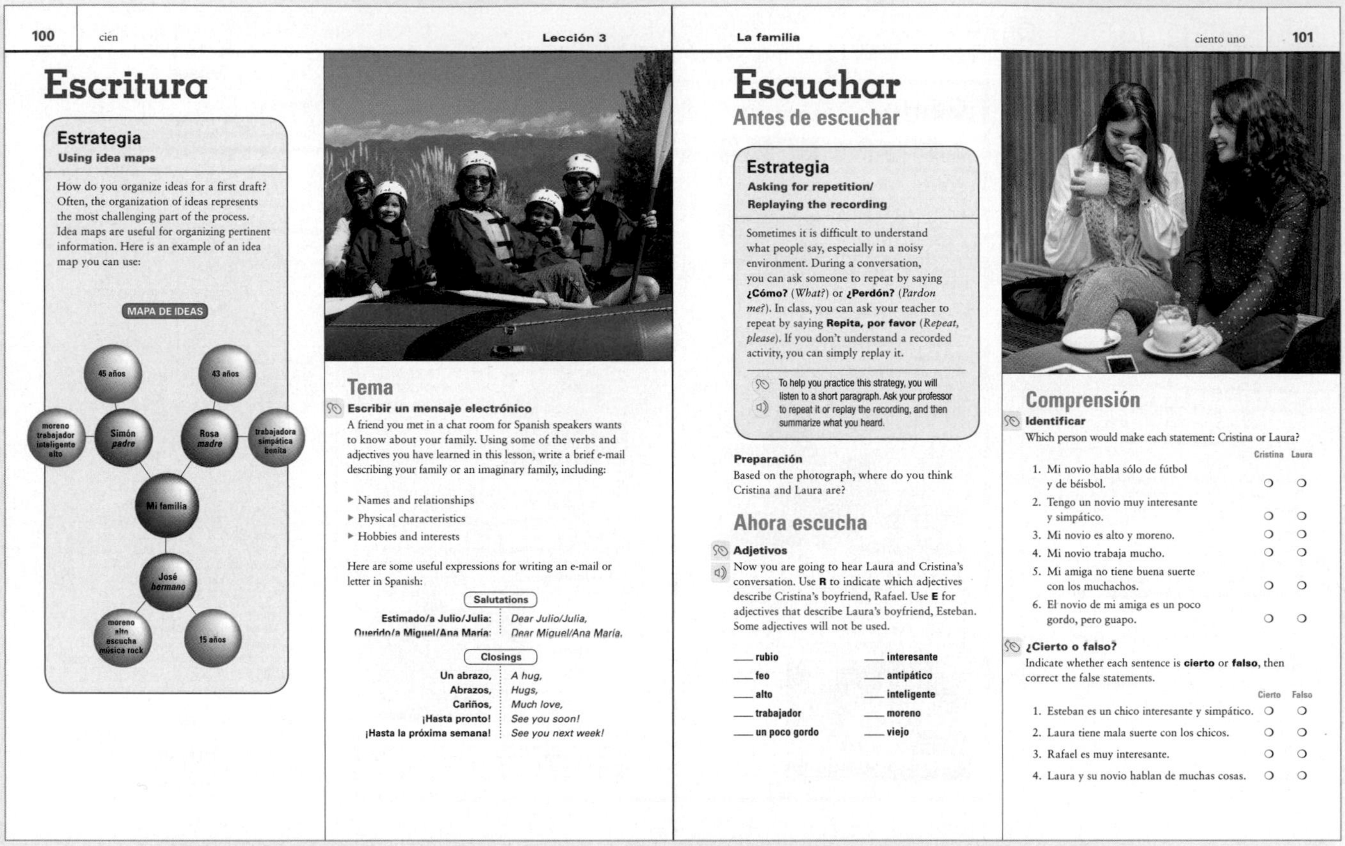

100 cien Lección 3

Escritura

Estrategia
Using idea maps

How do you organize ideas for a first draft? Often, the organization of ideas represents the most challenging part of the process. Idea maps are useful for organizing pertinent information. Here is an example of an idea map you can use:

MAPA DE IDEAS
45 años
43 años
moreno trabajador inteligente alto
Simón *padre*
Rosa *madre*
trabajadora simpática bonita
Mi familia
José *hermano*
moreno alto escucha música rock
15 años

Tema

Escribir un mensaje electrónico

A friend you met in a chat room for Spanish speakers wants to know about your family. Using some of the verbs and adjectives you have learned in this lesson, write a brief e-mail describing your family or an imaginary family, including:

- Names and relationships
- Physical characteristics
- Hobbies and interests

Here are some useful expressions for writing an e-mail or letter in Spanish:

Salutations

Estimado/a Julio/Julia:	*Dear Julio/Julia,*
Querido/a Miguel/Ana María:	*Dear Miguel/Ana María,*

Closings

Un abrazo,	*A hug,*
Abrazos,	*Hugs,*
Cariños,	*Much love,*
¡Hasta pronto!	*See you soon!*
¡Hasta la próxima semana!	*See you next week!*

La familia ciento uno 101

Escuchar

Antes de escuchar

Estrategia
Asking for repetition/ Replaying the recording

Sometimes it is difficult to understand what people say, especially in a noisy environment. During a conversation, you can ask someone to repeat by saying **¿Cómo?** (*What?*) or **¿Perdón?** (*Pardon me?*). In class, you can ask your teacher to repeat by saying **Repita, por favor** (*Repeat, please*). If you don't understand a recorded activity, you can simply replay it.

To help you practice this strategy, you will listen to a short paragraph. Ask your professor to repeat it or replay the recording, and then summarize what you heard.

Preparación

Based on the photograph, where do you think Cristina and Laura are?

Ahora escucha

Adjetivos

Now you are going to hear Laura and Cristina's conversation. Use **R** to indicate which adjectives describe Cristina's boyfriend, Rafael. Use **E** for adjectives that describe Laura's boyfriend, Esteban. Some adjectives will not be used.

___ rubio	___ interesante
___ feo	___ antipático
___ alto	___ inteligente
___ trabajador	___ moreno
___ un poco gordo	___ viejo

Comprensión

Identificar

Which person would make each statement: Cristina or Laura?

	Cristina	Laura
1. Mi novio habla sólo de fútbol y de béisbol.	❍	❍
2. Tengo un novio muy interesante y simpático.	❍	❍
3. Mi novio es alto y moreno.	❍	❍
4. Mi novio trabaja mucho.	❍	❍
5. Mi amiga no tiene buena suerte con los muchachos.	❍	❍
6. El novio de mi amiga es un poco gordo, pero guapo.	❍	❍

¿Cierto o falso?

Indicate whether each sentence is **cierto** or **falso**, then correct the false statements.

	Cierto	Falso
1. Esteban es un chico interesante y simpático.	❍	❍
2. Laura tiene mala suerte con los chicos.	❍	❍
3. Rafael es muy interesante.	❍	❍
4. Laura y su novio hablan de muchas cosas.	❍	❍

Estrategia Strategies help you prepare for the writing and listening tasks to come.

Escritura The **Tema** describes the writing topic and includes suggestions for approaching it.

Escuchar A recorded conversation or narration develops your listening skills in Spanish. **Preparación** prepares you for listening to the recorded passage.

Ahora escucha walks you through the passage, and **Comprensión** checks your listening comprehension.

Supersite

- Composition engine for writing activity in **Escritura**
- Audio for listening activity in **Escuchar**
- Textbook activities

Supersite features vary by access level.

Adelante

In Lessons 3, 6, 9, 12, and 15, *En pantalla* presents authentic TV clips and short films.

En pantalla

Video

Anuncio

With over 440 million native Spanish speakers worldwide and the number growing due to an increasing popularity in learning Spanish, it is not uncommon to hear words that end in **-ito(a)** used not only to denote small size (for example, **ninita** and **pequeñito**), but also to express affection (for example, **abuelita** and **papito**). These words are called diminutives. The use of diminutives can vary by country and region; in some places the diminutive endings **-ico(a)**, **-illo(a)**, and **-uelo(a)** are more commonly used than **-ito(a)**.

Vocabulario útil

cerraremos	*we will close*
conjuntito	*little outfit*
par de zapatitos	*little pair of shoes*
piecitos	*little feet*
saquito	*little coat*
¿Te falta mucho?	*Are you almost done?*

Preparación
Do you like shopping or spending time in malls? Do you prefer buying things for yourself or for others?

Completar
Complete the sentences.

comprar	hija	regresar
esposo	prisa	zapatitos

1. Marcos es el ________ de Claudia.
2. Claudia compra ________ y otras cosas.
3. Marcos y Claudia tienen una ________.
4. Claudia tiene ________ porque debe ________ pronto a casa.
5. Claudia necesita ________ algo para la beba en diez minutos.

Descripción
Write descriptions of the characters. Then compare your descriptions with a partner's.

compró *bought* **algo** *something* **me mata** *is going to kill me*

Banco Galicia

1 **¡Un saquito te compró° mamá!**

2 **Un par de zapatitos...**

3 **Tengo que buscar algo° para la beba, si no, Marcos me mata°.**

More activities
vhlcentral Online activities

Cortometraje

In the words of Shakespeare's Juliet, "Parting is such sweet sorrow." Farewells can be some of the most painful and heartbreaking experiences human beings go through, but what happens when there is nobody to say goodbye to? In the short film ***La despedida*** by Mexican director Yanet Pantoja Neri, a man and a woman are saying goodbye at the train station, but there's a chance that they aren't experiencing the same emotions.

Preparación
What has been the hardest farewell you ever had to go through? Where was it? Who else was involved? What did you say?

Después de ver
Indicate whether each statement is **cierto** or **falso**. Then correct the false statements.

	Cierto	Falso
1. La mujer tiene que tomar un tren.	❍	❍
2. El hombre es rubio.	❍	❍
3. Ellos tienen prisa.	❍	❍
4. Son las ocho.	❍	❍
5. Hay sillas, mesas y un reloj grande en la estación de tren.	❍	❍

Una despedida
With a partner, imagine a farewell between two people. Be creative!

a. Write down the following information about the people.
- ¿Cómo se llaman?
- ¿Dónde están?
- ¿Cómo son?
- ¿Qué relación tienen?
- ¿Por qué tienen que despedirse (*to say goodbye*)?

b. Now write the conversation between the two people. Then perform it for the class.

Expresiones útiles

el abrazo	*hug*
la despedida	*farewell*
las lágrimas	*tears*
nadie	*no one, nobody*
No sé qué decir.	*I don't know what to say.*
Te amo.	*I love you.*
Ya es hora.	*It's time.*

Para hablar del corto

la estación de tren	*train station*
llorar	*to cry*
solo/a	*alone; lonely*
triste	*sad*

En pantalla: Anuncio TV clips, three **NEW!** to this edition, give you additional exposure to authentic language. The clips are all commercials.

Presentation Cultural notes, video stills with captions, and vocabulary support all prepare you to view the clips and short films. Activities check your comprehension and expand on the ideas presented.

En pantalla: Cortometraje This page features authentic short films from Mexico, Colombia, and Spain, including pre- and post-viewing support.

Supersite

- Streaming video of **En pantalla**
- Textbook activities
- Additional online-only practice activities

Supersite features vary by access level.

Panorama
presents the nations of the Spanish-speaking world.

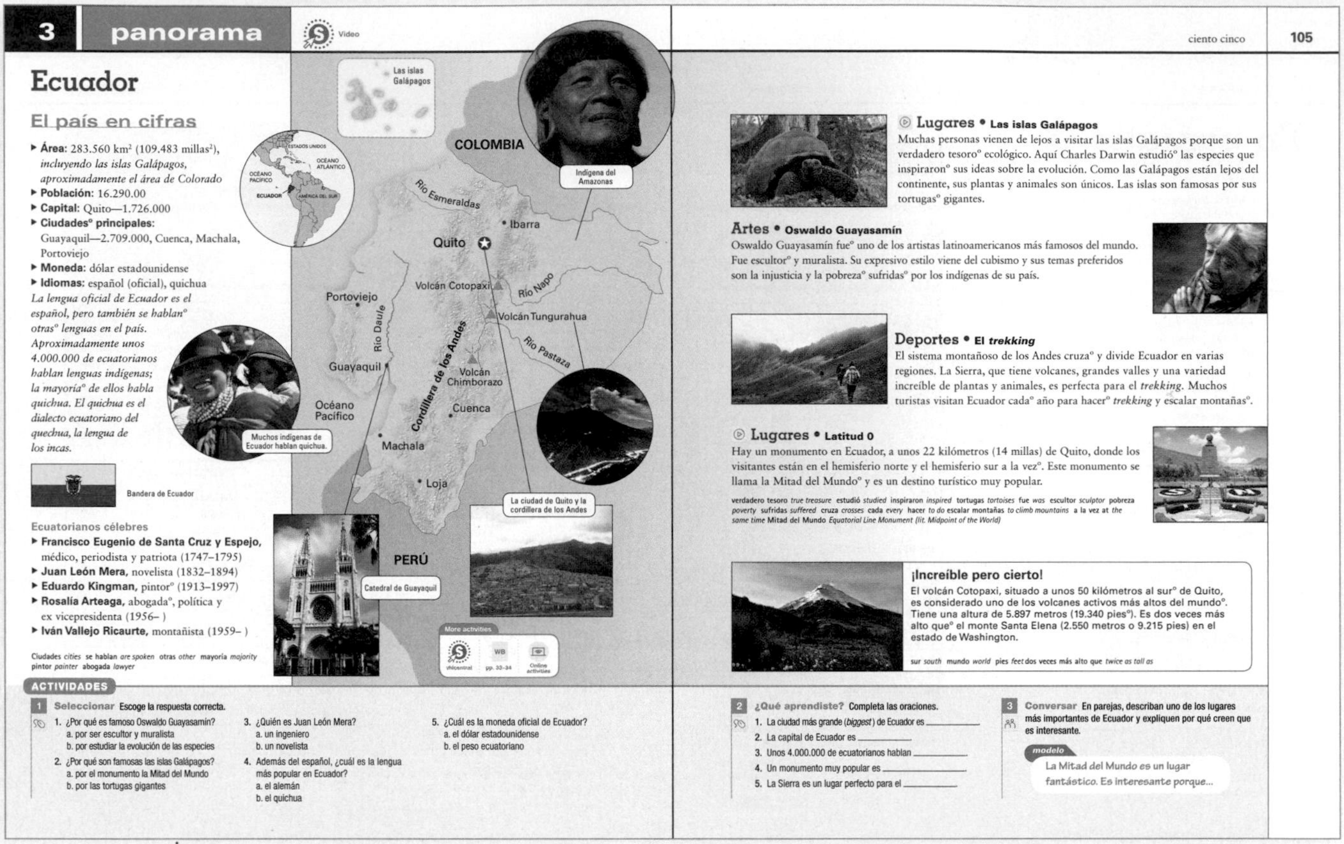
3 panorama

Video

Ecuador

El país en cifras

- **Área:** 283.560 km² (109.483 millas²), *incluyendo las islas Galápagos, aproximadamente el área de Colorado*
- **Población:** 16.290.00
- **Capital:** Quito—1.726.000
- **Ciudades° principales:** Guayaquil—2.709.000, Cuenca, Machala, Portoviejo
- **Moneda:** dólar estadounidense
- **Idiomas:** español (oficial), quichua

La lengua oficial de Ecuador es el español, pero también se hablan° otras° lenguas en el país. Aproximadamente unos 4.000.000 de ecuatorianos hablan lenguas indígenas; la mayoría° de ellos habla quichua. El quichua es el dialecto ecuatoriano del quechua, la lengua de los incas.

Bandera de Ecuador

Ecuatorianos célebres

- **Francisco Eugenio de Santa Cruz y Espejo,** médico, periodista y patriota (1747–1795)
- **Juan León Mera,** novelista (1832–1894)
- **Eduardo Kingman,** pintor° (1913–1997)
- **Rosalía Arteaga,** abogada°, política y ex vicepresidenta (1956–)
- **Iván Vallejo Ricaurte,** montañista (1959–)

Ciudades *cities* se hablan *are spoken* otras *other* mayoría *majority* pintor *painter* abogada *lawyer*

ACTIVIDADES

1 **Seleccionar** Escoge la respuesta correcta.

1. ¿Por qué es famoso Oswaldo Guayasamín? a. por ser escultor y muralista b. por estudiar la evolución de las especies
2. ¿Por qué son famosas las islas Galápagos? a. por el monumento la Mitad del Mundo b. por las tortugas gigantes
3. ¿Quién es Juan León Mera? a. un ingeniero b. un novelista
4. Además del español, ¿cuál es la lengua más popular en Ecuador? a. el alemán b. el quichua
5. ¿Cuál es la moneda oficial de Ecuador? a. el dólar estadounidense b. el peso ecuatoriano

ciento cinco 105

Lugares • Las islas Galápagos

Muchas personas vienen de lejos a visitar las islas Galápagos porque son un verdadero tesoro° ecológico. Aquí Charles Darwin estudió° las especies que inspiraron° sus ideas sobre la evolución. Como las Galápagos están lejos del continente, sus plantas y animales son únicos. Las islas son famosas por sus tortugas° gigantes.

Artes • Oswaldo Guayasamín

Oswaldo Guayasamín fue° uno de los artistas latinoamericanos más famosos del mundo. Fue escultor° y muralista. Su expresivo estilo viene del cubismo y sus temas preferidos son la injusticia y la pobreza° sufridas° por los indígenas de su país.

Deportes • El *trekking*

El sistema montañoso de los Andes cruza° y divide Ecuador en varias regiones. La Sierra, que tiene volcanes, grandes valles y una variedad increíble de plantas y animales, es perfecta para el *trekking*. Muchos turistas visitan Ecuador cada° año para hacer° *trekking* y escalar montañas°.

Lugares • Latitud 0

Hay un monumento en Ecuador, a unos 22 kilómetros (14 millas) de Quito, donde los visitantes están en el hemisferio norte y el hemisferio sur a la vez°. Este monumento se llama la Mitad del Mundo° y es un destino turístico muy popular.

verdadero tesoro *true treasure* estudió *studied* inspiraron *inspired* tortugas *tortoises* fue *was* escultor *sculptor* pobreza *poverty* sufridas *suffered* cruza *crosses* cada *every* hacer *to do* escalar montañas *to climb mountains* a la vez *at the same time* Mitad del Mundo *Equatorial Line Monument (lit. Midpoint of the World)*

¡Increíble pero cierto!

El volcán Cotopaxi, situado a unos 50 kilómetros al sur° de Quito, es considerado uno de los volcanes activos más altos del mundo°. Tiene una altura de 5.897 metros (19.340 pies°). Es dos veces más alto que° el monte Santa Elena (2.550 metros o 9.215 pies) en el estado de Washington.

sur *south* mundo *world* pies *feet* dos veces más alto que *twice as tall as*

2 **¿Qué aprendiste?** Completa las oraciones.

1. La ciudad más grande (*biggest*) de Ecuador es ______.
2. La capital de Ecuador es ______.
3. Unos 4.000.000 de ecuatorianos hablan ______.
4. Un monumento muy popular es ______.
5. La Sierra es un lugar perfecto para el ______.

3 **Conversar** En parejas, describan uno de los lugares más importantes de Ecuador y expliquen por qué creen que es interesante.

modelo

La Mitad del Mundo es un lugar fantástico. Es interesante porque...

El país en cifras presents interesting key facts about the featured country.

Maps point out major cities, rivers, and geographical features and situate the country in the context of its immediate surroundings and the world.

Readings A series of brief paragraphs explores facets of the country's culture such as history, places, fine arts, literature, and aspects of everyday life.

¡Increíble pero cierto! highlights an intriguing fact about the country or its people.

***Panorama cultural* Video** This video provides an exciting visual companion for two of the **Panorama** spread paragraphs about the featured country.

Supersite

- Streaming video of the **Panorama cultural** program
- Textbook activities
- Additional online-only practice activities
- **Conexión Internet** activity with questions and keywords related to lesson theme

Supersite features vary by access level.

Vocabulario
summarizes all the active vocabulary of the lesson.

3 vocabulario Vocabulary Tools

La familia

el/la abuelo/a	grandfather/ grandmother
los abuelos	grandparents
el apellido	last name
el/la bisabuelo/a	great-grandfather/ great-grandmother
el/la cuñado/a	brother-in-law/ sister-in-law
el/la esposo/a	husband/wife; spouse
la familia	family
el/la gemelo/a	twin
el/la hermanastro/a	stepbrother/ stepsister
el/la hermano/a	brother/sister
el/la hijastro/a	stepson/ stepdaughter
el/la hijo/a	son/daughter
los hijos	children
la madrastra	stepmother
la madre	mother
el/la medio/a hermano/a	half-brother/ half-sister
el/la nieto/a	grandson/ granddaughter
la nuera	daughter-in-law
el padrastro	stepfather
el padre	father
los padres	parents
los parientes	relatives
el/la primo/a	cousin
el/la sobrino/a	nephew/niece
el/la suegro/a	father-in-law/ mother-in-law
el/la tío/a	uncle/aunt
el yerno	son-in-law

Otras personas

el/la amigo/a	friend
la gente	people
el/la muchacho/a	boy/girl
el/la niño/a	child
el/la novio/a	boyfriend/girlfriend
la persona	person

Profesiones

el/la artista	artist
el/la doctor(a), el/la médico/a	doctor; physician
el/la ingeniero/a	engineer
el/la periodista	journalist
el/la programador(a)	computer programmer

Adjetivos

alto/a	tall
antipático/a	unpleasant
bajo/a	short (in height)
bonito/a	pretty
buen, bueno/a	good
delgado/a	thin
difícil	difficult
fácil	easy
feo/a	ugly
gordo/a	fat
grande	big
guapo/a	good-looking
importante	important
inteligente	intelligent
interesante	interesting
joven (sing.), jóvenes (pl.)	young
mal, malo/a	bad
mismo/a	same
moreno/a	brunet(te)
mucho/a	much; many; a lot of
pelirrojo/a	red-haired
pequeño/a	small
rubio/a	blond(e)
simpático/a	nice; likeable
tonto/a	foolish
trabajador(a)	hard-working
viejo/a	old

Nacionalidades

alemán, alemana	German
argentino/a	Argentine
canadiense	Canadian
chino/a	Chinese
costarricense	Costa Rican
cubano/a	Cuban
ecuatoriano/a	Ecuadorian
español(a)	Spanish
estadounidense	from the U.S.
francés, francesa	French
inglés, inglesa	English
italiano/a	Italian
japonés, japonesa	Japanese
mexicano/a	Mexican
norteamericano/a	(North) American
puertorriqueño/a	Puerto Rican
ruso/a	Russian

Verbos

abrir	to open
aprender (a + *inf.*)	to learn
asistir (a)	to attend
beber	to drink
comer	to eat
compartir	to share
comprender	to understand
correr	to run
creer (en)	to believe (in)
deber (+ *inf.*)	should
decidir (+ *inf.*)	to decide
describir	to describe
escribir	to write
leer	to read
recibir	to receive
tener	to have
venir	to come
vivir	to live

Possessive adjectives	See page 85.
Expressions with *tener*	See page 93.
Expresiones útiles	See page 75.

More activities
vhlcentral LM p. 16

Vocabulario The end-of-lesson page lists the active vocabulary from each lesson. This is the vocabulary that may appear on quizzes or tests.

Supersite

- Audio for all vocabulary items
- Customizable study lists
- **Repaso** section with
  - Summative vocabulary activity with speech recognition
  - Practice test with diagnostics
  - Oral practice

Supersite features vary by access level.

Fotonovela Video Program

The cast

Here are the main characters you will meet in the **Fotonovela** Video:

From Mexico, Jimena Díaz Velázquez

From Argentina, Juan Carlos Rossi

From Mexico, Felipe Díaz Velázquez

From the U.S., Marissa Wagner

From Mexico, María Eugenia (Maru) Castaño Ricaurte

From Spain, Miguel Ángel Lagasca Martínez

The **Panorama 6/e Fotonovela** Video is a dynamic and contemporary window into the Spanish language. The video centers around the Díaz family, whose household includes two college-aged children and a visiting student from the U.S. Over the course of an academic year, Jimena, Felipe, Marissa, and their friends explore **Mexico City** and other parts of Mexico as they make plans for their futures. Their adventures take them through some of the greatest natural and cultural treasures of the Spanish-speaking world, as well as the highs and lows of everyday life.

The **Fotonovela** section in each textbook lesson is actually an abbreviated version of the dramatic episode featured in the video. Therefore, each **Fotonovela** section can be done before you see the corresponding video episode, after it, or as a section that stands alone.

In each dramatic segment, the characters interact using the vocabulary and grammar you are studying. As the storyline unfolds, the episodes combine new vocabulary and grammar with previously taught language, exposing you to a variety of authentic accents along the way. At the end of each episode, the **Resumen** section highlights the grammar and vocabulary you are studying.

We hope you find the **Fotonovela** Video to be an engaging and useful tool for learning Spanish!

En pantalla Video Program

The **Panorama** Supersite features an authentic TV clip and short film for Lessons 3, 6, 9, 12, and 15. These TV clips and short films have been carefully chosen to be comprehensible for students learning Spanish, and are accompanied by activities and vocabulary lists to facilitate understanding. More importantly, though, these clips and short films are a fun and motivating way to improve your Spanish!

Here are the countries represented in **En pantalla**:

Lesson 3 Argentina and Mexico
Lesson 6 Spain
Lesson 9 Chile and Mexico
Lesson 12 Spain
Lesson 15 Spain and Colombia

Flash cultura Video Program

In the **Flash cultura** Video, young people from all over the Spanish-speaking world share aspects of life in their countries with you. The segments provide valuable cultural insights as well as linguistic input; the episodes will introduce you to a variety of accents and vocabulary as they gradually move into Spanish.

Here are the titles and locations of the **Flash cultura** episodes:

Lesson 1 *Encuentros en la plaza* Argentina
Lesson 2 *Los estudios* Mexico
Lesson 3 *La familia* Ecuador
Lesson 4 *¡Fútbol en España!* Spain
Lesson 5 *¡Vacaciones en Perú!* Peru
Lesson 6 *Comprar en los mercados* Costa Rica
Lesson 7 *Tapas para todos los días* Spain
Lesson 8 *La comida latina* Los Angeles
Lesson 9 *Las fiestas* Puerto Rico
Lesson 10 *La salud* Argentina
Lesson 11 *Maravillas de la tecnología* Peru
Lesson 12 *La casa de Frida* Mexico
Lesson 13 *Naturaleza en Costa Rica* Costa Rica
Lesson 14 *El Metro del D.F.* Mexico
Lesson 15 *¿El estrés? ¿Qué estrés?* Spain

Panorama cultural Video Program

The **Panorama cultural** Video provides visuals for two of the **Panorama** spread paragraphs about the featured country.

On behalf of its authors and editors, Vista Higher Learning expresses its sincere appreciation to the many instructors and college professors across the U.S. and Canada who contributed their ideas and suggestions.

Panorama, Sixth Edition, is the direct result of extensive reviews and ongoing input from both students and instructors using the Fifth Edition. Accordingly, we gratefully acknowledge those who shared their suggestions, recommendations, and ideas as we prepared this Sixth Edition.

We express our sincere appreciation to the instructors who completed our online review.

Reviewers

Luz-María Acosta-Knutson
Waubonsee Community College, IL

Salvador Alvarez
Victor Valley College, CA

Gabriela Aprato
California State University, Northridge

Tamra A. Bassett
Idaho State University

Kelley Batrowny
Corning Community College, NY

Teresa A. Bell
The New School, NY

Adolfo Cacheiro
Wayne State College, NE

Martín Camps
University of the Pacific, CA

Carolina Castillo-Trelles
University of California, Santa Cruz

Dr. Sara Colburn-Alsop
Franklin College, IN

Andrea Colvin
Ohio Wesleyan University

David Counselman
Ohio Wesleyan University

Mark R. Cox
Presbyterian College, SC

Dr. Luciano Cruz
Xavier University, OH

Dr. Marina Cuzovic-Severn
University of Alaska Fairbanks

Rosario Drucker Davis
University of Cincinnati, OH

Chris Davison
Westminster College, UT

William O. Deaver, Jr.
Georgia Southern University-Armstrong Campus

Raul Frederick Diaz
California State University, Northridge

Dr. Itasha Douglas
Montgomery County Community College, PA

Linda S. Douglas
Southern State Community College, OH

Alice Edwards, PhD
Mercyhurst University, PA

Cliff Escobedo
Diablo Valley College, CA

Josefina Estrada
Montgomery College, MD

Arlene F. Fuentes
Southern Virginia University

Ingrid Gamboa
Point University, GA

José M. García-Sánchez
Eastern Washington University

Mauricio Gonzalez
Nassau Community College, NY

Miguel González-Abellás
Washburn University, KS

Jolene Gregory
University of California, Santa Cruz

Cecilia Herrera
University of Wisconsin Oshkosh

Claire Holderman
Treasure Valley Community College, ID

Cari Jiménez
Santa Fe College, FL

Herman Johnson
Xavier University of Louisiana

Dr. Kate Kagan
The Sage Colleges, NY

Dr. Sharon E. Knight
Presbyterian College, SC

Dr. Elena Kurinski
St. Cloud State University, MN

Yeon Lee
Trinity Christian College, IL

Frederic Leveziel
University of South Florida St. Petersburg

Sonia Lizano Stojanovski
Monterey Peninsula College, CA

Nuria Lopez-Ortega
University of Cincinnati, OH

Andrea Krauss Lucas
Sacramento City College, CA

Enrique Luengo
John Carroll University, OH

Kenneth V. Luna, PhD
California State University, Northridge

Dr. Violeta Mack Donovan
Washington Adventist University, MD

JoseFrancisco Mazenett, PhD
Delaware County Community College, PA

Rosa Y. Mejia
John Carroll University, OH

Lorena Molina
Mt. San Antonio College, CA

Danae Orlins
University of Cincinnati, OH

Alejandra Orozco
College of the Sequoias, CA

Kristin-Ann Osowski
Diablo Valley College, CA

Maria Perez
University of South Florida

Marcela Pineda-Volk
Shippensburg University, PA

Rosa Ponton
Virginia Tech

Wendy Popiel
California Lutheran University

Thomas R. Porter
Southern Virginia University

Traci Roberts-Camps
University of the Pacific, CA

Daniel Robins
Cabrillo College, CA

Dr. Cristina Rodríguez
Georgia Southern University-Armstrong Campus

Gabriela Segal
Arcadia University, PA

Peg George Sims
Eastern New Mexico University-Ruidoso

Aroldo Solórzano
Azusa Pacific University, CA

Lonna C. Stewart
Grace Community School, TX

Rosa Tapia
Lawrence University, WI

Ana Torres
Georgia Southern University-Armstrong Campus

Jessica Treat
Northwestern Connecticut Community College

Dr. Silvina Trica-Flores
Nassau Community College, NY

Dr. Queiroz Vaughn
University of North Texas at Dallas

Clarisa C. Veras
Sacramento City College, CA

Jen Vojtko Rubi
University of Cincinnati, OH

Eric J. Warner, PhD
Ferris State University, MI

Dr. Timothy Wilson
Blackburn College, IL

Helga Winkler
Moorpark College, CA

Jaime Zambrano
University of Central Arkansas

Jean Zenor
Springfield Technical Community College, MA

Hola, ¿qué tal?

1

Communicative Goals

You will learn how to:

- Greet people in Spanish
- Say goodbye
- Identify yourself and others
- Talk about the time of day

A PRIMERA VISTA

- Guess what the people on the photo are saying:
  a. Adiós. b. Hola. c. salsa
- Most likely they would also say:
  a. Gracias. b. fiesta c. Buenos días.
- The women are:
  a. amigas b. chicos c. señores

Hotspots

Hola, ¿qué tal?

1
ELENA Patricia, le presento a Jorge Perales.
PATRICIA Encantada.
SEÑOR PERALES Igualmente. ¿De dónde es usted, señorita?
PATRICIA Soy de México. ¿Y usted?
SEÑOR PERALES De Puerto Rico.

3
SEÑOR VARGAS Buenas tardes, señora Wong. ¿Cómo está usted?
SEÑORA WONG Muy bien, gracias. ¿Y usted, señor Vargas?
SEÑOR VARGAS Bien, gracias.
SEÑORA WONG Hasta mañana, señor Vargas. Saludos a la señora Vargas.
SEÑOR VARGAS Adiós.

5
CARMEN Buenas tardes. Me llamo Carmen. ¿Cómo te llamas tú?
ANTONIO Buenas tardes. Me llamo Antonio. Mucho gusto.
CARMEN El gusto es mío. ¿De dónde eres?
ANTONIO Soy de los Estados Unidos, de California.

Más vocabulario

Hola.	*Hi.*
Buenos días.	*Good morning.*
Buenas noches.	*Good evening; Good night.*
Hasta la vista.	*See you later.*
Hasta pronto.	*See you soon.*
¿Cómo se llama usted?	*What's your name? (form.)*
Le presento a...	*I would like to introduce you to (name). (form.)*
Te presento a...	*I would like to introduce you to (name). (fam.)*
el nombre	*name*
¿Cómo estás?	*How are you? (fam.)*
No muy bien.	*Not very well.*
¿Qué pasa?	*What's happening?; What's going on?*
por favor	*please*
De nada.	*You're welcome.*
No hay de qué.	*You're welcome.*
Lo siento.	*I'm sorry.*
Gracias.	*Thank you; Thanks.*
Muchas gracias.	*Thank you very much; Thanks a lot.*

Variación léxica

Items are presented for recognition purposes only.

Buenos días. ⟷ Buenas.
De nada. ⟷ A la orden.
Lo siento. ⟷ Perdón.
¿Qué tal? ⟷ ¿Qué hubo? (*Col.*)
Chau. ⟷ Ciao; Chao.

More activities

vhlcentral | LM p. 1 | WB pp. 1–2 | Online activities

AYUDA

In Spanish, people can be addressed either formally or informally. Dialogues 1 and 3 are formal exchanges and use **usted** (*you*) forms. Dialogues 2, 4, and 5 are informal and use the familiar **tú** (*you*) form or other informal expressions. You will learn more about this in **Estructura 1.3**.

Práctica

1

Indicar Check **sí** if you might use the expression you hear to greet someone or **no** if you would not.

	Sí	No		Sí	No
1.	❍	❍	5.	❍	❍
2.	❍	❍	6.	❍	❍
3.	❍	❍	7.	❍	❍
4.	❍	❍	8.	❍	❍

2

Escuchar Choose the correct response for each question or statement you hear.

1. a. Muy bien, gracias. b. Me llamo Graciela.
2. a. Lo siento. b. Mucho gusto.
3. a. Soy de Puerto Rico. b. No muy bien.
4. a. No hay de qué. b. Regular.
5. a. Mucho gusto. b. Hasta pronto.
6. a. Nada. b. Igualmente.
7. a. Me llamo Guillermo Montero. b. Muy bien, gracias.
8. a. Buenas tardes. ¿Cómo estás? b. El gusto es mío.

3

Escoger For each expression, write another word or phrase that expresses a similar idea.

modelo

¿Cómo estás? *¿Qué tal?*

1. De nada.
2. Encantado.
3. Adiós.
4. Mucho gusto.
5. Hasta la vista.

4

Ordenar Work with a partner to put this scrambled conversation in order. Then act it out.

—Soy de México. ¿Y tú?
—Muy bien, gracias. Soy Rosabel.
—Mucho gusto, Rosabel.
—Hola. Me llamo Carlos. ¿Cómo estás?
—Soy de Argentina.
—Igualmente. ¿De dónde eres, Carlos?

CARLOS ______________________
ROSABEL ______________________
CARLOS ______________________
ROSABEL ______________________
CARLOS ______________________
ROSABEL ______________________

5 **Seleccionar** Choose the best word or phrase to complete each mini-conversation.

1. —Nos vemos mañana.
   —________________
   a. Gracias. b. ¡Chau! c. ¿Y usted?
2. —¿Qué tal?
   —________________
   a. Lo siento. b. Igualmente. c. Regular.
3. —Mucho gusto, señora Ochoa.
   —________________
   a. Muy bien. b. No hay de qué. c. Encantada, señor Rubio.
4. ¿De dónde eres?
   —________________
   a. De California. b. El gusto es mío. c. De nada.
5. —________________
   —No muy bien.
   a. ¿Qué pasa? b. Hasta la vista. c. ¿Cómo está usted?

6 **Completar** Work with a partner to complete these dialogues.

modelo

Estudiante 1: ¿Cómo estás?
Estudiante 2: Muy bien, gracias.

1. **Estudiante 1:** ________________
   Estudiante 2: Buenos días. ¿Qué tal?
2. **Estudiante 1:** ________________
   Estudiante 2: Me llamo Carmen Sánchez.
3. **Estudiante 1:** ________________
   Estudiante 2: De Canadá.
4. **Estudiante 1:** Te presento a Marisol.
   Estudiante 2: ________________
5. **Estudiante 1:** Gracias.
   Estudiante 2: ________________
6. **Estudiante 1:** ________________
   Estudiante 2: Nada.

7 **Cambiar** Work with a partner and correct the second part of each conversation to make it logical.

modelo

Estudiante 1: ¿Qué tal?
Estudiante 2: ~~*No hay de qué.*~~ Bien. ¿Y tú?

1. **Estudiante 1:** Hasta mañana, señora Ramírez. Saludos al señor Ramírez.
   Estudiante 2: *Muy bien, gracias.*
2. **Estudiante 1:** ¿Qué hay de nuevo, Alberto?
   Estudiante 2: *Sí, me llamo Alberto. ¿Cómo te llamas tú?*
3. **Estudiante 1:** Gracias, Tomás.
   Estudiante 2: *Regular. ¿Y tú?*
4. **Estudiante 1:** Miguel, te presento a la señorita Perales.
   Estudiante 2: *No hay de qué, señorita.*
5. **Estudiante 1:** ¿De dónde eres, Antonio?
   Estudiante 2: *Muy bien, gracias. ¿Y tú?*
6. **Estudiante 1:** ¿Cómo se llama usted?
   Estudiante 2: *El gusto es mío.*

¡LENGUA VIVA!

The titles **señor**, **señora**, and **señorita** are abbreviated **Sr.**, **Sra.**, and **Srta.** Note that these abbreviations are capitalized, while the titles themselves are not.

•••

There is no Spanish equivalent for the English title *Ms.;* women are addressed as **señora** or **señorita**.

Comunicación

8

Diálogos With a partner, complete and act out these conversations.

Conversación 1

—Hola. Me llamo Teresa. ¿Cómo te llamas tú?

—______________________________

—Soy de Puerto Rico. ¿Y tú?

—______________________________

Conversación 2

—______________________________

—Muy bien, gracias. ¿Y usted, señora López?

—______________________________

—Hasta luego, señora. Saludos al señor López.

—______________________________

Conversación 3

—______________________________

—Regular. ¿Y tú?

—______________________________

—Nada.

9

Conversaciones Write four short conversations based on what the people would say.

10

Situaciones In groups of three, write and act out these situations.

1. On your way out of class on the first day of school, you strike up a conversation with the two students who were sitting next to you. You find out each student's name and where he or she is from before you say goodbye and go to your next class.
2. At the next class you meet up with a friend and find out how he or she is doing. As you are talking, your friend Elena enters. Introduce her to your friend.
3. As you're leaving the bookstore, you meet your parents' friends Mrs. Sánchez and Mr. Rodríguez. You greet them and ask how each person is. As you say goodbye, you send greetings to Mrs. Rodríguez.
4. Make up and act out a real-life situation that you and your classmates can role-play with the language you've learned.

Bienvenida, Marissa

Marissa llega a México para pasar un año con la familia Díaz.

PERSONAJES

MARISSA

SRA. DÍAZ

Video

MARISSA ¿Usted es de Cuba?

SRA. DÍAZ Sí, de La Habana. Y Roberto es de Mérida. Tú eres de Wisconsin, ¿verdad?

MARISSA Sí, de Appleton, Wisconsin.

MARISSA ¿Quiénes son los dos chicos de las fotos? ¿Jimena y Felipe?

SRA. DÍAZ Sí. Ellos son estudiantes.

DON DIEGO Buenas tardes, señora. Señorita, bienvenida a la Ciudad de México.

MARISSA ¡Muchas gracias!

MARISSA ¿Cómo se llama usted?

DON DIEGO Yo soy Diego. Mucho gusto.

MARISSA El gusto es mío, don Diego.

DON DIEGO ¿Cómo está usted hoy, señora Carolina?

SRA. DÍAZ Muy bien, gracias. ¿Y usted?

DON DIEGO Bien, gracias.

SRA. DÍAZ Ahí hay dos maletas. Son de Marissa.

DON DIEGO Con permiso.

DON DIEGO SR. DÍAZ FELIPE JIMENA

7

SR. DÍAZ ¿Qué hora es?

FELIPE Son las cuatro y veinticinco.

8

SRA. DÍAZ Marissa, te presento a Roberto, mi esposo.

SR. DÍAZ Bienvenida, Marissa.

MARISSA Gracias, señor Díaz.

9

JIMENA ¿Qué hay en esta cosa?

MARISSA Bueno, a ver, hay tres cuadernos, un mapa... ¡Y un diccionario!

JIMENA ¿Cómo se dice mediodía en inglés?

FELIPE "*Noon*".

10

FELIPE Estás en México, ¿verdad?

MARISSA ¿Sí?

FELIPE Nosotros somos tu diccionario.

Expresiones útiles

Identifying yourself and others

¿Cómo se llama usted?
What's your name?
Yo soy Diego, el portero. Mucho gusto.
I'm Diego, the doorman. Nice to meet you.
¿Cómo te llamas?
What's your name?
Me llamo Marissa.
My name is Marissa.
¿Quién es...? / ¿Quiénes son...?
Who is...? / Who are...?
Es mi esposo.
He's my husband.
Tú eres..., ¿verdad?/¿cierto?/¿no?
You are..., right?

Identifying objects

¿Qué hay en esta cosa?
What's in this thing?
Bueno, a ver, aquí hay tres cuadernos...
Well, let's see, here are three notebooks...
Oye/Oiga, ¿cómo se dice *suitcase* en español?
Hey, how do you say suitcase *in Spanish?*
Se dice *maleta*.
You say maleta.

Saying what time it is

¿Qué hora es?
What time is it?
Es la una. / Son las dos.
It's one o'clock. / It's two o'clock.
Son las cuatro y veinticinco.
It's four twenty-five.

Polite expressions

Con permiso.
Pardon me; Excuse me. (to request permission)
Perdón.
Pardon me; Excuse me. (to get someone's attention or excuse yourself)
¡Bienvenido/a! *Welcome!*

More activities

vhlcentral | VM pp. 1–2 | Online activities

¿Qué pasó?

1

¿Cierto o falso? Indicate if each statement is **cierto** or **falso**. Then correct the false statements.

	Cierto	Falso
1. La Sra. Díaz es de Caracas.	❍	❍
2. El Sr. Díaz es de Mérida.	❍	❍
3. Marissa es de Los Ángeles, California.	❍	❍
4. Jimena y Felipe son profesores.	❍	❍
5. Las dos maletas son de Jimena.	❍	❍
6. El Sr. Díaz pregunta "¿qué hora es?".	❍	❍
7. Hay un diccionario en la mochila (*backpack*) de Marissa.	❍	❍

2

Identificar Indicate which person says the equivalent of each statement.

1. Son las cuatro y veinticinco, papá.
2. Roberto es mi esposo.
3. Igualmente, don Diego.
4. ¿Qué hay de nuevo, doña Carolina?
5. Yo soy de Cuba.
6. ¿Qué hay en la mochila, Marissa?

MARISSA

FELIPE

SRA. DÍAZ

DON DIEGO

JIMENA

¡LENGUA VIVA!

In Spanish-speaking countries, **don** and **doña** are used with first names to show respect: **don Diego**, **doña Carolina**. Note that these titles, like **señor** and **señora**, are not capitalized.

3

Completar Complete this new version of the conversation between Don Diego and Marissa.

DON DIEGO Hola, (1)__________.
MARISSA Hola, señor. ¿Cómo se (2)__________ usted?
DON DIEGO Yo me llamo Diego, ¿y (3)__________?
MARISSA Yo me llamo Marissa. (4)__________.
DON DIEGO (5)__________, señorita Marissa.
MARISSA Nos (6)__________, don Diego.
DON DIEGO Hasta (7)__________, señorita Marissa.

4

Conversar With a partner, prepare a conversation between two travelers at an airport.

Estudiante 1	Estudiante 2
Say "good afternoon" to your partner and ask for his or her name. →	Say hello and what your name is. Then ask what your partner's name is.
Say what your name is and that you are glad to meet your partner. →	Say that the pleasure is yours.
Ask how your partner is. →	Say that you're doing well, thank you.
Ask where your partner is from. →	Say where you're from.
Say it's one o'clock and say goodbye. →	Say goodbye.

Pronunciación

Tutorial

The Spanish alphabet

The Spanish and English alphabets are almost identical, with a few exceptions. For example, the Spanish letter **ñ (eñe)** doesn't occur in the English alphabet. Furthermore, the letters **k (ka)** and **w (doble ve)** are used only in words of foreign origin. Examine the chart below to find other differences.

Letra	Nombre(s)	Ejemplos	Letra	Nombre(s)	Ejemplos
a	a	adiós	m	eme	mapa
b	be	bien, problema	n	ene	nacionalidad
c	ce	cosa, cero	ñ	eñe	mañana
ch	che	chico	o	o	once
d	de	diario, nada	p	pe	profesor
e	e	estudiante	q	cu	qué
f	efe	foto	r	ere	regular, señora
g	ge	gracias, Gerardo, regular	s	ese	señor
h	hache	hola	t	te	tú
i	i	igualmente	u	u	usted
j	jota	Javier	v	ve	vista, nuevo
k	ka, ca	kilómetro	w	doble ve	*walkman*
l	ele	lápiz	x	equis	existir, México
ll	elle	llave	y	i griega, ye	yo
			z	zeta, ceta	zona

¡LENGUA VIVA!

Note that **ch** and **ll** are digraphs, or two letters that together produce one sound. Conventionally they have been considered part of the alphabet, but **ch** and **ll** do not have their own entries when placing words in alphabetical order, as in a glossary.

AYUDA

The letter combination **rr** produces a strong trilled sound that does not have an English equivalent. English speakers commonly make this sound when imitating the sound of a motor. This sound occurs with the **rr** between vowels and with the **r** at the beginning of a word: **puertorriqueño, terrible, Roberto,** etc. See **Lección 7**, p. 217, for more information.

El alfabeto Repeat the Spanish alphabet and example words after your instructor.

Práctica Spell these words aloud in Spanish.

1. nada
2. maleta
3. quince
4. muy
5. hombre
6. por favor
7. San Fernando
8. Estados Unidos
9. Puerto Rico
10. España
11. Javier
12. Ecuador
13. Maite
14. gracias
15. Nueva York

Refranes Read these sayings aloud.

1 Seeing is believing.
2 Silence is golden.

More activities

vhlcentral

LM p. 2

Flash CULTURA

EN DETALLE

Saludos y besos en los países hispanos

Video

In Spanish-speaking countries, kissing on the cheek is a customary way to greet friends and family members. Even when people are introduced for the first time, it is common for them to kiss, particularly in non-business settings. Whereas North Americans maintain considerable personal space when greeting, Spaniards and Latin Americans tend to decrease their personal space and give one or two kisses (**besos**) on the cheek, sometimes accompanied by a handshake or a hug. In formal business settings, where associates do not know one another on a personal level, a simple handshake is appropriate.

Greeting someone with a **beso** varies according to gender and region. Men generally greet each other with a hug or warm handshake, with the exception of Argentina, where male friends and relatives lightly kiss on the cheek. Greetings between men and women, and between women, generally include kissing, but can differ depending on the country and context. In Spain, it is customary to give **dos besos**, starting with the right cheek first. In Latin American countries, including Mexico, Costa Rica, Colombia, and Chile, a greeting consists of a single "air kiss" on the right cheek. Peruvians also "air kiss," but strangers will simply shake hands. In Colombia, female acquaintances tend to simply pat each other on the right forearm or shoulder.

Tendencias

País	Beso	País	Beso
Argentina	💋	España	💋💋
Bolivia	💋	México	💋
Chile	💋	Paraguay	💋💋
Colombia	💋	Puerto Rico	💋
El Salvador	💋	Venezuela	💋/💋💋

ACTIVIDADES

1 ¿Cierto o falso? Indicate whether these statements are true (**cierto**) or false (**falso**). Correct the false statements.

1. In Spanish-speaking countries, people use less personal space when greeting than in the U.S.
2. Men never greet with a kiss in Spanish-speaking countries.
3. Shaking hands is not appropriate for a business setting in Latin America.
4. Spaniards greet with one kiss on the right cheek.
5. In Mexico, people greet with an "air kiss."
6. Gender can play a role in the type of greeting given.
7. If two women acquaintances meet in Colombia, they should exchange two kisses on the cheek.
8. In Peru, a man and a woman meeting for the first time would probably greet each other with an "air kiss."

ASÍ SE DICE

Saludos y despedidas

¿Cómo te/le va?	*How are things going (for you)?*
¡Cuánto tiempo!	*It's been a long time!*
Hasta ahora.	*See you soon.*
¿Qué hay?	*What's new?*
¿Qué onda? (Méx., Arg., Chi.); ¿Qué más? (Ven., Col.)	*What's going on?*

EL MUNDO HISPANO

Parejas y amigos famosos

Here are some famous couples and friends from the Spanish-speaking world.

- **Penélope Cruz** (España) y **Javier Bardem** (España) Both Oscar-winning actors, the couple married in 2010. They starred together in ***Vicky Cristina Barcelona*** (2008) and ***Loving Pablo*** (2017).
- **Gael García Bernal** (México) y **Diego Luna** (México) These lifelong friends became famous when they starred in the 2001 Mexican film ***Y tu mamá también***. They continue to work together on projects, such as the 2012 film ***Casa de mi padre.***
- **Salma Hayek** (México) y **Penélope Cruz** (España) These two close friends developed their acting skills in their home countries before meeting in Hollywood.

PERFIL

La plaza principal

La Plaza Mayor de Salamanca

In the Spanish-speaking world, public space is treasured. Small city and town life revolves around the **plaza principal**. Often surrounded by cathedrals or municipal buildings like the **ayuntamiento** (*city hall*), the pedestrian **plaza** is designated as a central meeting place for family and friends. During warmer months, when outdoor cafés usually line the **plaza**, it is a popular spot to have a leisurely cup of coffee, chat, and people watch. Many town festivals, or **ferias**, also take place in this space. One of the most famous town squares is the **Plaza Mayor** in the university town of Salamanca, Spain. Students gather underneath its famous clock tower to meet up with friends or simply take a coffee break.

La Plaza de Armas, Lima, Perú

CON RITMO HISPANO

Lin-Manuel Miranda (1980–)

Birthplace: New York City, New York

He won two Tony Awards for his musical *Hamilton* (2016) and one for *In the Heights* (2008), his musical about the predominantly Latino New York neighborhood of Washington Heights.

Go to **vhlcentral.com** to find out more about **Lin-Manuel Miranda** and his music.

ACTIVIDADES

2 Comprensión Answer these questions.

1. What are two types of buildings found on the **plaza principal?**
2. What two types of events or activities are common at a **plaza principal?**
3. How would Diego Luna greet his friends?
4. Would Salma Hayek and Gael García Bernal greet each other with one kiss or two?

3 Saludos Role-play these greetings with a partner. Include a verbal greeting as well as a kiss or handshake, as appropriate.

1. friends in Mexico
2. business associates at a conference in Chile
3. friends meeting in Madrid's Plaza Mayor
4. Peruvians meeting for the first time
5. relatives in Argentina

More activities

vhlcentral | VM pp. 31–32 | Online activities

1.1 Nouns and articles

Tutorial

Spanish nouns

ANTE TODO A noun is a word used to identify people, animals, places, things, or ideas. Unlike English, all Spanish nouns, even those that refer to non-living things, have gender; that is, they are considered either masculine or feminine. As in English, nouns in Spanish also have number, meaning that they are either singular or plural.

Nouns that refer to living things

Masculine nouns		Feminine nouns	
el hombre	*the man*	**la mujer**	*the woman*
ending in –o		**ending in –a**	
el chico	*the boy*	**la chica**	*the girl*
el pasajero	*the (male) passenger*	**la pasajera**	*the (female) passenger*
ending in –or		**ending in –ora**	
el conductor	*the (male) driver*	**la conductora**	*the (female) driver*
el profesor	*the (male) teacher*	**la profesora**	*the (female) teacher*
ending in –ista		**ending in –ista**	
el turista	*the (male) tourist*	**la turista**	*the (female) tourist*

- Generally, nouns that refer to males, like **el hombre**, are masculine, while nouns that refer to females, like **la mujer**, are feminine.
- Many nouns that refer to male beings end in **–o** or **–or**. Their corresponding feminine forms end in **–a** and **–ora**, respectively.

el conductor

la profesora

- The masculine and feminine forms of nouns that end in **–ista**, like **turista**, are the same, so gender is indicated by the article **el** (masculine) or **la** (feminine). Some other nouns have identical masculine and feminine forms.

el joven *the young man*	**la** joven *the young woman*
el estudiante *the (male) student*	**la** estudiante *the (female) student*

¡LENGUA VIVA!

Profesor(a) and **turista** are *cognates*— words that share similar spellings and meanings in Spanish and English Recognizing cognates will help you determine the meaning of many Spanish words. Here are some other cognates: **la administración, el animal, el apartamento, el cálculo, el color, la decisión, la historia, la música, el restaurante, el/la secretario/a.**

AYUDA

Cognates can certainly be very helpful in your study of Spanish. Beware, however, of "false" cognates, those that have similar spellings in Spanish and English, but different meanings:

la carpeta *folder*
el/la conductor(a) *driver*
el éxito *success*
la fábrica *factory*

Nouns that refer to non-living things

Masculine nouns		Feminine nouns	
ending in *–o*		**ending in *–a***	
el cuaderno	*the notebook*	**la computadora**	*the computer*
el diario	*the diary*	**la cosa**	*the thing*
el diccionario	*the dictionary*	**la escuela**	*the school*
el número	*the number*	**la maleta**	*the suitcase*
el video	*the video*	**la palabra**	*the word*
ending in *–ma*		**ending in *–ción***	
el problema	*the problem*	**la lección**	*the lesson*
el programa	*the program*	**la conversación**	*the conversation*
ending in *–s*		**ending in *–dad***	
el autobús	*the bus*	**la nacionalidad**	*the nationality*
el país	*the country*	**la comunidad**	*the community*

¡LENGUA VIVA!

The Spanish word for *video* can be pronounced with the stress on the **i** or the **e**. For that reason, you might see the word written with or without an accent: **video** or **vídeo**.

- As shown above, certain noun endings are strongly associated with a specific gender, so you can use them to determine if a noun is masculine or feminine.
- Because the gender of nouns that refer to non-living things cannot be determined by foolproof rules, you should memorize the gender of each noun you learn. It is helpful to learn each noun with its corresponding article, **el** for masculine and **la** for feminine.
- Another reason to memorize the gender of every noun is that there are common exceptions to the rules of gender. For example, **el mapa** (*map*) and **el día** (*day*) end in **–a**, but are masculine. **La mano** (*hand*) ends in **–o**, but is feminine.

Plural of nouns

- To form the plural, add **–s** to nouns that end in a vowel. For nouns that end in a consonant, add **–es**. For nouns that end in **z**, change the **z** to **c**, then add **–es**.

  el chic**o** → los chic**os** | la nacionalida**d** → las nacionalida**des**

  el diari**o** → los diari**os** | el paí**s** → los paí**ses**

  el problem**a** → los problem**as** | el lápi**z** (*pencil*) → los lápi**ces**

CONSULTA

You will learn more about accent marks in **Lección 4, Pronunciación**, p. 115.

- In general, when a singular noun has an accent mark on the last syllable, the accent is dropped from the plural form.

  la lecci**ón** → las lecci**ones** | el autob**ús** → los autob**uses**

- Use the masculine plural form to refer to a group that includes both males and females.

  1 pasajer**o** + 2 pasajer**as** = 3 pasajer**os** | 2 chic**os** + 2 chic**as** = 4 chic**os**

Spanish articles

ANTE TODO As you know, English often uses definite articles (*the*) and indefinite articles (*a, an*) before nouns. Spanish also has definite and indefinite articles. Unlike English, Spanish articles vary in form because they agree in gender and number with the nouns they modify.

Definite articles

▶ Spanish has four forms that are equivalent to the English definite article *the*. Use definite articles to refer to specific nouns.

Masculine

SINGULAR

el diccionario
the dictionary

PLURAL

los diccionarios
the dictionaries

Feminine

SINGULAR

la computadora
the computer

PLURAL

las computadoras
the computers

¡LENGUA VIVA!

Feminine singular nouns that begin with a stressed **a-** or **ha-** require the masculine articles **el** and **un**. This is done in order to avoid repetition of the **a** sound. The plural forms still use the feminine articles.

el agua *water*
las aguas *waters*
un hacha *ax*
unas hachas *axes*

Indefinite articles

▶ Spanish has four forms that are equivalent to the English indefinite article, which according to context may mean *a*, *an*, or *some*. Use indefinite articles to refer to unspecified persons or things.

Masculine

SINGULAR

un pasajero
a (one) passenger

PLURAL

unos pasajeros
some passengers

Feminine

SINGULAR

una fotografía
a (one) photograph

PLURAL

unas fotografías
some photographs

¡LENGUA VIVA!

Since **la fotografía** is feminine, so is its shortened form, **la foto**, even though it ends in **–o**.

¡INTÉNTALO! Provide a definite article for each noun in the first column and an indefinite article for each noun in the second column.

¿el, la, los o las?

1. ___la___ chica
2. ______ chico
3. ______ cuadernos
4. ______ maleta
5. ______ lápiz
6. ______ mujeres

¿un, una, unos o unas?

1. ___un___ autobús
2. ______ hombres
3. ______ computadora
4. ______ escuelas
5. ______ señora
6. ______ lápices

More activities
vhlcentral
LM p. 3
WB p. 3
Online activities

Práctica

1

¿Singular o plural? If the word is singular, make it plural. If it is plural, make it singular.

modelo

el hombre — *los hombres*
unas señoritas — *una señorita*

1. el número
2. un diario
3. la estudiante
4. el conductor
5. el país
6. las cosas
7. unos turistas
8. las nacionalidades
9. unas computadoras
10. los problemas
11. los profesores
12. la señora

2

Identificar Provide the nouns with their corresponding definite and indefinite articles.

modelo

las computadoras, unas computadoras

1. ______________

2. ______________

3. ______________

4. ______________

5. ______________

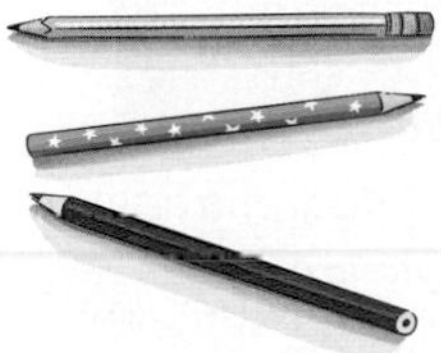

6. ______________

7. ______________

8. ______________

Comunicación

3

Charadas In groups, play a game of charades. Individually, think of two nouns for each charade, for example, a boy using a computer (**un chico**; **una computadora**). The first person to guess correctly acts out the next charade.

1.2 Numbers 0–30

Tutorial

Los números 0 a 30

0	cero				
1	uno	**11**	once	**21**	veintiuno
2	dos	**12**	doce	**22**	veintidós
3	tres	**13**	trece	**23**	veintitrés
4	cuatro	**14**	catorce	**24**	veinticuatro
5	cinco	**15**	quince	**25**	veinticinco
6	seis	**16**	dieciséis	**26**	veintiséis
7	siete	**17**	diecisiete	**27**	veintisiete
8	ocho	**18**	dieciocho	**28**	veintiocho
9	nueve	**19**	diecinueve	**29**	veintinueve
10	diez	**20**	veinte	**30**	treinta

AYUDA

Though it is less common, the numbers 16 through 29 (except 20) can also be written as three words: **diez y seis, diez y siete...**

- The number **uno** (*one*) and numbers ending in **–uno**, such as **veintiuno**, have more than one form. Before masculine nouns, **uno** shortens to **un**. Before feminine nouns, **uno** changes to **una**.

  un hombre → veinti**ún** hombres **una** mujer → veinti**una** mujeres

- **¡Atención!** The forms **uno** and **veintiuno** are used when counting (**uno, dos, tres... veinte, veintiuno, veintidós...**). They are also used when the number *follows* a noun, even if the noun is feminine: **la lección uno**.

- To ask *how many people* or *things* there are, use **cuántos** before masculine nouns and **cuántas** before feminine nouns.

- The Spanish equivalent of both *there is* and *there are* is **hay**. Use **¿Hay...?** to ask *Is there...?* or *Are there...?* Use **no hay** to express *there is not* or *there are not*.

—¿**Cuántos** estudiantes **hay**?
How many students are there?

—**Hay** seis estudiantes en la foto.
There are six students in the photo.

—¿**Hay** chicos en la fotografía?
Are there guys in the picture?

—**Hay** tres chicas y **no hay** chicos.
There are three girls, and there are no guys.

¡INTÉNTALO! Provide the Spanish words for these numbers.

1. **7** siete
2. **15** ________
3. **29** ________
4. **1** ________
5. **0** ________
6. **16** ________
7. **21** ________
8. **9** ________
9. **23** ________
10. **11** ________
11. **10** ________
12. **4** ________
13. **12** ________
14. **28** ________
15. **14** ________
16. **30** ________

More activities

vhlcentral

LM p. 4

WB p. 4

Online activities

Práctica

1

Contar Following the pattern, write out the missing numbers in Spanish.

1. 1, 3, 5, ..., 29
2. 2, 4, 6, ..., 30
3. 3, 6, 9, ..., 30
4. 30, 28, 26, ..., 0
5. 28, 24, 20, ..., 0
6. 30, 25, 20, ..., 0

2

Resolver Solve these math problems with a partner.

modelo

5 + 3 =
Estudiante 1: *cinco más tres son...*
Estudiante 2: *ocho*

AYUDA

+ → **más**
– → **menos**
= → **son**

1. **2 + 15 =**
2. **5 + 7 =**
3. **20 – 1 =**
4. **18 + 12 =**
5. **3 + 22 =**
6. **6 – 3 =**
7. **11 + 12 =**
8. **8 + 5 =**
9. **7 – 2 =**
10. **23 – 14 =**

3

¿Cuántos hay? How many persons or things are there in these drawings?

modelo

Hay tres maletas.

1. ____________

2. ____________

3. ____________

4. ____________

5. ____________

6. ____________

7. ____________

8. ____________

Comunicación

4

En la clase With a partner, take turns asking and answering these questions about your classroom.

1. ¿Cuántos estudiantes hay?
2. ¿Cuántos profesores hay?
3. ¿Hay una computadora?
4. ¿Hay una maleta?
5. ¿Cuántos mapas hay?
6. ¿Cuántos lápices hay?
7. ¿Hay cuadernos?
8. ¿Cuántos diccionarios hay?
9. ¿Hay hombres?
10. ¿Cuántas mujeres hay?

5

Preguntas With a partner, take turns asking and answering questions about the drawing. Talk about:

1. how many children there are
2. how many women there are
3. if there are some photographs
4. if there is a boy
5. how many notebooks there are
6. if there is a bus
7. if there are tourists
8. how many pencils there are
9. if there is a man
10. how many computers there are

1.3 Present tense of ser

Tutorial

Subject pronouns

ANTE TODO In order to use verbs, you will need to learn about subject pronouns. A subject pronoun replaces the name or title of a person and acts as the subject of a verb.

Subject pronouns

SINGULAR		PLURAL	
yo	*I*	**nosotros**	*we* (masculine)
		nosotras	*we* (feminine)
tú	*you* (familiar)	**vosotros**	*you* (masc., fam.)
usted (Ud.)	*you* (formal)	**vosotras**	*you* (fem., fam.)
		ustedes (Uds.)	*you*
él	*he*	**ellos**	*they* (masc.)
ella	*she*	**ellas**	*they* (fem.)

¡LENGUA VIVA!

In Latin America, **ustedes** is used as the plural for both **tú** and **usted**. In Spain, however, **vosotros** and **vosotras** are used as the plural of **tú**, and **ustedes** is used only as the plural of **usted**.

• • •

Usted and **ustedes** are abbreviated as **Ud.** and **Uds.**, or occasionally as **Vd.** and **Vds.**

▶ Spanish has two subject pronouns that mean *you* (singular). Use **tú** when addressing a friend, a family member, or a child you know well. Use **usted** to address a person with whom you have a formal or more distant relationship, such as a superior at work, a professor, or an older person.

Tú eres de Canadá, ¿verdad, David?
You are from Canada, right, David?

¿**Usted** es la profesora de español?
Are you the Spanish professor?

▶ The masculine plural forms **nosotros**, **vosotros**, and **ellos** refer to a group of males or to a group of males and females. The feminine plural forms **nosotras**, **vosotras**, and **ellas** can refer only to groups made up exclusively of females.

nosotros, vosotros, ellos

nosotros, vosotros, ellos

nosotras, vosotras, ellas

▶ There is no Spanish equivalent of the English subject pronoun *it*. Generally *it* is not expressed in Spanish.

Es un problema.
It's a problem.

Es una computadora.
It's a computer.

The present tense of ser

ANTE TODO In **Contextos** and **Fotonovela**, you have already used several present-tense forms of **ser** (*to be*) to identify yourself and others, and to talk about where you and others are from. **Ser** is an irregular verb; its forms do not follow the regular patterns that most verbs follow. You need to memorize the forms, which appear in this chart.

The verb ser (*to be*)

SINGULAR FORMS	yo	**soy**	*I am*
	tú	**eres**	*you are* (fam.)
	Ud./él/ella	**es**	*you are* (form.)*; he/she is*
PLURAL FORMS	nosotros/as	**somos**	*we are*
	vosotros/as	**sois**	*you are* (fam.)
	Uds./ellos/ellas	**son**	*you are; they are*

Uses of *ser*

▶ Use **ser** to identify people and things.

—¿Quién **es** él?
Who is he?

—**Es** Felipe Díaz Velázquez.
He's Felipe Díaz Velázquez.

—¿Qué **es**?
What is it?

—**Es** un mapa de España.
It's a map of Spain.

▶ **Ser** also expresses possession, with the preposition **de**. There is no Spanish equivalent of the English construction [*noun*] + 's (*Maru's*). In its place, Spanish uses [*noun*] + **de** + [*owner*].

—¿**De** quién **es**?
Whose is it?

—**Es** el diario **de** Maru.
It's Maru's diary.

—¿**De** quién **son**?
Whose are they?

—**Son** los lápices **de** la chica.
They are the girl's pencils.

▶ When **de** is followed by the article **el**, the two combine to form the contraction **del**. **De** does *not* contract with **la**, **las**, or **los**.

—**Es** la computadora **del** conductor.
It's the driver's computer.

—**Son** las maletas **del** chico.
They are the boy's suitcases.

¡LENGUA VIVA!

Some geographic locations can be referred to either with or without a definite article:

Soy de Estados Unidos./Soy de los Estados Unidos.

• • •

Sometimes a definite article is a part of a proper name, as in **El Salvador, El Paso**, and **Los Ángeles**. In these cases, **de** and **el** do not contract:

Soy de El Salvador.

▶ **Ser** also uses the preposition **de** to express origin.

—¿**De** dónde **es** Juan Carlos?
Where is Juan Carlos from?

—Es **de** Argentina.
He's from Argentina.

—¿**De** dónde **es** Maru?
Where is Maru from?

—**Es de** Costa Rica.
She's from Costa Rica.

CONSULTA

You will learn more about adjectives in **Estructura 3.1**, pp. 80–82.

▶ Use **ser** to express profession or occupation.

Don Francisco **es conductor**.
Don Francisco is a driver.

Yo **soy estudiante**.
I am a student.

▶ Unlike English, Spanish does not use the indefinite article (**un**, **una**) after **ser** when referring to professions, unless accompanied by an adjective or other description.

Marta **es** profesora.
Marta is a teacher.

Marta **es una** profesora excelente.
Marta is an excellent teacher.

NOTA CULTURAL

LATAM Perú, named LAN Perú when it was created in 1998, is a subsidiary of Chilean-based LATAM Airlines, one of the largest carriers in South America. LATAM Perú operates out of Lima, offering domestic flights and international service to select major cities in the Americas and Spain.

More activities
vhlcentral
LM p. 5
WB pp. 5–6
Online activities

¡INTÉNTALO! Provide the correct subject pronouns and the present forms of **ser**.

1. Gabriel ___él___ ___es___
2. Óscar y Flora ________ ________
3. Juan y yo ________ ________
4. Adriana ________ ________
5. las turistas ________ ________
6. los conductores ________ ________
7. el chico ________ ________
8. los señores Ruiz ________ ________

Práctica

1 **Pronombres** What subject pronouns would you use to (a) talk *to* these people directly and (b) talk *about* them to others?

modelo

un joven *tú, él*

1. una chica
2. el presidente de México
3. tres chicas y un chico
4. la señora Ochoa
5. un estudiante
6. dos profesoras

2 **Identidad y origen** With a partner, take turns asking and answering these questions about the people indicated: **¿Quién es?/¿Quiénes son?** and **¿De dónde es?/¿De dónde son?**

modelo

Selena Gomez (Estados Unidos)

Estudiante 1: *¿Quién es?*
Estudiante 2: *Es Selena Gomez.*
Estudiante 1: *¿De dónde es?*
Estudiante 2: *Es de los Estados Unidos.*

1. Enrique Iglesias (España)
2. Gustavo Dudamel (Venezuela)
3. America Ferrera y Marc Anthony (Estados Unidos)
4. Carlos Santana y Salma Hayek (México)
5. Shakira (Colombia)
6. Sergio García y Penélope Cruz (España)
7. Ariana Grande y Michael Peña (Estados Unidos)
8. José Abreu (Cuba)

3 **¿Qué es?** Ask your partner what each object is and to whom it belongs.

modelo

Estudiante 1: *¿Qué es?*
Estudiante 2: *Es un diccionario.*
Estudiante 1: *¿De quién es?*
Estudiante 2: *Es del profesor Núñez.*

1. 

2. 

3. 

4. 

Comunicación

4 **Preguntas** Ask your partner questions about the ad. Be imaginative in your responses.

¿Cuántas?	¿De dónde?	¿Qué?
¿Cuántos?	¿De quién?	¿Quién?

SOMOS ECOTURISTA, S.A.

Los autobuses oficiales de la Ruta Maya

- 25 autobuses en total
- 30 conductores del área
- pasajeros internacionales
- mapas de la región

¡Todos a bordo!

5 **¿Quién es?** In small groups, take turns pretending to be a famous person from a Spanish-speaking country. Use the list of professions to think of people from a variety of backgrounds. Your partners will ask you questions and try to guess who you are.

actor *actor*	cantante *singer*	escritor(a) *writer*
actriz *actress*	deportista *athlete*	músico/a *musician*

modelo

Estudiante 3: ¿Eres de Puerto Rico?
Estudiante 1: No. Soy de Colombia.
Estudiante 2: ¿Eres hombre?
Estudiante 1: Sí. Soy hombre.
Estudiante 3: ¿Eres escritor?
Estudiante 1: No. Soy actor.
Estudiante 2: ¿Eres John Leguizamo?
Estudiante 1: ¡Sí! ¡Sí!

NOTA CULTURAL

John Leguizamo was born in Bogotá, Colombia. John is best known for his work as an actor and comedian. He has appeared in movies, on TV, and on stage. Here are some other Hispanic celebrities: Laura Esquivel (writer from Mexico), Sofía Vergara (actress from Colombia), and Luis Fonsi (singer from Puerto Rico).

1.4 Telling time

Tutorial

ANTE TODO In both English and Spanish, the verb *to be* (**ser**) and numbers are used to tell time.

- To ask what time it is, use **¿Qué hora es?** When telling time, use **es + la** with **una** and **son + las** with all other hours.

Es la una.

Son las dos.

Son las seis.

- As in English, you express time in Spanish from the hour to the half hour by adding minutes.

Son las cuatro **y cinco.**

Son las once **y veinte.**

- You may use either **y cuarto** or **y quince** to express fifteen minutes or quarter past the hour. For thirty minutes or half past the hour, you may use either **y media** or **y treinta**.

Es la una **y cuarto.**

Son las nueve **y quince.**

Son las doce **y media.**

Son las siete **y treinta.**

- You express time from the half hour to the hour in Spanish by subtracting minutes or a portion of an hour from the next hour.

Es la una **menos cuarto.**

Son las tres **menos quince.**

Son las ocho **menos veinte.**

Son las tres **menos diez.**

▶ To ask at what time a particular event takes place, use the phrase **¿A qué hora (...)?** To state at what time something takes place, use the construction **a la(s)** + *time*.

¿A qué hora es la clase de biología?
(At) what time is biology class?

La clase es **a las dos**.
The class is at two o'clock.

¿A qué hora es la fiesta?
(At) what time is the party?

A las ocho.
At eight.

¡LENGUA VIVA!

Other useful expressions for telling time:

Son las doce (del día). It is twelve o'clock (p.m.).

Son las doce (de la noche). It is twelve o'clock (a.m.).

▶ Here are some useful words and phrases associated with telling time.

Son las ocho **en punto**.
It's 8 o'clock on the dot/sharp.

Es **el mediodía**.
It's noon.

Es **la medianoche**.
It's midnight.

Son las nueve **de la mañana**.
It's 9 a.m./in the morning.

Son las cuatro y cuarto **de la tarde**.
It's 4:15 p.m./in the afternoon.

Son las diez y media **de la noche**.
It's 10:30 p.m./at night.

¡INTÉNTALO! Practice telling time by completing these sentences.

1. (1:00 a.m.) Es la ___una___ de la mañana.
2. (4:15 p.m.) Son las cuatro y ________ de la tarde.
3. (2:50 a.m.) Son las tres ________ diez de la mañana.
4. (8:30 p.m.) Son las ocho y ________ de la noche.
5. (9:15 a.m.) Son las nueve y quince de la ________.
6. (12:00 p.m.) Es el ________.
7. (6:00 a.m.) Son las seis de la ________.
8. (4:05 p.m.) Son las cuatro y cinco de la ________.
9. (12:00 a.m.) Es la ________.
10. (2:15 a.m.) Son las ________ y cuarto de la mañana.
11. (3:45 a.m.) Son las cuatro menos ________ de la mañana.
12. (1:25 p.m.) Es la una y ________ de la tarde.
13. (6:50 a.m.) Son las ________ menos diez de la mañana.
14. (10:40 p.m.) Son las once menos veinte de la ________.

More activities
vhlcentral
LM p. 6
WB pp. 7–8
Online activities

Práctica

1

Ordenar Put these times in order, from the earliest to the latest.

a. Son las dos de la tarde.
b. Son las once de la mañana.
c. Son las siete y media de la noche.
d. Son las seis menos cuarto de la tarde.
e. Son las ocho y veintidós de la mañana.
f. Son las dos menos diez de la tarde.

2

¿Qué hora es? Give the times shown.

modelo

Son las cuatro y cuarto/quince de la tarde.

1. ____________

2. ____________

3. ____________

4. ____________

5. ____________

6. ____________

7. ____________

8. ____________

NOTA CULTURAL

Many Spanish-speaking countries use both the 12-hour clock and the 24-hour clock (that is, military time). The 24-hour clock is commonly used in written form on signs and schedules. For example, 1 p.m. is **13h**, 2 p.m. is **14h** and so on.

3

¿A qué hora? Ask your partner at what time these events take place. Your partner will answer according to the cues provided.

modelo

la clase de matemáticas (2:30 p.m.)
Estudiante 1: ¿A qué hora es la clase de matemáticas?
Estudiante 2: Es a las dos y media de la tarde.

1. el programa *Las cuatro amigas* (*11:30 a.m.*)
2. el drama *La casa de Bernarda Alba* (*7:00 p.m.*)
3. el programa *Las computadoras* (*8:30 a.m.*)
4. la clase de español (*10:30 a.m.*)
5. la clase de biología (*9:40 a.m.*)
6. la clase de historia (*10:50 a.m.*)
7. el partido (*game*) de béisbol (*5:15 p.m.*)
8. el partido de tenis (*12:45 p.m.*)
9. el partido de baloncesto (*basketball*) (*7:45 p.m.*)

NOTA CULTURAL

La casa de Bernarda Alba is a famous play by Spanish poet and playwright **Federico García Lorca** (1898–1936). Lorca was one of the most famous writers of the 20th century and a close friend of Spain's most talented artists, including the painter Salvador Dalí and the filmmaker Luis Buñuel.

Comunicación

4

En la televisión With a partner, take turns asking questions about these television listings.

modelo

Estudiante 1: *¿A qué hora es el documental Las computadoras?*
Estudiante 2: *Es a las nueve en punto de la noche.*

NOTA CULTURAL

Telenovelas are the Latin American version of soap operas, but they differ from U.S. soaps in many ways. Many **telenovelas** are prime-time shows enjoyed by a large segment of the population. They seldom run for more than one season and they are sometimes based on famous novels.

TV Hoy - Programación

11:00 am	Telenovela: *La casa de la familia Díaz*
12:00 pm	Película: *El cóndor* (drama)
2:00 pm	Telenovela: *Dos mujeres y dos hombres*
3:00 pm	Programa juvenil: *Fiesta*
3:30 pm	Telenovela: *¡Sí, sí, sí!*
4:00 pm	Telenovela: *El diario de la Sra. González*
5:00 pm	Telenovela: *Tres mujeres*
6:00 pm	Noticias
7:00 pm	Especial musical: *Música folklórica de México*
7:30 pm	La naturaleza: *Jardín secreto*
8:00 pm	Noticiero: *Veinticuatro horas*
9:00 pm	Documental: *Las computadoras*

5

Preguntas With a partner, answer these questions based on your own knowledge.

1. Son las tres de la tarde en Nueva York. ¿Qué hora es en Los Ángeles?
2. Son las ocho y media en Chicago. ¿Qué hora es en Miami?
3. Son las dos menos cinco en San Francisco. ¿Qué hora es en San Antonio?
4. ¿A qué hora es el programa *Saturday Night Live*?

Síntesis

6

Situación With a partner, play the roles of a journalism student interviewing a visiting literature professor (**profesor(a) de literatura**) from Venezuela. Be prepared to act out the conversation for your classmates.

Estudiante	Profesor(a) de literatura
Ask the professor his/her name.	→ Ask the student his/her name.
Ask the professor what time his/her literature class is.	→ Ask the student where he/she is from.
Ask how many students are in his/her class.	→ Ask to whom the notebook belongs.
Say thank you and goodbye.	→ Say thank you and you are pleased to meet him/her.

Recapitulación

RESUMEN GRAMATICAL

Review the grammar concepts you have learned in this lesson by completing these activities.

1 **Completar** Complete the charts according to the models. 28 pts.

Masculino	Femenino
el chico	*la chica*
	la profesora
	la amiga
el señor	
	la pasajera
el estudiante	
	la turista
el joven	

Singular	Plural
una cosa	*unas cosas*
un libro	
	unas clases
una lección	
un conductor	
	unos países
	unos lápices
un problema	

2 **En la clase** Complete each conversation with the correct word. 22 pts.

César

Beatriz

CÉSAR ¿(1) __________ (Cuántos/Cuántas) chicas hay en la (2) __________ (maleta/clase)?

BEATRIZ Hay (3) __________ (catorce/cuatro) [*14*] chicas.

CÉSAR Y, ¿(4) __________ (cuántos/cuántas) chicos hay?

BEATRIZ Hay (5) __________ (tres/trece) [*13*] chicos.

CÉSAR Entonces (*Then*), en total hay (6) __________ (veintiséis/veintisiete) (7) __________ (estudiantes/chicas) en la clase.

ARIANA ¿Tienes (*Do you have*) (8) __________ (un/una) diccionario?

Ariana

Daniel

DANIEL No, pero (*but*) aquí (9) __________ (es/hay) uno.

ARIANA ¿De quién (10) __________ (son/es)?

DANIEL (11) __________ (Son/Es) de Carlos.

1.1 Nouns and articles *pp. 12–14*

Gender of nouns

Nouns that refer to living things

	Masculine		Feminine
-o	el chico	-a	la chica
-or	el profesor	-ora	la profesora
-ista	el turista	-ista	la turista

Nouns that refer to non-living things

	Masculine		Feminine
-o	el libro	-a	la cosa
-ma	el programa	-ción	la lección
-s	el autobús	-dad	la nacionalidad

Plural of nouns

- ending in vowel + *-s* la chica → las chicas
- ending in consonant + *-es* el señor → los señores (-z → -ces un lápiz → unos lápices)
- Definite articles: el, la, los, las
- Indefinite articles: un, una, unos, unas

1.2 Numbers 0–30 *p. 16*

0	cero	8	ocho	16	dieciséis
1	uno	9	nueve	17	diecisiete
2	dos	10	diez	18	dieciocho
3	tres	11	once	19	diecinueve
4	cuatro	12	doce	20	veinte
5	cinco	13	trece	21	veintiuno
6	seis	14	catorce	22	veintidós
7	siete	15	quince	30	treinta

1.3 Present tense of *ser* *pp. 19–21*

yo	soy	nosotros/as	somos
tú	eres	vosotros/as	sois
Ud./él/ella	es	Uds./ellos/ellas	son

1.4 Telling time pp. 24–25

Es la una.	*It's 1:00.*
Son las dos.	*It's 2:00.*
Son las tres y diez.	*It's 3:10.*
Es la una y cuarto/quince.	*It's 1:15.*
Son las siete y media/treinta.	*It's 7:30.*
Es la una menos cuarto/quince.	*It's 12:45.*
Son las once menos veinte.	*It's 10:40.*
Es el mediodía.	*It's noon.*
Es la medianoche.	*It's midnight.*

3 **Presentaciones** Complete this conversation with the correct form of the verb **ser**. 12 pts.

JUAN ¡Hola! Me llamo Juan. (1) __________ estudiante en la clase de español.

DANIELA ¡Hola! Mucho gusto. Yo (2) __________ Daniela y ella (3) __________ Mónica. ¿De dónde (4) __________ (tú), Juan?

JUAN De California. Y ustedes, ¿de dónde (5) __________ ?

MÓNICA Nosotras (6) __________ de Florida.

4 **¿Qué hora es?** Write out in words the following times, indicating whether it's morning, noon, afternoon, or night. 10 pts.

1. It's 12:00 p.m.
____
2. It's 7:05 a.m.
____
3. It's 9:35 p.m.
____
4. It's 5:15 p.m.
____
5. It's 1:30 p.m.
____

5 **¡Hola!** Write five sentences introducing yourself and talking about your classes. You may want to include your name, where you are from, who your Spanish teacher is, the time of your Spanish class, how many students are in the class, etc. 28 pts.

____
____
____
____

6 **Canción** Choose the appropriate words to complete this children's song. 4 EXTRA points!

cinco cuántas cuatro media quiénes

"__________ patas°
tiene un gato°?
Una, dos, tres y
__________ ."

patas *legs* tiene un gato *does a cat have*

Audio: Reading

Lectura

Antes de leer

Estrategia

Recognizing cognates

As you learned earlier in this lesson, cognates are words that share similar meanings and spellings in two or more languages. When reading in Spanish, it's helpful to look for cognates and use them to guess the meaning of what you're reading. But watch out for false cognates. For example, **librería** means *bookstore*, not *library*, and **embarazada** means *pregnant*, not *embarrassed*. Look at this list of Spanish words, paying special attention to prefixes and suffixes. Can you guess the meaning of each word?

importante	oportunidad
farmacia	cultura
inteligente	activo
dentista	sociología
decisión	espectacular
televisión	restaurante
médico	policía

Examinar el texto

Glance quickly at the reading selection and guess what type of document it is. Explain your answer.

Cognados

Read the document and make a list of the cognates you find. Guess their English equivalents, then compare your answers with those of a partner.

Joaquín Salvador Lavado nació (*was born*) en Argentina en 1932 (mil novecientos treinta y dos). Su nombre profesional es **Quino**. Es muy popular en Latinoamérica, Europa y Canadá por sus tiras cómicas (*comic strips*). *Mafalda* es su serie más famosa. La protagonista, Mafalda, es una chica muy inteligente de seis años (*years*). La tira cómica ilustra las aventuras de ella y su grupo de amigos. Las anécdotas de Mafalda y los chicos también presentan temas (*themes*) importantes como la paz (*peace*) y los derechos humanos (*human rights*).

Después de leer

Preguntas

Answer these questions.

1. What is Joaquín Salvador Lavado's pen name?
2. What is Mafalda like?
3. Where is Mafalda in panel 1? What is she doing?
4. What happens to the sheep in panel 3? Why?
5. Why does Mafalda wake up?
6. What number corresponds to the sheep in panel 5?
7. In panel 6, what is Mafalda doing? How do you know

Los animales

This comic strip uses a device called onomatopoeia: a word that represents the sound that it stands for. Did you know that many common instances of onomatopoeia are different from language to language? The noise a sheep makes is *baaaah* in English, but in Mafalda's language it is **béeeee.**

Do you think you can match these animals with their Spanish sounds? First, practice saying aloud each animal sound in group B. Then, match each animal with its sound in Spanish. If you need help remembering the sounds the alphabet makes in Spanish, see p. 9.

A

1. ___ gato

2. ___ perro

3. ___ vaca

4. ___ gallo

5. ___ rana

6. ___ pato

7. ___ cerdo

B

a. kikirikí b. muuu c. croac d. guau

e. cuac cuac f. miau g. oinc

Video

Estados Unidos

El país en cifras°

- **Población° de los EE.UU.:** 326 millones
- **Población de origen hispano:** 57 millones
- **País de origen de hispanos en los EE.UU.:**

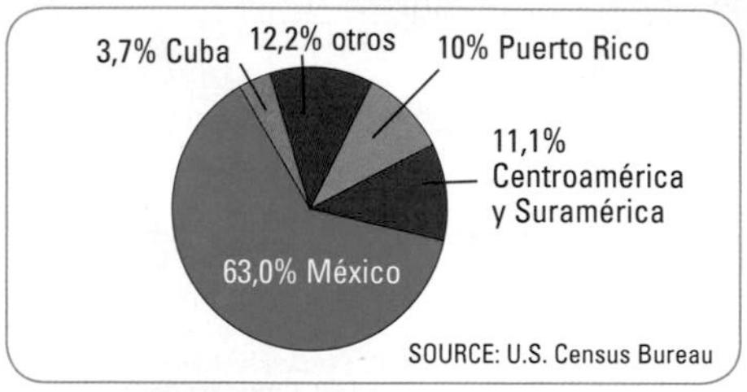

- **Estados con la mayor° población hispana:**

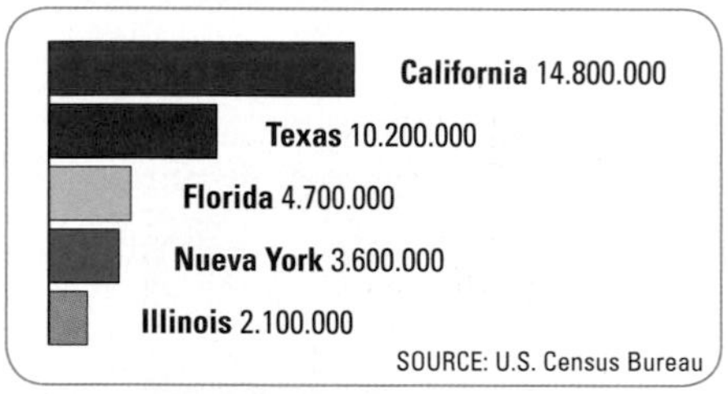

Canadá

El país en cifras

- **Población de Canadá:** 36 millones
- **Población de origen hispano:** 461.000
- **País de origen de hispanos en Canadá:**

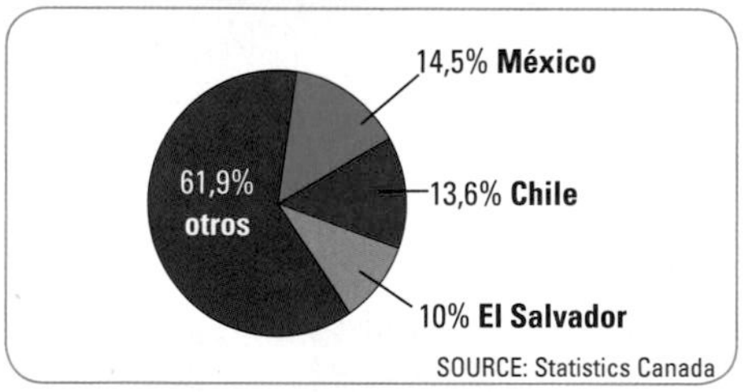

- **Ciudades° con la mayor población hispana:** Montreal, Toronto, Vancouver

en cifras *by the numbers* Población *Population* mayor *largest* Ciudades *Cities*

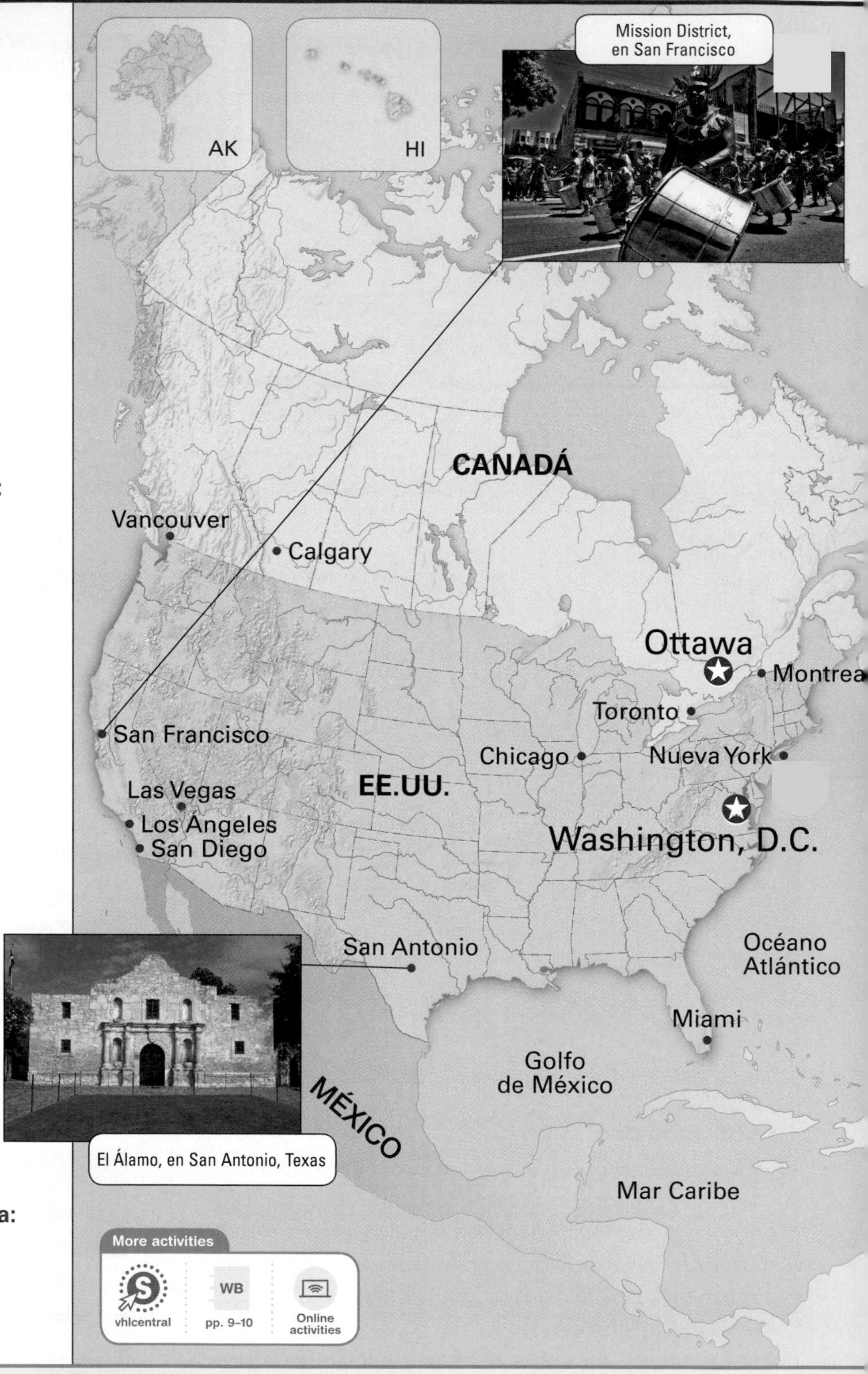

Mission District, en San Francisco
El Álamo, en San Antonio, Texas

More activities: vhlcentral | WB pp. 9–10 | Online activities

ACTIVIDADES

1 Escoger Elige la opción correcta.

1. ¿Cuántos millones de personas de origen hispano hay en los Estados Unidos?
   a. 57 b. 45 c. 36
2. ¿Cuántos millones de hispanos hay en Illinois?
   a. cuatro b. tres c. dos
3. ¿De dónde son las enchiladas y los tacos?
   a. Puerto Rico b. México c. Cuba
4. ¿Cómo se llama el barrio cubano de Miami?
   a. La Pequeña Habana b. El Álamo c. Mission District
5. ¿Qué hacen (*do*) los puertorriqueños en junio?
   a. una conversación b. un desfile c. una comida
6. ¿Cuántos millones de personas hablan español en los Estados Unidos?
   a. 60 b. 13 c. 43

Comida • La comida mexicana

La comida° mexicana es muy popular en los Estados Unidos. Los tacos, las enchiladas, las quesadillas y los frijoles frecuentemente forman parte de las comidas de muchos norteamericanos. También° son populares las variaciones de la comida mexicana en los Estados Unidos: el tex-mex y el cali-mex.

Lugares • La Pequeña Habana

La Pequeña Habana° es un barrio° de Miami, Florida, donde viven° muchos cubanoamericanos. Es un lugar° donde se encuentran° las costumbres° de la cultura cubana, los aromas y sabores° de su comida y la música salsa. La Pequeña Habana es una parte de Cuba en los Estados Unidos.

Costumbres • Desfile puertorriqueño

Cada junio, desde° 1958 (mil novecientos cincuenta y ocho), los puertorriqueños celebran su cultura con un desfile° en Nueva York. Es un gran espectáculo con carrozas° y música salsa, merengue y hip-hop. Muchos espectadores llevan° la bandera° de Puerto Rico en su ropa° o pintada en la cara°.

Comunidad • Hispanos en Canadá

En Canadá viven° muchos hispanos. Toronto y Montreal son las ciudades con mayor población hispana. Muchos de ellos tienen estudios universitarios° y hablan° una de las lenguas° oficiales: inglés o francés°. Los hispanos participan activamente en la vida cotidiana° y profesional de Canadá.

comida *food* También *Also* La Pequeña Habana *Little Havana* barrio *neighborhood* viven *live* lugar *place* se encuentran *are found* costumbres *customs* sabores *flavors* Cada junio desde *Each June since* desfile *parade* con carrozas *with floats* llevan *wear* bandera *flag* ropa *clothing* cara *face* viven *live* tienen estudios universitarios *have a degree* hablan *speak* lenguas *languages* inglés o francés *English or French* vida cotidiana *daily life*

¡Increíble pero cierto!

Después° del inglés, el español es la lengua más hablada° en los EE.UU. Aproximadamente 40 millones de hispanos y 3 millones de personas no hispanas hablan esta lengua en los EE.UU. Hoy, 13% de la población habla español en sus hogares°.

Después *After* hablada *spoken* hogares *homes*

2 ¿Qué aprendiste? Completa las oraciones.

1. Los cuatro estados con las poblaciones hispanas más grandes son California, Texas, Florida y ___________.
2. Toronto, Montreal y ___________ son las ciudades con más población hispana de Canadá.
3. La Pequeña ___________ es un barrio de Miami.
4. Muchos hispanos en Canadá hablan ___________ o francés.

3 Describir En parejas, describan la población de origen hispano en los Estados Unidos y en Canadá.

modelo

Hay quince millones de hispanos en California.

vocabulario

Vocabulary Tools

Saludos

Hola.	*Hi.*
Buenos días.	*Good morning.*
Buenas tardes.	*Good afternoon.*
Buenas noches.	*Good evening; Good night.*

Despedidas

Adiós.	*Goodbye.*
Nos vemos.	*See you.*
Hasta luego.	*See you later.*
Hasta la vista.	*See you later.*
Hasta pronto.	*See you soon.*
Hasta mañana.	*See you tomorrow.*
Saludos a...	*Greetings to…*
Chau.	*Bye.*

¿Cómo está?

¿Cómo está usted?	*How are you?* (form.)
¿Cómo estás?	*How are you?* (fam.)
¿Qué hay de nuevo?	*What's new?*
¿Qué pasa?	*What's happening?; What's going on?*
¿Qué tal?	*How are you?; How is it going?*
(Muy) bien, gracias.	*(Very) well, thanks.*
Nada.	*Nothing.*
No muy bien.	*Not very well.*
Regular.	*So-so; OK.*

Expresiones de cortesía

Con permiso.	*Pardon me; Excuse me.*
De nada.	*You're welcome.*
Lo siento.	*I'm sorry.*
(Muchas) gracias.	*Thank you (very much); Thanks (a lot).*
No hay de qué.	*You're welcome.*
Perdón.	*Pardon me; Excuse me.*
por favor	*please*

Títulos

señor (Sr.); don	*Mr.; sir*
señora (Sra.); doña	*Mrs.; ma'am*
señorita (Srta.)	*Miss*

Presentaciones

¿Cómo se llama usted?	*What's your name?* (form.)
¿Cómo te llamas?	*What's your name?* (fam.)
Me llamo...	*My name is…*
¿Y usted?	*And you?* (form.)
¿Y tú?	*And you?* (fam.)
Mucho gusto.	*Pleased to meet you.*
El gusto es mío.	*The pleasure is mine.*
Encantado/a.	*Delighted; Pleased to meet you.*
Igualmente.	*Likewise.*
Le presento a...	*I would like to introduce you to* (name). (form.)
Te presento a...	*I would like to introduce you to* (name). (fam.)
el nombre	*name*

¿De dónde es?

¿De dónde es usted?	*Where are you from?* (form.)
¿De dónde eres?	*Where are you from?* (fam.)
Soy de...	*I'm from…*

Palabras adicionales

¿cuánto(s)/a(s)?	*how much/many?*
¿de quién...?	*whose…?* (sing.)
¿de quiénes...?	*whose…?* (plural)
(no) hay	*there is (not); there are (not)*

Sustantivos

el autobús	*bus*
el chico	*boy*
la chica	*girl*
la computadora	*computer*
la comunidad	*community*
el/la conductor(a)	*driver*
la conversación	*conversation*
la cosa	*thing*
el cuaderno	*notebook*
el día	*day*
el diario	*diary*
el diccionario	*dictionary*
la escuela	*school*
el/la estudiante	*student*
la foto(grafía)	*photograph*
el hombre	*man*
el/la joven	*young person*
el lápiz	*pencil*
la lección	*lesson*
la maleta	*suitcase*
la mano	*hand*
el mapa	*map*
la mujer	*woman*
la nacionalidad	*nationality*
el número	*number*
el país	*country*
la palabra	*word*
el/la pasajero/a	*passenger*
el problema	*problem*
el/la profesor(a)	*teacher*
el programa	*program*
el/la turista	*tourist*
el video	*video*

Verbo

ser	*to be*

Numbers 0–30	*See page 16.*
Telling time	*See pages 24–25.*
Expresiones útiles	*See page 7.*

More activities

vhlcentral

LM p. 6

En la universidad 2

Communicative Goals

You will learn how to:

- Talk about your classes and school life
- Discuss everyday activities
- Ask questions in Spanish
- Describe the location of people and things

A PRIMERA VISTA

- ¿Hay un chico y una chica en la foto?
- ¿Hay una computadora o dos?
- ¿Son turistas o estudiantes?
- ¿Qué hora es, la una de la mañana o de la tarde?

Hotspots

En la universidad

Más vocabulario

la biblioteca	*library*
la cafetería	*cafeteria*
la casa	*house; home*
el estadio	*stadium*
el laboratorio	*laboratory*
la librería	*bookstore*
la residencia estudiantil	*dormitory*
la universidad	*university; college*
el/la compañero/a de clase	*classmate*
el/la compañero/a de cuarto	*roommate*
la clase	*class*
el curso	*course*
la especialización	*major*
el examen	*test; exam*
el horario	*schedule*
la prueba	*test; quiz*
el semestre	*semester*
la tarea	*homework*
el trimestre	*trimester; quarter*
la administración de empresas	*business administration*
el arte	*art*
la biología	*biology*
las ciencias	*sciences*
la computación	*computer science*
la contabilidad	*accounting*
la economía	*economics*
el español	*Spanish*
la física	*physics*
la geografía	*geography*
la música	*music*

Variación léxica

pluma ⟷ bolígrafo
pizarra ⟷ pizarrón (*Amér. L.*); tablero (*Col.*)

More activities

vhlcentral | LM p. 7 | WB pp. 11–12 | Online activities

Práctica

1 **Indicar** Check **sí** if the word you hear is an academic subject or **no** if it's not.

	Sí	No		Sí	No
1.	❍	❍	5.	❍	❍
2.	❍	❍	6.	❍	❍
3.	❍	❍	7.	❍	❍
4.	❍	❍	8.	❍	❍

2 **¿Cierto o falso?** Indicate whether each statement about the drawing is **cierto** or **falso**.

1. ________ 5. ________
2. ________ 6. ________
3. ________ 7. ________
4. ________ 8. ________

3 **Identificar** Identify the word that does not belong in each group.

1. examen • casa • tarea • prueba
2. pizarra • marcador • borrador • librería
3. economía • matemáticas • biblioteca • contabilidad
4. lápiz • cafetería • papel • cuaderno
5. veinte • diez • pluma • treinta
6. conductor • laboratorio • autobús • pasajero

4 **Emparejar** Match each question with its most logical response.

1. ¿Qué clase es?
2. ¿Quiénes son?
3. ¿Quién es?
4. ¿De dónde es?
5. ¿Cuántos estudiantes hay?
6. ¿A qué hora es la clase de inglés?

a. Hay veinticinco.
b. Es un reloj.
c. Es de Perú.
d. Es la clase de química.
e. Es el señor Bastos.
f. Es a las nueve en punto.
g. Son los profesores.

5 **¿Qué clase es?** Name the class associated with the subject matter.

modelo
los elementos, los átomos *Es la clase de química.*

1. Abraham Lincoln, Winston Churchill
2. África, el océano Pacífico
3. Freud, Jung
4. Picasso, Leonardo da Vinci
5. la cultura de España, verbos
6. Hemingway, Shakespeare
7. geometría, calculadora

Los días de la semana

¡LENGUA VIVA!

The days of the week are never capitalized in Spanish.

•••

Monday is considered the first day of the week in Spanish-speaking countries.

CONSULTA

Note that September in Spanish is **septiembre.** For all of the months of the year, go to **Contextos, Lección 5,** p. 142.

6 **¿Qué día es hoy?** Complete each statement.

1. Hoy es martes. Mañana es __________. Ayer fue (*Yesterday was*) __________.
2. Ayer fue sábado. Mañana es __________. Hoy es __________.
3. Mañana es viernes. Hoy es __________. Ayer fue __________.
4. Hoy es jueves. Ayer fue __________. Mañana es __________.
5. Ayer fue domingo. Hoy es __________. Mañana es __________.
6. Mañana es lunes. Hoy es __________. Ayer fue __________.

7 **Preguntas** Answer the questions.

ciencias	geografía	residencia estudiantil
domingo	lenguas extranjeras	siete
especialización	libros	veinticuatro

1. ¿Cuántas horas hay en un día? __________
2. ¿Cuántos días hay en una semana? __________
3. ¿Qué día no hay clases? __________
4. ¿En qué clase hay mapas de Asia y Europa? __________
5. ¿Qué es la administración de empresas? __________
6. ¿Qué son el español y el italiano? __________
7. ¿Qué hay en una mochila? __________
8. ¿Qué son la física y la biología? __________

Comunicación

8

Horario Choose three courses from the chart to create your own class schedule, then discuss it with a classmate.

materia	horas	días	profesor(a)
historia	9–10	lunes, miércoles	Prof. Ordóñez
biología	12–1	lunes, jueves	Profa. Dávila
periodismo	2–3	martes, jueves	Profa. Quiñones
matemáticas	2–3	miércoles, jueves	Prof. Jiménez
arte	12–1:30	lunes, miércoles	Prof. Molina

modelo

Estudiante 1: *Tomo biología los lunes y jueves, de 12 a 1, con la profesora Dávila.*

Estudiante 2: *¿Sí? Yo no tomo biología. Yo tomo arte los lunes y miércoles, de 12 a 1:30, con el profesor Molina.*

¡ATENCIÓN!

Use **el** + [*day of the week*] when an activity occurs on a specific day and **los** + [*day of the week*] when an activity occurs regularly.

El lunes tengo un examen.

***On Monday** I have an exam.*

Los lunes y miércoles tomo biología.

***On Mondays and Wednesdays** I take biology.*

•••

Except for **sábados** and **domingos**, the singular and plural forms for days of the week are the same.

AYUDA

tomo *I take*

con *with*

9

Memoria Take a good look around your Spanish classroom and then close your eyes. Your partner will ask you questions about the classroom, using these words and other vocabulary. Each person should answer six questions and switch roles every three questions.

escritorio	mapa	pizarra	reloj
estudiante	mesa	profesor(a)	ventana
libro	mochila	puerta	silla

modelo

Estudiante 1: *¿Cuántas ventanas hay?*

Estudiante 2: *Hay cuatro ventanas.*

10

Nuevos amigos With a partner, prepare a conversation between two students meeting for the first time. Then act it out for the class.

Estudiante 1		Estudiante 2
Greet your new acquaintance.	→	Introduce yourself.
Find out about him or her.	→	Tell him or her about yourself.
Ask about your partner's class schedule.	→	Compare your schedule to your partner's.
Say nice to meet you and goodbye.	→	Say nice to meet you and goodbye.

¿Qué estudias?

Felipe, Marissa, Juan Carlos y Miguel visitan Chapultepec y hablan de las clases.

PERSONAJES

MARISSA

FELIPE

Video

FELIPE Dos boletos, por favor.

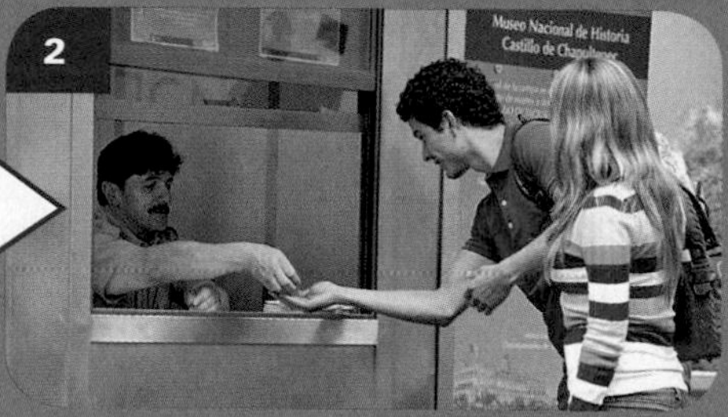

EMPLEADO Dos boletos son 64 pesos.

FELIPE Aquí están 100 pesos.

EMPLEADO 100 menos 64 son 36 pesos de cambio.

FELIPE Ésta es la Ciudad de México.

FELIPE Oye, Marissa, ¿cuántas clases tomas?

MARISSA Tomo cuatro clases: español, historia, literatura y también geografía. Me gusta mucho la cultura mexicana.

MIGUEL Marissa, hablas muy bien el español... ¿Y dónde está tu diccionario?

MARISSA En casa de los Díaz. Felipe necesita practicar inglés.

MIGUEL ¡Ay, Maru! Chicos, nos vemos más tarde.

FELIPE Juan Carlos, ¿quién enseña la clase de química este semestre?

JUAN CARLOS El profesor Morales. Ah, ¿por qué tomo química y computación?

FELIPE Porque te gusta la tarea.

JUAN CARLOS

MIGUEL

EMPLEADO

MARU

7

FELIPE Los lunes y los miércoles, economía a las 2:30. Tú tomas computación los martes en la tarde, y química, a ver... Los lunes, los miércoles y los viernes ¿a las 10? ¡Uf!

8

FELIPE Y Miguel, ¿cuándo regresa?

JUAN CARLOS Hoy estudia con Maru.

MARISSA ¿Quién es Maru?

9

MIGUEL ¿Hablas con tu mamá?

MARU Mamá habla. Yo escucho. Es la 1:30.

MIGUEL Ay, lo siento. Juan Carlos y Felipe...

MARU Ay, Felipe.

10

MARU Y ahora, ¿adónde? ¿A la biblioteca?

MIGUEL Sí, pero primero a la librería. Necesito comprar unos libros.

More activities
vhlcentral | VM pp. 3–4 | Online activities

Expresiones útiles

Talking about classes

¿Cuántas clases tomas?
How many classes are you taking?
Tomo cuatro clases.
I'm taking four classes.
Mi especialización es en arqueología.
My major is archeology.
Este año, espero sacar buenas notas y, por supuesto, viajar por el país.
This year, I hope / I'm hoping to get good grades. And, of course, travel through the country.

Talking about likes/dislikes

Me gusta mucho la cultura mexicana.
I like Mexican culture a lot.
Me gustan las ciencias ambientales.
I like environmental science.
Me gusta dibujar.
I like to draw.
¿Te gusta este lugar?
Do you like this place?

Paying for tickets

Dos boletos, por favor.
Two tickets, please.
Dos boletos son sesenta y cuatro pesos.
Two tickets are sixty-four pesos.
Aquí están cien pesos.
Here's a hundred pesos.
Son treinta y seis pesos de cambio.
That's thirty-six pesos change.

Talking about location and direction

¿Dónde está tu diccionario?
Where is your dictionary?
Está en casa de los Díaz.
It's at the Díaz house.
Y ahora, ¿adónde? ¿A la biblioteca?
And now, where to? To the library?
Sí, pero primero a la librería.
Está al lado.
Yes, but first to the bookstore.
It's next door.

¿Qué pasó?

1

Escoger Choose the answer that best completes each sentence.

1. Marissa toma (*is taking*) __________ en la universidad.
   a. español, psicología, economía y música b. historia, inglés, sociología y periodismo
   c. español, historia, literatura y geografía
2. El profesor Morales enseña (*teaches*) __________.
   a. química b. matemáticas c. historia
3. Juan Carlos toma química __________.
   a. los miércoles, jueves y viernes b. los lunes, miércoles y viernes
   c. los lunes, martes y jueves
4. Miguel necesita ir a (*needs to go to*) __________.
   a. la biblioteca b. la residencia estudiantil c. la librería

2

Identificar Indicate which person made each statement.

1. ¿Quién es Maru? __________
2. Mamá habla. Yo escucho. __________
3. Sí, tomo química con el profesor Morales. __________
4. En clase, me gusta estar cerca de la ventana. __________
5. Necesito comprar unos libros. __________
6. Dos boletos, por favor. __________

MARISSA

MARU

JUAN CARLOS

MIGUEL

FELIPE

NOTA CULTURAL

Maru is a shortened version of the name **María Eugenia.** Other popular "combination names" in Spanish are **Juanjo (Juan José)** and **Maite (María Teresa).**

3

Completar Complete each sentence that is similar to one in the **Fotonovela** with the correct word(s).

Castillo de Chapultepec	estudiar	miércoles
clase	inglés	tarea

1. Marissa, éste es el __________.
2. Felipe tiene (*has*) el diccionario porque (*because*) necesita practicar __________.
3. A Juan Carlos le gusta mucho la __________.
4. Hay clase de economía los lunes y __________.
5. Miguel está con Maru para __________.

NOTA CULTURAL

The **Castillo de Chapultepec** is one of Mexico City's most historic landmarks. Constructed in 1785, it was the residence of emperors and presidents. It has been open to the public since 1944 and now houses the National Museum of History.

4

Preguntas personales Interview a partner.

1. ¿Qué clases tomas en la universidad?
2. ¿Qué clases tomas los martes?
3. ¿Qué clases tomas los viernes?
4. ¿En qué clase hay más chicos?
5. ¿En qué clase hay más chicas?
6. ¿Te gusta la clase de español?

Pronunciación

Tutorial

Spanish vowels

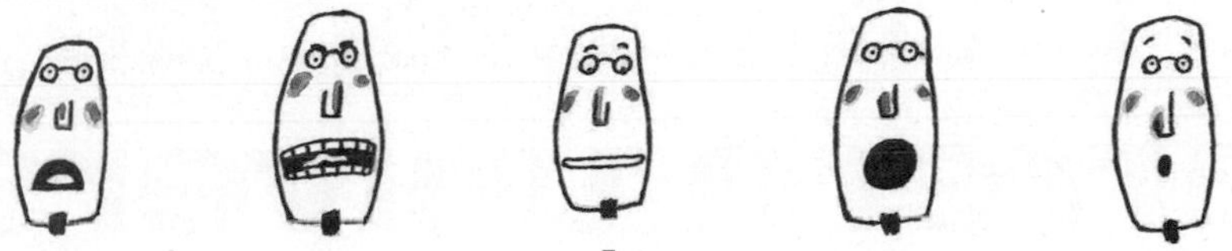

a **e** **i** **o** **u**

Spanish vowels are never silent; they are always pronounced in a short, crisp way without the glide sounds used in English.

Álex **clase** **nada** **encantada**

The letter **a** is pronounced like the *a* in *father*, but shorter.

el **ene** **mesa** **elefante**

The letter **e** is pronounced like the *e* in *they*, but shorter.

Inés **chica** **tiza** **señorita**

The letter **i** sounds like the *ee* in *beet*, but shorter.

hola **con** **libro** **don Francisco**

The letter **o** is pronounced like the *o* in *tone*, but shorter.

uno **regular** **saludos** **gusto**

The letter **u** sounds like the *oo* in *room*, but shorter.

Práctica Practice the vowels by saying the names of these places in Spain.

1. Madrid
2. Alicante
3. Tenerife
4. Toledo
5. Barcelona
6. Granada
7. Burgos
8. La Coruña

AYUDA

Although **hay** and **ay** are pronounced identically, they do not have the same meaning. As you learned in **Lección 1**, **hay** is a verb form that means *there is/are*. **Hay veinte libros**. (*There are twenty books.*) **¡Ay!** is an exclamation expressing pain, shock, or affliction: *Oh!; Oh, dear!*

Oraciones Read the sentences aloud, focusing on the vowels.

1. Hola. Me llamo Ramiro Morgado.
2. Estudio arte en la Universidad de Salamanca.
3. Tomo también literatura y contabilidad.
4. Ay, tengo clase en cinco minutos. ¡Nos vemos!

Refranes Practice the vowels by reading these sayings aloud.

1 Easier said than done.
2 To each his own.

More activities

vhlcentral

LM p. 8

Flash CULTURA

EN DETALLE

Video

La elección de una carrera universitaria

Since higher education in the Spanish-speaking world is heavily state-subsidized, tuition is almost free. As a result, public universities see large enrollments. Spanish and Latin American students generally choose their **carrera universitaria** (major) when they're eighteen—which is either the year they enter the university or the year before. In order to enroll, all students must complete a high school degree, known as the **bachillerato.** In countries like Bolivia, Mexico, and Peru, the last year of high school (**colegio***) tends to be specialized in an area of study, such as the arts or natural sciences.

Students then choose their major according to their area of specialization. Similarly, university-bound students in Argentina focus their studies on specific fields, such as the humanities and social sciences, natural sciences, communication, art and design, and economics and business, during their five years of high school. Based on this coursework, Argentine students choose their **carrera.** Finally, in Spain, students choose their major according to the score they receive on the **prueba de aptitud** (skills test or entrance exam).

University graduates receive a **licenciatura**, or bachelor's degree. In Argentina and Chile, a

Universidad Central de Venezuela en Caracas

licenciatura takes four to six years to complete, and may be considered equivalent to a master's degree. In Peru and Venezuela, a bachelor's degree is a five-year process. Spanish and Colombian **licenciaturas** take four to five years, although some fields, such as medicine, require six or more.

Estudiantes hispanos en los EE.UU.

In the 2015–16 academic year, over 16,500 Mexican students (2% of all international students) studied at U.S. universities. Venezuelans were the second-largest Spanish-speaking group, with over 8,000 students.

*¡Ojo! **El colegio** is a false cognate. In most countries, it means *high school*, but in some regions it refers to an elementary school. All undergraduate study takes place at **la universidad**.

ACTIVIDADES

1 **¿Cierto o falso?** Indicate whether these statements are **cierto** or **falso**. Correct the false statements.

1. Students in Spanish-speaking countries must pay large amounts of money toward their college tuition.
2. **Carrera** refers to any undergraduate or graduate program that students enroll in to obtain a professional degree.
3. After studying at a **colegio**, students receive their **bachillerato**.
4. Undergraduates study at a **colegio** or an **universidad**.
5. In Latin America and Spain, students usually choose their majors in their second year at the university.
6. In Argentina, students focus their studies in their high school years.
7. In Mexico, the **bachillerato** involves specialized study.
8. In Spain, majors depend on entrance exam scores.
9. Venezuelans complete a **licenciatura** in five years.
10. According to statistics, Venezuelans constitute the third-largest Latin American group studying at U.S. universities.

ASÍ SE DICE

Clases y exámenes

aprobar	*to pass*
la asignatura (Esp.)	la clase, la materia
la clase anual	*year-long course*
el examen parcial	*midterm exam*
la facultad	*department, school*
la investigación	*research*
el profesorado	*faculty*
reprobar; suspender (Esp.)	*to fail*
sacar buenas/ malas notas	*to get good/ bad grades*
tomar apuntes	*to take notes*

EL MUNDO HISPANO

Las universidades hispanas

It is not uncommon for universities in Spain and Latin America to have extremely large student body populations.

- **Universidad de Buenos Aires** (Argentina) 316.000 estudiantes
- **Universidad Autónoma de Santo Domingo** (República Dominicana) 200.000 estudiantes
- **Universidad Complutense de Madrid** (España) 83.000 estudiantes
- **Universidad Central de Venezuela** (Venezuela) 62.600 estudiantes

PERFIL

La Universidad de Salamanca

The University of Salamanca, established in 1218, is the oldest university in Spain. It is located in Salamanca, one of the most spectacular Renaissance cities in Europe. Salamanca is nicknamed **La Ciudad Dorada** (*The Golden City*) for the golden glow of its famous sandstone buildings, and it was declared a UNESCO World Heritage Site in 1988.

Salamanca is a true college town, as its prosperity and city life depend on and revolve around the university population. Over 32,000 students from all over Spain, as well as abroad, come to study here each year. The school offers over 250 academic programs, as well as renowned Spanish courses for foreign students. To walk through the university's historic grounds is to follow the footsteps of immortal writers like Miguel de Cervantes and Miguel de Unamuno.

CON RITMO HISPANO

Enrique Iglesias (1975–)

Birthplace: Madrid, Spain

He used the name **Enrique Martínez** on demos to get his first record contract; he wanted to succeed without the help or influence of his famous father, Spanish pop singer Julio Iglesias.

Go to **vhlcentral.com** to find out more about **Enrique Iglesias** and his music.

ACTIVIDADES

2 Comprensión Complete these sentences.

1. The University of Salamanca was established in the year __________.
2. A __________ is a year-long course.
3. Salamanca is called __________.
4. Over 300,000 students attend the __________.
5. An __________ occurs about halfway through a course.

3 La universidad en cifras With a partner, research a Spanish or Latin American university online and find five statistics about that institution (for instance, the total enrollment, majors offered, year it was founded, etc.). Using the information you found, create a dialogue between a prospective student and a university representative. Present your dialogue to the class.

More activities: vhlcentral | VM pp. 33–34 | Online activities

2.1 Present tense of -ar verbs

Tutorial

ANTE TODO In order to talk about activities, you need to use verbs. Verbs express actions or states of being. In English and Spanish, the infinitive is the base form of the verb. In English, the infinitive is preceded by the word *to*: *to study*, *to be*. The infinitive in Spanish is a one-word form and can be recognized by its endings: **-ar**, **-er**, or **-ir**.

-*ar* verb		-*er* verb		-*ir* verb	
estudiar	*to study*	**comer**	*to eat*	**escribir**	*to write*

▶ In this lesson, you will learn the forms of regular **-ar** verbs.

The verb estudiar (*to study*)

SINGULAR FORMS	yo	estudi**o**	*I study*
	tú	estudi**as**	*you* (fam.) *study*
	Ud./él/ella	estudi**a**	*you* (form.) *study; he/she studies*
PLURAL FORMS	nosotros/as	estudi**amos**	*we study*
	vosotros/as	estudi**áis**	*you* (fam.) *study*
	Uds./ellos/ellas	estudi**an**	*you study; they study*

▶ To create the forms of most regular verbs in Spanish, drop the infinitive endings (**-ar**, **-er**, **-ir**). You then add to the stem the endings that correspond to the different subject pronouns. This diagram will help you visualize verb conjugation.

Conjugation of -*ar* verbs

INFINITIVE	VERB STEM	CONJUGATED FORM
estudi**ar**	estudi-	yo estudi**o**
bail**ar**	bail-	tú bail**as**
trabaj**ar**	trabaj-	nosotros trabaj**amos**

Common *-ar* verbs

bailar	*to dance*	**estudiar**	*to study*
buscar	*to look for*	**explicar**	*to explain*
caminar	*to walk*	**hablar**	*to talk; to speak*
cantar	*to sing*	**llegar**	*to arrive*
cenar	*to have dinner*	**llevar**	*to carry*
comprar	*to buy*	**mirar**	*to look (at); to watch*
contestar	*to answer*	**necesitar (+ *inf.*)**	*to need*
conversar	*to converse, to chat*	**practicar**	*to practice*
desayunar	*to have breakfast*	**preguntar**	*to ask (a question)*
descansar	*to rest*	**preparar**	*to prepare*
desear (+ *inf.*)	*to desire; to wish*	**regresar**	*to return*
dibujar	*to draw*	**terminar**	*to end; to finish*
enseñar	*to teach*	**tomar**	*to take; to drink*
escuchar	*to listen (to)*	**trabajar**	*to work*
esperar (+ *inf.*)	*to wait (for); to hope*	**viajar**	*to travel*

▶ **¡Atención!** Unless referring to a person, the Spanish verbs **buscar**, **escuchar**, **esperar**, and **mirar** do not need to be followed by prepositions as they do in English.

Busco la tarea.
I'm looking for the homework.

Espero el autobús.
I'm waiting for the bus.

Escucho la música.
I'm listening to the music.

Miro la pizarra.
I'm looking at the board.

COMPARE & CONTRAST

English uses three sets of forms to talk about the present: (1) the simple present (*Paco works*), (2) the present progressive (*Paco is working*), and (3) the emphatic present (*Paco does work*). In Spanish, the simple present can be used in all three cases.

Paco **trabaja** en la cafetería.
1. *Paco works in the cafeteria.*
2. *Paco is working in the cafeteria.*
3. *Paco does work in the cafeteria.*

In Spanish and English, the present tense is also sometimes used to express future action.

Marina **viaja** a Madrid mañana.
1. *Marina travels to Madrid tomorrow.*
2. *Marina will travel to Madrid tomorrow.*
3. *Marina is traveling to Madrid tomorrow.*

▶ When two verbs are used together with no change of subject, the second verb is generally in the infinitive. To make a sentence negative in Spanish, the word **no** is placed before the conjugated verb. In this case, **no** means *not*.

Deseo hablar con el señor Díaz.
I want to speak with Mr. Díaz.

Alicia **no** desea bailar ahora.
Alicia doesn't want to dance now.

▶ Spanish speakers often omit subject pronouns because the verb endings indicate who the subject is. In Spanish, subject pronouns are used for emphasis, clarification, or contrast.

—¿Qué enseñan?
What do they teach?

—**Ella** enseña arte y **él** enseña física.
She teaches art, and he teaches physics.

—¿Quién desea trabajar hoy?
Who wants to work today?

—**Yo** no deseo trabajar hoy.
I don't want to work today.

The verb gustar

▶ **Gustar** is different from other **-ar** verbs. To express your likes and dislikes, use the expression **(no) me gusta** + **el/la** + [*singular noun*] or **(no) me gustan** + **los/las** + [*plural noun*]. Note: You may use the phrase **a mí** for emphasis, but never the subject pronoun **yo**.

Me gusta la música clásica.
I like classical music.

Me gustan las clases de español y biología.
I like Spanish and biology classes.

A mí me gustan las artes.
I like the arts.

A mí no me gusta el programa.
I don't like the program.

▶ To talk about what you like and don't like to do, use **(no) me gusta** + [*infinitive(s)*]. Note that the singular **gusta** is always used, even with more than one infinitive.

No me gusta viajar en autobús.
I don't like to travel by bus.

Me gusta cantar y **bailar**.
I like to sing and dance.

▶ To ask a friend about likes and dislikes, use the pronoun **te** instead of **me**. Note: You may use **a ti** for emphasis, but never the subject pronoun **tú**.

—¿Te gusta la geografía?
Do you like geography?

—Sí, me gusta. Y a ti, ¿te gusta el inglés?
Yes, I like it. And you, do you like English?

▶ You can use this same structure to talk about other people by using the pronouns **nos**, **le**, and **les**. Unless your instructor tells you otherwise, only the **me** and **te** forms will appear on test materials until **Lección 7**.

Nos gusta dibujar. (nosotros)
We like to draw.

Nos gustan las clases de español e inglés. (nosotros)
We like Spanish class and English class.

No le gusta trabajar. (usted, él, ella)
You don't like to work.
He/She doesn't like to work.

Les gusta el arte. (ustedes, ellos, ellas)
You like art.
They like art.

¡ATENCIÓN!

Note that **gustar** does not behave like other **-ar** verbs. You must study its use carefully and pay attention to prepositions, pronouns, and agreement.

AYUDA

Use the construction **a** + [*name/pronoun*] to clarify to whom you are referring. This construction is not always necessary.

A Gabriela le gusta bailar.

A Sara y a él les gustan los animales.

A mí me gusta viajar.

¿**A ti** te gustan las clases?

CONSULTA

For more on **gustar** and other verbs like it, see **Estructura 7.4**, pp. 230–231.

More activities

vhlcentral

LM p. 9

WB pp. 13–14

Online activities

¡INTÉNTALO! Provide the present tense forms of these verbs.

hablar

1. Yo ___hablo___ español.
2. Ellos ________ español.
3. Inés ________ español.
4. Tú ________ español.
5. Nosotras ________ español.

gustar

1. ___Me gusta___ el café. (a mí)
2. ¿________ las clases? (a ti)
3. No ________ el café. (a ti)
4. No ________ el café. (a mí)
5. No ________ las clases. (a mí)

Práctica

1 **Completar** Complete the conversation with the appropriate forms of the verbs.

JUAN ¡Hola, Linda! ¿Qué tal las clases?

LINDA Bien. (1)__________ (tomar) tres clases... química, biología y computación. Y tú, ¿cuántas clases (2)__________ (tomar)?

JUAN (3)__________ (tomar) tres también... biología, arte y literatura. El doctor Cárdenas (4)__________ (enseñar) la clase de biología.

LINDA ¿Ah, sí? Lily, Alberto y yo (5)__________ (tomar) biología a las diez con la profesora Garza.

JUAN ¿(6)__________ (estudiar) mucho ustedes?

LINDA Sí, nosotros (7)__________ (necesitar) estudiar dos horas todos los días (*every day*).

2 **Oraciones** Form sentences. Remember to conjugate the verbs and add any other necessary words.

modelo

ustedes / practicar / vocabulario *Ustedes practican el vocabulario.*

1. ¿preparar (tú) / tarea?
2. clase de español / terminar / once
3. ¿qué / buscar / ustedes?
4. (yo) comprar / calculadora
5. (nosotros) buscar / pluma

3 **Gustos** Use the information in parentheses to tell what the people like.

modelo

Yo enseño en la universidad. (las clases) *Me gustan las clases.*

1. Tú deseas mirar cuadros (*paintings*) de Picasso. (el arte)
2. Busco una computadora. (la computación)
3. Tú estudias italiano y español. (las lenguas extranjeras)
4. No descansas los sábados. (cantar y bailar)
5. Soy estudiante de economía. (estudiar)

4 **Actividades** Get together with a partner and take turns asking each other if you do these activities. Which activities does your partner like? Which do you both like?

modelo

tomar el autobús
Estudiante 1: *¿Tomas el autobús?*
Estudiante 2: *Sí, tomo el autobús, pero (but) no me gusta./ No, no tomo el autobús.*

bailar merengue	escuchar música rock	practicar el español
cantar bien	estudiar física	trabajar en la universidad
dibujar en clase	mirar la televisión	viajar a Europa

AYUDA

The Spanish **no** translates to both *no* and *not* in English. In negative answers to questions, you will need to use **no** twice:
¿Estudias geografía?
No, no estudio geografía.

Comunicación

5

Describir With a partner, describe what you see using the given verbs. Also ask your partner whether or not he/she likes one of the activities.

modelo

dibujar, escuchar
Estudiante 1: *La chica dibuja y escucha música. ¿Te gusta dibujar?*
Estudiante 2: *Sí, me gusta dibujar.*

1. desayunar, estudiar, conversar

2. llegar, cantar, bailar

3. trabajar, viajar, llevar

4. mirar, esperar, cenar

6

Charadas In groups of three, play a game of charades using the verbs. For example, if someone is studying, you say "**Estudias.**" The first person to guess correctly acts out the next charade.

bailar	cantar	descansar	enseñar	mirar
caminar	conversar	dibujar	escuchar	preguntar

Síntesis

7

Conversación With a partner, prepare a conversation between two friends who have not seen each other on campus lately and want to catch up on things. Mention how you're feeling, what classes you're taking, what days and times you have classes, and which classes you like and don't like.

2.2 Forming questions in Spanish

Tutorial

ANTE TODO There are three basic ways to ask questions in Spanish. Can you guess what they are by looking at the photos and photo captions on this page?

AYUDA

With a partner, take turns saying out loud he example statements ınd questions on his page. Your pitch indicates whether you are making a statement or asking a question. Then take turns making up statements of your own and turning them into questions, using all three methods.

- One way to form a question is to raise the pitch of your voice at the end of a declarative sentence. When writing any question in Spanish, be sure to use an upside-down question mark (**¿**) at the beginning and a regular question mark (**?**) at the end of the sentence.

Statement	**Question**
Ustedes trabajan los sábados. *You work on Saturdays.*	¿Ustedes trabajan los sábados? *Do you work on Saturdays?*
Carlota busca un mapa. *Carlota is looking for a map.*	¿Carlota busca un mapa? *Is Carlota looking for a map?*

- You can also form a question by inverting the order of the subject and the verb of a declarative statement. The subject may even be placed at the end of the sentence.

Statement	**Question**
SUBJECT VERB **Ustedes trabajan** los sábados. *You work on Saturdays.*	VERB SUBJECT ¿**Trabajan ustedes** los sábados? *Do you work on Saturdays?*
SUBJECT VERB **Carlota regresa** a las seis. *Carlota returns at six.*	VERB SUBJECT ¿**Regresa** a las seis **Carlota**? *Does Carlota return at six?*

- Questions can also be formed by adding the tags **¿no?** or **¿verdad?** at the end of a statement.

Statement	**Question**
Ustedes trabajan los sábados. *You work on Saturdays.*	Ustedes trabajan los sábados, **¿no?** *You work on Saturdays, don't you?*
Carlota regresa a las seis. *Carlota returns at six.*	Carlota regresa a las seis, **¿verdad?** *Carlota returns at six, right?*

Question words

Interrogative words			
¿Adónde?	*Where (to)?*	**¿De dónde?**	*From where?*
¿Cómo?	*How?*	**¿Dónde?**	*Where?*
¿Cuál?, ¿Cuáles?	*Which?; Which one(s)?*	**¿Por qué?**	*Why?*
¿Cuándo?	*When?*	**¿Qué?**	*What?; Which?*
¿Cuánto/a?	*How much?*	**¿Quién?**	*Who?*
¿Cuántos/as?	*How many?*	**¿Quiénes?**	*Who* (plural)?

▶ To ask a question that requires more than a *yes* or *no* answer, use an interrogative word.

¿**Cuál** de ellos estudia en la biblioteca?
Which of them studies in the library?

¿**Cuántos** estudiantes hablan español?
How many students speak Spanish?

¿**Dónde** trabaja Ricardo?
Where does Ricardo work?

¿**Qué** clases tomas?
What classes are you taking?

¿**Adónde** caminamos?
Where are we walking (to)?

¿**Por qué** necesitas hablar con ella?
Why do you need to talk to her?

¿**Quién** enseña la clase de arte?
Who teaches the art class?

¿**Cuánta** tarea hay?
How much homework is there?

CONSULTA

You will learn more about the difference between **qué** and **cuál** in **Estructura 9.3**, p. 292.

▶ When you pronounce this type of question, the pitch of your voice falls at the end of the sentence.

¿**Cómo** llegas a clase?
How do you get to class?

¿**Por qué** necesitas estudiar?
Why do you need to study?

▶ Notice the difference between **¿por qué?**, which is written as two words and has an accent, and **porque**, which is written as one word without an accent.

¿**Por qué** estudias español?
Why do you study Spanish?

¡**Porque** es divertido!
Because it's fun!

▶ In Spanish **no** can mean both *no* and *not*. Therefore, when answering a yes/no question in the negative, you need to use **no** twice.

¿Caminan a la universidad?
Do you walk to the university?

No, no caminamos a la universidad.
No, we do not walk to the university.

¡INTÉNTALO! Make questions out of these statements. Use the intonation method and the tag **¿no?** method.

Statement	**Intonation**	**Tag questions**
1. Hablas inglés.	¿Hablas inglés?	Hablas inglés, ¿no?
2. Trabajamos mañana.		
3. Raúl estudia mucho.		
4. Ustedes desean bailar.		
5. Enseño a las nueve.		
6. Luz mira la televisión.		

More activities
vhlcentral
LM p. 10
WB pp. 15–16
Online activities

Práctica

1

Preguntas Change these sentences into questions by inverting the word order.

modelo

Ernesto habla con su compañero de clase.
¿Habla Ernesto con su compañero de clase? /
¿Habla con su compañero de clase Ernesto?

1. La profesora Cruz prepara la prueba.
2. Sandra y yo necesitamos estudiar.
3. Los chicos practican el vocabulario.
4. Tú trabajas en la biblioteca.
5. Jaime termina la tarea.

2

Más preguntas Change each statement into two questions, using the interrogative words given.

modelo

Ernesto habla bien en la clase de español. (¿quién? ¿dónde?)
¿Quién habla bien en la clase de español? /
¿Dónde habla bien Ernesto?

1. Ignacio estudia hoy porque hay un examen el jueves. (¿cuándo? ¿por qué?)
2. Tú trabajas seis horas en la librería. (¿cuántas? ¿dónde?)
3. Los chicos practican el vocabulario en clase. (¿quiénes? ¿qué?)
4. Valeria y Sergio viajan a Barcelona en autobús. (¿adónde? ¿cómo?)
5. Catalina y Susana cenan en la cafetería. (¿quiénes? ¿dónde?)

3

Completar Complete the conversation with the appropriate questions.

IRENE Hola, Manolo. (1)____________________
MANOLO Bien, gracias. (2)____________________
IRENE Muy bien. (3)____________________
MANOLO Son las nueve.
IRENE (4)____________________
MANOLO Estudio historia.
IRENE (5)____________________
MANOLO Porque hay un examen mañana.
IRENE (6)____________________
MANOLO Sí, me gusta mucho la clase.
IRENE (7)____________________
MANOLO El profesor Padilla enseña la clase.
IRENE (8)____________________
MANOLO No, no tomo psicología este (*this*) semestre.

Comunicación

4

Encuesta Your instructor will give you a worksheet. Change the categories in the first column into questions, then use them to survey your classmates. Find at least one person for each category. Be prepared to report the results of your survey to the class.

5

Un juego In groups of four or five, play a game (**un juego**) of Jeopardy®. Each person has to write two clues. Then take turns reading the clues and guessing the questions. The person who guesses correctly reads the next clue.

Es algo que...	**Es un lugar donde...**	**Es una persona que...**
It's something that...	*It's a place where...*	*It's a person that...*

modelo

Estudiante 1: Es un lugar donde estudiamos.
Estudiante 2: ¿Qué es la biblioteca?

Estudiante 1: Es algo que escuchamos.
Estudiante 2: ¿Qué es la música?

Estudiante 1: Es un director de España.
Estudiante 2: ¿Quién es Pedro Almodóvar?

NOTA CULTURAL

Pedro Almodóvar is an award-winning film director from Spain. His films are full of both humor and melodrama, and their controversial subject matter has often sparked great debate. His film ***Hable con ella*** won the Oscar for Best Original Screenplay in 2002. His 2006 hit ***Volver*** was nominated for numerous awards, and won the Best Screenplay and Best Actress award for the entire female cast at the Cannes Film Festival.

6

El nuevo estudiante You are a transfer student and today is your first day of Spanish class. Ask your partner questions to find out all you can about the class, your classmates, and the university. Use the list for ideas. Then switch roles.

biblioteca	curso	librería
cafetería	especialización	residencia estudiantil
clase	examen	tarea

modelo

Estudiante 1: Hola, me llamo Samuel. ¿Cómo te llamas?
Estudiante 2: Me llamo Laura.
Estudiante 1: En la universidad hay cursos de ciencias, ¿verdad?
Estudiante 2: Sí, hay clases de biología, química y física.
Estudiante 1: ¿Cuántos exámenes hay en esta clase?
Estudiante 2: Hay dos.

Síntesis

7

Entrevista You are a reporter for the school newspaper. Write five questions about student life at your school and use them to interview two classmates. Be prepared to report your findings to the class.

2.3 Present tense of estar

Tutorial

CONSULTA

To review the forms of **ser**, see **Estructura 1.3**, pp. 19–21.

ANTE TODO In **Lección 1**, you learned how to conjugate and use the verb **ser** (*to be*). You will now learn a second verb which means *to be*, the verb **estar**. Although **estar** ends in **-ar**, it does not follow the pattern of regular **-ar** verbs. The **yo** form (**estoy**) is irregular. Also, all forms have an accented **á** except the **yo** and **nosotros/as** forms.

The verb estar (*to be*)

SINGULAR FORMS	yo	est**oy**	*I am*
	tú	est**ás**	*you* (fam.) *are*
	Ud./él/ella	est**á**	*you* (form.) *are; he/she is*
PLURAL FORMS	nosotros/as	est**amos**	*we are*
	vosotros/as	est**áis**	*you* (fam.) *are*
	Uds./ellos/ellas	est**án**	*you are; they are*

¡Estamos en Perú!

María está en la biblioteca.

COMPARE & CONTRAST

Compare the uses of the verb **estar** to those of the verb **ser**.

Uses of *estar*

Location
Estoy en casa.
I am at home.

Marissa **está** al lado de Felipe.
Marissa is next to Felipe.

Health
Juan Carlos **está** enfermo hoy.
Juan Carlos is sick today.

Well-being
—¿Cómo **estás**, Jimena?
How are you, Jimena?

—**Estoy** muy bien, gracias.
I'm very well, thank you.

Uses of *ser*

Identity
Hola, **soy** Maru.
Hello, I'm Maru.

Occupation
Soy estudiante.
I'm a student.

Origin
—¿**Eres** de México?
Are you from Mexico?

—Sí, **soy** de México.
Yes, I'm from Mexico.

Telling time
Son las cuatro.
It's four o'clock.

AYUDA

Use **la casa** to express *the house*, but **en casa** to express *at home*.

CONSULTA

To learn more about the difference between **ser** and **estar**, see **Estructura 5.3**, pp. 158–159.

▶ **Estar** is often used with certain prepositions and adverbs to describe the location of a person or an object.

Prepositions and adverbs often used with estar

al lado de	*next to*	**delante de**	*in front of*
a la derecha de	*to the right of*	**detrás de**	*behind*
a la izquierda de	*to the left of*	**en**	*in; on*
allá	*over there*	**encima de**	*on top of*
allí	*there*	**entre**	*between*
cerca de	*near*	**lejos de**	*far from*
con	*with*	**sin**	*without*
debajo de	*below*	**sobre**	*on; over*

El marcador **está al lado de** la pluma.
The marker is next to the pen.

Los libros **están encima del** escritorio.
The books are on top of the desk.

El laboratorio **está cerca de** la clase.
The lab is near the classroom.

Maribel **está delante de** José.
Maribel is in front of José.

La maleta **está allí**.
The suitcase is there.

El estadio no **está lejos de** la librería.
The stadium isn't far from the bookstore.

El mapa **está entre** la pizarra y la puerta.
The map is between the board and the door.

Los estudiantes **están en** la clase.
The students are in class.

La calculadora **está sobre** la mesa.
The calculator is on the table.

Los turistas **están allá**.
The tourists are over there.

¡INTÉNTALO! Provide the present tense forms of **estar**.

1. Ustedes _están_ en la clase.
2. José __________ en la biblioteca.
3. Yo __________ bien, gracias.
4. Nosotras __________ en la cafetería.
5. Tú __________ en el laboratorio.
6. Ellas __________ en la clase.
7. Elena __________ en la librería.
8. Ana y yo __________ en la clase.
9. Javier y Maribel __________ en el estadio.
10. ¿Cómo __________ usted?
11. Nosotros __________ en la cafetería.
12. Yo __________ en el laboratorio.
13. Carmen y María __________ enfermas.
14. Tú __________ en la clase.

More activities
vhlcentral
LM p. 11
WB pp. 17–18
Online activities

Práctica

1

Completar Complete the conversation with the appropriate forms of **ser** or **estar**.

MAMÁ Hola, Daniela. ¿Cómo (1)__________?
DANIELA Hola, mamá. (2)__________ bien. ¿Dónde (3)__________ papá? ¡Ya (*Already*) (4)__________ las ocho de la noche!
MAMÁ No (5)__________ aquí. (6)__________ en la oficina.
DANIELA Y Andrés y Margarita, ¿dónde (7)__________ ellos?
MAMÁ (8)__________ en el restaurante La Palma con Martín.
DANIELA ¿Quién (9)__________ Martín?
MAMÁ (10)__________ un compañero de clase. (11)__________ de México.
DANIELA Ah. Y el restaurante La Palma, ¿dónde (12)__________?
MAMÁ (13)__________ cerca de la Plaza Mayor, en San Modesto.
DANIELA Gracias, mamá. Voy (*I'm going*) al restaurante. ¡Hasta pronto!

NOTA CULTURAL

In many Spanish-speaking countries, students attend college in their home city. Many tend to live at home instead of in a college dormitory. However, students from small towns without universities typically study away from home.

2

Escoger Choose the preposition that best completes each sentence.

1. La pluma está (encima de / detrás de) la mesa.
2. La ventana está (a la izquierda de / debajo de) la puerta.
3. La pizarra está (debajo de / delante de) los estudiantes.
4. Los estudiantes llevan los libros (en / sobre) la mochila.
5. España está (cerca de / lejos de) Puerto Rico.
6. La biblioteca está (sobre / al lado de) la residencia estudiantil.
7. Las sillas están (encima de / detrás de) los escritorios.
8. México está (cerca de / lejos de) los Estados Unidos.

3

La librería Ask the school bookstore clerk (your partner) the location of items in the drawing.

modelo

Estudiante 1: ¿Dónde están las computadoras?
Estudiante 2: Las computadoras están encima de la mesa.

NOTA CULTURAL

Many universities in the Spanish-speaking world do not have a central campus bookstore. Students generally purchase their texts at designated commercial bookstores.

Comunicación

4

¿Dónde estás...? Get together with a partner and take turns asking each other where you normally are at these times.

modelo

lunes / 10:00 a.m.
Estudiante 1: *¿Dónde estás los lunes a las diez de la mañana?*
Estudiante 2: *Estoy en la clase de español.*

1. sábados / 6:00 a.m.
2. miércoles / 9:15 a.m.
3. lunes / 11:10 a.m.
4. jueves / 12:30 a.m.
5. viernes / 2:25 p.m.
6. martes / 3:50 p.m.
7. jueves / 5:45 p.m.
8. miércoles / 8:20 p.m.

5

La ciudad universitaria You are an exchange student at a Spanish university. Ask a classmate to identify the people for you.

modelo

Estudiante 1: *¿Quién es Valeria? ¿Está a la izquierda de la facultad?*
Estudiante 2: *Sí, está a la izquierda de la facultad. Está al lado de David.*

¡LENGUA VIVA!

La Facultad (*School*) de Filosofía y Letras includes departments such as language, literature, philosophy, history, and linguistics. Fine arts can be studied in **la Facultad de Bellas Artes**. In Spain, the business school is sometimes called **la Facultad de Administración de Empresas. Residencias estudiantiles** are referred to as **colegios mayores**.

Síntesis

6

Entrevista With a partner, take turns asking and answering these questions.

1. ¿Cómo estás?
2. ¿Dónde tomas la clase de inglés/periodismo/física/computación?
3. ¿Dónde está tu (*your*) compañero/a de cuarto ahora?
4. ¿Cuántos estudiantes hay en tu clase de historia/literatura/química/matemáticas?
5. ¿Quién(es) no está(n) en la clase hoy?
6. ¿A qué hora terminan tus clases los lunes?
7. ¿Estudias mucho?
8. ¿Cuántas horas estudias para (*for*) una prueba?

2.4 Numbers 31 and higher

Tutorial

ANTE TODO You have already learned numbers 0–30. Now you will learn the rest of the numbers.

Numbers 31–100

▶ Numbers 31–99 follow the same basic pattern as 21–29.

Numbers 31–100

31	treinta y uno	**40**	cuarenta	**50**	cincuenta
32	treinta y dos	**41**	cuarenta y uno	**51**	cincuenta y uno
33	treinta y tres	**42**	cuarenta y dos	**52**	cincuenta y dos
34	treinta y cuatro	**43**	cuarenta y tres	**60**	sesenta
35	treinta y cinco	**44**	cuarenta y cuatro	**63**	sesenta y tres
36	treinta y seis	**45**	cuarenta y cinco	**64**	sesenta y cuatro
37	treinta y siete	**46**	cuarenta y seis	**70**	setenta
38	treinta y ocho	**47**	cuarenta y siete	**80**	ochenta
39	treinta y nueve	**48**	cuarenta y ocho	**90**	noventa
		49	cuarenta y nueve	**100**	cien, ciento

▶ **Y** is used in most numbers from **31** through **99**. Unlike numbers 21–29, these numbers must be written as three separate words.

Hay **noventa y dos** exámenes.
There are ninety-two exams.

Hay **cuarenta y dos** estudiantes.
There are forty-two students.

▶ With numbers that end in **uno** (31, 41, etc.), **uno** becomes **un** before a masculine noun and **una** before a feminine noun.

Hay **treinta y un** chicos.
There are thirty-one guys.

Hay **treinta y una** chicas.
There are thirty-one girls.

▶ **Cien** is used before nouns and in counting. The words **un**, **una**, and **uno** are never used before **cien** in Spanish. Use **cientos** to say *hundreds*.

Hay **cien** libros y **cien** sillas.
There are one hundred books and one hundred chairs.

¿Cuántos libros hay? **Cientos.**
How many books are there? Hundreds.

Numbers 101 and higher

▶ As shown in the chart, Spanish uses a period to indicate thousands and millions, rather than a comma, as is used in English.

Numbers 101 and higher

101	ciento uno	**1.000**	mil
200	doscientos/as	**1.100**	mil cien
300	trescientos/as	**2.000**	dos mil
400	cuatrocientos/as	**5.000**	cinco mil
500	quinientos/as	**100.000**	cien mil
600	seiscientos/as	**200.000**	doscientos/as mil
700	setecientos/as	**550.000**	quinientos/as cincuenta mil
800	ochocientos/as	**1.000.000**	un millón (de)
900	novecientos/as	**8.000.000**	ocho millones (de)

▶ Notice that you should use **ciento**, not **cien**, to count numbers over 100.

110 = **ciento diez** 118 = **ciento dieciocho** 150 = **ciento cincuenta**

▶ The numbers 200 through 999 agree in gender with the nouns they modify.

324 plum**as**
trescient**as** veinticuatro plum**as**

3.505 libr**os**
tres mil quinient**os** cinco libr**os**

▶ The word **mil**, which can mean *a thousand* and *one thousand*, is not usually used in the plural form to refer to an exact number, but it can be used to express the idea of *a lot, many*, or *thousands*. **Cientos** can also be used to express *hundreds* in this manner.

¡Hay **miles** de personas en el estadio!
There are thousands of people in the stadium!

Hay **cientos** de libros en la biblioteca.
There are hundreds of books in the library.

▶ To express a complex number (including years), string together all of its components.

55.422 cincuenta y cinco mil cuatrocientos veintidós

¡LENGUA VIVA!

In parts of Latin America, you will see a comma instead of a period to indicate thousands and millions.

¡LENGUA VIVA!

In Spanish, years are not expressed as pairs of two-digit numbers as they are in English (1979, *nineteen seventy-nine*): **1776, mil setecientos setenta y seis; 1945, mil novecientos cuarenta y cinco; 2016, dos mil dieciséis.**

¡ATENCIÓN!

When **millón** or **millones** is used before a noun, the word **de** is placed between the two:

1.000.000 hombres = un millón de hombres

12.000.000 casas = doce millones de casas.

More activities
vhlcentral
LM p. 12
WB pp. 19–20
Online activities

¡INTÉNTALO! Write out the Spanish equivalent of each number.

1. **102** ciento dos
2. **5.000.000** ______
3. **76** ______
4. **201** ______
5. **92** ______
6. **550.300** ______
7. **113** ______
8. **79** ______
9. **235** ______
10. **88** ______
11. **17.123** ______
12. **497** ______

Práctica y Comunicación

1

Baloncesto Provide these basketball scores in Spanish.

1. Ohio State 76, Michigan 65
2. Florida 92, Florida State 104
3. Stanford 83, UCLA 89
4. Duke 115, Virginia 121
5. Princeton 67, Harvard 55
6. Purdue 81, Indiana 78

2

Completar Following the pattern, write out the missing numbers in Spanish.

1. 50, 150, 250 ... 1.050
2. 5.000, 20.000, 35.000 ... 95.000
3. 100.000.000, 90.000.000, 80.000.000 ... 0
4. 100.000, 200.000, 300.000 ... 1.000.000

3

Resolver In pairs, take turns reading the math problems aloud for your partner to solve.

AYUDA

\+ → **más**
– → **menos**
= → **son**

modelo

200 + 300 =
Estudiante 1: *Doscientos más trescientos son...*
Estudiante 2: *...quinientos.*

1. 1.000 + 753 =
2. 1.000.000 – 30.000 =
3. 10.000 + 555 =
4. 15 + 150 =
5. 100.000 + 205.000 =
6. 29.000 – 10.000 =

4

Entrevista Find out the phone numbers and e-mail addresses of four classmates.

AYUDA

arroba *at* (@)
punto *dot* (.)

modelo

Estudiante 1: *¿Cuál es tu (your) número de teléfono?*
Estudiante 2: *Es el 635-19-51.*
Estudiante 1: *¿Y tu dirección de correo electrónico?*
Estudiante 2: *Es a-Smith-arroba-pe-ele-punto-e-de-u. (asmith@pl.edu)*

Síntesis

5

¿A qué distancia...? Your instructor will give you and a partner incomplete charts that indicate the distances between Madrid and various locations. Fill in the missing information on your chart by asking your partner questions.

modelo

Estudiante 1: *¿A qué distancia está Arganda del Rey?*
Estudiante 2: *Está a veintisiete kilómetros de Madrid.*

Recapitulación

Review the grammar concepts you have learned in this lesson by completing these activities.

1 **Completar** Complete the chart with the correct verb forms. **24 pts.**

yo	tú	nosotros	ellas
compro			
	deseas		
		miramos	
			preguntan

2 **Números** Write these numbers in Spanish. **16 pts.**

modelo

645: *seiscientos cuarenta y cinco*

1. **49:** ______
2. **97:** ______
3. **113:** ______
4. **632:** ______
5. **1.781:** ______
6. **3.558:** ______
7. **1.006.015:** ______
8. **67.224.370:** ______

3 **Preguntas** Write questions for these answers. **12 pts.**

1. —¿______ Patricia?
   —Patricia es de Colombia.
2. —¿______ él?
   —Él es mi amigo (*friend*).
3. —¿______ (tú)?
   —Hablo dos idiomas (*languages*).
4. —¿______ (ustedes)?
   —Deseamos tomar café.
5. —¿______?
   —Tomo biología porque me gustan las ciencias.
6. —¿______?
   —Camilo descansa por las mañanas.

RESUMEN GRAMATICAL

2.1 Present tense of *-ar* verbs *pp. 46–48*

estudiar	
estudio	estudiamos
estudias	estudiáis
estudia	estudian

The verb gustar

(no) me gusta + el/la + [*singular noun*]

(no) me gustan + los/las + [*plural noun*]

(no) me gusta + [*infinitive(s)*]

Note: You may use **a mí** for emphasis, but never **yo**.

To ask a friend about likes and dislikes, use **te** instead of **me**, but never **tú**.

¿Te gusta la historia?

2.2 Forming questions in Spanish *pp. 51–52*

- ¿Ustedes trabajan los sábados?
- ¿Trabajan ustedes los sábados?
- Ustedes trabajan los sábados, ¿verdad?/¿no?

Interrogative words

¿Adónde?	¿Cuánto/a?	¿Por qué?
¿Cómo?	¿Cuántos/as?	¿Qué?
¿Cuál(es)?	¿De dónde?	¿Quién(es)?
¿Cuándo?	¿Dónde?	

2.3 Present tense of *estar* *pp. 55–56*

- estar: estoy, estás, está, estamos, estáis, están

2.4 Numbers 31 and higher *pp. 59–60*

31	treinta y uno	101	ciento uno
32	treinta y dos *(and so on)*	200	doscientos/as
		500	quinientos/as
40	cuarenta	700	setecientos/as
50	cincuenta	900	novecientos/as
60	sesenta	1.000	mil
70	setenta	2.000	dos mil
80	ochenta	5.100	cinco mil cien
90	noventa	100.000	cien mil
100	cien, ciento	1.000.000	un millón (de)

4 **Al teléfono** Complete this phone conversation with the correct forms of the verb **estar**. 16 pts.

MARÍA TERESA Hola, señora López. (1) ¿ ________ Elisa en casa?

SRA. LÓPEZ Hola, ¿quién es?

MARÍA TERESA Soy María Teresa. Elisa y yo (2) ________ en la misma (*same*) clase de literatura.

SRA. LÓPEZ ¡Ah, María Teresa! ¿Cómo (3) ________ ?

MARÍA TERESA (4) ________ muy bien, gracias. Y usted, ¿cómo (5) ________ ?

SRA. LÓPEZ Bien, gracias. Pues, no, Elisa no (6) ________ en casa. Ella y su hermano (*her brother*) (7) ________ en la Biblioteca Cervantes.

MARÍA TERESA ¿Cervantes?

SRA. LÓPEZ Es la biblioteca que (8) ________ al lado del café Bambú.

MARÍA TERESA ¡Ah, sí! Gracias, señora López.

SRA. LÓPEZ Hasta luego, María Teresa.

5 **¿Qué te gusta?** Write a paragraph of at least five sentences stating what you like and don't like about your university. If possible, explain your likes and dislikes. 32 pts.

Me gusta la clase de música porque no hay muchos exámenes. No me gusta cenar en la cafetería...

6 **Canción** Use the appropriate forms of the verb **gustar** to complete the beginning of a popular song by Manu Chao. 4 EXTRA points!

"Me ________ los aviones°,
me gustas tú,
me ________ viajar,
me gustas tú,
me gusta la mañana,
me gustas tú."

aviones *airplanes*

Audio: Reading

Lectura

Antes de leer

Estrategia

Predicting content through formats

Recognizing the format of a document can help you to predict its content. For instance, invitations, greeting cards, and classified ads follow an easily identifiable format, which usually gives you a general idea of the information they contain. Look at the text and identify it based on its format.

	lunes	martes	miércoles	jueves	viernes
8:30	biología		biología		biología
9:00		historia		historia	
9:30	inglés		inglés		inglés
10:00					
10:30					
11:00					
12:00					
12:30					
1:00					
2:00	arte		arte		arte

If you guessed that this is a page from a student's schedule, you are correct. You can now infer that the document contains information about a student's weekly schedule, including days, times, and activities.

Cognados

Make a list of the cognates in the text and guess their English meanings. What do cognates reveal about the content of the document?

Examinar el texto

Look at the format of the document entitled ***¡Español en Madrid!*** What type of text is it? What information do you expect to find in this type of document?

More activities

vhlcentral | Online activities

¡ESPAÑOL EN MADRID!

UAE

Programa de Cursos Intensivos de Español

Universidad Autónoma de España

Después de leer

Correspondencias

Provide the letter of each item in Column B that matches the words in Column A.

A

1. profesores
2. vivienda
3. Madrid
4. número de teléfono
5. Español 2B
6. número de fax

B

a. (34) 91 523 4500
b. (34) 91 524 0210
c. 23 junio–30 julio
d. capital cultural de Europa
e. 16 junio–22 julio
f. especializados en enseñar español como lengua extranjera
g. (34) 91 523 4623
h. familias españolas

Universidad Autónoma de España

Madrid, la capital cultural de Europa, y la UAE te ofrecen cursos intensivos de verano° para aprender° español como nunca antes°.

¿Dónde?
En el campus de la UAE, edificio° de la Facultad de Filosofía y Letras.

¿Quiénes son los profesores?
Son todos hablantes nativos del español y catedráticos° de la UAE especializados en enseñar el español como lengua extranjera.

¿Qué niveles se ofrecen?
Se ofrecen tres niveles° básicos:

1. Español Elemental, A, B y C
2. Español Intermedio, A y B
3. Español Avanzado, A y B

Viviendas
Para estudiantes extranjeros se ofrece vivienda° con familias españolas.

¿Cuándo?
Este verano desde° el 16 de junio hasta el 10 de agosto. Los cursos tienen una duración de 6 semanas.

Cursos	Empieza°	Termina
Español 1A	16 junio	22 julio
Español 1B	23 junio	30 julio
Español 1C	30 junio	10 agosto
Español 2A	16 junio	22 julio
Español 2B	23 junio	30 julio
Español 3A	16 junio	22 julio
Español 3B	23 junio	30 julio

Información
Para mayor información, sirvan comunicarse con la siguiente° oficina:

Universidad Autónoma de España
Programa de Español como Lengua Extranjera
Calle del Valle de Mena 95, 28039 Madrid, España
Tel. (34) 91 523 4500, **Fax** (34) 91 523 4623
www.uae.es

verano *summer* **aprender** *to learn* **nunca antes** *never before* **edificio** *building* **catedráticos** *professors* **niveles** *levels* **vivienda** *housing* **desde** *from* **Empieza** *Begins* **siguiente** *following*

¿Cierto o falso?

Indicate whether each statement is **cierto** or **falso**. Then correct the false statements.

	Cierto	Falso
1. La Universidad Autónoma de España ofrece (*offers*) cursos intensivos de italiano.	❍	❍
2. La lengua nativa de los profesores del programa es el inglés.	❍	❍
3. Los cursos de español son en la Facultad de Ciencias.	❍	❍
4. Los estudiantes pueden vivir (*can live*) con familias españolas.	❍	❍
5. La universidad que ofrece los cursos intensivos está en Salamanca.	❍	❍
6. Español 3B termina en agosto.	❍	❍
7. Si deseas información sobre (*about*) los cursos intensivos de español, es posible llamar al (34) 91 523 4500.	❍	❍
8. Español 1A empieza en julio.	❍	❍

Video

España

El país en cifras

- **Área:** 505.370 km² (kilómetros cuadrados) o 195.124 millas cuadradas°, incluyendo las islas Baleares y las islas Canarias
- **Población:** 48.958.000
- **Capital:** Madrid—6.199.000
- **Ciudades° principales:** Barcelona—5.258.000, Valencia—810.000, Sevilla, Zaragoza
- **Moneda°:** euro
- **Idiomas°:** español o castellano, catalán, gallego, valenciano, euskera

Regiones lingüísticas

Bandera de España

Españoles célebres

- **Miguel de Cervantes,** escritor° (1547–1616)
- **Pedro Almodóvar,** director de cine° (1949–)
- **Rosa Montero,** escritora y periodista° (1951–)
- **Fernando Alonso,** corredor de autos° (1981–)
- **Paz Vega,** actriz° (1976–)
- **Severo Ochoa,** Premio Nobel de Medicina, 1959; doctor y científico (1905–1993)

millas cuadradas *square miles* Ciudades *Cities* Moneda *Currency* Idiomas *Languages* escritor *writer* cine *film* periodista *reporter* corredor de autos *race car driver* actriz *actress*

Plaza Mayor en Madrid

La Sagrada Familia en Barcelona

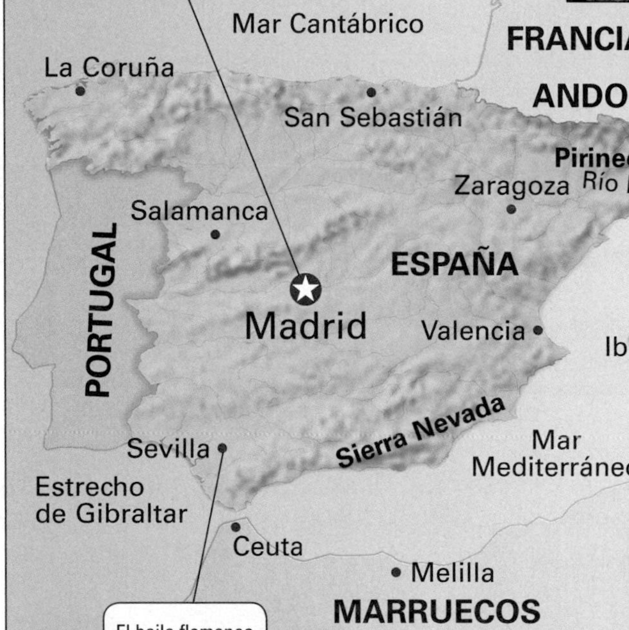

La costa de

El baile flamenco

More activities
vhlcentral | WB pp. 21–22 | Online activities

ACTIVIDADES

1 Escoger Elige las respuestas correctas.

1. ¿Qué celebran las personas cada año en Buñol, Valencia?
   a. el día de la lengua española b. el festival de *La Tomatina*
2. ¿Quién es Rosa Montero?
   a. una actriz b. una escritora
3. ¿Cuál es la moneda de España?
   a. el peso b. el euro
4. ¿Cuáles son algunas de las ciudades más importantes de España?
   a. Barcelona y Valencia b. Barcelona y La Coruña
5. ¿Quién es el pintor de *Las meninas*?
   a. El Greco b. Velázquez
6. ¿Quién es un pintor español famoso?
   a. Goya b. Andrés

Gastronomía • José Andrés

José Andrés es un chef español famoso internacionalmente°. Le gusta combinar platos° tradicionales de España con las técnicas de cocina más innovadoras°. Andrés vive° en Washington, DC, y es dueño° de varios restaurantes en los EE.UU. En 2012 la revista° *Time* lo incluyó° en su lista de las "100 personas más influyentes° del mundo". También° ha estado° en el programa *Top Chef*.

Cultura • La diversidad

La riqueza° cultural y lingüística de España refleja la combinación de las diversas culturas que han habitado° en su territorio durante siglos°. El español es la lengua oficial del país, pero también son oficiales el catalán, el gallego, el euskera y el valenciano.

Póster en catalán

Las meninas, Diego Velázquez, 1656

Artes • Velázquez y el Prado

El Prado, en Madrid, es uno de los museos más famosos del mundo°. En el Prado hay pinturas° importantes de Botticelli, de El Greco y de los españoles Goya y Velázquez. *Las meninas* es la obra° más conocida° de Diego Velázquez, pintor° oficial de la corte real° durante el siglo° XVII.

Comida • La paella

La paella es uno de los platos más típicos de España. Siempre se prepara° con arroz° y azafrán°, pero hay diferentes recetas°. La paella valenciana, por ejemplo, es de pollo° y conejo°, y la paella marinera es de mariscos°.

internacionalmente *internationally* platos *dishes* más innovadoras *most innovative* vive *lives* dueño *owner* revista *magazine* lo incluyó *included him* influyentes *influential* También *Also* ha estado *has been* riqueza *richness* han habitado *have lived* durante siglos *for centuries* mundo *world* pinturas *paintings* obra *work* más conocida *best-known* pintor *painter* corte real *royal court* siglo *century* Siempre se prepara *It is always prepared* arroz *rice* azafrán *saffron* recetas *recipes* pollo *chicken* conejo *rabbit* mariscos *seafood*

¡Increíble pero cierto!

En Buñol, un pueblo° de Valencia, la producción de tomates es un recurso económico muy importante. Cada año° se celebra el festival de *La Tomatina*. Durante todo un día°, miles de personas se tiran° tomates. Llegan turistas de todo el país, y se usan varias toneladas° de tomates.

pueblo *town* Cada año *Every year* Durante todo un día *All day long* se tiran *throw at each other* varias toneladas *many tons*

2 ¿Qué aprendiste? Completa las oraciones.

1. El chef español __________ es muy famoso.
2. El arroz y el azafrán son ingredientes básicos de la __________.
3. El Prado está en __________.
4. José Andrés vive en __________.
5. El gallego es una de las lenguas oficiales de __________.

3 Preguntas En parejas, formen y contesten preguntas sobre las personas y los lugares de la sección **Panorama**.

modelo

Estudiante 1: ¿Dónde está el Prado?
Estudiante 2: Está en Madrid.

Vocabulary Tools

La clase y la universidad

el/la compañero/a de clase	classmate
el/la compañero/a de cuarto	roommate
el/la estudiante	student
el/la profesor(a)	teacher
el borrador	eraser
la calculadora	calculator
el escritorio	desk
el libro	book
el mapa	map
el marcador	marker
la mesa	table
la mochila	backpack
el papel	paper
la papelera	wastebasket
la pizarra	whiteboard
la pluma	pen
la puerta	door
el reloj	clock; watch
la silla	seat
la ventana	window
la biblioteca	library
la cafetería	cafeteria
la casa	house; home
el estadio	stadium
el laboratorio	laboratory
la librería	bookstore
la residencia estudiantil	dormitory
la universidad	university; college
la clase	class
el curso, la materia	course
la especialización	major
el examen	test; exam
el horario	schedule
la prueba	test; quiz
el semestre	semester
la tarea	homework
el trimestre	trimester; quarter

Las materias

la administración de empresas	business administration
la arqueología	archeology
el arte	art
la biología	biology
las ciencias	sciences
la computación	computer science
la contabilidad	accounting
la economía	economics
el español	Spanish
la física	physics
la geografía	geography
la historia	history
las humanidades	humanities
el inglés	English
las lenguas extranjeras	foreign languages
la literatura	literature
las matemáticas	mathematics
la música	music
el periodismo	journalism
la psicología	psychology
la química	chemistry
la sociología	sociology

Preposiciones y adverbios

al lado de	next to
a la derecha de	to the right of
a la izquierda de	to the left of
allá	over there
allí	there
cerca de	near
con	with
debajo de	below
delante de	in front of
detrás de	behind
en	in; on
encima de	on top of
entre	between
lejos de	far from
sin	without
sobre	on; over

Palabras adicionales

¿Adónde?	Where (to)?
ahora	now
¿Cuál?, ¿Cuáles?	Which?; Which one(s)?
¿Por qué?	Why?
porque	because

Verbos

bailar	to dance
buscar	to look for
caminar	to walk
cantar	to sing
cenar	to have dinner
comprar	to buy
contestar	to answer
conversar	to converse, to chat
desayunar	to have breakfast
descansar	to rest
desear	to wish; to desire
dibujar	to draw
enseñar	to teach
escuchar la radio/música	to listen (to) the radio/music
esperar (+ *inf.*)	to wait (for); to hope
estar	to be
estudiar	to study
explicar	to explain
gustar	to like
hablar	to talk; to speak
llegar	to arrive
llevar	to carry
mirar	to look (at); to watch
necesitar (+ *inf.*)	to need
practicar	to practice
preguntar	to ask (a question)
preparar	to prepare
regresar	to return
terminar	to end; to finish
tomar	to take; to drink
trabajar	to work
viajar	to travel

Los días de la semana

¿Cuándo?	When?
¿Qué día es hoy?	What day is it?
Hoy es...	Today is...
la semana	week
lunes	Monday
martes	Tuesday
miércoles	Wednesday
jueves	Thursday
viernes	Friday
sábado	Saturday
domingo	Sunday

Numbers 31 and higher	See pages 59–60.
Expresiones útiles	See page 41.

More activities

vhlcentral | LM p. 12

La familia

3

Communicative Goals

You will learn how to:

- **Talk about your family and friends**
- **Describe people and things**
- **Express possession**

A PRIMERA VISTA

- ¿Cuántos chicos hay en la foto?
- ¿Hay un hombre detrás del chico?
- ¿Conversan ellos? ¿Trabajan? ¿Caminan?
- ¿Están en su casa?

Hotspots

La familia

Más vocabulario

los abuelos	*grandparents*
el/la bisabuelo/a	*great-grandfather/ great-grandmother*
el/la gemelo/a	*twin*
el/la hermanastro/a	*stepbrother/stepsister*
el/la hijastro/a	*stepson/stepdaughter*
la madrastra	*stepmother*
el medio hermano/ la media hermana	*half-brother/ half-sister*
el padrastro	*stepfather*
los padres	*parents*
los parientes	*relatives*
el/la cuñado/a	*brother-in-law/ sister-in-law*
la nuera	*daughter-in-law*
el/la suegro/a	*father-in-law/ mother-in-law*
el yerno	*son-in-law*
el/la amigo/a	*friend*
el apellido	*last name*
la gente	*people*
el/la muchacho/a	*boy/girl*
el/la niño/a	*child*
el/la novio/a	*boyfriend/girlfriend*
la persona	*person*
el/la artista	*artist*
el/la ingeniero/a	*engineer*
el/la doctor(a), el/la médico/a	*doctor; physician*
el/la periodista	*journalist*
el/la programador(a)	*computer programmer*

Variación léxica

madre ⟷ mamá, mami (*colloquial*)
padre ⟷ papá, papi (*colloquial*)
muchacho/a ⟷ chico/a

More activities

vhlcentral | LM p. 13 | WB pp. 23–24 | Online activities

¡LENGUA VIVA!

In Spanish-speaking countries, it is common for people to go by both their first name and middle name, such as **José Miguel** or **Juan Carlos.** You will learn more about names and naming conventions on p. 78.

Práctica

1 Indicar Write **sí** if the word you hear indicates a family member or **no** if it does not.

1. ___
2. ___
3. ___
4. ___
5. ___
6. ___
7. ___
8. ___

2 Escuchar Indicate whether each statement you hear made by José Miguel Pérez Santoro is **cierto** or **falso**, based on his family tree.

	Cierto	Falso		Cierto	Falso
1.	❍	❍	5.	❍	❍
2.	❍	❍	6.	❍	❍
3.	❍	❍	7.	❍	❍
4.	❍	❍	8.	❍	❍

3 Emparejar Match the phrase to the description.

1. Mi hermano programa las computadoras.
2. Son los padres de mi esposo.
3. Es el hijo de mi hermana.
4. Mi tía trabaja en un hospital.
5. Es el hijo de mi madrastra y el hijastro de mi padre.
6. Son los hijos de mis (*my*) tíos.
7. Mi hermanastra enseña en la universidad.
8. Mi primo dibuja y pinta mucho.
9. Es el esposo de mi hija.
10. Mi padre trabaja con planos (*blueprints*).

a. Es médica.
b. Es mi hermanastro.
c. Es programador.
d. Es ingeniero.
e. Son mis suegros.
f. Es mi novio.
g. Es mi padrastro.
h. Son mis primos.
i. Es artista.
j. Es profesora.
k. Es mi sobrino.
l. Es mi yerno.

4 Oraciones Complete each sentence.

abuelo	cuñado	madrastra	nuera
apellidos	gemelas	novia	tío

1. Mi ________ es la esposa de mi hijo.
2. Las muchachas son idénticas porque son ________.
3. El esposo de mi hermana es mi ________.
4. La periodista usa dos ________: Norma *Pardo Alonso*.
5. Es la esposa de mi padre, pero no es mi madre; es mi ________.
6. El padre de mi madre es mi ________.

5 **Escoger** Complete the description of each photo.

1. La ________ de Sara es grande.

2. Rubén habla con su ________.

3. Maira Díaz es ________.

4. Héctor y Lupita son ________.

5. Irene es ________.

6. Elena Vargas Soto es ________.

6 **Definiciones** Define these family terms.

modelo
hijastro *Es el hijo de mi esposo/a, pero no es mi hijo.*

1. abuela
2. cuñado
3. suegra
4. primas
5. tío
6. bisabuelo
7. nietos
8. medio hermano

Comunicación

7

Una familia With a classmate, ask each other questions about how each family member is related to Graciela Vargas García.

modelo

Estudiante 1: *¿Quién es Beatriz Pardo de Vargas?*
Estudiante 2: *Es la abuela de Graciela.*

CONSULTA

To see the cities where these family members live, look at the map in **Panorama** on p. 104.

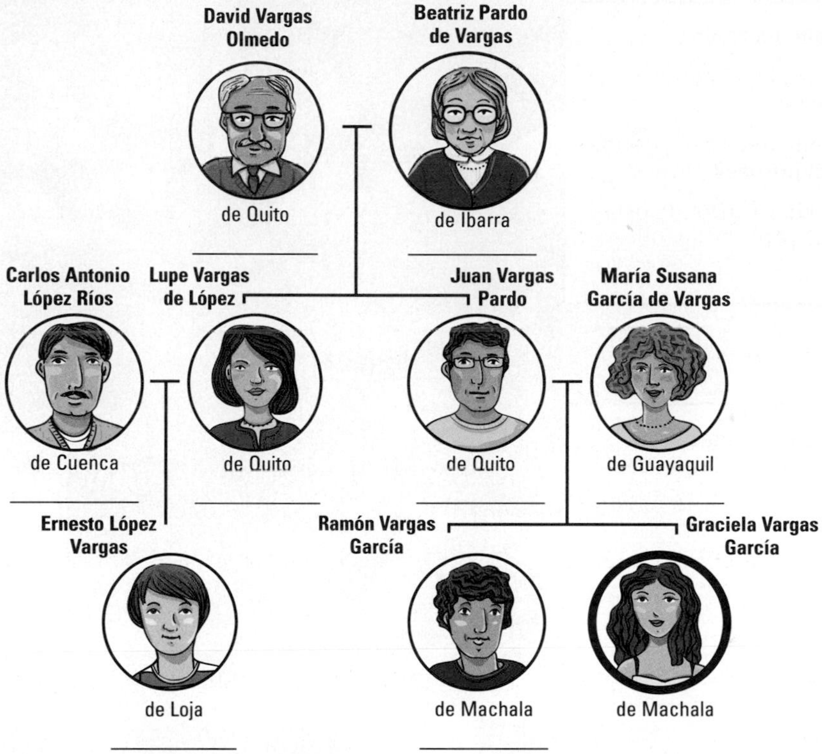

Now take turns asking each other these questions. Then invent three original questions.

1. ¿Cómo se llama el primo de Graciela?
2. ¿Cómo se llama la hija de David y de Beatriz?
3. ¿De dónde es María Susana?
4. ¿De dónde son Ramón y Graciela?
5. ¿Cómo se llama el yerno de David y de Beatriz?
6. ¿De dónde es Carlos Antonio?
7. ¿De dónde es Ernesto?
8. ¿Cuáles son los apellidos del sobrino de Lupe?

8

Preguntas personales With a classmate, take turns asking each other these questions.

1. ¿Cuántas personas hay en tu familia?
2. ¿Cómo se llaman tus padres? ¿De dónde son? ¿Dónde trabajan?
3. ¿Cuántos hermanos tienes? ¿Cómo se llaman? ¿Dónde estudian o trabajan?
4. ¿Cuántos primos tienes? ¿Cuáles son los apellidos de ellos? ¿Cuántos son niños y cuántos son adultos? ¿Hay más chicos o más chicas en tu familia?
5. ¿Eres tío/a? ¿Cómo se llaman tus sobrinos/as? ¿Dónde estudian o trabajan?
6. ¿Quién es tu pariente favorito?
7. ¿Tienes novio/a? ¿Tienes esposo/a? ¿Cómo se llama?

AYUDA

u, tus *your* (sing., pl.)
mi, mis *my* (sing., pl.)
tienes *you have*
tengo *I have*

Un domingo en familia

Marissa pasa el día en Xochimilco con la familia Díaz.

PERSONAJES

FELIPE

TÍA NAYELI

Video

JIMENA Hola, tía Nayeli.

TÍA NAYELI ¡Hola, Jimena! ¿Cómo estás?

JIMENA Bien, gracias. Y, ¿dónde están mis primas?

TÍA NAYELI No sé. ¿Dónde están mis hijas? ¡Ah!

MARISSA ¡Qué bonitas son tus hijas! Y ¡qué simpáticas!

FELIPE Soy guapo y delgado.

JIMENA Ay, ¡por favor! Eres gordo, antipático y muy feo.

TÍO RAMÓN ¿Tienes una familia grande, Marissa?

MARISSA Tengo dos hermanos mayores, Zack y Jennifer, y un hermano menor, Adam.

MARISSA La verdad, mi familia es pequeña.

SRA. DÍAZ ¿Pequeña? Yo soy hija única. Bueno, y ¿qué más? ¿Tienes novio?

MARISSA No. Tengo mala suerte con los novios.

MARISSA Tía Nayeli, ¿cuántos años tienen tus hijas?

TÍA NAYELI Marta tiene ocho años y Valentina doce.

JIMENA MARTA VALENTINA SRA. DÍAZ TÍO RAMÓN SR. DÍAZ MARISSA

SRA. DÍAZ Chicos, ¿compartimos una trajinera?

MARISSA ¡Claro que sí! ¡Qué bonitas son!

SRA. DÍAZ ¿Vienes, Jimena?

JIMENA No, gracias. Tengo que leer.

MARISSA Me gusta mucho este sitio. Tengo ganas de visitar otros lugares en México.

SRA. DÍAZ ¡Debes viajar a Mérida!

TÍA NAYELI ¡Sí, con tus amigos! Debes visitar a Ana María, la hermana de Roberto y de Ramón.

(*La Sra. Díaz habla por teléfono con la tía Ana María.*)

SRA. DÍAZ ¡Qué bien! Excelente. Sí, la próxima semana. Muchísimas gracias.

MARISSA ¡Gracias, Sra. Díaz!

SRA. DÍAZ Tía Ana María.

MARISSA Tía Ana María.

SRA. DÍAZ ¡Un beso, chau!

MARISSA *Bye!*

Expresiones útiles

Talking about your family

¿Tienes una familia grande?
Do you have a big family?
Tengo dos hermanos mayores y un hermano menor.
I have two older siblings and a younger brother.
La verdad, mi familia es pequeña.
The truth is, my family is small.
¿Pequeña? Yo soy hija única.
Small? I'm an only child.

Describing people

¡Qué bonitas son tus hijas! Y ¡qué simpáticas!
Your daughters are so pretty! And so nice!
Soy guapo y delgado.
I'm handsome and slim.
¡Por favor! Eres gordo, antipático y muy feo.
Please! You're fat, unpleasant, and very ugly.

Talking about plans

¿Compartimos una trajinera?
Shall we share a trajinera*?*
¡Claro que sí! ¡Qué bonitas son!
Of course! They're so pretty!
¿Vienes, Jimena?
Are you coming, Jimena?
No, gracias. Tengo que leer.
No, thanks. I have to read.

Saying how old people are

¿Cuántos años tienen tus hijas?
How old are your daughters?
Marta tiene ocho años y Valentina doce.
Marta is eight and Valentina twelve.

Additional vocabulary

ensayo *essay*
pobrecito/a *poor thing*
próxima *next*
sitio *place*
todavía *still*
trajinera *type of barge*

More activities
vhlcentral
VM pp. 5–6
Online activities

¿Qué pasó?

1

¿Cierto o falso? Indicate whether each sentence is **cierto** or **falso**. Correct the false statements.

	Cierto	Falso
1. Marissa dice que (*says that*) tiene una familia grande.	❍	❍
2. La Sra. Díaz tiene dos hermanos.	❍	❍
3. Marissa no tiene novio.	❍	❍
4. Valentina tiene veinte años.	❍	❍
5. Marissa comparte una trajinera con la Sra. Díaz y la tía Nayeli.	❍	❍
6. A Marissa le gusta mucho Xochimilco.	❍	❍

NOTA CULTURAL

Xochimilco is famous for its system of canals and **chinampas**, or artificial islands, which have been used for agricultural purposes since Pre-Hispanic times. In 1987, UNESCO declared **Xochimilco** a World Heritage Site.

2

Identificar Indicate which person says the equivalent of each statement.

1. Felipe es antipático y feo.
2. Mis hermanos se llaman Jennifer, Adam y Zack.
3. ¡Soy un joven muy guapo!
4. Mis hijas tienen ocho y doce años.
5. Me gusta Xochimilco.
6. Ana María es la hermana de Ramón y Roberto.
7. No puedo *(I can't)* compartir una trajinera porque tengo que leer.
8. Tus hijas son bonitas y simpáticas, tía Nayeli.

NOTA CULTURAL

Trajineras are large passenger barges that you can rent in **Xochimilco**. Each boat is named and decorated and has a table and chairs so that passengers can picnic while they ride.

3

Escribir In pairs, choose Marissa, Sra. Díaz, or tía Nayeli and write a brief description of her family. Be creative!

MARISSA

Marissa es de los EE.UU. ¿Cómo es su familia?

SRA. DÍAZ

La Sra. Díaz es de Cuba. ¿Cómo es su familia?

TÍA NAYELI

La tía Nayeli es de México. ¿Cómo es su familia?

4

Conversar With a partner, use these questions to talk about your families.

1. ¿Cuántos años tienes?
2. ¿Tienes una familia grande?
3. ¿Tienes hermanos o hermanas?
4. ¿Cuántos años tiene tu abuelo (tu hermana, tu primo, etc.)?
5. ¿De dónde son tus padres?

AYUDA

Here are some expressions to help you talk about age.

Yo tengo... años.
I am... years old.

Mi abuelo tiene... años.
My grandfather is... years old.

Pronunciación

Diphthongs and linking

Tutorial

hermano **niña** **cuñado**

In Spanish, **a**, **e**, and **o** are considered strong vowels. The weak vowels are **i** and **u**.

---

ruido **parientes** **periodista**

A diphthong is a combination of two weak vowels or of a strong vowel and a weak vowel. Diphthongs are pronounced as a single syllable.

mi hijo **una clase excelente**

Two identical vowel sounds that appear together are pronounced like one long vowel.

la abuela

---

con Natalia **sus sobrinos** **las sillas**

Two identical consonants together sound like a single consonant.

---

es ingeniera **mis abuelos** **sus hijos**

A consonant at the end of a word is linked with the vowel sound at the beginning of the next word.

---

mi hermano **su esposa** **nuestro amigo**

A vowel at the end of a word is linked with the vowel sound at the beginning of the next word.

Práctica Say these words aloud, focusing on the diphthongs.

1. historia
2. nieto
3. parientes
4. novia
5. residencia
6. prueba
7. puerta
8. ciencias
9. lenguas
10. estudiar
11. izquierda
12. ecuatoriano

Oraciones Read these sentences aloud to practice diphthongs and linking words.

1. Hola. Me llamo Anita Amaral. Soy del Ecuador.
2. Somos seis en mi familia.
3. Tengo dos hermanos y una hermana.
4. Mi papá es del Ecuador y mi mamá es de España.

Refranes Read these sayings aloud to practice diphthongs and linking sounds.

More activities

vhlcentral

LM p. 14

1 When one door closes, another opens.
2 Speak of the devil and he will appear.

EN DETALLE

Video

¿Cómo te llamas?

In the Spanish-speaking world, it is common to have two last names: one paternal and one maternal. In some cases, the conjunctions **de** or **y** are used to connect the two. For example, in the name **Juan Martínez de Velasco**, *Martínez* is the paternal surname (**el apellido paterno**), and *Velasco* is the maternal surname (**el apellido materno**); **de** simply links the two. This convention of using two last names (**doble apellido**) is a European tradition that Spaniards brought to the Americas. It continues to be practiced in many countries, including Chile, Colombia, Mexico, Peru, and Venezuela. There are exceptions, however. In Argentina, the prevailing custom is for children to inherit only the father's last name.

When a woman marries in a country where two last names are used, legally she retains her two maiden surnames. However, socially she may take her husband's paternal surname in place of her inherited maternal surname. For example, **Mercedes Barcha Pardo**, late wife of Colombian writer **Gabriel García Márquez**, might have used the names **Mercedes Barcha García** or **Mercedes Barcha de García** in social situations (although officially her name remained **Mercedes Barcha Pardo**). Adopting a husband's last name for social purposes, though widespread, is only legally recognized in Ecuador and Peru.

Most parents do not break tradition upon naming their children; regardless of the surnames the mother uses, they use the father's first surname followed by the mother's first surname, as in the name **Rodrigo García Barcha**. However, one should note that both surnames come from the grandfathers, and therefore all **apellidos** are effectively paternal.

Hijos en la casa

In Spanish-speaking countries, family and society place very little pressure on young adults to live on their own (**independizarse**), and children often live with their parents well into their thirties. For example, about 60% of Spaniards under 34 years of age live at home with their parents. This delay in moving out is both cultural and economic—lack of job security or low wages coupled with a high cost of living may make it impractical for young adults to live independently before they marry.

ACTIVIDADES

1 **¿Cierto o falso?** Indicate whether these statements are **cierto** or **falso**. Correct the false statements.

1. Most Spanish-speaking people have three last names.
2. Hispanic last names generally consist of the paternal last name followed by the maternal last name.
3. It is common to see **de** or **y** used in a Hispanic last name.
4. Someone from Argentina would most likely have two last names.
5. Generally, married women legally retain two maiden surnames.
6. In social situations, a married woman often uses her husband's last name in place of her inherited paternal surname.
7. Adopting a husband's surname is only legally recognized in Peru and Ecuador.
8. Hispanic last names are effectively a combination of the maternal surnames from the previous generation.

ASÍ SE DICE

Familia y amigos

el/la bisnieto/a	*great-grandson/daughter*
el/la chamaco/a (Méx.); el/la chamo/a (Ven.); el/la chaval(a) (Esp.); el/la pibe/a (Arg.)	el/la muchacho/a
mi colega (Esp.); mi cuate (Méx.); mi parcero/a (Col.); mi pana (Ven., P. Rico, Rep. Dom.)	*my pal; my buddy*
la madrina	*godmother*
el padrino	*godfather*
el/la tatarabuelo/a	*great-great-grandfather/ great-great-grandmother*

EL MUNDO HISPANO

Las familias

Although worldwide population trends show a decrease in average family size, households in many Spanish-speaking countries are still larger than their U.S. counterparts.

- **México** 4,0 personas
- **Colombia** 3,4 personas
- **Argentina** 3,6 personas
- **Uruguay** 3,0 personas
- **España** 2,9 personas
- **Estados Unidos** 2,6 personas

PERFIL

Parientes talentosos

Jesse & Joy

Many families have more than one "star" in their midst. **Jesse & Joy** are a brother-and-sister pop music duo from Mexico City. They won a Grammy for Best Latin Pop Album in 2017 for their album *Un besito más.*

One of the world's most famous families has made music a real family affair. Legendary Spanish singer **Julio Iglesias** has recorded albums in 14 different languages and has sold more than 350 million records in a career that spans decades. Following his lead are his sons **Julio Jr.** and **Enrique**, both popular singers in Spain and around the world.

Julio Iglesias

Enrique Iglesias

Julio Iglesias Jr.

CON RITMO HISPANO

Mirella Cesa (1984–)

Birthplace: Guayaquil, Ecuador

Mirella Cesa is known as the "mother of Andipop." Her music is a mix of Latin percussion, Andean instruments, and pop.

Go to **vhlcentral.com** to find out more about **Mirella Cesa** and her music.

ACTIVIDADES

2 Comprensión Complete these sentences.

1. Joy is the ___________ of Jesse.
2. In Spanish, your godmother is called ___________.
3. Enrique Iglesias is the ___________ of Julio Jr.
4. Uruguay's average household has ___________ people.
5. If a Venezuelan calls you **mi pana**, you are that person's ___________.

3 Una familia famosa Create a genealogical tree of a famous family, using photos or drawings labeled with names and ages. Present the family tree to a classmate and explain who the people are and their relationships to each other.

More activities: vhlcentral | VM pp. 35–36 | Online activities

3.1 Descriptive adjectives

Tutorial

ANTE TODO Adjectives are words that describe people, places, and things. In Spanish, descriptive adjectives are used with the verb **ser** to point out characteristics such as nationality, size, color, shape, personality, and appearance.

Forms and agreement of adjectives

COMPARE & CONTRAST

In English, the forms of descriptive adjectives do not change to reflect the gender (masculine/feminine) and number (singular/plural) of the noun or pronoun they describe.

*Juan is **nice**.* *Elena is **nice**.* *They are **nice**.*

In Spanish, the forms of descriptive adjectives agree in gender and/or number with the nouns or pronouns they describe.

Juan es simpátic**o**. Elena es simpátic**a**. Ellos son simpátic**os**.

- Adjectives that end in **-o** have four different forms. The feminine singular is formed by changing the **-o** to **-a**. The plural is formed by adding **-s** to the singular forms.

Masculine singular	Masculine plural	Feminine singular	Feminine plural
el muchach**o** alt**o**	los muchach**os** alt**os**	la muchach**a** alt**a**	las muchach**as** alt**as**

- Adjectives that end in **-e** or a consonant have the same masculine and feminine forms.

Masculine singular	Masculine plural	Feminine singular	Feminine plural
el chico inteligent**e**	los chicos inteligent**es**	la chica inteligent**e**	las chicas inteligent**es**
el examen difíci**l**	los exámenes difíci**les**	la clase difíci**l**	las clases difíci**les**

- Adjectives that end in **-or** are variable in both gender and number.

Masculine singular	Masculine plural	Feminine singular	Feminine plural
el hombre trabajad**or**	los hombres trabajad**ores**	la mujer trabajad**ora**	las mujeres trabajad**oras**

> **AYUDA**
>
> Many adjectives are cognates, that is, words that share similar spellings and meanings in Spanish and English.
>
> A cognate can be a noun like **profesor** or a descriptive adjective like **interesante**.

> **¡ATENCIÓN!**
>
> Note that **joven** takes an accent in its plural form. **Los jóvenes estudian mucho**.

> **¡ATENCIÓN!**
>
> Note that adjectives with an accent on the last syllable drop the accent in the feminine and plural forms.
>
> inglés → inglesa
>
> alemán → alemanes

▶ Use the masculine plural form to refer to groups that include males and females.

Manuel es alt**o**. Lola es alt**a**. Manuel y Lola son alt**os**.

Common adjectives

alto/a	*tall*	**gordo/a**	*fat*	**mucho/a**	*much; many; a lot of*
antipático/a	*unpleasant*	**grande**	*big*	**pelirrojo/a**	*red-haired*
bajo/a	*short (in height)*	**guapo/a**	*good-looking*	**pequeño/a**	*small*
bonito/a	*pretty*	**importante**	*important*	**rubio/a**	*blond(e)*
bueno/a	*good*	**inteligente**	*intelligent*	**simpático/a**	*nice; likeable*
delgado/a	*thin*	**interesante**	*interesting*	**tonto/a**	*foolish*
difícil	*difficult*	**joven**	*young*	**trabajador(a)**	*hard-working*
fácil	*easy*	**malo/a**	*bad*	**viejo/a**	*old*
feo/a	*ugly*	**mismo/a**	*same*		
		moreno/a	*brunet(te)*		

Adjectives of nationality

▶ Unlike in English, Spanish adjectives of nationality are **not** capitalized. Proper names of countries, however, are capitalized.

Some adjectives of nationality

alemán, alemana	*German*	**francés, francesa**	*French*
argentino/a	*Argentine*	**inglés, inglesa**	*English*
canadiense	*Canadian*	**italiano/a**	*Italian*
chino/a	*Chinese*	**japonés, japonesa**	*Japanese*
costarricense	*Costa Rican*	**mexicano/a**	*Mexican*
cubano/a	*Cuban*	**norteamericano/a**	*(North) American*
ecuatoriano/a	*Ecuadorian*	**puertorriqueño/a**	*Puerto Rican*
español(a)	*Spanish*	**ruso/a**	*Russian*
estadounidense	*from the U.S.*		

▶ Adjectives of nationality are formed like other descriptive adjectives. Those that end in **-o** change to **-a** when forming the feminine.

chin**o** → chin**a** mexican**o** → mexican**a**

The plural is formed by adding an **-s** to the masculine or feminine form.

argentin**o** → argentin**os** cuban**a** → cuban**as**

▶ Adjectives of nationality that end in **-e** have only two forms, singular and plural.

canadiense → canadiens**es** estadounidense → estadounidens**es**

▶ To form the feminine of adjectives of nationality that end in a consonant, add **–a**.

alemá**n** → alema**na**
japoné**s** → japone**sa**

españo**l** → españo**la**
inglé**s** → ingle**sa**

Position of adjectives

- Descriptive adjectives and adjectives of nationality generally follow the nouns they modify.

El niño **rubio** es de España.
The blond boy is from Spain.

La mujer **española** habla inglés.
The Spanish woman speaks English.

- Unlike descriptive adjectives, adjectives of quantity precede the modified noun.

Hay **muchos** libros en la biblioteca.
There are many books in the library.

Hablo con **dos** turistas puertorriqueños.
I am talking with two Puerto Rican tourists.

- **Bueno/a** and **malo/a** can appear before or after a noun. When placed before a masculine singular noun, the forms are shortened: **bueno** → **buen; malo** → **mal.**

Joaquín es un **buen** amigo.
Joaquín es un amigo **bueno**. → *Joaquín is a good friend.*

Hoy es un **mal** día.
Hoy es un día **malo**. → *Today is a bad day.*

- When **grande** appears before a singular noun, it is shortened to **gran**, and the meaning of the word changes: **gran** = *great* and **grande** = *big, large.*

Don Francisco es un **gran** hombre.
Don Francisco is a great man.

La familia de Inés es **grande**.
Inés' family is large.

¡LENGUA VIVA!

Like **bueno** and **grande, santo** (*saint*) is also shortened before masculine nouns (unless they begin with **To-** or **Do-**): **San Francisco, San José** (but: **Santo Tomás, Santo Domingo**). **Santa** is used with names of female saints: **Santa Bárbara, Santa Clara**.

¡INTÉNTALO! Provide the appropriate forms of the adjectives.

simpático

1. Mi hermano es simpático.
2. La profesora Martínez es ________.
3. Nosotros somos ________.
4. Rosa y Teresa son ________.

alemán

1. Hans es alemán.
2. Marcus y yo somos ________.
3. Mis primas son ________.
4. Mi tía es ________.

difícil

1. La química es difícil.
2. El curso es ________.
3. Las pruebas son ________.
4. Los libros son ________.

guapo

1. Su esposo es guapo.
2. Mis sobrinas son ________.
3. Los padres de ella son ________.
4. Marta es ________.

More activities
vhlcentral
LM p. 15
WB pp. 25-26
Online activities

Práctica

1

Emparejar Match the opposites.

A	B
1. guapo	a. delgado
2. alto	b. pequeño
3. joven	c. malo
4. gordo	d. feo
5. moreno	e. viejo
6. grande	f. rubio
7. simpático	g. antipático
	h. bajo

2

Completar Indicate the nationalities of these people.

1. Penélope Cruz es ________.
2. Alfonso Cuarón es un gran director de cine de México; es ________.
3. Emma Watson y Daniel Radcliffe son actores ________.
4. Serena Williams y Stephen Curry son ________.
5. Ana de Armas es de La Habana, Cuba; ella es ________.
6. Giorgio Armani es un diseñador de modas (*fashion designer*) ________.
7. Heidi Klum y Michael Fassbender son ________.
8. Ellen Page y Avril Lavigne son ________.

NOTA CULTURAL

Alfonso Cuarón (1961–) became the first Mexican winner of the Best Director Academy Award for his film *Gravity* (2013).

3

Describir Describe the family members using as many adjectives as possible.

1. Susana Romero Barcos es ________________.
2. Tomás Romero Barcos es ________________.
3. Los dos hermanos son ________________.
4. Alberto Romero Pereda es ________________.
5. Carlos Romero Sandoval es ________________.
6. Josefina Barcos de Romero es ________________.
7. Susana y su (*her*) madre son ________________.
8. Tomás y su (*his*) padre son ________________.

Comunicación

4 **¿Cómo es?** With a partner, take turns describing each item on the list. Tell your partner whether you agree (**Estoy de acuerdo**) or disagree (**No estoy de acuerdo**) with their descriptions.

modelo

San Francisco
Estudiante 1: *San Francisco es una ciudad (city) muy bonita.*
Estudiante 2: *No estoy de acuerdo. Es muy fea.*

1. Nueva York
2. Ryan Gosling
3. las canciones (*songs*) de Taylor Swift
4. el presidente de los Estados Unidos
5. Christopher Nolan
6. la primera dama (*first lady*) de los Estados Unidos
7. el/la profesor(a) de español
8. las personas de Los Ángeles
9. las residencias de mi universidad
10. mi clase de español

AYUDA

Here are some tips to help you complete the descriptions:

- **Ryan Gosling es actor de cine y de televisión.**
- **Taylor Swift es cantante.**
- **Christopher Nolan es director de cine.**

5 **Anuncio personal** Write a personal ad that describes yourself and your ideal boyfriend, girlfriend, or mate. Then compare your ad with a classmate's. How are you similar and how are you different? Are you looking for the same things in a romantic partner?

★ **SOY ALTA** y bonita.
Soy cubana, de Holguín.
Estudio arte en la universidad.
Busco un chico similar.
Mi novio ideal es alto, inteligente
y muy simpático.

AYUDA

casado/a *married*
divorciado/a *divorced*
soltero/a *single; unmarried*

These words and others like them are presented in **Contextos, Lección 9**, p. 278.

Síntesis

6 **Diferencias** Your instructor will give you and a partner each a drawing of a family. Describe your version of the drawing to your partner in order to find at least five differences between your picture and your partner's.

modelo

Estudiante 1: *Susana, la madre, es rubia.*
Estudiante 2: *No, la madre es morena.*

3.2 Possessive adjectives

Tutorial

ANTE TODO Possessive adjectives, like descriptive adjectives, are words that are used to qualify people, places, or things. Possessive adjectives express the quality of ownership or possession.

Forms of possessive adjectives

SINGULAR FORMS	PLURAL FORMS	
mi	**mis**	*my*
tu	**tus**	*your* (fam.)
su	**sus**	*his, her, its, your* (form.)
nuestro/a	**nuestros/as**	*our*
vuestro/a	**vuestros/as**	*your* (fam.)
su	**sus**	*their, your*

COMPARE & CONTRAST

In English, possessive adjectives are invariable; that is, they do not agree in gender and number with the nouns they modify. Spanish possessive adjectives, however, do agree in number with the nouns they modify.

my cousin	*my cousins*	*my aunt*	*my aunts*
mi primo	**mis** primos	**mi** tía	**mis** tías

The forms **nuestro** and **vuestro** agree in both gender and number with the nouns they modify.

nuestr**o** prim**o**   nuestr**os** prim**os**   nuestr**a** tí**a**   nuestr**as** tí**as**

▶ Possessive adjectives are always placed before the nouns they modify.

—¿Está **tu novio** aquí?
Is your boyfriend here?

—No, **mi novio** está en la biblioteca.
No, my boyfriend is in the library.

▶ Because **su** and **sus** have multiple meanings (*your, his, her, their, its*), you can avoid confusion by using this construction instead: [*article*] + [*noun*] + **de** + [*subject pronoun*].

sus parientes ◀
- los parientes **de él/ella** — *his/her relatives*
- los parientes **de Ud./Uds.** — *your relatives*
- los parientes **de ellos/ellas** — *their relatives*

AYUDA

Look at the context, focusing on nouns and pronouns, to help you determine the meaning of **su(s)**.

More activities

vhlcentral

LM p. 16

WB pp. 27-28

Online activities

¡INTÉNTALO! Provide the appropriate form of each possessive adjective.

1. Es ___mi___ (*my*) libro.
2. _____ (*My*) familia es ecuatoriana.
3. _____ (*Your,* fam.) esposo es italiano.
4. Es _____ (*her*) reloj.
5. _____ (*Our*) profesor es español.
6. Es _____ (*your,* fam.) mochila.
7. Es _____ (*your,* form.) maleta.
8. _____ (*Their*) sobrina es alemana.

1. ___Sus___ (*Her*) primos son franceses.
2. _____ (*Our*) primos son canadienses.
3. Son _____ (*their*) lápices.
4. _____ (*My*) amigas son inglesas.
5. Son _____ (*our*) plumas.
6. Son _____ (*my*) papeles.
7. _____ (*Their*) nietos son japoneses.
8. Son _____ (*his*) cuadernos.

Práctica

1

La familia de Manolo Complete each sentence with the correct possessive adjective. Use the subject of each sentence as a guide.

1. Me llamo Manolo, y ________ (nuestro, mi, sus) hermano es Federico.
2. ________ (Nuestra, Sus, Mis) madre Silvia es profesora y enseña química.
3. Ella admira a ________ (tu, nuestro, sus) estudiantes porque trabajan mucho.
4. Yo estudio en la misma universidad, pero no tomo clases con ________ (mi, nuestras, tus) madre.
5. Federico trabaja en una oficina con ________ (mis, tu, nuestro) padre.
6. ________ (Mi, Su, Tu) oficina está en el centro de la Ciudad de México.
7. Javier y Óscar son ________ (mis, mi, sus) tíos de Oaxaca.
8. ¿Y tú? ¿Cómo es ________ (mi, su, tu) familia?

AYUDA

Remember that possessive adjectives don't agree in number or gender with the owner of an item; they always agree with the item(s) being possessed.

2

Clarificar Clarify each sentence with a prepositional phrase. Follow the model.

modelo

Su hermana es muy bonita. (ella)
La hermana de ella es muy bonita.

1. Su casa es muy grande. (ellos) ________
2. Sus padres trabajan en el centro. (ella) ________
3. ¿Cómo se llama su hermano? (ellas) ________
4. Su primo lee los libros. (ellos) ________
5. Maribel es su prima. (ella) ________
6. Sus abuelos son muy simpáticos. (él) ________

3

¿Dónde está? With a partner, take turns asking where your belongings are.

CONSULTA

For a list of useful prepositions, refer to the table in **Estructura 2.3**, p. 56.

modelo

Estudiante 1: *¿Dónde está mi mochila?*
Estudiante 2: *Tu mochila está encima del escritorio.*

1.

2.

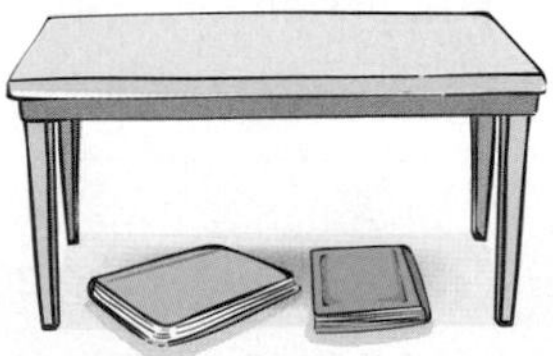

3.

4.

5.

6.

Comunicación

4

Describir With a partner, describe the people and places listed. Make note of any similarities.

modelo

la biblioteca de su universidad
La biblioteca de nuestra universidad es muy grande. Hay muchos libros en la biblioteca. Mis amigos y yo estudiamos en la biblioteca.

1. tu profesor favorito
2. tu profesora favorita
3. su clase de español
4. la librería de su universidad
5. tus padres
6. tus abuelos
7. tu mejor (*best*) amigo
8. tu mejor amiga
9. su universidad
10. tu país de origen

5

Una familia famosa Assume the identity of a member of a famous family, real or fictional, and write a description of "your" family. Be sure not to use any names! Then, in small groups, take turns reading the descriptions aloud. The other group members may ask follow-up questions to help them identify the famous person.

modelo

Estudiante 1: *Soy cantante. Mi padre y mi hermano se llaman Julio.*
Estudiante 2: *¿Eres español?*
Estudiante 1: *Sí.*
Estudiante 3: *¿Eres Enrique Iglesias?*
Estudiante 1: *Sí.*

Síntesis

6

Describe a tu familia Describe your family in several sentences to two classmates (**Mi padre es alto y moreno. Mi madre es delgada y muy bonita. Mis hermanos son...**). They will work together to try to repeat your description (**Su padre es alto y moreno. Su madre...**). If they forget any details, they can ask you questions (**¿Es alto tu hermano?**). Alternate roles until all of you have described your families.

3.3 Present tense of -er and -ir verbs

Tutorial

ANTE TODO In **Lección 2,** you learned how to form the present tense of regular **-ar** verbs. You also learned about the importance of verb forms, which change to show who is performing the action. The chart below shows the forms from two other important groups, **-er** verbs and **-ir** verbs.

Present tense of -er and -ir verbs

		comer *(to eat)*	**escribir** *(to write)*
SINGULAR FORMS	yo	com**o**	escrib**o**
	tú	com**es**	escrib**es**
	Ud./él/ella	com**e**	escrib**e**
PLURAL FORMS	nosotros/as	com**emos**	escrib**imos**
	vosotros/as	com**éis**	escrib**ís**
	Uds./ellos/ellas	com**en**	escrib**en**

▶ **-Er** and **-ir** verbs have very similar endings. Study the preceding chart to detect the patterns that make it easier for you to use them to communicate in Spanish.

Felipe y su tío comen.

Jimena lee.

▶ Like **-ar** verbs, the **yo** forms of **-er** and **-ir** verbs end in **-o.**

Yo com**o**. Yo escrib**o**.

▶ Except for the **yo** form, all of the verb endings for **-er** verbs begin with **-e**.

-es	**-emos**	**-en**
-e	**-éis**	

▶ **-Er** and **-ir** verbs have the exact same endings, except in the **nosotros/as** and **vosotros/as** forms.

nosotros: com**emos**, escrib**imos**

vosotros: com**éis**, escrib**ís**

CONSULTA

To review the conjugation of **-ar** verbs, see **Estructura 2.1**, p. 46.

AYUDA

Here are some tips on learning Spanish verbs

1) Learn to identify the verb's stem, to which all endings attach.

2) Memorize the endings that go with each verb and verb tense.

3) As often as possible, practice using different forms of each verb in speech and writing.

4) Devote extra time to learning irregular verbs, such as **ser** and **estar**.

Common -er and -ir verbs

-er verbs		-ir verbs	
aprender (a + *inf.*)	*to learn*	**abrir**	*to open*
beber	*to drink*	**asistir (a)**	*to attend*
comer	*to eat*	**compartir**	*to share*
comprender	*to understand*	**decidir (+ *inf.*)**	*to decide*
correr	*to run*	**describir**	*to describe*
creer (en)	*to believe (in)*	**escribir**	*to write*
deber (+ *inf.*)	*should*	**recibir**	*to receive*
leer	*to read*	**vivir**	*to live*

Ellos **corren** en el parque.

Ella **escribe** en su diario.

¡INTÉNTALO! Provide the appropriate present tense forms of these verbs.

correr

1. Graciela _corre_.
2. Tú ________.
3. Yo ________.
4. Sara y Ana ________.
5. Usted ________.
6. Marcos y yo ________.
7. La gente ________.
8. Ustedes ________.

abrir

1. Ellos _abren_ la puerta.
2. Carolina ________ la maleta.
3. Yo ________ las ventanas.
4. Usted ________ el cuaderno.
5. Nosotras ________ los libros.
6. Tú ________ la ventana.
7. Ustedes ________ las maletas.
8. Los muchachos ________ los cuadernos.

aprender

1. Él _aprende_ español.
2. Maribel y yo ________ inglés.
3. Tú ________ japonés.
4. Mi hijo ________ chino.
5. Tú y tu hermanastra ________ francés.
6. Yo ________ alemán.
7. Usted ________ inglés.
8. Nosotros ________ italiano.

More activities
vhlcentral
LM p. 17
WB pp. 29–30
Online activities

Práctica

1

Completar Complete Susana's sentences about her family with the correct forms of the verbs. One of the verbs will remain in the infinitive.

1. Mi familia y yo __________ (vivir) en Mérida, Yucatán.
2. Tengo muchos libros. Me gusta __________ (leer).
3. Mi hermano Alfredo es muy inteligente. Alfredo __________ (asistir) a clases los lunes, miércoles y viernes.
4. Los martes y jueves Alfredo y yo __________ (correr) en el Parque del Centenario.
5. Mis padres __________ (comer) mucha lasaña los domingos y se quedan dormidos (*they fall asleep*).
6. Yo __________ (creer) que (*that*) mis padres deben comer menos (*less*).

2

Oraciones Form complete sentences by adding any other necessary elements.

modelo

yo / correr / amigos / lunes y miércoles

Yo corro con mis amigos los lunes y miércoles.

1. Manuela / asistir / clase / yoga
2. Isabel y yo / leer / biblioteca
3. Sofía y Roberto / aprender / hablar / inglés
4. Eugenio / abrir / correo electrónico (*e-mail*)
5. tú / comer / cafetería / universidad
6. mi novia y yo / compartir / libro de historia

3

Consejos In pairs, say what Mario and/or his family members are doing or should do to adjust to living in Japan for a year to learn Japanese. Then, create one more sentence using a verb not on the list.

modelo

recibir libros / deber practicar japonés

Estudiante 1: *Mario y su esposa reciben muchos libros en japonés.*

Estudiante 2: *Los hijos deben practicar japonés.*

aprender japonés	decidir explorar el país
asistir a clases	escribir listas de palabras en japonés
beber sake	leer novelas japonesas
deber comer cosas nuevas	vivir con una familia japonesa

Comunicación

4

Entrevista In pairs, use these questions to interview each other.

1. ¿Dónde comes al mediodía? ¿Comes mucho?
2. ¿Cuándo asistes a tus clases?
3. ¿Cuál es tu clase favorita? ¿Por qué?
4. ¿Dónde vives?
5. ¿Con quién vives?
6. ¿Qué cursos debes tomar el próximo (*next*) semestre?
7. ¿Recibes muchos mensajes de texto (*text messages*)? ¿De quién(es)?
8. ¿Crees en fantasmas (*ghosts*)?

5

¿Acción o descripción? In small groups, take turns choosing a verb. Then choose to act out the verb or give a description. The other members of the group will say what you are doing. Be creative!

abrir (un libro, una puerta, una mochila)
aprender (a bailar, a hablar francés, a dibujar)
asistir (a una clase de yoga, a un concierto de rock, a una clase interesante)
beber (agua, Coca-Cola)
comer (pasta, un sándwich, pizza)
compartir (un libro, un sándwich)
correr (en el parque, en un maratón)
escribir (una composición, un mensaje de texto [*text message*], con lápiz)
leer (una carta [*letter*] de amor, un mensaje electrónico [*e-mail message*], un periódico [*newspaper*])
recibir un regalo (*gift*)
¿?

modelo

Estudiante 1: (*pantomimes typing on a keyboard*)
Estudiante 2: *¿Escribes un mensaje electrónico?*
Estudiante 1: *Sí.*

modelo

Estudiante 1: *Soy estudiante y tomo muchas clases. Vivo en Roma.*
Estudiante 2: *¿Comes pasta?*
Estudiante 1: *No, no como pasta.*
Estudiante 3: *¿Aprendes a hablar italiano?*
Estudiante 1: *¡Sí!*

Síntesis

6

Horario Your instructor will give you and a partner incomplete versions of Alicia's schedule. Fill in the missing information on the schedule by talking to your partner.

3.4 Present tense of tener and venir

Tutorial

ANTE TODO The verbs **tener** (*to have*) and **venir** (*to come*) are among the most frequently used in Spanish. Because most of their forms are irregular, you will have to learn each one individually.

The verbs tener and venir

		tener	venir
SINGULAR FORMS	yo	ten**go**	ven**go**
	tú	tien**es**	vien**es**
	Ud./él/ella	tien**e**	vien**e**
PLURAL FORMS	nosotros/as	ten**emos**	ven**imos**
	vosotros/as	ten**éis**	ven**ís**
	Uds./ellos/ellas	tien**en**	vien**en**

- The endings are the same as those of regular **-er** and **-ir** verbs, except for the **yo** forms, which are irregular: **tengo, vengo.**
- In the **tú, Ud.,** and **Uds.** forms, the **e** of the stem changes to **ie,** as shown below.

INFINITIVE	VERB STEM	VERB FORM
tener →	ten- →	tú t**ie**nes
		Ud./él/ella t**ie**ne
		Uds./ellos/ellas t**ie**nen
venir →	ven- →	tú v**ie**nes
		Ud./él/ella v**ie**ne
		Uds./ellos/ellas v**ie**nen

- Only the **nosotros** and **vosotros** forms are regular. Compare them to the forms of **comer** and **escribir** that you learned on page 88.

	tener	comer	venir	escribir
nosotros/as	ten**emos**	com**emos**	ven**imos**	escrib**imos**
vosotros/as	ten**éis**	com**éis**	ven**ís**	escrib**ís**

AYUDA

Use what you already know about regular **-er** and **-ir** verbs to identify the irregularities in **tener** and **venir**.

1) Which verb forms use a regular stem? Which use an irregular stem?

2) Which verb forms use the regular endings? Which use irregular endings?

▶ In certain idiomatic or set expressions in Spanish, you use the construction **tener** + [*noun*] to express *to be* + [*adjective*]. This chart contains a list of the most common expressions with **tener**.

Expressions with tener

tener... años	*to be... years old*	**tener (mucha) prisa**	*to be in a (big) hurry*
tener (mucho) calor	*to be (very) hot*	**tener razón**	*to be right*
tener (mucho) cuidado	*to be (very) careful*	**no tener razón**	*to be wrong*
tener (mucho) frío	*to be (very) cold*	**tener (mucha) sed**	*to be (very) thirsty*
tener (mucha) hambre	*to be (very) hungry*	**tener (mucho) sueño**	*to be (very) sleepy*
tener (mucho) miedo (de)	*to be (very) afraid/ scared (of)*	**tener (mucha) suerte**	*to be (very) lucky*

—¿**Tienen** hambre ustedes?
Are you hungry?

—Sí, y **tenemos** sed también.
Yes, and we're thirsty, too.

▶ To express an obligation, use **tener que** (*to have to*) + [*infinitive*].

—¿Qué **tienes que** estudiar hoy?
What do you have to study today?

—**Tengo que** estudiar biología.
I have to study biology.

▶ To ask people if they feel like doing something, use **tener ganas de** (*to feel like*) + [*infinitive*].

—¿**Tienes ganas de** comer?
Do you feel like eating?

—No, **tengo ganas de** dormir.
No, I feel like sleeping.

More activities
vhlcentral
LM p. 18
WB pp. 31–32
Online activities

¡INTÉNTALO! Provide the appropriate forms of **tener** and **venir**.

tener

1. Ellos ___tienen___ dos hermanos.
2. Nosotros ________ diez tíos.
3. El artista ________ tres primos.
4. Yo ________ una hermana.
5. Eva y Diana ________ un sobrino.
6. Usted ________ cinco nietos.
7. Tú ________ dos hermanastras.
8. Ustedes ________ cuatro hijos.
9. Ella ________ una hija.

venir

1. Mis padres ___vienen___ de México.
2. Yo ________ de Francia.
3. Nosotras ________ de Cuba.
4. Pepe ________ de Italia.
5. Tú ________ de España.
6. Ustedes ________ de Canadá.
7. Alfonso y yo ________ de Portugal.
8. Ellos ________ de Alemania.
9. Usted ________ de Venezuela.

Práctica

1

Emparejar Match the items to the most appropriate expressions with **tener**. Then, come up with a new item that corresponds with the leftover expression in column B.

A	B
1. el Polo Norte	a. tener calor
2. una sauna	b. tener sed
3. una dieta	c. tener frío
4. un abuelo	d. tener razón
5. la comida salada (*salty food*)	e. tener ganas de
6. una persona muy inteligente	f. tener hambre
	g. tener 75 años

2

Completar Complete the sentences with the correct forms of **tener** or **venir**.

1. Hoy nosotros ________ una reunión familiar (*family reunion*).
2. Todos mis parientes ________, excepto mi tío Manolo y su esposa.
3. Ellos no ________ ganas de venir porque viven en Portoviejo.
4. Yo ________ en autobús de la Universidad de Quito.
5. Mi prima Susana y su novio no ________ hasta las ocho porque ella ________ que trabajar.
6. En las fiestas, mi hermana siempre (*always*) ________ muy tarde (*late*).
7. Nosotros ________ mucha suerte porque las reuniones son divertidas (*fun*).
8. Mi madre cree que mis sobrinos son muy simpáticos. Creo que ella ________ razón.

3

Describir Describe what these people are doing or feeling using an expression with **tener**.

1. ________

2. ________

3. ________

4. ________

5. ________

6. ________

Comunicación

4

¿Sí o no? Indicate whether these statements apply to you by checking either **Sí** or **No**.

	Sí	No
1. Mi padre tiene 50 años.	❍	❍
2. Mis amigos vienen a mi casa todos los días (*every day*).	❍	❍
3. Vengo a la universidad los martes.	❍	❍
4. Tengo hambre.	❍	❍
5. Tengo dos computadoras.	❍	❍
6. Tengo sed.	❍	❍
7. Tengo que estudiar los domingos.	❍	❍
8. Tengo una familia grande.	❍	❍

Now interview a classmate by transforming each statement into a question.

modelo

Estudiante 1: *¿Tiene tu padre 50 años?*
Estudiante 2: *No, no tiene 50 años. Tiene 65.*

5

Preguntas Get together with a classmate and ask each other these questions.

1. ¿Tienes que estudiar hoy?
2. ¿Cuántos años tienes? ¿Y tus hermanos/as?
3. ¿Cuándo vienes a la clase de español?
4. ¿Cuándo vienen tus amigos a tu casa, apartamento o residencia estudiantil?
5. ¿De qué tienes miedo? ¿Por qué?
6. ¿Qué tienes ganas de hacer esta noche (*tonight*)?

6

Conversación Use an expression with **tener** to hint at what's on your mind. Your partner will ask questions to find out why you feel that way. If your partner cannot guess what's on your mind after three attempts, tell him/her. Then switch roles.

estar cerca/lejos de la ventana
hablar/cantar en público
no beber/desayunar/descansar
tener una clase/un examen/buenos amigos

modelo

Estudiante 1: *Tengo miedo.*
Estudiante 2: *¿Tienes que hablar en público?*
Estudiante 1: *No.*
Estudiante 2: *¿Tienes un examen hoy?*
Estudiante 1: *Sí, y no tengo tiempo para estudiar.*

Síntesis

7

Minidrama Act out this situation with a partner: you are introducing your boyfriend/girlfriend to your extended family. To avoid any surprises before you go, talk about who is coming and what each family member is like. Switch roles.

Recapitulación

Review the grammar concepts you have learned in this lesson by completing these activities.

1 **Adjetivos** Complete each phrase with the appropriate adjective. Make all necessary changes. 12 pts.

antipático	interesante	mexicano
difícil	joven	moreno

1. Mi tía es __________. Vive en Guadalajara.
2. Mi primo no es rubio, es __________.
3. Mi novio cree que la clase no es fácil; es __________.
4. Los libros son __________; me gustan mucho.
5. Mis hermanos son __________; no tienen muchos amigos.
6. Las gemelas tienen quince años. Son __________.

2 **Completar** For each set of sentences, provide the appropriate form of the verb **tener** and the possessive adjective. Follow the model. 24 pts.

modelo

Él *tiene* un libro. Es *su* libro.

1. Esteban y Julio __________ una tía. Es __________ tía.
2. Yo __________ muchos amigos. Son __________ amigos.
3. Tú __________ tres primas. Son __________ primas.
4. María y tú __________ un hermano. Es __________ hermano.
5. Nosotras __________ unas mochilas. Son __________ mochilas.
6. Usted __________ dos sobrinos. Son __________ sobrinos.

3 **Oraciones** Arrange the words in the correct order to form complete logical sentences. **¡Ojo!** Don't forget to conjugate the verbs. 10 pts.

1. libros / unos / tener / interesantes / tú / muy
____
2. dos / leer / fáciles / compañera / tu / lecciones
____
3. mi / francés / ser / amigo / buen / Hugo
____
4. ser / simpáticas / dos / personas / nosotras
____
5. a / clases / menores / mismas / sus / asistir / hermanos / las
____

RESUMEN GRAMATICAL

3.1 Descriptive adjectives *pp. 80–82*

Forms and agreement of adjectives

Masculine		Feminine	
Singular	Plural	Singular	Plural
alto inteligente trabajador	altos inteligentes trabajadores	alta inteligente trabajadora	altas inteligentes trabajadoras

- Descriptive adjectives follow the noun: **el chico rubio**
- Adjectives of nationality also follow the noun: **la mujer española**
- Adjectives of quantity precede the noun: **muchos libros, dos turistas**
- When placed before a masculine singular noun, these adjectives are shortened.

  bueno → buen   malo → mal
- When placed before a singular noun, **grande** is shortened to **gran**.

3.2 Possessive adjectives *p. 85*

Singular		Plural	
mi	nuestro/a	mis	nuestros/as
tu	vuestro/a	tus	vuestros/as
su	su	sus	sus

3.3 Present tense of -er and -ir verbs *pp. 88–89*

comer		escribir	
como	comemos	escribo	escribimos
comes	coméis	escribes	escribís
come	comen	escribe	escriben

3.4 Present tense of tener and venir *pp. 92–93*

tener		venir	
tengo	tenemos	vengo	venimos
tienes	tenéis	vienes	venís
tiene	tienen	viene	vienen

4 **Carta** Complete this letter with the correct forms of the appropriate verbs. **20 pts.**

abrir	correr	recibir
asistir	creer	tener
compartir	escribir	venir
comprender	leer	vivir

Hola, Ángel:
¿Qué tal? (Yo) (1) ______ esta carta (*this letter*) en la biblioteca. Todos los días (2) ______ aquí y (3) ______ un buen libro. Yo (4) ______ que es importante leer por diversión. Mi compañero de apartamento no (5) ______ por qué me gusta leer. Él sólo (6) ______ los libros de texto. Pero nosotros (7) ______ unos intereses. Por ejemplo, los dos somos atléticos; por las mañanas nosotros (8) ______. También nos gustan las ciencias; por las tardes (9) ______ a nuestra clase de biología. Y tú, ¿cómo estás? ¿(Tú) (10) ______ mucho trabajo (*work*)?

5 **Su familia** Write a brief description of a friend's family. Describe the family members using vocabulary and structures from this lesson. Write at least five sentences. **34 pts.**

modelo

La familia de mi amiga Gabriela es grande. Ella tiene tres hermanos y una hermana. Su hermana mayor es periodista...

6 **Proverbio** Complete this proverb with the correct forms of the verbs. **4 EXTRA points!**

"Dos andares° __________ (tener) el dinero°, __________ (venir) despacio° y se va° ligero°."

andares *speeds* dinero *money* despacio *slowly*
se va *it leaves* ligero *quickly*

Lectura

Antes de leer

Estrategia

Guessing meaning from context

As you read in Spanish, you'll often come across words you haven't learned. You can guess what they mean by looking at the surrounding words and sentences. Look at the following text and guess what **tía abuela** means, based on the context.

¡Hola, Claudia!
¿Qué hay de nuevo?
¿Sabes qué? Ayer fui a ver a mi tía abuela, la hermana de mi abuela. Tiene 85 años, pero es muy independiente. Vive en un apartamento en Quito con su prima Lorena, quien también tiene 85 años.

If you guessed *great-aunt*, you are correct, and you can conclude from this word and the format clues that this is a letter about someone's visit with his or her great-aunt.

Examinar el texto

Quickly read through the paragraphs and find two or three words you don't know. Using the context as your guide, guess what these words mean. Then glance at the paragraphs where these words appear and try to predict what the paragraphs are about.

Examinar el formato

Look at the format of the reading. What clues do the captions, photos, and layout give you about its content?

More activities
vhlcentral
Online activities

Gente . . . Las familias

1. Me llamo Armando y tengo setenta años, pero no me considero viejo. Tengo seis nietas y un nieto. Vivo con mi hija y tengo la oportunidad de pasar mucho tiempo con ella y con mi nieto. Por las tardes salgo a pasear° por el parque con él y por la noche le leo cuentos°.

Armando. Tiene seis nietas y un nieto.

2. Mi prima Victoria y yo nos llevamos muy bien. Estudiamos juntas° en la universidad y compartimos un apartamento. Ella es muy inteligente y me ayuda° con los estudios. Además°, es muy simpática y generosa. Si necesito cualquier° cosa, ¡ella me la compra!

Diana. Vive con su prima.

3. Me llamo Ramona y soy paraguaya, aunque° ahora vivo en los Estados Unidos. Tengo tres hijos, uno de nueve años, uno de doce y el mayor de quince. Es difícil a veces, pero mi esposo y yo tratamos° de ayudarlos y comprenderlos siempre°.

Ramona. Sus hijos son muy importantes para ella.

4. Tengo mucha suerte. Aunque mis padres están divorciados, tengo una familia muy unida. Tengo dos hermanos y dos hermanas. Me gusta hablar y salir a fiestas con ellos. Ahora tengo novio en la universidad y él no conoce a mis hermanos. ¡Espero que se lleven bien!

Ana María. Su familia es muy unida.

5. Antes quería° tener hermanos, pero ya no° es tan importante. Ser hijo único tiene muchas ventajas°: no tengo que compartir mis cosas con hermanos, no hay discusiones° y, como soy nieto único también, ¡mis abuelos piensan° que soy perfecto!

Fernando. Es hijo único.

6. Como soy joven todavía°, no tengo ni esposa ni hijos. Pero tengo un sobrino, el hijo de mi hermano, que es muy especial para mí. Se llama Benjamín y tiene diez años. Es un muchacho muy simpático. Siempre tiene hambre y por lo tanto vamos° frecuentemente a comer hamburguesas. Nos gusta también ir al cine° a ver películas de acción. Hablamos de todo. ¡Creo que ser tío es mejor que ser padre!

Santiago. Cree que ser tío es divertido.

salgo a pasear *I go take a walk* cuentos *stories* juntas *together*
ie ayuda *she helps me* Además *Besides* cualquier *any* aunque *although*
ratamos *we try* siempre *always* quería *I wanted* ya no *no longer*
entajas *advantages* discusiones *arguments* piensan *think* todavía *still*
vamos *we go* ir al cine *to go to the movies*

Después de leer

Emparejar

Glance at the paragraphs and see how these words and phrases are used in context. Then find their English equivalents.

A	B
1. me la compra	a. the oldest
2. nos llevamos bien	b. movies
3. no conoce	c. the youngest
4. películas	d. buys it for me
5. mejor que	e. borrows it from me
6. el mayor	f. we see each other
	g. doesn't know
	h. we get along
	i. portraits
	j. better than

Seleccionar

Choose the sentence that best summarizes each paragraph.

1. Párrafo 1
   a. Me gusta mucho ser abuelo.
   b. No hablo mucho con mi nieto.
   c. No tengo nietos.
2. Párrafo 2
   a. Mi prima es antipática.
   b. Mi prima no es muy trabajadora.
   c. Mi prima y yo somos muy buenas amigas.
3. Párrafo 3
   a. Tener hijos es un gran sacrificio, pero es muy bonito también.
   b. No comprendo a mis hijos.
   c. Mi esposo y yo no tenemos hijos.
4. Párrafo 4
   a. No hablo mucho con mis hermanos.
   b. Comparto mis cosas con mis hermanos.
   c. Mis hermanos y yo somos como (*like*) amigos.
5. Párrafo 5
   a. Me gusta ser hijo único.
   b. Tengo hermanos y hermanas.
   c. Vivo con mis abuelos.
6. Párrafo 6
   a. Mi sobrino tiene diez años.
   b. Me gusta mucho ser tío.
   c. Mi esposa y yo no tenemos hijos.

Escritura

Estrategia

Using idea maps

How do you organize ideas for a first draft? Often, the organization of ideas represents the most challenging part of the process. Idea maps are useful for organizing pertinent information. Here is an example of an idea map you can use:

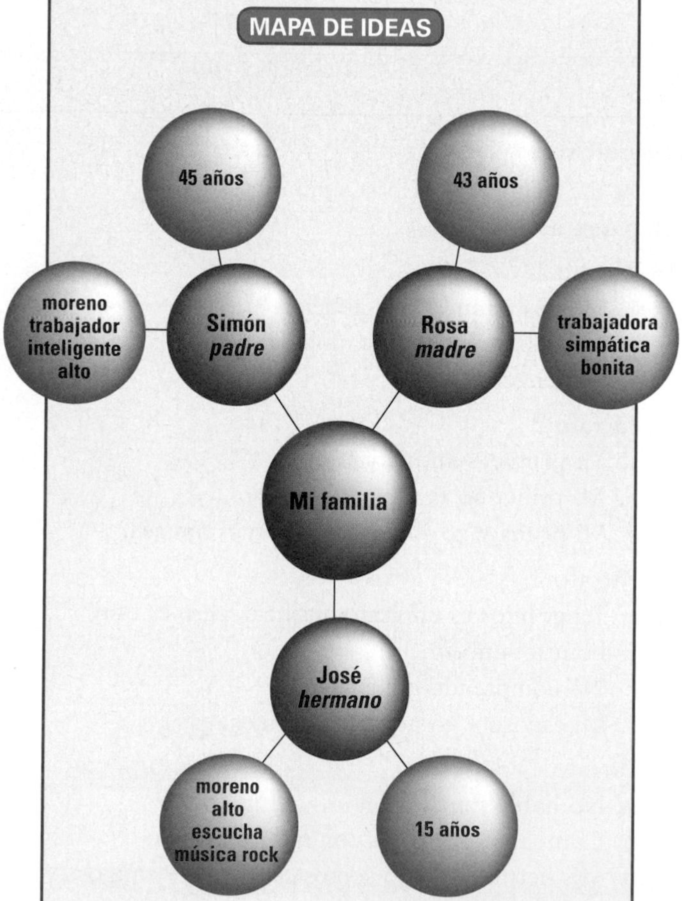

Tema

Escribir un mensaje electrónico

A friend you met in a chat room for Spanish speakers want to know about your family. Using some of the verbs and adjectives you have learned in this lesson, write a brief e-mail describing your family or an imaginary family, including:

- Names and relationships
- Physical characteristics
- Hobbies and interests

Here are some useful expressions for writing an e-mail or letter in Spanish:

Salutations

Estimado/a Julio/Julia:	*Dear Julio/Julia,*
Querido/a Miguel/Ana María:	*Dear Miguel/Ana María,*

Closings

Un abrazo,	*A hug,*
Abrazos,	*Hugs,*
Cariños,	*Much love,*
¡Hasta pronto!	*See you soon!*
¡Hasta la próxima semana!	*See you next week!*

Escuchar

Antes de escuchar

Estrategia

Asking for repetition/ Replaying the recording

Sometimes it is difficult to understand what people say, especially in a noisy environment. During a conversation, you can ask someone to repeat by saying **¿Cómo?** (*What?*) or **¿Perdón?** (*Pardon me?*). In class, you can ask your teacher to repeat by saying **Repita, por favor** (*Repeat, please*). If you don't understand a recorded activity, you can simply replay it.

To help you practice this strategy, you will listen to a short paragraph. Ask your professor to repeat it or replay the recording, and then summarize what you heard.

Preparación

Based on the photograph, where do you think Cristina and Laura are?

Ahora escucha

Adjetivos

Now you are going to hear Laura and Cristina's conversation. Use **R** to indicate which adjectives describe Cristina's boyfriend, Rafael. Use **E** for adjectives that describe Laura's boyfriend, Esteban. Some adjectives will not be used.

____ **rubio**	____ **interesante**
____ **feo**	____ **antipático**
____ **alto**	____ **inteligente**
____ **trabajador**	____ **moreno**
____ **un poco gordo**	____ **viejo**

Comprensión

Identificar

Which person would make each statement: Cristina or Laura?

	Cristina	Laura
1. Mi novio habla sólo de fútbol y de béisbol.	❍	❍
2. Tengo un novio muy interesante y simpático.	❍	❍
3. Mi novio es alto y moreno.	❍	❍
4. Mi novio trabaja mucho.	❍	❍
5. Mi amiga no tiene buena suerte con los muchachos.	❍	❍
6. El novio de mi amiga es un poco gordo, pero guapo.	❍	❍

¿Cierto o falso?

Indicate whether each sentence is **cierto** or **falso**, then correct the false statements.

	Cierto	Falso
1. Esteban es un chico interesante y simpático.	❍	❍
2. Laura tiene mala suerte con los chicos.	❍	❍
3. Rafael es muy interesante.	❍	❍
4. Laura y su novio hablan de muchas cosas.	❍	❍

En pantalla

Video

Anuncio

With over 440 million native Spanish speakers worldwide and the number growing due to an increasing popularity in learning Spanish, it is not uncommon to hear words that end in **-ito(a)** used not only to denote small size (for example, **niñita** and **pequeñito**), but also to express affection (for example, **abuelita** and **papito**). These words are called diminutives. The use of diminutives can vary by country and region; in some places the diminutive endings **-ico(a)**, **-illo(a)**, and **-uelo(a)** are more commonly used than **-ito(a)**.

Vocabulario útil	
cerraremos	*we will close*
conjuntito	*little outfit*
par de zapatitos	*little pair of shoes*
piecitos	*little feet*
saquito	*little coat*
¿Te falta mucho?	*Are you almost done?*

Preparación

Do you like shopping or spending time in malls? Do you prefer buying things for yourself or for others?

Completar

Complete the sentences.

comprar	hija	regresar
esposo	prisa	zapatitos

1. Marcos es el __________ de Claudia.
2. Claudia compra __________ y otras cosas.
3. Marcos y Claudia tienen una __________.
4. Claudia tiene __________ porque debe __________ pronto a casa.
5. Claudia necesita __________ algo para la beba en diez minutos.

Descripción

Write descriptions of the characters. Then compare your descriptions with a partner's.

compró *bought* **algo** *something* **me mata** *is going to kill me*

Banco Galicia

1 **¡Un saquito te compró° mamá!**

2 **Un par de zapatitos...**

3 **Tengo que buscar algo° para la beba, si no, Marcos me mata°.**

More activities
vhlcentral
Online activities

Cortometraje

In the words of Shakespeare's Juliet, "Parting is such sweet sorrow." Farewells can be some of the most painful and heartbreaking experiences human beings go through, but what happens when there is nobody to say goodbye to? In the short film *La despedida* by Mexican director Yanet Pantoja Neri, a man and a woman are saying goodbye at the train station, but there's a chance that they aren't experiencing the same emotions.

Preparación

What has been the hardest farewell you ever had to go through? Where was it? Who else was involved? What did you say?

Después de ver

Indicate whether each statement is **cierto** or **falso**. Then correct the false statements.

	Cierto	Falso
1. La mujer tiene que tomar un tren.	❍	❍
2. El hombre es rubio.	❍	❍
3. Ellos tienen prisa.	❍	❍
4. Son las ocho.	❍	❍
5. Hay sillas, mesas y un reloj grande en la estación de tren.	❍	❍

Una despedida

With a partner, imagine a farewell between two people. Be creative!

a. Write down the following information about the people.

- ¿Cómo se llaman?
- ¿Dónde están?
- ¿Cómo son?
- ¿Qué relación tienen?
- ¿Por qué tienen que despedirse (*to say goodbye*)?

b. Now write the conversation between the two people. Then perform it for the class.

Expresiones útiles

el abrazo	*hug*
la despedida	*farewell*
las lágrimas	*tears*
nadie	*no one, nobody*
No sé qué decir.	*I don't know what to say.*
Te amo.	*I love you.*
Ya es hora.	*It's time.*

Para hablar del corto

la estación de tren	*train station*
llorar	*to cry*
solo/a	*alone; lonely*
triste	*sad*

Video

Ecuador

El país en cifras

- **Área:** 283.560 km² (109.483 millas²), *incluyendo las islas Galápagos, aproximadamente el área de Colorado*
- **Población:** 16.290.00
- **Capital:** Quito—1.726.000
- **Ciudades° principales:** Guayaquil—2.709.000, Cuenca, Machala, Portoviejo
- **Moneda:** dólar estadounidense
- **Idiomas:** español (oficial), quichua

La lengua oficial de Ecuador es el español, pero también se hablan° otras° lenguas en el país. Aproximadamente unos 4.000.000 de ecuatorianos hablan lenguas indígenas; la mayoría° de ellos habla quichua. El quichua es el dialecto ecuatoriano del quechua, la lengua de los incas.

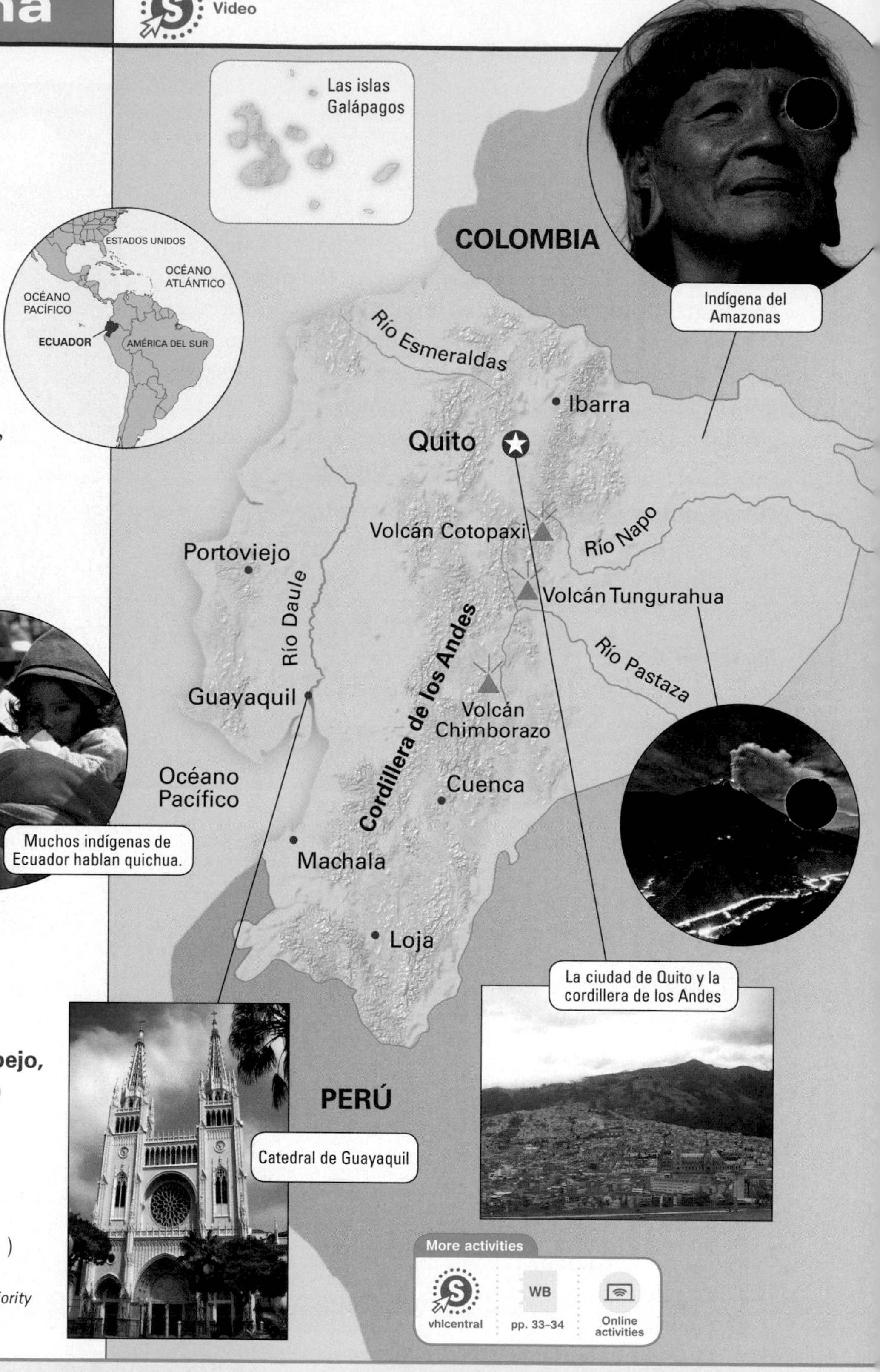

Indígena del Amazonas

Muchos indígenas de Ecuador hablan quichua.

Bandera de Ecuador

Catedral de Guayaquil

La ciudad de Quito y la cordillera de los Andes

Ecuatorianos célebres

- **Francisco Eugenio de Santa Cruz y Espejo,** médico, periodista y patriota (1747–1795)
- **Juan León Mera,** novelista (1832–1894)
- **Eduardo Kingman,** pintor° (1913–1997)
- **Rosalía Arteaga,** abogada°, política y ex vicepresidenta (1956–)
- **Iván Vallejo Ricaurte,** montañista (1959–)

Ciudades *cities* se hablan *are spoken* otras *other* mayoría *majority* pintor *painter* abogada *lawyer*

More activities
vhlcentral
WB pp. 33–34
Online activities

ACTIVIDADES

1 Seleccionar Escoge la respuesta correcta.

1. ¿Por qué es famoso Oswaldo Guayasamín?
   a. por ser escultor y muralista
   b. por estudiar la evolución de las especies
2. ¿Por qué son famosas las islas Galápagos?
   a. por el monumento la Mitad del Mundo
   b. por las tortugas gigantes
3. ¿Quién es Juan León Mera?
   a. un ingeniero
   b. un novelista
4. Además del español, ¿cuál es la lengua más popular en Ecuador?
   a. el alemán
   b. el quichua
5. ¿Cuál es la moneda oficial de Ecuador?
   a. el dólar estadounidense
   b. el peso ecuatoriano

Lugares • Las islas Galápagos

Muchas personas vienen de lejos a visitar las islas Galápagos porque son un verdadero tesoro° ecológico. Aquí Charles Darwin estudió° las especies que inspiraron° sus ideas sobre la evolución. Como las Galápagos están lejos del continente, sus plantas y animales son únicos. Las islas son famosas por sus tortugas° gigantes.

Artes • Oswaldo Guayasamín

Oswaldo Guayasamín fue° uno de los artistas latinoamericanos más famosos del mundo. Fue escultor° y muralista. Su expresivo estilo viene del cubismo y sus temas preferidos son la injusticia y la pobreza° sufridas° por los indígenas de su país.

Deportes • El *trekking*

El sistema montañoso de los Andes cruza° y divide Ecuador en varias regiones. La Sierra, que tiene volcanes, grandes valles y una variedad increíble de plantas y animales, es perfecta para el *trekking*. Muchos turistas visitan Ecuador cada° año para hacer° *trekking* y escalar montañas°.

Lugares • Latitud 0

Hay un monumento en Ecuador, a unos 22 kilómetros (14 millas) de Quito, donde los visitantes están en el hemisferio norte y el hemisferio sur a la vez°. Este monumento se llama la Mitad del Mundo° y es un destino turístico muy popular.

verdadero tesoro *true treasure* estudió *studied* inspiraron *inspired* tortugas *tortoises* fue *was* escultor *sculptor* pobreza *poverty* sufridas *suffered* cruza *crosses* cada *every* hacer *to do* escalar montañas *to climb mountains* a la vez *at the same time* Mitad del Mundo *Equatorial Line Monument (lit. Midpoint of the World)*

¡Increíble pero cierto!

El volcán Cotopaxi, situado a unos 50 kilómetros al sur° de Quito, es considerado uno de los volcanes activos más altos del mundo°. Tiene una altura de 5.897 metros (19.340 pies°). Es dos veces más alto que° el monte Santa Elena (2.550 metros o 9.215 pies) en el estado de Washington.

sur *south* mundo *world* pies *feet* dos veces más alto que *twice as tall as*

2 ¿Qué aprendiste? Completa las oraciones.

1. La ciudad más grande (*biggest*) de Ecuador es ________.
2. La capital de Ecuador es ________.
3. Unos 4.000.000 de ecuatorianos hablan ________.
4. Un monumento muy popular es ________.
5. La Sierra es un lugar perfecto para el ________.

3 Conversar En parejas, describan uno de los lugares más importantes de Ecuador y expliquen por qué creen que es interesante.

modelo

La Mitad del Mundo es un lugar fantástico. Es interesante porque...

Vocabulary Tools

La familia

el/la abuelo/a	*grandfather/ grandmother*
los abuelos	*grandparents*
el apellido	*last name*
el/la bisabuelo/a	*great-grandfather/ great-grandmother*
el/la cuñado/a	*brother-in-law/ sister-in-law*
el/la esposo/a	*husband/wife; spouse*
la familia	*family*
el/la gemelo/a	*twin*
el/la hermanastro/a	*stepbrother/ stepsister*
el/la hermano/a	*brother/sister*
el/la hijastro/a	*stepson/ stepdaughter*
el/la hijo/a	*son/daughter*
los hijos	*children*
la madrastra	*stepmother*
la madre	*mother*
el/la medio/a hermano/a	*half-brother/ half-sister*
el/la nieto/a	*grandson/ granddaughter*
la nuera	*daughter-in-law*
el padrastro	*stepfather*
el padre	*father*
los padres	*parents*
los parientes	*relatives*
el/la primo/a	*cousin*
el/la sobrino/a	*nephew/niece*
el/la suegro/a	*father-in-law/ mother-in-law*
el/la tío/a	*uncle/aunt*
el yerno	*son-in-law*

Otras personas

el/la amigo/a	*friend*
la gente	*people*
el/la muchacho/a	*boy/girl*
el/la niño/a	*child*
el/la novio/a	*boyfriend/girlfriend*
la persona	*person*

Profesiones

el/la artista	*artist*
el/la doctor(a), el/la médico/a	*doctor; physician*
el/la ingeniero/a	*engineer*
el/la periodista	*journalist*
el/la programador(a)	*computer programmer*

Adjetivos

alto/a	*tall*
antipático/a	*unpleasant*
bajo/a	*short (in height)*
bonito/a	*pretty*
buen, bueno/a	*good*
delgado/a	*thin*
difícil	*difficult*
fácil	*easy*
feo/a	*ugly*
gordo/a	*fat*
grande	*big*
guapo/a	*good-looking*
importante	*important*
inteligente	*intelligent*
interesante	*interesting*
joven (sing.), jóvenes (pl.)	*young*
mal, malo/a	*bad*
mismo/a	*same*
moreno/a	*brunet(te)*
mucho/a	*much; many; a lot of*
pelirrojo/a	*red-haired*
pequeño/a	*small*
rubio/a	*blond(e)*
simpático/a	*nice; likeable*
tonto/a	*foolish*
trabajador(a)	*hard-working*
viejo/a	*old*

Nacionalidades

alemán, alemana	*German*
argentino/a	*Argentine*
canadiense	*Canadian*
chino/a	*Chinese*
costarricense	*Costa Rican*
cubano/a	*Cuban*
ecuatoriano/a	*Ecuadorian*
español(a)	*Spanish*
estadounidense	*from the U.S.*
francés, francesa	*French*
inglés, inglesa	*English*
italiano/a	*Italian*
japonés, japonesa	*Japanese*
mexicano/a	*Mexican*
norteamericano/a	*(North) American*
puertorriqueño/a	*Puerto Rican*
ruso/a	*Russian*

Verbos

abrir	*to open*
aprender (a + *inf.*)	*to learn*
asistir (a)	*to attend*
beber	*to drink*
comer	*to eat*
compartir	*to share*
comprender	*to understand*
correr	*to run*
creer (en)	*to believe (in)*
deber (+ *inf.*)	*should*
decidir (+ *inf.*)	*to decide*
describir	*to describe*
escribir	*to write*
leer	*to read*
recibir	*to receive*
tener	*to have*
venir	*to come*
vivir	*to live*

Possessive adjectives	*See page 85.*
Expressions with *tener*	*See page 93.*
Expresiones útiles	*See page 75.*

More activities

vhlcentral | LM p. 18

Los pasatiempos 4

Communicative Goals

You will learn how to:

- Talk about pastimes, weekend activities, and sports
- Make plans and invitations

A PRIMERA VISTA

- ¿Es esta persona una atleta o una artista?
- ¿Tiene cuidado?
- ¿Es vieja? ¿Es delgada?
- ¿Tiene frío o calor?

Hotspots

Los pasatiempos

Más vocabulario

el baloncesto	*basketball*
el béisbol	*baseball*
el ciclismo	*cycling*
el esquí (acuático)	*(water) skiing*
el fútbol americano	*football*
el hockey	*hockey*
la natación	*swimming*
el equipo	*team*
el parque	*park*
el partido	*game; match*
la piscina	*swimming pool*
la plaza	*city or town square*
bucear	*to scuba dive*
escalar montañas (*f., pl.*)	*to climb mountains*
esquiar	*to ski*
ganar	*to win*
ir de excursión	*to go on a hike*
nadar	*to swim*
patinar	*to skate*
practicar deportes (*m., pl.*)	*to play sports*
visitar monumentos (*m., pl.*)	*to visit monuments*
escribir una carta/ un mensaje electrónico	*to write a letter/ an e-mail*
leer el correo electrónico	*to read e-mail*
leer el periódico	*to read the newspaper*
deportivo/a	*sports-related*

Variación léxica

piscina ⟷ pileta (*Arg.*); alberca (*Méx.*)
baloncesto ⟷ básquetbol (*Amér. L.*)
béisbol ⟷ pelota (*P. Rico, Rep. Dom.*)

More activities

vhlcentral | LM p. 19 | WB pp. 37–38 | Online activities

Práctica

1 **Indicar** Write **sí** if each activity you hear requires a ball or **no** if does not.

1. ____
2. ____
3. ____
4. ____
5. ____
6. ____
7. ____
8. ____

2 **Escuchar** Indicate the activity that best corresponds to each statement you hear.

A	B
1. ______	a. leer el correo electrónico
2. ______	b. tomar el sol
3. ______	c. ir de excursión
4. ______	d. ir a un partido de fútbol americano
5. ______	e. escribir una carta
6. ______	f. practicar muchos deportes
	g. nadar
	h. pasear en bicicleta

3 **¿Cierto o falso?** Indicate whether each statement is **cierto** or **falso** based on the illustration.

	Cierto	Falso
1. Una persona pasea en bicicleta.	❍	❍
2. Hay un partido de baloncesto.	❍	❍
3. Las personas viejas esquían.	❍	❍
4. Hay dos jugadores de vóleibol.	❍	❍
5. Dos niñas tienen una pelota.	❍	❍
6. Una mujer lee el periódico.	❍	❍
7. Hay un equipo de hockey.	❍	❍
8. Un chico anda en patineta.	❍	❍

4 **Clasificar** Fill in the chart with as many terms from **Contextos** as you can.

Actividades	Deportes	Personas
________	________	________
________	________	________
________	________	________
________	________	________
________	________	________
________	________	________

En el centro

Más vocabulario

la diversión	*fun activity; entertainment; recreation*
el fin de semana	*weekend*
el pasatiempo	*pastime; hobby*
los ratos libres	*spare (free) time*
el videojuego	*video game*
la iglesia	*church*
el lugar	*place*
ver películas (*f., pl.*)	*to watch movies*
favorito/a	*favorite*

5 **Identificar** Identify the place where these activities would take place.

modelo

Esquiamos. *Es una montaña.*

1. Tomamos una limonada.
2. Vemos una película.
3. Practicamos deportes.
4. Hay muchos monumentos.
5. Comemos tacos y fajitas.
6. Nadamos y tomamos el sol.
7. Hay mucho tráfico.
8. Miramos pinturas (*paintings*) de Diego Rivera y Frida Kahlo.

6 **Preguntar** Ask a classmate what he or she does in the places mentioned. Your classmate will respond using one of the verbs.

modelo

una plaza
Estudiante 1: *¿Qué haces (do you do) cuando estás en una plaza?*
Estudiante 2: *Camino por la plaza y miro a las personas.*

beber	escalar	mirar	practicar
caminar	escribir	nadar	tomar
correr	leer	patinar	visitar

1. una biblioteca
2. las montañas
3. un café
4. una piscina
5. un estadio
6. un parque
7. una plaza
8. un museo

Comunicación

7 **Crucigrama** Your instructor will give you and your partner an incomplete crossword puzzle. Yours has the words your partner needs and vice versa. In order to complete the puzzle, take turns giving each other clues, using definitions, examples, and phrases.

modelo

2 horizontal: Es un deporte que practicamos en la piscina.
6 vertical: Es un mensaje que escribimos con lápiz o con pluma.

8 **Entrevista** In pairs, take turns asking and answering these questions.

1. ¿Hay un café cerca de la universidad? ¿Dónde está?
2. ¿Cuál es tu restaurante favorito?
3. ¿Te gusta viajar y visitar monumentos? ¿Por qué?
4. ¿Te gusta ir al cine los fines de semana?
5. ¿Cuáles son tus películas favoritas?
6. ¿Te gusta practicar deportes?
7. ¿Cuáles son tus deportes favoritos? ¿Por qué?
8. ¿Cuáles son tus pasatiempos favoritos?

CONSULTA

To review expressions with **gustar**, see **Estructura 2.1**, p. 48.

9 **Conversación** Work with a partner to prepare a short conversation about pastimes.

¿a qué hora?	¿con quién(es)?	¿dónde?
¿cómo?	¿cuándo?	¿qué?

modelo

Estudiante 1: ¿Cuándo patinas?
Estudiante 2: Patino los domingos. Y tú, ¿patinas?
Estudiante 1: No, no me gusta patinar. Me gusta practicar el béisbol.

10 **Pasatiempos** In pairs, tell each other what pastimes three of your friends and family members enjoy. Be prepared to share with the class any pastimes you noticed they have in common.

modelo

Estudiante 1: Mi hermana pasea mucho en bicicleta, pero mis padres practican la natación. Mi hermano no nada, pero visita muchos museos.
Estudiante 2: Mi primo lee muchas revistas, pero no practica muchos deportes. Mis tíos esquían y practican el golf...

Fútbol, cenotes y mole

Maru, Miguel, Jimena y Marissa visitan un cenote, mientras Felipe y Juan Carlos van a un partido de fútbol.

PERSONAJES

MIGUEL

PABLO

Video

1

MIGUEL Buenos días a todos.

TÍA ANA MARÍA Hola, Miguel. Maru, ¿qué van a hacer hoy?

MARU Miguel y yo vamos a llevar a Marissa a un cenote.

2

MARISSA ¿No vamos a nadar? ¿Qué es un cenote?

MIGUEL Sí, sí vamos a nadar. Un cenote... difícil de explicar. Es una piscina natural en un hueco profundo.

MARU ¡Ya vas a ver! Seguro que te va a gustar.

3

ANA MARÍA Marissa, ¿qué te gusta hacer? ¿Escalar montañas? ¿Ir de excursión?

MARISSA Sí, me gusta ir de excursión y practicar el esquí acuático. Y usted, ¿qué prefiere hacer en sus ratos libres?

4

PABLO Mi mamá tiene muchos pasatiempos y actividades.

EDUARDO Sí. Ella nada y juega al tenis y al golf.

PABLO Va al cine y a los museos.

ANA MARÍA Sí, salgo mucho los fines de semana.

5

(*unos minutos después*)

EDUARDO Hay un partido de fútbol en el parque. ¿Quieren ir conmigo?

PABLO Y conmigo. Si no consigo más jugadores, nuestro equipo va a perder.

6

FELIPE ¿Recuerdas el restaurante del mole?

EDUARDO ¿Qué restaurante?

JIMENA El mole de mi tía Ana María es mi favorito.

MARU Chicos, ya es hora. ¡Vamos!

ANA MARÍA | MARU | MARISSA | EDUARDO | FELIPE | JUAN CARLOS | JIMENA | DON GUILLERMO

(más tarde, en el parque)

PABLO No puede ser. ¡Cinco a uno!

FELIPE ¡Vamos a jugar! Si perdemos, compramos el almuerzo. Y si ganamos...

EDUARDO ¡Empezamos!

(mientras tanto, en el cenote)

MARISSA ¿Hay muchos cenotes en México?

MIGUEL Sólo en la península de Yucatán.

MARISSA ¡Vamos a nadar!

(Los chicos visitan a don Guillermo, un vendedor de paletas heladas.)

JUAN CARLOS Don Guillermo, ¿dónde podemos conseguir un buen mole?

FELIPE Eduardo y Pablo van a pagar el almuerzo. Y yo voy a pedir un montón de comida.

FELIPE Sí, éste es el restaurante. Recuerdo la comida.

EDUARDO Oye, Pablo... No tengo...

PABLO No te preocupes, hermanito.

FELIPE ¿Qué buscas? *(muestra la cartera de Pablo)* ¿Esto?

Expresiones útiles

Making invitations

Hay un partido de fútbol en el parque. ¿Quieren ir conmigo?
There's a soccer game in the park. Do you want to come with me?
¡Yo puedo jugar!
I can play!
Mmm... no quiero.
Hmm... I don't want to.
Lo siento, pero no puedo.
I'm sorry, but I can't.
¡Vamos a nadar!
Let's go swimming!
Sí, vamos.
Yes, let's go.

Making plans

¿Qué van a hacer hoy?
What are you going to do today?
Vamos a llevar a Marissa a un cenote.
We are taking Marissa to a cenote.
Vamos a comprar unas paletas heladas.
We're going to buy some popsicles.
Vamos a jugar. Si perdemos, compramos el almuerzo.
Let's play. If we lose, we'll buy lunch.

Talking about pastimes

¿Qué te gusta hacer? ¿Escalar montañas? ¿Ir de excursión?
What do you like to do? Mountain climbing? Hiking?
Sí, me gusta ir de excursión y practicar esquí acuático.
Yes, I like hiking and water skiing.
Y usted, ¿qué prefiere hacer en sus ratos libres?
And you, what do you like to do in your free time?
Salgo mucho los fines de semana.
I go out a lot on the weekends.
Voy al cine y a los museos.
I go to the movies and to museums.

Additional vocabulary

el/la aficionado/a *fan*
la cartera *wallet*
el hueco *hole*
un montón de *a lot of*

More activities
vhlcentral | VM pp. 7–8 | Online activities

¿Qué pasó?

1 **Escoger** Choose the answer that best completes each sentence.

1. Marissa, Maru y Miguel desean __________.
   a. nadar b. correr por el parque c. leer el periódico
2. A Marissa le gusta __________.
   a. el tenis b. el vóleibol c. ir de excursión y practicar esquí acuático
3. A la tía Ana María le gusta __________.
   a. jugar al hockey b. nadar y jugar al tenis y al golf c. hacer ciclismo
4. Pablo y Eduardo pierden el partido de __________.
   a. fútbol b. béisbol c. baloncesto
5. Juan Carlos y Felipe desean __________.
   a. patinar b. esquiar c. comer mole

NOTA CULTURAL

Mole is a typical sauce in Mexican cuisine. It is made from pumpkin seeds, chile, and chocolate, and it is usually served with chicken, beef, or pork. To learn more about **mole**, go to page 252.

2 **Identificar** Identify the person who made each statement.

1. ¿Qué es un cenote? __________
2. Mi mamá tiene muchos pasatiempos y actividades. __________
3. Yo voy a pedir un montón de comida. __________
4. Hay un partido de fútbol en el parque. ¿Quieren ir conmigo? __________
5. Sí, salgo mucho los fines de semana. __________

NOTA CULTURAL

Cenotes are deep, freshwater sinkholes found in caves throughout the Yucatán peninsula. They were formed in prehistoric times by the erosion and collapse of cave walls. The Mayan civilization considered the **cenotes** sacred, and performed rituals there. Today, they are popular destinations for swimming and diving.

3 **Preguntas** Answer the questions.

1. ¿Qué van a hacer Miguel y Maru?
2. ¿Adónde van Felipe y Juan Carlos mientras sus amigos van al cenote?
3. ¿Quién gana el partido de fútbol?
4. ¿Quiénes van al cenote con Maru y Miguel?

4 **Conversación** With a partner, prepare a conversation in which you talk about pastimes and invite each other to do some activity together. Use these expressions and also look at **Expresiones útiles** on the previous page.

¿A qué hora? *(At) What time?*
contigo *with you*
¿Dónde? *Where?*
No puedo porque... *I can't because...*
Nos vemos a las siete. *See you at seven.*

- ¿Eres aficionado/a a...?
- ¿Te gusta...?
- ¿Por qué no...?
- ¿Quieres... conmigo?
- ¿Qué vas a hacer esta noche?

Pronunciación

Tutorial

Word stress and accent marks

pe-lí-cu-la **e-di-fi-cio** **ver** **yo**

Every Spanish syllable contains at least one vowel. When two vowels are joined in the same syllable they form a **diphthong***. A **monosyllable** is a word formed by a single syllable.

bi-blio-te-ca **vi-si-tar** **par-que** **fút-bol**

The syllable of a Spanish word that is pronounced most emphatically is the "stressed" syllable.

pe-lo-ta **pis-ci-na** **ra-tos** **ha-blan**

Words that end in **n**, **s**, or a **vowel** are usually stressed on the next-to-last syllable.

na-ta-ción **pa-pá** **in-glés** **Jo-sé**

If words that end in **n**, **s**, or a **vowel** are stressed on the last syllable, they must carry an accent mark on the stressed syllable.

bai-lar **es-pa-ñol** **u-ni-ver-si-dad** **tra-ba-ja-dor**

Words that do not end in **n**, **s**, or a **vowel** are usually stressed on the last syllable.

béis-bol **lá-piz** **ár-bol** **Gó-mez**

If words that do not end in **n**, **s**, or a **vowel** are stressed on the next-to-last syllable, they must carry an accent mark on the stressed syllable.

**The two vowels that form a diphthong are either both weak or one is weak and the other is strong.*

Práctica Pronounce each word, stressing the correct syllable. Then give the word stress rule for each word.

1. profesor
2. Puebla
3. ¿Cuántos?
4. Mazatlán
5. examen
6. ¿Cómo?
7. niños
8. Guadalajara
9. programador
10. México
11. están
12. geografía

Oraciones Read the conversation aloud to practice word stress.

MARINA Hola, Carlos. ¿Qué tal?
CARLOS Bien. Oye, ¿a qué hora es el partido de fútbol?
MARINA Creo que es a las siete.
CARLOS ¿Quieres ir?
MARINA Lo siento, pero no puedo.
Tengo que estudiar biología.

Refranes Read these sayings aloud to practice word stress.

More activities
vhlcentral
LM p. 20

1 He who laughs last, laughs best.
2 United we stand.

EN DETALLE

Video

Real Madrid y Barça: rivalidad total

Soccer in Spain is a force to be reckoned with, and no two teams draw more attention than **Real Madrid** and the **Fútbol Club Barcelona**. Whether the venue is Madrid's **Santiago Bernabéu** or Barcelona's **Camp Nou**, the two cities shut down for the showdown, paralyzed by **fútbol** fever. A ticket to the actual game is always the hottest ticket in town.

The rivalry between **Real Madrid** and **Barça** is about more than soccer. As the two biggest, most powerful cities in Spain, Barcelona and Madrid are constantly compared to one another and have a natural rivalry. There is also a political component to the dynamic. Barcelona, with its distinct language and culture, has long struggled for increased autonomy from Madrid's centralized government. Under Francisco Franco's rule (1939–1975), when repression of the Catalan identity was at its height, a game between **Real Madrid** and **FC Barcelona** was wrapped up with all the symbolism of the regime versus the resistance, even though both teams suffered casualties in Spain's civil war and the subsequent Franco dictatorship.

Although the dictatorship is long over, the momentum of all those decades of competition still transforms both cities into a frenzied, tense panic leading up to the game. Once the final score is announced, one of those cities is transformed again, this time into the best party in the country.

Rivalidades del fútbol

Argentina: Boca Juniors vs. River Plate

México: Águilas del América vs. Chivas del Guadalajara

Chile: Colo Colo vs. Universidad de Chile

Guatemala: Comunicaciones vs. Municipal

Uruguay: Peñarol vs. Nacional

Colombia: Millonarios vs. Independiente Santa Fe

ACTIVIDADES

1 **¿Cierto o falso?** Indicate whether each statement is cierto or falso. Correct the false statements.

1. People from Spain don't like soccer.
2. Madrid and Barcelona are the most important cities in Spain.
3. Santiago Bernabéu is a stadium in Barcelona.
4. The rivalry between Real Madrid and FC Barcelona is not only in soccer.
5. Barcelona has resisted Madrid's centralized government.
6. Only the FC Barcelona team was affected by the civil war.
7. During Franco's regime, the Catalan culture thrived.
8. There are many famous rivalries between soccer teams in the Spanish-speaking world.
9. River Plate is a popular team from Argentina.
10. Comunicaciones and Peñarol are famous rivals in Guatemala.

ASÍ SE DICE

Los deportes

el/la árbitro/a	*referee*
el/la atleta	*athlete*
la bola; el balón	**la pelota**
el campeón/ la campeona	*champion*
la carrera	*race*
competir	*to compete*
empatar	*to tie*
la medalla	*medal*
el/la mejor	*the best*
mundial	*worldwide*
el torneo	*tournament*

EL MUNDO HISPANO

Atletas importantes

World-renowned Hispanic athletes:

- **Rafael Nadal** (España) has won 20 Grand Slam singles titles and the 2008 Olympic gold medal in singles tennis.
- **Lionel Andrés Messi** (Argentina) is one of the world's top soccer players. He plays for **FC Barcelona** and for the Argentine national team.
- **Mireia Belmonte García** (España) won two silver medals in swimming at the 2012 Olympics. She also won a gold and a bronze at the 2016 Olympics.
- **Lorena Ochoa** (México) was the top-ranked female golfer in the world when she retired in 2010 at the age of 28. She still hosts an LPGA golf tournament every year.

PERFIL

Miguel Cabrera y Paola Espinosa

Miguel Cabrera, considered one of the best hitters in baseball, now plays first base for the Detroit Tigers. Born in Venezuela in 1983, he made his Major League debut at the age of 20. Cabrera has been selected for both the National League and American League All-Star Teams. In 2012, he became the first player since 1967 to win the Triple Crown.

Mexican diver **Paola Milagros Espinosa Sánchez**, born in 1986, has competed in four Olympics (2004, 2008, 2012, and 2016). She and her partner Tatiana Ortiz took home a bronze medal in 2008. In 2012, she won a silver medal with partner Alejandra Orozco. She won three gold medals at the Pan American Games in 2007 and again in 2011; in 2015 she won two.

CON RITMO HISPANO

Maná (1987–)

Place of origin: Guadalajara, Mexico

Maná has sold over 40 million copies of its 21 albums worldwide, which makes it the most successful and one of the most influential Latin American rock bands of all time.

Go to **vhlcentral.com** to find out more about **Maná**.

ACTIVIDADES

2 **Comprensión** Write the name of the athlete described in each sentence.

1. Es un jugador de fútbol de Argentina. ___________
2. Es una mujer que practica el golf. ___________
3. Es un jugador de béisbol de Venezuela. ___________
4. Es una mujer mexicana que practica un deporte en la piscina. ___________

3 **¿Quién es?** Write a short paragraph describing an athlete that you like, but do not mention his/her name. What does he/she look like? What sport does he/she play? Where does he/she live? Read your description to the class to see if they can guess who it is.

More activities

vhlcentral | VM pp. 37–38 | Online activities

4.1 Present tense of ir

Tutorial

ANTE TODO The verb **ir** (*to go*) is irregular in the present tense. Note that, except for the **yo** form (**voy**) and the lack of a written accent on the **vosotros** form (**vais**), the endings are the same as those for regular present tense **-ar** verbs.

The verb ir (*to go*)

Singular forms		Plural forms	
yo	**voy**	nosotros/as	**vamos**
tú	**vas**	vosotros/as	**vais**
Ud./él/ella	**va**	Uds./ellos/ellas	**van**

▶ **Ir** is often used with the preposition **a** (*to*). If **a** is followed by the definite article **el**, they combine to form the contraction **al**. If **a** is followed by the other definite articles (**la, las, los**), there is no contraction.

a + el = al

Voy **al** parque con Juan.
I'm going to the park with Juan.

Mis amigos van **a las** montañas.
My friends are going to the mountains.

CONSULTA

To review the contraction **de** + **el**, see **Estructura 1.3**, pp. 20–21.

▶ The construction **ir a** + [*infinitive*] is used to talk about actions that are going to happen in the future. It is equivalent to the English *to be going* + [*infinitive*].

Va a leer el periódico.
He is going to read the newspaper.

Van a pasear por el pueblo.
They are going to walk around town.

AYUDA

When asking a question that contains a form of the verb **ir**, remember to use **adónde**:
¿Adónde vas?
(To) Where are you going?

▶ **Vamos a** + [*infinitive*] can also express the idea of *let's* (*do something*).

Vamos a pasear.
Let's take a walk.

¡**Vamos a** comer!
Let's eat!

More activities
vhlcentral
LM p. 21
WB pp. 39–40
Online activities

¡INTÉNTALO! Provide the present tense forms of **ir**.

1. Ellos __van__.
2. Yo ______.
3. Tu novio ______.
4. Tú ______.
5. Mi prima y yo ______.
6. Adela ______.
7. Ustedes ______.
8. Nosotros ______.
9. Usted ______.
10. Ellas ______.
11. Miguel ______.
12. Nosotras ______.

Práctica

1

¿Adónde van? Tell where the people are going.

modelo

los chicos / el parque *Los chicos van al parque.*

1. la señora Castillo / el centro
2. las hermanas Gómez / la piscina
3. yo / el Museo de Arte Moderno
4. tu tío y tu papá / el partido de fútbol
5. nosotros / el restaurante Miramar

2

¿Qué van a hacer? Use **ir a** + [*infinitive*] to say that these people are also going to do the same activities tomorrow.

modelo

Ellas nadan en la piscina. *Van a nadar en la piscina mañana también.*

1. Sara lee una revista.
2. Yo practico deportes.
3. Paseamos con nuestros amigos.
4. Tú tomas el sol.
5. Ustedes van de excursión.

3

Preguntas With a partner, take turns asking and answering questions about where the people are going and what they are going to do there.

modelo

Estudiante 1: *¿Adónde va Estela?*
Estudiante 2: *Va a la librería.*
Estudiante 1: *Va a comprar un libro.*

Estela

1. ustedes

2. mi amigo

3. los estudiantes

4. tú

5. la profesora Torres

6. Álex y Miguel

Comunicación

4

Situaciones Work with a partner and say where you and your friends go in these situations.

1. Cuando deseo descansar...
2. Cuando mi novio/a tiene que estudiar...
3. Si deseo hablar con mis amigos...
4. Cuando mis amigos y yo tenemos hambre...
5. En mis ratos libres...
6. Cuando mis amigos desean esquiar...
7. Si estoy de vacaciones...
8. Si tengo ganas de leer...

5

Encuesta Your instructor will give you a worksheet. Walk around the class and ask your classmates if they are going to do these activities today. Find one person to answer **Sí** and one to answer **No** for each item and note their names on the worksheet in the appropriate column.

modelo

Tú: *¿Vas a leer el periódico hoy?*
Ana: *Sí, voy a leer el periódico hoy.*
Luis: *No, no voy a leer el periódico hoy.*

Actividades	Sí	No
1. comer en un restaurante chino		
2. leer el periódico	Ana	Luis
3. escribir un mensaje electrónico		
4. correr 20 kilómetros		
5. ver una película de terror		
6. pasear en bicicleta		

6

Entrevista Talk to two classmates in order to find out where they are going and what they are going to do on their next vacation.

modelo

Estudiante 1: *¿Adónde vas de vacaciones (on vacation)?*
Estudiante 2: *Voy a Guadalajara con mis amigos.*
Estudiante 3: *¿Y qué van a hacer (to do) ustedes en Guadalajara?*
Estudiante 2: *Vamos a visitar unos monumentos y museos. ¿Y tú?*

Síntesis

7

Planes Make a schedule of your activities for the weekend. Then, share with a partner.

- For each day, list at least three things you have to do.
- For each day, list at least two things you will do for fun.
- Tell a classmate what your weekend schedule is like. He or she will write down what you say.
- Switch roles to see if you have any plans in common.
- Take turns asking each other to participate in some of the activities you listed.

4.2 Stem-changing verbs: e→ie, o→ue

Tutorial

ANTE TODO Stem-changing verbs deviate from the normal pattern of regular verbs. When stem-changing verbs are conjugated, they have a vowel change in the last syllable of the stem.

INFINITIVE	VERB STEM	STEM CHANGE	CONJUGATED FORM
empezar	emp**e**z-	emp**ie**z-	emp**ie**zo
volver	v**o**lv-	v**ue**lv-	v**ue**lvo

CONSULTA

To review the present tense of regular **-ar** verbs, see **Estructura 2.1**, p. 46.

To review the present tense of regular **-er** and **-ir** verbs, see **Estructura 3.3**, p. 88.

▶ In many verbs, such as **empezar** (*to begin*), the stem vowel changes from **e** to **ie**. Note that the **nosotros/as** and **vosotros/as** forms don't have a stem change.

The verb empezar (e:ie) (*to begin*)

Singular forms		Plural forms	
yo	emp**ie**zo	nosotros/as	empezamos
tú	emp**ie**zas	vosotros/as	empezáis
Ud./él/ella	emp**ie**za	Uds./ellos/ellas	emp**ie**zan

Los chicos empiezan a hablar de su visita al cenote.

Ellos vuelven a comer en el restaurante.

▶ In many other verbs, such as **volver** (*to return*), the stem vowel changes from **o** to **ue**. The **nosotros/as** and **vosotros/as** forms have no stem change.

The verb volver (o:ue) (*to return*)

Singular forms		Plural forms	
yo	v**ue**lvo	nosotros/as	volvemos
tú	v**ue**lves	vosotros/as	volvéis
Ud./él/ella	v**ue**lve	Uds./ellos/ellas	v**ue**lven

▶ To help you identify stem-changing verbs, they will appear as follows throughout the text:

empezar (e:ie), volver (o:ue)

Common stem-changing verbs

e:ie		o:ue	
cerrar	*to close*	**almorzar**	*to have lunch*
comenzar (a + *inf.*)	*to begin*	**contar**	*to count; to tell*
empezar (a + *inf.*)	*to begin*	**dormir**	*to sleep*
entender	*to understand*	**encontrar**	*to find*
pensar	*to think*	**mostrar**	*to show*
perder	*to lose; to miss*	**poder (+ *inf.*)**	*to be able to; can*
preferir (+ *inf.*)	*to prefer*	**recordar**	*to remember*
querer (+ *inf.*)	*to want; to love*	**volver**	*to return*

¡LENGUA VIVA!

The verb **perder** can mean *to lose* or *to miss*, in the sense of "to miss a train."

Siempre pierdo mis llaves.
I always lose my keys.

Es importante no perder el autobús.
It's important not to miss the bus.

▶ **Jugar** (*to play a sport or a game*) is the only Spanish verb that has a **u:ue** stem change. **Jugar** is followed by **a** + [*definite article*] when the name of a sport or game is mentioned.

▶ **Comenzar** and **empezar** require the preposition **a** when they are followed by an infinitive.

Comienzan a jugar a las siete.
They begin playing at seven.

Ana **empieza a** escribir una postal.
Ana is starting to write a postcard.

▶ **Pensar** + [*infinitive*] means *to plan* or *to intend to do something*. **Pensar en** means *to think about someone* or *something*.

¿**Piensan** ir al gimnasio?
Are you planning to go to the gym?

¿**En** qué **piensas**?
What are you thinking about?

¡INTÉNTALO! Provide the present tense forms of these verbs.

cerrar (e:ie)

1. Ustedes cierran.
2. Ella ________.
3. Nosotras ________.
4. Mi hermano ________.
5. Yo ________.
6. Usted ________.
7. Los chicos ________.
8. Tú ________.

dormir (o:ue)

1. Mi abuela no duerme.
2. Yo no ________.
3. Mis hijos no ________.
4. Tú no ________.
5. Usted no ________.
6. Nosotros no ________.
7. Él no ________.
8. Ustedes no ________.

More activities
vhlcentral
LM p. 22
WB pp. 41–42
Online activities

Práctica

1

Completar Complete this conversation with the appropriate forms of the verbs. Then act it out with a partner.

PABLO Óscar, voy al centro ahora.
ÓSCAR ¿A qué hora (1)__________ (pensar) volver? El partido de fútbol (2)__________ (empezar) a las dos.
PABLO (3)__________ (volver) a la una. (4)__________ (querer) ver el partido.
ÓSCAR (5)¿__________ (recordar) que (*that*) nuestro equipo es muy bueno? (6)¡ __________ (poder) ganar!
PABLO No, (7)__________ (pensar) que va a (8)__________ (perder). Los jugadores de Guadalajara son salvajes (*wild*) cuando (9)__________ (jugar).

2

Preferencias With a partner, take turns asking and answering questions about what these people want to do.

modelo
Guillermo: estudiar / pasear en bicicleta
Estudiante 1: *¿Quiere estudiar Guillermo?*
Estudiante 2: *No, prefiere pasear en bicicleta.*

1. tú: trabajar / dormir
2. ustedes: mirar la televisión / jugar al dominó
3. Elisa: ver una película / leer una revista
4. tú: comer en la cafetería / ir a un restaurante
5. tus amigos: ir de excursión / descansar
6. María y su hermana: tomar el sol / practicar el esquí acuático

NOTA CULTURAL

Dominó (*Dominoes*) is a popular pastime throughout Colombia, Venezuela, Central America, and the panish-speaking ountries of the Caribbean. It's played both socially and competitively by people of all ages.

3

Describir Use the verbs to describe what these people are doing.

almorzar cerrar contar dormir jugar mostrar

1. yo

2. las niñas

3. Pedro

4. tú

5. nosotros

6. Teresa

Comunicación

4

Frecuencia In pairs, take turns using the verbs from the list and other stem-changing verbs you know to tell your partner which activities you do daily (**todos los días**), which you do once a month (**una vez al mes**), and which you do once a year (**una vez al año**). Record your partner's responses in the chart so that you can report back to the class.

modelo

Estudiante 1: *Yo recuerdo a mi familia todos los días.*
Estudiante 2: *Yo pierdo uno de mis libros una vez al año.*

cerrar	perder
dormir	poder
empezar	preferir
encontrar	querer
jugar	recordar
¿?	¿?

todos los días		una vez al mes		una vez al año

5

En la televisión In pairs, write a conversation between two siblings arguing about what to watch on TV. Be creative and be prepared to act out your conversation for the class.

modelo

Hermano: *Podemos ver la Copa Mundial.*
Hermana: *¡No, no quiero ver la Copa Mundial! Prefiero ver...*

NOTA CULTURAL

Iker Casillas Fernández was a famous goalkeeper for **Real Madrid.** A native of Madrid, he is among the best goalkeepers of his generation.

Síntesis

6

Situación Your instructor will give you and your partner each a partially illustrated itinerary of a city tour. Complete the itineraries by asking each other questions using the verbs in the captions and vocabulary you have learned.

modelo

Estudiante 1: *Por la mañana, empiezan en el café.*
Estudiante 2: *Y luego...*

4.3 Stem-changing verbs: e→i

Tutorial

ANTE TODO You've already seen that many verbs in Spanish change their stem vowel when conjugated. There is a third kind of stem-vowel change in some verbs, such as **pedir** (*to ask for; to request*). In these verbs, the stressed vowel in the stem changes from **e** to **i**, as shown in the diagram.

INFINITIVE	VERB STEM	STEM CHANGE	CONJUGATED FORM
pedir	ped-	pid-	pido

▶ As with other stem-changing verbs you have learned, there is no stem change in the **nosotros/as** or **vosotros/as** forms in the present tense.

The verb pedir (e:i) (*to ask for; to request*)

Singular forms		Plural forms	
yo	pido	nosotros/as	pedimos
tú	pides	vosotros/as	pedís
Ud./él/ella	pide	Uds./ellos/ellas	piden

¡LENGUA VIVA!

As you learned in **Lección 2, preguntar** means *to ask a question*. **Pedir**, however, means *to ask for something:*

Ella me pregunta cuántos años tengo.
She asks me how old I am.

Él me pide ayuda.
le asks me for help.

▶ To help you identify verbs with the **e:i** stem change, they will appear as follows throughout the text:

pedir (e:i)

▶ These are the most common **e:i** stem-changing verbs:

conseguir	**decir**	**repetir**	**seguir**
to get; to obtain	*to say; to tell*	*to repeat*	*to follow; to continue; to keep (doing something)*

Pido favores cuando es necesario.
I ask for favors when it's necessary.

Javier **dice** la verdad.
Javier is telling the truth.

Sigue con su tarea.
He continues with his homework.

Consiguen ver buenas películas.
They get to see good movies.

▶ **¡Atención!** The verb **decir** is irregular in its **yo** form: **yo digo**.

▶ The **yo** forms of **seguir** and **conseguir** have a spelling change in addition to the stem change **e:i**.

Sigo su plan.
I'm following their plan.

Consigo novelas en la librería.
I get novels at the bookstore.

More activities
vhlcentral
LM p. 23
WB pp. 43–44
Online activities

¡INTÉNTALO! Provide the correct forms of the verbs.

repetir (e:i)

1. Arturo y Eva repiten.
2. Nosotros ________.
3. Yo ________.
4. Julia ________.
5. Sofía y yo ________.

decir (e:i)

1. Yo digo.
2. Él ________.
3. Tú ________.
4. Ellas ________.
5. Usted ________.

seguir (e:i)

1. Yo sigo.
2. Los chicos ________.
3. Tú ________.
4. Nosotros ________.
5. Usted ________.

Práctica

1

Completar Complete these sentences with the correct form of the verb.

1. Cuando mi familia pasea por la ciudad, mi madre siempre (*always*) va a un café y ________ (pedir) una soda.
2. Pero mi padre ________ (decir) que perdemos mucho tiempo. Tiene prisa por llegar al Bosque de Chapultepec.
3. Mi padre tiene suerte, porque él siempre ________ (conseguir) lo que (*that which*) desea.
4. Cuando llegamos al parque, mis hermanos y yo ________ (seguir) conversando (*talking*) con nuestros padres.
5. Mis padres siempre ________ (repetir) la misma cosa: "Nosotros tomamos el sol aquí sin ustedes".
6. Yo siempre ________ (pedir) permiso para volver a casa un poco más tarde porque me gusta mucho el parque.

NOTA CULTURAL

A popular weekend destination for residents and tourists, **el Bosque de Chapultepec** is a beautiful park located in Mexico City. It occupies over 1.5 square miles and includes lakes, wooded areas, several museums, and a botanical garden. You may recognize this park from **Fotonovela, Lección 2.**

2

Combinar Combine words from the two columns to create sentences about yourself and people you know.

modelo

Mi hermana consigue libros en Internet.

A	B
yo	nunca (*never*) pedir perdón
mi compañero/a de cuarto	(no) pedir muchos favores
mi mejor (*best*) amigo/a	nunca seguir las instrucciones
mi familia	siempre seguir las instrucciones
mis amigos/as	repetir el vocabulario
mis amigos/as y yo	conseguir libros en Internet
mis padres	poder hablar dos lenguas
mi hermano/a	dormir hasta el mediodía
mi profesor(a) de español	siempre perder sus libros

CONSULTA

To review possessive adjectives, see **Estructura 3.2**, p. 85.

3

Opiniones In pairs, take turns guessing how your partner completed the sentences from **Actividad 2**. If you guess incorrectly, your partner must supply the correct answer.

modelo

Estudiante 1: *Creo que tus padres consiguen libros en Internet.*
Estudiante 2: *¡No! Mi hermana consigue libros en Internet.*

4

¿Quién? Your instructor will give you a worksheet. Talk to your classmates until you find one person who does each of the activities. Use **e:ie**, **o:ue**, and **e:i** stem-changing verbs.

modelo

Tú: *¿Pides consejos con frecuencia?*
Maira: *No, no pido consejos con frecuencia.*
Tú: *¿Pides consejos con frecuencia?*
Lucas: *Sí, pido consejos con frecuencia.*

Comunicación

5

Las películas Use these questions to interview a classmate.

1. ¿Prefieres las películas románticas, las películas de acción o las películas de terror? ¿Por qué?
2. ¿Dónde consigues información sobre (*about*) cine y televisión?
3. ¿Dónde consigues las entradas (*tickets*) para ver una película?
4. Para decidir qué películas vas a ver, ¿sigues las recomendaciones de los críticos de cine? ¿Qué dicen los críticos en general?
5. ¿Qué cines en tu comunidad muestran las mejores (*best*) películas?
6. ¿Vas a ver una película esta semana? ¿A qué hora empieza la película?

Síntesis

6

El cine In pairs, first scan the ad and jot down all the stem-changing verbs. Then answer the questions.

1. ¿Qué palabras indican que *Dunkirk* es una película dramática?
2. ¿Cómo está el personaje (*character*) del póster? ¿Qué quiere hacer?
3. ¿Te gustan las películas como ésta (*this one*)? ¿Por qué?
4. Describe tu película favorita con los verbos de la **Lección 4**.

★★★★★

Una de las mejores películas del año

Dunkerque: un momento decisivo de la Segunda Guerra Mundial

Cuando los nazis comienzan a controlar toda Francia, las fuerzas aliadas no pierden la esperanza. Sólo quieren cumplir su misión: evacuar las tropas de Dunkerque y seguir luchando por la libertad de Europa.

¿Consiguen escapar? ¿Vuelven a Inglaterra?

Una película dramática de acción histórica, con actuación y efectos especiales espectaculares. Escrita y dirigida por Christopher Nolan.

4.4 Verbs with irregular yo forms

Tutorial

ANTE TODO In Spanish, several verbs have irregular **yo** forms in the present tense. You have already seen three verbs with the **-go** ending in the **yo** form: **decir → digo**, **tener → tengo**, and **venir → vengo**.

▶ Here are some common expressions with **decir**.

decir la verdad
to tell the truth

decir mentiras
to tell lies

decir que
to say that

decir la respuesta
to say the answer

▶ The verb **hacer** is often used to ask questions about what someone does. Note that when answering, **hacer** is frequently replaced with another, more specific action verb.

Verbs with irregular yo forms

	hacer (to do; to make)	**poner** (to put; to place)	**salir** (to leave)	**suponer** (to suppose)	**traer** (to bring)
SINGULAR FORMS	**hago**	**pongo**	**salgo**	**supongo**	**traigo**
	haces	pones	sales	supones	traes
	hace	pone	sale	supone	trae
PLURAL FORMS	hacemos	ponemos	salimos	suponemos	traemos
	hacéis	ponéis	salís	suponéis	traéis
	hacen	ponen	salen	suponen	traen

▶ **Poner** can also mean *to turn on* a household appliance.

Carlos **pone** la radio.
Carlos turns on the radio.

María **pone** la televisión.
María turns on the television.

▶ **Salir de** is used to indicate that someone is leaving a particular place.

Hoy **salgo del** hospital.
Today I leave the hospital.

Sale de la clase a las cuatro.
He leaves class at four.

▶ **Salir para** is used to indicate someone's destination.

Mañana **salgo para** México.
Tomorrow I leave for Mexico.

Hoy **salen para** España.
Today they leave for Spain.

▶ **Salir con** means *to leave with someone* or *something*, or *to date someone.*

Alberto **sale con** su mochila.
Alberto is leaving with his backpack.

Margarita **sale con** Guillermo.
Margarita is going out with Guillermo.

The verbs ver and oír

▶ The verb **ver** (*to see*) has an irregular **yo** form. The other forms of **ver** are regular.

The verb ver (*to see*)

Singular forms		Plural forms	
yo	**veo**	nosotros/as	vemos
tú	ves	vosotros/as	veis
Ud./él/ella	ve	Uds./ellos/ellas	ven

▶ The verb **oír** (*to hear*) has an irregular **yo** form and the spelling change **i:y** in the **tú**, **usted/él/ella**, and **ustedes/ellos/ellas** forms. The **nosotros/as** and **vosotros/as** forms have an accent mark.

The verb oír (*to hear*)

Singular forms		Plural forms	
yo	**oigo**	nosotros/as	o**í**mos
tú	o**y**es	vosotros/as	o**í**s
Ud./él/ella	o**y**e	Uds./ellos/ellas	o**y**en

▶ While most commonly translated as *to hear*, **oír** is also used in contexts where the verb *to listen* would be used in English.

Oigo a unas personas en la otra sala.
I hear some people in the other room.

¿**Oyes** la radio por la mañana?
Do you listen to the radio in the morning?

More activities
vhlcentral
LM p. 24
WB pp. 45–46
Online activities

¡INTÉNTALO! Provide the correct forms of these verbs.

1. salir	Isabel sale.	Nosotros ______.	Yo ______.
2. ver	Yo ______.	Ustedes ______.	Tú ______.
3. poner	Rita y yo ______.	Yo ______.	Los niños ______.
4. traer	Ellas ______.	Yo ______.	Tú ______.
5. oír	Él ______.	Nosotros ______.	Yo ______.
6. hacer	Yo ______.	Tú ______.	Usted ______.
7. suponer	Yo ______.	Mi amigo ______.	Nosotras ______.

Práctica

1

Completar Complete this conversation with the correct forms of the verbs. Then act it out with a partner.

ERNESTO David, ¿qué (1)__________ (hacer) hoy?
DAVID Ahora estudio biología, pero esta noche (2)__________ (salir) con Luisa. Vamos al cine. Los críticos (3)__________ (decir) que la nueva (*new*) película de Almodóvar es buena.
ERNESTO ¿Y Diana? ¿Qué (4)__________ (hacer) ella?
DAVID (5)__________ (salir) a comer con sus padres.
ERNESTO ¿Qué (6)__________ (hacer) Andrés y Javier?
DAVID Tienen que (7)__________ (hacer) las maletas. (8)__________ (salir) para Monterrey mañana.
ERNESTO Pues, ¿qué (9)__________ (hacer) yo?
DAVID Yo (10)__________ (suponer) que puedes estudiar o (11)__________ (ver) la televisión.
ERNESTO No quiero estudiar. Mejor (12)__________ (poner) la televisión. Mi programa favorito empieza en unos minutos.

2

Oraciones Form sentences using verbs from **Estructura 4.4**.

modelo
tú / ________ / cosas / en / su lugar / antes de (*before*) / salir
Tú pones las cosas en su lugar antes de salir.

1. mis amigos / ________ / conmigo / centro
2. yo / no / ________ / muchas películas
3. Alberto / ________ / música del café Pasatiempos
4. tú / ________ / mentiras / pero / yo ________ / verdad
5. domingo / nosotros / ________ / mucha / tarea
6. si / yo / ________ / que / yo / querer / ir / cine / mis amigos / ir / también

3

Describir Use the verbs from **Estructura 4.4** to describe what these people are doing.

1. Fernán

2. el estudiante

3. los aficionados

4. nosotros

5. la señora Vargas

6. yo

Comunicación

4

Tu rutina In pairs, take turns asking each other these questions.

1. ¿Qué traes a clase?
2. ¿A qué hora sales de tu residencia estudiantil o de tu casa por la mañana? ¿A qué hora sale tu compañero/a de cuarto?
3. ¿Dónde pones tus libros cuando regresas de clase? ¿Siempre (*Always*) pones tus cosas en su lugar?
4. ¿Oyes música cuando estudias?
5. ¿Ves películas en casa o prefieres ir al cine?
6. ¿Haces mucha tarea los fines de semana?
7. ¿Sales con tus amigos los fines de semana? ¿A qué hora? ¿Qué hacen?
8. ¿Te gusta ver deportes en la televisión o prefieres ver otros programas? ¿Cuáles?

5

Charadas In groups, play a game of charades. Each person should think of two phrases containing the verbs **hacer, oír, poner, salir, traer,** or **ver**. The first person to guess correctly acts out the next charade.

6

Entrevista You are doing a market research report on lifestyles. Interview a classmate to find out when he or she goes out with these people and what they do for entertainment.

- los/las amigos/as
- el/la novio/a
- el/la esposo/a
- la familia

Síntesis

7

Situación With a partner, prepare a conversation between two roommates.

Estudiante 1	Estudiante 2
Ask your partner what he or she is doing.	→ Tell your partner that you are watching TV.
Say what you suppose he or she is watching.	→ Say that you like the show _______. Ask if he or she wants to watch.
Say no, because you are going out with friends, and tell where you are going.	→ Say you think it's a good idea, and ask what your partner and his or her friends are doing there.
Say what you are going to do, and ask your partner whether he or she wants to come along.	→ Say no and tell your partner what you prefer to do.

Recapitulación

Review the grammar concepts you have learned in this lesson by completing these activities.

1 **Completar** Complete the chart with the correct verb forms. 30 pts.

Infinitive	yo	nosotros/as	ellos/as
	vuelvo		
comenzar		comenzamos	
		hacemos	hacen
ir			
	juego		
repetir			repiten

2 **Un día típico** Complete the paragraph with the correct forms of the appropriate verbs. 20 pts.

almorzar	ir	salir
cerrar	jugar	seguir
empezar	mostrar	ver
hacer	querer	volver

¡Hola! Me llamo Cecilia y vivo en Puerto Vallarta, México. ¿Cómo es un día típico en mi vida (*life*)? Por la mañana bebo café con mis padres y juntos (*together*) (1) __________ las noticias (*news*) en la televisión. A las siete y media, (*yo*) (2) __________ de mi casa y tomo el autobús. Me gusta llegar temprano (*early*) a la universidad porque siempre (*always*) (3) __________ a mis amigos en la cafetería. Tomamos café y planeamos lo que (4) __________ hacer cada (*each*) día. A las ocho y cuarto, mi amiga Sandra y yo (5) __________ al laboratorio de lenguas. La clase de francés (6) __________ a las ocho y media. ¡Es mi clase favorita! A las doce y media (*yo*) (7) __________ en la cafetería con mis amigos. Después (*Afterward*), yo (8) __________ con mis clases. Por las tardes, mis amigos (9) __________ a sus casas, pero yo (10) __________ al vóleibol con mi amigo Tomás.

RESUMEN GRAMATICAL

4.1 Present tense of ir p. 118

yo	voy	nos.	vamos
tú	vas	vos.	vais
él	va	ellas	van

- **ir a + [*infinitive*] = *to be going* + [*infinitive*]**
- **a + el = al**
- **vamos a + [*infinitive*] = *let's* (*do something*)**

4.2 Stem-changing verbs e:ie, o:ue, u:ue pp. 121–122

	empezar	volver	jugar
yo	empiezo	vuelvo	juego
tú	empiezas	vuelves	juegas
él	empieza	vuelve	juega
nos.	empezamos	volvemos	jugamos
vos.	empezáis	volvéis	jugáis
ellas	empiezan	vuelven	juegan

- Other e:ie verbs: **cerrar, comenzar, entender, pensar, perder, preferir, querer**
- Other o:ue verbs: **almorzar, contar, dormir, encontrar, mostrar, poder, recordar**

4.3 Stem-changing verbs e:i p. 125

pedir

yo	pido	nos.	pedimos
tú	pides	vos.	pedís
él	pide	ellas	piden

- Other e:i verbs: **conseguir, decir, repetir, seguir**

4.4 Verbs with irregular yo forms pp. 128–129

hacer	poner	salir	suponer	traer
hago	pongo	salgo	supongo	traigo

- **ver:** veo, ves, ve, vemos, veis, ven
- **oír:** oigo, oyes, oye, oímos, oís, oyen

3 **Oraciones** Arrange the cues in the correct order to form complete sentences. Make all necessary changes. **14 pts.**

1. tarea / los / hacer / sábados / nosotros / la
____
2. en / pizza / Andrés / una / restaurante / el / pedir
____
3. a / ? / museo / ir / ¿ / el / (tú)
____
4. de / oír / amigos / bien / los / no / Elena
____
5. libros / traer / yo / clase / mis / a
____
6. película / ver / en / Jorge y Carlos / pensar / cine / una / el
____
7. unos / escribir / Mariana / electrónicos / querer / mensajes
____

4 **Escribir** Write a short paragraph about what you do on a typical day. Use at least six of the verbs you have learned in this lesson. You can use the paragraph on the opposite page (**Actividad 2**) as a model. **36 pts.**

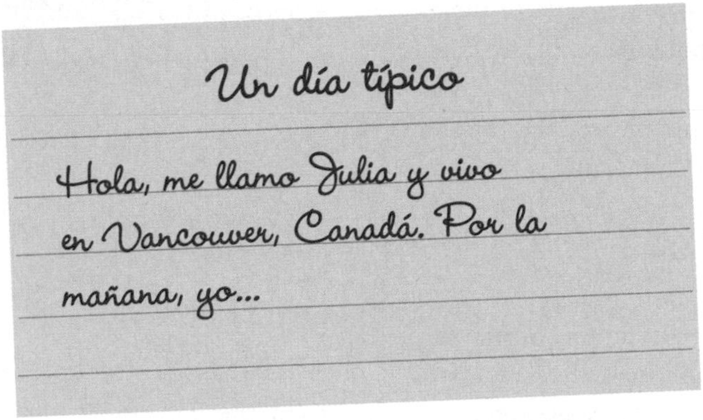

5 **Rima** Complete the rhyme with the correct forms of the appropriate verbs. **4 EXTRA points!**

contar	poder
oír	suponer

"Si no ____________ dormir
y el sueño deseas,
lo vas a conseguir
si ____________ ovejas°."

ovejas *sheep*

Audio: Reading

Lectura

Antes de leer

Estrategia

Predicting content from visuals

When you are reading in Spanish, be sure to look for visual clues that will orient you as to the content and purpose of what you are reading. Photos and illustrations, for example, will often give you a good idea of the main points that the reading covers. You may also encounter very helpful visuals that are used to summarize large amounts of data in a way that is easy to comprehend; these include bar graphs, pie charts, flow charts, lists of percentages, and other sorts of diagrams.

Examinar el texto

Take a quick look at the visual elements of the magazine article in order to generate a list of ideas about its content. Then compare your list with a classmate's. Are they the same or are they different? Discuss your lists and make any changes needed to produce a final list of ideas.

Contestar

Read the list of ideas you wrote in **Examinar el texto**, and look again at the visual elements of the magazine article. Then answer the questions.

1. Who is the woman in the photo, and what is her role?
2. What is the article about?
3. What is the subject of the pie chart?
4. What is the subject of the bar graph?

More activities

vhlcentral

Online activities

por María Úrsula Echevarría

El fútbol es el deporte más popular en el mundo° hispano, según° una encuesta° reciente realizada entre jóvenes universitarios. Mucha gente practica este deporte y tiene un equipo de fútbol favorito. Cada cuatro años se realiza la Copa Mundial°. Argentina y Uruguay han ganado° este campeonato° más de una vez°. Los aficionados siguen los partidos de fútbol en casa por tele y en muchos otros lugares como bares, restaurantes, estadios y clubes deportivos. Los jóvenes juegan al fútbol con sus amigos en parques y gimnasios.

Países hispanos en campeonatos mundiales de fútbol (1930–2018)

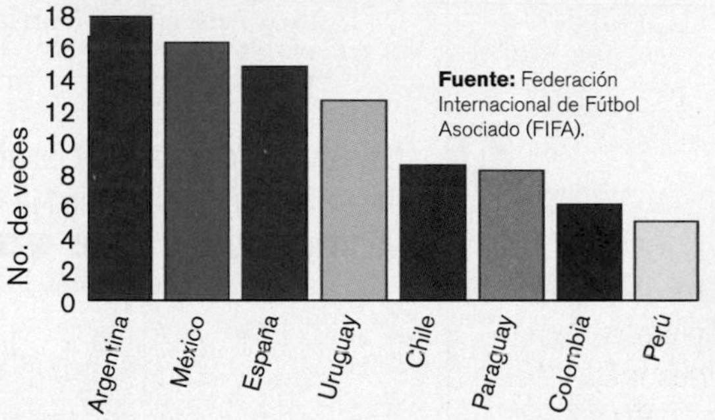

Pero, por supuesto°, en los países de habla hispana también hay otros deportes populares. ¿Qué deporte sigue al fútbol en estos países? Bueno, ¡depende del país y de otros factores!

Después de leer

Evaluación y predicción

Which of the following sporting events would be most popular among the college students surveyed? Rate them from one (most popular) to five (least popular). Which would be the most popular at your college or university?

_________ 1. la Copa Mundial de Fútbol

_________ 2. los Juegos Olímpicos

_________ 3. el Campeonato de Wimbledon

_________ 4. la Serie Mundial de Béisbol

_________ 5. el Tour de Francia

No sólo el fútbol

En Colombia, el béisbol también es muy popular después del fútbol, aunque° esto varía según la región del país. En la costa del norte de Colombia, el béisbol es una pasión. Y el ciclismo también es un deporte que los colombianos siguen con mucho interés.

Donde el béisbol es más popular

En los países del Caribe, el béisbol es el deporte predominante. Éste es el caso en Puerto Rico, Cuba y la República Dominicana. Los niños empiezan a jugar cuando son muy pequeños. En Puerto Rico y la República Dominicana, la gente también quiere participar en otros deportes, como el baloncesto, o ver los partidos en la tele. Y para los espectadores aficionados del Caribe, el boxeo es número dos.

Deportes más populares

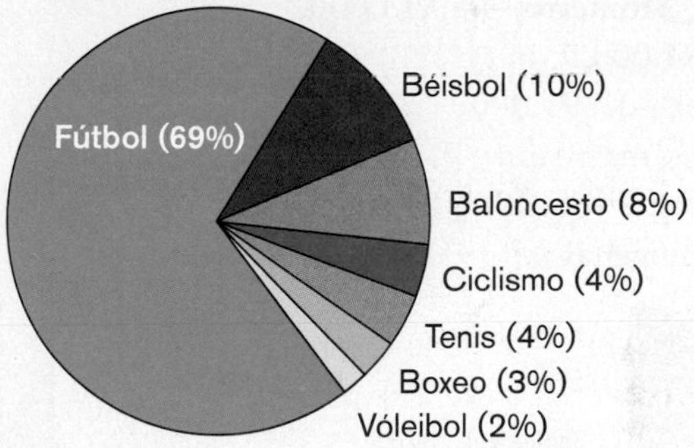

Donde el fútbol es más popular

En México, el béisbol es el segundo° deporte más popular después° del fútbol. Pero en Argentina, después del fútbol, el rugby tiene mucha importancia. En Perú a la gente le gusta mucho ver partidos de vóleibol. ¿Y en España? Muchas personas prefieren el baloncesto, el tenis y el ciclismo.

mundo *world* según *according to* encuesta *survey* se realiza la Copa Mundial *the World Cup is held* han ganado *have won* campeonato *championship* más de una vez *more than once* por supuesto *of course* segundo *second* después *after* aunque *although*

¿Cierto o falso?

Indicate whether each sentence is **cierto** or **falso**, then correct the false statements.

	Cierto	Falso
1. El vóleibol es el segundo deporte más popular en México.	❍	❍
2. En España a la gente le gustan varios deportes como el baloncesto y el ciclismo.	❍	❍
3. En la costa del norte de Colombia, el tenis es una pasión.	❍	❍
4. En el Caribe, el deporte más popular es el béisbol.	❍	❍

Preguntas

Answer these questions.

1. ¿Dónde ven el fútbol los aficionados? Y tú, ¿cómo ves tus deportes favoritos?
2. ¿Te gusta el fútbol? ¿Por qué?
3. ¿Miras la Copa Mundial en la televisión?
4. ¿Qué deportes miras en la televisión?
5. En tu opinión, ¿cuáles son los tres deportes más populares en tu universidad? ¿En tu comunidad? ¿En tu país?
6. ¿Practicas deportes en tus ratos libres?

Video

México

Cabo San Lucas

El país en cifras

- **Área:** 1.972.550 km² (761.603 millas²), *casi° tres veces° el área de Texas*

La situación geográfica de México, al sur° de los Estados Unidos, ha influido en° la economía y la sociedad de los dos países. Una de las consecuencias es la emigración de la población mexicana al país vecino°. Hoy día, más de 34 millones de personas de ascendencia mexicana viven en los Estados Unidos.

- **Población:** 124.574.000
- **Capital:** Ciudad de México (y su área metropolitana)—20.999.000
- **Ciudades principales:** Guadalajara —4.843.000, Monterrey—4.513.000, Puebla—2.984.000, Ciudad Juárez—1.391.000
- **Moneda:** peso mexicano
- **Idiomas:** español (oficial), náhuatl, otras lenguas indígenas

Bandera de México

Mexicanos célebres

- **Benito Juárez,** héroe nacional (1806–1872)
- **Octavio Paz,** poeta (1914–1998)
- **Elena Poniatowska,** periodista y escritora (1932–)
- **Mario Molina,** Premio Nobel de Química, 1995; químico (1943–)
- **Paulina Rubio,** cantante (1971–)

casi *almost* veces *times* sur *south* ha influido en *has influenced* vecino *neighboring*

Autorretrato con collar de espinas, 1940, Frida Kahlo

Artesanías en Taxco, Guerrero

Pirámide de Kukulcán en Chichén Itzá

More activities: vhlcentral | WB pp. 47–48 | Online activities

ACTIVIDADES

1 ¿Cierto o falso? Indica si lo que dice cada oración es **cierto** o **falso.**

1. México está en América del Sur.
2. La moneda de México es el dólar estadounidense.
3. Mario Molina tiene un Premio Nobel de Química.
4. Cabo San Lucas es una iglesia mexicana.
5. Encuentras artesanías en Taxco.
6. Muchos inmigrantes y turistas van a la Ciudad de México.
7. Uno puede ver obras de Frida Kahlo en el Museo de Arte Moderno de la Ciudad de México.
8. Tenochtitlán, la capital azteca, es la Ciudad de México hoy día.
9. Zacatecas es una ciudad principal de México.
10. Cada año, el dos de noviembre, los mexicanos ponen flores en los cementerios.

Ciudades • Ciudad de México

La Ciudad de México, fundada° en 1525, también es conocida como el D.F. o el Distrito Federal. Muchos turistas e inmigrantes vienen a la ciudad porque es el centro cultural y económico del país. El crecimiento° de la población es de los más altos° del mundo. La población de la Ciudad de México es mayor que la de ciudades como Nueva York, Madrid o Paris.

Artes • Diego Rivera y Frida Kahlo

Frida Kahlo y Diego Rivera eran° artistas mexicanos muy famosos. Se casaron° en 1929. Los dos se interesaron° en las condiciones sociales de la gente indígena de su país. Puedes ver algunas° de sus obras° en el Museo de Arte Moderno de la Ciudad de México.

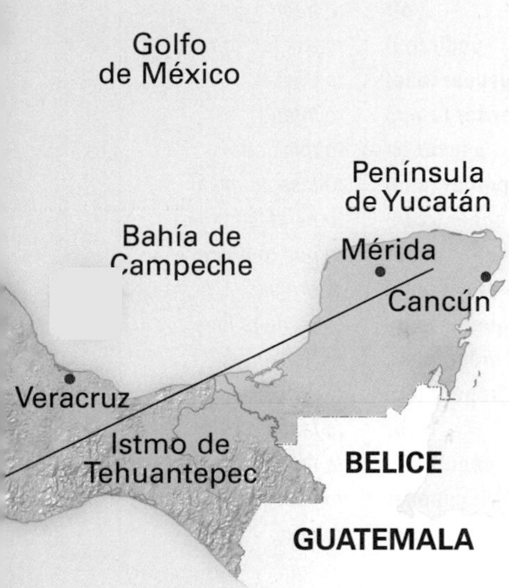

Historia • Los aztecas

Los aztecas dominaron° en México del siglo° XIV al siglo XVI. Sus canales, puentes° y pirámides con templos religiosos eran muy importantes. El fin del imperio azteca comenzó° con la llegada° de los españoles en 1519, pero la presencia azteca sigue hoy. La Ciudad de México está situada en la capital azteca de Tenochtitlán, y muchos turistas van a visitar sus ruinas.

Economía • La plata

México es el mayor productor de plata° del mundo°. Estados como Zacatecas y Durango tienen ciudades fundadas cerca de los más grandes yacimientos° de plata del país. Estas ciudades fueron° en la época colonial unas de las más ricas e importantes. Hoy en día, aún° conservan mucho de su encanto° y esplendor.

fundada *founded* crecimiento *growth* más altos *highest* eran *were* Se casaron *They got married* se interesaron *were interested* algunas *some* obras *works* dominaron *dominated* siglo *century* puentes *bridges* comenzó *started* llegada *arrival* plata *silver* mundo *world* yacimientos *deposits* fueron *were* aún *still* encanto *charm*

¡Increíble pero cierto!

Cada dos de noviembre los cementerios de México se llenan de luz°, música y flores°. El Día de Muertos° no es un evento triste; es una fiesta en honor a las personas muertas. En ese día, los mexicanos se ríen° de la muerte°, lo cual se refleja° en detalles como las calaveras de azúcar° y el pan° de muerto (pan en forma de huesos°).

se llenan de luz *get filled with light* flores *flowers* Muertos *Dead* se ríen *laugh* muerte *death* lo cual se refleja *which is reflected* calaveras de azúcar *sugar skulls* pan *bread* huesos *bones*

2 ¿Qué aprendiste? Contesta las preguntas.

1. ¿Qué lenguas hablan los mexicanos?
2. ¿En qué se interesaron Frida Kahlo y Diego Rivera?
3. Nombra algunas de las estructuras de la arquitectura azteca.
4. ¿Qué estados de México tienen los mayores yacimientos de plata?

3 Turistas En parejas, imaginen que viajan a México. Hablen de las cosas que quieren ver y hacer allí.

modelo

Estudiante 1: *Quiero ir a Chichén Itzá.*
Estudiante 2: *Sí. Quiero ver la pirámide de Kukulcán.*

Vocabulary Tools

Pasatiempos

andar en patineta	*to skateboard*
bucear	*to scuba dive*
escalar montañas (*f., pl.*)	*to climb mountains*
escribir una carta	*to write a letter*
escribir un mensaje electrónico	*to write an e-mail*
esquiar	*to ski*
ganar	*to win*
ir de excursión	*to go on a hike*
leer el correo electrónico	*to read e-mail*
leer un periódico	*to read a newspaper*
leer una revista	*to read a magazine*
nadar	*to swim*
pasear	*to take a walk*
pasear en bicicleta	*to ride a bicycle*
patinar	*to skate*
practicar deportes (*m., pl.*)	*to play sports*
tomar el sol	*to sunbathe*
ver películas (*f., pl.*)	*to watch movies*
visitar monumentos (*m., pl.*)	*to visit monuments*
la diversión	*fun activity; entertainment; recreation*
el fin de semana	*weekend*
el pasatiempo	*pastime; hobby*
los ratos libres	*spare (free) time*
el videojuego	*video game*

Deportes

el baloncesto	*basketball*
el béisbol	*baseball*
el ciclismo	*cycling*
el equipo	*team*
el esquí (acuático)	*(water) skiing*
el fútbol	*soccer*
el fútbol americano	*football*
el golf	*golf*
el hockey	*hockey*
el/la jugador(a)	*player*
la natación	*swimming*
el partido	*game; match*
la pelota	*ball*
el tenis	*tennis*
el vóleibol	*volleyball*

Adjetivos

deportivo/a	*sports-related*
favorito/a	*favorite*

Lugares

el café	*café*
el centro	*downtown*
el cine	*movie theater*
el gimnasio	*gymnasium*
la iglesia	*church*
el lugar	*place*
el museo	*museum*
el parque	*park*
la piscina	*swimming pool*
la plaza	*city or town square*
el restaurante	*restaurant*

Verbos

almorzar (o:ue)	*to have lunch*
cerrar (e:ie)	*to close*
comenzar (e:ie)	*to begin*
conseguir (e:i)	*to get; to obtain*
contar (o:ue)	*to count; to tell*
decir (e:i)	*to say; to tell*
dormir (o:ue)	*to sleep*
empezar (e:ie)	*to begin*
encontrar (o:ue)	*to find*
entender (e:ie)	*to understand*
hacer	*to do; to make*
ir	*to go*
jugar (u:ue)	*to play (a sport or a game)*
mostrar (o:ue)	*to show*
oír	*to hear*
pedir (e:i)	*to ask for; to request*
pensar (e:ie)	*to think*
pensar (+ *inf.*)	*to intend*
pensar en	*to think about*
perder (e:ie)	*to lose; to miss*
poder (o:ue)	*to be able to; can*
poner	*to put; to place*
preferir (e:ie)	*to prefer*
querer (e:ie)	*to want; to love*
recordar (o:ue)	*to remember*
repetir (e:i)	*to repeat*
salir	*to leave*
seguir (e:i)	*to follow; to continue*
suponer	*to suppose*
traer	*to bring*
ver	*to see*
volver (o:ue)	*to return*

***Decir* expressions**	*See page 128.*
Expresiones útiles	*See page 113.*

More activities

vhlcentral | LM p. 24

Las vacaciones

5

Communicative Goals

You will learn how to:

- **Discuss and plan a vacation**
- **Describe a hotel**
- **Talk about how you feel**
- **Talk about the seasons and the weather**

A PRIMERA VISTA

- ¿La persona es vieja o joven?
- ¿Lleva una pelota o una mochila?
- ¿Pasea o ve una película? ¿Anda en patineta o va de excursión?
- ¿Es posible nadar en este lugar?

Hotspots

Las vacaciones

Más vocabulario

la cama	*bed*
la habitación individual, doble	*single, double room*
la llave	*key*
el piso	*floor (of a building)*
la planta baja	*ground floor*
el campo	*countryside*
el paisaje	*landscape*
la estación de autobuses, del metro, de tren	*bus, subway, train station*
el/la inspector(a) de aduanas	*customs inspector*
la llegada	*arrival*
el pasaje (de ida y vuelta)	*(round-trip) ticket*
el pasaporte	*passport*
la salida	*departure; exit*
la tabla de (wind)surf	*surfboard/sailboard*
acampar	*to camp*
confirmar una reservación	*to confirm a reservation*
estar de vacaciones	*to be on vacation*
hacer las maletas	*to pack (one's suitcases)*
hacer un viaje	*to take a trip*
hacer (wind)surf	*to (wind)surf*
ir de compras	*to go shopping*
ir de vacaciones	*to go on vacation*
ir en autobús (m.), auto(móvil) (m.), motocicleta (f.)	*to go by bus, car, motorcycle*
jugar a las cartas	*to play cards*

Variación léxica

automóvil ⟷ coche (*Esp.*), carro (*Amér. L.*)
autobús ⟷ camión (*Méx.*), guagua (*Caribe*)
motocicleta ⟷ moto (*coloquial*)

More activities

vhlcentral | LM p. 25 | WB pp. 49–50 | Online activities

Práctica

1

Escuchar Check **aeropuerto**, **hotel**, or **playa** to indicate where you would find each thing you hear.

	Aeropuerto	Hotel	Playa
1.	○	○	○
2.	○	○	○
3.	○	○	○
4.	○	○	○
5.	○	○	○
6.	○	○	○
7.	○	○	○
8.	○	○	○

2

¿Cierto o falso? Indicate whether each statement about the drawing is **cierto** or **falso**.

1. ______ 5. ______
2. ______ 6. ______
3. ______ 7. ______
4. ______ 8. ______

3

Escoger Choose the best answer for each sentence.

1. Abrimos la puerta con ______.
   a. una llave b. un caballo c. una llegada
2. Un huésped es una persona que ______.
   a. toma fotos b. está en un hotel c. pesca en el mar
3. Enrique tiene ______ porque va a viajar a otro (*another*) país.
   a. un pasaporte b. una foto c. una llegada
4. Antes de (*Before*) ir de vacaciones, hay que ______.
   a. pescar b. ir en tren c. hacer las maletas
5. Nosotros vamos en ______ al aeropuerto.
   a. autobús b. pasaje c. viajero
6. Me gusta mucho ir al campo. El ______ es increíble.
   a. paisaje b. pasaje c. equipaje

4

Preguntas Answer the questions.

el ascensor	la cama	el pasaje	la salida
el auto	el equipaje	la playa	el viajero

1. ¿Dónde duermes cada (*each*) noche? __________
2. ¿Qué necesitas para ir en tren? __________
3. ¿Quién va en avión? __________
4. ¿Qué tomas para llegar al piso de tu habitación en un hotel grande? __________
5. ¿Qué necesitas para hacer las maletas? __________
6. ¿Adónde vas para tomar el sol, nadar y hacer surf? __________

Las estaciones y los meses del año

el invierno: **diciembre, enero, febrero**

la primavera: **marzo, abril, mayo**

el verano: **junio, julio, agosto**

el otoño: **septiembre, octubre, noviembre**

—¿Cuál es la fecha de hoy? *What is today's date?*
—Es el primero de octubre. *It's the first of October.*
—Es el dos de marzo. *It's March 2nd.*
—Es el diez de noviembre. *It's November 10th.*

Más vocabulario

Está (muy) nublado.	*It's (very) cloudy.*
Hace fresco.	*It's cool.*
Hace (mucho) sol.	*It's (very) sunny.*
Hace (mucho) viento.	*It's (very) windy.*

El tiempo

—¿Qué tiempo hace? *How's the weather?*
—Hace buen/mal tiempo. *The weather is good/bad.*

Hace (mucho) calor.
It's (very) hot.

Hace (mucho) frío.
It's (very) cold.

Llueve. (llover o:ue)
It's raining.
Está lloviendo.
It's raining.

Nieva. (nevar e:ie)
It's snowing.
Está nevando.
It's snowing.

5 El Hotel Regis

Label the floors of the hotel.

Números ordinales	
primer *(before a masculine singular noun)*, **primero/a**	*first*
segundo/a	*second*
tercer *(before a masculine singular noun)*, **tercero/a**	*third*
cuarto/a	*fourth*
quinto/a	*fifth*
sexto/a	*sixth*
séptimo/a	*seventh*
octavo/a	*eighth*
noveno/a	*ninth*
décimo/a	*tenth*

a. __________ piso
b. __________ piso
c. __________ piso
d. __________ piso
e. __________ piso
f. __________ piso
g. __________ piso
h. __________ baja

6 Contestar

In pairs, take turns asking each other these questions. Use the illustrations on the previous page to answer the questions about the seasons.

modelo

Estudiante 1: *¿Cuál es el primer mes de la primavera?*
Estudiante 2: *marzo*

1. ¿Cuál es el primer mes del invierno?
2. ¿Cuál es el tercer mes del otoño?
3. ¿Cuál es el segundo mes de la primavera?
4. ¿Cuál es el primer mes del año?
5. ¿Cuál es el octavo mes del año?
6. ¿Cuál es el quinto mes del año?
7. ¿Cuál es el décimo mes del año?
8. ¿Cuál es el segundo mes del verano?
9. ¿Cuál es el tercer mes del invierno?
10. ¿Cuál es el sexto mes del año?

7 Las estaciones

Name the season that applies to the description.

1. Las clases terminan.
2. Vamos a la playa.
3. Nieva mucho.
4. Acampamos.
5. Las clases empiezan.
6. Llueve mucho.
7. Hace mucho calor.
8. Esquiamos.
9. el entrenamiento (*training*) de béisbol
10. el Día de Acción de Gracias (*Thanksgiving*)

8 ¿Cuál es la fecha?

Give the dates for these holidays.

modelo

el día de San Valentín *14 de febrero*

1. el día de Halloween
2. el día de San Patricio
3. el primer día de verano
4. el Año Nuevo
5. mi cumpleaños (*birthday*)
6. mi día de fiesta favorito

9

Seleccionar Choose the word or phrase that best completes each sentence.

1. A mis padres les gusta ir a Yucatán porque (hace sol, nieva).
2. Mis amigos van a esquiar si (nieva, está nublado).
3. Mi primo de Kansas dice que durante (*during*) un tornado, hace mucho (sol, viento).
4. Tomo el sol cuando (hace calor, llueve).
5. Nosotros vamos a ver una película si hace (buen, mal) tiempo.
6. Mi hermana prefiere correr cuando (hace mucho calor, hace fresco).
7. Mi padre no quiere jugar al golf si (hace fresco, llueve).
8. Mis tíos van de excursión si hace (buen, mal) tiempo.
9. Cuando hace mucho (sol, frío), tomo chocolate caliente (*hot*).
10. Hoy mi sobrino va al parque porque (está lloviendo, hace buen tiempo).

10

El clima With a partner, take turns asking and answering questions about the weather and temperatures in these cities.

modelo

Estudiante 1: ¿Qué tiempo hace hoy en Nueva York?
Estudiante 2: Hace frío y hace viento.
Estudiante 1: ¿Cuál es la temperatura máxima?
Estudiante 2: Treinta y un grados (*degrees*).
Estudiante 1: ¿Y la temperatura mínima?
Estudiante 2: Diez grados.

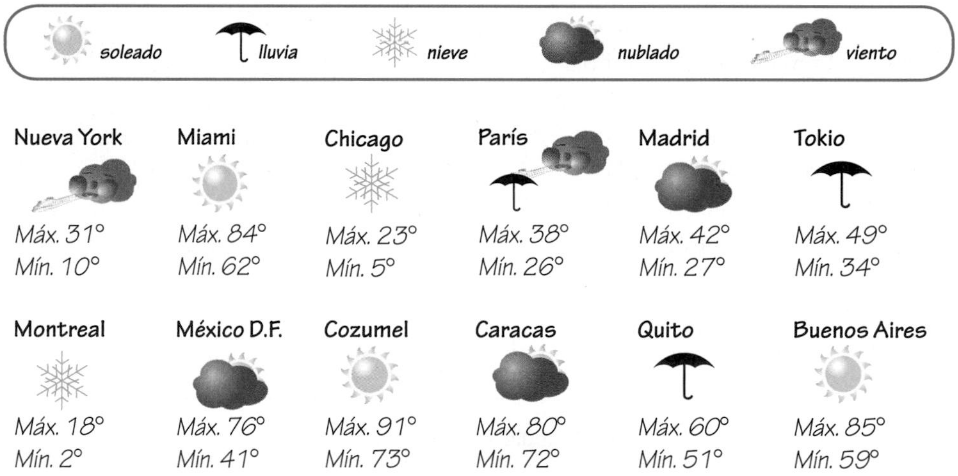

NOTA CULTURAL

In most Spanish-speaking countries, temperatures are given in degrees Celsius. Use these formulas to convert between **grados centígrados** and **grados Fahrenheit**.

degrees C × 9 ÷ 5 + 32 = degrees F

degrees F - 32 × 5 ÷ 9 = degrees C

11

Completar Complete these sentences with your own ideas.

1. Cuando hace sol, yo...
2. Cuando llueve, mis amigos y yo...
3. Cuando hace calor, mi familia...
4. Cuando hace viento, la gente...
5. Cuando hace frío, yo...
6. Cuando hace mal tiempo, mis amigos...
7. Cuando nieva, muchas personas...
8. Cuando está nublado, mis amigos y yo...
9. Cuando hace fresco, mis padres...
10. Cuando hace buen tiempo, mis amigos...

CONSULTA

Calor and **frío** can apply to both weather and people. Use **hacer** to describe weather conditions or climate.

Hace frío en Santiago.
It's cold in Santiago.

Use **tener** to refer to people.

El viajero tiene frío.
The traveler is cold.

See **Estructura 3.4**, p. 93.

Comunicación

12

Preguntas personales In pairs, ask each other these questions.

1. ¿Cuál es la fecha de hoy? ¿Qué estación es?
2. ¿Te gusta esta estación? ¿Por qué?
3. ¿Qué estación prefieres? ¿Por qué?
4. ¿Prefieres el mar o las montañas? ¿La playa o el campo? ¿Por qué?
5. Cuando haces un viaje, ¿qué te gusta hacer y ver?
6. ¿Piensas ir de vacaciones este verano? ¿Adónde quieres ir? ¿Por qué?
7. ¿Qué deseas ver y qué lugares quieres visitar?
8. ¿Cómo te gusta viajar? ¿En avión? ¿En motocicleta...?

13

Encuesta Your instructor will give you a worksheet. How does the weather affect what you do? Walk around the class and ask your classmates what they prefer or like to do in the weather conditions given. Note their responses on your worksheet. Make sure to personalize your survey by adding a few original questions.

14

La reservación In pairs, prepare a conversation between a hotel receptionist and a tourist calling to make a reservation. Read only the information that pertains to you. Then role-play the situation.

Turista

Vas a viajar a Yucatán con un amigo. Llegan a Cancún el 23 de febrero y necesitan una habitación con baño privado para cuatro noches. Ustedes quieren descansar y prefieren una habitación con vista (*view*) al mar. Averigua (*Find out*) toda la información que necesitas (el costo, cuántas camas, etc.) y decide si quieres hacer la reservación o no.

Empleado/a

Trabajas en la recepción del Hotel Oceanía en Cancún. Para el mes de febrero, sólo quedan (*remain*) dos habitaciones: una individual ($168/noche) en el primer piso y una doble ($134/noche) en el quinto piso que tiene descuento porque no hay ascensor. Todas las habitaciones tienen baño privado y vista (*view*) a la piscina.

15

Minidrama With two or three classmates, prepare a skit about people who are on vacation or are planning a vacation. The skit should take place in one of these locations.

- la playa
- una casa
- un aeropuerto, una estación de tren/autobuses
- un hotel
- el campo

Síntesis

16

Un viaje You are planning a trip to Mexico and have many questions about your itinerary on which your partner, a travel agent, will advise you. Your instructor will give you and your partner each a sheet with different instructions for acting out the roles.

¡Vamos a la playa!

Los seis amigos hacen un viaje a la playa.

PERSONAJES

FELIPE

JUAN CARLOS

Video

TÍA ANA MARÍA ¿Están listos para su viaje a la playa?

TODOS Sí.

TÍA ANA MARÍA Excelente... ¡A la estación de autobuses!

MARU ¿Dónde está Miguel?

FELIPE Yo lo traigo.

(*se escucha un grito de Miguel*)

FELIPE Ya está listo. Y tal vez enojado. Ahorita vamos.

EMPLEADO Bienvenidas. ¿En qué puedo servirles?

MARU Hola. Tenemos una reservación para seis personas para esta noche.

EMPLEADO ¿A nombre de quién?

JIMENA ¿Díaz? ¿López? No estoy segura.

EMPLEADO No encuentro su nombre. Ah, no, ahora sí lo veo, aquí está. Díaz. Dos habitaciones en el primer piso para seis huéspedes.

FELIPE No está nada mal el hotel, ¿verdad? Limpio, cómodo... ¡Oye, Miguel! ¿Todavía estás enojado conmigo? (*a Juan Carlos*) Miguel está de mal humor. No me habla.

JUAN CARLOS ¿Todavía?

EMPLEADO Aquí están las llaves de sus habitaciones.

MARU Gracias. Una cosa más. Mi novio y yo queremos hacer windsurf, pero no tenemos tablas.

EMPLEADO El botones las puede conseguir para ustedes.

MARISSA JIMENA MARU MIGUEL MAITE FUENTES ANA MARÍA EMPLEADO

7

JUAN CARLOS ¿Qué hace este libro aquí? ¿Estás estudiando en la playa?

JIMENA Sí, es que tengo un examen la próxima semana.

8

JUAN CARLOS Ay, Jimena. ¡No! ¿Vamos a nadar?

JIMENA Bueno, como estudiar es tan aburrido y el tiempo está tan bonito...

9

MARISSA Yo estoy un poco cansada. ¿Y tú? ¿Por qué no estás nadando?

FELIPE Es por causa de Miguel.

10

MARISSA Hmm, estoy confundida.

FELIPE Esta mañana. ¡Sigue enojado conmigo!

MARISSA No puede seguir enojado tanto tiempo.

Expresiones útiles

Talking with hotel personnel

¿En qué puedo servirles?
How can I help you?
Tenemos una reservación.
We have a reservation.
¿A nombre de quién?
In whose name?
¿Quizás López? ¿Tal vez Díaz?
Maybe López? Maybe Díaz?
Ahora lo veo, aquí está. Díaz.
Now I see it. Here it is. Díaz.
Dos habitaciones en el primer piso para seis huéspedes.
Two rooms on the first floor for six guests.
Aquí están las llaves.
Here are the keys.

Describing a hotel

No está nada mal el hotel.
The hotel isn't bad at all.
Todo está tan limpio y cómodo.
Everything is so clean and comfortable.
Es excelente/estupendo/fabuloso/fenomenal/increíble/magnífico/maravilloso/perfecto.
It's excellent/stupendous/fabulous/phenomenal/incredible/magnificent/marvelous/perfect.

Talking about how you feel

Yo estoy un poco cansado/a.
I am a little tired.
Estoy confundido/a. *I'm confused.*
Todavía estoy/Sigo enojado/a contigo.
I'm still angry with you.

Additional vocabulary

afuera *outside*
amable *nice; friendly*
el balde *bucket*
el/la botones *bellhop*
la crema de afeitar *shaving cream*
el frente (frío) *(cold) front*
el grito *scream*
la temporada *period of time*
entonces *so, then*
es igual *it's the same*

More activities

vhlcentral | VM pp. 9–10 | Online activities

¿Qué pasó?

1

Completar Complete these sentences.

aburrido	botones	la llave
el aeropuerto	la estación de autobuses	montar a caballo
amable	habitaciones	reservación

1. Los amigos van a ______________ para ir a la playa.
2. La ______________ del hotel está a nombre de los Díaz.
3. Los amigos tienen dos ______________ para seis personas.
4. El ______________ puede conseguir tablas de windsurf para Maru.
5. Jimena dice que estudiar en vacaciones es muy ______________.

CONSULTA

The meaning of some adjectives, such as **aburrido**, changes depending on whether they are used with **ser** or **estar**. See **Estructura 5.3**, pp. 158–159.

2

Identificar Identify the person who made each statement.

1. Aquí están las llaves de sus habitaciones. El botones puede llevar su equipaje al primer piso.
2. ¿Qué hace este libro aquí? ¿Estás estudiando en la playa?
3. Tenemos una reservación para seis personas para esta noche.
4. Miguel está de mal humor. No me habla.
5. ¿Están listos para su viaje a la playa?

3

Ordenar Place these events in the correct order.

_____ a. El empleado busca la reservación.
_____ b. Marissa dice que está confundida.
_____ c. Los amigos están listos para ir a la playa.
_____ d. El empleado da (*gives*) las llaves de las habitaciones a las chicas.
_____ e. Miguel grita (*screams*).

4

Conversar With a partner, create a conversation between a hotel employee and a guest in Mexico.

Huésped	Empleado/a
Say hi to the employee and ask for your reservation. →	Tell the guest that you can't find his/her reservation.
Tell the employee that the reservation is in your name. →	Tell him/her that you found the reservation and that it's for a double room.
Tell the employee that the hotel is very clean and comfortable. →	Say that you agree with the guest, welcome him/her, and give him/her the keys.

Pronunciación

Tutorial

Spanish b and v

bueno **vóleibol** **biblioteca** **vivir**

There is no difference in pronunciation between the Spanish letters **b** and **v**. However, each letter can be pronounced two different ways, depending on which letters appear next to them.

bonito **viajar** **también** **investigar**

B and **v** are pronounced like the English hard *b* when they appear either as the first letter of a word, at the beginning of a phrase, or after **m** or **n**.

deber **novio** **abril** **cerveza**

In all other positions, **b** and **v** have a softer pronunciation, which has no equivalent in English. Unlike the hard **b**, which is produced by tightly closing the lips and stopping the flow of air, the soft **b** is produced by keeping the lips slightly open.

bola **vela** **Caribe** **declive**

In both pronunciations, there is no difference in sound between **b** and **v**. The English *v* sound, produced by friction between the upper teeth and lower lip, does not exist in Spanish. Instead, the soft **b** comes from friction between the two lips.

Verónica y su esposo cantan boleros.

When **b** or **v** begins a word, its pronunciation depends on the previous word. At the beginning of a phrase or after a word that ends in **m** or **n**, it is pronounced as a hard **b**.

Benito es de Boquerón pero vive en Victoria.

Words that begin with **b** or **v** are pronounced with a soft **b** if they appear immediately after a word that ends in a vowel or any consonant other than **m** or **n**.

Práctica Read these words aloud to practice the **b** and the **v**.

1. hablamos
2. trabajar
3. botones
4. van
5. contabilidad
6. bien
7. doble
8. novia
9. béisbol
10. nublado
11. llave
12. invierno

Oraciones Read these sentences aloud to practice the **b** and the **v**.

1. Vamos a Guaynabo en autobús.
2. Voy de vacaciones a la Isla Culebra.
3. Tengo una habitación individual en el octavo piso.
4. Víctor y Eva van en avión al Caribe.
5. La planta baja es bonita también.
6. ¿Qué vamos a ver en Bayamón?
7. Beatriz, la novia de Víctor, es de Arecibo, Puerto Rico.

Refranes Read these sayings aloud to practice the **b** and the **v**.

More activities

vhlcentral

LM p. 26

1 Every cloud has a silver lining.
2 An ounce of prevention equals a pound of cure.

Flash CULTURA

EN DETALLE

Video

El Viejo San Juan

Sitios históricos del Viejo San Juan

- **Plaza de Armas:** the main public square in el Viejo San Juan
- **Catedral Metropolitana Basílica de San Juan Bautista:** the second oldest cathedral in the Western Hemisphere
- **El Morro** and **Castillo de San Cristóbal:** forts built to protect the city and San Juan Bay
- **Casa Blanca:** historic house and museum, residence of Ponce de León's family from 1521 to the mid-18th century

San Juan, the capital of Puerto Rico, was founded by Juan Ponce de León in 1508. The original settlement was called Caparra. In 1521 the name was formally changed to San Juan Bautista° de Puerto Rico. The city has served as the island's capital ever since. The oldest part of the capital, known as el Viejo San Juan, is an international tourist destination. Many Caribbean cruise ships make stops there.

El Viejo San Juan is most famous for its Spanish colonial architecture, which according to strict regulations can neither be altered nor demolished. Furthermore, all new construction must maintain the integrity of the Spanish colonial style.

Visitors flock to this historic site to stroll the colonial callejones°, tour monuments such as the Casa Blanca and the fortress known as El Morro, and enjoy the climate of la Isla del Encanto°.

El Viejo San Juan was added to the U.S. National Register of Historic Places in 1966, and in 1983 it was designated a World Heritage Site by UNESCO.

Plaza de Armas

In 2017, Hurricane María severely damaged parts of the old city, causing a disruption to tourism. In time, the people of the city cleaned up and repaired. As one reporter put it, "Old San Juan has already survived 500 hurricane seasons. It will survive this one, too!"

San Juan Bautista *Saint John the Baptist* callejones *narrow lanes, alleyways* la Isla del Encanto *the Isle of Enchantment (nickname for Puerto Rico)*

ACTIVIDADES

1 **¿Cierto o falso?** Indicate whether these statements are **cierto** or **falso**. Correct the false statements.

1. **Caparra** was the name of the original settlement.
2. Puerto Rico's capital is named after a saint.
3. To protect its historic sites, most of **el Viejo San Juan** is off-limits to the public.
4. The buildings in **el Viejo San Juan** maintain a Spanish colonial architectural style.
5. The city is culturally important in the United States but not internationally.
6. Hurricane María completely spared **el Viejo San Juan**.
7. **El Viejo San Juan** does not have a main public square.
8. The second oldest cathedral in the Americas is in San Juan.
9. **El Castillo de San Cristóbal** was principally a colonial trading post.
10. You can visit Ponce de León's family home in **el Viejo San Juan**.

ASÍ SE DICE

Viajes y turismo

el asiento del medio, del pasillo, de la ventanilla	*center, aisle, window seat*
el itinerario	*itinerary*
media pensión	*breakfast and one meal included*
el ómnibus (Perú)	**el autobús**
pensión completa	*all meals included*
el puente	*long weekend (lit., bridge)*

EL MUNDO HISPANO

Destinos populares

- **Las playas del Parque Nacional Manuel Antonio** (Costa Rica) ofrecen° la oportunidad de nadar y luego caminar por el bosque tropical°.
- **Teotihuacán** (México) Desde antes de la época° de los aztecas, aquí se celebra el equinoccio de primavera en la Pirámide del Sol.
- **Puerto Chicama** (Perú), con sus olas° de cuatro kilómetros de largo°, es un destino para surfistas expertos.
- **Tikal** (Guatemala) Aquí puedes ver las maravillas de la selva° y ruinas de la civilización maya.
- **Las playas de Rincón** (Puerto Rico) Son ideales para descansar y observar ballenas°.

ofrecen *offer* **bosque tropical** *rain forest*
Desde antes de la época *Since before the time* **olas** *waves*
de largo *in length* **selva** *jungle* **ballenas** *whales*

PERFIL

Punta del Este

One of South America's largest and most fashionable beach resort towns is Uruguay's **Punta del Este**, a narrow strip of land containing twenty miles of pristine beaches. Its peninsular shape gives it two very different seascapes. **La Playa Mansa**, facing the bay and therefore the more protected side, has calm waters. Here, people practice water sports like swimming, water skiing, windsurfing, and diving. **La Playa Brava**, facing the east, receives the Atlantic Ocean's powerful, wave-producing winds, making it popular for surfing, body boarding, and kite surfing. Besides the beaches, posh shopping, and world-famous nightlife, **Punta** offers its 620,000 yearly visitors yacht and fishing clubs, golf courses, and excursions to observe sea lions at the **Isla de Lobos** nature reserve.

CON RITMO HISPANO

Luis Fonsi (1978–)
Birthplace: San Juan, Puerto Rico

He has released ten albums and worked with artists such as Christina Aguilera, David Bisbal, Laura Pausini, and Juan Luis Guerra. His song "Despacito," featuring Daddy Yankee, was an international hit.

Go to **vhlcentral.com** to find out more about **Luis Fonsi** and his music.

ACTIVIDADES

2 Comprensión Complete the sentences.

1. En las playas de Rincón puedes ver __________.
2. Cerca de 620.000 turistas visitan __________ cada año.
3. En el avión pides un __________ si te gusta ver el paisaje.
4. En Punta del Este, la gente prefiere nadar en la Playa __________.
5. El __________ es un medio de transporte en Perú.

3 De vacaciones Spring break is coming up, and you want to go on a short vacation with some friends. Working in a small group, decide which of the locations featured on these pages best suits the group's likes and interests. Come to an agreement about how you will get there, where you prefer to stay and for how long, and what each of you will do during free time.

More activities
vhlcentral | VM pp. 39–40 | Online activities

5.1 Estar with conditions and emotions

ANTE TODO As you learned in **Lecciones 1** and **2**, the verb **estar** is used to talk about how you feel and to say where people, places, and things are located. **Estar** is also used with adjectives to talk about certain emotional and physical conditions.

CONSULTA

To review the present tense of **estar**, see **Estructura 2.3**, p. 55.

To review the present tense of **ser**, see **Estructura 1.3**, p. 20.

- Use **estar** with adjectives to describe the physical condition of places and things.

La habitación **está** sucia.
The room is dirty.

La puerta **está** cerrada.
The door is closed.

- Use **estar** with adjectives to describe how people feel, both mentally and physically.

- **¡Atención!** Two important expressions with **estar** that you can use to talk about conditions and emotions are **estar de buen humor** (*to be in a good mood*) and **estar de mal humor** (*to be in a bad mood*).

Adjectives that describe emotions and conditions

abierto/a	*open*	**contento/a**	*content*	**listo/a**	*ready*
aburrido/a	*bored*	**desordenado/a**	*disorderly*	**nervioso/a**	*nervous*
alegre	*happy*	**enamorado/a (de)**	*in love (with)*	**ocupado/a**	*busy*
avergonzado/a	*embarrassed*	**enojado/a**	*angry*	**ordenado/a**	*orderly*
cansado/a	*tired*	**equivocado/a**	*wrong*	**preocupado/a (por)**	*worried (about)*
cerrado/a	*closed*	**feliz**	*happy*	**seguro/a**	*sure*
cómodo/a	*comfortable*	**limpio/a**	*clean*	**sucio/a**	*dirty*
confundido/a	*confused*			**triste**	*sad*

¡INTÉNTALO! Provide the present tense forms of **estar**, and choose which adjective best completes the sentence.

1. La biblioteca __*está*__ (cerrada / nerviosa) los domingos por la noche. *cerrada*
2. Nosotros __________ muy (ocupados / equivocados) todos los lunes.
3. Ellas __________ (alegres / confundidas) porque tienen vacaciones.
4. Javier __________ (enamorado / ordenado) de Maribel.
5. Yo __________ (nerviosa / abierta) por el viaje.
6. Diana __________ (enojada / limpia) con su novio.
7. La habitación siempre __________ (ordenada / segura) cuando vienen sus padres.
8. Ustedes no comprenden; __________ (equivocados / tristes).

More activities
vhlcentral
LM p. 27
WB pp. 51–52
Online activities

Práctica y Comunicación

AYUDA

Make sure that there is agreement between:
- Subjects and verbs in person and number
- Nouns and adjectives in gender and number

Ell**os** no **están** enferm**os**.
They are not sick.

1

¿Cómo están? In the first blank of each statement made by Martín, fill in the correct form of **estar**. In the second blank, fill in the adjective that best fits the context.

1. Yo __________ un poco __________ porque tengo un examen mañana.
2. Mis hermanos Juan y José salen de la casa a las cinco de la mañana. Por la noche, siempre __________ muy __________.
3. Mi hermana Patricia __________ muy __________ porque mañana va a hacer una excursión al campo.
4. Mi amigo Ramiro __________ __________; su novia se llama Adela.
5. Mi papá y sus colegas __________ muy __________ hoy. ¡Hay mucho trabajo!
6. Patricia y yo __________ un poco __________ por ellos porque trabajan mucho.
7. Mi amiga Mónica __________ un poco __________ porque su novio no puede salir esta noche.
8. Esta clase no es muy interesante. ¿Tú __________ __________ también?

2

Describir Describe these people and places.

1. Anabela

2. Juan y Luisa

3. la habitación de Teresa

4. César

3

Situaciones With a partner, use **estar** to talk about how you feel in these situations.

1. Cuando hace sol...
2. Cuando tomas un examen...
3. Cuando viajas en avión...
4. Cuando estás en la clase de español...
5. Cuando ves una película con tu actor/actriz favorito/a...

4

En la tele In small groups, imagine that you are a family that stars on a reality TV show. You are vacationing together, but the trip isn't going well for everyone. Write the script of a scene from the show and then act it out. Use at least six adjectives from the previous page and be creative!

modelo

Papá: *¿Por qué estás enojada, María Rosa? El hotel es muy bonito y las habitaciones están limpias.*

Mamá: *¡Pero mira, Roberto! Las maletas de Elisa están abiertas y, como siempre, sus cosas están muy desordenadas.*

5.2 The present progressive

Tutorial

ANTE TODO Both Spanish and English use the present progressive, which consists of the present tense of the verb *to be* and the present participle of another verb (the *-ing* form in English).

Las chicas están hablando con el empleado del hotel.

¿Estás estudiando en la playa?

▶ Form the present progressive with the present tense of **estar** and a present participle.

FORM OF **ESTAR** + PRESENT PARTICIPLE		FORM OF **ESTAR** + PRESENT PARTICIPLE	
Estoy	**pescando.**	**Estamos**	**comiendo.**
I am	*fishing.*	*We are*	*eating.*

▶ The present participle of regular **-ar**, **-er**, and **-ir** verbs is formed as follows:

INFINITIVE	STEM	ENDING	PRESENT PARTICIPLE
hablar	habl-	**-ando**	habl**ando**
comer	com-	**-iendo**	com**iendo**
escribir	escrib-	**-iendo**	escrib**iendo**

▶ **¡Atención!** When the stem of an **-er** or **-ir** verb ends in a vowel, the present participle ends in **-yendo**.

INFINITIVE	STEM	ENDING	PRESENT PARTICIPLE
leer	le-	**-yendo**	le**yendo**
oír	o-	**-yendo**	o**yendo**
traer	tra-	**-yendo**	tra**yendo**

▶ **Ir**, **poder**, and **venir** have irregular present participles (**yendo**, **pudiendo**, **viniendo**). Several other verbs have irregular present participles that you will need to learn.

▶ **-Ir** stem-changing verbs have a stem change in the present participle.

-ir stem-changing verbs

e:ie in the present tense		**e → i** in the present participle
preferir	→	pref**i**riendo
e:i in the present tense		**e → i** in the present participle
conseguir	→	cons**i**guiendo
o:ue in the present tense		**o → u** in the present participle
dormir	→	d**u**rmiendo

COMPARE & CONTRAST

The use of the present progressive is much more restricted in Spanish than in English. In Spanish, the present progressive is mainly used to emphasize that an action is in progress at the time of speaking.

Maru **está escuchando** música latina **ahora mismo**.
Maru is listening to Latin music right now.

Felipe y su amigo **todavía están jugando** al fútbol.
Felipe and his friend are still playing soccer.

In English, the present progressive is often used to talk about situations and actions that occur over an extended period of time or in the future. In Spanish, the simple present tense is often used instead.

Xavier **estudia** computación este semestre.
Xavier is studying computer science this semester.

Marissa **sale** mañana para los Estados Unidos.
Marissa is leaving tomorrow for the United States.

¡INTÉNTALO! Create complete sentences by putting the verbs in the present progressive.

1. mis amigos / descansar en la playa *Mis amigos están descansando en la playa.*
2. nosotros / practicar deportes ____
3. Carmen / comer en casa ____
4. yo / leer el periódico ____
5. nuestro equipo / ganar el partido ____
6. él / pensar comprar una bicicleta ____
7. ustedes / jugar a las cartas ____
8. Marcela / leer el correo electrónico ____
9. José y Francisco / dormir ____
10. yo / preparar sándwiches ____
11. Carlos / tomar fotos ____
12. ¿dormir / tú? ____

More activities
vhlcentral
LM p. 28
WB p. 53
Online activities

Práctica

1

Completar Use the present progressive of the verb to complete Alfredo's description of what everyone in his class is doing to prepare for a trip to Puerto Rico.

1. Yo ______________ (investigar) la situación política de la isla (*island*).
2. Marta y José Luis ______________ (buscar) información sobre San Juan en Internet.
3. La esposa del profesor ______________ (hacer) las maletas.
4. Enrique y yo ______________ (leer) un correo electrónico de nuestro amigo puertorriqueño.
5. Javier ______________ (aprender) mucho sobre la cultura puertorriqueña.
6. Y tú ______________ (practicar) el español, ¿verdad?

2

¿Qué están haciendo? Complete María's description of what she and her friends are doing right now as they vacation in Puerto Rico.

CONSULTA

For more information about Puerto Rico, see **Panorama**, pp. 170–171.

1. Alejandro y Rebeca

2. Javier

3. Yo

4. Celia y yo

5. Samuel

6. Lorenzo

3

Personajes famosos Say what these celebrities are doing right now.

modelo

Shakira

Shakira está cantando una canción ahora mismo.

A		B	
Isabel Allende	Daymé Arocena	bailar	hacer
Rachael Ray	Kevin Durant	cantar	jugar
James Cameron	Las Rockettes de Nueva York	correr	preparar
Venus y Serena Williams	¿?	escribir	¿?
José Altuve	¿?	hablar	¿?

AYUDA

Isabel Allende: **novelas**

Rachael Ray: **televisión, negocios** (*business*)

James Cameron: **cine**

Venus y Serena Williams: **tenis**

José Altuve: **béisbol**

Daymé Arocena: **canciones**

Kevin Durant: **baloncesto**

Las Rockettes de Nueva York: **baile**

Comunicación

4

Preguntar With a partner, take turns asking each other what you are doing at these times.

modelo

8:00 a.m.
Estudiante 1: *¡Hola, Andrés! Son las ocho de la mañana. ¿Qué estás haciendo?*
Estudiante 2: *Estoy desayunando.*

1. 5:00 a.m.
2. 9:30 a.m.
3. 11:00 a.m.
4. 12:00 p.m.
5. 2:00 p.m.
6. 5:00 p.m.
7. 9:00 p.m.
8. 11:30 p.m.

5

Describir Work with a partner and use the present progressive to describe what is going on in this Spanish beach scene.

NOTA CULTURAL

Nearly 70 million tourists travel to Spain every year, many of them drawn by the warm climate and beautiful coasts. Tourists wanting a beach vacation go mostly to the **Costa del Sol** or the Balearic Islands, in the Mediterranean.

6

Conversar With a partner, prepare a phone conversation between two babysitters. Be creative and add further comments.

Estudiante 1	Estudiante 2
Say hello and ask what the kids are doing.	Say hello and tell your partner that two of your kids are doing their homework. Then ask what the kids at his/her house are doing.
Tell your partner that two of your kids are running and dancing in the house.	Tell your partner that one of the kids is reading.
Tell your partner that you are tired and that two of your kids are watching TV and eating pizza.	Tell your partner that one of the kids is sleeping.
Tell your partner you have to go; the kids are playing soccer in the house.	Say goodbye and good luck (**¡Buena suerte!**).

Síntesis

7

¿Qué están haciendo? A group of classmates is traveling to San Juan, Puerto Rico, for a week-long Spanish immersion program. In order for the participants to be on time for their flight, you and your partner must locate them. Your instructor will give you each a handout to help you complete this task.

5.3 Ser and estar

Tutorial

ANTE TODO You have already learned that **ser** and **estar** both mean *to be* but are used for different purposes. These charts summarize the key differences in usage between **ser** and **estar**.

Uses of ser

1. **Nationality and place of origin**	Juan Carlos **es** argentino. **Es** de Buenos Aires.
2. **Profession or occupation**	Adela **es** inspectora de aduanas. Francisco **es** médico.
3. **Characteristics of people and things** ...	José y Clara **son** simpáticos. El clima de Puerto Rico **es** agradable.
4. **Generalizations**	¡**Es** fabuloso viajar! **Es** difícil estudiar a la una de la mañana.
5. **Possession**	**Es** la pluma de Jimena. **Son** las llaves del señor Díaz.
6. **What something is made of**	La bicicleta **es** de metal. Los pasajes **son** de papel.
7. **Time and date**	Hoy **es** martes. **Son** las dos. Hoy **es** el primero de julio.
8. **Where or when an event takes place** ..	El partido **es** en el estadio Santa Fe. La conferencia **es** a las siete.

¡ATENCIÓN!

Ser de expresses not only origin (**Es de Buenos Aires.**) and possession (**Es la pluma de Jimena.**), but also what material something is made of (**La bicicleta es de metal.**).

Ellos son mis amigos.

Miguel está enojado conmigo.

Uses of estar

1. **Location or spatial relationships**	El aeropuerto **está** lejos de la ciudad. Tu habitación **está** en el tercer piso.
2. **Health**	¿Cómo **estás**? **Estoy** bien, gracias.
3. **Physical states and conditions**	El profesor **está** ocupado. Las ventanas **están** abiertas.
4. **Emotional states**	Marissa **está** feliz hoy. **Estoy** muy enojado con Maru.
5. **Certain weather expressions**	**Está** lloviendo. **Está** nublado.
6. **Ongoing actions (progressive tenses)** ..	**Estamos** estudiando para un examen. Ana **está** leyendo una novela.

Ser and estar with adjectives

▶ With many descriptive adjectives, **ser** and **estar** can both be used, but the meaning will change.

Juan **es** delgado. *Juan is thin.*	Ana **es** nerviosa. *Ana is a nervous person.*
Juan **está** más delgado hoy. *Juan looks thinner today.*	Ana **está** nerviosa por el examen. *Ana is nervous because of the exam.*

▶ In the examples above, the statements with **ser** are general observations about the inherent qualities of Juan and Ana. The statements with **estar** describe conditions that are variable.

▶ Here are some adjectives that change in meaning when used with **ser** and **estar**.

With ser	With estar
El chico **es listo**. *The boy is **smart**.*	El chico **está listo**. *The boy is **ready**.*
La profesora **es mala**. *The professor is **bad**.*	La profesora **está mala**. *The professor is **sick**.*
Jaime **es aburrido**. *Jaime is **boring**.*	Jaime **está aburrido**. *Jaime is **bored**.*
Las peras **son verdes**. *Pears are **green**.*	Las peras **están verdes**. *The pears are **not ripe**.*
El gato **es muy vivo**. *The cat is very **clever**.*	El gato **está vivo**. *The cat is **alive**.*
Iván **es un hombre seguro**. *Iván is a **confident** man.*	Iván no **está seguro**. *Iván is not **sure**.*

¡ATENCIÓN!

When referring to objects, **ser seguro/a** means *to be safe.*

El puente es seguro.

The bridge is safe.

¡INTÉNTALO! Form complete sentences by using the correct form of **ser** or **estar** and making any other necessary changes.

1. Alejandra / cansado
   Alejandra está cansada.
2. ellos / pelirrojo
3. yo / la clase de español
4. Carmen / alto
5. película / a las once
6. hoy / viernes
7. Romeo y Julieta / enamorado
8. Antonio / médico
9. nosotras / enojado
10. libros / de Ana
11. Mariana y Juan / estudiando
12. partido de baloncesto / gimnasio

More activities

vhlcentral

LM p. 29

WB pp. 54–55

Online activities

Práctica

1 **¿Ser o estar?** Indicate whether each adjective takes **ser** or **estar**. **¡Ojo!** Three of them can take both verbs.

	ser	estar		ser	estar
1. canadiense	❍	❍	5. enojada	❍	❍
2. delgada	❍	❍	6. seguro	❍	❍
3. enamorado	❍	❍	7. importante	❍	❍
4. lista	❍	❍	8. avergonzada	❍	❍

2 **Completar** Complete this conversation with the appropriate forms of **ser** and **estar**.

EDUARDO ¡Hola, Ceci! ¿Cómo (1)__________?

CECILIA Hola, Eduardo. Bien, gracias. ¡Qué guapo (2)__________ hoy!

EDUARDO Gracias. (3)__________ muy amable. Oye, ¿qué (4)__________ haciendo? (5)¿__________ ocupada?

CECILIA No, sólo le (6)__________ escribiendo una carta a mi prima Pilar.

EDUARDO ¿De dónde (7)__________ ella?

CECILIA Pilar (8)__________ de Ecuador. Su papá (9)__________ médico en Quito. Pero ahora Pilar y su familia (10)__________ de vacaciones en Ponce, Puerto Rico.

EDUARDO Y... ¿cómo (11)__________ Pilar?

CECILIA (12)__________ muy lista. Y también (13)__________ alta, rubia y muy bonita.

3 **En el parque** With a partner, take turns describing the people in the drawing. Your descriptions should answer the questions.

1. ¿Quiénes son?
2. ¿Dónde están?
3. ¿Cómo son?
4. ¿Cómo están?
5. ¿Qué están haciendo?
6. ¿Qué estación es?
7. ¿Qué tiempo hace?
8. ¿Quiénes están de vacaciones?

Comunicación

4

Describir With a classmate, take turns describing these people. Mention where they are from, what they are like, how they are feeling, and what they are doing right now.

modelo

tu compañero/a de cuarto
Mi compañera de cuarto es de San Juan, Puerto Rico. Es muy inteligente. Está cansada pero está estudiando porque tiene un examen.

1. tu mejor (*best*) amigo/a
2. tu actor/actriz favorito/a
3. tu profesor(a) favorito/a
4. tu novio/a o esposo/a
5. tus abuelos
6. tus padres

5

Adivinar Get together with a partner and take turns describing a celebrity. Don't mention the celebrity's name. Can your partner guess who you are describing?

- descripción física
- cómo está ahora
- origen
- dónde está ahora
- qué está haciendo ahora
- profesión u ocupación

6

En el aeropuerto In groups of three, take turns assuming the identity of a character from this drawing. Your partners will ask you questions using **ser** and **estar** until they figure out who you are.

modelo

Estudiante 3: *¿Dónde estás?*
Estudiante 1: *Estoy cerca de la puerta.*
Estudiante 2: *¿Qué estás haciendo?*
Estudiante 1: *Estoy escuchando a otra persona.*
Estudiante 3: *¿Eres uno de los pasajeros?*
Estudiante 1: *No, soy empleado del aeropuerto.*
Estudiante 2: *¿Eres Camilo?*

Síntesis

7

Conversación With a partner, role-play a conversation between two airline passengers seated next to each other.

5.4 Direct object nouns and pronouns

Tutorial

SUBJECT	VERB	DIRECT OBJECT NOUN
Juan Carlos y Jimena	están tomando	fotos.
Juan Carlos and Jimena	*are taking*	*photos.*

- A direct object noun receives the action of the verb directly and generally follows the verb. In the example above, the direct object noun answers the question *What are Juan Carlos and Jimena taking?*

- When a direct object noun in Spanish is a person or a pet, it is preceded by the word **a**. This is called the personal **a**; there is no English equivalent for this construction.

Mariela mira **a** Carlos.	Mariela mira televisión.
Mariela is watching Carlos.	*Mariela is watching TV.*

- In the first sentence above, the personal **a** is required because the direct object is a person. In the second sentence, the personal **a** is not required because the direct object is a thing, not a person.

- Direct object pronouns are words that replace direct object nouns. Like English, Spanish uses a direct object pronoun to avoid repeating a noun already mentioned.

	DIRECT OBJECT		DIRECT OBJECT PRONOUN	
Maribel hace	las maletas.	Maribel	las	hace.
Felipe compra	el sombrero.	Felipe	lo	compra.
Vicky tiene	la llave.	Vicky	la	tiene.

Direct object pronouns

SINGULAR		PLURAL	
me	*me*	**nos**	*us*
te	*you* (fam.)	**os**	*you* (fam.)
lo	*you* (m., form.)	**los**	*you* (m.)
	him; it (m.)		*them* (m.)
la	*you* (f., form.)	**las**	*you* (f.)
	her; it (f.)		*them* (f.)

▶ In affirmative sentences, direct object pronouns generally appear before the conjugated verb. In negative sentences, the pronoun is placed between the word **no** and the verb.

Adela practica **el tenis.**
Adela **lo** practica.

Carmen compra **los pasajes.**
Carmen **los** compra.

Gabriela no tiene **las llaves.**
Gabriela **no las** tiene.

Diego no hace **las maletas.**
Diego **no las** hace.

▶ When the verb is an infinitive construction, such as **ir a** + [*infinitive*], the direct object pronoun can be placed before the conjugated form or attached to the infinitive.

Ellos van a escribir **unas postales.** → Ellos **las** van a escribir. / Ellos van a escribir**las.**

Lidia quiere ver **una película.** → Lidia **la** quiere ver. / Lidia quiere ver**la.**

▶ When the verb is in the present progressive, the direct object pronoun can be placed before the conjugated form or attached to the present participle. **¡Atención!** When a direct object pronoun is attached to the present participle, an accent mark is added to maintain the proper stress.

Gerardo está leyendo **la lección.** → Gerardo **la** está leyendo. / Gerardo está leyéndo**la.**

Toni está mirando **el partido.** → Toni **lo** está mirando. / Toni está mirándo**lo.**

CONSULTA

To learn more about accents, see **Lección 4, Pronunciación**, p. 115, **Lección 10, Ortografía**, p. 315, and **Lección 11, Ortografía**, p. 349.

¡INTÉNTALO! Choose the correct direct object pronoun for each sentence.

1. Tienes el libro de español. *c*
   a. La tienes. b. Los tienes. c. Lo tienes.
2. Marcos busca la llave.
   a. Me busca. b. La busca. c. Las busca.
3. El artista quiere dibujar a Luisa y a su mamá.
   a. Quiere dibujarme. b. Quiere dibujarla. c. Quiere dibujarlas.
4. Voy a ver el partido de baloncesto.
   a. Voy a verlo. b. Voy a verte. c. Voy a vernos.
5. Puedo oír a Gerardo y a Miguel.
   a. Puedo oírte. b. Puedo oírlos. c. Puedo oírlo.
6. Rita me lleva al aeropuerto y también lleva a Tomás.
   a. Nos lleva. b. Las lleva. c. Te lleva.
7. Quieren estudiar la gramática.
   a. Quieren estudiarnos. b. Quieren estudiarlo. c. Quieren estudiarla.
8. ¿Practicas los verbos irregulares?
   a. ¿Los practicas? b. ¿Las practicas? c. ¿Lo practicas?
9. Ignacio ve la película.
   a. La ve. b. Lo ve. c. Las ve.
10. Sandra va a invitar a Mario a la excursión. También me va a invitar a mí.
    a. Los va a invitar. b. Lo va a invitar. c. Nos va a invitar.

More activities
vhlcentral
LM p. 30
WB p. 56
Online activities

Práctica

1

Simplificar Describe preparations for a class trip to Costa Rica by changing the direct object nouns into direct object pronouns.

modelo

La profesora Vega tiene su pasaporte.
La profesora Vega lo tiene.

1. Nosotros leemos los folletos (*brochures*).
2. Gustavo y Héctor confirman las reservaciones.
3. Ana María estudia el mapa.
4. Yo aprendo los nombres de los monumentos de San José.
5. Alicia escucha a la profesora.
6. Miguel escribe las instrucciones para ir al hotel.
7. Esteban busca el pasaje.
8. Nosotros planeamos una excursión.

¡LENGUA VIVA!

There are many Spanish words that correspond to *ticket*. **Billete** and **pasaje** usually refer to a ticket for travel, such as an airplane ticket. **Entrada** refers to a ticket to an event, such as a concert or a movie. **Boleto** can be used in either case.

2

Vacaciones Restate Ramón's thoughts about his trip to San Juan more succinctly using direct object pronouns.

modelo

Quiero hacer una excursión.
Quiero hacerla./La quiero hacer.

1. Marcos está pidiendo el folleto turístico.
2. Necesitamos llevar los pasaportes.
3. Voy a hacer mi maleta.
4. Javier debe llamar a sus padres.
5. Ellos desean visitar el Viejo San Juan.
6. Puedo llamar a Javier por la mañana.
7. Prefiero llevar mi cámara.
8. No queremos perder nuestras reservaciones de hotel.

NOTA CULTURAL

Puerto Rico is a U.S. territory, so people do not need travel documents when traveling to and from Puerto Rico from the U.S. mainland. However, everyone must meet all requirements for entering the U.S. when traveling directly to Puerto Rico from abroad.

3

¿Quién? Answer the questions about the Garza family's trip to Puerto Rico. Use direct object pronouns in your answers.

modelo

¿Quién hace las reservaciones para el hotel? (el Sr. Garza)
El Sr. Garza las hace.

1. ¿Quién compra los pasajes para el vuelo (*flight*)? (la Sra. Garza)
2. ¿Quién tiene que hacer las maletas de los niños? (María)
3. ¿Quién compra un mapa de Puerto Rico? (Antonio)
4. ¿Quién va a confirmar las reservaciones de hotel? (la Sra. Garza)
5. ¿Quién busca la cámara? (María)
6. ¿Quiénes buscan los pasaportes? (Antonio y María)

Comunicación

4

Entrevista Take turns asking and answering these questions with a classmate. Be sure to use direct object pronouns in your responses.

1. ¿Ves mucho la televisión?
2. ¿Cuándo vas a ver tu programa favorito?
3. ¿Quién prepara la comida (*food*) en tu casa?
4. ¿Te visita mucho tu familia?
5. ¿Visitas mucho a tus abuelos?
6. ¿Nos entienden nuestros padres a nosotros?
7. ¿Cuándo ves a tus amigos/as?
8. ¿Cuándo te llaman tus amigos/as?

5

Los pasajeros Get together with a partner and take turns asking each other questions about the drawing. Use the verbs and direct object pronouns.

AYUDA

For travel-related vocabulary, see **Contextos**, pp. 140–141.

modelo

Estudiante 1: *¿Quién está leyendo el libro?*
Estudiante 2: *Susana lo está leyendo./Susana está leyéndolo.*

buscar	escuchar	llevar	tener	¿?
encontrar	leer	mirar	traer	

Síntesis

6

Adivinanzas In pairs, take turns describing a person, place, or thing for your partner to guess. Each of you should give at least five descriptions.

modelo

Estudiante 1: *Lo uso para (I use it to) escribir en mi cuaderno. No es muy grande y tiene borrador. ¿Qué es?*
Estudiante 2: *¿Es un lápiz?*
Estudiante 1: *¡Sí!*

Recapitulación

Review the grammar concepts you have learned in this lesson by completing these activities.

1 **Completar** Complete the chart with the correct present participle of these verbs. **16 pts.**

Infinitive	Present participle	Infinitive	Present participle
hacer		**estar**	
acampar		**ser**	
tener		**vivir**	
venir		**estudiar**	

2 **Vacaciones en París** Complete this paragraph with the correct form of **ser** or **estar**. **24 pts.**

Hoy (1) _____ (es/está) el 3 de julio y voy a París por tres semanas. (Yo) (2) _____ (Soy/Estoy) muy feliz porque voy a ver a mi mejor amiga. Ella (3) _____ (es/está) de Puerto Rico, pero ahora (4) _____ (es/está) viviendo en París. También (yo) (5) _____ (soy/estoy) un poco nerviosa porque (6) _____ (es/está) mi primer viaje a Francia. El vuelo (*flight*) (7) _____ (es/está) hoy por la tarde, pero ahora (8) _____ (es/está) lloviendo. Por eso (9) _____ (somos/estamos) preocupadas, porque probablemente el avión va a salir tarde. Mi equipaje ya (10) _____ (es/está) listo. (11) _____ (Es/Está) tarde y me tengo que ir. ¡Va a (12) _____ (ser/estar) un viaje fenomenal!

3 **¿Qué hacen?** Respond to these questions by indicating what people do with the items mentioned. Use direct object pronouns. **10 pts.**

modelo
¿Qué hacen ellos con la película? (ver)
La ven.

1. ¿Qué haces tú con el libro de viajes? (leer) ________
2. ¿Qué hacen los turistas en la ciudad? (explorar) ________
3. ¿Qué hace el botones con el equipaje? (llevar) ________
4. ¿Qué hace la agente con las reservaciones? (confirmar) ________
5. ¿Qué hacen ustedes con los pasaportes? (mostrar) ________

RESUMEN GRAMATICAL

5.1 Estar with conditions and emotions *p. 152*

- Yo **estoy** aburrido/a, feliz, nervioso/a.
- El cuarto **está** desordenado, limpio, ordenado.
- Estos libros **están** abiertos, cerrados, sucios.

5.2 The present progressive *pp. 154–155*

- The present progressive is formed with the present tense of **estar** plus the present participle.

Forming the present participle

infinitive	stem	ending	present participle
hablar	habl-	**-ando**	**hablando**
comer	com-	**-iendo**	**comiendo**
escribir	escrib-	**-iendo**	**escribiendo**

-ir stem-changing verbs

	infinitive	present participle
e:ie	preferir	**prefiriendo**
e:i	conseguir	**consiguiendo**
o:ue	dormir	**durmiendo**

- Irregular present participles: **yendo (ir), pudiendo (poder), viniendo (venir)**

5.3 Ser and estar *pp. 158–159*

- Uses of **ser**: nationality, origin, profession or occupation, characteristics, generalizations, possession, what something is made of, time and date, time and place of events
- Uses of **estar**: location, health, physical states and conditions, emotional states, weather expressions, ongoing actions
- Many adjectives can be used with both **ser** and **estar**, but the meaning of the adjectives will change.

Juan **es** delgado. *Juan is thin.*
Juan **está** más delgado hoy. *Juan looks thinner today.*

5.4 Direct object nouns and pronouns pp. 162–163

Direct object pronouns

Singular		Plural	
me	lo	nos	los
te	la	os	las

In affirmative sentences:
Adela practica el tenis. → Adela **lo** practica.

In negative sentences: Adela **no lo** practica.

With an infinitive:
Adela **lo** va a practicar./Adela va a practicar**lo**.

With the present progressive:
Adela **lo** está practicando./Adela está practicándo**lo**.

4 **Opuestos** Complete these sentences with the appropriate form of the verb **estar** and an antonym for the underlined adjective. 10 pts.

modelo

Mis respuestas están bien, pero las de Susana *están mal*.

1. Las tiendas están abiertas, pero la estación del metro ______ ______.
2. No me gustan las habitaciones desordenadas. Incluso (*Even*) mi habitación de hotel ______ ______.
3. Nosotras estamos tristes cuando trabajamos. Hoy comienzan las vacaciones y ______ ______.
4. En esta ciudad los autobuses están sucios, pero los taxis ______ ______.
5. —El avión sale a las 5:30, ¿verdad? —No, estás confundida. Yo ______ ______ de que el avión sale a las 5:00.

5 **En la playa** Describe what these people are doing. Complete the sentences using the present progressive tense. 8 pts.

1. El Sr. Camacho ____________________.
2. Felicia ____________________.
3. Ana ____________________.
4. Nosotros ____________________.

6 **Antes del viaje** Write a paragraph of at least six sentences describing the time right before you go on a trip. Say how you feel and what you are doing. You can use **Actividad 2** as a model. 32 pts.

modelo

Hoy es viernes, 27 de octubre. Estoy en mi habitación...

7 **Refrán** Complete this Spanish saying by filling in the missing present participles. Refer to the translation and the drawing. 4 EXTRA points!

"Se consigue más ______ que ______."

(You can accomplish more by doing than by saying.)

Audio: Reading

Lectura

Antes de leer

Estrategia

Scanning

Scanning involves glancing over a document in search of specific information. For example, you can scan a document to identify its format, to find cognates, to locate visual cues about the document's content, or to find specific facts. Scanning allows you to learn a great deal about a text without having to read it word for word.

Examinar el texto

Scan the reading selection for cognates and write down a few of them.

1. ______________ 4. ______________
2. ______________ 5. ______________
3. ______________ 6. ______________

Based on the cognates you found, what do you think this document is about?

____

Preguntas

Read these questions. Then scan the document again to look for answers.

1. What is the format of the reading selection?
____
2. Which place is the document about?
____
3. What are some of the visual cues this document provides? What do they tell you about the content of the document?
____
4. Who produced the document, and what do you think it is for?
____

More activities
vhlcentral | Online activities

Turismo ecológico en Puerto Rico

Hotel Vistahermosa

~ Lajas, Puerto Rico ~

- 40 habitaciones individuales
- 15 habitaciones dobles
- Teléfono/TV por cable/Internet
- Aire acondicionado
- Restaurante (Bar)
- Piscina
- Área de juegos
- Cajero automático°

El hotel está situado en Playa Grande, un pequeño pueblo de pescadores del mar Caribe. Es el lugar perfecto para el viajero que viene de vacaciones. Las playas son seguras y limpias, ideales para tomar el sol, descansar, tomar fotografías y nadar. Está abierto los 365 días del año. Hay una rebaja° especial para estudiantes universitarios.

DIRECCIÓN: Playa Grande 406, Lajas, PR 00667, cerca del Parque Nacional Foresta.

Cajero automático *ATM* rebaja *discount*

Atracciones cercanas

Playa Grande ¿Busca la playa perfecta? Playa Grande es la playa que está buscando. Usted puede pescar, sacar fotos, nadar y pasear en bicicleta. Playa Grande es un paraíso para el turista que quiere practicar deportes acuáticos. El lugar es bonito e interesante y usted va a tener muchas oportunidades para descansar y disfrutar en familia.

Valle Niebla Ir de excursión, tomar café, montar a caballo, caminar, hacer picnics. Más de cien lugares para acampar.

Bahía Fosforescente Sacar fotos, salidas de noche, excursión en barco. Una maravillosa experiencia llena de luz°.

Arrecifes de Coral Sacar fotos, bucear, explorar. Es un lugar único en el Caribe.

Playa Vieja Tomar el sol, pasear en bicicleta, jugar a las cartas, escuchar música. Ideal para la familia.

Parque Nacional Foresta Sacar fotos, visitar el Museo de Arte Nativo. Reserva Mundial de la Biosfera.

Santuario de las Aves Sacar fotos, observar aves°, seguir rutas de excursión.

llena de luz *full of light* aves *birds*

Después de leer

Listas

Which amenities of Hotel Vistahermosa would most interest these potential guests? Explain your choices.

1. dos padres con un hijo de seis años y una hija de ocho años

   ____

2. un hombre y una mujer en su luna de miel (*honeymoon*)

   ____

3. una persona en un viaje de negocios (*business trip*)

   ____

Conversaciones

With a partner, take turns asking each other these questions.

1. ¿Quieres visitar el Hotel Vistahermosa? ¿Por qué?
2. Tienes tiempo de visitar sólo tres de las atracciones turísticas que están cerca del hotel. ¿Cuáles vas a visitar? ¿Por qué?
3. ¿Qué prefieres hacer en Valle Niebla? ¿En Playa Vieja? ¿En el Parque Nacional Foresta?

Situaciones

You have just arrived at Hotel Vistahermosa. Your partner is the concierge. Use the phrases to express your interests and ask for suggestions about where to go.

1. montar a caballo
2. bucear
3. pasear en bicicleta
4. pescar
5. observar aves

Contestar

Answer these questions.

1. ¿Quieres visitar Puerto Rico? Explica tu respuesta.

   ____

2. ¿Adónde quieres ir de vacaciones el verano que viene? Explica tu respuesta.

   ____

Video

Puerto Rico

El país en cifras

- **Área:** 8.959 km^2 (3.459 millas^2) *menor° que el área de Connecticut*
- **Población:** 3.351.000

Puerto Rico es una de las islas más densamente pobladas° del mundo. Más de la mitad de la población vive en San Juan, la capital.

- **Capital:** San Juan—2.463.000
- **Ciudades principales:** Arecibo, Bayamón, Fajardo, Mayagüez, Ponce
- **Moneda:** dólar estadounidense
- **Idiomas:** español (oficial); inglés (oficial)

Aproximadamente la cuarta parte de la población puertorriqueña habla inglés, pero en las zonas turísticas este porcentaje es mucho más alto. El uso del inglés es obligatorio para documentos federales.

Bandera de Puerto Rico

Puertorriqueños célebres

- **Raúl Juliá,** actor (1940–1994)
- **Roberto Clemente,** beisbolista (1934–1972)
- **Julia de Burgos,** escritora (1914–1953)
- **Benicio del Toro,** actor y productor (1967–)
- **Rosie Pérez,** actriz y bailarina (1964–)
- **José Rivera,** dramaturgo y guionista (1955–)

menor *less* pobladas *populated*

Faro en Arecibo

Playa en San Juan

Universidad de Puerto Rico en Mayagüez

Iglesia en Ponce

More activities
vhlcentral | WB pp. 57–58 | Online activities

ACTIVIDADES

1 ¿Cierto o falso? **Indica si lo que dice cada oración es cierto o falso.**

1. Benicio del Toro es un beisbolista puertorriqueño.
2. María es un famoso río de Puerto Rico.
3. La salsa es un estilo musical que nace en el barrio latino de Nueva York.
4. En el Observatorio de Arecibo es posible estudiar el arte y la arquitectura de Puerto Rico.
5. El Morro, hoy en día, es un museo que recibe muchos turistas.
6. Los puertorriqueños son ciudadanos estadounidenses desde 1898.
7. Felipe Rodríguez es un músico famoso de Nueva York.
8. Más de la mitad (*half*) de la población de Puerto Rico vive en la capital.

Lugares • El Morro

El Morro es una fortaleza que se construyó para proteger° la bahía° de San Juan desde principios del siglo° XVI hasta principios del siglo XX. Hoy día muchos turistas visitan este lugar, convertido en un museo. Es el sitio más fotografiado de Puerto Rico. La arquitectura de la fortaleza es impresionante. Tiene misteriosos túneles, oscuras mazmorras° y vistas fabulosas de la bahía.

Artes • Salsa

La salsa, un estilo musical de origen puertorriqueño y cubano, nació° en el barrio latino de la ciudad de Nueva York. Dos de los músicos de salsa más famosos son Tito Puente y Willie Colón, los dos de Nueva York. Las estrellas° de la salsa en Puerto Rico son Felipe Rodríguez y Héctor Lavoe. Hoy en día, Puerto Rico es el centro internacional de este estilo musical. El Gran Combo de Puerto Rico es una de las orquestas de salsa más famosas del mundo°.

Ciencias • El Observatorio de Arecibo

El Observatorio de Arecibo tiene uno de los radiotelescopios más grandes del mundo. Gracias a este telescopio, los científicos° pueden estudiar las propiedades de la Tierra°, la Luna° y otros cuerpos celestes. También pueden analizar fenómenos celestiales como los quasares y pulsares, y detectar emisiones de radio de otras galaxias, en busca de inteligencia extraterrestre.

Historia • Relación con los Estados Unidos

Puerto Rico pasó a ser° parte de los Estados Unidos después de° la guerra° de 1898 y se hizo° un estado libre asociado en 1952. Los puertorriqueños, ciudadanos° estadounidenses desde° 1917, tienen representación política en el Congreso, pero sólo pueden participar en las elecciones presidenciales si viven en los Estados Unidos continentales. En el referendo de 2017, los puertorriqueños votaron° "sí" a favor de convertirse° en el estado 51 de los Estados Unidos. Sin embargo, la decisión final depende del Congreso estadounidense.

proteger *protect* **bahía** *bay* **siglo** *century* **mazmorras** *dungeons* **nació** *was born* **estrellas** *stars* **mundo** *world* **científicos** *scientists* **Tierra** *Earth* **Luna** *Moon* **pasó a ser** *became* **después de** *after* **guerra** *war* **se hizo** *became* **ciudadanos** *citizens* **desde** *since* **votaron** *voted* **convertirse** *to become*

¡Increíble pero cierto!

El 20 de septiembre de 2017, el huracán María atravesó° Puerto Rico. Pasó° a sólo 25 millas de San Juan, a una velocidad° de 155 millas por hora. María afectó° a toda la población. Miles de personas perdieron° sus casas y, además, quedaron incomunicadas° por la falta de energía eléctrica°.

atravesó *crossed* **Pasó** *It passed* **velocidad** *speed* **afectó** *affected* **perdieron** *lost* **quedaron incomunicadas** *were cut off* **falta de energía eléctrica** *lack of electrical power*

2 ¿Qué aprendiste? Responde a cada pregunta.

1. ¿Cuál es la moneda de Puerto Rico?
2. ¿Qué idiomas se hablan (*are spoken*) en Puerto Rico?
3. ¿Cuál es el sitio más fotografiado de Puerto Rico?
4. ¿Qué es el Gran Combo?

3 Adivinanzas Describe dos lugares o personas de Puerto Rico a un(a) compañero/a. Cada uno/a debe adivinar (*guess*) qué está describiendo el/la otro/a.

modelo

Estudiante 1: *Es un cantante de salsa.*
Estudiante 2: *¿Es Héctor Lavoe?*
Estudiante 1: *Sí.*

Vocabulary Tools

Los viajes y las vacaciones

acampar	*to camp*
confirmar una reservación	*to confirm a reservation*
estar de vacaciones (*f. pl.*)	*to be on vacation*
hacer las maletas	*to pack (one's suitcases)*
hacer un viaje	*to take a trip*
hacer (wind)surf	*to (wind)surf*
ir de compras (*f. pl.*)	*to go shopping*
ir de vacaciones	*to go on vacation*
ir en autobús (*m.*), auto(móvil) (*m.*), avión (*m.*), barco (*m.*), moto(cicleta) (*f.*), taxi (*m.*)	*to go by bus, car, plane, boat, motorcycle, taxi*
jugar a las cartas	*to play cards*
montar a caballo (*m.*)	*to ride a horse*
pescar	*to fish*
sacar/tomar fotos (*f. pl.*)	*to take photos*
el/la inspector(a) de aduanas	*customs inspector*
el/la viajero/a	*traveler*
el aeropuerto	*airport*
el campo	*countryside*
el equipaje	*luggage*
la estación de autobuses, del metro, de tren	*bus, subway, train station*
la llegada	*arrival*
el mar	*sea*
el paisaje	*landscape*
el pasaje (de ida y vuelta)	*(round-trip) ticket*
el pasaporte	*passport*
la playa	*beach*
la salida	*departure; exit*
la tabla de (wind)surf	*surfboard/sailboard*

El hotel

el ascensor	*elevator*
la cama	*bed*
el/la empleado/a	*employee*
la habitación individual, doble	*single, double room*
el hotel	*hotel*
el/la huésped	*guest*
la llave	*key*
el piso	*floor (of a building)*
la planta baja	*ground floor*

Adjetivos

abierto/a	*open*
aburrido/a	*bored; boring*
alegre	*happy*
amable	*nice; friendly*
avergonzado/a	*embarrassed*
cansado/a	*tired*
cerrado/a	*closed*
cómodo/a	*comfortable*
confundido/a	*confused*
contento/a	*content*
desordenado/a	*disorderly*
enamorado/a (de)	*in love (with)*
enojado/a	*angry*
equivocado/a	*wrong*
feliz	*happy*
limpio/a	*clean*
listo/a	*ready; smart*
nervioso/a	*nervous*
ocupado/a	*busy*
ordenado/a	*orderly*
preocupado/a (por)	*worried (about)*
seguro/a	*sure; safe; confident*
sucio/a	*dirty*
triste	*sad*

Los números ordinales

primer, primero/a	*first*
segundo/a	*second*
tercer, tercero/a	*third*
cuarto/a	*fourth*
quinto/a	*fifth*
sexto/a	*sixth*
séptimo/a	*seventh*
octavo/a	*eighth*
noveno/a	*ninth*
décimo/a	*tenth*

Palabras adicionales

ahora mismo	*right now*
el año	*year*
¿Cuál es la fecha (de hoy)?	*What is the date (today)?*
de buen/mal humor	*in a good/bad mood*
la estación	*season*
el mes	*month*
todavía	*yet; still*

Seasons, months, and dates	*See page 142.*
Weather expressions	*See page 142.*
Direct object pronouns	*See page 162.*
Expresiones útiles	*See page 147.*

More activities
vhlcentral
LM p. 30

¡De compras!

6

Communicative Goals

You will learn how to:

- Talk about and describe clothing
- Express preferences in a store
- Negotiate and pay for items you buy

A PRIMERA VISTA

- ¿Está buscando algo la chica?
- ¿Hace las maletas o va de compras?
- ¿Está de buen o mal humor?
- ¿Es rubia o morena?

Hotspots

¡De compras!

Más vocabulario

el abrigo	*coat*
los calcetines (el calcetín)	*sock(s)*
el cinturón	*belt*
las gafas (de sol)	*(sun)glasses*
los guantes	*gloves*
el impermeable	*raincoat*
las medias	*pantyhose; stockings*
la ropa	*clothes*
la ropa interior	*underwear*
el traje	*suit*
los zapatos de tenis	*sneakers*
el regalo	*gift*
el almacén	*department store*
el centro comercial	*shopping mall*
el mercado (al aire libre)	*(open-air) market*
el precio (fijo)	*(fixed; set) price*
la rebaja	*sale*
la tarjeta de débito	*debit card*
la tienda	*store*
comprar en línea	*to buy online*
costar (o:ue)	*to cost*
gastar	*to spend (money)*
pagar	*to pay*
regatear	*to bargain*
vender	*to sell*
hacer juego (con)	*to match (with)*
llevar	*to wear; to take*
usar	*to wear; to use*

Variación léxica

calcetines ⟷ medias (*Amér. L.*)
cinturón ⟷ correa (*Col., Venez.*)
gafas/lentes ⟷ espejuelos (*Cuba, P.R.*), anteojos (*Arg., Chile*)
zapatos de tenis ⟷ zapatillas de deporte (*Esp.*), zapatillas (*Arg., Perú*)

More activities

vhlcentral | LM p. 31 | WB pp. 59–60 | Online activities

Práctica

1

Indicar Check **invierno** or **verano** to indicate when someone would be most likely to wear each item you hear.

	Invierno	Verano		Invierno	Verano
1.	❍	❍	5.	❍	❍
2.	❍	❍	6.	❍	❍
3.	❍	❍	7.	❍	❍
4.	❍	❍	8.	❍	❍

2

¿Lógico o ilógico? Indicate whether each statement you hear is **lógico** or **ilógico**.

1. ______ 3. ______ 5. ______ 7. ______
2. ______ 4. ______ 6. ______ 8. ______

3

Escoger Choose the item in each group that does not belong.

1. almacén • centro comercial • mercado • sombrero
2. jeans • bolsa • falda • pantalones
3. camisa • camiseta • blusa • botas
4. abrigo • suéter • corbata • chaqueta
5. pagar • llevar • hacer juego (con) • usar
6. mercado • tienda • almacén • cartera
7. botas • sandalias • zapatos de tenis • traje
8. vender • regatear • ropa interior • gastar

4

Completar Complete each sentence with the correct word(s), adding definite or indefinite articles when necessary.

caja	medias	tarjeta de crédito
centro comercial	par	traje de baño
dependientas	ropa	vendedores

1. Hoy voy a ir de compras al ______________.
2. Voy a ir a la tienda de ropa para mujeres. Siempre hay muchas rebajas y las ______________ son muy simpáticas.
3. Necesito comprar ______________ de zapatos.
4. También voy a comprar unas ______________ para mi mamá.
5. Y tengo que comprar ______________ porque el sábado voy a la playa con mis amigos.
6. Voy a pagar todo (*everything*) en ______________.
7. Pero hoy no tengo dinero. Voy a tener que usar mi ______________.
8. Mañana voy al mercado al aire libre. Me gusta regatear con los ______________.

Los colores

¡LENGUA VIVA!

The names of colors vary throughout the Spanish-speaking world. For example, in some countries, **anaranjado/a** may be referred to as **naranja, morado/a** as **púrpura,** and **rojo/a** as **colorado/a.**

Other terms that will prove helpful include **claro** (*light*) and **oscuro** (*dark*): **azul claro, azul oscuro**.

Adjetivos

barato/a	*cheap*
bueno/a	*good*
cada	*each*
caro/a	*expensive*
corto/a	*short (in length)*
elegante	*elegant*
hermoso/a	*beautiful*
largo/a	*long*
loco/a	*crazy*
nuevo/a	*new*
otro/a	*other; another*
pobre	*poor*
rico/a	*rich*

5

Contrastes Complete each phrase with the opposite of the underlined word.

1. un vestido corto • una falda...
2. unas vendedoras malas • unos dependientes...
3. una corbata barata • unas camisas...
4. un hombre muy pobre • una mujer muy...
5. una cartera nueva • un cinturón...
6. unos trajes hermosos • unos jeans...
7. unos calcetines blancos • unas medias...
8. un impermeable caro • unos suéteres...

6

Preguntas Answer these questions with a classmate.

modelo

¿De qué color es el flamenco (flamingo)?
Es rosado.

1. ¿De qué color es la nieve?
2. ¿De qué color es el océano Atlántico?
3. ¿De qué color es la casa donde vive el presidente de los EE.UU.?
4. ¿De qué color es la bandera (*flag*) de Canadá?
5. ¿De qué color es el sol?
6. ¿De qué color es la pelota de baloncesto?
7. ¿De qué color es el dólar de los EE.UU.?
8. ¿De qué color es la cebra (*zebra*)?

CONSULTA

Like other adjectives you have seen, color words must agree in gender and number with the nouns they modify.

Ex: **las camisas verdes, el vestido amarillo.**

For a review of descriptive adjectives, see **Estructura 3.1**, pp. 80–81.

Comunicación

7

Las maletas With a classmate, answer these questions about the drawings.

1. ¿Qué hay al lado de la maleta de Carmela?
2. ¿Qué hay en la maleta?
3. ¿De qué color son las sandalias? ¿Y la camiseta?
4. ¿Adónde va Carmela?
5. ¿Qué tiempo va a hacer?

6. ¿Qué hay al lado de la maleta de Pepe?
7. ¿Qué hay en la maleta?
8. ¿De qué color es el suéter? ¿Y los pantalones?
9. ¿Qué va a hacer Pepe en Bariloche?
10. ¿Qué tiempo va a hacer?

CONSULTA

To review weather, see **Lección 5, Contextos**, p. 142.

NOTA CULTURAL

Bariloche is a popular resort for skiing in South America. Located in Argentina's Patagonia region, the town is also known for its chocolate factories and its beautiful lakes, mountains, and forests.

8

El viaje You are going on vacation with two classmates. Pick a destination and then draw three suitcases. Write in each one what clothing each person is taking. Present your drawings to the rest of the class, answering these questions.

- ¿Adónde van?
- ¿Qué tiempo va a hacer allí?
- ¿Qué van a hacer allí?
- ¿Qué hay en sus maletas?
- ¿De qué color es la ropa que llevan?

9

Preferencias Take turns asking and answering these questions with a classmate.

1. ¿Adónde vas a comprar ropa? ¿Por qué?
2. ¿Qué tipo de ropa prefieres? ¿Por qué?
3. ¿Cuáles son tus colores favoritos?
4. En tu opinión, ¿es importante comprar ropa nueva frecuentemente? ¿Por qué?
5. ¿Gastas mucho dinero en ropa cada mes? ¿Buscas rebajas?
6. ¿Regateas cuando compras ropa? ¿Usas tarjetas de crédito?
7. ¿Cómo prefieres pagar? ¿Con dinero en efectivo? ¿Con tarjeta de crédito o débito?
8. ¿Prefieres ir de compras o comprar en línea? ¿Por qué?

En el mercado

Los chicos van de compras al mercado. ¿Quién hizo la mejor compra?

PERSONAJES

FELIPE

JUAN CARLOS

Video

MARISSA Oigan, vamos al mercado.

JUAN CARLOS ¡Sí! Los chicos en un equipo y las chicas en otro.

FELIPE Tenemos dos horas para ir de compras.

MARU Y don Guillermo decide quién gana.

JIMENA Esta falda azul es muy elegante.

MARISSA ¡Sí! Además, este color está de moda.

MARU Éste rojo es de algodón.

MARISSA ¿Me das aquella blusa rosada? Me parece que hace juego con esta falda, ¿no? ¿No tienen otras tallas?

JIMENA Sí, aquí. ¿Qué talla usas?

MARISSA Uso talla 4.

JIMENA La encontré. ¡Qué ropa más bonita!

(*En otra parte del mercado*)

FELIPE Juan Carlos compró una camisa de muy buena calidad.

MIGUEL (*a la vendedora*) ¿Puedo ver ésos, por favor?

VENDEDORA Sí, señor. Le doy un muy buen precio.

(*Las chicas encuentran unas bolsas.*)

VENDEDOR Ésta de rayas cuesta 190 pesos, ésta 120 pesos y ésta 220 pesos.

VENDEDOR Son 530 por las tres bolsas. Pero como ustedes son tan bonitas, son 500 pesos.

MARU Señor, no somos turistas ricas. Somos estudiantes pobres.

VENDEDOR Bueno, son 480 pesos.

MARISSA JIMENA MARU MIGUEL DON GUILLERMO VENDEDORA VENDEDOR

JUAN CARLOS Miren, mi nueva camisa. Elegante, ¿verdad?

FELIPE A ver, Juan Carlos... te queda bien.

MARU ¿Qué compraste?

MIGUEL Sólo esto.

MARU ¡Qué bonitos aretes! Gracias, mi amor.

JUAN CARLOS Y ustedes, ¿qué compraron?

JIMENA Bolsas.

MARU Acabamos de comprar tres bolsas por sólo 480 pesos. ¡Una ganga!

FELIPE Don Guillermo, usted tiene que decidir quién gana. ¿Los chicos o las chicas?

DON GUILLERMO El ganador es... Miguel. ¡Porque no compró nada para él, sino para su novia!

Expresiones útiles

Talking about clothing

¡Qué ropa más bonita!
What nice clothing!
Esta falda azul es muy elegante.
This blue skirt is very elegant.
Está de moda.
It's in style.
Éste rojo es de algodón/lana.
This red one is cotton/wool.
Ésta de rayas/lunares/cuadros es de seda.
This striped / polka-dotted / plaid one is silk.
Es de muy buena calidad.
It's very good quality.
¿Qué talla usas/llevas?
What size do you wear?
Uso/Llevo talla 4.
I wear a size 4.
¿Qué número calza?
What size shoe do you wear?
Yo calzo siete.
I wear a size seven.

Negotiating a price

¿Cuánto cuesta?
How much does it cost?
Demasiado caro/a.
Too expensive.
Es una ganga.
It's a bargain.

Saying what you bought

¿Qué compraste?/¿Qué compró usted?
What did you buy?
Sólo compré esto.
I only bought this.
¡Qué bonitos aretes!
What beautiful earrings!
Y ustedes, ¿qué compraron?
And you guys, what did you buy?

Additional vocabulary

híjole *wow*

More activities

vhlcentral | VM pp. 11–12 | Online activities

¿Qué pasó?

1 **¿Cierto o falso?** Indicate whether each sentence is **cierto** or **falso**. Correct the false statements.

	Cierto	Falso
1. Jimena dice que la falda azul no es elegante.	❍	❍
2. Juan Carlos compra una camisa.	❍	❍
3. Marissa dice que el azul es un color que está de moda.	❍	❍
4. Miguel compra unas sandalias para Maru.	❍	❍

NOTA CULTURAL

Las guayaberas are a popular men's shirt worn in hot climates. They are usually made of cotton, linen, or silk and decorated with pleats, pockets, and sometimes embroidery. They can be worn instead of a jacket to formal occasions or as everyday clothing.

2 **Identificar** Provide the first initial of the person who says the equivalent of each statement.

____ 1. Gracias por los aretes.
____ 2. Te queda muy bien esa camisa, Juan Carlos.
____ 3. No podemos pagar 500, señor, eso es muy caro.
____ 4. ¿Qué talla necesitas, Marissa?
____ 5. Esta falda me gusta mucho, el color azul es muy elegante.
____ 6. ¿Ganan los chicos o las chicas?

MARU

FELIPE

JIMENA

3 **Completar** Answer the questions.

1. ¿Qué talla usa Marissa?
2. ¿Cuánto les pide el vendedor por las tres bolsas?
3. ¿Cuál es el precio que pagan las tres amigas por las bolsas?
4. ¿Qué dice Juan Carlos sobre su nueva camisa?
5. ¿Quién ganó al hacer las compras? ¿Por qué?

AYUDA

When discussing prices, it's important to keep in mind singular and plural forms of verbs.

La **camisa cuesta** diez dólares.

Las **botas cuestan** sesenta dólares.

El **precio** de las botas **es** sesenta dólares.

Los **precios** de la ropa **son** altos.

4 **Conversar** With a partner, role-play a conversation between a customer and a salesperson in an open-air market. Use these expressions and also look at **Expresiones útiles** on the previous page.

¿Qué desea?	**Estoy buscando...**	**Prefiero el/la rojo/a.**
What would you like?	*I'm looking for...*	*I prefer the red one.*

Cliente/a		Vendedor(a)
Say good afternoon.	→	Greet the customer and ask what he/she would like.
Explain that you are looking for a particular item of clothing.	→	Show him/her some items and ask what he/she prefers.
Discuss colors and sizes.	→	Discuss colors and sizes.
Ask for the price and begin bargaining.	→	Tell him/her a price. Negotiate a price.
Settle on a price and purchase the item.	→	Accept a price and say thank you.

Pronunciación

Tutorial

The consonants **d** and **t**

¿Dónde? **vender** **nadar** **verdad**

Like **b** and **v**, the Spanish **d** can have a hard sound or a soft sound, depending on which letters appear next to it.

Don **dinero** **tienda** **falda**

At the beginning of a phrase and after **n** or **l**, the letter **d** is pronounced with a hard sound. This sound is similar to the English *d* in *dog*, but a little softer and duller. The tongue should touch the back of the upper teeth, not the roof of the mouth.

medias **verde** **vestido** **huésped**

In all other positions, **d** has a soft sound. It is similar to the English *th* in *there*, but a little softer.

Don Diego no tiene el diccionario

When **d** begins a word, its pronunciation depends on the previous word. At the beginning of a phrase or after a word that ends in **n** or **l**, it is pronounced as a hard **d**.

Doña Dolores es de la capital

Words that begin with **d** are pronounced with a soft **d** if they appear immediately after a word that ends in a vowel or any consonant other than **n** or **l**.

traje **pantalones** **tarjeta** **tienda**

When pronouncing the Spanish **t**, the tongue should touch the back of the upper teeth, not the roof of the mouth. Unlike the English *t*, no air is expelled from the mouth.

Práctica Read these phrases aloud to practice the **d** and the **t**.

1. Hasta pronto.
2. De nada.
3. Mucho gusto.
4. Lo siento.
5. No hay de qué.
6. ¿De dónde es usted?
7. ¡Todos a bordo!
8. No puedo.
9. Es estupendo.
10. No tengo computadora.
11. ¿Cuándo vienen?
12. Son las tres y media.

Oraciones Read these sentences aloud to practice the **d** and the **t**.

1. Don Teodoro tiene una tienda en un almacén en La Habana.
2. Don Teodoro vende muchos trajes, vestidos y zapatos todos los días.
3. Un día un turista, Federico Machado, entra en la tienda para comprar un par de botas.
4. Federico regatea con don Teodoro y compra las botas y también un par de sandalias.

Refranes Read these sayings aloud to practice the **d** and the **t**.

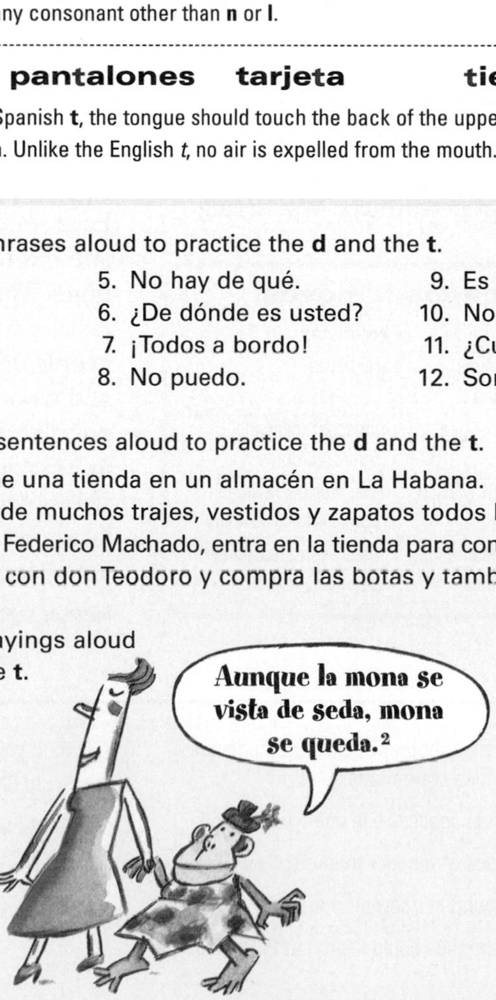

1 Variety is the spice of life.
2 You can't make a silk purse out of a sow's ear.

More activities
vhlcentral
LM p. 32

Flash CULTURA

EN DETALLE

Video

Los mercados al aire libre

Mercados al aire libre are an integral part of commerce and culture in the Spanish-speaking world. Whether they take place daily or weekly, these markets are an important forum where tourists, locals, and vendors interact. People come to the marketplace to shop, socialize, taste local foods, and watch street performers. Wandering from one puesto (stand) to the next, one can browse for fresh fruits and vegetables, clothing, CDs and DVDs, and artesanías (crafts). Some markets offer a mix of products, while others specialize in food, fashion, or used merchandise, such as antiques and books.

When shoppers see an item they like, they can bargain with the vendor. Friendly bargaining is an expected ritual and may result in a significantly lower price. When selling food, vendors may give the customer a little extra of what they purchase; this free addition is known as la ñapa.

Mercado de Otavalo

Many open-air markets are also tourist attractions. The market in Otavalo, Ecuador, is world-famous and has taken place every Saturday since pre-Incan times. This market is well-known for the colorful textiles woven by the otavaleños, the indigenous people of the area. One can also find leather goods and wood carvings from nearby towns. Another popular market is El Rastro, held every Sunday in Madrid, Spain. Sellers set up puestos along the streets to display their wares, which range from local artwork and antiques to inexpensive clothing and electronics.

Otros mercados famosos

Mercado	Lugar	Productos
Feria Artesanal de Recoleta	Buenos Aires, Argentina	artesanías
Mercado Central	Santiago, Chile	mariscos°, pescado°, frutas, verduras°
Tianguis Cultural del Chopo	Ciudad de México, México	ropa, música, revistas, libros, arte, artesanías
El mercado de Chichicastenango	Chichicastenango, Guatemala	frutas y verduras, flores°, cerámica, textiles

mariscos *seafood* **pescado** *fish* **verduras** *vegetables* **flores** *flowers*

ACTIVIDADES

1 **¿Cierto o falso?** Indicate whether these statements are cierto or falso. Correct the false statements.

1. Generally, open-air markets specialize in one type of goods.
2. Bargaining is commonplace at outdoor markets.
3. Only new goods can be found at open-air markets.
4. A Spaniard in search of antiques could search at **El Rastro.**
5. If you are in Guatemala and want to buy ceramics, you can go to Chichicastenango.
6. A **ñapa** is a tax on open-air market goods.
7. The **otavaleños** weave colorful textiles to sell on Saturdays.
8. Santiago's **Mercado Central** is known for books and music.

ASÍ SE DICE

La ropa

la chamarra (Méx.)	la chaqueta
de manga corta/larga	*short/long-sleeved*
los mahones (P. Rico); el pantalón de mezclilla (Méx.); los tejanos (Esp.); los vaqueros (Arg., Cuba, Esp., Uru.)	los bluejeans
la marca	*brand*
la playera (Méx.); la remera (Arg.)	la camiseta

EL MUNDO HISPANO

Diseñadores de moda

- **Adolfo Domínguez** (España) Su ropa tiene un estilo minimalista y práctico. Usa telas° naturales y cómodas en sus diseños.
- **Silvia Tcherassi** (Colombia) Los colores vivos y las líneas asimétricas de sus vestidos y trajes muestran influencias tropicales.

- **Óscar de la Renta** (República Dominicana) Diseñó ropa opulenta para la mujer clásica.
- **Narciso Rodríguez** (EE.UU.) En sus diseños delicados y finos predominan los colores blanco y negro. Hizo° el vestido de boda° de Carolyn Bessette Kennedy. También diseñó varios vestidos para Michelle Obama.

telas *fabrics* Hizo *He made* de boda *wedding*

PERFIL

Carolina Herrera

In 1980, at the urging of some friends, **Carolina Herrera** created a fashion collection as a "test." The Venezuelan designer received such a favorable response that within one year she moved her family from Caracas to New York City and created her own label, Carolina Herrera, Ltd.

"I love elegance and intricacy, but whether it is in a piece of clothing or a fragrance, the intricacy must appear as simplicity," Herrera once stated. She quickly found that many sophisticated women agreed; from the start, her sleek and glamorous designs have been in constant demand. Over the years, Herrera has grown her brand into a veritable fashion empire that encompasses her fashion and bridal collections, cosmetics, perfume, and accessories that are sold around the globe.

CON RITMO HISPANO

Gente de Zona (2000–)

Place of origin: Havana, Cuba

This duo, consisting of Alexander Delgado and Randy Malcolm Martínez, gained worldwide recognition thanks to the song "Bailando," in collaboration with Enrique Iglesias.

Go to **vhlcentral.com** to find out more about **Gente de Zona** and their music.

ACTIVIDADES

2 Comprensión Complete these sentences.

1. Adolfo Domínguez usa telas __________ y __________ en su ropa.
2. Si hace fresco en el D.F., puedes llevar una __________.
3. La diseñadora __________ hace ropa, perfumes y más.
4. La ropa de __________ muestra influencias tropicales.
5. Los __________ son una ropa casual en Puerto Rico.

3 Mi ropa favorita Write a brief description of your favorite article of clothing. Mention what store it is from, the brand, colors, fabric, style, and any other information. Then get together with a small group, collect the descriptions, and take turns reading them aloud at random. Can the rest of the group guess whose favorite piece of clothing is being described?

More activities: vhlcentral | VM pp. 41–42 | Online activities

6.1 Saber and conocer

Tutorial

ANTE TODO Spanish has two verbs that mean *to know*: **saber** and **conocer**. They cannot be used interchangeably. Note the irregular **yo** forms.

The verbs saber and conocer

		saber *(to know)*	**conocer** *(to know)*
SINGULAR FORMS	yo	**sé**	**conozco**
	tú	**sabes**	**conoces**
	Ud./él/ella	**sabe**	**conoce**
PLURAL FORMS	nosotros/as	**sabemos**	**conocemos**
	vosotros/as	**sabéis**	**conocéis**
	Uds./ellos/ellas	**saben**	**conocen**

▶ **Saber** means *to know a fact or piece(s) of information* or *to know how to do something.*

No **sé** tu número de teléfono.
I don't know your phone number.

Mi hermana **sabe** hablar francés.
My sister knows how to speak French.

▶ **Conocer** means *to know* or *be familiar/acquainted* with a person, place, or thing.

¿**Conoces** la ciudad de Nueva York?
Do you know New York City?

No **conozco** a tu amigo Esteban.
I don't know your friend Esteban.

▶ When the direct object of **conocer** is a person or pet, the personal **a** is used.

¿Conoces La Habana? *but* ¿Conoces **a** Celia Cruz?
Do you know Havana? *Do you know Celia Cruz?*

NOTA CULTURAL

Cuban singer **Celia Cruz** (1925–2003), known as the "Queen of Salsa," recorded many albums over her long career. Adored by her fans, she was famous for her colorful and lively on-stage performances.

▶ **¡Atención! Parecer** (*to seem*) and **ofrecer** (*to offer*) are conjugated like **conocer**.

▶ **¡Atención! Conducir** (*to drive*) and **traducir** (*to translate*) also have an irregular **yo** form, but since they are **-ir** verbs, they are conjugated differently from **conocer**.

conducir ▶ **conduzco, conduces, conduce, conducimos, conducís, conducen**
traducir ▶ **traduzco, traduces, traduce, traducimos, traducís, traducen**

¡INTÉNTALO! Provide the appropriate forms of these verbs.

saber

1. José no ___sabe___ la hora.
2. Sara y yo ________ jugar al tenis.
3. ¿Por qué no ________ tú estos verbos?
4. Mis padres ________ hablar japonés.
5. Yo ________ a qué hora es la clase.
6. Nosotros ________ muchas cosas.
7. Mi hermano no ________ nadar.
8. Usted no ________ dónde vivo.

conocer

1. Usted y yo ___conocemos___ bien Miami.
2. ¿Tú ________ a mi amigo Manuel?
3. Sergio y Taydé ________ mi pueblo.
4. Yo ________ muy bien el centro.
5. Emiliano ________ a mis padres.
6. ¿Ustedes ________ la tienda Gigante?
7. Nosotras ________ una playa hermosa.
8. ¿Usted ________ a mi profesora?

More activities
vhlcentral
LM p. 33
WB p. 61
Online activities

Práctica y Comunicación

1

Completar Indicate the correct verb for each sentence.

1. —¿(Conocen/Saben) ustedes dónde está el estadio? —No, no lo (conocemos/sabemos).
2. Mis hermanos (conocen/saben) conducir, pero yo no (sé/conozco).
3. —¿(Conoces/Sabes) a Lady Gaga? —Bueno, (sé/conozco) quién es, pero no la (conozco/sé).
4. Mi profesora (sabe/conoce) Cuba y también (conoce/sabe) bailar salsa.

2

Combinar Combine elements from each column to create sentences.

A	B	C
Shakira	(no) conocer	Jimmy Kimmel
los Yankees	(no) saber	cantar y bailar
el primer ministro de Canadá		La Habana Vieja
mis amigos y yo		muchas personas importantes
tú		hablar dos lenguas extranjeras
		jugar al béisbol

3

Preguntas In pairs, ask each other these questions. Answer with complete sentences.

1. ¿Conoces a un(a) cantante famoso/a? ¿Te gusta cómo canta?
2. En tu familia, ¿quién sabe cantar bien? ¿Tu opinión es objetiva?
3. Y tú, ¿conduces bien o mal? ¿Y tus amigos?
4. Si un(a) amigo/a no conduce muy bien, ¿le ofreces crítica constructiva?
5. ¿Cómo parece estar el/la profesor(a) hoy? ¿Y tus compañeros de clase?

4

Entrevista Jot down three things you know how to do, three people you know, and three places you are familiar with. Then, in a small group, find out what you have in common.

modelo

Estudiante 1: *¿Conocen ustedes a David Lomas?*
Estudiante 2: *Sí, conozco a David. Vivimos en la misma residencia estudiantil.*
Estudiante 3: *No, no lo conozco. ¿Cómo es?*

5

Anuncio In groups, answer these questions about the ad.

1. Busquen ejemplos de los verbos **saber** y **conocer**.
2. ¿Qué saben del Centro Comercial Málaga?
3. ¿Qué pueden hacer en el Centro Comercial Málaga?
4. ¿Conocen otros centros comerciales similares? ¿Cómo se llaman? ¿Dónde están?
5. ¿Conocen un centro comercial en otro país? ¿Cómo es?

6.2 Indirect object pronouns

Tutorial

ANTE TODO In **Lección 5**, you learned that a direct object receives the action of the verb directly. In contrast, an indirect object receives the action of the verb indirectly.

SUBJECT	I.O. PRONOUN	VERB	DIRECT OBJECT	INDIRECT OBJECT
Roberto	**le**	presta	cien pesos	**a Luisa**.
Roberto		*lends*	*100 pesos*	*to Luisa.*

An indirect object is a noun or pronoun that answers the question *to whom* or *for whom* an action is done. In the preceding example, the indirect object answers this question: **¿A quién le presta Roberto cien pesos?** *To whom does Roberto lend 100 pesos?*

Indirect object pronouns

Singular forms		Plural forms	
me	(to, for) *me*	**nos**	(to, for) *us*
te	(to, for) *you* (fam.)	**os**	(to, for) *you* (fam.)
le	(to, for) *you* (form.) (to, for) *him; her*	**les**	(to, for) *you* (to, for) *them*

▶ **¡Atención!** The forms of indirect object pronouns for the first and second persons (**me**, **te**, **nos**, **os**) are the same as the direct object pronouns. Indirect object pronouns agree in number with the corresponding nouns, but not in gender.

Using indirect object pronouns

▶ Spanish speakers commonly use both an indirect object pronoun and the noun to which it refers in the same sentence. This is done to emphasize and clarify to whom the pronoun refers.

I.O. PRONOUN / INDIRECT OBJECT	I.O. PRONOUN / INDIRECT OBJECT
Ella **le** vende la ropa **a Elena**.	**Les** prestamos el dinero **a Inés y a Álex**.

▶ Indirect object pronouns are also used without the indirect object noun when the person for whom the action is being done is known.

Ana **le** presta la falda **a Elena**. *Ana lends her skirt to Elena.*	También **le** presta unos jeans. *She also lends her a pair of jeans.*

- Indirect object pronouns are usually placed before the conjugated form of the verb. In negative sentences the pronoun is placed between **no** and the conjugated verb.

Martín **me** compra un regalo.
Martín is buying me a gift.

Eva **no me** escribe cartas.
Eva doesn't write me letters.

CONSULTA

For more information on accents, see **Lección 4, Pronunciación**, p. 115, **Lección 10, Ortografía**, p. 315, and **Lección 11, Ortografía**, p. 349.

- When a conjugated verb is followed by an infinitive or the present progressive, the indirect object pronoun may be placed before the conjugated verb or attached to the infinitive or present participle. **¡Atención!** When an indirect object pronoun is attached to a present participle, an accent mark is added to maintain the proper stress.

Él no quiere **pagarte**./
Él no **te** quiere pagar.
He does not want to pay you.

Él está **escribiéndole** una postal a ella./
Él **le** está escribiendo una postal a ella.
He is writing a postcard to her.

- Because the indirect object pronouns **le** and **les** have multiple meanings, Spanish speakers often clarify to whom the pronouns refer with the preposition **a** + [*pronoun*] or **a** + [*noun*].

UNCLARIFIED STATEMENTS	CLARIFIED STATEMENTS
Yo **le** compro un abrigo.	Yo **le** compro un abrigo **a usted/él/ella**.
Ella **le** describe un libro.	Ella **le** describe un libro **a Juan**.

UNCLARIFIED STATEMENTS	CLARIFIED STATEMENTS
Él **les** vende unos sombreros.	Él **les** vende unos sombreros **a ustedes/ellos/ellas**.
Ellos **les** hablan muy claro.	Ellos **les** hablan muy claro **a los clientes**.

- The irregular verbs **dar** (*to give*) and **decir** (*to say; to tell*) are often used with indirect object pronouns.

The verbs dar and decir

Singular forms	dar	decir	Plural forms	dar	decir
yo	**doy**	**digo**	nosotros/as	**damos**	**decimos**
tú	**das**	**dices**	vosotros/as	**dais**	**decís**
Ud./él/ella	**da**	**dice**	Uds./ellos/ellas	**dan**	**dicen**

Me dan una fiesta cada año.
They give (throw) me a party every year.

Te digo la verdad.
I'm telling you the truth.

Voy a **darle** consejos.
I'm going to give her advice.

No **les digo** mentiras a mis padres.
I don't tell lies to my parents.

More activities
vhlcentral
LM p. 34
WB pp. 62–63
Online activities

¡INTÉNTALO! Provide the correct indirect object pronoun for each sentence.

1. Juan ___le___ quiere dar un regalo. (*to Elena*)
2. María __________ prepara un café. (*for us*)
3. Beatriz y Felipe __________ escriben desde (*from*) Cuba. (*to me*)
4. Los vendedores __________ venden ropa. (*to you, fam. sing.*)
5. Marta y yo __________ compramos unos guantes. (*for them*)
6. La dependienta __________ muestra los guantes. (*to us*)

Práctica

1 **Completar** Fill in the blanks with the correct pronouns to complete Mónica's description of her family's holiday shopping.

1. Juan y yo __________ damos una blusa a nuestra hermana Gisela.
2. Mi tía __________ da a nosotros una mesa para la casa.
3. Mis padres __________ dan un traje nuevo a mí.
4. A mi mamá yo __________ doy un par de guantes negros.
5. A mi profesora __________ doy dos libros de José Martí.
6. Juan __________ da un regalo a mis padres.
7. Gisela __________ da dos corbatas a su novio.
8. Y a ti, yo __________ doy un regalo también. ¿Quieres verlo?

NOTA CULTURAL

Cuban writer and patriot **José Martí** (1853–1895) was born in **La Habana Vieja**, the old colonial center of Havana. Founded by Spanish explorers in the early 1500s, Havana, along with San Juan, Puerto Rico, served as a major stopping point for Spaniards traveling to Mexico and South America.

2 **En La Habana** Describe what happens on Pascual's trip to Cuba.

1. yo / preparar el almuerzo (*lunch*) / (ti)

2. él / comprar / libros / (sus hijos) / Plaza de Armas

3. ellos / cantar / canción / (mí)

4. él / explicar cómo llegar / (conductor)

5. mi novia / sacar / foto / (nosotros)

6. el guía (*guide*) / mostrar / catedral de San Cristóbal / (ustedes)

NOTA CULTURAL

La Habana Vieja, Cuba, is the site of another well-known outdoor market. Located in the **Plaza de la Catedral**, it is a place where Cuban painters, artists, and sculptors sell their work, and other vendors offer handmade crafts and clothing.

3 **Combinar** Use an item from each column and an indirect object pronoun to create logical sentences.

modelo

Mis padres les dan regalos a mis primos.

A	B	C	D
yo	comprar	mensajes electrónicos	mí
el dependiente	dar	corbata	ustedes
el profesor Arce	decir	dinero en efectivo	clienta
la vendedora	escribir	tarea	novia
mis padres	explicar	problemas	primos
tú	pagar	regalos	ti
nosotros/as	prestar	ropa	nosotros
¿?	vender	¿?	¿?

Comunicación

4

Preguntas In pairs, take turns asking and answering to/for whom you do these activities.

cantar canciones de amor (*love songs*)	escribir mensajes electrónicos
comprar ropa	mostrar fotos de un viaje
dar una fiesta	pedir dinero
decir mentiras	preparar comida (*food*) mexicana

modelo

escribir mensajes electrónicos
Estudiante 1: *¿A quién le escribes mensajes electrónicos?*
Estudiante 2: *Le escribo mensajes electrónicos a mi hermano.*

5

¡Somos ricos! You and your classmates chipped in on a lottery ticket and you won! Now you want to spend money on your loved ones. In groups of three, discuss what each person is buying for family and friends.

modelo

Estudiante 1: *Quiero comprarle un vestido de Carolina Herrera a mi madre.*
Estudiante 2: *Y yo voy a darles un automóvil nuevo a mis padres.*
Estudiante 3: *Voy a comprarles una casa a mis padres, pero a mis amigos no les voy a dar nada.*

6

Entrevista Use these questions to interview a classmate.

1. ¿Qué tiendas, almacenes o centros comerciales prefieres?
2. ¿A quién le compras regalos cuando hay rebajas?
3. ¿A quién le prestas dinero cuando lo necesita?
4. Quiero ir de compras. ¿Cuánto dinero me puedes prestar?
5. ¿Te dan tus padres su tarjeta de crédito cuando vas de compras?

Síntesis

7

Minidrama In groups of three, take turns playing the roles of two shoppers and a clerk in a clothing store. The shoppers should talk about the articles of clothing they are looking for and for whom they are buying the clothes. The clerk should recommend several items based on the shoppers' descriptions. Use these expressions and also look at **Expresiones útiles** on page 179.

Me queda grande/pequeño. *It's big/small on me.*	**¿Está en rebaja?** *Is it on sale?*
¿Tiene otro color? *Do you have another color?*	**También estoy buscando...** *I'm also looking for...*

6.3 Preterite tense of regular verbs

Tutorial

ANTE TODO In order to talk about events in the past, Spanish uses two simple tenses: the preterite and the imperfect. In this lesson, you will learn how to form the preterite tense, which is used to express actions or states completed in the past.

Preterite of regular -ar, -er, and -ir verbs

		-ar verbs **comprar**	-er verbs **vender**	-ir verbs **escribir**
SINGULAR FORMS	yo	compr**é** *I bought*	vend**í** *I sold*	escrib**í** *I wrote*
	tú	compr**aste**	vend**iste**	escrib**iste**
	Ud./él/ella	compr**ó**	vend**ió**	escrib**ió**
PLURAL FORMS	nosotros/as	compr**amos**	vend**imos**	escrib**imos**
	vosotros/as	compr**asteis**	vend**isteis**	escrib**isteis**
	Uds./ellos/ellas	compr**aron**	vend**ieron**	escrib**ieron**

- **¡Atención!** The **yo** and **Ud./él/ella** forms of all three conjugations have written accents on the last syllable to show that it is stressed.
- As the chart shows, the endings for regular **-er** and **-ir** verbs are identical in the preterite.

¿Qué compraste?

Compré estos aretes.

- Note that the **nosotros/as** forms of regular **-ar** and **-ir** verbs in the preterite are identical to the present tense forms. Context will help you determine which tense is being used.

En invierno **compramos** ropa.
In the winter, we buy clothes.

Anoche **compramos** unos zapatos.
Last night we bought some shoes.

- **-Ar** and **-er** verbs that have a stem change in the present tense are regular in the preterite. They do *not* have a stem change.

	PRESENT	PRETERITE
cerrar (e:ie)	La tienda **cierra** a las seis.	La tienda **cerró** a las seis.
volver (o:ue)	Carlitos **vuelve** tarde.	Carlitos **volvió** tarde.
jugar (u:ue)	Él **juega** al fútbol.	Él **jugó** al fútbol.

- **¡Atención!** **-Ir** verbs that have a stem change in the present tense also have a stem change in the preterite.

CONSULTA

There are a few high-frequency irregular verbs in the preterite. You will learn more about them in **Estructura 9.1**, p. 286.

CONSULTA

You will learn about the preterite of **-ir** stem-changing verbs in **Estructura 8.1**, p. 254.

- Verbs that end in **-car**, **-gar**, and **-zar** have a spelling change in the first person singular (**yo** form) in the preterite.

bus**car**	busc-	**qu-**	yo bus**qué**
lle**gar**	lleg-	**gu-**	yo lle**gué**
empe**zar**	empez-	**c-**	yo empe**cé**

- Except for the **yo** form, all other forms of **-car**, **-gar**, and **-zar** verbs are regular in the preterite.
- Three other verbs—**creer**, **leer**, and **oír**—have spelling changes in the preterite. The **i** of the verb endings of **creer**, **leer**, and **oír** carries an accent in the **yo**, **tú**, **nosotros/as**, and **vosotros/as** forms, and changes to **y** in the **Ud./él/ella** and **Uds./ellos/ellas** forms.

creer	cre-	cre**í**, cre**íste**, cre**yó**, cre**ímos**, cre**ísteis**, cre**yeron**
leer	le-	le**í**, le**íste**, le**yó**, le**ímos**, le**ísteis**, le**yeron**
oír	o-	o**í**, o**íste**, o**yó**, o**ímos**, o**ísteis**, o**yeron**

- **Ver** is regular in the preterite, but none of its forms has an accent.

ver ⟶ vi, viste, vio, vimos, visteis, vieron

Words commonly used with the preterite

anoche	*last night*	**pasado/a** (*adj.*)	*last; past*
anteayer	*the day before yesterday*	**el año pasado**	*last year*
		la semana pasada	*last week*
ayer	*yesterday*	**una vez**	*once*
de repente	*suddenly*	**dos veces**	*twice*
desde... hasta...	*from... until...*	**ya**	*already*

Ayer llegué a Santiago de Cuba.
Yesterday I arrived in Santiago de Cuba.

Anoche oí un ruido extraño.
Last night I heard a strange noise.

- **Acabar de** + [*infinitive*] is used to say that something has just occurred. Note that **acabar** is in the present tense in this construction.

Acabo de comprar una falda.
I just bought a skirt.

Acabas de ir de compras.
You just went shopping.

More activities
vhlcentral
LM p. 35
WB pp. 64–65
Online activities

¡INTÉNTALO! Provide the appropriate preterite forms of the verbs.

	comer	**salir**	**comenzar**	**leer**
1. ellas	comieron	salieron	comenzaron	leyeron
2. tú	________	________	________	________
3. yo	________	________	________	________
4. nosotros	________	________	________	________
5. usted	________	________	________	________

Práctica

1

Completar Complete each sentence by choosing the correct verb and putting it in the preterite.

1. El viernes a las cuatro de la tarde, la profesora Mora __________ (asistir, costar, usar) a una reunión (*meeting*) de profesores.
2. A la una, yo __________ (llegar, bucear, llevar) a la tienda con mis amigos.
3. Mis amigos y yo __________ (comprar, regatear, gastar) dos o tres cosas.
4. Yo __________ (costar, comprar, escribir) unos pantalones negros y mi amigo Mateo __________ (gastar, pasear, comprar) una camisa azul.
5. Después, nosotros __________ (llevar, vivir, comer) cerca de un mercado.
6. A las tres, Pepe __________ (hablar, pasear, nadar) con su novia por teléfono.
7. El sábado por la tarde, mi mamá __________ (escribir, beber, vivir) una carta.
8. El domingo mi tía __________ (decidir, salir, escribir) comprarme un traje.
9. A las cuatro de la tarde, mi tía __________ (beber, salir, encontrar) el traje y después nosotras __________ (acabar, ver, salir) una película.

2

Preguntas Ask a partner if he/she did these activities. Your partner will respond that he/she already did or has just done them. Take turns asking and answering.

modelo

leer la lección
Estudiante 1: *¿Leíste la lección?*
Estudiante 2: *Sí, ya la leí./Sí, acabo de leerla.*

1. lavar (*to wash*) la ropa
2. escribir el mensaje electrónico
3. oír las noticias (*news*)
4. comprar pantalones cortos
5. practicar los verbos
6. pagar la cuenta (*bill*)
7. empezar la composición
8. ver la película *Diarios de motocicleta*

NOTA CULTURAL

Based on Ernesto "Che" Guevara's diaries, ***Diarios de motocicleta*** (2004) traces the road trip of Che (played by Gael García Bernal) with his friend Alberto Granado (played by Rodrigo de la Serna) through Argentina, Chile, Peru, Colombia, and Venezuela.

3

¿Cuándo? Use the time expressions to talk about when you and others did the activities.

anoche	anteayer	el mes pasado	una vez
ayer	la semana pasada	el año pasado	dos veces

1. mi compañero/a de cuarto: llegar tarde (*late*) a clase
2. mi mejor (*best*) amigo/a: salir con un(a) chico/a guapo/a
3. mis padres: ver una película
4. yo: llevar un traje/vestido
5. el presidente/primer ministro de mi país: asistir a una conferencia internacional
6. mis amigos y yo: comer en un restaurante
7. ¿?: comprar algo (*something*) bueno, bonito y barato

Comunicación

4 **Ayer** Jot down at what time you did these activities yesterday. Then get together with a classmate and find out at what time he or she did these activities.

1. desayunar
2. empezar la primera clase
3. almorzar
4. ver a un(a) amigo/a
5. salir de clase
6. volver a la residencia/casa

5 **Las vacaciones** Get together with a partner and use the pictures to tell him or her about your vacation with friends.

6 **El fin de semana** Your instructor will give you and your partner different incomplete charts about what four employees at **Almacén Gigante** did last weekend. After you fill out the chart based on each other's information, you will fill out the final column about your partner.

Síntesis

7 **Conversación** Get together with a partner and have a conversation about what you did last week using the verbs. Don't forget to include school activities, shopping, and pastimes.

acampar	comer	gastar	tomar
asistir	comprar	hablar	trabajar
bailar	correr	jugar	vender
beber	escribir	leer	ver
buscar	estudiar	oír	viajar

6.4 Demonstrative adjectives and pronouns

Demonstrative adjectives

Tutorial

ANTE TODO In Spanish, as in English, demonstrative adjectives are words that "demonstrate" or "point out" nouns. Demonstrative adjectives precede the nouns they modify and, like other Spanish adjectives you have studied, agree with them in gender and number. Observe these examples and then study the chart.

esta camisa *this shirt* | **ese** vendedor *that salesman* | **aquellos** zapatos *those shoes (over there)*

Demonstrative adjectives

Singular		Plural		
MASCULINE	FEMININE	MASCULINE	FEMININE	
este	**esta**	**estos**	**estas**	*this; these*
ese	**esa**	**esos**	**esas**	*that; those*
aquel	**aquella**	**aquellos**	**aquellas**	*that; those (over there)*

- There are three sets of demonstrative adjectives. To determine which one to use, you must establish the relationship between the speaker and the noun(s) being pointed out.
- The demonstrative adjectives **este**, **esta**, **estos**, and **estas** are used to point out things that are close to the speaker and the listener.

- The demonstrative adjectives **ese**, **esa**, **esos**, and **esas** are used to point out things that are not close in space and time to the speaker. They may, however, be close to the listener.

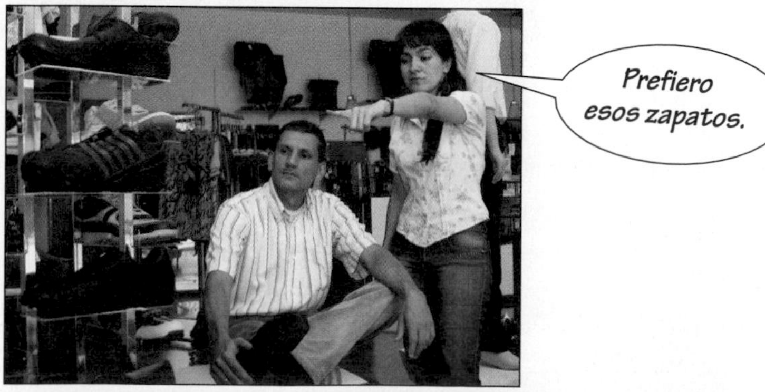

▶ The demonstrative adjectives **aquel**, **aquella**, **aquellos**, and **aquellas** are used to point out things that are far away from the speaker and the listener.

Demonstrative pronouns

▶ Demonstrative pronouns are identical to their corresponding demonstrative adjectives, with the exception that they traditionally carry an accent mark on the stressed vowel. The **Real Academia** no longer requires this accent, but it is still used.

Demonstrative pronouns

Singular		Plural	
MASCULINE	FEMININE	MASCULINE	FEMININE
éste	**ésta**	**éstos**	**éstas**
ése	**ésa**	**ésos**	**ésas**
aquél	**aquélla**	**aquéllos**	**aquéllas**

—¿Quieres comprar **este suéter**?
Do you want to buy this sweater?

—No, no quiero **éste**. Quiero **ése**.
No, I don't want this one. I want that one.

—¿Vas a leer **estas revistas**?
Are you going to read these magazines?

—Sí, voy a leer **éstas**. También voy a leer **aquéllas**.
Yes, I'm going to read these. I'll also read those (over there).

▶ **¡Atención!** Like demonstrative adjectives, demonstrative pronouns agree in gender and number with the corresponding noun.

Este libro es de Pablito.

Éstos son de Juana.

▶ There are three neuter demonstrative pronouns: **esto**, **eso**, and **aquello**. These forms refer to unidentified or unspecified things, situations, ideas, and concepts. They do not change in gender or number and never carry an accent mark.

—¿Qué es **esto**?
What's this?

—**Eso** es interesante.
That's interesting.

—**Aquello** es bonito.
That's pretty.

More activities
vhlcentral
LM p. 36
WB pp. 66–68
Online activities

¡INTÉNTALO! Provide the correct form of the demonstrative adjective for these nouns.

1. la falda / este esta falda
2. los países / aquel ______
3. los estudiantes / este ______
4. la ventana / ese ______
5. el chico / aquel ______
6. los periodistas / ese ______
7. las sandalias / este ______
8. las chicas / aquel ______

Práctica

1

Cambiar Make the singular sentences plural and the plural sentences singular.

modelo

Estas camisas son blancas.
Esta camisa es blanca.

1. Aquellos sombreros son muy elegantes.
2. Ese abrigo es muy caro.
3. Estos cinturones son hermosos.
4. ¿Quieres ir a aquel almacén?
5. Estas faldas son muy cortas.
6. Esos precios son muy buenos.
7. Esas blusas son baratas.
8. Esta corbata hace juego con mi traje.

2

Completar Complete the sentences with the correct demonstrative pronouns.

1. Esta guayabera es bonita, pero prefiero __________. (*that one*)
2. Estas corbatas rojas son muy bonitas, pero __________ son fabulosas. (*those*)
3. No me gustan esos zapatos. Voy a comprar __________. (*these*)
4. ¿Vas a comprar ese traje o __________? (*this one*)
5. Estos cinturones cuestan demasiado. Prefiero __________. (*those over there*)
6. ¿Te gustan esas botas o __________? (*these*)
7. Esa bolsa roja es bonita, pero prefiero __________. (*that one over there*)
8. ¿Prefieres estos pantalones o __________? (*those*)
9. No voy a comprar estas botas; voy a comprar __________. (*those over there*)
10. Me gusta este vestido, pero voy a comprar __________. (*that one*)
11. Me gusta ese almacén, pero __________ es mejor (*better*). (*that one over there*)
12. Esa blusa es bonita, pero cuesta demasiado. Voy a comprar __________. (*this one*)

3

Describir With your partner, look for two items in the classroom that are one of these colors: **amarillo**, **azul**, **blanco**, **marrón**, **negro**, **verde**, **rojo**. Take turns pointing them out to each other, first using demonstrative adjectives, and then demonstrative pronouns.

modelo

azul
Estudiante 1: *Esta silla es azul. Aquella mochila es azul.*
Estudiante 2: *Ésta es azul. Aquélla es azul.*

Now use demonstrative adjectives and pronouns to discuss the colors of your classmates' clothing. One of you can ask a question about an article of clothing, using the wrong color. Your partner will correct you and point out that color somewhere else in the room.

modelo

Estudiante 1: *¿Esa camisa es negra?*
Estudiante 2: *No, ésa es azul. Aquélla es negra.*

Comunicación

4

Conversación With a classmate, use demonstrative adjectives and pronouns to ask each other questions about the people around you.

¿A qué hora...?	¿Cuántos años tiene(n)...?
¿Cómo es/son...?	¿De dónde es/son...?
¿Cómo se llama...?	¿De quién es/son...?
¿Cuándo...?	¿Qué clases toma(n)...?

modelo

Estudiante 1: *¿Cómo se llama esa chica?*
Estudiante 2: *Se llama Rebeca.*
Estudiante 1: *¿A qué hora llegó aquel chico a la clase?*
Estudiante 2: *A las nueve.*

5

En una tienda You and a classmate are in Madrid shopping at Zara. Study the floor plan, then have a conversation about your surroundings. Use demonstrative adjectives and pronouns.

modelo

Estudiante 1: *Me gusta este suéter gris.*
Estudiante 2: *Yo prefiero aquella chaqueta azul.*

NOTA CULTURAL

Zara is an international clothing company based in Spain. Its innovative processes take a product from the design room to the manufacturing shelves in less than a month. This means that the merchandise is constantly changing to keep up with the most current trends.

Síntesis

6

Diferencias Your instructor will give you and a partner each a drawing of a store. They are almost identical, but not quite. Use demonstrative adjectives and pronouns to find seven differences.

modelo

Estudiante 1: *Aquellas gafas de sol son feas, ¿verdad?*
Estudiante 2: *No. Aquellas gafas de sol son hermosas.*

Recapitulación

Review the grammar concepts you have learned in this lesson by completing these activities.

1 Completar Complete the chart with the correct preterite or infinitive form of the verbs. 30 pts.

Infinitive	yo	ella	ellos
			tomaron
		abrió	
comprender			
	leí		
pagar			

2 En la tienda Complete the conversation with demonstrative adjectives and pronouns. 14 pts.

CLIENTE Buenos días, señorita. Deseo comprar (1) __________ corbata.

VENDEDORA Muy bien, señor. ¿No le interesa mirar (2) __________ trajes que están allá? Hay unos que hacen juego con la corbata.

CLIENTE (3) __________ de allá son de lana, ¿no? Prefiero ver (4) __________ traje marrón que está detrás de usted.

VENDEDORA Estupendo. Como puede ver, es de seda. Cuesta seiscientos cincuenta dólares.

CLIENTE Ah... eh... no, creo que sólo voy a comprar la corbata, gracias.

VENDEDORA Bueno... si busca algo más económico, hay rebaja en (5) __________ sombreros de allá. Cuestan sólo treinta dólares.

CLIENTE ¡Magnífico! Me gusta (6) __________, el blanco que está hasta arriba (*at the top*). Y quiero pagar todo con (7) __________ tarjeta.

VENDEDORA Sí, señor. Ahora mismo le traigo el sombrero.

RESUMEN GRAMATICAL

6.1 Saber and conocer *p. 184*

saber	conocer
sé	conozco
sabes	conoces
sabe	conoce
sabemos	conocemos
sabéis	conocéis
saben	conocen

- **saber** = to know facts/how to do something
- **conocer** = to know a person, place, or thing

6.2 Indirect object pronouns *pp. 186–187*

Indirect object pronouns

Singular	Plural
me	nos
te	os
le	les

- **dar** = **doy**, das, da, damos, dais, dan
- **decir (e:i)** = **digo**, dices, dice, decimos, decís, dicen

6.3 Preterite tense of regular verbs *pp. 190–191*

comprar	vender	escribir
compré	vendí	escribí
compraste	vendiste	escribiste
compró	vendió	escribió
compramos	vendimos	escribimos
comprasteis	vendisteis	escribisteis
compraron	vendieron	escribieron

Verbs with spelling changes in the preterite

- **-car:** buscar → yo busqué
- **-gar:** llegar → yo llegué
- **-zar:** empezar → yo empecé
- **creer:** creí, creíste, creyó, creímos, creísteis, creyeron
- **leer:** leí, leíste, leyó, leímos, leísteis, leyeron
- **oír:** oí, oíste, oyó, oímos, oísteis, oyeron
- **ver:** vi, viste, vio, vimos, visteis, vieron

6.4 Demonstrative adjectives and pronouns pp. 194–195

Demonstrative adjectives

Singular		Plural	
Masc.	**Fem.**	**Masc.**	**Fem.**
este ese aquel	esta esa aquella	estos esos aquellos	estas esas aquellas

Demonstrative pronouns

Singular		Plural	
Masc.	**Fem.**	**Masc.**	**Fem.**
éste ése aquél	ésta ésa aquélla	éstos ésos aquéllos	éstas ésas aquéllas

3 **¿Saber o conocer?** Complete each dialogue with the correct form of **saber** or **conocer.** 20 pts.

1. —¿Qué ________ hacer tú?
   —(Yo) ________ jugar al fútbol.
2. —¿________ tú esta tienda de ropa?
   —No, (yo) no la ________. ¿Es buena?
3. —¿Tus padres no ________ a tu novio?
   —No, ¡ellos no ________ que tengo novio!
4. —Mi compañero de cuarto todavía no me ________ bien.
   —Y tú, ¿lo quieres ________ a él?
5. —¿________ ustedes dónde está el mercado?
   —No, nosotros no ________ bien esta ciudad.

4 **Oraciones** Form complete sentences using the information provided. Use indirect object pronouns and the present tense of the verbs. 10 pts.

1. Javier / prestar / el abrigo / a Maripili
   ____
2. nosotros / vender / ropa / a los clientes
   ____
3. el vendedor / traer / las camisetas / a mis amigos y a mí
   ____
4. yo / querer dar / consejos / a ti
   ____
5. ¿tú / ir a comprar / un regalo / a mí?
   ____

5 **Mi última compra** Write a short paragraph describing the last time you went shopping. Use at least four verbs in the preterite tense. 26 pts.

modelo

El viernes pasado, busqué unos zapatos en el centro comercial...

6 **Poema** Write the missing words to complete the excerpt from the poem *Romance sonámbulo* by Federico García Lorca. 4 EXTRA points!

"Verde que ______ quiero verde.
Verde viento. Verdes ramas°.
El barco sobre la mar
y el caballo en la montaña, [...]
Verde que te quiero ______ (*green*)."

ramas *branches*

Audio: Reading

Lectura

Antes de leer

Estrategia

Skimming

Skimming involves quickly reading through a document to absorb its general meaning. This allows you to understand the main ideas without having to read word for word. When you skim a text, you might want to look at its title and subtitles. You might also want to read the first sentence of each paragraph.

Examinar el texto

Look at the format of the reading selection. How is it organized? What does the organization of the document tell you about its content?

Buscar cognados

Scan the reading selection to locate at least five cognates. Based on the cognates, what do you think the reading selection is about?

1. ______________ 4. ______________
2. ______________ 5. ______________
3. ______________

The reading selection is about ____________.

Impresiones generales

Now skim the reading selection to understand its general meaning. Jot down your impressions. What new information did you learn about the document by skimming it? Based on all the information you now have, answer these questions in Spanish.

1. Who created this document?
2. What is its purpose?
3. Who is its intended audience?

More activities

vhlcentral | Online activities

Corona

http://corona.cl

Corona

¡Corona tiene las ofertas más locas del verano!

La tienda más elegante de la ciudad con precios increíbles

niños | **mujeres** | casa | baño | equipaje

Faldas largas
ROPA BONITA
Algodón. De distintos colores
Talla mediana
Precio especial: 8.000 pesos

Blusas de seda
BAMBÚ
De cuadros y de lunares
Ahora: 21.000 pesos
40% de rebaja

Vestido de algodón
PANAMÁ
Colores blanco, azul y verde
Ahora: 18.000 pesos
30% de rebaja

Accesorios
BELLEZA
Cinturones, gafas de sol, sombreros, medias
Diversos estilos
Todos con un 40% de rebaja

Carteras
ELEGANCIA
Colores anaranjado, blanco, rosado y amarillo
Ahora: 15.000 pesos
50% de rebaja

Sandalias de playa
GINO
Números del 35 al 38
A sólo 12.000 pesos
50% de descuento

Lunes a sábado de 9 a 21 horas.
Domingo de 10 a 14 horas.

Real° Liquidación°

¡La rebaja está de moda en Corona!

¡Grandes rebajas!

y con la tarjeta de crédito más conveniente del mercado.

bebé | **hombres** | jardín | joyas | electrónica

Chaquetas
CASINO
Microfibra. Colores negro, café y gris
Tallas: P, M, G, XG
Ahora: 22.500 pesos

Traje inglés
GALES
Modelos originales
Ahora: 105.000 pesos
30% de rebaja

Pantalones
OCÉANO
Colores negro, gris y café
Ahora: 11.500 pesos
30% de rebaja

Accesorios
GUAPO
Gafas de sol, corbatas, cinturones, calcetines
Diversos estilos
Todos con un 40% de rebaja

Zapatos
COLOR
Italianos y franceses
Números del 40 al 45
A sólo 20.000 pesos

Ropa interior
ATLÁNTICO
Tallas: P, M, G
Colores blanco, negro y gris
40% de rebaja

Real *Royal* Liquidación *Clearance sale*

Por la compra de 40.000 pesos, puede llevar un regalo gratis.

- Un hermoso cinturón de mujer
- Un par de calcetines
- Una corbata de seda
- Una bolsa para la playa
- Una mochila
- Unas medias

Después de leer

Completar

Complete this paragraph with the correct forms of the words.

almacén	hacer juego	tarjeta de crédito
caro	increíble	tienda
dinero	pantalones	verano
falda	rebaja	zapato

En este anuncio, el ______________ Corona anuncia la liquidación de ______________ con grandes ______________. Con muy poco ______________ usted puede conseguir ropa fina y elegante. Si no tiene dinero en efectivo, puede utilizar su ______________ y pagar luego. Para el hombre con gustos refinados, hay ______________ importados de París y Roma. La señora elegante puede encontrar blusas de seda que ______________ con todo tipo de ______________ o ______________. Los precios de esta liquidación son realmente ______________.

¿Cierto o falso?

Indicate whether each statement is **cierto** or **falso**. Correct the false statements.

1. Hay sandalias de playa.
2. Las corbatas tienen una rebaja del 30%.
3. El almacén Corona tiene un departamento de zapatos.
4. Normalmente las sandalias cuestan 22.000 pesos.
5. Cuando gastas 30.000 pesos en la tienda, llevas un regalo gratis.
6. Tienen carteras amarillas.

Preguntas

In pairs, take turns asking and answering these questions.

1. Imagina que vas a ir a la tienda Corona. ¿Qué departamentos vas a visitar? ¿El departamento de ropa para mujeres, el departamento de ropa para hombres...?
2. ¿Qué vas a buscar en Corona?
3. ¿Hay tiendas similares a la tienda Corona en tu pueblo o ciudad? ¿Cómo se llaman? ¿Tienen muchas gangas?

Escritura

Estrategia

How to report an interview

There are several ways to prepare a written report about an interview. For example, you can transcribe the interview verbatim, you can simply summarize it, or you can summarize it but quote the speakers occasionally. In any event, the report should begin with an interesting title and a brief introduction, which may include the five Ws (*what, where, when, who, why*) and the H (*how*) of the interview. The report should end with an interesting conclusion. Note that when you transcribe dialogue in Spanish, you should pay careful attention to format and punctuation.

Writing dialogue in Spanish

- If you need to transcribe an interview verbatim, you can use speakers' names to indicate a change of speaker.

CARMELA ¿Qué compraste? ¿Encontraste muchas gangas?

ROBERTO Sí, muchas. Compré un suéter, una camisa y dos corbatas. Y tú, ¿qué compraste?

CARMELA Una blusa y una falda muy bonitas. ¿Cuánto costó tu camisa?

ROBERTO Sólo diez dólares. ¿Cuánto costó tu blusa?

CARMELA Veinte dólares.

- You can also use a dash (*raya*) to mark the beginning of each speaker's words.

—¿Qué compraste?

—Un suéter y una camisa muy bonitos. Y tú, ¿encontraste muchas gangas?

—Sí... compré dos blusas, tres camisetas y un par de zapatos.

—¡A ver!

Tema

Escribe un informe

Write a report for the school newspaper about an interview you conducted with a student about his or her shopping habits and clothing preferences. First, brainstorm a list of interview questions. Then conduct the interview using the questions as a guide, but feel free to ask other questions as they occur to you.

Examples of questions:

- ¿Cuándo vas de compras?
- ¿Adónde vas de compras?
- ¿Con quién vas de compras?
- ¿Qué tiendas, almacenes o centros comerciales prefieres?
- ¿Compras ropa de catálogos o en línea?
- ¿Prefieres comprar ropa cara o barata? ¿Por qué? ¿Te gusta buscar gangas?
- ¿Qué ropa llevas cuando vas a clase?
- ¿Qué ropa llevas cuando sales a bailar?
- ¿Qué ropa llevas cuando practicas un deporte?
- ¿Cuáles son tus colores favoritos? ¿Compras mucha ropa de esos colores?
- ¿Les das ropa a tu familia o a tus amigos/as?

Escuchar

Antes de escuchar

Estrategia

Listening for linguistic cues

You can enhance your listening comprehension by listening for specific linguistic cues. For example, if you listen for the endings of conjugated verbs, or for familiar constructions, such as **acabar de** + [*infinitive*] or **ir a** + [*infinitive*], you can find out whether an event already took place, is taking place now, or will take place in the future. Verb endings also give clues about who is participating in the action.

To practice listening for linguistic cues, you will now listen to four sentences. As you listen, note whether each sentence refers to a past, present, or future action. Also jot down the subject of each sentence.

Preparación

Based on the photograph, what do you think Marisol has recently done? What do you think Marisol and Alicia are talking about? What else can you guess about their conversation from the visual clues in the photograph?

Ahora escucha

La ropa

Now you are going to hear Marisol and Alicia's conversation. Make a list of the clothing items that each person mentions. Then put a check mark after the item if the person actually purchased it.

Marisol	Alicia
1. ________	1. ________
2. ________	2. ________
3. ________	3. ________
4. ________	4. ________

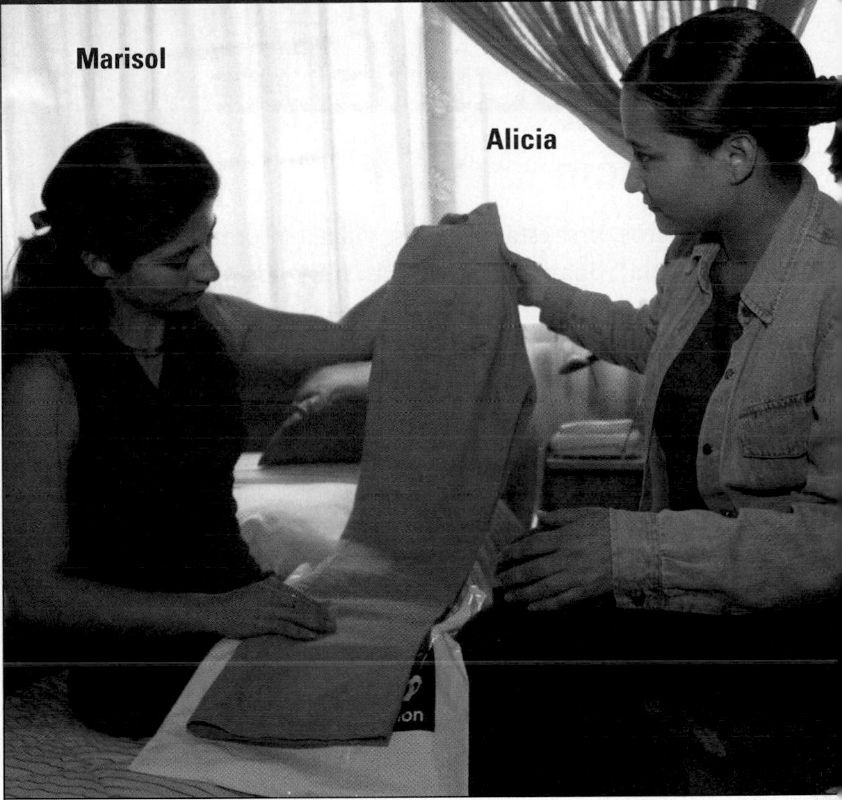

Comprensión

¿Cierto o falso?

Indicate whether each statement is **cierto** or **falso.** Then correct the false statements.

1. Marisol y Alicia acaban de ir de compras juntas (*together*).
2. Marisol va a comprar unos pantalones y una blusa mañana.
3. Marisol compró una blusa de cuadros.
4. Alicia compró unos zapatos nuevos hoy.
5. Alicia y Marisol van a ir al café.
6. Marisol gastó todo el dinero de la semana en ropa nueva.

Preguntas

Discuss the following questions with a classmate.

1. ¿Crees que Alicia y Marisol son buenas amigas? ¿Por qué?
2. ¿Cuál de las dos estudiantes es más ahorradora (*frugal*)? ¿Por qué?
3. ¿Crees que a Alicia le gusta la ropa que Marisol compró?
4. ¿Crees que la moda es importante para Alicia? ¿Para Marisol? ¿Por qué?
5. ¿Es importante para ti estar a la moda? ¿Por qué?

En pantalla

Video

Anuncio

Juguettos, first established in Villena (Comunidad de Valencia), Spain, in the 1980s, now has chain stores all over the country. Juguettos offers both brand-name toys you would recognize (and maybe own) and those that specifically cater to a child's life and cultural experiences in Spain. But children's toys, like their imaginations, are very similar throughout the world. Indeed, the company declares it has founded its own "country," el País de Siempre Jugar.

Vocabulario útil

copionas	*copycats*
despistado/a	*distracted*
sean	*they may be*
pidan	*they may ask for*

Preparación

¿Cómo eres? Escribe tres adjetivos que te describan. ¿Qué actividades ilustran (*illustrate*) tu personalidad?

Emparejar

Match the personality trait with its visual representation in the ad.

___ 1. valiente
___ 2. galáctico/a
___ 3. artista
___ 4. generoso/a
___ 5. intrépido/a

a. Tienen una batalla (*battle*) imaginaria.
b. Le compra juguetes a su mascota (*pet*).
c. Está en un cartón con forma de nave espacial (*spaceship*).
d. Hacen música con parte de una basurera (*trashcan*).
e. Imagina que puede volar (*fly*).

Conversación

Answer these questions with a classmate.

1. ¿Por qué es importante la imaginación en la vida de los niños?
2. ¿Qué importancia tiene la imaginación en la vida de los adultos?

Juguettos

1 Me lo pido.

2 Me pido éste, éste.

3 ¿Te lo pido?

More activities

vhlcentral | Online activities

Cortometraje

The short film *Chicas day* takes place on a sunny afternoon. A woman and a girl enjoy some time together at the swimming pool of a big house. Pay attention to the things they share and joke about, and how they interact. When the father arrives, everything comes to an abrupt end. What kind of relationship did you think the girl and the woman had at the beginning of the film? What were your expectations about the ending?

Preparación

Answer the following questions.

1. ¿Te gusta disfrazarte (*to dress up*)? ¿Por qué?
2. ¿Cómo es un día ideal para ti?
3. ¿A quién admiras más? ¿Por qué?

Después de ver

Place these events in chronological order.

_____ a. La niña dice que está enferma.
_____ b. El padre llega a casa.
_____ c. La mujer se pone (*puts on*) el traje de baño.
_____ d. El padre habla por teléfono.
_____ e. La niña y la mujer nadan en la piscina.
_____ f. La mujer lleva gafas de sol.
_____ g. La niña baila.

Conversar

With a partner, imagine that you know the woman in this short film. Talk about her: what you know about her life, what her name is, what she likes to wear, her relationships, etc. Make a list of traits based on what you imagined and what you saw in the film. Compare your list with another pair.

Expresiones útiles

No seas pesada.	*Don't be a pain.*
cuando sea mayor	*when I grow up*
Me encuentro mal.	*I feel sick.*
¡Que sea la última vez!	*Let this be the last time!*
Ya era hora.	*It's about time.*
Pasa totalmente de la niña.	*She doesn't care about the girl at all.*

Para hablar del corto

el anillo	*ring*
la criada	*maid*
disfrazarse	*to dress up*
desatendido/a	*neglected*
fingir	*to pretend*
ocultar	*to hide*

Video

Cuba

El país en cifras

- **Área:** 110.860 km² (42.803 millas²), *aproximadamente el área de Pensilvania*
- **Población:** 11.147.400
- **Capital:** La Habana—2.137.000

La Habana Vieja fue declarada° Patrimonio° Cultural de la Humanidad por la UNESCO en 1982. Este distrito es uno de los lugares más fascinantes de Cuba. En la Plaza de Armas, se puede visitar el majestuoso Palacio de Capitanes Generales, que ahora es un museo. En la calle° Obispo, frecuentada por el autor Ernest Hemingway, hay hermosos cafés, clubes nocturnos y tiendas elegantes.

- **Ciudades principales:** Santiago de Cuba, Camagüey, Holguín, Guantánamo
- **Moneda:** peso cubano
- **Idiomas:** español (oficial)

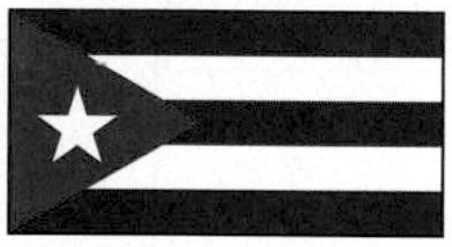

Bandera de Cuba

Cubanos célebres

- **Carlos Finlay,** doctor y científico (1833–1915)
- **José Martí,** político y poeta (1853–1895)
- **Fidel Castro,** ex primer ministro, ex comandante en jefe° de las fuerzas armadas (1926–2016)
- **Zoé Valdés,** escritora (1959–)
- **Ibrahim Ferrer,** músico (1927–2005)
- **Carlos Acosta,** bailarín (1973–)

fue declarada *was declared* Patrimonio *Heritage* calle *street* comandante en jefe *commander in chief*

Gran Teatro de La Habana

Plaza del Capitolio

Los coco taxis son un medio de transporte cubano muy popular.

La música es parte esencial de la vida en Cuba.

More activities
vhlcentral
WB pp. 69–70
Online activities

ACTIVIDADES

1 Completar **Completa las oraciones con la información correcta.**

1. La moneda oficial de Cuba es el ______________.
2. ______________ es una escritora cubana.
3. ______________ es Patrimonio Cultural de la Humanidad desde 1982.
4. El ave más pequeña del mundo es ______________ y está en Cuba.
5. El Palacio de Capitanes Generales es actualmente un ______________.
6. En la calle ______________ encontramos cafés y tiendas elegantes.
7. Los ______________ son un medio de transporte muy popular en Cuba.
8. Alicia Alonso es una ______________ cubana muy famosa.

Baile • Ballet Nacional de Cuba

La bailarina Alicia Alonso (1920–2019) fundó el Ballet Nacional de Cuba en 1948, después de° convertirse en una estrella° internacional en el Ballet de Nueva York y en Broadway. El Ballet Nacional de Cuba es famoso en todo el mundo por su creatividad y perfección técnica.

Economía • La caña de azúcar y el tabaco

La caña de azúcar° es el producto agrícola° que más se cultiva en la isla y su exportación es muy importante para la economía del país. El tabaco, que se usa para fabricar los famosos puros° cubanos, es otro cultivo° de mucha importancia.

Gente • Población

La población cubana tiene raíces° muy heterogéneas. La inmigración a la isla fue determinante° desde la colonia hasta mediados° del siglo° XX. Los cubanos de hoy son descendientes de africanos, europeos, chinos y antillanos, entre otros.

Música • Buena Vista Social Club

En 1997 nace° el fenómeno musical conocido como *Buena Vista Social Club*. Este proyecto reúne° a un grupo de importantes músicos de Cuba, la mayoría ya mayores, con una larga trayectoria interpretando canciones clásicas del son° cubano. Ese mismo año ganaron un *Grammy*. Hoy en día estos músicos son conocidos en todo el mundo, y personas de todas las edades bailan al ritmo° de su música.

después de *after* **estrella** *star* **caña de azúcar** *sugar cane* **agrícola** *farming* **puros** *cigars* **cultivo** *crop* **raíces** *roots* **determinante** *deciding* **mediados** *halfway through* **siglo** *century* **nace** *is born* **reúne** *gets together* **son** *Cuban musical genre* **ritmo** *rhythm*

¡Increíble pero cierto!

Pequeño y liviano°, el colibrí abeja° de Cuba es una de las más de 320 especies de colibrí y es también el ave° más pequeña del mundo°. Menores que muchos insectos, estas aves minúsculas miden° 5 centímetros y pesan° sólo 1,95 gramos.

liviano *light* **colibrí abeja** *bee hummingbird* **ave** *bird* **mundo** *world* **miden** *measure* **pesan** *weigh*

2 ¿Qué aprendiste? Responde a las preguntas.

1. ¿Qué autor está asociado con La Habana Vieja?
2. ¿Por qué es famoso el Ballet Nacional de Cuba?
3. ¿Cuáles son los dos cultivos más importantes para la economía cubana?
4. ¿En qué año ganó un *Grammy* el disco *Buena Vista Social Club*?

3 Conversar En parejas, háganse preguntas sobre lo que saben y conocen sobre Cuba.

modelo

Estudiante 1: ¿Sabes cuál es la capital de Cuba?
Estudiante 2: Sí, es La Habana.

Vocabulary Tools

La ropa

el abrigo	*coat*
los (blue)jeans	*jeans*
la blusa	*blouse*
la bolsa	*purse; bag*
la bota	*boot*
los calcetines (el calcetín)	*sock(s)*
la camisa	*shirt*
la camiseta	*t-shirt*
la cartera	*wallet*
la chaqueta	*jacket*
el cinturón	*belt*
la corbata	*tie*
la falda	*skirt*
las gafas (de sol)	*(sun)glasses*
los guantes	*gloves*
el impermeable	*raincoat*
las medias	*pantyhose; stockings*
los pantalones	*pants*
los pantalones cortos	*shorts*
la ropa	*clothes*
la ropa interior	*underwear*
las sandalias	*sandals*
el sombrero	*hat*
el suéter	*sweater*
el traje	*suit*
el traje de baño	*bathing suit*
el vestido	*dress*
los zapatos de tenis	*sneakers*

Verbos

conducir	*to drive*
conocer	*to know; to be acquainted with*
dar	*to give*
ofrecer	*to offer*
parecer	*to seem*
saber	*to know; to know how*
traducir	*to translate*

Ir de compras

el almacén	*department store*
la caja	*cash register*
el centro comercial	*shopping mall*
el/la cliente/a	*customer*
el/la dependiente/a	*clerk*
el dinero	*money*
(en) efectivo	*cash*
el mercado (al aire libre)	*(open-air) market*
un par (de zapatos)	*a pair (of shoes)*
el precio (fijo)	*(fixed; set) price*
la rebaja	*sale*
el regalo	*gift*
la tarjeta de crédito	*credit card*
la tarjeta de débito	*debit card*
la tienda	*store*
el/la vendedor(a)	*salesperson*
comprar en línea	*to buy online*
costar (o:ue)	*to cost*
gastar	*to spend (money)*
hacer juego (con)	*to match (with)*
llevar	*to wear; to take*
pagar	*to pay*
regatear	*to bargain*
usar	*to wear; to use*
vender	*to sell*

Adjetivos

barato/a	*cheap*
bueno/a	*good*
cada	*each*
caro/a	*expensive*
corto/a	*short (in length)*
elegante	*elegant*
hermoso/a	*beautiful*
largo/a	*long*
loco/a	*crazy*
nuevo/a	*new*
otro/a	*other; another*
pobre	*poor*
rico/a	*rich*

Los colores

el color	*color*
amarillo/a	*yellow*
anaranjado/a	*orange*
azul	*blue*
blanco/a	*white*
gris	*gray*
marrón, café	*brown*
morado/a	*purple*
negro/a	*black*
rojo/a	*red*
rosado/a	*pink*
verde	*green*

Palabras adicionales

acabar de (+ *inf.*)	*to have just done something*
anoche	*last night*
anteayer	*the day before yesterday*
ayer	*yesterday*
de repente	*suddenly*
desde	*from*
dos veces	*twice*
hasta	*until*
pasado/a (*adj.*)	*last; past*
el año pasado	*last year*
la semana pasada	*last week*
prestar	*to lend; to loan*
una vez	*once*
ya	*already*

Indirect object pronouns	*See page 186.*
Demonstrative adjectives and pronouns	*See page 194.*
Expresiones útiles	*See page 179.*

More activities
vhlcentral
LM p. 36

La rutina diaria

7

Communicative Goals

You will learn how to:

- **Describe your daily routine**
- **Talk about personal hygiene**
- **Reassure someone**

A PRIMERA VISTA

- ¿Está él en casa o en una tienda?
- ¿Está contento o enojado?
- ¿Lleva camisa?
- ¿De qué color es la crema de afeitar?

Hotspots

La rutina diaria

Más vocabulario

el baño, el cuarto de baño	*bathroom*
el inodoro	*toilet*
el jabón	*soap*
el maquillaje	*makeup*
la rutina diaria	*daily routine*
bañarse	*to take a bath*
cepillarse el pelo	*to brush one's hair*
dormirse (o:ue)	*to go to sleep; to fall asleep*
lavarse la cara	*to wash one's face*
levantarse	*to get up*
maquillarse	*to put on makeup*
antes (de)	*before*
después	*afterward; then*
después (de)	*after*
durante	*during*
entonces	*then*
luego	*then*
más tarde	*later (on)*
por la mañana	*in the morning*
por la noche	*at night*
por la tarde	*in the afternoon; in the evening*
por último	*finally*

Variación léxica

afeitarse ⟷ rasurarse (*Méx., Amér. C.*)
ducha ⟷ regadera (*Col., Méx., Venez.*)
ducharse ⟷ bañarse (*Amér. L.*)
pantuflas ⟷ chancletas (*Méx., Col.*); zapatillas (*Esp.*)

En la habitación por la mañana

En el baño por la mañana

More activities

vhlcentral | LM p. 37 | WB pp. 73–74 | Online activities

Práctica

1 **Escuchar** Indica si, en general, las personas hacen las acciones que vas a escuchar por la mañana o por la noche.

	Por la mañana	Por la noche
1.	❍	❍
2.	❍	❍
3.	❍	❍
4.	❍	❍
5.	❍	❍
6.	❍	❍
7.	❍	❍
8.	❍	❍

2 **¿Lógico o ilógico?** Indica si lo que dice cada oración es **lógico** o **ilógico**.

1. ______ 5. ______
2. ______ 6. ______
3. ______ 7. ______
4. ______ 8. ______

3 **Seleccionar** Selecciona la palabra que no está relacionada con cada grupo.

1. manos • antes de • después de • por último ____________
2. lavabo • toalla • despertador • jabón ____________
3. acostarse • jabón • despertarse • dormirse ____________
4. espejo • lavabo • despertador • entonces ____________
5. dormirse • toalla • vestirse • levantarse ____________
6. espejo • champú • jabón • pasta de dientes ____________
7. pelo • cara • manos • inodoro ____________
8. maquillarse • vestirse • peinarse • dientes ____________
9. baño • dormirse • despertador • acostarse ____________
10. ducharse • luego • bañarse • lavarse ____________

4 **La rutina de Andrés** Ordena esta rutina de una manera lógica.

a. Se afeita después de cepillarse los dientes. ______
b. Se acuesta a las once y media de la noche. ______
c. Después de afeitarse, sale para las clases. ______
d. Por último, se duerme. ______
e. Asiste a todas sus clases y vuelve a su casa. ______
f. Andrés se despierta a las seis y media de la mañana. ______
g. Después de volver a casa, come un poco. Luego estudia en su habitación. ______
h. Se viste y entonces se cepilla los dientes. ______
i. Se cepilla los dientes antes de acostarse. ______
j. Se ducha antes de vestirse. ______

5 **La rutina diaria** Identifica las actividades de las personas.

modelo

dormirse

1. 

2. 

3. 

4. 

5. 

6. 

7. 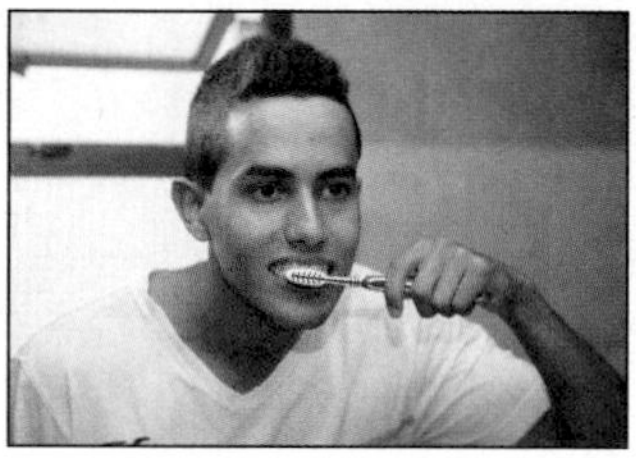

6 **Identificar** Con un(a) compañero/a, identifica las cosas que cada persona necesita. Sigue el modelo.

modelo

Jorge / lavarse la cara

Estudiante 1: *¿Qué necesita Jorge para lavarse la cara?*

Estudiante 2: Necesita jabón y una toalla.

1. Gerardo / despertarse
2. Mariana / maquillarse
3. Gabriel / ducharse
4. Roberto / afeitarse
5. Sonia / lavarse el pelo
6. Vanesa / lavarse las manos
7. Manuel / vestirse
8. Simón / acostarse

Comunicación

7 **La farmacia** Lee el anuncio y responde a las preguntas con un(a) compañero/a.

www.lafarmacianuevosol.com

LA FARMACIA NUEVO SOL tiene todo lo que necesitas para la vida diaria.

Esta semana tenemos grandes rebajas. Con poco dinero puedes comprar lo que necesitas para el cuarto de baño ideal.

Para los hombres ofrecemos...
Excelentes cremas de afeitar de Guapo y Máximo

Para las mujeres ofrecemos...
Nuevo maquillaje de Marisol y jabones de baño Ilusiones y Belleza

Y para todos tenemos los mejores jabones, pastas de dientes y cepillos de dientes.

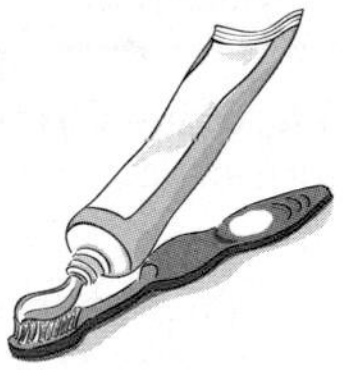

¡Visita **LA FARMACIA NUEVO SOL!**

Tenemos los mejores precios. Visita nuestra tienda muy cerca de tu casa.

1. ¿Qué tipo de tienda es?
2. ¿Qué productos ofrecen para las mujeres?
3. ¿Qué productos ofrecen para los hombres?
4. Haz (*Make*) una lista de los verbos que asocias con los productos del anuncio.
5. ¿Dónde compras tus productos de higiene?
6. ¿Tienes una tienda favorita? ¿Cuál es?

8 **Preguntas** En parejas, túrnense para hacerse estas preguntas.

modelo

Estudiante 1: *¿Qué hay en tu cuarto de baño?*
Estudiante 2: Hay un lavabo, un espejo, un inodoro y una ducha.

1. ¿Cómo es tu cuarto de baño?
2. ¿Cuántas personas comparten tu cuarto de baño?
3. ¿Qué pasta de dientes usas?
4. ¿De qué color es tu toalla?
5. ¿Cuánto cuesta tu jabón?
6. ¿Qué champú usas?
7. ¿A qué hora oyes tu despertador?
8. ¿Cuándo estudias? ¿Por la mañana, por la tarde, por la noche?

¡Necesito arreglarme!

Es viernes por la tarde y Marissa, Jimena y Felipe se preparan para salir.

PERSONAJES

MARISSA

JIMENA

Video

MARISSA ¿Hola? ¿Está ocupado?

JIMENA Sí. Me estoy lavando la cara.

MARISSA Necesito usar el baño.

MARISSA Tengo que terminar de arreglarme. Voy al cine esta noche.

JIMENA Yo también tengo que salir. ¿Te importa si me maquillo primero? Me voy a encontrar con mi amiga Elena en una hora.

JIMENA ¡Felipe! ¿Qué estás haciendo?

FELIPE Me estoy afeitando. ¿Hay algún problema?

JIMENA ¡Siempre haces lo mismo!

FELIPE Pues, yo no vi a nadie aquí.

JIMENA ¿Por qué no te afeitaste por la mañana?

FELIPE Porque cada vez que quiero usar el baño, una de ustedes está aquí. O bañándose o maquillándose.

JIMENA No te preocupes, Marissa. Llegaste primero. Entonces, te arreglas el pelo y después me maquillo.

FELIPE ¿Y yo? Tengo crema de afeitar en la cara. No me voy a ir. Estoy aquí y aquí me quedo.

MARISSA Tú ganas. ¿Adónde vas a ir esta noche, Felipe?

FELIPE Juan Carlos y yo vamos a ir a un café en el centro. Siempre hay música en vivo. (*Sale.*) Me siento guapísimo. Todavía me falta cambiarme la camisa.

FELIPE

7

MARISSA ¿Adónde vas esta noche?

JIMENA A la biblioteca.

MARISSA ¡Es viernes! ¡Nadie debe estudiar los viernes! Voy a ver una película de Pedro Almodóvar con unas amigas.

8

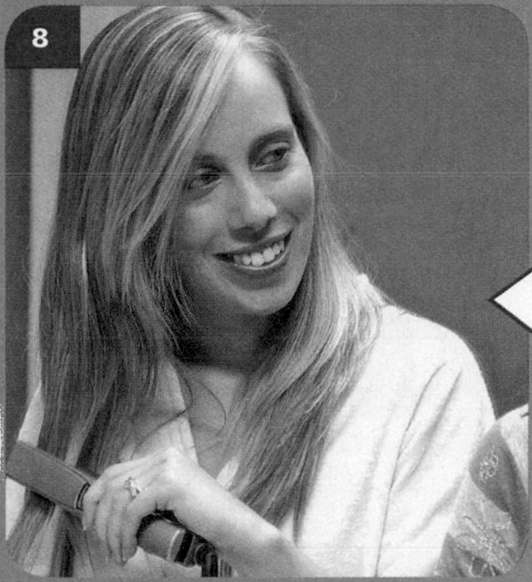

MARISSA ¿Por qué no vienen tú y Elena al cine con nosotras? Después, podemos ir a ese café y molestar a Felipe.

9

JIMENA No sé.

MARISSA ¿Cuándo fue la última vez que viste a Juan Carlos?

JIMENA Cuando fuimos a Mérida.

10

MARISSA A ti te gusta ese chico.

JIMENA No tengo idea de qué estás hablando. Si no te importa, nos vemos en el cine.

Expresiones útiles

Talking about getting ready

Necesito arreglarme.
I need to get ready.
Me estoy lavando la cara.
I'm washing my face.
¿Te importa si me maquillo primero?
Is it OK with you if I put on my makeup first?
Tú te arreglas el pelo y después yo me maquillo.
You fix your hair and then I'll put on my makeup.
Todavía me falta cambiarme la camisa.
I still have to change my shirt.

Reassuring someone

Tranquilo/a.
Relax.
No te preocupes.
Don't worry.

Talking about past actions

¿Cuándo fue la última vez que viste a Juan Carlos?
When was the last time you saw Juan Carlos?
Cuando fuimos a Mérida.
When we went to Mérida.

Talking about likes and dislikes

Me fascinan las películas de Almodóvar.
I love Almodóvar's movies.
Me encanta la música en vivo.
I love live music.
Me molesta compartir el baño.
It bothers me to share the bathroom.

Additional vocabulary

encontrarse con *to meet up with*
molestar *to bother*
nadie *no one*

More activities

vhlcentral | VM pp. 13–14 | Online activities

¿Qué pasó?

1

¿Cierto o falso? Indica si lo que dicen estas oraciones es cierto o falso. Corrige las oraciones falsas.

1. Marissa va a ver una película de Pedro Almodóvar con unas amigas.
2. Jimena se va a encontrar con Elena en dos horas.
3. Felipe se siente muy feo después de afeitarse.
4. Jimena quiere maquillarse.
5. Marissa quiere ir al café para molestar a Juan Carlos.

2

Identificar Identifica quién dice estas oraciones.

1. No me voy a ir. Estoy aquí y aquí me quedo. ______________
2. Tengo que terminar de arreglarme. Voy al cine esta noche. ______________
3. Me voy a encontrar con mi amiga Elena en una hora. ______________
4. Juan Carlos y yo vamos a ir a un café en el centro. ______________
5. ¿Cuándo fue la última vez que viste a Juan Carlos? ______________
6. ¿Por qué no te afeitaste por la mañana? ______________

MARISSA

FELIPE

JIMENA

3

Ordenar Ordena correctamente los planes que tiene Marissa.

______ a. Voy al café.
______ b. Me arreglo el pelo.
______ c. Molesto a Felipe.
______ d. Me encuentro con unas amigas.
______ e. Entro al baño.
______ f. Voy al cine.

4

En el baño Trabajen en parejas para representar los papeles de dos compañeros/as de cuarto que deben usar el baño al mismo tiempo para hacer su rutina diaria.

Estudiante 1	Estudiante 2
Di (*Say*) que quieres arreglarte porque vas a ir al cine.	→ Di (*Say*) que necesitas arreglarte porque te vas a encontrar con tus amigos/as.
Pregunta si puedes secarte (*dry*) el pelo.	→ Responde que no porque necesitas lavarte la cara.
Di que puede lavarse la cara, pero que después necesitas secarte el pelo.	→ Di que puede secarse el pelo, pero que después necesitas peinarte.

Pronunciación

Tutorial

The consonant r

ropa **rutina** **rico** **Ramón**

In Spanish, **r** has a strong trilled sound at the beginning of a word. No English words have a trill, but English speakers often produce a trill when they imitate the sound of a motor.

gustar **durante** **primero** **crema**

In any other position, **r** has a weak sound similar to the English *tt* in *better* or the English *dd* in *ladder*. In contrast to English, the tongue touches the roof of the mouth behind the teeth.

pizarra **corro** **marrón** **aburrido**

The letter combination **rr**, which only appears between vowels, always has a strong trilled sound.

caro **carro** **pero** **perro**

Between vowels, the difference between the strong trilled **rr** and the weak **r** is very important, as a mispronunciation could lead to confusion between two different words.

Práctica Lee las palabras en voz alta, prestando (*paying*) atención a la pronunciación de la **r** y la **rr**.

1. Perú
2. Rosa
3. borrador
4. madre
5. comprar
6. favor
7. rubio
8. reloj
9. Arequipa
10. tarde
11. cerrar
12. despertador

Oraciones Lee las oraciones en voz alta, prestando atención a la pronunciación de la **r** y la **rr**.

1. Ramón Robles Ruiz es programador. Su esposa Rosaura es artista.
2. A Rosaura Robles le encanta regatear en el mercado.
3. Ramón nunca regatea... le aburre regatear.
4. Rosaura siempre compra cosas baratas.
5. Ramón no es rico, pero prefiere comprar cosas muy caras.
6. ¡El martes Ramón compró un carro nuevo!

Refranes Lee en voz alta los refranes, prestando atención a la **r** y a la **rr**.

1 A dog's bark is worse than its bite.
2 Rome wasn't built in a day.

More activities
vhlcentral
LM p. 38

Flash CULTURA

EN DETALLE

Video

La siesta

¿Sientes cansancio° después de comer? ¿Te cuesta° volver al trabajo° o a clase después del almuerzo? Estas sensaciones son normales. A muchas personas les gusta relajarse° después de almorzar. Este momento de descanso es **la siesta.** La siesta es popular en los países hispanos y viene de una antigua costumbre° del área del Mediterráneo. La palabra *siesta* viene del latín y significa "sexta hora". La sexta hora del día es después del mediodía, el momento de más calor. Debido al° calor y al cansancio, los habitantes de España, Italia, Grecia y Portugal tienen la costumbre de dormir la siesta desde hace° más de° dos mil años. Los españoles y los portugueses llevaron la costumbre a los países americanos.

Aunque° hoy día esta costumbre está desapareciendo° en las grandes ciudades, la siesta todavía es importante en la cultura hispana. En pueblos pequeños, por ejemplo, muchas oficinas° y tiendas tienen la costumbre de cerrar por dos o tres horas después del mediodía. Los empleados van a su casa, almuerzan con sus familias, duermen la siesta o hacen actividades, como ir al gimnasio, y luego regresan al trabajo entre las 2:30 y las 4:30 de la tarde.

Los estudios científicos explican que una siesta corta después de almorzar ayuda° a trabajar más y mejor° durante la tarde. Pero, ¡cuidado! Esta siesta sólo debe durar° entre veinte y cuarenta minutos. Si dormimos más, entramos en la fase de sueño profundo y es difícil despertarse.

Hoy, algunas empresas° de los EE.UU., Canadá, Japón, Inglaterra y Alemania tienen salas° especiales donde los empleados pueden dormir la siesta.

¿Dónde duermen la siesta?

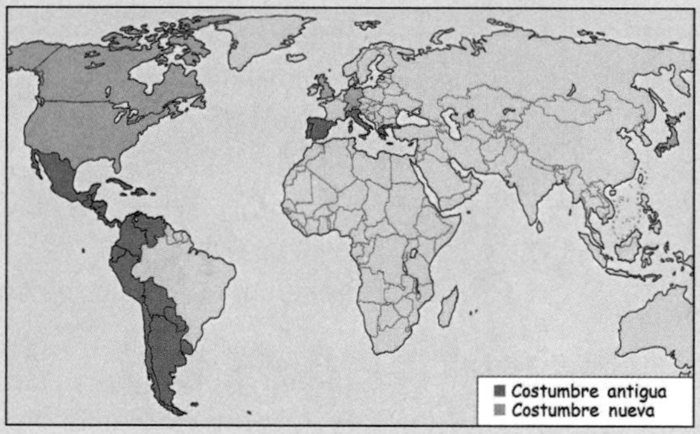

En los lugares donde la siesta es una costumbre antigua, las personas la duermen en su casa. En los países donde la siesta es una costumbre nueva, la gente duerme en sus lugares de trabajo o en centros de siesta.

Sientes cansancio *Do you feel tired* **Te cuesta** *Is it hard for you* **trabajo** *work* **relajarse** *to relax* **antigua costumbre** *old custom* **Debido al** *Because (of)* **desde hace** *for* **más de** *more than* **Aunque** *Although* **está desapareciendo** *is disappearing* **oficinas** *offices* **ayuda** *helps* **mejor** *better* **durar** *last* **algunas empresas** *some businesses* **salas** *rooms*

ACTIVIDADES

1 **¿Cierto o falso?** Indica si lo que dicen las oraciones es **cierto** o **falso.** Corrige la información falsa.

1. La costumbre de la siesta empezó en Asia.
2. La palabra *siesta* está relacionada con la sexta hora del día.
3. Los españoles y los portugueses llevaron la costumbre de la siesta a Latinoamérica.
4. La siesta ayuda a trabajar más y mejor durante la tarde.
5. Los horarios de trabajo de las grandes ciudades hispanas son los mismos que los de pueblos pequeños.
6. Una siesta larga siempre es mejor que una siesta corta.
7. En los Estados Unidos, los empleados de algunas empresas pueden dormir la siesta en el trabajo.
8. Es fácil despertar de un sueño profundo.

ASÍ SE DICE

El cuidado personal

el aseo; el excusado; el servicio; el váter (Esp.)	**el baño**
el cortaúñas	*nail clippers*
el desodorante	*deodorant*
el enjuague bucal	*mouthwash*
el hilo dental/ la seda dental	*dental floss*
la máquina de afeitar/ de rasurar (Méx.)	*electric razor*

EL MUNDO HISPANO

Costumbres especiales

- **México y El Salvador** Los vendedores pasan por las calles anunciando a gritos° su mercancía°: tanques de gas y flores° en México; pan y tortillas en El Salvador.
- **Costa Rica** Para encontrar las direcciones°, los costarricenses usan referencias de anécdotas, lugares o características geográficas. Por ejemplo: *200 metros norte de la iglesia, frente al° supermercado Mi Mega.*
- **Argentina** En Tigre, una ciudad junto al Río° de la Plata, la gente usa barcos particulares°, barcos colectivos y barcos-taxi para ir de una isla a otra. Todas las mañanas, un barco colectivo recoge° a los niños y los lleva a la escuela.

gritos *shouts* **mercancía** *merchandise* **flores** *flowers* **direcciones** *addresses* **frente al** *opposite* **Río** *River* **particulares** *private* **recoge** *picks up*

PERFIL

El mate

El mate es una parte muy importante de la rutina diaria en muchos países. Es una bebida° muy similar al té que se consume en Argentina, Uruguay y Paraguay. Tradicionalmente se bebe caliente° con una *bombilla*° y en un recipiente° que también se llama *mate*. Por ser amarga°, algunos le agregan° azúcar para suavizar su sabor°. El mate se puede tomar a cualquier° hora y en cualquier lugar, aunque en Argentina las personas prefieren sentarse en círculo e ir pasando el mate de mano en mano mientras° conversan. Los uruguayos, por otra parte, acostumbran llevar el agua° caliente para el mate en

un termo° bajo el brazo° y lo beben mientras caminan. Si ves a una persona con un termo bajo el brazo y un mate en la mano, ¡es casi seguro que es de Uruguay!

bebida *drink* **caliente** *hot* **bombilla** *straw (in Argentina)* **recipiente** *container* **amarga** *bitter* **agregan** *add* **suavizar su sabor** *soften its flavor* **cualquier** *any* **mientras** *while* **agua** *water* **termo** *thermos* **bajo el brazo** *under their arm*

CON RITMO HISPANO

Susana Baca (1944–)

Lugar de nacimiento: Lima, Perú

Susana Baca es representante destacada de la música afroperuana. Fue ministra de Cultura de Perú y presidenta de la Comisión Interamericana de Cultura.

Go to **vhlcentral.com** to find out more about **Susana Baca** and her music.

ACTIVIDADES

2 **Comprensión** Completa las oraciones.

1. Uso ______________ para limpiar (*to clean*) entre los dientes.
2. En __________ las personas compran pan y tortillas a los vendedores que pasan por la calle.
3. El __________ es una bebida similar al té.
4. Los uruguayos beben mate mientras __________.

3 **¿Qué costumbres tienes?** Escribe cuatro oraciones sobre una costumbre que compartes con tus amigos o con tu familia (por ejemplo: ir al cine, ir a eventos deportivos, leer, comer juntos, etc.). Explica qué haces, cuándo lo haces y con quién.

More activities

vhlcentral | VM pp. 43–44 | Online activities

7.1 Reflexive verbs

Tutorial

ANTE TODO A reflexive verb is used to indicate that the subject does something to or for himself or herself. In other words, it "reflects" the action of the verb back to the subject. Reflexive verbs always use reflexive pronouns.

SUBJECT	REFLEXIVE VERB
Joaquín	**se ducha** por la mañana.

The verb lavarse (*to wash oneself*)

SINGULAR FORMS	yo	**me lavo**	*I wash (myself)*
	tú	**te lavas**	*you wash (yourself)*
	Ud.	**se lava**	*you wash (yourself)*
	él/ella	**se lava**	*he/she washes (himself/herself)*
PLURAL FORMS	nosotros/as	**nos lavamos**	*we wash (ourselves)*
	vosotros/as	**os laváis**	*you wash (yourselves)*
	Uds.	**se lavan**	*you wash (yourselves)*
	ellos/ellas	**se lavan**	*they wash (themselves)*

- The pronoun **se** attached to an infinitive identifies the verb as reflexive: **lavarse.**
- When a reflexive verb is conjugated, the reflexive pronoun agrees with the subject.

  Me afeito. **Te despiertas** a las siete.

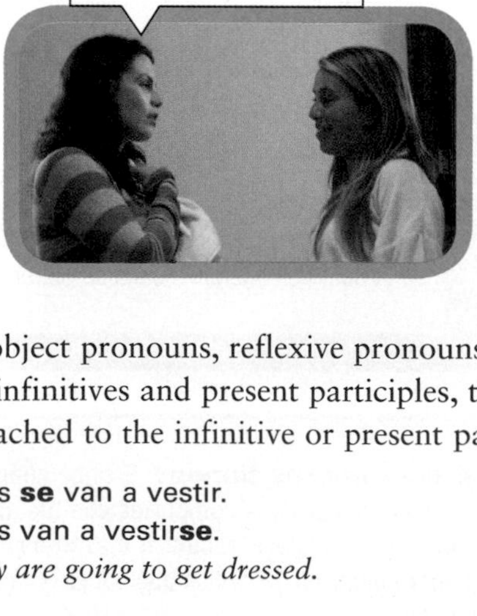

- Like object pronouns, reflexive pronouns generally appear before a conjugated verb. With infinitives and present participles, they may be placed before the conjugated verb or attached to the infinitive or present participle.

  Ellos **se** van a vestir.
  Ellos van a vestir**se**.
  They are going to get dressed.

  Nos estamos lavando las manos.
  Estamos lavándo**nos** las manos.
  We are washing our hands.

- **¡Atención!** When a reflexive pronoun is attached to a present participle, an accent mark is added to maintain the original stress.

  bañando ⟶ bañ**á**ndo**se** durmiendo ⟶ durmi**é**ndo**se**

AYUDA

Except for **se**, reflexive pronouns have the same forms as direct and indirect object pronouns.

• • •

Se is used for both singular and plural subjects—there is no individual plural form:
Pablo **se** lava.
Ellos **se** lavan.

AYUDA

You have already learned several adjectives that can be used with **ponerse** when it means *to become*:

alegre, cómodo/a, contento/a, elegante, guapo/a, nervioso/a, rojo/a, and **triste**.

Common reflexive verbs

acordarse (de) (o:ue)	*to remember*	**llamarse**	*to be called; to be named*
acostarse (o:ue)	*to go to bed*	**maquillarse**	*to put on makeup*
afeitarse	*to shave*	**peinarse**	*to comb one's hair*
bañarse	*to take a bath*	**ponerse**	*to put on*
cepillarse	*to brush*	**ponerse (+ *adj.*)**	*to become (+ adj.)*
despertarse (e:ie)	*to wake up*	**preocuparse (por)**	*to worry (about)*
dormirse (o:ue)	*to go to sleep; to fall asleep*	**probarse** (o:ue)	*to try on*
ducharse	*to take a shower*	**quedarse**	*to stay*
enojarse (con)	*to get angry (with)*	**quitarse**	*to take off*
irse	*to go away; to leave*	**secarse**	*to dry (oneself)*
lavarse	*to wash (oneself)*	**sentarse** (e:ie)	*to sit down*
levantarse	*to get up*	**sentirse** (e:ie)	*to feel*
		vestirse (e:i)	*to get dressed*

COMPARE & CONTRAST

Unlike English, a number of verbs in Spanish can be reflexive or non-reflexive. If the verb acts upon the subject, the reflexive form is used. If the verb acts upon something other than the subject, the non-reflexive form is used. Compare these sentences.

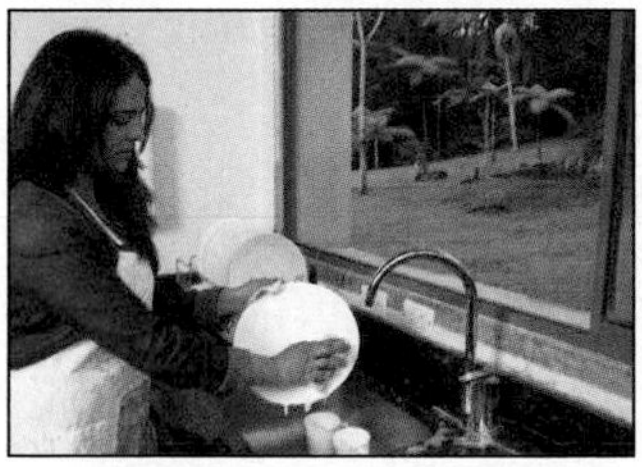

Lola **lava** los platos.

Lucía **se lava** la cara.

As the preceding sentences show, reflexive verbs sometimes have different meanings than their non-reflexive counterparts. For example, **lavar** means *to wash*, while **lavarse** means *to wash oneself, to wash up*.

▶ **¡Atención!** Parts of the body or clothing are generally not referred to with possessives, but with articles.

La niña se quitó **un** zapato.

Necesito cepillarme **los** dientes.

More activities

vhlcentral

LM p. 39

WB pp. 75–76

Online activities

¡INTÉNTALO! Indica el presente de estos verbos reflexivos.

despertarse

1. Mis hermanos *se despiertan* tarde.
2. Tú ______________ tarde.
3. Nosotros ______________ tarde.
4. Yo ______________ tarde.
5. Benito ______________ tarde.

ponerse

1. Él *se pone* una chaqueta.
2. Yo ______________ una chaqueta.
3. Las niñas ______________ una chaqueta.
4. Nosotras ______________ una chaqueta.
5. Usted ______________ una chaqueta.

Práctica

1

La fiesta elegante Selecciona el verbo apropiado y completa las oraciones con la forma correcta.

1. Nosotros ____________ (bañar / bañarse) antes de ir a la fiesta.
2. Tú ____________ (lavar / lavarse) el auto antes de ir a la fiesta.
3. Para llegar a tiempo, Raúl y Marta ____________ (acostar / acostarse) a los niños antes de salir.
4. Cecilia ____________ (maquillar / maquillarse) antes de salir.
5. Mis amigos siempre ____________ (vestir / vestirse) con ropa muy elegante.
6. Julia y Ana ____________ (poner / ponerse) los vestidos nuevos.
7. Usted ____________ (ir / irse) a llegar antes que (*before*) los demás invitados, ¿no?
8. En general, ____________ (afeitar / afeitarse) yo mismo, pero hoy es un día especial y el barbero (*barber*) me ____________ (afeitar / afeitarse). ¡Será una fiesta inolvidable!

¡LENGUA VIVA!

In Spain a car is called **un coche**, while in many parts of Latin America it is known as **un carro**. Although you'll be understood using either of these terms, using **auto (automóvil)** will surely get you where you want to go.

2

Nuestra rutina Escribe oraciones sobre la rutina diaria de la familia de Blanca.

modelo

mamá / despertarse a las 5:00

Mamá se despierta a las cinco.

1. Roberto y yo / levantarse a las 7:00
2. papá / ducharse primero y / luego afeitarse
3. mamá / peinarse y / luego maquillarse
4. yo / lavarse la cara y / vestirse antes de tomar café
5. todos (nosotros) / sentarse a la mesa para comer
6. Roberto / cepillarse los dientes después de comer
7. yo / ponerse el abrigo antes de salir
8. nosotros / irse

NOTA CULTURAL

Como en los EE.UU., **tomar café** en el desayuno es muy común en los países hispanos.

En muchas familias, incluso los niños toman café con leche (*milk*) en el desayuno antes de ir a la escuela.

El café en los países hispanos generalmente es más fuerte que en los EE.UU., y el descafeinado no es muy popular.

3

Describir Describe lo que estas personas hacen.

modelo

Toni *Toni se enoja.*

1. el joven

2. Carmen

3. Juan

4. los pasajeros

5. Estrella

Comunicación

4

Preguntas personales En parejas, túrnense para hacerse estas preguntas.

1. ¿A qué hora te levantas durante la semana?
2. ¿A qué hora te levantas los fines de semana?
3. ¿Prefieres levantarte tarde o temprano? ¿Por qué?
4. ¿Te enojas frecuentemente con tus amigos?
5. ¿Te preocupas fácilmente? ¿Qué te preocupa?
6. ¿Qué haces cuando te sientes triste? ¿Y cuando te sientes alegre?
7. ¿Te acuestas tarde o temprano durante la semana?
8. ¿A qué hora te acuestas los fines de semana?

5

Charadas En grupos, jueguen a las charadas. Cada persona debe pensar en dos oraciones con verbos reflexivos. La primera persona que adivina la charada dramatiza la siguiente.

6

Debate En grupos, discutan este tema: ¿Quiénes necesitan más tiempo para arreglarse (*to get ready*) antes de salir, los hombres o las mujeres? Hagan una lista de las razones (*reasons*) que tienen para defender sus ideas e informen a la clase.

7

Mi rutina diaria Escribe un párrafo para describir cómo fue tu rutina diaria ayer. Usa los verbos.

acostarse	despertarse
afeitarse/maquillarse	dormirse
bañarse/ducharse	levantarse
cepillarse	vestirse

Síntesis

8

La familia ocupada Tú y tu compañero/a asisten a un programa de verano en Lima, Perú. Viven con la familia Ramos. Tu profesor(a) te va a dar la rutina incompleta que la familia sigue en las mañanas. Trabaja con tu compañero/a para completarla.

modelo

Estudiante 1: *¿Qué hace el señor Ramos a las seis y cuarto?*
Estudiante 2: *El señor Ramos se levanta.*

7.2 Indefinite and negative words

Tutorial

ANTE TODO Indefinite words refer to people and things that are not specific, for example, *someone* or *something*. Negative words deny the existence of people and things or contradict statements, for instance, *no one* or *nothing*. Spanish indefinite words have corresponding negative words, which are opposite in meaning.

Indefinite and negative words

Indefinite words		Negative words	
algo	*something; anything*	**nada**	*nothing; not anything*
alguien	*someone; somebody; anyone*	**nadie**	*no one; nobody; not anyone*
alguno/a(s), algún	*some; any*	**ninguno/a, ningún**	*no; none; not any*
o... o	*either... or*	**ni... ni**	*neither... nor*
siempre	*always*	**nunca, jamás**	*never, not ever*
también	*also; too*	**tampoco**	*neither; not either*

- There are two ways to form negative sentences in Spanish. You can place the negative word before the verb, or you can place **no** before the verb and the negative word after.

Nadie se levanta temprano.
No one gets up early.

Ellos **nunca gritan**.
They never shout.

No se levanta nadie temprano.
No one gets up early.

Ellos **no gritan nunca**.
They never shout.

¿Hay algún problema?

Siempre haces esto.

- Because they refer to people, **alguien** and **nadie** are often used with the personal **a**. The personal **a** is also used before **alguno/a, algunos/as,** and **ninguno/a** when these words refer to people and they are the direct object of the verb.

—Perdón, señor, ¿busca usted **a alguien**?
—No, gracias, señorita, no busco **a nadie**.

—Tomás, ¿buscas **a alguno** de tus hermanos?
—No, mamá, no busco **a ninguno**.

- **¡Atención!** Before a masculine singular noun, **alguno** and **ninguno** are shortened to **algún** and **ningún**.

—¿Tienen ustedes **algún** amigo peruano?

—No, no tenemos **ningún** amigo peruano.

AYUDA

Alguno/a, algunos/as are not always used in the same way English uses *some* or *any*. Often, **algún** is used where *a* would be used in English.

¿Tienes algún libro que hable de los incas?
*Do you have **a** book that talks about the Incas?*

Note that **ninguno/a** is rarely used in the plural.

—¿Visitaste algunos museos?
—No, no visité ninguno.

COMPARE & CONTRAST

In English, it is incorrect to use more than one negative word in a sentence. In Spanish, however, sentences frequently contain two or more negative words. Compare these Spanish and English sentences.

Nunca le escribo a **nadie**.
I never write to anyone.

No me preocupo **nunca** por **nada**.
I do not ever worry about anything.

As the preceding sentences show, once an English sentence contains one negative word (for example, *not* or *never*), no other negative word may be used. Instead, indefinite (or affirmative) words are used. In Spanish, however, once a sentence is negative, no other affirmative (that is, indefinite) word may be used. Instead, all indefinite ideas must be expressed in the negative.

▶ **Pero** is used to mean *but*. The meaning of **sino** is *but rather* or *on the contrary*. It is used when the first part of the sentence is negative and the second part contradicts it.

Los estudiantes no se acuestan temprano **sino** tarde.
The students don't go to bed early, but rather late.

María no habla francés **sino** español.
María doesn't speak French, but rather Spanish.

Esas gafas son caras, **pero** bonitas.
Those glasses are expensive, but pretty.

José es inteligente, **pero** no saca buenas notas.
José is intelligent but doesn't get good grades.

¡INTÉNTALO! Cambia las oraciones para que sean negativas.

1. Siempre se viste bien.
   ___Nunca___ se viste bien.
   ___No___ se viste bien ___nunca___.
2. Alguien se ducha.
   ________ se ducha.
   ________ se ducha ________.
3. Ellas van también.
   Ellas ________ van.
   Ellas ________ van ________.
4. Voy a traer algo.
   ______ voy a traer ________.
5. Tú siempre te lavas las manos.
   Tú ________ te lavas las manos.
   Tú ____ te lavas las manos ________.
6. Alguien se pone nervioso.
   ________ se pone nervioso.
   ______ se pone nervioso ________.
7. Juan se afeita también.
   Juan ________ se afeita.
   Juan ________ se afeita ________.
8. Mis amigos viven en una residencia o en casa.
   Mis amigos ______ viven ______ en una residencia ______ en casa.
9. La profesora hace algo en su escritorio.
   La profesora ______ hace ______ en su escritorio.
10. Tienen un espejo en su casa.
    ______ tienen ______ espejo en su casa.
11. Tú y yo vamos al mercado.
    ______ tú ______ yo vamos al mercado.
12. Algunos niños se ponen los abrigos.
    ________ niño se pone el abrigo.

More activities
vhlcentral
LM p. 40
WB pp. 77–78
Online activities

Práctica

1

¿Pero o sino? Forma oraciones sobre estas personas usando **pero** o **sino**.

modelo

muchos estudiantes viven en residencias estudiantiles / muchos de ellos quieren vivir fuera del (*off*) campus

Muchos estudiantes viven en residencias estudiantiles, pero muchos de ellos quieren vivir fuera del campus.

1. Lisa y Katarina no se acuestan temprano / muy tarde
2. Marcos nunca se despierta temprano / siempre llega puntual a clase
3. Alfonso es inteligente / algunas veces es antipático
4. los directores de la residencia no son ecuatorianos / peruanos
5. no nos acordamos de comprar champú / compramos jabón
6. no quiero levantarme / tengo que ir a clase
7. Emilia no es estudiante / profesora
8. Miguel no se afeita por la mañana / por la noche

2

Completar Completa esta conversación. Usa expresiones negativas en tus respuestas. Luego, dramatiza la conversación con un(a) compañero/a.

AURELIO Ana María, ¿encontraste algún regalo para Eliana?

ANA MARÍA (1)____________________

AURELIO ¿Viste a alguna amiga en el centro comercial?

ANA MARÍA (2)____________________

AURELIO ¿Me llamó alguien?

ANA MARÍA (3)____________________

AURELIO ¿Quieres ir al teatro o al cine esta noche?

ANA MARÍA (4)____________________

AURELIO ¿No quieres salir a comer?

ANA MARÍA (5)____________________

AURELIO ¿Hay algo interesante en la televisión esta noche?

ANA MARÍA (6)____________________

AURELIO ¿Tienes algún problema?

ANA MARÍA (7)____________________

Comunicación

3

Opiniones Completa estas oraciones de una manera lógica. Luego, compara tus respuestas con las de un(a) compañero/a.

1. Mi habitación es __________, pero __________.
2. Por la noche me gusta __________, pero __________.
3. Un(a) profesor(a) ideal no es __________, sino __________.
4. Mis amigos son __________, pero __________.

4

En el campus En parejas, háganse preguntas sobre qué hay en su universidad: residencias bonitas, departamento de ingeniería, cines, librerías baratas, estudiantes guapos/as, equipo de fútbol, playa, clases fáciles, museo, profesores/as estrictos/as. Sigan el modelo.

modelo

Estudiante 1: *¿Hay algunas residencias bonitas?*
Estudiante 2: *Sí, hay una/algunas. Está(n) detrás del estadio.*
Estudiante 1: *¿Hay algún museo?*
Estudiante 2: *No, no hay ninguno.*

5

Quejas En parejas, hagan una lista de cinco quejas (*complaints*) comunes que tienen los estudiantes. Usen expresiones negativas.

modelo

Nadie me entiende.

6

Anuncios En parejas, lean el anuncio y contesten las preguntas.

1. ¿Es el anuncio positivo o negativo? ¿Por qué?
2. ¿Qué palabras indefinidas hay?
3. Escriban el texto del anuncio cambiando todo por expresiones negativas.

Ahora preparen su propio (*own*) anuncio usando expresiones indefinidas y negativas.

Síntesis

7

Encuesta Tu profesor(a) te va a dar una hoja de actividades para hacer una encuesta. Circula por la clase y pídeles a tus compañeros que comparen las actividades que hacen durante la semana con las que hacen durante los fines de semana. Escribe las respuestas.

7.3 Preterite of ser and ir

Tutorial

ANTE TODO In **Lección 6**, you learned how to form the preterite tense of regular **-ar**, **-er**, and **-ir** verbs. The following chart contains the preterite forms of **ser** (*to be*) and **ir** (*to go*). Since these forms are irregular, you will need to memorize them.

Preterite of ser and ir

		ser (*to be*)	**ir** (*to go*)
SINGULAR FORMS	yo	**fui**	**fui**
	tú	**fuiste**	**fuiste**
	Ud./él/ella	**fue**	**fue**
PLURAL FORMS	nosotros/as	**fuimos**	**fuimos**
	vosotros/as	**fuisteis**	**fuisteis**
	Uds./ellos/ellas	**fueron**	**fueron**

AYUDA

Note that, whereas regular **-er** and **-ir** verbs have accent marks in the **yo** and **Ud./él/ella** forms of the preterite, **ser** and **ir** do not.

▶ Since the preterite forms of **ser** and **ir** are identical, context clarifies which of the two verbs is being used.

Él **fue** a comprar champú y jabón.
He went to buy shampoo and soap.

¿Cómo **fue** la película anoche?
How was the movie last night?

¡INTÉNTALO! Completa las oraciones usando el pretérito de **ser** e **ir**.

ir

1. Los viajeros fueron a Perú.
2. Patricia ________ a Cuzco.
3. Gregorio y yo ________ a Lima.
4. Tú ________ a Iquitos.
5. Yo ________ a Trujillo.
6. Ustedes ________ a Arequipa.
7. Mi padre ________ a Lima.
8. Él ________ a Machu Picchu.
9. Nosotras ________ a Cuzco.
10. Usted ________ a Nazca.

ser

1. Usted fue muy amable.
2. Yo ________ muy cordial.
3. Ellos ________ simpáticos.
4. Nosotros ________ muy tontos.
5. Tú ________ muy generoso.
6. Ella ________ antipática.
7. Ustedes ________ cordiales.
8. Tomás y yo ________ muy felices.
9. La gente ________ amable.
10. Los profesores ________ buenos.

More activities
vhlcentral
LM p. 41
WB p. 79
Online activities

Práctica y Comunicación

1

Completar Completa estas conversaciones con la forma correcta del pretérito de **ser** o **ir**. Indica el infinitivo de cada forma verbal.

NOTA CULTURAL

La ciudad peruana de **El Callao**, fundada en 1537, fue por muchos años el puerto (*port*) más activo de la costa del Pacífico en Suramérica. En el siglo XVIII, se construyó (*was built*) una fortaleza allí para proteger (*protect*) la ciudad de los ataques de piratas y bucaneros.

Conversación 1

		ser	ir
RAÚL	¿Adónde (1)________ ustedes de vacaciones?	❍	❍
PILAR	(2)________ a Perú.	❍	❍
RAÚL	¿Cómo (3)________ el viaje?	❍	❍
▶**PILAR**	¡(4)________ estupendo! Machu Picchu y El Callao son increíbles.	❍	❍
RAÚL	¿(5)________ caro el viaje?	❍	❍
PILAR	No, el precio (6)________ muy bajo. Sólo costó tres mil dólares.	❍	❍

Conversación 2

		ser	ir
ISABEL	Tina y Vicente (7)________ novios, ¿no?	❍	❍
LUCÍA	Sí, pero ahora no. Anoche Tina (8)________ a comer con Gregorio	❍	❍
	y la semana pasada ellos (9)________ al partido de fútbol.	❍	❍
ISABEL	¿Ah sí? Javier y yo (10)________ al partido y no los vimos.	❍	❍

2

Descripciones Forma oraciones con estos elementos. Usa el pretérito.

A	B	C	D
yo	(no) ir	a un restaurante	ayer
tú	(no) ser	en autobús	anoche
mi compañero/a		estudiante	anteayer
nosotros		muy simpático/a	la semana pasada
mis amigos		a la playa	año pasado
ustedes		dependiente/a en una tienda	

3

Preguntas En parejas, túrnense para hacerse estas preguntas.

1. ¿Cuándo fuiste al cine por última vez? ¿Con quién fuiste?
2. ¿Fuiste en auto, en autobús o en metro? ¿Cómo fue el viaje?
3. ¿Cómo fue la película?
4. ¿Fue una película de terror, de acción o un drama?
5. ¿Fue una de las mejores películas que viste? ¿Por qué?
6. ¿Fueron buenos los actores o no? ¿Cuál fue el mejor?
7. ¿Adónde fuiste/fueron después?
8. ¿Fue una buena idea ir al cine?

4

El viaje En parejas, preparen un diálogo de un(a) viajero/a hablando con un(a) amigo/a sobre un viaje que hizo recientemente. Usen el pretérito de **ser** e **ir**.

modelo

Amigo: *¿Cómo fue el viaje?*
Viajero: *El viaje fue maravilloso/horrible…*

7.4 Verbs like gustar

Tutorial

ANTE TODO In **Lección 2**, you learned how to express preferences with **gustar**. You will now learn more about the verb **gustar** and other similar verbs. Observe these examples.

Me gusta ese champú.
ENGLISH EQUIVALENT
I like that shampoo.
LITERAL MEANING
That shampoo is pleasing to me.

¿**Te gustaron** las clases?
ENGLISH EQUIVALENT
Did you like the classes?
LITERAL MEANING
Were the classes pleasing to you?

▶ As the examples show, constructions with **gustar** do not have a direct equivalent in English. The literal meaning of this construction is *to be pleasing to (someone)*, and it requires the use of an indirect object pronoun.

INDIRECT OBJECT PRONOUN	VERB	SUBJECT		SUBJECT	VERB	DIRECT OBJECT
Me	**gusta**	ese champú.		*I*	*like*	*that shampoo.*

▶ In the diagram above, observe how in the Spanish sentence the object being liked **(ese champú)** is really the subject of the sentence. The person who likes the object, in turn, is an indirect object because it answers the question: *To whom is the shampoo pleasing?*

▶ Other verbs in Spanish are used in the same way as **gustar**. Here is a list of the most common ones.

Verbs like gustar

aburrir	*to bore*	**importar**	*to be important to; to matter*
encantar	*to like very much; to love* (inanimate objects)	**interesar**	*to be interesting to; to interest*
faltar	*to lack; to need*	**molestar**	*to bother; to annoy*
fascinar	*to fascinate; to like very much*	**quedar**	*to be left over; to fit* (clothing)

¡ATENCIÓN!

Faltar expresses what is lacking or missing.
Me falta una página. *I'm missing one page.*

Quedar expresses how much of something is left.
Nos quedan tres pesos. *We have three pesos left.*

•••

Quedar also means *to fit.* It can be used to tell how something looks (on someone).

Estos zapatos me quedan bien. *These shoes fit me well.*

Esa camisa te queda muy bien. *That shirt looks good on you.*

▶ The most commonly used verb forms of **gustar** and similar verbs are the third person (singular and plural). When the object or person being liked is singular, the singular form (**gusta**) is used. When two or more objects or persons are being liked, the plural form (**gustan**) is used. Observe the following diagram:

me, te, le, nos, os, les	SINGULAR	encanta interesó	la pelicula el concierto
	PLURAL	importan fascinaron	las vacaciones los museos de Lima

▶ To express what someone likes or does not like to do, use an appropriate verb followed by an infinitive. The singular form is used even if there is more than one infinitive.

Nos molesta comer a las nueve.
It bothers us to eat at nine o'clock.

Les encanta bailar y **cantar** en las fiestas.
They love to dance and sing at parties.

AYUDA

Note that the **a** must be repeated if there is more than one person.
A Armando y **a Carmen** les molesta levantarse temprano.

▶ As you learned in **Lección 2**, the construction **a** + [*pronoun*] (**a mí, a ti, a usted, a él,** etc.) is used to clarify or to emphasize who is pleased, bored, etc. The construction **a** + [*noun*] can also be used before the indirect object pronoun to clarify or to emphasize who is pleased.

A los turistas les gustó mucho Machu Picchu.
The tourists liked Machu Picchu a lot.

A ti te gusta cenar en casa, pero **a mí** me aburre.
You like eating dinner at home, but I get bored.

▶ **¡Atención! Mí** (*me*) has an accent mark to distinguish it from the possessive adjective **mi** (*my*).

¡INTÉNTALO! Indica el pronombre de objeto indirecto y la forma del tiempo presente adecuados en cada oración.

fascinar

1. A él le fascina viajar.
2. A nosotras __________ cantar.
3. A mí __________ bailar.
4. A ustedes __________ leer.
5. A ti __________ correr y patinar.
6. A ellos __________ los aviones.
7. A usted __________ jugar al tenis.
8. A mis padres __________ caminar.
9. A mi esposo y a mí __________ dormir.
10. A Alberto __________ dibujar y pintar.
11. A todos __________ opinar.
12. A Pili __________ los sombreros.

aburrir

1. A ellos les aburren los deportes.
2. A ti __________ las películas.
3. A usted __________ los viajes.
4. A Jorge y a Luis __________ los perros.
5. A mí __________ las revistas.
6. A nosotros __________ las vacaciones.
7. A ustedes __________ el béisbol.
8. A Marcela __________ los libros.
9. A mis amigos __________ los museos.
10. A ella __________ el ciclismo.
11. A ti y a mí __________ el baile.
12. A Omar __________ ir de compras.

More activities
vhlcentral
LM p. 42
WB pp. 80–82
Online activities

Práctica

1

Completar Completa las oraciones con todos los elementos necesarios.

1. _____ Adela _____ (encantar) la música de Tito "El Bambino".
2. A _____ me _____ (interesar) la música de otros países.
3. A Juan y _____ Rafael no les _____ (molestar) la música alta (*loud*).
4. A mis amigos _____ (encantar) las canciones (*songs*) de Calle 13.
5. _____ nosotros _____ (fascinar) los grupos de pop latino.
6. _____ señor Ruiz _____ (interesar) más la música clásica.
7. A _____ me _____ (aburrir) la música clásica.
8. ¿A _____ te _____ (faltar) dinero para el concierto de Carlos Santana?
9. No. Ya compré el boleto y _____ (quedar) cinco dólares.
10. ¿Cuánto dinero te _____ (quedar) a _____?

NOTA CULTURAL

Hoy día, la música latina es popular en los EE.UU. gracias a artistas como **Shakira**, de nacionalidad colombiana, y **Tito "El Bambino"**, puertorriqueño. Otros artistas, como **Carlos Santana** y **Gloria Estefan**, difundieron (*spread*) la música latina en los años 60, 70, 80 y 90.

2

Describir Usa los verbos para describir lo que está pasando.

aburrir	faltar	molestar
encantar	interesar	quedar

1. a Ramón

2. a nosotros

3. a Sara

4. a ti

3

Gustos Forma oraciones con los elementos de las columnas.

modelo

A ti te interesan las ruinas de Machu Picchu.

A	B	C
yo	aburrir	despertarse temprano
tú	encantar	mirarse en el espejo
mi mejor amigo/a	faltar	la música rock
mis amigos y yo	fascinar	las pantuflas rosadas
Bart y Homero Simpson	interesar	la pasta de dientes con menta (*mint*)
Shakira	molestar	las ruinas de Machu Picchu
Gael García Bernal		los zapatos caros

Comunicación

4

Preguntas En parejas, túrnense para hacer y contestar estas preguntas.

1. ¿Te gusta levantarte temprano o tarde? ¿Por qué? ¿Y a tu compañero/a de cuarto?
2. ¿Te gusta acostarte temprano o tarde? ¿Y a tu compañero/a de cuarto?
3. ¿Te gusta dormir la siesta?
4. ¿Te encanta acampar o prefieres quedarte en un hotel cuando estás de vacaciones?
5. ¿Qué te gusta hacer en el verano?
6. ¿Qué te fascina de esta universidad? ¿Qué te molesta?
7. ¿Te interesan más las ciencias o las humanidades? ¿Por qué?
8. ¿Qué cosas te aburren?

5

Completar Trabajen en parejas. Túrnense para completar estas frases de una manera lógica.

1. A mi novio/a le fascina(n)...
2. A mi mejor (*best*) amigo/a no le interesa(n)...
3. A mis padres les importa(n)...
4. A nosotros nos molesta(n)...
5. A mis hermanos les aburre(n)...
6. A mi compañero/a de cuarto le aburre(n)...
7. A los turistas les interesa(n)...
8. A los jugadores profesionales les encanta(n)...
9. A nuestro/a profesor(a) le molesta(n)...
10. A mí me importa(n)...

6

La residencia Tú y tu compañero/a de clase son los directores de una residencia estudiantil en Perú. Su profesor(a) les va a dar a cada uno de ustedes las descripciones de cinco estudiantes. Con la información tienen que escoger quiénes van a ser compañeros de cuarto. Después, completen la lista.

Síntesis

7

Situación Trabajen en parejas para representar los papeles de un(a) cliente/a y un(a) dependiente/a en una tienda de ropa.

Dependiente/a	Cliente/a
Saluda al/a la cliente/a y pregúntale en qué le puedes servir.	→ Saluda al/a la dependiente/a y dile (*tell him/her*) qué quieres comprar y qué colores prefieres.
Pregúntale si le interesan los estilos modernos y empieza a mostrarle la ropa.	→ Explícale que los estilos modernos te interesan. Escoge las cosas que te interesan.
Habla de los gustos del/de la cliente/a.	→ Habla de la ropa (me queda(n) bien/mal, me encanta(n)...).
Da opiniones favorables al/a la cliente/a (las botas te quedan fantásticas...).	→ Decide cuáles son las cosas que te gustan y qué vas a comprar.

Recapitulación

Completa estas actividades para repasar los conceptos de gramática que aprendiste en esta lección.

1

Completar Completa la tabla con la forma correcta de los verbos. **24 pts.**

yo	tú	nosotros	ellas
me levanto			
	te afeitas		
		nos vestimos	
			se secan

2

Hoy y ayer Cambia los verbos del presente al pretérito. **10 pts.**

1. Vamos de compras hoy. _______ de compras hoy.
2. Por último, voy a poner el despertador. Por último, _______ a poner el despertador.
3. Lalo es el primero en levantarse. Lalo _______ el primero en levantarse.
4. ¿Vas a tu habitación? ¿ _______ a tu habitación?
5. Ustedes son profesores. Ustedes _______ profesores.

3

Reflexivos Completa cada conversación con la forma correcta de los verbos reflexivos. **22 pts.**

TOMÁS Yo siempre (1) _________ (bañarse) antes de (2) _________ (acostarse). Esto me relaja porque no (3) _________ (dormirse) fácilmente. Y así puedo (4) _________ (levantarse) más tarde. Y tú, ¿cuándo (5) _________ (ducharse)?

LETI Pues por la mañana, para poder (6) _________ (despertarse).

DAVID ¿Cómo (7) _________ (sentirse) Pepa hoy?

MARÍA Todavía está enojada.

DAVID ¿De verdad? Ella nunca (8) _________ (enojarse) con nadie.

BETO ¿(Nosotros) (9) _________ (irse) de esta tienda? Estoy cansado.

SARA Pero antes vamos a (10) _________ (probarse) estos sombreros. Si quieres, después (nosotros) (11) _________ (sentarse) un rato.

RESUMEN GRAMATICAL

7.1 Reflexive verbs pp. 220–221

lavarse	
me lavo	nos lavamos
te lavas	os laváis
se lava	se lavan

7.2 Indefinite and negative words pp. 224–225

Indefinite words	Negative words
algo	nada
alguien	nadie
alguno/a(s), algún	ninguno/a, ningún
o... o	ni... ni
siempre	nunca, jamás
también	tampoco

7.3 Preterite of ser and ir p. 228

- The preterite of **ser** and **ir** are identical. Context will determine the meaning.

ser and ir	
fui	fuimos
fuiste	fuisteis
fue	fueron

7.4 Verbs like gustar pp. 230–231

aburrir	importar
encantar	interesar
faltar	molestar
fascinar	quedar

me, te, le, nos, os, les
- SINGULAR: encanta / interesó → la película / el concierto
- PLURAL: importan / fascinaron → las vacaciones / los museos

- Use the construction **a** + [*noun/pronoun*] to clarify the person in question.

A mí me encanta ver películas, ¿y a ti?

4 Conversaciones Completa cada conversación de manera lógica con palabras de la lista. 18 pts.

algo	nada	ningún	siempre
alguien	nadie	nunca	también
algún	ni... ni	o... o	tampoco

1. —¿Tienes ______ plan para esta noche?
   —No, prefiero quedarme en casa. Hoy no quiero ver a ______.
   —Yo ______ me quedo. Estoy muy cansado.
2. —¿Puedo entrar? ¿Hay ______ en el cuarto de baño?
   —Sí. ¡Un momento! Ahora mismo salgo.
3. —¿Puedes prestarme ______ para peinarme? No encuentro ______ mi cepillo ______ mi peine.
   —Lo siento, yo ______ encuentro los míos (*mine*).
4. —¿Me prestas tu maquillaje?
   —Lo siento, no tengo. ______ me maquillo.

5 Oraciones Forma oraciones completas con los elementos dados (*given*). Usa el presente de los verbos. 8 pts.

1. David y Juan / molestar / levantarse temprano
2. Lucía / encantar / las películas de terror
3. todos (nosotros) / importar / la educación
4. tú / aburrir / ver / la televisión

6 Rutinas Escribe seis oraciones que describan las rutinas de dos personas que conoces. 18 pts.

modelo

Mi tía se despierta temprano, pero mi primo...

7 Adivinanza Completa la adivinanza con las palabras que faltan y adivina la respuesta. ¡4 puntos EXTRA!

"Cuanto más° ______ (*it dries you*), más se moja°."
¿Qué es?______

Cuanto más *The more* se moja *it gets wet*

Audio: Reading

Lectura

Antes de leer

Estrategia

Predicting content from the title

Prediction is an invaluable strategy in reading for comprehension. For example, we can usually predict the content of a newspaper article from its headline. We often decide whether to read the article based on its headline. Predicting content from the title will help you increase your reading comprehension in Spanish.

Examinar el texto

Lee el título de la lectura y haz tres predicciones sobre el contenido. Escribe tus predicciones en una hoja de papel.

Compartir

Comparte tus ideas con un(a) compañero/a de clase.

Cognados

Haz una lista de seis cognados que encuentres en la lectura.

1. ______________________
2. ______________________
3. ______________________
4. ______________________
5. ______________________
6. ______________________

¿Qué te dicen los cognados sobre el tema de la lectura?

More activities
vhlcentral | Online activities

Mensaje

Anterior | Siguiente | Responder | Reenviar

De: **Guillermo Zamora**
Para: **Lupe; Marcos; Sandra; Jorge**
Asunto: **¡Qué día!**

Hola, chicos:

La semana pasada me di cuenta° de que necesito organizar mejor° mi rutina... pero especialmente debo prepararme mejor para los exámenes. Me falta disciplina, me molesta no tener control de mi tiempo y nunca deseo repetir los eventos de la semana pasada.

El miércoles pasé todo el día y toda la noche estudiando para el examen de biología del jueves por la mañana. Me aburre la biología y no empecé a estudiar hasta el día antes del examen. El jueves a las 8, después de no dormir en toda la noche, fui exhausto al examen. Fue difícil, pero afortunadamente° me acordé de todo el material. Esa noche me acosté temprano y dormí mucho.

Me desperté a las 7, y fue extraño° ver a mi compañero de cuarto, Andrés, preparándose para ir a dormir. Como° siempre se enferma°, tiene problemas para dormir y no hablamos mucho, no le comenté nada. Fui al baño a cepillarme los dientes para ir a clase. ¿Y Andrés? Él se acostó. "Debe estar enfermo°, ¡otra vez!", pensé.

Marcar Imprimir Redactar Bandeja entrada

Enviar

Mi clase es a las 8, y fue necesario hacer las cosas rápido. Todo empezó a ir mal... eso pasa siempre cuando uno tiene prisa. Cuando busqué mis cosas para el baño, no las encontré. Entonces me duché sin jabón, me cepillé los dientes sin cepillo de dientes y me peiné con las manos. Tampoco encontré ropa limpia y usé la sucia. Rápido, tomé mis libros. ¿Y Andrés? Roncando°... ¡a las 7:50!

Cuando salí corriendo para la clase, la prisa no me permitió ver el campus desierto. Cuando llegué a la clase, no vi a nadie. No vi al profesor ni a los estudiantes. Por último miré mi reloj, y vi la hora. Las 8 en punto... ¡de la noche!

¡Dormí 24 horas!

Guillermo

me di cuenta *I realized* mejor *better* afortunadamente *fortunately* extraño *strange* Como *Since* se enferma *he gets sick* enfermo *sick* Roncando *Snoring*

Después de leer

Seleccionar

Selecciona la respuesta correcta.

1. ¿Quién es el/la narrador(a)?
   a. Andrés
   b. una profesora
   c. Guillermo
2. ¿Qué le molesta al narrador?
   a. Le molestan los exámenes de biología.
   b. Le molesta no tener control de su tiempo.
   c. Le molesta mucho organizar su rutina.
3. ¿Por qué está exhausto?
   a. Porque fue a una fiesta la noche anterior.
   b. Porque no le gusta la biología.
   c. Porque pasó la noche anterior estudiando.
4. ¿Por qué no hay nadie en clase?
   a. Porque es de noche.
   b. Porque todos están de vacaciones.
   c. Porque el profesor canceló la clase.
5. ¿Cómo es la relación de Guillermo y Andrés?
   a. Son buenos amigos.
   b. No hablan mucho.
   c. Tienen una buena relación.

Ordenar

Ordena los sucesos de la narración. Utiliza los números del 1 al 9.

a. Toma el examen de biología. ____
b. No encuentra sus cosas para el baño. ____
c. Andrés se duerme. ____
d. Pasa todo el día y toda la noche estudiando para un examen. ____
e. Se ducha sin jabón. ____
f. Se acuesta temprano. ____
g. Vuelve a su cuarto después de las 8 de la noche. ____
h. Se despierta a las 7 y su compañero de cuarto se prepara para dormir. ____
i. Va a clase y no hay nadie. ____

Contestar

Contesta estas preguntas.

1. ¿Cómo es tu rutina diaria? ¿Muy organizada?
2. ¿Cuándo empiezas a estudiar para los exámenes?
3. ¿Tienes compañero/a de cuarto? ¿Es tu amigo/a?
4. Para comunicarte con tus amigos/as, ¿prefieres el teléfono o el correo electrónico? ¿Por qué?

Video

Perú

El país en cifras

- **Área:** 1.285.220 km² (496.224 millas²), *un poco menos que el área de Alaska*
- **Población:** 31.036.000
- **Capital:** Lima—9.897.000
- **Ciudades principales:** Arequipa—850.000, Trujillo, Chiclayo, Callao, Iquitos

Iquitos es un puerto muy importante en el río Amazonas. Desde Iquitos se envían° muchos productos a otros lugares, incluyendo goma°, nueces°, madera°, arroz°, café y tabaco. Iquitos es también un destino popular para los ecoturistas que visitan la selva°.

- **Moneda:** nuevo sol
- **Idiomas:** español (oficial); quechua, aimara y otras lenguas indígenas (oficiales en los territorios donde se usan)

Bandera de Perú

Peruanos célebres

- **Clorinda Matto de Turner,** escritora (1852–1909)
- **César Vallejo,** poeta (1892–1938)
- **Javier Pérez de Cuéllar,** diplomático (1920–)
- **Juan Diego Flórez,** cantante de ópera (1973–)
- **Mario Vargas Llosa,** escritor (1936–)

Mario Vargas Llosa, Premio Nobel de Literatura 2010

se envían *are shipped* goma *rubber* nueces *nuts* madera *timber* arroz *rice* selva *jungle*

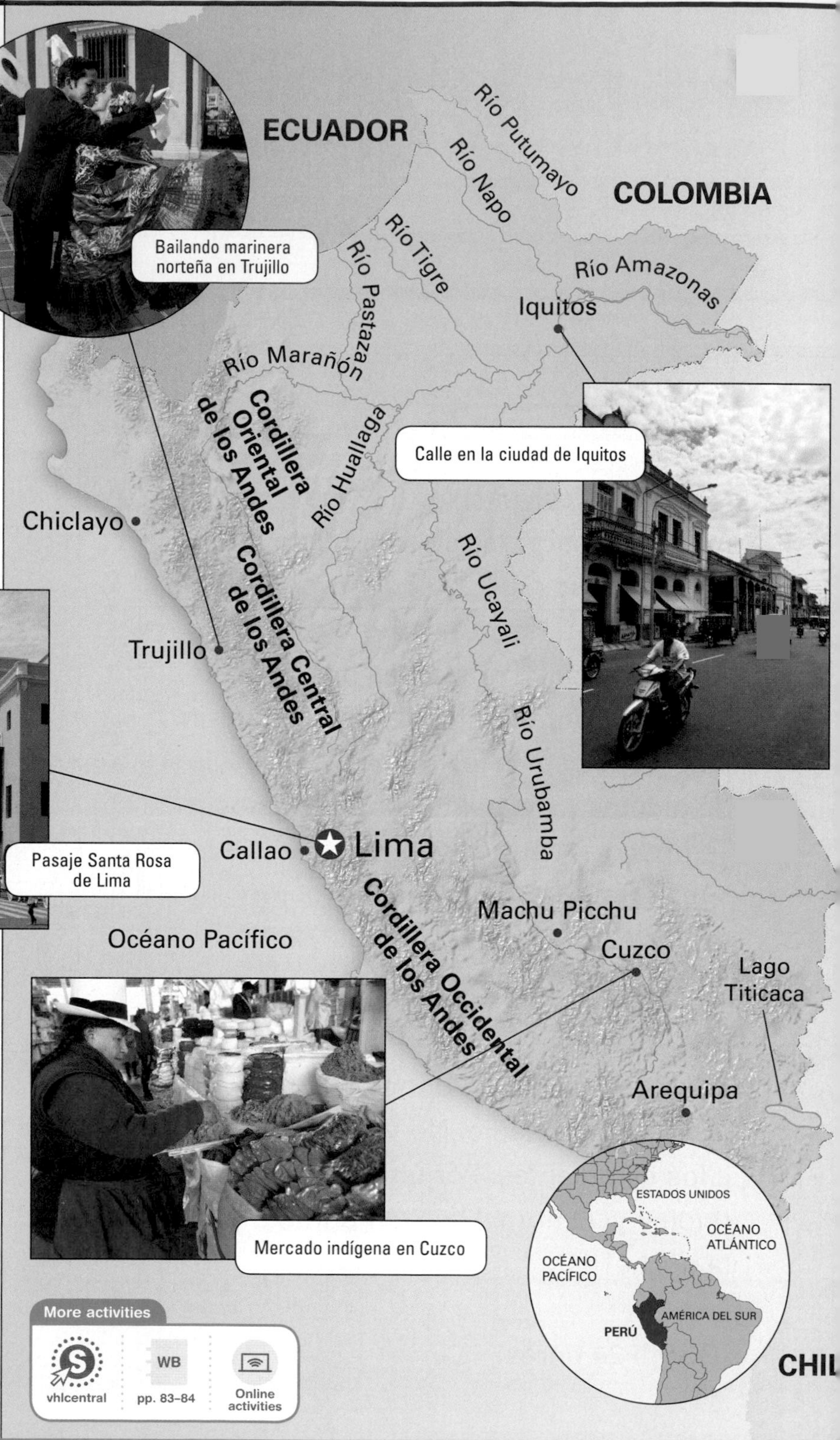

Bailando marinera norteña en Trujillo

Calle en la ciudad de Iquitos

Pasaje Santa Rosa de Lima

Mercado indígena en Cuzco

More activities: vhlcentral | WB pp. 83–84 | Online activities

ACTIVIDADES

1 ¿Cierto o falso? Indica si lo que dice cada oración es **cierto** o **falso**.

1. Ni Arequipa ni Callao son ciudades principales de Perú.
2. El nuevo sol es la moneda de Perú.
3. Juan Diego Flórez nunca canta en público.
4. El escritor peruano Mario Vargas Llosa ganó el Premio Nobel de Literatura en el año 2010.
5. Hay algunas lenguas indígenas en Perú.
6. Hiram Bingham descubrió las Líneas de Nazca en 1911.
7. En el Museo Oro del Perú y en el Museo Nacional de Antropología y Arqueología podemos ver exhibiciones sobre los aztecas.
8. Los españoles nunca encontraron Machu Picchu durante la Conquista.
9. La música andina tiene influencias francesas e italianas.
10. Los peruanos usan las llamas para la carga y el transporte.

Lugares • Lima

Lima es una ciudad moderna y antigua° a la vez°. La Iglesia de San Francisco es notable por su arquitectura barroca colonial. También son fascinantes las exhibiciones sobre los incas en el Museo Oro del Perú y en el Museo Nacional de Antropología y Arqueología. Barranco, el barrio° bohemio de la ciudad, es famoso por su ambiente cultural y sus bares y restaurantes.

Historia • Machu Picchu

BRASIL

A 80 kilómetros al noroeste de Cuzco está Machu Picchu, una antigua ciudad del Imperio inca. Está a una altitud de 2.430 metros (7.972 pies), entre dos cimas° de los Andes. Cuando los españoles llegaron a Perú y recorrieron la región, nunca encontraron Machu Picchu. En 1911, el arqueólogo estadounidense Hiram Bingham la redescubrió. Todavía no se sabe ni cómo se construyó° una ciudad a esa altura, ni por qué los incas la abandonaron. Sin embargo°, esta ciudad situada en desniveles° naturales es el ejemplo más conocido de la arquitectura inca.

Artes • La música andina

Machu Picchu aún no existía° cuando se originó la música cautivadora° de las culturas indígenas de los Andes. Los ritmos actuales de la música andina tienen influencias españolas y africanas. Varios tipos de flauta°, entre ellos la quena y la zampoña, caracterizan esta música. En las décadas de los sesenta y los setenta se popularizó un movimiento para preservar la música andina, y hasta° Simon y Garfunkel incorporaron a su repertorio la canción *El cóndor pasa*.

Economía • Llamas y alpacas

Perú se conoce por sus llamas, alpacas, guanacos y vicuñas, todos ellos animales mamíferos° parientes del camello. Estos animales todavía tienen una enorme importancia en la economía del país. Dan lana para exportar a otros países y para hacer ropa, mantas°, bolsas y otros artículos artesanales. La llama se usa también para la carga y el transporte.

BOLIVIA

antigua *old* a la vez *at the same time* barrio *neighborhood* cimas *summits* se construyó *was built* Sin embargo *However* desniveles *uneven pieces of land* aún no existía *didn't exist yet* cautivadora *captivating* flauta *flute* hasta *even* mamíferos *mammalian* mantas *blankets*

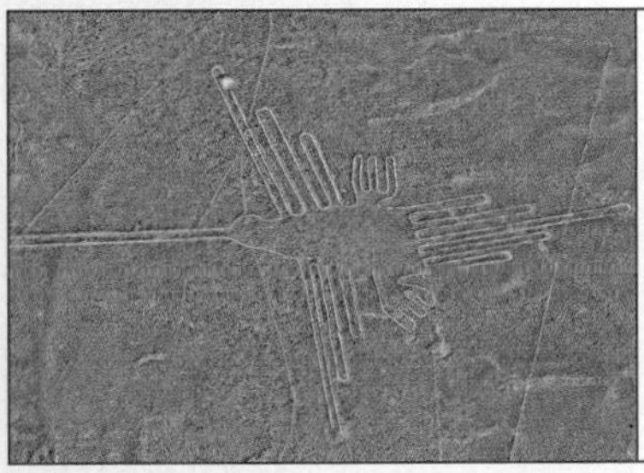

¡Increíble pero cierto!

Hace más de° dos mil años la civilización nazca de Perú grabó° más de dos mil kilómetros de líneas en el desierto. Los dibujos sólo son descifrables desde el aire. Uno de ellos es un cóndor del tamaño° de un estadio. Las Líneas de Nazca son uno de los grandes misterios de la humanidad.

Hace más de *More than... ago* grabó *engraved* tamaño *size*

2 ¿Qué aprendiste? Contesta las preguntas.

1. ¿Cuáles son las lenguas oficiales de Perú?
2. ¿Por qué es notable la Iglesia de San Francisco en Lima?
3. ¿Qué información sobre Machu Picchu no se sabe todavía?
4. ¿Qué son la quena y la zampoña?
5. ¿Qué hacen los peruanos con la lana de sus llamas y alpacas?

3 Descripción Viajaste a Perú y conociste los lugares turísticos más importantes de este país. Describe a un(a) compañero/a el lugar que más te gustó.

modelo

Cuando fui a Perú, conocí Machu Picchu.
Fue un viaje muy interesante porque...

Vocabulary Tools

Los verbos reflexivos

acordarse (de) (o:ue)	*to remember*
acostarse (o:ue)	*to go to bed*
afeitarse	*to shave*
bañarse	*to take a bath*
cepillarse el pelo	*to brush one's hair*
cepillarse los dientes	*to brush one's teeth*
despertarse (e:ie)	*to wake up*
dormirse (o:ue)	*to go to sleep; to fall asleep*
ducharse	*to take a shower*
enojarse (con)	*to get angry (with)*
irse	*to go away; to leave*
lavarse la cara	*to wash one's face*
lavarse las manos	*to wash one's hands*
levantarse	*to get up*
llamarse	*to be called; to be named*
maquillarse	*to put on makeup*
peinarse	*to comb one's hair*
ponerse	*to put on*
ponerse (+ *adj.*)	*to become (+ adj.)*
preocuparse (por)	*to worry (about)*
probarse (o:ue)	*to try on*
quedarse	*to stay*
quitarse	*to take off*
secarse	*to dry (oneself)*
sentarse (e:ie)	*to sit down*
sentirse (e:ie)	*to feel*
vestirse (e:i)	*to get dressed*

Palabras de secuencia

antes (de)	*before*
después	*afterward; then*
después (de)	*after*
durante	*during*
entonces	*then*
luego	*then*
más tarde	*later (on)*
por último	*finally*

Palabras indefinidas y negativas

algo	*something; anything*
alguien	*someone; somebody; anyone*
alguno/a(s), algún	*some; any*
jamás	*never; not ever*
nada	*nothing; not anything*
nadie	*no one; nobody; not anyone*
ni... ni	*neither... nor*
ninguno/a, ningún	*no; none; not any*
nunca	*never; not ever*
o... o	*either... or*
siempre	*always*
también	*also; too*
tampoco	*neither; not either*

En el baño

el baño, el cuarto de baño	*bathroom*
el champú	*shampoo*
la crema de afeitar	*shaving cream*
la ducha	*shower*
el espejo	*mirror*
el inodoro	*toilet*
el jabón	*soap*
el lavabo	*sink*
el maquillaje	*makeup*
la pasta de dientes	*toothpaste*
la toalla	*towel*

Verbos similares a *gustar*

aburrir	*to bore*
encantar	*to like very much; to love (inanimate objects)*
faltar	*to lack; to need*
fascinar	*to fascinate; to like very much*
importar	*to be important to; to matter*
interesar	*to be interesting to; to interest*
molestar	*to bother; to annoy*
quedar	*to be left over; to fit (clothing)*

Palabras adicionales

el despertador	*alarm clock*
las pantuflas	*slippers*
la rutina diaria	*daily routine*
por la mañana	*in the morning*
por la noche	*at night*
por la tarde	*in the afternoon; in the evening*

Expresiones útiles	*See page 215.*

More activities

vhlcentral | LM p. 42

La comida

8

Communicative Goals

You will learn how to:

- **Order food in a restaurant**
- **Talk about and describe food**

A PRIMERA VISTA

- **¿Dónde está ella?**
- **¿Qué hace?**
- **¿Es parte de su rutina diaria?**
- **¿Qué ropa lleva la mujer?**

Hotspots

La comida

Más vocabulario

el/la camarero/a	*waiter/waitress*
la comida	*food; meal*
la cuenta	*bill*
el/la dueño/a	*owner*
los entremeses	*appetizers*
el menú	*menu*
el plato (principal)	*(main) dish*
la propina	*tip*
la sección de (no) fumar	*(non) smoking section*
el agua (*f.*) (mineral)	*(mineral) water*
la bebida	*drink*
la cerveza	*beer*
la leche	*milk*
el refresco	*soft drink*
el ajo	*garlic*
las arvejas	*peas*
los cereales	*cereal; grains*
los frijoles	*beans*
el melocotón	*peach*
el pollo (asado)	*(roast) chicken*
el queso	*cheese*
el sándwich	*sandwich*
el yogur	*yogurt*
el aceite	*oil*
la margarina	*margarine*
la mayonesa	*mayonnaise*
el vinagre	*vinegar*
delicioso/a	*delicious*
sabroso/a	*tasty; delicious*
saber (a)	*to taste (like)*

Variación léxica

arvejas ⟷ chícharos (*Méx.*), guisantes (*Esp.*)

camarones ⟷ gambas (*Esp.*)

camarero ⟷ mesero (*Amér. L.*), mesonero (*Ven.*), mozo (*Arg., Chile, Urug., Perú*)

refresco ⟷ gaseosa (*Amér. C., Amér. S.*)

More activities

vhlcentral | LM p. 43 | WB pp. 85–86 | Online activities

¡LENGUA VIVA!

You learned the verb **saber** in **Lección 6.** This verb is also used to describe food.

Use **saber** + [*adjective*] to explain how something *tastes.*

Ex: **Este plato sabe dulce/rico/amargo.**

(*This dish tastes sweet/delicious/bitter.*)

Use **saber** + **a** to say what something *tastes like.*

Ex: **Sabe a ajo.**

(*It tastes like garlic.*)

Estas langostas no saben a nada.

(*These lobsters don't taste like anything./ These lobsters don't have any flavor.*)

Práctica

1 Escuchar Indica si un vegano puede comer las comidas que vas a escuchar.

	Sí	No		Sí	No
1.	❍	❍	5.	❍	❍
2.	❍	❍	6.	❍	❍
3.	❍	❍	7.	❍	❍
4.	❍	❍	8.	❍	❍

2 Escoger Indica en qué casos se habla de bebidas y en qué casos se habla de comidas.

1. ____________
2. ____________
3. ____________
4. ____________
5. ____________
6. ____________
7. ____________
8. ____________

3 Identificar Identifica la palabra que no está relacionada con cada grupo.

1. champiñón • cebolla • propina • zanahoria
2. camarones • ajo • atún • salmón
3. pollo • naranja • limón • melocotón
4. jamón • chuleta de cerdo • vinagre • carne de res
5. cerveza • lechuga • arvejas • frijoles
6. carne • pescado • mariscos • camarero
7. aceite • leche • refresco • agua mineral
8. maíz • queso • tomate • champiñón
9. cuenta • menú • camarera • mayonesa
10. uva • pera • langosta • banana

4 Completar Completa las oraciones con las palabras más lógicas.

1. Camarero, ¿puedo ver el ______, por favor?
   a. aceite b. maíz c. menú
2. ¡Me gusta mucho este plato! Sabe ______.
   a. mal b. delicioso c. antipático
3. Carlos y yo bebemos siempre agua ______.
   a. cómoda b. mineral c. principal
4. El plato del día es ______.
   a. pollo asado b. mayonesa c. ajo
5. Margarita es vegetariana. Ella come ______.
   a. frijoles b. chuletas c. jamón
6. Mi hermana le da ______ a su niña.
   a. ajo b. vinagre c. yogur

el desayuno

el almuerzo

la cena

NOTA CULTURAL

En Guatemala, un desayuno típico incluye huevos, frijoles, fruta, tortillas, jugo y café.

Otros desayunos populares son:

madalenas (*muffins*) España

pan dulce (*assorted breads/pastries*) México

champurradas (*sugar cookies*) Guatemala

gallo pinto (*fried rice and beans*) Costa Rica

perico (*scrambled eggs with peppers and onions*) Venezuela

Más vocabulario

escoger	*to choose*
merendar (e:ie)	*to snack*
probar (o:ue)	*to taste; to try*
recomendar (e:ie)	*to recommend*
servir (e:i)	*to serve*
el té	*tea*
el vino blanco	*white wine*

5

En el supermercado Completa la conversación.

aceite	carne	escojo	meriendo	tinto
arroz	cena	espárragos	recomiendo	vino

LAURA ¿Sabes qué necesitamos comprar para la (1)__________ de hoy?

EDUARDO No lo sé, quiero probar ese (2)__________ especial que tú haces.

LAURA Bueno, para ese plato necesitamos también (3)__________.

EDUARDO ¿Verdes o blancos?

LAURA Verdes, por supuesto. Y también (4)__________ de oliva.

EDUARDO ¿Y compramos (5)__________?

LAURA No, ahora soy vegetariana.

EDUARDO Ah. Y para beber, ¿compramos (6)__________?

LAURA Sí, te (7)__________ uno blanco, porque el vino (8)__________ no va bien con este plato.

EDUARDO Mira, ¿(9)__________ éste? Está a buen precio.

LAURA Sí. Bueno, vamos rápido a casa, ¡ya tengo mucha hambre!

6

Adivinanzas En parejas, completen las adivinanzas (*riddles*).

bistec	manzana	pimienta	sopa
ensalada	pan	refresco	té
langosta	papas fritas	sal	yogur

1. Es un condimento blanco.
2. Es una fruta que puede ser de color rojo, verde o amarillo.
3. Puede tener lechuga, tomates y zanahoria.
4. Es una bebida que puede saber a naranja.
5. Es una carne roja.
6. Puedes beberlo frío o caliente.
7. Lo necesitas para hacer un sándwich.
8. Es un marisco muy caro.
9. Puedes comerlo en el desayuno con cereales.
10. Es un condimento negro.

7

Cambiar En parejas, corrijan las oraciones para que sean lógicas.

modelo

El cereal favorito de mi hermana es la banana.
La fruta favorita de mi hermana es la banana.

1. El pollo y el bistec son entremeses.
2. El camarero va a darnos una propina.
3. Los niños de Susana beben café todas las mañanas.
4. Marcos siempre come su yogur con camarones.
5. Me encantan los pescados, en especial el pavo.
6. Las arvejas y los espárragos son anaranjados.
7. Sirven té helado con frijoles.
8. Muchas personas desayunan langosta.
9. Para beber, quiero un jugo de pimienta, por favor.
10. Para hacer pizza, necesitas arroz.

8

Combinar Combina palabras de cada columna, en cualquier (*any*) orden, para formar diez oraciones lógicas.

modelo

La camarera nos sirve la ensalada.

A	B	C
el/la camarero/a	almorzar	la sección de no fumar
el/la dueño/a	escoger	el desayuno
mi familia	gustar	la ensalada
mi novio/a	merendar	las uvas
mis amigos y yo	pedir	el restaurante
mis padres	preferir	el jugo de naranja
mi hermano/a	probar	el refresco
el/la médico/a	recomendar	el plato
yo	servir	el arroz

NOTA CULTURAL

El arroz es un alimento básico en el Caribe, Centroamérica y México, entre otros países. Aparece frecuentemente como acompañamiento del plato principal y muchas veces se sirve con frijoles. Un plato muy popular en varios países es **el arroz con pollo** *(chicken and rice casserole).*

9

Un menú En parejas, van a crear un menú para una cena especial. Incluyan los entremeses, los platos principales y las bebidas.

modelo

La cena especial que vamos a preparar es deliciosa. Primero, hay dos entremeses: ensalada César y sopa de langosta. El plato principal es salmón con salsa de ajo y espárragos. También vamos a servir arroz…

Comunicación

10

Conversación En parejas, túrnense para hacerse estas preguntas.

1. ¿Qué te gusta cenar?
2. ¿A qué hora, dónde y con quién almuerzas?
3. ¿Cuáles son las comidas más (*most*) típicas de tu almuerzo?
4. ¿Desayunas? ¿Qué comes y bebes por la mañana?
5. ¿Qué comida te gusta más? ¿Qué comida no conoces y quieres probar?
6. ¿Cuáles son las comidas y bebidas más frecuentes en tu dieta?
7. ¿Qué comida recomiendas a tus amigos? ¿Por qué?
8. ¿Te gusta preparar la comida? ¿Qué comidas preparas para tus amigos? ¿Para tu familia?

11

Describir Con dos compañeros/as de clase, describe las dos fotos, contestando estas preguntas.

- ¿Quiénes están en las fotos?
- ¿Dónde están?
- ¿Qué hora es?
- ¿Qué comen y qué beben?

12

Crucigrama Tu profesor(a) les va a dar a ti y a tu compañero/a un crucigrama (*crossword puzzle*) incompleto. Tú tienes las palabras que necesita tu compañero/a y él/ella tiene las palabras que tú necesitas. Tienen que darse pistas (*clues*) para completarlo. No pueden decir la palabra; deben utilizar definiciones, ejemplos y frases.

modelo

6 vertical: Es un condimento que normalmente viene con la sal.
12 horizontal: Es una fruta amarilla.

Una cena... romántica

Maru y Miguel quieren tener una cena romántica, pero les espera una sorpresa.

PERSONAJES

MARU

MIGUEL

Video

1

MARU No sé qué pedir. ¿Qué me recomiendas?

MIGUEL No estoy seguro. Las chuletas de cerdo se ven muy buenas.

MARU ¿Vas a pedirlas?

MIGUEL No sé.

2

MIGUEL ¡Qué bonitos! ¿Quién te los dio?

MARU Me los compró un chico muy guapo e inteligente.

MIGUEL ¿Es tan guapo como yo?

MARU Sí, como tú, guapísimo.

3

(El camarero llega a la mesa.)

CAMARERO ¿Les gustaría saber nuestras especialidades del día?

MARU Sí, por favor.

CAMARERO Para el entremés, tenemos ceviche de camarón. De plato principal ofrecemos bistec con verduras a la plancha.

4

MARU Voy a probar el jamón.

CAMARERO Perfecto. ¿Y para usted, caballero?

MIGUEL Pollo asado con champiñones y papas, por favor.

CAMARERO Excelente.

5

MIGUEL Por nosotros.

MARU Dos años.

6

(en otra parte del restaurante)

JUAN CARLOS Disculpe. ¿Qué me puede contar del pollo? ¿Dónde lo consiguió el chef?

CAMARERO ¡Oiga! ¿Qué está haciendo?

CAMARERO

JUAN CARLOS

FELIPE

GERENTE

7

FELIPE Los espárragos están sabrosísimos esta noche. Usted pidió el pollo, señor. Estos champiñones saben a mantequilla.

8

GERENTE ¿Qué pasa aquí, Esteban?

CAMARERO Lo siento, señor. Me quitaron la comida.

GERENTE (*a Felipe*) Señor, ¿quién es usted? ¿Qué cree que está haciendo?

9

JUAN CARLOS Felipe y yo les servimos la comida a nuestros amigos. Pero desafortunadamente, salió todo mal.

FELIPE Soy el peor camarero del mundo. ¡Lo siento! Nosotros vamos a pagar la comida.

JUAN CARLOS ¿Nosotros?

10

FELIPE Todo esto fue idea tuya, Juan Carlos.

JUAN CARLOS ¿Mi idea? ¡Felipe! (*al gerente*) Señor, él es más responsable que yo.

GERENTE Tú y tú, vamos.

Expresiones útiles

Ordering food

¿Qué me recomiendas?
What do you recommend?
Las chuletas de cerdo se ven muy buenas.
The pork chops look good.
¿Les gustaría saber nuestras especialidades del día?
Would you like to hear our specials?
Para el entremés, tenemos ceviche de camarón.
For an appetizer, we have shrimp ceviche.
De plato principal ofrecemos bistec con verduras a la plancha.
For a main course, we have beef with grilled vegetables.
Voy a probar el jamón.
I am going to try the ham.

Describing people and things

¡Qué bonitos! ¿Quién te los dio?
How pretty! Who gave them to you?
Me los compró un chico muy guapo e inteligente.
A really handsome, intelligent guy bought them for me.
¿Es tan guapo como yo?
Is he as handsome as I am?
Sí, como tú, guapísimo.
Yes, like you, gorgeous.
Soy el peor camarero del mundo.
I am the worst waiter in the world.
Él es más responsable que yo.
He is more responsible than I am.

Additional vocabulary

el/la gerente *manager*
caballero *gentleman, sir*

More activities
vhlcentral
VM pp. 15–16
Online activities

¿Qué pasó?

1

Escoger Escoge la respuesta que completa mejor cada oración.

1. Miguel lleva a Maru a un restaurante para _____.
   a. almorzar b. desayunar c. cenar
2. El camarero les ofrece _____ como plato principal.
   a. ceviche de camarón b. bistec con verduras a la plancha
   c. pescado, arroz y ensalada
3. Miguel va a pedir _____.
   a. pollo asado con champiñones y papas
   b. langosta al horno c. pescado con verduras a la mantequilla
4. Felipe les lleva la comida a sus amigos y prueba _____.
   a. el jamón y los vinos b. el atún y la lechuga
   c. los espárragos y los champiñones

NOTA CULTURAL

El **ceviche** es un plato típico de varios países hispanos como México, Perú y Costa Rica. En México, se prepara con pescado o mariscos frescos, jugo de limón, jitomate, cebolla, chile y cilantro. Se puede comer como plato fuerte, pero también como entremés o botana (*snack*). Casi siempre se sirve con tostadas (*fried tortillas*) o galletas saladas (*crackers*).

2

Identificar Indica quién dice las oraciones equivalentes.

1. ¡Qué desastre! Soy un camarero muy malo.
2. Tenemos bistec con verduras a la plancha.
3. Recomiendo las chuletas de cerdo, creo que son muy sabrosas.
4. Vamos a la cocina.
5. Quiero el jamón con los espárragos, por favor.
6. No fue mi idea. Felipe es más responsable que yo.

3

Preguntas Contesta estas preguntas.

1. ¿Por qué fueron Maru y Miguel a un restaurante?
2. ¿Qué entremés es una de las especialidades del día?
3. ¿Qué pidió Maru?
4. ¿Quiénes van a pagar la cuenta?

4

En el restaurante

1. Prepara con un(a) compañero/a una conversación en la que le preguntas si conoce algún buen restaurante en tu comunidad. Tu compañero/a responde que él/ella sí conoce un restaurante que sirve una comida deliciosa. Lo/La invitas a cenar y tu compañero/a acepta. Determinan la hora para verse en el restaurante.
2. Trabaja con un(a) compañero/a para representar los papeles de un(a) cliente/a y un(a) camarero/a en un restaurante. El/La camarero/a te pregunta qué te puede servir y tú preguntas cuál es la especialidad de la casa. El/La camarero/a te dice cuál es la especialidad y te recomienda algunos platos del menú. Tú pides entremeses, un plato principal y escoges una bebida. El/La camarero/a te sirve la comida y tú le das las gracias.

CONSULTA

To review indefinite words like **algún**, see **Estructura 7.2**, p. 224.

Pronunciación

Tutorial

ll, ñ, c, and z

pollo **llave** **ella** **cebolla**

Most Spanish speakers pronounce **ll** like the *y* in *yes.*

mañana **señor** **baño** **niña**

The letter **ñ** is pronounced much like the *ny* in *canyon.*

café **colombiano** **cuando** **rico**

Before **a**, **o**, or **u**, the Spanish **c** is pronounced like the *c* in *car.*

cereales **delicioso** **conducir** **conocer**

Before **e** or **i**, the Spanish **c** is pronounced like the *s* in *sit.* (In parts of Spain, **c** before **e** or **i** is pronounced like the *th* in *think.*)

zeta **zanahoria** **almuerzo** **cerveza**

The Spanish **z** is pronounced like the *s* in *sit.* (In parts of Spain, **z** is pronounced like the *th* in *think.*)

Práctica Lee las palabras en voz alta.

1. mantequilla
2. cuñado
3. aceite
4. manzana
5. español
6. cepillo
7. zapato
8. azúcar
9. quince
10. compañera
11. almorzar
12. calle

Oraciones Lee las oraciones en voz alta.

1. Mi compañero de cuarto se llama Toño Núñez. Su familia es de la Ciudad de Guatemala y de Quetzaltenango.
2. Dice que la comida de su mamá es deliciosa, especialmente su pollo al champiñón y sus tortillas de maíz.
3. Creo que Toño tiene razón porque hoy cené en su casa y quiero volver mañana para cenar allí otra vez.

Refranes Lee los refranes en voz alta.

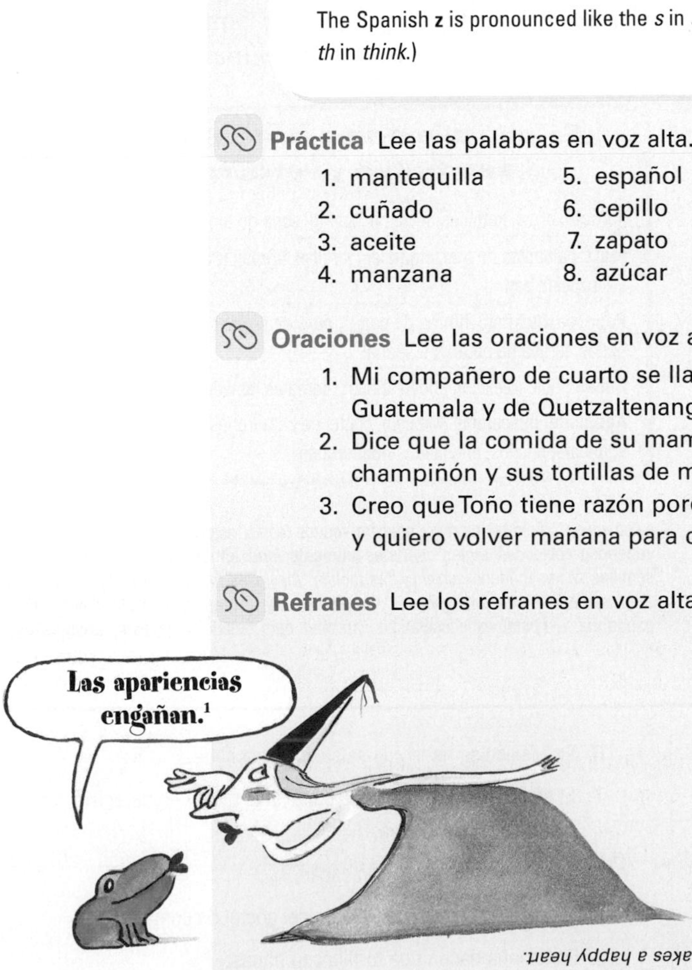

1 Looks can be deceiving.
2 A full belly makes a happy heart.

More activities
vhlcentral
LM p. 44

EN DETALLE

Video

Frutas y verduras de América

Imagínate una pizza sin salsa° de tomate o una hamburguesa sin papas fritas. Ahora piensa que quieres ver una película, pero las palomitas de maíz° y el chocolate no existen. ¡Qué mundo° tan insípido°! Muchas de las comidas más populares del mundo tienen ingredientes esenciales que son originarios del continente americano. Después de la conquista de América, estas frutas y verduras fueron introducidas en Europa.

El tomate, por ejemplo, cuando llegó por primera vez a Europa, fue usado como planta ornamental porque pensaron que era° venenoso°. El maíz, por su parte, era ya la base de la comida de muchos países latinoamericanos muchos siglos° antes de la llegada de los españoles.

La papa fue un alimento° básico para los incas. Incluso consiguieron deshidratarla para almacenarla° por largos períodos de tiempo. El cacao (planta con la que se hace el chocolate) fue muy importante para los aztecas y los mayas. Ellos usaban sus semillas° como moneda° y como ingrediente de diversas salsas. También las molían° para preparar una bebida: las mezclaban° con agua ¡y con chile!

Mole

El aguacate°, la guayaba°, la papaya, la piña y el maracuyá (o fruta de la pasión) son otros ejemplos de frutas originarias de América que son hoy día conocidas en todo el mundo.

¿En qué alimentos encontramos estas frutas y verduras?

Tomate: pizza, ketchup, salsa de tomate, sopa de tomate

Maíz: palomitas de maíz, tamales, tortillas, arepas (Colombia y Venezuela), pan

Papa: papas fritas, frituras de papa°, puré de papas°, sopa de papas, tortilla de patatas (España)

Cacao: mole (México), chocolatinas°, cereales, helados°, tartas°

Aguacate: guacamole (México), coctel de camarones, sopa de aguacate, nachos, enchiladas hondureñas

salsa *sauce* **palomitas de maíz** *popcorn* **mundo** *world* **insípido** *flavorless* **era** *was* **venenoso** *poisonous* **siglos** *centuries* **alimento** *food* **almacenarla** *to store it* **semillas** *seeds* **moneda** *currency* **las molían** *they used to grind them* **mezclaban** *they used to mix* **aguacate** *avocado* **guayaba** *guava* **frituras de papa** *chips* **puré de papas** *mashed potatoes* **chocolatinas** *chocolate bars* **helados** *ice cream* **tartas** *cakes*

ACTIVIDADES

1 **¿Cierto o falso?** Indica si lo que dicen las oraciones es cierto o falso. Corrige la información falsa.

1. El tomate se introdujo a Europa como planta ornamental.
2. Los incas sólo consiguieron almacenar las papas por poco tiempo.
3. Los aztecas y los mayas usaron las papas como moneda.
4. El maíz era una comida poco popular en Latinoamérica.
5. El aguacate era el alimento básico de los incas.
6. En México se hace una salsa con chocolate.
7. El aguacate, la guayaba, la papaya, la piña y el maracuyá son originarios de América.
8. Las arepas se hacen con cacao.
9. El aguacate es un ingrediente del cóctel de camarones.
10. En España hacen una tortilla con papas.

ASÍ SE DICE

La comida

el banano (Col.), el cambur (Ven.), el guineo (Nic.), el plátano (Amér. L., Esp.)	la banana
el choclo (Amér. S.), el elote (Méx.), el jojoto (Ven.), la mazorca (Esp.)	*corncob*
las caraotas (Ven.), los porotos (Amér. S.), las habichuelas (P. R.)	los frijoles
el durazno (Méx.)	el melocotón
el jitomate (Méx.)	el tomate

EL MUNDO HISPANO

Algunos platos típicos

- **Ceviche peruano:** Es un plato de pescado crudo° que se marina° en jugo de limón, con sal, pimienta, cebolla y ají°. Se sirve con lechuga, maíz, camote° y papa amarilla.
- **Gazpacho andaluz:** Es una sopa fría típica del sur de España. Se hace con verduras crudas y molidas°: tomate, ají, pepino° y ajo. También lleva pan, sal, aceite y vinagre.
- **Sancocho colombiano:** Es una sopa de pollo, pescado o carne con plátano, maíz, zanahoria, yuca, papa, cebolla, cilantro y ajo. Se sirve con arroz blanco.

crudo *raw* **se marina** *gets marinated* **ají** *pepper* **camote** *sweet potato* **molidas** *mashed* **pepino** *cucumber*

PERFIL

Ferran Adrià: arte en la cocina°

¿Qué haces si un amigo te invita a comer croquetas líquidas o paella de *Kellogg's*? ¿Piensas que es una broma°? ¡Cuidado! Puedes estar perdiendo la oportunidad de probar los platos de uno de los chefs más innovadores del mundo°: **Ferran Adrià.**

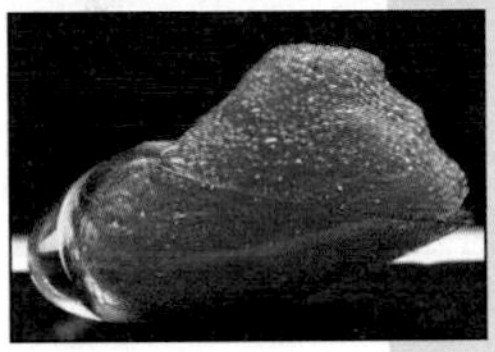

Aire de zanahorias

Este artista de la cocina basa su éxito° en la creatividad y en la química. Adrià modifica combinaciones de ingredientes y juega con contrastes de gustos y sensaciones: frío-caliente, crudo-cocido°, dulce°-salado°... A partir de nuevas técnicas, altera la textura de los alimentos sin alterar su sabor°. Sus platos sorprendentes° y divertidos atraen a muchos nuevos chefs a su academia de cocina experimental. Quizás un día compraremos° en el supermercado té esférico°, carne líquida y espuma° de tomate.

cocina *kitchen* **broma** *joke* **mundo** *world* **éxito** *success* **cocido** *cooked* **dulce** *sweet* **salado** *savory* **sabor** *taste* **sorprendentes** *surprising* **compraremos** *we will buy* **esférico** *spheric* **espuma** *foam*

CON RITMO HISPANO

Ricardo Arjona (1964–)

Lugar de nacimiento: Jocotenango, Guatemala

Las canciones de Ricardo Arjona abordan (*tackle*) temas como el amor, el racismo y la política. Antes de ser cantante, fue jugador de baloncesto y profesor de escuela primaria.

Go to **vhlcentral.com** to find out more about **Ricardo Arjona** and his music.

ACTIVIDADES

2 Comprensión Empareja cada palabra con su definición.

1. fruta amarilla
2. sopa típica de Colombia
3. ingrediente del ceviche
4. chef español

a. gazpacho
b. Ferran Adrià
c. sancocho
d. guineo
e. pescado

3 ¿Qué plato especial hay en tu región? Escribe cuatro oraciones sobre un plato típico de tu región. Explica los ingredientes que contiene y cómo se sirve.

More activities: vhlcentral | VM pp. 45–46 | Online activities

8.1 Preterite of stem-changing verbs

Tutorial

ANTE TODO As you learned in **Lección 6**, **–ar** and **–er** stem-changing verbs have no stem change in the preterite. **–Ir** stem-changing verbs, however, do have a stem change. Study the following chart and observe where the stem changes occur.

Preterite of –ir stem-changing verbs

		servir *(to serve)*	**dormir** *(to sleep)*
SINGULAR FORMS	yo	serví	dormí
	tú	serviste	dormiste
	Ud./él/ella	s**i**rvió	d**u**rmió
PLURAL FORMS	nosotros/as	servimos	dormimos
	vosotros/as	servisteis	dormisteis
	Uds./ellos/ellas	s**i**rvieron	d**u**rmieron

CONSULTA

There are a few high-frequency irregular verbs in the preterite. You will learn more about them in **Estructura 9.1**, p. 286.

▶ Stem-changing **–ir** verbs, in the preterite only, have a stem change in the third-person singular and plural forms. The stem change consists of either **e** to **i** or **o** to **u**.

(e → i) pedir: p**i**dió, p**i**dieron (o → u) morir (*to die*): m**u**rió, m**u**rieron

¡INTÉNTALO! Cambia cada infinitivo al pretérito.

1. Yo *serví, dormí, pedí...* (servir, dormir, pedir, preferir, repetir, seguir)
2. Usted __________. (morir, conseguir, pedir, sentirse, servir, vestirse)
3. Ellas __________. (repetir, dormir, seguir, preferir, morir, servir)
4. Tú __________. (conseguir, servir, morir, pedir, dormir, repetir)
5. Nosotros __________. (seguir, preferir, servir, vestirse, pedir, dormirse)
6. Ustedes __________. (sentirse, vestirse, conseguir, pedir, repetir, dormirse)
7. Él __________. (dormir, morir, preferir, repetir, seguir, pedir)

More activities

vhlcentral

LM p. 45

WB pp. 87–88

Online activities

Práctica

NOTA CULTURAL

El horario de las comidas en España es distinto al de los EE.UU. El desayuno es ligero (*light*). La hora del almuerzo es entre las 2 y las 3 de la tarde. Es la comida más importante del día. Mucha gente merienda o come unas tapas por la tarde. La cena, normalmente ligera, suele (*tends*) ser entre las 9 y las 11 de la noche.

1 **Completar** Completa estas oraciones.

1. Paula y Humberto Suárez llegaron al restaurante El Famoso a las ocho y ________ (seguir) al camarero a una mesa en la sección de no fumar.
2. El señor Suárez ________ (pedir) una chuleta de cerdo.
3. La señora Suárez ________ (preferir) probar los camarones.
4. De tomar, los dos ________ (pedir) vino tinto.
5. El camarero ________ (repetir) el pedido (*the order*) para confirmarlo.
6. La comida tardó mucho (*took a long time*) en llegar y los señores Suárez ________ (dormirse) esperando la comida.
7. A las nueve y media el camarero les ________ (servir) la comida.
8. Después de comer la chuleta, el señor Suárez ________ (sentirse) muy mal.
9. Pobre señor Suárez... ¿por qué no ________ (pedir) los camarones?

2 **El camarero loco** Indica lo que los clientes pidieron y lo que el camarero les sirvió por error.

modelo

Armando / papas fritas

Armando pidió papas fritas, pero el camarero le sirvió pan.

1. nosotros / jugo de naranja

2. Beatriz / queso

3. tú / arroz

4. Elena y Alejandro / atún

5. usted / agua mineral

6. yo / hamburguesa

Comunicación

3

El almuerzo Trabajen en parejas. Túrnense para completar las oraciones de una manera lógica.

modelo

Mi compañero de cuarto se despertó temprano, pero yo...
Mi compañero de cuarto se despertó temprano, pero yo me desperté tarde.

1. Yo llegué al restaurante a tiempo, pero mis amigos...
2. Beatriz pidió la ensalada de frutas, pero yo...
3. Yolanda les recomendó el bistec, pero Eva y Paco...
4. Nosotros preferimos las papas fritas, pero Yolanda...
5. El camarero sirvió la carne, pero yo...
6. Beatriz y yo pedimos café, pero Yolanda y Paco...
7. Eva se sintió enferma, pero Paco y yo...
8. Nosotros repetimos postre (*dessert*), pero Eva...
9. Ellos salieron tarde, pero yo...
10. Yo me dormí temprano, pero mi compañero de cuarto...

¡LENGUA VIVA!

In Spanish, the verb **repetir** is used to express *to have a second helping (of something).*

Cuando mi mamá prepara sopa de champiñones, yo siempre repito.
When my mom makes mushroom soup, I always have a second helping.

4

Entrevista Trabajen en parejas y túrnense para entrevistar a su compañero/a.

1. ¿Te acostaste tarde o temprano anoche? ¿A qué hora te dormiste? ¿Dormiste bien?
2. ¿A qué hora te despertaste esta mañana? Y, ¿a qué hora te levantaste?
3. ¿A qué hora vas a acostarte esta noche?
4. ¿Qué almorzaste ayer? ¿Quién te sirvió el almuerzo?
5. ¿Qué cenaste ayer?
6. ¿Cenaste en un restaurante recientemente? ¿Con quién(es)?
7. ¿Qué pediste en el restaurante? ¿Qué pidieron los demás?
8. ¿Se durmió alguien en alguna de tus clases la semana pasada? ¿En qué clase?

Síntesis

5

Describir En grupos, describan la primera (¿y la última?) cita de César y Libertad.

- ¿Adónde salieron a cenar?
- ¿Qué pidieron?
- ¿Les gustó la comida?
- ¿Quién prefirió una cena vegetariana? ¿Por qué?
- ¿Cómo se vistieron?
- ¿De qué hablaron? ¿Les gustó la conversación?
- ¿Van a volver a verse? ¿Por qué?

CONSULTA

To review words commonly associated with the preterite, such as **anoche**, see **Estructura 6.3**, p. 191.

8.2 Double object pronouns

Tutorial

ANTE TODO In **Lecciones 5** and **6**, you learned that direct and indirect object pronouns replace nouns and that they often refer to nouns that have already been referenced. You will now learn how to use direct and indirect object pronouns together. Observe the following diagram.

Indirect Object Pronouns			Direct Object Pronouns	
me	nos	+	lo	los
te	os		la	las
le (se)	les (se)			

▶ When direct and indirect object pronouns are used together, the indirect object pronoun always precedes the direct object pronoun.

I.O. / D.O.		DOUBLE OBJECT PRONOUNS
La camarera **me** (I.O.) muestra **el menú** (D.O.).	→	La camarera **me lo** muestra.
The waitress shows me the menu.		*The waitress shows it to me.*
Nos (I.O.) sirven **los platos** (D.O.).	→	**Nos los** sirven.
They serve us the dishes.		*They serve them to us.*
Maribel **te** (I.O.) pidió **una hamburguesa** (D.O.).	→	Maribel **te la** pidió.
Maribel ordered a hamburger for you.		*Maribel ordered it for you.*

▶ In Spanish, two pronouns that begin with the letter **l** cannot be used together. Therefore, the indirect object pronouns **le** and **les** always change to **se** when they are used with **lo, los, la,** and **las**.

I.O. / D.O.		DOUBLE OBJECT PRONOUNS
Le (I.O.) escribí **la carta** (D.O.).	→	**Se la** escribí.
I wrote him the letter.		*I wrote it to him.*
Les (I.O.) sirvió **los sándwiches** (D.O.).	→	**Se los** sirvió.
He served them the sandwiches.		*He served them to them.*

- Because **se** has multiple meanings, Spanish speakers often clarify to whom the pronoun refers by adding **a usted, a él, a ella, a ustedes, a ellos,** or **a ellas**.

¿El sombrero? Carlos **se** lo vendió **a ella**.
The hat? Carlos sold it to her.

¿Las verduras? Ellos **se** las compran **a usted**.
The vegetables? They are buying them for you.

- Double object pronouns are placed before a conjugated verb. With infinitives and present participles, they may be placed before the conjugated verb or attached to the end of the infinitive or present participle.

DOUBLE OBJECT PRONOUNS
Te lo voy a mostrar.

DOUBLE OBJECT PRONOUNS
Voy a mostrár**telo**.

DOUBLE OBJECT PRONOUNS
Nos las están comprando.

DOUBLE OBJECT PRONOUNS
Están comprándo**noslas**.

Mi abuelo **me lo** está leyendo.
Mi abuelo está leyéndo**melo**.

El camarero **se los** va a servir.
El camarero va a servír**selos**.

- As you can see above, when double object pronouns are attached to an infinitive or a present participle, an accent mark is added to maintain the original stress.

¡INTÉNTALO! Escribe el pronombre de objeto directo o indirecto que falta en cada oración.

Objeto directo

1. ¿La ensalada? El camarero nos ___la___ sirvió.
2. ¿El salmón? La dueña me ______ recomienda.
3. ¿La comida? Voy a preparárte______.
4. ¿Los refrescos? Te ______ puedo traer ahora.
5. ¿Las bebidas? Estamos pidiéndose______.
6. ¿Los platos de arroz? Van a servírnos______ después.

Objeto indirecto

1. ¿Puedes traerme tu plato? No, no ___te___ lo puedo traer.
2. ¿Quieres mostrarle la carta? Sí, voy a mostrár______la ahora.
3. ¿Les serviste la carne? No, no ______ la serví.
4. ¿Me recomiendas la langosta? Sí, ______ la recomiendo.
5. ¿Vas a leerle el menú? No, no ______ lo voy a leer.
6. ¿Cuándo vas a prepararnos la cena? ______ la voy a preparar en una hora.

More activities
vhlcentral
LM p. 46
WB pp. 89–90
Online activities

Práctica

1

Responder Trabajas de camarero/a en un restaurante. Responde a los pedidos (*requests*) de estos clientes usando pronombres.

modelo

Sra. Gómez: Una ensalada, por favor.

Sí, señora. Enseguida (Right away) se la traigo.

1. Sra. Lugones: El pollo asado, por favor.
2. Srta. Rivas: Los camarones, por favor.
3. Sres. López: La mantequilla, por favor.
4. Tus compañeros/as de cuarto: Café, por favor.
5. Tu profesor(a) de español: Papas fritas, por favor.
6. Dra. González: La chuleta de cerdo, por favor.
7. Tu padre: Los champiñones, por favor.
8. Dr. Torres: La cuenta, por favor.

AYUDA

Here are some other useful expressions:

ahora mismo
right now

inmediatamente
immediately

¡A la orden!
At your service!

¡Ya voy!
I'm on my way!

2

¿Quién? La señora Cevallos está planeando una cena. En parejas, túrnense para decir lo que ella está pensando. Cambien los sustantivos subrayados por pronombres de objeto directo y hagan los otros cambios necesarios.

modelo

¡No tengo carne! ¿Quién va a traerme <u>la carne</u> del supermercado? (mi esposo)

Mi esposo va a traérmela./Mi esposo me la va a traer.

1. ¡Las invitaciones! ¿Quién les manda <u>las invitaciones</u> a los invitados (*guests*)? (mi hija)
2. No tengo tiempo de ir a la bodega. ¿Quién me puede comprar <u>el vino</u>? (mi hijo)
3. Nos falta mantequilla. ¿Quién nos trae <u>la mantequilla</u>? (mi cuñada)
4. ¡Ay! No tengo suficientes platos (*plates*). ¿Quién puede prestarme <u>los platos</u> que necesito? (mi mamá)
5. ¡Los entremeses! ¿Quién está preparándonos <u>los entremeses</u>? (Silvia y Renata)
6. No tengo tiempo de pedirle el aceite a Mónica. ¿Quién puede pedirle <u>el aceite</u>? (mi hijo)
7. No hay suficientes sillas. ¿Quién nos trae <u>las sillas</u> que faltan? (Héctor y Lorena)
8. ¿Quién va a servirles <u>la cena</u> a los invitados? (mis hijos)
9. Quiero poner buena música de fondo (*background*). ¿Quién me va a recomendar <u>la música</u>? (mi esposo)
10. ¡Los postres! ¿Quién va a preparar <u>los postres</u> para los invitados? (Sra. Villalba)

NOTA CULTURAL

Los vinos de Chile son conocidos internacionalmente. **Concha y Toro** es el productor y exportador más grande de vinos de Chile. Las zonas más productivas de vino están al norte de Santiago, en el Valle Central.

Comunicación

3

Contestar Trabajen en parejas. Túrnense para hacer preguntas, usando las palabras interrogativas **¿Quién?** o **¿Cuándo?**, y para responderlas.

modelo

nos enseña español
Estudiante 1: *¿Quién nos enseña español?*
Estudiante 2: *La profesora Camacho nos lo enseña.*

1. te puede explicar la tarea cuando no la entiendes
2. les vende el almuerzo a los estudiantes
3. vas a comprarme boletos (*tickets*) para un concierto
4. te escribe mensajes de texto
5. nos prepara los entremeses
6. me vas a prestar tu computadora
7. te compró esa bebida
8. nos va a recomendar el menú de la cafetería
9. le enseñó español al/a la profesor(a)
10. me vas a mostrar tu casa o apartamento

4

Preguntas En parejas, túrnense para hacerse estas preguntas.

modelo

Estudiante 1: *¿Les prestas tu casa a tus amigos? ¿Por qué?*
Estudiante 2: *No, no se la presto a mis amigos porque no son muy responsables.*

1. ¿Me prestas tu auto? ¿Ya le prestaste tu auto a otro/a amigo/a?
2. ¿Quién te presta dinero cuando lo necesitas?
3. ¿Les prestas dinero a tus amigos? ¿Por qué?
4. ¿Nos compras el almuerzo a mí y a los otros compañeros de clase?
5. ¿Les escribes mensajes electrónicos a tus amigos? ¿Y a tu familia?
6. ¿Les das regalos a tus amigos? ¿Cuándo?
7. ¿Quién te va a preparar la cena esta noche?
8. ¿Quién te va a preparar el desayuno mañana?

Síntesis

5

Regalos de Navidad Tu profesor(a) te va a dar a ti y a un(a) compañero/a una parte de la lista de los regalos de Navidad (*Christmas*) que Berta pidió y los regalos que sus parientes le compraron. Conversen para completar sus listas.

modelo

Estudiante 1: *¿Qué le pidió Berta a su mamá?*
Estudiante 2: *Le pidió una computadora. ¿Se la compró?*
Estudiante 1: *Sí, se la compró.*

NOTA CULTURAL

Las fiestas navideñas (*Christmas season*) en los países hispanos duran hasta enero. En muchos lugares celebran **la Navidad** (*Christmas*), pero no se dan los regalos hasta el seis de enero, **el Día de los Reyes Magos** (*Three Kings' Day/The Feast of the Epiphany*).

8.3 Comparisons

Tutorial

ANTE TODO Both Spanish and English use comparisons to indicate which of two people or things has a lesser, equal, or greater degree of a quality.

Comparisons

menos interesante	**más grande**	**tan sabroso como**
less interesting	*bigger*	*as delicious as*

Comparisons of inequality

- Comparisons of inequality are formed by placing **más** (*more*) or **menos** (*less*) before adjectives, adverbs, and nouns and **que** (*than*) after them.

más/menos + [*adjective* / *adverb* / *noun*] + **que**

- **¡Atención!** Note that while English has a comparative form for short adjectives (*tall**er***), such forms do not exist in Spanish (**más** alto).

adjectives

Los bistecs son **más caros que** el pollo.
Steaks are more expensive than chicken.

Estas uvas son **menos ricas que** esa pera.
These grapes are less tasty than that pear.

adverbs

Me acuesto **más tarde que** tú.
I go to bed later than you (do).

Luis se despierta **menos temprano que** yo.
Luis wakes up less early than I (do).

nouns

Juan prepara **más platos que** José.
Juan prepares more dishes than José (does).

Susana come **menos carne que** Enrique.
Susana eats less meat than Enrique (does).

- When the comparison involves a numerical expression, **de** is used before the number instead of **que**.

Hay más **de** cincuenta naranjas.
There are more than fifty oranges.

Llego en menos **de** diez minutos.
I'll be there in less than ten minutes.

- With verbs, this construction is used to make comparisons of inequality.

[*verb*] + **más/menos que**

Mis hermanos **comen más que** yo.
My brothers eat more than I (do).

Arturo **duerme menos que** su padre.
Arturo sleeps less than his father (does).

Comparisons of equality

▶ This construction is used to make comparisons of equality.

tan + [*adjective* / *adverb*] + **como**   **tanto/a(s)** + [*singular noun* / *plural noun*] + **como**

▶ **¡Atención!** Note that unlike **tan**, **tanto** acts as an adjective and therefore agrees in number and gender with the noun it modifies.

Estas uvas son **tan ricas como** aquéllas.
These grapes are as tasty as those ones (are).

Yo probé **tantos platos como** él.
I tried as many dishes as he did.

▶ **Tan** and **tanto** can also be used for emphasis, rather than to compare, with these meanings: **tan** *so*, **tanto** *so much*, **tantos/as** *so many*.

¡Tu almuerzo es **tan** grande!
Your lunch is so big!

¡Comes **tanto**!
You eat so much!

¡Comes **tantas** manzanas!
You eat so many apples!

¡Preparan **tantos** platos!
They prepare so many dishes!

▶ Comparisons of equality with verbs are formed by placing **tanto como** after the verb. Note that in this construction **tanto** does not change in number or gender.

[*verb*] + **tanto como**

Tú viajas **tanto como** mi tía.
You travel as much as my aunt (does).

Ellos hablan **tanto como** mis hermanas.
They talk as much as my sisters.

Sabemos **tanto como** ustedes.
We know as much as you (do).

No estudio **tanto como** Felipe.
I don't study as much as Felipe (does).

Irregular comparisons

▶ Some adjectives have irregular comparative forms.

Irregular comparative forms

Adjective		Comparative form	
bueno/a	*good*	**mejor**	*better*
malo/a	*bad*	**peor**	*worse*
grande	*grown, adult*	**mayor**	*older*
pequeño/a	*young*	**menor**	*younger*
joven	*young*	**menor**	*younger*
viejo/a	*old*	**mayor**	*older*

CONSULTA

To review how descriptive adjectives like **bueno**, **malo**, and **grande** are shortened before nouns, see **Estructura 3.1**, p. 82.

▶ When **grande** and **pequeño/a** refer to age, the irregular comparative forms, **mayor** and **menor**, are used. However, when these adjectives refer to size, the regular forms, **más grande** and **más pequeño/a**, are used.

Yo soy **menor** que tú.
I'm younger than you.

Pedí un plato **más pequeño.**
I ordered a smaller dish.

Nuestro hijo es **mayor** que el hijo de los Andrade.
Our son is older than the Andrades' son.

La ensalada de Isabel es **más grande** que ésa.
Isabel's salad is bigger than that one.

▶ The adverbs **bien** and **mal** have the same irregular comparative forms as the adjectives **bueno/a** and **malo/a**.

Julio nada **mejor** que los otros chicos.
Julio swims better than the other boys.

Ellas cantan **peor** que las otras chicas.
They sing worse than the other girls.

More activities
vhlcentral
LM p. 47
WB pp. 91–92
Online activities

¡INTÉNTALO! Escribe el equivalente de las palabras en inglés.

1. Ernesto mira más televisión ___que___ (*than*) Alberto.
2. La camarera sirve ________ (*as much*) carne como pescado.
3. Tú eres ________ (*less*) simpático que Federico.
4. No estudio ________ (*as much as*) tú.
5. Recibo ________ (*more*) propinas que tú.
6. ¿Sabes jugar al tenis tan bien ________ (*as*) tu hermana?
7. ¿Puedes beber ________ (*as many*) refrescos como yo?
8. Mis amigos parecen ________ (*as*) simpáticos como ustedes.

Práctica

1

Escoger Escoge la palabra correcta para comparar a dos hermanas muy diferentes. Haz los cambios necesarios.

1. Lucila es más alta y más bonita __________ Tita. (de, más, menos, que)
2. Tita es vegetariana y por eso come __________ verduras que su hermana. (de, más, menos, que)
3. Lucila es más __________ que Tita porque es alegre. (listo, simpático, bajo)
4. A Tita le gusta comer en casa. Va a __________ restaurantes que su hermana. (más, menos, que) Es tímida, pero activa. Hace __________ ejercicio (*exercise*) que su hermana. (más, tanto, menos) Todos los días toma más __________ cinco vasos (*glasses*) de agua mineral. (que, tan, de)
5. Lucila come muchas papas fritas y se preocupa __________ que Tita por comer frutas. (de, más, menos) ¡Son __________ diferentes! Pero se llevan (*they get along*) muy bien. (como, tan, tanto)

2

Emparejar Compara a Mario y a Luis, los novios de Lucila y Tita, completando las oraciones con las palabras o frases apropiadas.

A

1. Mario es __________ como Luis.
2. Luis toma __________ clases de cocina (*cooking*) como Mario.
3. Mario viaja tanto __________ Luis.
4. Luis habla __________ tan bien como Mario.
5. Mario tiene tantos __________ como Luis.
6. ¡Qué casualidad (*coincidence*)! Mario y Luis también son hermanos, pero no hay tanta __________ entre ellos como entre Lucila y Tita.

B

tantas
diferencia
tan interesante
amigos extranjeros
como
francés

3

Oraciones Combina elementos de las columnas para hacer comparaciones. Escribe oraciones completas.

modelo

Chris Hemsworth tiene tantos autos como Emma Stone.
Emma Stone es menos musculosa que Chris Hemsworth.

A	B	C
la comida japonesa	costar	la gente de Montreal
el fútbol	saber	la música *country*
Chris Hemsworth	ser	el brócoli
el pollo	tener	el presidente de los EE.UU.
la gente de Vancouver	¿?	la comida italiana
la primera dama (*lady*) de los EE.UU.		el hockey
las universidades privadas		Emma Stone
las espinacas		las universidades públicas
la música rap		la carne de res

Comunicación

4

Intercambiar En parejas, hagan comparaciones sobre diferentes cosas. Pueden usar las sugerencias de la lista u otras ideas.

modelo

Estudiante 1: Los pollos de *Pollitos del Corral* son muy ricos.
Estudiante 2: Pues yo creo que los pollos de *Rostipollos* son tan buenos como los pollos de *Pollitos del Corral.*
Estudiante 1: Ummm... no tienen tanta mantequilla como los pollos de *Pollitos del Corral.* Tienes razón. Son muy sabrosos.

podcasts favoritos
revistas favoritas
libros favoritos

comidas favoritas
los profesores
los cursos que toman

restaurantes en tu ciudad/pueblo
cafés en tu comunidad
tiendas en tu ciudad/pueblo

AYUDA

You can use these adjectives in your comparisons:
bonito/a
caro/a
elegante
interesante
inteligente

5

Conversar En grupos, túrnense para hacer comparaciones entre ustedes mismos (*yourselves*) y una persona de cada categoría de la lista.

- una persona de tu familia
- un(a) amigo/a especial
- una persona famosa

Síntesis

6

La familia López En grupos, túrnense para hablar de Sara, Sabrina, Cristina, Ricardo y David y hacer comparaciones entre ellos.

modelo

Estudiante 1: Sara es tan alta como Sabrina.
Estudiante 2: Sí, pero David es más alto que ellas.
Estudiante 3: En mi opinión, él es guapo también.

8.4 Superlatives

Tutorial

ANTE TODO Both English and Spanish use superlatives to express the highest or lowest degree of a quality.

el/la mejor	**el/la peor**	**el/la más alto/a**
the best	*the worst*	*the tallest*

- This construction is used to form superlatives. Note that the noun is always preceded by a definite article and that **de** is equivalent to the English *in* or *of*.

el/la/los/las + [*noun*] + **más/menos** + [*adjective*] + **de**

- The noun can be omitted if the person, place, or thing referred to is clear.

¿El restaurante Las Delicias?
Es **el más elegante** de la ciudad.
The restaurant Las Delicias?
It's the most elegant (one) in the city.

Recomiendo el pollo asado.
Es **el más sabroso** del menú.
I recommend the roast chicken.
It's the most delicious on the menu.

- Here are some irregular superlative forms.

Irregular superlatives

Adjective		Superlative form	
bueno/a	*good*	**el/la mejor**	*(the) best*
malo/a	*bad*	**el/la peor**	*(the) worst*
grande	*grown, adult*	**el/la mayor**	*(the) oldest*
pequeño/a	*young*	**el/la menor**	*(the) youngest*
joven	*young*	**el/la menor**	*(the) youngest*
viejo/a	*old*	**el/la mayor**	*(the) oldest*

- The absolute superlative is equivalent to *extremely*, *super*, or *very*. To form the absolute superlative of most adjectives and adverbs, drop the final vowel, if there is one, and add **-ísimo/a(s)**.

malo → **mal-** → **malísimo**

¡El bistec está **malísimo**!

mucho → **much-** → **muchísimo**

Comes **muchísimo**.

- Note these spelling changes.

rico → **riquísimo** **largo** → **larguísimo** **feliz** → **felicísimo**

fácil → **facilísimo** **joven** → **jovencísimo** **trabajador** → **trabajadorcísimo**

¡ATENCIÓN!

While **más** alone means *more*, after **el**, **la**, **los**, or **las**, it means *most*. Likewise, **menos** can mean *less* or *least*.

Es **el café más rico del** país.
It's the most delicious coffee in the country.

Es **el menú menos caro de** todos éstos.
It is the least expensive menu of all of these.

CONSULTA

The rule you learned in **Estructura 8.3** (p. 263) regarding the use of **mayor/menor** with age, but not with size, is also true with superlative forms.

More activities
vhlcentral
LM p. 48
WB pp. 93–94
Online activities

¡INTÉNTALO! Escribe el equivalente de las palabras en inglés.

1. Mónica es <u>la más inteligente</u> (*the most intelligent*) de todas.
2. Ricardo y Tomás son ________________ (*the least boring*) de la fiesta.
3. Mi profesor de biología es ________________ (*the oldest*) de la universidad.
4. Miguel y Antonio son ________________ (*the worst*) estudiantes de la clase.

Práctica y Comunicación

1

El más... Responde a las preguntas afirmativamente. Usa las palabras entre paréntesis.

modelo

El cuarto está sucísimo, ¿no? (residencia)
Sí, es el más sucio de la residencia.

1. La silla de tu madre es comodísima, ¿no? (casa)
2. El almacén Velasco es buenísimo, ¿no? (centro comercial)
3. Ángela y Julia están nerviosísimas por el examen, ¿no? (clase)
4. Jorge es jovencísimo, ¿no? (mis amigos)

2

Completar Tu profesor(a) te va a dar una hoja de actividades con descripciones de José Valenzuela Carranza y Ana Orozco Hoffman. Completa las oraciones con las palabras de la lista.

altísima	del	mayor	peor
atlética	guapísimo	mejor	periodista
bajo	la	menor	trabajadorcísimo
de	más	Orozco	Valenzuela

1. José tiene 22 años; es el ____________ y el más ____________ de su familia. Es ____________ y ____________. Es el mejor ____________ de la ciudad y el ____________ jugador de baloncesto.
2. Ana es la más ____________ y ____________ mejor jugadora de baloncesto del estado. Es la ____________ de sus hermanos (tiene 28 años) y es ____________. Estudió la profesión ____________ difícil ____________ todas: medicina.
3. Jorge es el ____________ jugador de videojuegos de su familia.
4. Mauricio es el menor de la familia ____________.
5. El abuelo es el ____________ de todos los miembros de la familia Valenzuela.
6. Fifí es la perra más antipática ____________ mundo.

3

Superlativos Trabajen en parejas para hacer comparaciones. Usen los superlativos.

modelo

Emma Watson, Bill Gates, Warren Buffett
Estudiante 1: *Bill Gates es el más rico de los tres.*
Estudiante 2: *Sí, ¡es riquísimo! Y Warren Buffett es el mayor de los tres.*

1. Guatemala, Argentina, España
2. Jaguar, Prius, Smart
3. la comida mexicana, la comida francesa, la comida árabe
4. Amy Adams, Cate Blanchett, Jennifer Lawrence
5. Ciudad de México, Buenos Aires, Nueva York
6. *Don Quijote de la Mancha*, *Cien años de soledad*, *Como agua para chocolate*
7. el fútbol americano, el golf, el béisbol
8. las películas románticas, las películas de acción, las películas cómicas

Recapitulación

RESUMEN GRAMATICAL

Completa estas actividades para repasar los conceptos de gramática que aprendiste en esta lección.

1 Completar Completa la tabla con la forma correcta del pretérito. **18 pts.**

Infinitive	yo	usted	ellos
dormir			
servir			
vestirse			

2 La cena Completa la conversación con el pretérito de los verbos. **14 pts.**

PAULA ¡Hola, Daniel! ¿Qué tal el fin de semana?

DANIEL Muy bien. Marta y yo (1) __________ (conseguir) hacer muchas cosas, pero lo mejor fue la cena del sábado.

PAULA Ah, ¿sí? ¿Adónde fueron?

DANIEL Al restaurante Vistahermosa. Es elegante, así que (nosotros) (2) __________ (vestirse) bien.

PAULA Y, ¿qué platos (3) __________ (pedir, ustedes)?

DANIEL Yo (4) __________ (pedir) camarones y Marta (5) __________ (preferir) el pollo. Y al final, el camarero nos (6) __________ (servir) flan.

PAULA ¡Qué rico!

DANIEL Sí. Pero después de la cena Marta no (7) __________ (sentirse) bien.

3 Camareros Completa la conversación usando pronombres. **8 pts.**

JEFE Úrsula, ¿le ofreciste agua fría al cliente de la mesa 22?

ÚRSULA Sí, (1) ____________________ de inmediato.

JEFE Genaro, ¿los clientes de la mesa 5 te pidieron ensaladas?

GENARO Sí, (2) ____________________.

ÚRSULA Genaro, ¿recuerdas si ya me mostraste los vinos nuevos?

GENARO Sí, ya (3) ____________________.

JEFE Genaro, ¿van a pagarte la cuenta los clientes de la mesa 5?

GENARO Sí, (4) ____________________ ahora mismo.

8.1 Preterite of stem-changing verbs *p. 254*

servir	dormir
serví	dormí
serviste	dormiste
sirvió	durmió
servimos	dormimos
servisteis	dormisteis
sirvieron	durmieron

8.2 Double object pronouns *pp. 257–258*

Indirect Object Pronouns: **me, te, le (se), nos, os, les (se)**

Direct Object Pronouns: **lo, la, los, las**

Le escribí la carta. → **Se la** escribí.

Nos van a servir los platos. → **Nos los** van a servir./ Van a servír**noslos**.

8.3 Comparisons *pp. 261–263*

Comparisons of inequality		
más/menos +	*adj., adv., n.*	+ **que**
verb + **más/menos** + **que**		

Comparisons of equality		
tan +	*adj., adv.*	+ **como**
tanto/a(s) +	*noun*	+ **como**
verb + **tanto como**		

Irregular comparative forms	
bueno/a	mejor
malo/a	peor
grande	mayor
pequeño/a	menor
joven	menor
viejo/a	mayor

8.4 Superlatives p. 266

el/la/ los/las +	*noun*	+ más/ menos +	*adjective*	+ de

► Irregular superlatives follow the same pattern as irregular comparatives.

4 **El menú** Completa las oraciones basándote en los elementos dados. Usa comparativos y superlativos. 14 pts.

Ensaladas	*Precio*	*Calorías*
Ensalada de tomates	$9.00	170
Ensalada de mariscos	$12.99	325
Ensalada de zanahorias	$9.00	200
Platos principales		
Pollo con champiñones	$13.00	495
Cerdo con papas	$10.50	725
Atún con espárragos	$18.95	495

1. ensalada de mariscos / otras ensaladas / costar
   La ensalada de mariscos ____________ las otras ensaladas.
2. pollo con champiñones / cerdo con papas / calorías
   El pollo con champiñones tiene ____________ el cerdo con papas.
3. atún con espárragos / pollo con champiñones / calorías
   El atún con espárragos tiene ____________ el pollo con champiñones.
4. ensalada de tomates / ensalada de zanahorias / caro
   La ensalada de tomates es ____________ la ensalada de zanahorias.
5. cerdo con papas / platos principales / caro
   El cerdo con papas es ____________ los platos principales.
6. ensalada de zanahorias / ensalada de tomates / costar
   La ensalada de zanahorias ____________ la ensalada de tomates.
7. ensalada de mariscos / ensaladas / caro
   La ensalada de mariscos es ____________ las ensaladas.

5 **Dos restaurantes** ¿Cuál es el mejor restaurante que conoces? ¿Y el peor? Escribe un párrafo de por lo menos (*at least*) seis oraciones donde expliques por qué piensas así. Puedes hablar de la calidad de la comida, el ambiente, los precios, el servicio, etc. 46 pts.

6 **Adivinanza** Completa la adivinanza y adivina la respuesta. ¡4 puntos EXTRA!

"En el campo yo nací°,
mis hermanos son
los ________ (*garlic, pl.*),
y aquél que llora° por mí
me está partiendo°
en pedazos°."
¿Quién soy? ________

nací *was born* llora *cries* partiendo *cutting* pedazos *pieces*

Audio: Reading

Lectura

Antes de leer

Estrategia

Reading for the main idea

As you know, you can learn a great deal about a reading selection by looking at the format and looking for cognates, titles, and subtitles. You can skim to get the gist of the reading selection and scan it for specific information. Reading for the main idea is another useful strategy; it involves locating the topic sentences of each paragraph to determine the author's purpose for writing a particular piece. Topic sentences can provide clues about the content of each paragraph, as well as the general organization of the reading. Your choice of which reading strategies to use will depend on the style and format of each reading selection.

Examinar el texto

En esta sección tenemos dos textos diferentes. ¿Qué estrategias puedes usar para leer la crítica culinaria°? ¿Cuáles son las apropiadas para familiarizarte con el menú? Utiliza las estrategias más eficaces° para cada texto. ¿Qué tienen en común? ¿Qué tipo de comida sirven en el restaurante?

Identificar la idea principal

Lee la primera oración de cada párrafo de la crítica culinaria del restaurante **La feria del maíz.** Apunta° el tema principal de cada párrafo. Luego lee todo el primer párrafo. ¿Crees que el restaurante le gustó al autor de la crítica culinaria? ¿Por qué? Ahora lee la crítica entera. En tu opinión, ¿cuál es la idea principal de la crítica? ¿Por qué la escribió el autor? Compara tus opiniones con las de un(a) compañero/a.

crítica culinaria *restaurant review* eficaces *effective*
Apunta *Jot down*

More activities
vhlcentral | Online activities

MENÚ

Entremeses

Tortilla servida con

• Ajiaceite (chile, aceite) • Ajicomino (chile, comino)

Pan tostado servido con

• Queso frito a la pimienta • Salsa de ajo y mayonesa

Sopas

• Tomate • Cebolla • Verduras • Pollo y huevo
• Carne de res • Mariscos

Entradas

Tomaticán
(tomate, papas, maíz, chile, arvejas y zanahorias)

Tamales
(maíz, azúcar, ajo, cebolla)

Frijoles enchilados
(frijoles negros, carne de cerdo o de res, arroz, chile)

Chilaquil
(tortilla de maíz, queso, hierbas y chile)

Tacos
(tortillas, pollo, verduras y salsa)

Cóctel de mariscos
(camarones, langosta, vinagre, sal, pimienta, aceite)

Postres°

• Plátanos caribeños • Cóctel de frutas al ron°
• Uvate (uvas, azúcar de caña y ron) • Flan napolitano
• Helado° de piña y naranja • Pastel° de yogur

Después de leer

Preguntas

En parejas, contesten estas preguntas sobre la crítica culinaria de **La feria del maíz.**

1. ¿Quién es el dueño y chef de **La feria del maíz**?
2. ¿Qué tipo de comida se sirve en el restaurante?
3. ¿Cuál es el problema con el servicio?
4. ¿Cómo es el ambiente del restaurante?
5. ¿Qué comidas probó el autor?
6. ¿Quieren ir ustedes al restaurante **La feria del maíz**? ¿Por qué?

23F

Gastronomía

Por Eduardo Fernández

La feria del maíz

Sobresaliente°. En el nuevo restaurante **La feria del maíz** va a encontrar la perfecta combinación entre la comida tradicional y el encanto° de la vieja ciudad de Antigua. Ernesto Sandoval, antiguo jefe de cocina° del famoso restaurante **El fogón**, está teniendo mucho éxito° en su nueva aventura culinaria.

El gerente°, el experimentado José Sierra, controla a la perfección la calidad del servicio. El camarero que me atendió esa noche fue muy amable en todo momento. Sólo hay que comentar que, debido al éxito inmediato de **La feria del maíz**, se necesitan más camareros para atender a los clientes de una forma más eficaz. En esta ocasión, el mesero se tomó unos veinte minutos en traerme la bebida.

Afortunadamente, no me importó mucho la espera entre plato y plato, pues el ambiente es tan agradable que me sentí como en casa. El restaurante mantiene el estilo colonial de Antigua. Por dentro°, es elegante y rústico a la vez. Cuando el tiempo lo permite, se puede comer también en el patio, donde hay muchas flores.

El servicio de camareros y el ambiente agradable del local pasan a un segundo plano cuando llega la comida, de una calidad extraordinaria. Las tortillas de casa se sirven con un ajiaceite delicioso. La sopa de mariscos es excelente y los tamales, pues, tengo que confesar que son mejores que los de mi abuelita. También recomiendo los tacos de pollo, servidos con un mole buenísimo. De postre, don Ernesto me preparó su especialidad, unos plátanos caribeños sabrosísimos.

Los precios pueden parecer altos° para una comida tradicional, pero la calidad de los productos con que se cocinan los platos y el exquisito ambiente de **La feria del maíz** garantizan° una experiencia inolvidable°.

La feria del maíz
13 calle 4-41 Zona 1
La Antigua, Guatemala
2329912

lunes a sábado
10:30am-11:30pm
domingo 10:00am-10:00pm

Comida
Servicio
Ambiente
Precio

Bebidas

- Cerveza negra
- Chilate (bebida de maíz, chile y cacao)
- Jugos de fruta
- Agua mineral
- Té helado
- Vino tinto/blanco
- Ron

Postres *Desserts* ron *rum* Helado *Ice cream* Pastel *Cake* Sobresaliente *Outstanding* encanto *charm* jefe de cocina *head chef* éxito *success* gerente *manager* Por dentro *Inside* altos *high* garantizan *guarantee* inolvidable *unforgettable*

Un(a) guía turístico/a

Tú eres un(a) guía turístico/a en Guatemala. Estás en el restaurante **La feria del maíz** con un grupo de turistas norteamericanos. Ellos no hablan español y quieren pedir de comer, pero necesitan tu ayuda. Lee nuevamente el menú e indica qué error comete cada turista.

1. La señora Johnson es diabética y no puede comer azúcar. Pide sopa de verduras y tamales. No pide nada de postre.

. Los señores Petit son vegetarianos y piden sopa de tomate, frijoles enchilados y plátanos caribeños.

3. El señor Smith, que es alérgico al chocolate, pide tortilla servida con ajiaceite, chilaquil y chilate para beber.

4. La adorable hija del señor Smith tiene sólo cuatro años y le gustan mucho las verduras y las frutas naturales. Su papá le pide tomaticán y un cóctel de frutas.

5. La señorita Jackson está a dieta y pide uvate, flan napolitano y helado.

Video

Guatemala

El país en cifras

- **Área:** 108.890 km² (42.042 millas²), *un poco más pequeño que Tennessee*
- **Población:** 15.460.732
- **Capital:** Ciudad de Guatemala—2.918.000
- **Ciudades principales:** Quetzaltenango, Escuintla, Mazatenango, Puerto Barrios
- **Moneda:** quetzal
- **Idiomas:** español (oficial), lenguas mayas, xinca, garífuna

El español es la lengua de 69 por ciento° de la población; el otro 31 por ciento tiene como lengua materna el xinca, el garífuna o, en su mayoría°, una de las lenguas mayas (cakchiquel, quiché y kekchícomo, entre otras). Una palabra que las lenguas mayas tienen en común es ixim, *que significa 'maíz', un cultivo° de mucha importancia en estas culturas.*

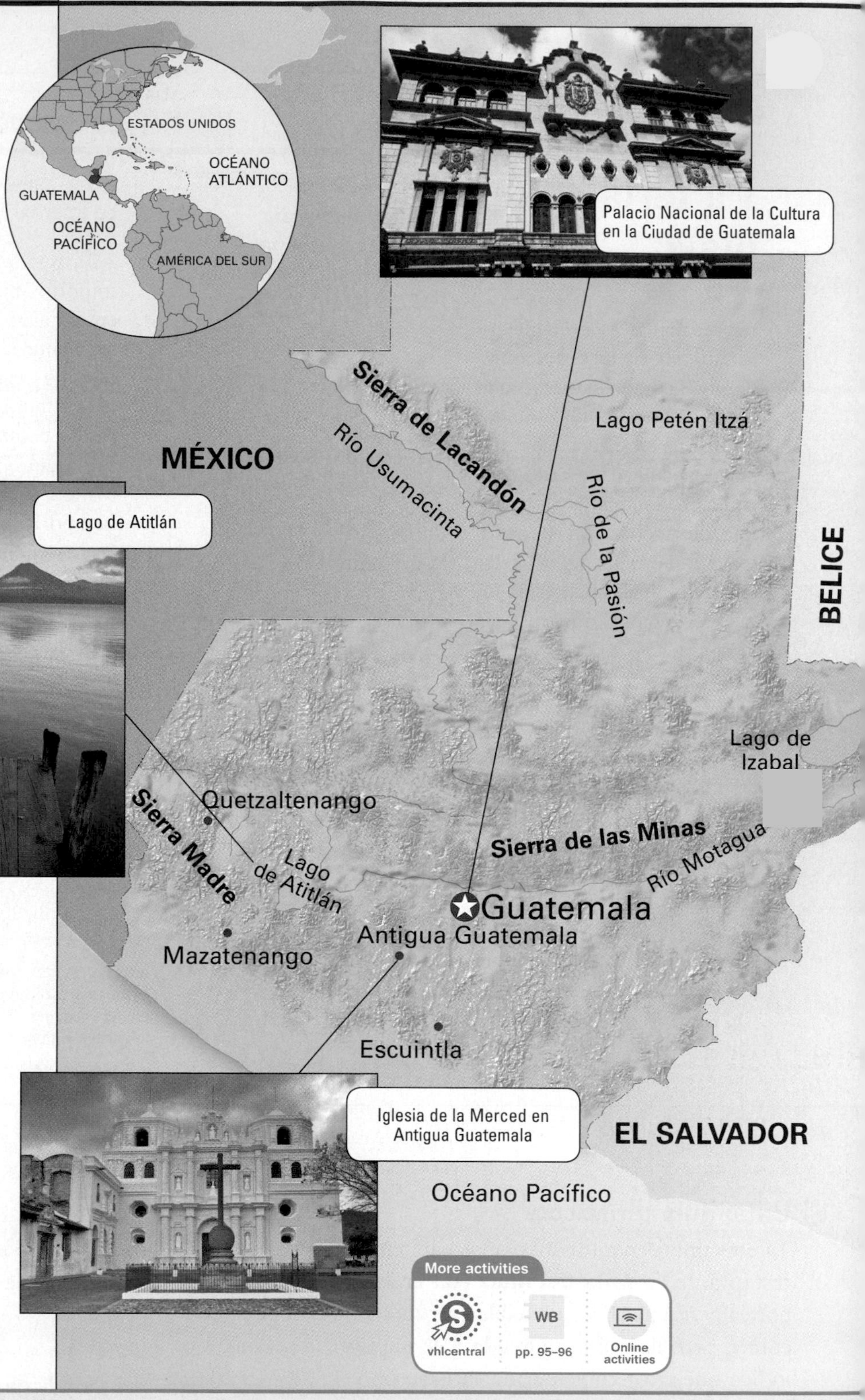

Palacio Nacional de la Cultura en la Ciudad de Guatemala

Lago de Atitlán

Iglesia de la Merced en Antigua Guatemala

Bandera de Guatemala

Guatemaltecos célebres

- **Carlos Mérida,** pintor (1891–1984)
- **Miguel Ángel Asturias,** escritor (1899–1974)
- **Margarita Carrera,** poeta y ensayista (1929–)
- **Rigoberta Menchú Tum,** activista (1959–), Premio Nobel de la Paz° en 1992
- **Jaime Viñals Massanet,** montañista (1966–)

por ciento *percent* en su mayoría *most of them* cultivo *crop* Paz *Peace*

More activities: vhlcentral | WB pp. 95–96 | Online activities

ACTIVIDADES

1 ¿Cierto o falso? Indica si lo que dice cada oración es **cierto** o **falso**.

1. Huipil es una de las ciudades más importantes de Guatemala.
2. Carlos Mérida murió en 1974.
3. Miguel Ángel Asturias fue un importante pintor guatemalteco.
4. La lengua materna del noventa por ciento de los guatemaltecos es el español.
5. Tennessee es más grande que Guatemala.
6. La famosa Iglesia de la Merced se encuentra en Antigua Guatemala.
7. Un terremoto destruyó Antigua Guatemala en 1773.
8. El quetzal está en peligro de extinción.
9. Los mayas inventaron un calendario preciso.
10. Los guatemaltecos muestran en su ropa el amor a la arquitectura.

Ciudades • Antigua Guatemala

Antigua Guatemala fue fundada en 1543. Fue una capital de gran importancia hasta 1773, cuando un terremoto° la destruyó. Sin embargo, conserva el carácter original de su arquitectura y hoy es uno de los centros turísticos del país. Su celebración de la Semana Santa° es, para muchas personas, la más importante del hemisferio.

Naturaleza • El quetzal

El quetzal simbolizó la libertad para los antiguos° mayas porque creían° que este pájaro° no podía° vivir en cautiverio°. Hoy el quetzal es el símbolo nacional. El pájaro da su nombre a la moneda nacional y aparece también en los billetes° del país. Desafortunadamente, está en peligro° de extinción. Para su protección, el gobierno mantiene una reserva ecológica especial.

Mar Caribe

Golfo de Honduras

Puerto Barrios

Historia • Los mayas

Desde 1500 a.C. hasta 900 d.C., los mayas habitaron gran parte de lo que ahora es Guatemala. Su civilización fue muy avanzada. Los mayas fueron arquitectos y constructores de pirámides, templos y observatorios. También descubrieron° el cero y lo usaron antes que los europeos, e inventaron un calendario complejo° y preciso.

Artesanía • La ropa tradicional

La ropa tradicional de los guatemaltecos es el *huipil* y muestra el amor° de la cultura maya por la naturaleza. Ellos se inspiran en las flores°, las plantas y los animales para crear sus diseños° de colores vivos° y formas geométricas. El diseño y los colores de cada *huipil* indican el pueblo de origen y a veces también el sexo y la edad° de la persona que lo lleva.

terremoto *earthquake* Semana Santa *Holy Week* antiguos *ancient* creían *they believed* pájaro *bird* no podía *couldn't* cautiverio *captivity* los billetes *bills* peligro *danger* descubrieron *they discovered* complejo *complex* amor *love* flores *flowers* diseños *designs* vivos *bright* edad *age*

HONDURAS

¡Increíble pero cierto!

¿Qué "ingrediente" secreto se encuentra en las telas° tradicionales de Guatemala? ¡El mosquito! El excepcional tinte° de estas telas es producto de una combinación de flores y de mosquitos aplastados°. El insecto hace que los colores no se destiñan°. Quizás es por esto que los artesanos representan la figura del mosquito en muchas de sus telas.

telas *fabrics* tinte *dye* aplastados *crushed* hace... destiñan *keeps the colors from running*

2 ¿Qué aprendiste? Contesta las preguntas.

1. ¿Qué significa la palabra *ixim*?
2. ¿Quién es Rigoberta Menchú?
3. ¿Qué simbolizó el quetzal para los mayas?
4. ¿De qué fueron arquitectos los mayas?
5. ¿Qué descubrieron los mayas antes que los europeos?

3 Comparaciones Escribe seis comparaciones entre Guatemala y otros lugares de América Latina. Después, comparte tu lista con un(a) compañero/a y discutan si están de acuerdo con lo que escribieron de estos lugares.

modelo

Guatemala es más pequeño que México...

Vocabulary Tools

Las comidas

el/la camarero/a	*waiter/waitress*
la comida	*food; meal*
la cuenta	*bill*
el/la dueño/a	*owner*
el menú	*menu*
la propina	*tip*
la sección de (no) fumar	*(non) smoking section*
el almuerzo	*lunch*
la cena	*dinner*
el desayuno	*breakfast*
los entremeses	*appetizers*
el plato (principal)	*(main) dish*
delicioso/a	*delicious*
rico/a	*tasty; delicious*
sabroso/a	*tasty; delicious*

Las frutas

la banana	*banana*
las frutas	*fruits*
el limón	*lemon*
la manzana	*apple*
el melocotón	*peach*
la naranja	*orange*
la pera	*pear*
la uva	*grape*

Las verduras

las arvejas	*peas*
la cebolla	*onion*
el champiñón	*mushroom*
la ensalada	*salad*
los espárragos	*asparagus*
los frijoles	*beans*
la lechuga	*lettuce*
el maíz	*corn*
las papas/patatas (fritas)	*(fried) potatoes; French fries*
el tomate	*tomato*
las verduras	*vegetables*
la zanahoria	*carrot*

La carne y el pescado

el atún	*tuna*
el bistec	*steak*
los camarones	*shrimp*
la carne	*meat*
la carne de res	*beef*
la chuleta (de cerdo)	*(pork) chop*
la hamburguesa	*hamburger*
el jamón	*ham*
la langosta	*lobster*
los mariscos	*shellfish*
el pavo	*turkey*
el pescado	*fish*
el pollo (asado)	*(roast) chicken*
la salchicha	*sausage*
el salmón	*salmon*

Otras comidas

el aceite	*oil*
el ajo	*garlic*
el arroz	*rice*
el azúcar	*sugar*
los cereales	*cereal; grains*
el huevo	*egg*
la mantequilla	*butter*
la margarina	*margarine*
la mayonesa	*mayonnaise*
el pan (tostado)	*(toasted) bread*
la pimienta	*black pepper*
el queso	*cheese*
la sal	*salt*
el sándwich	*sandwich*
la sopa	*soup*
el vinagre	*vinegar*
el yogur	*yogurt*

Las bebidas

el agua (*f.*) (mineral)	*(mineral) water*
la bebida	*drink*
el café	*coffee*
la cerveza	*beer*
el jugo (de fruta)	*(fruit) juice*
la leche	*milk*
el refresco	*soft drink*
el té (helado)	*(iced) tea*
el vino (blanco/tinto)	*(white/red) wine*

Verbos

escoger	*to choose*
merendar (e:ie)	*to snack*
morir (o:ue)	*to die*
pedir (e:i)	*to order (food)*
probar (o:ue)	*to taste; to try*
recomendar (e:ie)	*to recommend*
saber (a)	*to taste (like)*
servir (e:i)	*to serve*

Las comparaciones

como	*like; as*
más de (+ *number*)	*more than*
más… que	*more… than*
menos de (+ *number*)	*fewer than*
menos… que	*less… than*
tan… como	*as… as*
tantos/as… como	*as many… as*
tanto… como	*as much… as*
el/la mayor	*the oldest*
el/la mejor	*the best*
el/la menor	*the youngest*
el/la peor	*the worst*
mejor	*better*
peor	*worse*

Expresiones útiles	*See page 249.*

More activities

vhlcentral | LM p. 48

Las fiestas

9

Communicative Goals

You will learn how to:

- **Express congratulations**
- **Express gratitude**
- **Ask for and pay the bill at a restaurant**

A PRIMERA VISTA

- ¿Se visten ellos con ropa elegante?
- ¿Cómo se sienten, alegres o tristes?
- ¿Quién es el menor?
- ¿Qué lleva la chica?

Hotspots

Las fiestas

Más vocabulario

la alegría	*happiness*
la amistad	*friendship*
el amor	*love*
la sorpresa	*surprise*
el aniversario (de bodas)	*(wedding) anniversary*
la boda	*wedding*
el cumpleaños	*birthday*
el día de fiesta	*holiday*
el divorcio	*divorce*
el matrimonio	*marriage*
la Navidad	*Christmas*
la pareja	*(married) couple; partner*
la quinceañera	*young woman celebrating her fifteenth birthday*
cambiar (de)	*to change*
celebrar	*to celebrate*
divertirse (e:ie)	*to have fun*
graduarse (de/en)	*to graduate (from/in)*
invitar	*to invite*
jubilarse	*to retire (from work)*
nacer	*to be born*
odiar	*to hate*
pasarlo bien/mal	*to have a good/bad time*
reírse (e:i)	*to laugh*
relajarse	*to relax*
sonreír (e:i)	*to smile*
sorprender	*to surprise*
juntos/as	*together*
¡Felicidades!/ ¡Felicitaciones!	*Congratulations!*

Variación léxica

pastel ⟷ torta (*Arg., Col., Venez.*)
comprometerse ⟷ prometerse (*Esp.*)

More activities

vhlcentral | LM p. 49 | WB pp. 97–98 | Online activities

Relaciones personales

casarse (con)	*to get married (to)*
comprometerse (con)	*to get engaged (to)*
divorciarse (de)	*to get divorced (from)*
enamorarse (de)	*to fall in love (with)*
llevarse bien/mal (con)	*to get along well/ badly (with)*
romper (con)	*to break up (with)*
salir (con)	*to go out (with); to date*
separarse (de)	*to separate (from)*
tener una cita	*to have a date; to have an appointment*

Práctica

1 **Connotaciones** Indica si las palabras que vas a escuchar tienen connotaciones **positivas** o **negativas**.

	Positivo	Negativo		Positivo	Negativo
1.	❍	❍	5.	❍	❍
2.	❍	❍	6.	❍	❍
3.	❍	❍	7.	❍	❍
4.	❍	❍	8.	❍	❍

2 **¿Lógico o ilógico?** Indica si cada afirmación es **lógica** o **ilógica**.

1. ______ 3. ______ 5. ______ 7. ______
2. ______ 4. ______ 6. ______ 8. ______

3 **Emparejar** Indica la frase que mejor completa cada oración.

cambió de	nos divertimos	se llevan bien
lo pasaron mal	se casaron	sonrió
nació	se jubiló	tenemos una cita

1. Manuel y Felipe ____________ en el cine. La película fue muy mala.
2. Pablo y yo ____________ en la fiesta. Bailamos y comimos.
3. Jaime y Laura ____________ el septiembre pasado. La boda fue maravillosa.
4. ¡Tengo una nueva sobrina! Ella ____________ ayer.
5. Mi madre ____________ profesión. Ahora es artista.
6. Mi padre ____________ el año pasado. Ahora no trabaja.
7. Jorge y yo ____________ esta noche. Vamos a ir a un restaurante muy elegante.
8. María y sus compañeras de cuarto ____________. Son buenas amigas.

4 **Acciones** Escoge la acción apropiada y escribe una oración.

modelo

Camila terminó sus estudios. (enamorarse/nacer/graduarse)
Se graduó.

1. Liliana ya no trabaja más. (jubilarse/salir/graduarse)
2. Francisco sale con Elena. (separarse/tener una cita/jubilarse)
3. Carlos terminó su relación sentimental. (separarse/casarse/llevarse bien)
4. Marcela quiere estar siempre con Javier. (pasarlo mal/relajarse/casarse)
5. Gabriel y Mauricio siempre se divierten juntos. (odiar/romper/llevarse bien)

Las etapas de la vida de Sergio

el nacimiento

la niñez

la adolescencia

la juventud

la madurez

la vejez

Más vocabulario

la edad	*age*
el estado civil	*marital status*
las etapas de la vida	*the stages of life*
la muerte	*death*
casado/a	*married*
divorciado/a	*divorced*
separado/a	*separated*
soltero/a	*single*
viudo/a	*widower/widow*

5 **Las etapas de la vida** Identifica las etapas de la vida que se describen.

modelo
Mi hermano acaba de graduarse de la universidad.
la juventud

1. Mi abuela se jubiló y se mudó (*moved*) a Viña del Mar.
2. Mi padre trabaja para una compañía grande en Santiago.
3. ¿Viste a mi nuevo sobrino en el hospital? Es precioso y ¡tan pequeño!
4. Mi hermana celebró su fiesta de quince años.
5. Mi abuelo murió este año.
6. Mi hermana pequeña juega con muñecas (*dolls*).

NOTA CULTURAL

Viña del Mar es una ciudad en la costa de Chile, situada al oeste de Santiago. Tiene playas hermosas, excelentes hoteles, casinos y buenos restaurantes. El poeta Pablo Neruda pasó muchos años allí.

¡LENGUA VIVA!

The term **quinceañera** refers to a girl who is celebrating her 15th birthday. The party is called **la fiesta de quince años**.

6 **Cambiar** En parejas, túrnense para decir que las afirmaciones son falsas y corregirlas cambiando las expresiones subrayadas (*underlined*).

modelo
Estudiante 1: La niñez es cuando trabajamos mucho.
Estudiante 2: No, te equivocas. La madurez es cuando trabajamos mucho.

1. La juventud es la etapa cuando nos jubilamos.
2. El nacimiento es el fin de la vida.
3. A los sesenta y cinco años, muchas personas comienzan a trabajar.
4. Julián y nuestra prima se divorcian mañana.
5. Mamá odia a su hermana.
6. El abuelo murió, por eso la abuela es separada.
7. Mi tío nunca se casó; es viudo.
8. Cuando te gradúas de la universidad, estás en la etapa de la adolescencia.

AYUDA

Ways to contradict someone:
Te equivocas. *You're wrong.*
No es verdad. *It's not true.*
Creo que no. *I don't think so.*
¡Claro que no! *Of course not!*
¡Qué va! *No way!*

Comunicación

7

Una fiesta Trabaja con un(a) compañero/a para planear una fiesta. Recuerda incluir la siguiente información.

1. ¿Qué tipo de fiesta es? ¿Dónde va a ser? ¿Cuándo va a ser?
2. ¿A quiénes van a invitar?
3. ¿Qué van a comer? ¿Quiénes van a llevar o a preparar la comida?
4. ¿Qué van a beber? ¿Quiénes van a traer las bebidas?
5. ¿Cómo planean entretener a los invitados? ¿Van a bailar o a jugar algún juego?
6. Después de la fiesta, ¿quiénes van a limpiar (*to clean*)?

8

Encuesta Tu profesor(a) va a darte una hoja de actividades. Haz las preguntas de la hoja a dos o tres compañeros/as de clase para saber qué actitudes tienen en sus relaciones personales.

¡LENGUA VIVA!

While a **buen(a) amigo/a** is a *good friend*, the term **amigo/a íntimo/a** refers to a *close friend*, or a very good friend, without any romantic overtones.

Preguntas	Nombres	Actitudes
1. ¿Te importa la amistad? ¿Por qué?		
2. ¿Es mejor tener un(a) buen(a) amigo/a o muchos/as amigos/as?		
3. ¿Cuáles son las características que buscas en tus amigos/as?		
4. ¿Tienes novio/a? ¿A qué edad es posible enamorarse?		
5. ¿Deben las parejas hacer todo juntos? ¿Deben tener las mismas opiniones? ¿Por qué?		

9

Minidrama En parejas, consulten la ilustración de la página 278 y luego, usando las palabras de la lista, preparen un minidrama para representar las etapas de la vida de Sergio. Pueden inventar más información sobre su vida.

amor	celebrar	enamorarse	romper
boda	comprometerse	graduarse	salir
cambiar	cumpleaños	jubilarse	separarse
casarse	divorciarse	nacer	tener una cita

El Día de Muertos

La familia Díaz conmemora el Día de Muertos.

PERSONAJES

MARISSA

JIMENA

FELIPE

JUAN CARLOS

Video

MAITE FUENTES El Día de Muertos se celebra en México el primero y el segundo de noviembre. Como pueden ver, hay calaveras de azúcar, flores, música y comida por todas partes. Ésta es una fiesta única que todos deben ver por lo menos una vez en la vida.

MARISSA *Holy moley!* ¡Está delicioso!

TÍA ANA MARÍA Mi mamá me enseñó a prepararlo. El mole siempre fue el plato favorito de mi papá. Mi hijo Eduardo nació el día de su cumpleaños. Por eso le pusimos su nombre.

TÍO RAMÓN ¿Dónde están mis hermanos?

JIMENA Mi papá y Felipe están en el otro cuarto. Esos dos antipáticos no quieren decirnos qué están haciendo. Y la tía Ana María...

TÍO RAMÓN ... está en la cocina.

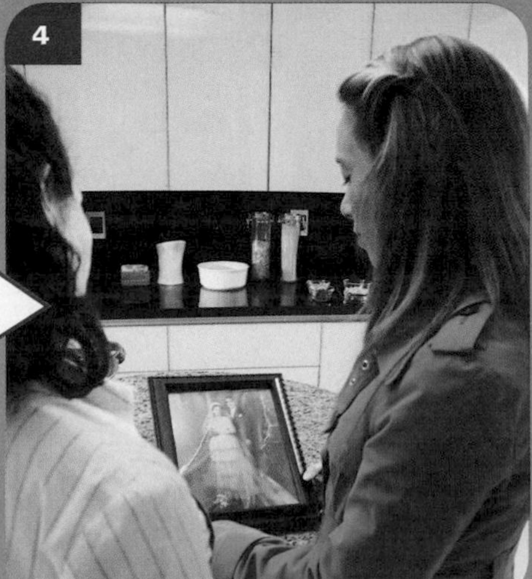

TÍA ANA MARÍA Marissa, ¿le puedes llevar esa foto que está ahí a Carolina? La necesita para el altar.

MARISSA Sí. ¿Son sus padres?

TÍA ANA MARÍA Sí, el día de su boda.

MARISSA ¿Cómo se conocieron?

TÍA ANA MARÍA En la fiesta de un amigo. Fue amor a primera vista.

MARISSA (*Señala la foto.*) La voy a llevar al altar.

TÍA ANA MARÍA Ramón, ¿cómo estás?

TÍO RAMÓN Bien, gracias. ¿Y Mateo? ¿No vino contigo?

TÍA ANA MARÍA No. Ya sabes que me casé con un doctor y, pues, trabaja muchísimo.

SRA. DÍAZ | SR. DÍAZ | TÍA ANA MARÍA | TÍO RAMÓN | TÍA NAYELI | DON DIEGO | MARTA | VALENTINA | MAITE FUENTES

SR. DÍAZ Familia Díaz, deben prepararse...

FELIPE ... ¡para la sorpresa de sus vidas!

JUAN CARLOS Gracias por invitarme.

SR. DÍAZ Juan Carlos, como eres nuestro amigo, ya eres parte de la familia.

(En el cementerio)

JIMENA Yo hice las galletas y el pastel. ¿Dónde los puse?

MARTA Postres... ¿Cuál prefiero? ¿Galletas? ¿Pastel? ¡Dulces!

VALENTINA Me gustan las galletas.

SR. DÍAZ Brindamos por ustedes, mamá y papá.

TÍO RAMÓN Todas las otras noches estamos separados. Pero esta noche estamos juntos.

TÍA ANA MARÍA Con gratitud y amor.

Expresiones útiles

Discussing family history

El mole siempre fue el plato favorito de mi papá.
Mole was always my dad's favorite dish.
Mi hijo Eduardo nació el día de su cumpleaños.
My son Eduardo was born on his birthday.
Por eso le pusimos su nombre.
That's why we named him after him (after my father).
¿Cómo se conocieron sus padres?
How did your parents meet?
En la fiesta de un amigo. Fue amor a primera vista.
At a friend's party. It was love at first sight.

Talking about a party/celebration

Ésta es una fiesta única que todos deben ver por lo menos una vez.
This is a unique celebration that everyone should see at least once.
Gracias por invitarme.
Thanks for inviting me.
Brindamos por ustedes.
A toast to you.

Additional vocabulary

alma *soul*
altar *altar*
ángel *angel*
calavera de azúcar *skull made out of sugar*
cementerio *cemetery*
cocina *kitchen*
disfraz *costume*

More activities

vhlcentral | VM pp. 17–18 | Online activities

¿Qué pasó?

1 **Completar** Completa las oraciones.

1. El Día de Muertos es una ____________ única que todos deben ver.
2. La tía Ana María preparó ____________ para celebrar.
3. Marissa lleva la ____________ al altar.
4. Jimena hizo las ____________ y el ____________.
5. Marta no sabe qué ____________ prefiere.

2 **Identificar** Identifica quién dice estas oraciones.

1. Es difícil hacer las cosas bien la primera vez, Jimena.
2. Como pueden ver, hay calaveras de azúcar, flores, música y comida por todas partes.
3. Gracias por invitarme.
4. Ya sabes que me casé con un doctor y, pues, trabaja muchísimo.
5. Me gustan mucho las galletas.
6. Juan Carlos, como eres nuestro amigo, ya eres parte de la familia.

SR. DÍAZ

MAITE FUENTES

JUAN CARLOS

VALENTINA

TÍA ANA MARÍA

3 **Seleccionar** Selecciona algunas de las opciones para completar las oraciones.

amor	días de fiesta	pasarlo bien	salieron
el champán	divorciarse	postres	se enamoraron
cumpleaños	flan	la quinceañera	una sorpresa

1. El Sr. Díaz y Felipe prepararon ____________ para la familia.
2. Los ____________, como el Día de Muertos, se celebran con la familia.
3. Eduardo, el hijo de Ana María, nació el día del ____________ de su abuelo.
4. La tía Ana María siente gratitud y ____________ hacia (*toward*) sus padres.
5. Los días de fiesta también son para ____________ con los amigos.
6. El Día de Muertos se hacen muchos ____________.
7. Los padres de la tía Ana María ____________ a primera vista.

4 **Una cena** Trabajen en grupos para representar una conversación en una cena de Año Nuevo.

- Una persona brinda por el año que está por comenzar y por estar con su familia y amigos.
- Cada persona del grupo habla de cuál es su comida favorita en año nuevo.
- Después de la cena, una persona del grupo dice que es hora de (*it's time to*) comer las uvas.
- Cada persona del grupo dice qué desea para el año que empieza.
- Después, cada persona del grupo debe desear Feliz Año Nuevo a las demás.

NOTA CULTURAL

Comer doce uvas a las doce de la noche del 31 de diciembre de cada año es una costumbre que nació en España y que también se observa en varios países de Latinoamérica. Se debe comer una uva por cada una de las 12 campanadas (*strokes*) del reloj y se cree que (*it's believed that*) quien lo hace va a tener un año próspero.

Pronunciación

Tutorial

The letters h, j, and g

helado **hombre** **hola** **hermosa**

The Spanish **h** is always silent.

José **jubilarse** **dejar** **pareja**

The letter **j** is pronounced much like the English *h* in *his.*

agencia **general** **Gil** **Gisela**

The letter **g** can be pronounced three different ways. Before **e** or **i**, the letter **g** is pronounced much like the English *h.*

Gustavo, gracias por llamar el domingo.

At the beginning of a phrase or after the letter **n**, the Spanish **g** is pronounced like the English *g* in *girl.*

Me gradué en agosto.

In any other position, the Spanish **g** has a somewhat softer sound.

guerra **conseguir** **guantes** **agua**

In the combinations **gue** and **gui**, the **g** has a hard sound and the **u** is silent. In the combination **gua**, the **g** has a hard sound and the **u** is pronounced like the English *w.*

Práctica Lee las palabras en voz alta, prestando atención a la **h**, la **j** y la **g**.

1. hamburguesa	5. geografía	9. seguir	13. Jorge
2. jugar	6. magnífico	10. gracias	14. tengo
3. oreja	7. espejo	11. hijo	15. ahora
4. guapa	8. hago	12. galleta	16. guantes

Oraciones Lee las oraciones en voz alta, prestando atención a la **h**, la **j** y la **g**.

1. Hola. Me llamo Gustavo Hinojosa Lugones y vivo en Santiago de Chile.
2. Tengo una familia grande; somos tres hermanos y tres hermanas.
3. Voy a graduarme en mayo.
4. Para celebrar mi graduación, mis padres van a regalarme un viaje a Egipto.
5. ¡Qué generosos son!

Refranes Lee los refranes en voz alta, prestando atención a la **h**, la **j** y la **g**.

More activities

vhlcentral

LM p. 50

1 Too much of a good thing.
2 The clothes don't make the man.

Flash CULTURA

EN DETALLE

Video

Semana Santa: más que una celebración

De todas las celebraciones hispanas, la **Semana Santa**° es una de las más importantes. Esta fiesta religiosa se celebra la semana antes de Pascua° y conmemora la muerte y resurrección de Jesucristo, figura central del cristianismo.

Procesión en Sevilla, España

Pero, ¿por qué es tan importante esta celebración? Para los cristianos, durante la Semana Santa se recuerdan los principales hechos° que forman la base de su religión. Cada día tiene su significado. Por ejemplo, el Viernes Santo, con la representación del Vía Crucis°, se recuerdan el juicio° y la muerte de Jesucristo. Por esta razón, cada año tienen lugar diferentes celebraciones populares, famosas alrededor del mundo gracias a su originalidad y despliegue°. Así, aunque algunas personas aprovechan° estos días para viajar, muchas prefieren participar en estas celebraciones religiosas en las calles°. Por ejemplo, en Sevilla, España, los fieles° sacan a las calles imágenes religiosas sobre plataformas decoradas con abundantes flores° y velas°. En Antigua, Guatemala, los fieles hacen alfombras° de flores y altares, además de organizar Vía Crucis y danzas. Estos son sólo algunos ejemplos del tipo de celebraciones que se presentan en casi todos los países hispanos durante la Semana Santa. Esta fiesta religiosa es una muestra innegable de la cultura y de las creencias religiosas de muchos hispanos.

Alfombra de flores en Antigua, Guatemala

Otras celebraciones famosas

Ayacucho, Perú: Además de alfombras de flores y procesiones, aquí hay una antigua tradición llamada "quema de la chamiza"°.

Iztapalapa, Ciudad de México: Es famoso el Vía Crucis del cerro° de la Estrella. Es una representación del recorrido° de Jesucristo con la cruz°.

Popayán, Colombia: En las procesiones "chiquitas" los niños llevan imágenes que son copias pequeñas de las que llevan los adultos.

Semana Santa *Holy Week* **Pascua** *Easter Sunday* **hechos** *events* **Vía Crucis** *Stations of the Cross* **juicio** *trial* **despliegue** *display* **aprovechan** *take advantage of* **calles** *streets* **fieles** *faithful* **flores** *flowers* **velas** *candles* **alfombras** *carpets* **quema de la chamiza** *burning of brushwood* **cerro** *hill* **recorrido** *route* **cruz** *cross*

ACTIVIDADES

1 **¿Cierto o falso?** Indica si lo que dicen las oraciones es **cierto** o **falso**. Corrige las oraciones falsas.

1. La Semana Santa se celebra después de Pascua.
2. La Semana Santa conmemora el nacimiento de la Virgen María.
3. La celebración es importante porque recuerda los eventos más importantes que forman la base del cristianismo.
4. Todos los días de la Semana Santa tienen el mismo significado.
5. El Viernes Santo se recuerda la resurrección de Jesucristo.
6. Las personas tienen días libres durante la Semana Santa.
7. Todas las personas asisten a las celebraciones religiosas.
8. En los países hispanos, las celebraciones se hacen en las calles.
9. España es el único país donde se celebra la Semana Santa con procesiones.
10. Las procesiones "chiquitas" son famosas en Sevilla, España.

ASÍ SE DICE

Fiestas y celebraciones

la despedida de soltero/a	*bachelor(ette) party*
el día feriado/festivo	**el día de fiesta**
disfrutar	*to enjoy*
festejar	**celebrar**
los fuegos artificiales	*fireworks*
pasarlo en grande	**divertirse mucho**
la vela	*candle*

EL MUNDO HISPANO

Celebraciones latinoamericanas

- **Oruro, Bolivia** Durante el carnaval de Oruro se realiza la famosa Diablada, una antigua danza° que muestra la lucha° entre el Bien y el Mal: ángeles contra° demonios.
- **Panchimalco, El Salvador** La primera semana de mayo, Panchimalco se cubre de flores y de color. También hacen el Desfile de las palmas° y bailan danzas antiguas.
- **Quito, Ecuador** El mes de agosto es el Mes de las Artes. Danza, teatro, música, cine, artesanías° y otros eventos culturales inundan la ciudad.
- **San Pedro Sula, Honduras** En junio se celebra la Feria Juniana. Hay comida típica, bailes, desfiles, conciertos, rodeos, exposiciones ganaderas° y eventos deportivos y culturales.

danza *dance* **lucha** *fight* **contra** *versus* **palmas** *palm leaves* **artesanías** *handcrafts* **exposiciones ganaderas** *cattle shows*

PERFIL

Noche Valdiviana

El fin de las vacaciones de verano llega a Chile en febrero, y se celebra en la ciudad de Valdivia durante una semana entera con conciertos y puestos° de artesanías.

La última noche, llamada **Noche Valdiviana**, el río Calle-Calle se llena de luces°. A las nueve, la gente va a la costanera° para observar los botes cargados de° velas que forman un desfile° en el agua. La Reina de los Ríos° inicia el desfile y la siguen más de cuarenta embarcaciones°, decoradas con diferentes motivos, que compiten por varios premios. Al final, una lluvia de fuegos artificiales despide° el verano y a los turistas hasta el próximo año.

puestos *stands* **se llena de luces** *is filled with lights* **costanera** *promenade* **cargados de** *loaded with* **desfile** *parade* **Reina de los Ríos** *Queen of the Rivers* **embarcaciones** *vessels* **despide** *bids farewell*

CON RITMO HISPANO

Ana Tijoux (1977–)

Lugar de nacimiento: Lille, Francia

Ana Tijoux, hija de la socióloga chilena María Emilia Tijoux, es una de las raperas más importantes de América Latina. Desde 1997 hasta 2006 formó parte de la banda de rap Makiza.

Go to **vhlcentral.com** to find out more about **Ana Tijoux** and her music.

ACTIVIDADES

2 Comprensión Responde a las preguntas.

1. ¿Cuántas embarcaciones participan en el desfile de Valdivia?
2. ¿Qué es la Diablada?
3. ¿Qué celebran en Quito en agosto?
4. Nombra dos atracciones en la Feria Juniana de San Pedro Sula.
5. ¿Cuándo se celebra la Noche Valdiviana?

3 ¿Cuál es tu celebración favorita? Escribe un pequeño párrafo sobre la celebración que más te gusta de tu comunidad. Explica cómo se llama, cuándo ocurre y cómo es.

More activities: vhlcentral | VM pp. 47–48 | Online activities

9.1 Irregular preterites

Tutorial

ANTE TODO You already know that the verbs **ir** and **ser** are irregular in the preterite. You will now learn other verbs whose preterite forms are also irregular.

Preterite of tener, venir, and decir

		tener (**u**-stem)	**venir** (**i**-stem)	**decir** (**j**-stem)
SINGULAR FORMS	yo	tuv**e**	vin**e**	dij**e**
	tú	tuv**iste**	vin**iste**	dij**iste**
	Ud./él/ella	tuv**o**	vin**o**	dij**o**
PLURAL FORMS	nosotros/as	tuv**imos**	vin**imos**	dij**imos**
	vosotros/as	tuv**isteis**	vin**isteis**	dij**isteis**
	Uds./ellos/ellas	tuv**ieron**	vin**ieron**	dij**eron**

▶ **¡Atención!** The endings of these verbs are the regular preterite endings of **-er/-ir** verbs, except for the **yo** and **usted/él/ella** forms. Note that these two endings are unaccented.

▶ These verbs observe similar stem changes to **tener, venir,** and **decir**.

INFINITIVE	U-STEM	PRETERITE FORMS
poder	pud-	pude, pudiste, pudo, pudimos, pudisteis, pudieron
poner	pus-	puse, pusiste, puso, pusimos, pusisteis, pusieron
saber	sup-	supe, supiste, supo, supimos, supisteis, supieron
estar	estuv-	estuve, estuviste, estuvo, estuvimos, estuvisteis, estuvieron

INFINITIVE	I-STEM	PRETERITE FORMS
querer	quis-	quise, quisiste, quiso, quisimos, quisisteis, quisieron
hacer	hic-	hice, hiciste, hizo, hicimos, hicisteis, hicieron

¡ATENCIÓN! Note the **c** → **z** spelling change in the third-person singular form of **hacer**: **hizo**.

INFINITIVE	J-STEM	PRETERITE FORMS
traer	traj-	traje, trajiste, trajo, trajimos, trajisteis, trajeron
conducir	conduj-	conduje, condujiste, condujo, condujimos, condujisteis, condujeron
traducir	traduj-	traduje, tradujiste, tradujo, tradujimos, tradujisteis, tradujeron

▶ **¡Atención!** Most verbs that end in **-cir** are **j**-stem verbs in the preterite. For example, **producir** → **produje, produjiste,** etc.

Produjimos un documental sobre los accidentes en la casa.
We produced a documentary about accidents in the home.

▶ Notice that the preterites with **j**-stems omit the letter **i** in the **ustedes/ellos/ellas** form.

Mis amigos **trajeron** comida a la fiesta.
My friends brought food to the party.

Ellos **dijeron** la verdad.
They told the truth.

The preterite of dar

yo	**di**	nosotros/as	**dimos**
tú	**diste**	vosotros/as	**disteis**
Ud./él/ella	**dio**	Uds./ellos/ellas	**dieron**
SINGULAR FORMS		PLURAL FORMS	

▶ The endings for **dar** are the same as the regular preterite endings for **-er** and **-ir** verbs, except that there are no accent marks.

La camarera me **dio** el menú.
The waitress gave me the menu.

Le **di** a Juan algunos consejos.
I gave Juan some advice.

Los invitados le **dieron** un regalo.
The guests gave him/her a gift.

Nosotros **dimos** una gran fiesta.
We gave a great party.

▶ The preterite of **hay** (*inf.* **haber**) is **hubo** (*there was; there were*).

CONSULTA

Note that there are other ways to say *there was* or *there were* in Spanish. See **Estructura 10.1**, p. 318.

Marissa le dio la foto a la Sra. Díaz.

Hubo una celebración en casa de los Díaz.

¡INTÉNTALO! Escribe la forma correcta del pretérito de cada verbo.

1. (querer) tú quisiste
2. (hacer) nosotras ________
3. (decir) usted ________
4. (traer) yo ________
5. (conducir) ellas ________
6. (estar) ella ________
7. (tener) tú ________
8. (dar) ella y yo ________
9. (haber) ayer ________
10. (traducir) yo ________
11. (saber) usted ________
12. (poner) ellos ________
13. (venir) yo ________
14. (poder) tú ________
15. (querer) ustedes ________
16. (estar) nosotros ________
17. (decir) tú ________
18. (hacer) él ________
19. (saber) ellos ________
20. (poner) yo ________
21. (traer) nosotras ________
22. (dar) tú ________
23. (tener) yo ________
24. (poder) ustedes ________

More activities
vhlcentral
LM p. 51
WB pp. 99 100
Online activities

Práctica

1 **Completar** Completa estas oraciones con el pretérito de los verbos.

1. El sábado __________ (haber) una fiesta sorpresa para Elsa en mi casa.
2. Sofía _______ (hacer) un pastel para la fiesta y Miguel ________ (traer) un flan.
3. Los amigos y parientes de Elsa __________ (venir) y __________ (traer) regalos.
4. El hermano de Elsa no ________ (venir) porque _________ (tener) que trabajar.
5. Su tía María Dolores tampoco __________ (poder) venir.
6. Cuando Elsa abrió la puerta, todos gritaron: "¡Feliz cumpleaños!" y su esposo le __________ (dar) un beso.
7. Elsa no __________ (saber) cómo reaccionar (*react*). __________ (estar) un poco nerviosa al principio, pero pronto sus amigos __________ (poner) música y ella __________ (poder) relajarse bailando con su esposo.
8. Al final de la noche, todos __________ (decir) que se divirtieron mucho.

NOTA CULTURAL

El **flan** es un postre muy popular en los países de habla hispana. Se prepara con huevos, leche y azúcar y se sirve con salsa de caramelo. Existen variedades deliciosas como el flan de chocolate o el flan de coco.

2 **Describir** En parejas, usen los verbos para describir lo que estas personas hicieron.

conducir	estar	poner	traducir
dar	hacer	tener	traer

1. Gabriel y Natalia

2. Sergio

3. anoche nosotros

4. la señora Rojas

Comunicación

3

Preguntas En parejas, túrnense para hacerse y responder a estas preguntas.

1. ¿Fuiste a una fiesta de cumpleaños el año pasado? ¿De quién?
2. ¿Quiénes fueron a la fiesta?
3. ¿Quién condujo el auto?
4. ¿Cómo estuvo el ambiente de la fiesta?
5. ¿Quién llevó regalos, bebidas o comida? ¿Llevaste algo especial?
6. ¿Hubo comida? ¿Quién la hizo? ¿Hubo champán?
7. ¿Qué regalo hiciste tú? ¿Qué otros regalos trajeron los invitados?
8. ¿Cuántos invitados hubo en la fiesta?

4

Encuesta Tu profesor(a) va a darte una hoja de actividades. Para cada una de las actividades de la lista, encuentra a alguien que hizo esa actividad.

modelo

traer dulces a clase
Estudiante 1: *¿Trajiste dulces a clase?*
Estudiante 2: *Sí, traje galletas y helado a la fiesta del fin del semestre.*

Actividades	Nombres
1. ponerse un disfraz (*costume*) de Halloween	
2. traer dulces a clase	
3. conducir su auto a clase	
4. estar en la biblioteca ayer	
5. dar un regalo a alguien ayer	
6. poder levantarse temprano esta mañana	
7. hacer un viaje a un país hispano en el verano	
8. tener una cita anoche	
9. ir a una fiesta el fin de semana pasado	
10. tener que trabajar el sábado pasado	

Síntesis

5

Conversación En parejas, preparen una conversación en la que uno/a de ustedes va a visitar a su hermano/a para explicarle por qué no fue a su fiesta de graduación y para saber cómo estuvo la fiesta. Incluyan esta información en la conversación:

- cuál fue el menú
- quiénes vinieron a la fiesta y quiénes no pudieron venir
- quiénes prepararon la comida o trajeron algo
- si él/ella tuvo que preparar algo
- lo que la gente hizo antes y después de comer
- cómo lo pasaron, bien o mal

9.2 Verbs that change meaning in the preterite

Tutorial

ANTE TODO The verbs **conocer, saber, poder,** and **querer** change meanings when used in the preterite. Because of this, each of them corresponds to more than one verb in English, depending on its tense.

Verbs that change meaning in the preterite

Present	Preterite
conocer	
to know; to be acquainted with **Conozco** a esa pareja. *I know that couple.*	*to meet* **Conocí** a esa pareja ayer. *I met that couple yesterday.*
saber	
to know information; to know how to do something **Sabemos** la verdad. *We know the truth.*	*to find out; to learn* **Supimos** la verdad anoche. *We found out (learned) the truth last night.*
poder	
to be able; can **Podemos** hacerlo. *We can do it.*	*to manage; to succeed (could and did)* **Pudimos** hacerlo ayer. *We managed to do it yesterday.*
querer	
to want; to love **Quiero** ir, pero tengo que trabajar. *I want to go, but I have to work.*	*to try* **Quise** evitarlo, pero fue imposible. *I tried to avoid it, but it was impossible.*

¡ATENCIÓN!

In the preterite, the verbs **poder** and **querer** have different meanings, depending on whether they are used in affirmative or negative sentences.

pude *I succeeded*
no pude *I failed (to)*
quise *I tried (to)*
no quise *I refused (to)*

¡INTÉNTALO! Elige la respuesta más lógica.

1. Hablamos por primera vez con Nuria y Ana en la boda.
   a. Las conocimos en la boda. b. Les dijimos en la boda.
2. Yo no hice lo que me pidieron mis padres. ¡Tengo mis principios!
   a. No quise hacerlo. b. No supe hacerlo.
3. Por fin hablé con mi hermano después de llamarlo siete veces.
   a. No quise hablar con él. b. Pude hablar con él.
4. Josefina se acostó para relajarse. Se durmió inmediatamente.
   a. Pudo relajarse. b. No pudo relajarse.
5. Después de mucho buscar, encontraste la definición en el diccionario.
   a. No supiste la respuesta. b. Supiste la respuesta.
6. Las chicas fueron a la fiesta. Cantaron y bailaron mucho.
   a. Ellas pudieron divertirse. b. Ellas no supieron divertirse.

More activities
vhlcentral
LM p. 52
WB p. 101
Online activities

Práctica y Comunicación

1

Carlos y Eva Forma oraciones con los siguientes elementos. Usa el pretérito y haz todos los cambios necesarios. Al final, inventa la razón del divorcio de Carlos y Eva.

1. anoche / mi esposa y yo / saber / que / Carlos y Eva / divorciarse
2. los / conocer / viaje / isla de Pascua
3. no / poder / hablar / mucho / con / ellos / ese día
4. pero / ellos / ser / simpático / y / nosotros / hacer planes / vernos / con más / frecuencia
5. yo / poder / encontrar / su / número / teléfono / páginas / amarillo
6. (yo) querer / llamar / los / ese día / pero / no / tener / tiempo
7. cuando / los / llamar / nosotros / poder / hablar / Eva
8. nosotros / saber / razón / divorcio / después / hablar / ella
9. ____

NOTA CULTURAL

La isla de Pascua es un remoto territorio chileno situado en el océano Pacífico Sur. Sus inmensas estatuas son uno de los mayores misterios del mundo: nadie sabe cómo o por qué se crearon. Para más información, véase **Panorama**, p. 305.

2

Completar Completa estas frases de una manera lógica.

1. Ayer mi compañero/a de cuarto supo...
2. Esta mañana no pude...
3. Conocí a mi mejor amigo/a en...
4. Mis padres no quisieron...
5. Mi mejor amigo/a no pudo...
6. Mi novio/a y yo nos conocimos en...
7. La semana pasada supe...
8. Ayer mis amigos quisieron...

3

Telenovela En parejas, escriban el diálogo para una escena de una telenovela (*soap opera*). La escena trata de una situación amorosa entre tres personas: Mirta, Daniel y Raúl. Usen el pretérito de **conocer, poder, querer** y **saber** en su diálogo.

modelo

Mirta: *¿Cómo supiste?*
Daniel: *Vi un mensaje electrónico de Raúl...*

Síntesis

4

Conversación En una hoja de papel, escribe dos listas: las cosas que hiciste durante el fin de semana y las cosas que quisiste hacer, pero no pudiste. Luego, compara tu lista con la de un(a) compañero/a, y expliquen ambos por qué no pudieron hacer esas cosas.

9.3 ¿Qué? and ¿cuál?

Tutorial

ANTE TODO You've already learned how to use interrogative words and phrases. As you know, **¿qué?** and **¿cuál?** or **¿cuáles?** mean *what?* or *which?* However, they are not interchangeable.

- **¿Qué?** is used to ask for a definition or an explanation.

¿**Qué** es el flan?
What is flan?

¿**Qué** estudias?
What do you study?

- **¿Cuál(es)?** is used when there is more than one possibility to choose from.

¿**Cuál** de los dos prefieres, el vino o el champán?
Which of these (two) do you prefer, wine or champagne?

¿**Cuáles** son tus medias, las negras o las blancas?
Which ones are your socks, the black ones or the white ones?

- **¿Cuál?** should not be used before a noun; in this case, **¿qué?** is used.

¿**Qué** sorpresa te dieron tus amigos?
What surprise did your friends give you?

¿**Qué** colores te gustan?
What colors do you like?

- **¿Qué?** used before a noun has the same meaning as **¿cuál?**

¿**Qué regalo** te gusta?
What (Which) gift do you like?

¿**Qué dulces** quieren ustedes?
What (Which) sweets do you want?

Review of interrogative words and phrases

¿a qué hora?	*at what time?*	**¿cuántos/as?**	*how many?*
¿adónde?	*(to) where?*	**¿de dónde?**	*from where?*
¿cómo?	*how?*	**¿dónde?**	*where?*
¿cuál(es)?	*what?; which?*	**¿por qué?**	*why?*
¿cuándo?	*when?*	**¿qué?**	*what?; which?*
¿cuánto/a?	*how much?*	**¿quién(es)?**	*who?*

¡INTÉNTALO! Completa las preguntas con **¿qué?** o **¿cuál(es)?**, según el contexto.

1. ¿ Cuál de los dos te gusta más?
2. ¿ ________ tipo de pastel pediste?
3. ¿ ________ es tu teléfono?
4. ¿ ________ es una galleta?
5. ¿ ________ haces ahora?
6. ¿ ________ son tus platos favoritos?
7. ¿ ________ bebidas te gustan más?
8. ¿ ________ es el mejor?
9. ¿ ________ es esto?
10. ¿ ________ es tu opinión?
11. ¿ ________ fiestas celebras tú?
12. ¿ ________ botella de vino prefieres?
13. ¿ ________ pones en la mesa?
14. ¿ ________ es tu helado favorito?
15. ¿ ________ restaurante prefieres?
16. ¿ ________ estudiantes estudian más?
17. ¿ ________ es la sorpresa mañana?
18. ¿ ________ quieres comer esta noche?
19. ¿ ________ postre prefieres?
20. ¿ ________ opinas?

More activities
vhlcentral
LM p. 53
WB p. 102
Online activities

Práctica y Comunicación

1

Completar Completa estas preguntas con alguna(s) palabra(s) interrogativa(s). Luego, con un(a) compañero/a, hagan y contesten las preguntas.

1. ¿__________ es la fecha de tu cumpleaños?
2. ¿__________________ naciste?
3. ¿__________ es tu estado civil?
4. ¿__________ es tu mejor amigo/a?
5. ¿__________ cosas te hacen reír?
6. ¿______________ te relajas?
7. ¿__________ postres te gustan? ¿__________ te gusta más?
8. ¿__________ problemas tuviste en la primera cita con alguien?

2

Una invitación En parejas, túrnense para hacer y contestar preguntas con **qué** y **cuál** basadas en la información de la invitación.

modelo

Estudiante 1: *¿Cuál es el nombre del padre de la novia?*
Estudiante 2: *Su nombre es Fernando Sandoval Valera.*

Fernando Sandoval Valera *Lorenzo Vásquez Amaral*
Isabel Arzipe de Sandoval *Elena Soto de Vásquez*

tienen el agrado de invitarlos a la boda de sus hijos

María Luisa y José Antonio

La ceremonia religiosa tendrá lugar
el sábado 10 de junio a las dos de la tarde
en el Templo de Santo Domingo
(Calle Santo Domingo, 961).

Después de la ceremonia, sírvanse pasar a la recepción en
el salón de baile del Hotel Metrópoli (Sotero del Río, 465).

¡LENGUA VIVA!

The word **invitar** is not always used exactly like *invite*. Sometimes, if you say **Te invito un café**, it means that you are offering to buy that person a coffee.

3

Quinceañera Trabaja con un(a) compañero/a. Uno/a de ustedes es el/la director(a) del salón de fiestas "Renacimiento". La otra persona es el padre/la madre de Sandra, quien quiere hacer la fiesta de quince años de su hija gastando menos de $25 por invitado. Su profesor(a) va a darles la información necesaria para confirmar la reservación.

modelo

Estudiante 1: *¿Cuánto cuestan los entremeses?*
Estudiante 2: *Depende. Puede escoger champiñones por 50 centavos o camarones por dos dólares.*
Estudiante 1: *¡Uf! A mi hija le gustan los camarones, pero son muy caros.*
Estudiante 2: *Bueno, también puede escoger quesos por un dólar por invitado.*

9.4 Pronouns after prepositions

Tutorial

ANTE TODO In Spanish, as in English, the object of a preposition is the noun or pronoun that follows a preposition. Observe the following diagram.

PREPOSITION	NOUN	PREPOSITION	PRONOUN
La sopa es para	Alicia	y para	él.

Prepositional pronouns

	Singular		Plural	
preposition +	**mí**	*me*	**nosotros/as**	*us*
	ti	*you (fam.)*	**vosotros/as**	*you (fam.)*
	Ud.	*you (form.)*	**Uds.**	*you*
	él	*him*	**ellos**	*them (m.)*
	ella	*her*	**ellas**	*them (f.)*

▶ Note that, except for **mí** and **ti,** these pronouns are the same as the subject pronouns. **¡Atención! Mí** (*me*) has an accent mark to distinguish it from the possessive adjective **mi** (*my*).

▶ The preposition **con** combines with **mí** and **ti** to form **conmigo** and **contigo**, respectively.

—¿Quieres venir **conmigo** a Concepción?
Do you want to come with me to Concepción?

—Sí, gracias, me gustaría ir **contigo**.
Yes, thanks, I would like to go with you.

▶ The preposition **entre** is followed by **tú** and **yo** instead of **ti** and **mí**.

Papá va a sentarse **entre tú y yo**.
Dad is going to sit between you and me.

CONSULTA
For more prepositions, refer to **Estructura 2.3,** p. 56.

¡INTÉNTALO! Completa estas oraciones con las preposiciones y los pronombres apropiados.

1. (*with him*) No quiero ir con él.
2. (*for her*) Las galletas son ________.
3. (*for me*) Los mariscos son ________.
4. (*with you*, pl.) Preferimos estar ________.
5. (*with me*) ¿Por qué no quieres tener una cita ________?
6. (*with you*, sing. fam.) Me gusta salir ________.
7. (*for her*) La cuenta es ________.
8. (*for them*, m.) La habitación es muy pequeña ________.
9. (*for you*, sing. fam.) Este beso es ________.
10. (*with them*, f.) Anoche celebré la Navidad ________.
11. (*with you*, sing. fam.) Nunca me aburro ________.
12. (*with you*, pl.) ¡Qué bien que vamos ________!
13. (*for them*, f.) ________ no hay sorpresas.
14. (*for you*, sing. fam.) ________ la vida es muy fácil.

More activities
vhlcentral
LM p. 54
WB pp. 103-104
Online activities

Práctica y Comunicación

1

Completar Escoge los pronombres adecuados para completar el mensaje electrónico.

www.micorreo.com

Mi Correo

Para: Antonio | Asunto: Cena romántica con Claudia

Hola, Antonio:

¿Recuerdas a Claudia? Hoy voy a cenar con (1) __________ (usted/ella). Vamos a ir al restaurante italiano que conocí (2) __________ (conmigo/contigo) el mes pasado. Aunque a (3) __________(él/ti) no te gustó la pasta, a (4) __________ (ellos/mí) me encantó la pizza.

Claudia me dijo que después de la cena quiere ir a bailar (5) __________ (contigo/conmigo). Creo que va a ser una noche muy especial para (6) __________ (nosotros/él) y te lo quería contar a (7) __________ (ti/usted) porque eres mi mejor amigo.

Hasta pronto,
Diego

2

Preguntas En parejas, túrnense para hacerse estas preguntas. Usa los pronombres apropiados en tus respuestas.

1. ¿Quieres practicar el español conmigo?
2. ¿Te gusta viajar con tus padres?
3. ¿Tus padres se preocupan mucho por ti?
4. ¿Tu familia vive contigo?
5. ¿Aprendes mucho con tus profesores?
6. ¿Siempre lo pasas bien con tu mejor amigo/a?
7. ¿Te llevas bien con tus compañeros de clase?
8. ¿Compras regalos para tus amigos?

3

Compartir Tu profesor(a) va a darte una hoja de actividades en la que hay un dibujo. En parejas, hagan preguntas para saber dónde está cada una de las personas en el dibujo. Ustedes tienen dos versiones diferentes de la ilustración. Al final deben saber dónde está cada persona.

modelo

Estudiante 1: *¿Quién está al lado de Óscar?*
Estudiante 2: *Alfredo está al lado de él.*

Alfredo	Dolores	Graciela	Raúl
Sra. Blanco	Enrique	Leonor	Rubén
Carlos	Sra. Gómez	Óscar	Yolanda

AYUDA

Here are some useful prepositions: **al lado de, debajo de, a la derecha de, a la izquierda de, cerca de, lejos de, delante de, detrás de, entre.**

Recapitulación

Completa estas actividades para repasar los conceptos de gramática que aprendiste en esta lección.

1 **Completar** Completa la tabla con el pretérito de los verbos. **18 pts.**

Infinitive	yo	ella	nosotros
conducir			
hacer			
saber			

2 **Mi fiesta** Completa este mensaje electrónico con el pretérito de los verbos. Vas a usar cada verbo sólo una vez. **20 pts.**

dar	haber	tener
decir	hacer	traer
estar	poder	venir
	poner	

Hola, Omar:

Como tú no (1) __________ venir a mi fiesta de cumpleaños, quiero contarte cómo fue. El día de mi cumpleaños, muy temprano por la mañana, mis hermanos me (2) __________ una gran sorpresa: ellos (3) __________ un regalo delante de la puerta de mi habitación: ¡una bicicleta roja preciosa! Mi madre nos preparó un desayuno riquísimo. Después de desayunar, mis hermanos y yo (4) __________ que limpiar toda la casa, así que (*therefore*) no (5) __________ más celebración hasta la tarde. A las seis y media (nosotros) (6) __________ una barbacoa en el patio de la casa. Todos los invitados (7) __________ bebidas y regalos. (8) __________ todos mis amigos, excepto tú, ¡qué pena! :-(La fiesta (9) __________ muy animada hasta las diez de la noche, cuando mis padres (10) __________ que los vecinos (*neighbors*) iban a (*were going to*) protestar y entonces todos se fueron a sus casas.

RESUMEN GRAMATICAL

9.1 Irregular preterites *pp. 286–287*

u-stem	estar poder poner saber tener	estuv- pud- pus- sup- tuv-	-e, -iste, -o, -imos, -isteis, -(i)eron
i-stem	hacer querer venir	hic- quis- vin-	
j-stem	conducir decir traducir traer	conduj- dij- traduj- traj-	

- Preterite of **dar**: **di, diste, dio, dimos, disteis, dieron**
- Preterite of **hay** (*inf.* **haber**): **hubo**

9.2 Verbs that change meaning in the preterite *p. 290*

Present	Preterite
conocer	
to know; to be acquainted with	*to meet*
saber	
to know info.; to know how to do something	*to find out; to learn*
poder	
to be able; can	*to manage; to succeed*
querer	
to want; to love	*to try*

9.3 ¿Qué? and ¿cuál? *p. 292*

- Use **¿qué?** to ask for a definition or an explanation.
- Use **¿cuál(es)?** when there is more than one possibility to choose from.
- **¿Cuál?** should not be used before a noun; use **¿qué?** instead.
- **¿Qué?** used before a noun has the same meaning as **¿cuál?**

9.4 Pronouns after prepositions *p. 294*

Prepositional pronouns

	Singular	Plural
Preposition +	mí ti Ud. él ella	nosotros/as vosotros/as Uds. ellos ellas

▸ Exceptions: **conmigo, contigo, entre tú y yo**

3 **¿Presente o pretérito?** Escoge la forma correcta de los verbos. 12 pts.

1. Después de muchos intentos (*tries*), (podemos/ pudimos) hacer una piñata.
2. —¿Conoces a Pepe?
   —Sí, lo (conozco/ conocí) en tu fiesta.
3. Como no es de aquí, Cristina no (sabe/supo) mucho de las celebraciones locales.
4. Yo no (quiero/quise) ir a un restaurante grande, pero tú decides.
5. Ellos (quieren/quisieron) darme una sorpresa, pero Nina me lo dijo todo.
6. Mañana se terminan las vacaciones; por fin (podemos/pudimos) volver a la escuela.

4 **Preguntas** Escribe una pregunta para cada respuesta con los elementos dados. Empieza con **qué, cuál** o **cuáles** de acuerdo con el contexto y haz los cambios necesarios. 8 pts.

1. —¿? / pastel / querer —Quiero el pastel de chocolate.
2. —¿? / ser / sangría —La sangría es una bebida típica española.
3. —¿? / ser / restaurante favorito —Mis restaurantes favoritos son Dalí y Jaleo.
4. —¿? / ser / dirección electrónica —Mi dirección electrónica es paco@email.com.

5 **¿Dónde me siento?** Completa la conversación con los pronombres apropiados. 14 pts.

JUAN A ver, te voy a decir dónde te vas a sentar. Manuel, ¿ves esa silla? Es para ________. Y esa otra silla es para tu novia, que todavía no está aquí.

MANUEL Muy bien, yo la reservo para ________.

HUGO ¿Y esta silla es para ________ (*me*)?

JUAN No, Hugo. No es para ________. Es para Carmina, que viene con Julio.

HUGO No, Carmina y Julio no pueden venir. Hablé con ________y me avisaron.

JUAN Pues ellos se lo pierden (*it's their loss*). ¡Más comida para ________(*us*)!

CAMARERO Aquí tienen el menú. Les doy un minuto y enseguida estoy con ________.

6 **Cumpleaños feliz** Escribe cinco oraciones que describan cómo celebraste tu último cumpleaños. Usa el pretérito y los pronombres que aprendiste en esta lección. 28 pts.

7 **Poema** Completa este fragmento del poema *Elegía nocturna* de Carlos Pellicer con el pretérito de los verbos. ¡4 puntos EXTRA!

"Ay de mi corazón° que nadie ________ (querer)
tomar de entre mis manos desoladas.
Tú ________ (venir) a mirar sus llamaradas°
y le miraste arder° claro° y sereno."

corazón *heart* llamaradas *flames* arder *to burn* claro *clear*

Audio: Reading

Lectura

Antes de leer

Estrategia

Recognizing word families

Recognizing root words can help you guess the meaning of words in context, ensuring better comprehension of a reading selection. Using this strategy will enrich your Spanish vocabulary as you will see below.

Examinar el texto

Familiarízate con el texto usando las estrategias de lectura más efectivas para ti. ¿Qué tipo de documento es? ¿De qué tratan° las cuatro secciones del documento? Explica tus respuestas.

Raíces°

Completa el cuadro° para ampliar tu vocabulario. Usa palabras de la lectura de esta lección y vocabulario de las lecciones anteriores. ¿Qué significan las palabras que escribiste?

Verbos	Sustantivos	Otras formas
1. agradecer *to thank, to be grateful for*	*agradecimiento/gracias* *gratitude/thanks*	*agradecido* *grateful, thankful*
2. estudiar	________	________
3. ________	________	celebrado
4. ________	baile	________
5. bautizar	________	________

¿De qué tratan...? *What are... about?* Raíces *Roots* cuadro *chart*

More activities

vhlcentral | Online activities

EL INFORMANTE

Actualidad | Opinión | Vida social | Tecnología

Matrimonio

Espinoza Álvarez- Reyes Salazar

El día sábado 17 de junio a las 19 horas, se celebró el matrimonio de Silvia Reyes y Carlos Espinoza en la catedral de Santiago. La ceremonia fue oficiada por el pastor Federico Salas y participaron los padres de los novios, el señor Jorge Espinoza y señora y el señor José Alfredo Reyes y señora. Después de la ceremonia, los padres de los recién casados ofrecieron una fiesta bailable en el restaurante La Misión.

Bautismo

José María recibió el bautismo el 26 de junio.

Sus padres, don Roberto Lagos Moreno y doña María Angélica Sánchez, compartieron la alegría de la fiesta con todos sus parientes y amigos. La ceremonia religiosa tuvo lugar° en la catedral de Aguas Blancas. Después de la ceremonia, padres, parientes y amigos celebraron una fiesta en la residencia de la familia Lagos.

Entretenimiento Deportes Economía

Fiesta de quince años

El doctor don Amador Larenas Fernández y la señora Felisa Vera de Larenas celebraron los quince años de su hija Ana Ester junto a sus parientes y amigos. La quinceañera reside en la ciudad de Valparaíso y es estudiante del Colegio Francés. La fiesta de presentación en sociedad de la señorita Ana Ester fue el día viernes 2 de mayo a las 19 horas en el Club Español. Entre los invitados especiales asistieron el alcalde° de la ciudad, don Pedro Castedo, y su esposa. La música estuvo a cargo de la Orquesta Americana. ¡Feliz cumpleaños, le deseamos a la señorita Ana Ester en su fiesta bailable!

Expresión de gracias

Carmen Godoy Tapia

Agradecemos° sinceramente a todas las personas que nos acompañaron en el último adiós a nuestra apreciada esposa, madre, abuela y tía, la señora Carmen Godoy Tapia. El funeral tuvo lugar el día 28 de junio en la ciudad de Viña del Mar. La vida de Carmen Godoy fue un ejemplo de trabajo, amistad, alegría y amor para todos nosotros. Su esposo, hijos y familia agradecen de todo corazón° su asistencia° al funeral a todos los parientes y amigos.

tuvo lugar *took place* **alcalde** *mayor* **Agradecemos** *We thank* **de todo corazón** *sincerely* **asistencia** *attendance*

Después de leer

Corregir

Escribe estos comentarios otra vez para corregir la información errónea.

1. El alcalde y su esposa asistieron a la boda de Silvia y Carlos.
2. Todos los anuncios (*announcements*) describen eventos felices.
3. Felisa Vera de Larenas cumple quince años.
4. Roberto Lagos y María Angélica Sánchez son hermanos.
5. Carmen Godoy Tapia les dio las gracias a las personas que asistieron al funeral.

Identificar

Escribe el nombre de la(s) persona(s) descrita(s) (*described*).

1. Dejó viudo a su esposo el 28 de junio.
2. Sus padres y todos los invitados brindaron por él, pero él no entendió por qué.
3. El Club Español les presentó una cuenta considerable.
4. Unió a los novios en matrimonio.
5. Su fiesta de cumpleaños se celebró en Valparaíso.

Un anuncio

Trabajen en grupos pequeños para inventar un anuncio breve sobre una celebración importante. Puede ser una graduación, un matrimonio o una gran fiesta en la que ustedes participan. Incluyan la siguiente información.

1. nombres de los participantes
2. la fecha, la hora y el lugar
3. qué se celebra
4. otros detalles de interés

Escritura

Estrategia

Planning and writing a comparative analysis

Writing any kind of comparative analysis requires careful planning. Venn diagrams are useful for organizing your ideas visually before comparing and contrasting people, places, objects, events, or issues. To create a Venn diagram, draw two circles that overlap one another and label the top of each circle. List the differences between the two elements in the outer rings of the two circles, then list their similarities where the two circles overlap. Review the following example.

Diferencias y similitudes

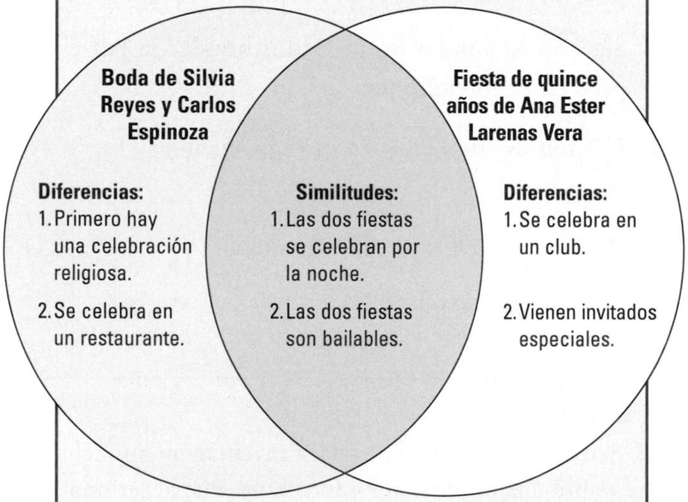

La lista de palabras y expresiones a la derecha puede ayudarte a escribir este tipo de ensayo (*essay*).

Tema

Escribir una composición

Compara una celebración familiar (como una boda, una fiesta de cumpleaños o una graduación) a la que tú asististe recientemente con otro tipo de celebración. Utiliza palabras y expresiones de esta lista.

Para expresar similitudes

además; también	*in addition; also*
al igual que	*the same as*
como	*as; like*
de la misma manera	*in the same manner (way)*
del mismo modo	*in the same manner (way)*
tan + [*adjetivo*] + como	*as* + [adjective] + *as*
tanto/a(s) + [*sustantivo*] + como	*as many/much* + [noun] + *as*

Para expresar diferencias

a diferencia de	*unlike*
a pesar de	*in spite of*
aunque	*although*
en cambio	*on the other hand*
más/menos... que	*more/less . . . than*
no obstante	*nevertheless; however*
por el contrario	*on the contrary*
por otro lado	*on the other hand*
sin embargo	*nevertheless; however*

Escuchar

Antes de escuchar

Estrategia

Guessing the meaning of words through context

When you hear an unfamiliar word, you can often guess its meaning by listening to the words and phrases around it.

To practice this strategy, you will now listen to a paragraph. Jot down the unfamiliar words that you hear. Then listen to the paragraph again and jot down the word or words that give the most useful clues to the meaning of each unfamiliar word.

Preparación

Lee la invitación. ¿De qué crees que van a hablar Rosa y Josefina?

Margarita Robles de García
y Roberto García Olmos

Piden su presencia en la celebración
del décimo aniversario de bodas
el día 13 de marzo
con una misa en la Iglesia Virgen del Coromoto
a las 6:30

seguida por cena y baile
en el restaurante El Campanero,
Calle Principal, Las Mercedes
a las 8:30

Ahora escucha

Josefina y Rosa

Ahora escucha la conversación entre Josefina y Rosa. Cuando oigas una de las palabras de la columna A, usa el contexto para identificar el sinónimo o la definición en la columna B.

A	B
_____ 1. festejar	a. conmemoración religiosa de una muerte
_____ 2. dicha	b. tolera
_____ 3. bien parecido	c. suerte
_____ 4. finge (fingir)	d. celebrar
_____ 5. soporta (soportar)	e. me divertí
_____ 6. yo lo disfruté (disfrutar)	f. horror
	g. crea una ficción
	h. guapo

Comprensión

¿Cierto o falso?

Lee cada oración e indica si lo que dice es **cierto** o **falso**. Corrige las oraciones falsas.

1. No invitaron a mucha gente a la fiesta de Margarita y Roberto porque ellos no conocen a muchas personas.
2. Algunos fueron a la fiesta con pareja y otros fueron sin compañero/a.
3. Margarita y Roberto decidieron celebrar el décimo aniversario porque no hicieron una fiesta el día de su boda.
4. Rafael les parece interesante a Rosa y a Josefina.
5. Josefina se divirtió mucho en la fiesta porque bailó toda la noche con Rafael.

Preguntas

Responde a estas preguntas con oraciones completas.

1. ¿Son solteras Rosa y Josefina? ¿Cómo lo sabes?
2. ¿Tienen las chicas una amistad de mucho tiempo con la pareja que celebra su aniversario? ¿Cómo lo sabes?

En pantalla

Video

Anuncio

Desfiles°, música, asados°, fuegos artificiales° y baile son los elementos de una buena fiesta. ¿Celebrar durante toda una semana? ¡Eso sí que es una fiesta espectacular! El 18 de septiembre Chile conmemora su independencia de España y los chilenos demuestran su orgullo° nacional durante una semana llena de celebraciones. Durante las Fiestas Patrias° casi todas las oficinas° y escuelas se cierran para que la gente se reúna° a festejar. Desfiles y rodeos representan la tradición de los vaqueros° del país, y la gente baila cueca, el baile nacional. Otra de las tradiciones de estas fiestas es hacer volar cometas°, llamadas volantines.

Vocabulario útil

conejo	*bunny*
disfraces	*costumes*
mariscal	*traditional Chilean soup with raw seafood*
sustos	*frights*
vieja (Chi.)	*mother*

Preparación

¿Cuál es tu día de fiesta favorito? ¿Cómo lo celebras?

Seleccionar

Selecciona la palabra que no está relacionada con cada grupo.

1. disfraces • noviembre • arbolito • sustos
2. volantines • arbolito • regalos • diciembre
3. conejo • enero • huevitos • chocolates
4. septiembre • volantines • disfraces • asado

Fiesta

Trabajen en grupos de tres. Imaginen que van a organizar una fiesta para celebrar el 4 de julio. Escriban una invitación electrónica para invitar a sus parientes y amigos a la fiesta. Describan los planes que tienen para la fiesta y díganles a sus amigos qué tiene que traer cada uno.

Desfiles/Paradas *Parades* **asados** *barbecues* **fuegos artificiales** *fireworks* **orgullo** *pride* **Fiestas Patrias** *Independence Day celebrations* **oficinas** *offices* **se reúna** *would get together* **vaqueros** *cowboys* **cometas/volantines** *kites*

Fiestas patrias: Chilevisión

1 **Noviembre: disfraces, dulces...**

2 **Mayo: besito, tarjeta, tecito con la mamá...**

3 **Septiembre... Septiembre: familia, parada militar...**

More activities
vhlcentral
Online activities

Cortometraje

Para Iker, cada persona se parece a un animal. Por ejemplo, su papá es un oso°. A Iker le habría gustado° ser un oso también, pero él es otro animal. Y eso es algo que nadie sabe en la escuela. ¿Qué puede pasar si° sus compañeros descubren el secreto de Iker?

Preparación

En parejas, túrnense para hacerse estas preguntas.

1. ¿Tienes rasgos particulares? ¿Cuáles son de tu apariencia física? ¿Cuáles son de tu personalidad?
2. ¿Cuáles de tus rasgos son buenos? ¿Cuáles son malos? ¿Cómo determinas que son buenos o malos?
3. ¿Qué rasgos te hacen una persona única?
4. ¿Alguno de esos rasgos es común en tu familia? ¿Cuál?
5. ¿Qué animal crees que serías (*you would be*) según (*according to*) tus rasgos? Explica tu respuesta.

Después de ver

Escoge la opción que completa mejor cada oración.

1. En la familia de Iker, ____ el mismo rasgo.
   a. no hay dos personas con
   b. él y su abuelo comparten
   c. el abuelo y Tito tienen
2. Para Iker, su ____ es un perico.
   a. hermana b. mamá c. maestra (*teacher*)
3. Iker se sintió ____ cuando su compañero le dijo que le gustaba su peinado.
   a. aliviado (*relieved*) b. cohibido c. enojado
4. Al final, Iker estaba ____ de mostrar su pelo tal y como es.
   a. avergonzado b. nervioso c. orgulloso

Conversar

En parejas, respondan a estas preguntas con oraciones completas.

1. ¿Se han sentido ustedes cohibidos/as alguna vez? ¿Qué pasó?
2. ¿Cuáles son las ventajas (*advantages*) de presentarse ante el mundo tal y como son?
3. ¿Creen que la percepción que tienen de ustedes mismos/as influye en (*influences*) la manera en que ven a los demás? Expliquen su respuesta.

Expresiones útiles

devolver	*to return, to give back*
disimular	*to hide, to disguise*
me hubiera gustado	*I would have liked*
meter	*to put (something) in, to introduce*
el peinado	*hairstyle*
salir (igual) a	*to take after*
si supieran	*if they knew*
tieso/a.	*stiff*

Para hablar del corto

burlarse (de)	*to make fun (of)*
esconder(se)	*to hide (oneself)*
la fuerza	*strength*
orgulloso/a	*proud*
pelear(se)	*to fight (with one another)*
el rasgo	*feature, characteristic*
sentirse cohibido/a.	*to feel self-conscious*

oso *bear* le habría gustado *he would have liked* si *if*

Video

Chile

El país en cifras

- **Área:** 756.950 km² (292.259 millas²), *dos veces el área de Montana*
- **Población:** 17.789.000 *Aproximadamente el 85 por ciento de la población del país es urbana.*
- **Capital:** Santiago de Chile—6.507.000
- **Ciudades principales:** Valparaíso—907.000, Concepción, Viña del Mar, Temuco
- **Moneda:** peso chileno
- **Idiomas:** español (oficial), mapuche

Bandera de Chile

Chilenos célebres

- **Bernardo O'Higgins,** militar° y héroe nacional (1778–1842)
- **Gabriela Mistral,** Premio Nobel de Literatura, 1945; poeta y diplomática (1889–1957)
- **Pablo Neruda,** Premio Nobel de Literatura, 1971; poeta (1904–1973)
- **Isabel Allende,** novelista (1942–)
- **Javiera Mena,** cantante (1983–)

Pablo Neruda

militar *soldier*

La costa de Viña del Mar

El puerto de Valparaíso

Edificio antiguo en Santiago

Torres del Paine

Una celebración en Temuco

More activities: vhlcentral | WB pp. 105–106 | Online activities

ACTIVIDADES

1 **¿Cierto o falso?** Indica si lo que dicen las oraciones es **cierto** o **falso**.

1. Valparaíso es la capital de Chile.
2. Isabel Allende nació en el año 1942.
3. Javiera Mena canta.
4. Le dieron el Premio Nobel de Literatura a Pablo Neruda en 1945.
5. Viña del Mar es un día de fiesta en Chile.
6. Los exploradores holandeses llegaron a la isla de Pascua por primera vez el día de Pascua de 1722.
7. No puedes esquiar en el Parque Nacional Villarrica.
8. Todos los observatorios de Chile son viejos.
9. Los vinos de Aconcagua y del valle del Maipo son los más conocidos.
10. Atacama, en el norte de Chile, es el desierto más seco del mundo.

Lugares • La isla de Pascua

La isla de Pascua° recibió ese nombre porque los exploradores holandeses° llegaron a la isla por primera vez el día de Pascua de 1722. Ahora es parte del territorio de Chile. La isla de Pascua es famosa por los *moái*, estatuas enormes que representan personas con rasgos° muy exagerados. Los *rapa nui*, antiguos habitantes de la zona, construyeron estas estatuas. Todavía no se sabe mucho sobre los *rapa nui*, ni tampoco se sabe por qué decidieron abandonar la isla.

Deportes • Los deportes de invierno

Hay muchos lugares para practicar deportes de invierno en Chile porque las montañas nevadas de los Andes ocupan gran parte del país. El Parque Nacional Villarrica, por ejemplo, situado al pie de un volcán y junto a° un lago, es un sitio popular para el esquí y el *snowboard*. Para los que prefieren deportes más extremos, el centro de esquí Valle Nevado organiza excursiones para practicar heliesquí.

Ciencias • Astronomía

Los observatorios chilenos, situados en los Andes, son lugares excelentes para las observaciones astronómicas. Científicos° de todo el mundo van a Chile para estudiar las estrellas° y otros cuerpos celestes. Hoy día, Chile está construyendo nuevos observatorios y telescopios para mejorar las imágenes del universo.

Economía • El vino

La producción de vino comenzó en Chile en el siglo° XVI. Ahora la industria del vino constituye una parte importante de la actividad agrícola del país y la exportación de sus productos está aumentando° cada vez más. Los vinos chilenos son muy apreciados internacionalmente por su gran variedad, sus ricos y complejos sabores° y su precio moderado. Los más conocidos son los vinos de Aconcagua y del valle del Maipo.

isla de Pascua *Easter Island* holandeses *Dutch* rasgos *features* junto a *beside* Científicos *Scientists* estrellas *stars* siglo *century* aumentando *increasing* complejos sabores *complex flavors*

¡Increíble pero cierto!

El desierto° de Atacama, en el norte de Chile, es el más seco° del mundo°. Con más de cien mil km² de superficie, algunas zonas de este desierto nunca han tenido° lluvia. Atacama ha sido usado° como escenario para representar a Marte° en películas y series de televisión.

desierto *desert* el más seco *the driest* mundo *world* han tenido *have had* ha sido usado *has been used* Marte *Mars*

2 ¿Qué aprendiste? Contesta las preguntas.

1. ¿Qué porcentaje de la población chilena es urbana?
2. ¿Qué son los *moái*? ¿Dónde están?
3. ¿Qué deporte extremo ofrece el centro de esquí Valle Nevado?
4. ¿Por qué van a Chile científicos de todo el mundo?
5. ¿Por qué son apreciados los vinos chilenos?

3 Preguntas En parejas, túrnense para hacer preguntas sobre Chile con las palabras interrogativas **qué** y **cuál**.

modelo

Estudiante 1: *¿Cuál es la capital de Chile?*
Estudiante 2: *La capital de Chile es Santiago.*

Vocabulary Tools

Las celebraciones

el aniversario (de bodas)	*(wedding) anniversary*
la boda	*wedding*
el cumpleaños	*birthday*
el día de fiesta	*holiday*
la fiesta	*party*
el/la invitado/a	*guest*
la Navidad	*Christmas*
la quinceañera	*young woman celebrating her fifteenth birthday*
la sorpresa	*surprise*
brindar	*to toast* (drink)
celebrar	*to celebrate*
divertirse (e:ie)	*to have fun*
invitar	*to invite*
pasarlo bien/mal	*to have a good/bad time*
regalar	*to give* (a gift)
reírse (e:i)	*to laugh*
relajarse	*to relax*
sonreír (e:i)	*to smile*
sorprender	*to surprise*

Los postres y otras comidas

la botella (de vino)	*bottle (of wine)*
el champán	*champagne*
los dulces	*sweets; candy*
el flan (de caramelo)	*baked (caramel) custard*
la galleta	*cookie*
el helado	*ice cream*
el pastel (de chocolate)	*(chocolate) cake; pie*
el postre	*dessert*

Las relaciones personales

la amistad	*friendship*
el amor	*love*
el divorcio	*divorce*
el estado civil	*marital status*
el matrimonio	*marriage*
la pareja	*(married) couple; partner*
el/la recién casado/a	*newlywed*
casarse (con)	*to get married (to)*
comprometerse (con)	*to get engaged (to)*
divorciarse (de)	*to get divorced (from)*
enamorarse (de)	*to fall in love (with)*
llevarse bien/mal (con)	*to get along well/ badly (with)*
odiar	*to hate*
romper (con)	*to break up (with)*
salir (con)	*to go out (with); to date*
separarse (de)	*to separate (from)*
tener una cita	*to have a date; to have an appointment*
casado/a	*married*
divorciado/a	*divorced*
juntos/as	*together*
separado/a	*separated*
soltero/a	*single*
viudo/a	*widower/widow*

Las etapas de la vida

la adolescencia	*adolescence*
la edad	*age*
las etapas de la vida	*the stages of life*
la juventud	*youth*
la madurez	*maturity; middle age*
la muerte	*death*
el nacimiento	*birth*
la niñez	*childhood*
la vejez	*old age*
cambiar (de)	*to change*
graduarse (de/en)	*to graduate (from/in)*
jubilarse	*to retire (from work)*
nacer	*to be born*

Palabras adicionales

la alegría	*happiness*
el beso	*kiss*
conmigo	*with me*
contigo	*with you*
¡Felicidades!/ ¡Felicitaciones!	*Congratulations!*
¡Feliz cumpleaños!	*Happy birthday!*

Expresiones útiles	*See page 281.*

More activities

vhlcentral | LM p. 54

En el consultorio 10

Communicative Goals

You will learn how to:

- **Describe how you feel physically**
- **Talk about health and medical conditions**

A PRIMERA VISTA

- **¿Están en una farmacia o en un hospital?**
- **¿La mujer es médica o dentista?**
- **¿Qué hace ella, una operación o un examen médico?**
- **¿En qué etapa de la vida está la paciente?**

Hotspots

En el consultorio

Más vocabulario

la clínica	*clinic*
el consultorio	*doctor's office*
el/la dentista	*dentist*
el examen médico	*physical exam*
la farmacia	*pharmacy*
el hospital	*hospital*
la operación	*operation*
la sala de emergencia(s)	*emergency room*
el cuerpo	*body*
el oído	*(sense of) hearing; inner ear*
el accidente	*accident*
la salud	*health*
el síntoma	*symptom*
caerse	*to fall (down)*
darse con	*to bump into; to run into*
doler (o:ue)	*to hurt*
enfermarse	*to get sick*
estar enfermo/a	*to be sick*
lastimarse (el pie)	*to injure (one's foot)*
poner una inyección	*to give an injection*
recetar	*to prescribe*
romperse (la pierna)	*to break (one's leg)*
sacar(se) un diente	*to have a tooth removed*
sufrir una enfermedad	*to suffer an illness*
torcerse (o:ue) (el tobillo)	*to sprain (one's ankle)*
toser	*to cough*

Variación léxica

gripe ⟷ gripa (*Col., Gua., Méx.*)
resfriado ⟷ catarro (*Cuba, Esp., Gua.*)
sala de emergencia(s) ⟷ sala de urgencias (*Arg., Col., Esp., Méx.*)
romperse ⟷ quebrarse (*Arg., Gua.*)

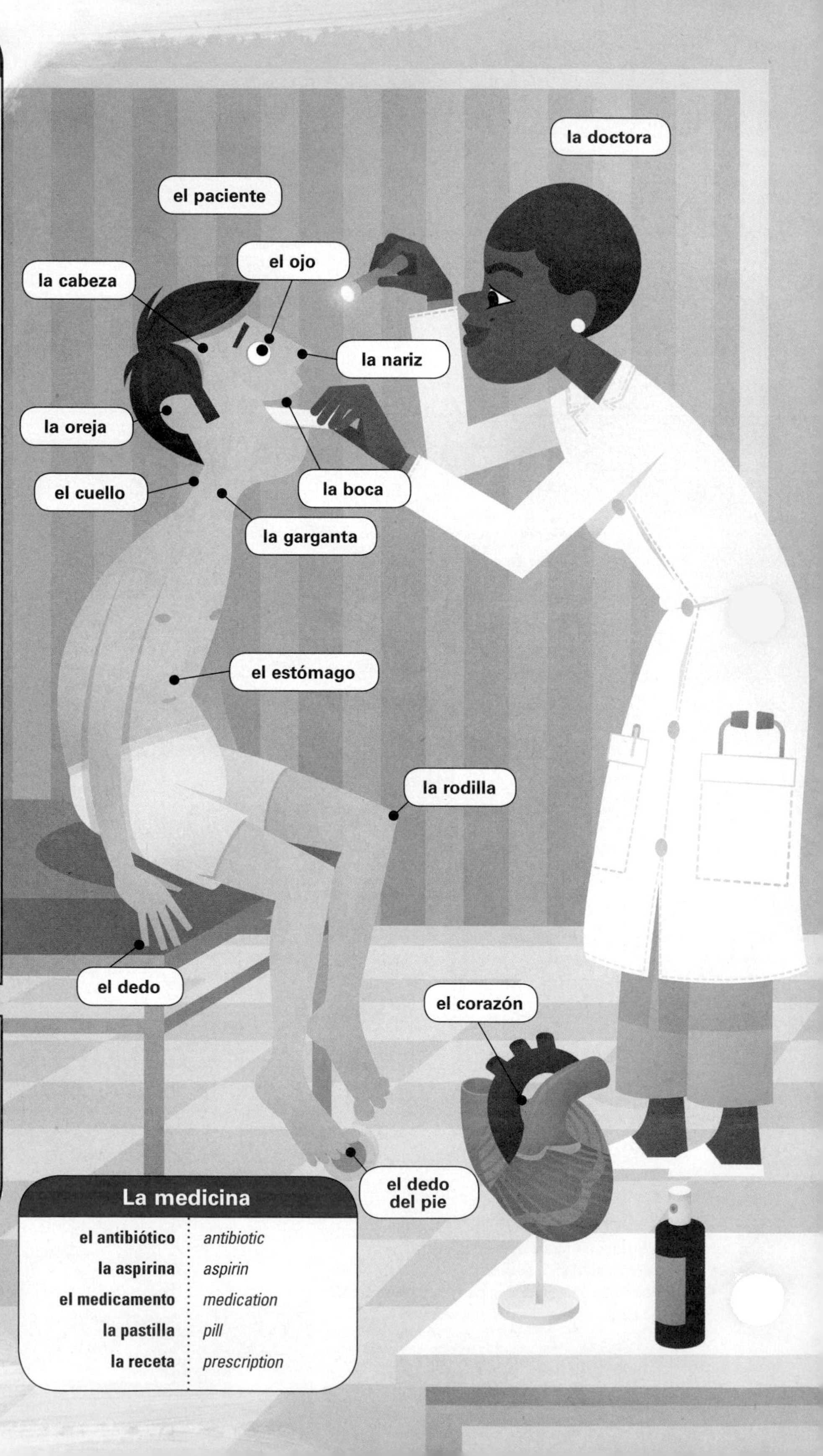

La medicina

el antibiótico	*antibiotic*
la aspirina	*aspirin*
el medicamento	*medication*
la pastilla	*pill*
la receta	*prescription*

More activities

vhlcentral | LM p. 55 | WB pp. 109–110 | Online activities

Síntomas y condiciones médicas

el dolor (de cabeza)	*(head)ache; pain*
la gripe	*flu*
la infección	*infection*
el resfriado	*cold*
la tos	*cough*
congestionado/a	*congested*
embarazada	*pregnant*
grave	*grave; serious*
mareado/a	*dizzy; nauseated*
médico/a	*medical*
saludable	*healthy*
sano/a	*healthy*
ser alérgico/a (a)	*to be allergic (to)*
tener dolor (m.)	*to have pain*
tener fiebre (f.)	*to have a fever*

Práctica

1 **Escuchar** Escucha las preguntas y selecciona la respuesta más adecuada.

a. Debes ir a la farmacia.
b. No fui a la clase porque estaba (*I was*) enfermo.
c. Me caí la semana pasada jugando al tenis.
d. Tengo dolor de cabeza y fiebre.
e. Porque tengo gripe.
f. Sí, tengo mucha tos por las noches.
g. Lo llevaron directamente a la sala de emergencia.
h. No sé. Todavía tienen que tomarme la temperatura.

1. ______ 3. ______ 5. ______ 7. ______
2. ______ 4. ______ 6. ______ 8. ______

2 **¿Cierto o falso?** Indica si las oraciones sobre la conversación que vas a escuchar son **ciertas** o **falsas**.

	Cierto	Falso
1. El doctor habla con su paciente por teléfono.	❍	❍
2. El doctor le receta pastillas a la paciente.	❍	❍
3. La paciente estornuda mucho.	❍	❍
4. El doctor piensa que la paciente tiene un resfriado.	❍	❍
5. La paciente tiene dolor de cabeza.	❍	❍
6. La enfermera le pone una inyección a la paciente.	❍	❍

3 **Completar** Completa las oraciones con una palabra de la misma familia de la palabra subrayada. Usa la forma correcta de cada palabra.

modelo
Si tienes buena <u>salud</u>, eres una persona <u>saludable</u>.

1. Cuando <u>oyes</u> algo, usas el ________.
2. ¿Vas al ________ para <u>consultar</u> al médico?
3. ¿Alguien ________? Creo que oí un <u>estornudo</u> (*sneeze*).
4. No puedo <u>arrodillarme</u> (*kneel down*) porque me lastimé la ________ en un accidente de coche.
5. Cuando te <u>enfermas</u>, te sientes ________ y necesitas ir al consultorio para ver a la ________.
6. Si te rompes un <u>diente</u>, vas al ________.

4 **Contestar** Mira el dibujo y contesta las preguntas.

1. ¿Qué hace la enfermera?
2. ¿Qué hay en la pared (*wall*)?
3. ¿Qué hace la doctora?
4. ¿Qué hace el paciente?
5. ¿A quién le duele la garganta?
6. ¿Qué tiene la paciente?

5 **Asociaciones** Trabajen en parejas para identificar las partes del cuerpo que ustedes asocian con estas actividades.

modelo

nadar

Estudiante 1: Usamos los brazos para nadar.

Estudiante 2: Usamos las piernas también.

1. hablar por teléfono
2. conducir
3. correr en el parque
4. escuchar música
5. ver una película
6. toser
7. llevar zapatos
8. comprar perfume
9. estudiar biología
10. comer pollo asado

AYUDA

Remember that in Spanish, parts of the body are usually referred to with an article and not a possessive adjective: **Me duelen los pies.** The indirect object pronoun **me** is used to express the concept of *my*.

6 **Cuestionario** Contesta el cuestionario seleccionando las respuestas que reflejen mejor tus experiencias. Suma (*Add*) los puntos de cada respuesta y anota el resultado. Después, con el resto de la clase, compara y analiza los resultados del cuestionario y comenta lo que dicen de la salud y de los hábitos de todo el grupo.

¿Tienes buena salud?

27–30 puntos	Salud y hábitos excelentes
23–26 puntos	Salud y hábitos buenos
22 puntos o menos	Salud y hábitos problemáticos

1. ¿Con qué frecuencia te enfermas? (resfriados, gripe, etc.)
Cuatro veces por año o más. (1 punto)
Dos o tres veces por año. (2 puntos)
Casi nunca. (3 puntos)

2. ¿Con qué frecuencia tienes dolores de estómago o problemas digestivos?
Con mucha frecuencia. (1 punto)
A veces. (2 puntos)
Casi nunca. (3 puntos)

3. ¿Con qué frecuencia sufres de dolores de cabeza?
Frecuentemente. (1 punto)
A veces. (2 puntos)
Casi nunca. (3 puntos)

4. ¿Comes verduras y frutas?
No, casi nunca como verduras ni frutas. (1 punto)
Sí, a veces. (2 puntos)
Sí, todos los días. (3 puntos)

5. ¿Eres alérgico/a a algo?
Sí, a muchas cosas. (1 punto)
Sí, a algunas cosas. (2 puntos)
No. (3 puntos)

6. ¿Haces ejercicios aeróbicos?
No, casi nunca hago ejercicios aeróbicos. (1 punto)
Sí, a veces. (2 puntos)
Sí, con frecuencia. (3 puntos)

7. ¿Con qué frecuencia te haces un examen médico?
Nunca o casi nunca. (1 punto)
Cada dos años. (2 puntos)
Cada año y/o antes de empezar a practicar un deporte. (3 puntos)

8. ¿Con qué frecuencia vas al dentista?
Nunca voy al dentista. (1 punto)
Sólo cuando me duele un diente. (2 puntos)
Por lo menos una vez por año. (3 puntos)

9. ¿Qué comes normalmente por la mañana?
No como nada por la mañana. (1 punto)
Tomo una bebida dietética. (2 puntos)
Como cereal y fruta. (3 puntos)

10. ¿Con qué frecuencia te sientes mareado/a?
Frecuentemente. (1 punto)
A veces. (2 puntos)
Casi nunca. (3 puntos)

Comunicación

7

¿Qué les pasó? Trabajen en un grupo de dos o tres personas. Hablen de lo que les pasó y de cómo se sienten las personas.

1. Pilar

2. Francisco

3. Adela

4. Félix

5. Cristina

6. Pedro

8

Un accidente Cuéntale a un(a) compañero/a de un accidente o una enfermedad que tuviste. Incluye información que conteste estas preguntas.

✓ ¿Qué ocurrió?
✓ ¿Dónde ocurrió?
✓ ¿Cuándo ocurrió?
✓ ¿Cómo ocurrió?
✓ ¿Quién te ayudó y cómo?
✓ ¿Tuviste algún problema después del accidente o después de la enfermedad?
✓ ¿Cuánto tiempo tuviste el problema?

9

Crucigrama Tu profesor(a) les va a dar a ti y a un(a) compañero/a un crucigrama (*crossword*) incompleto. Tú tienes las palabras que necesita tu compañero/a y él/ella tiene las palabras que tú necesitas. Tienen que darse pistas para completarlo. No pueden decir la palabra necesaria; deben utilizar definiciones, ejemplos y frases.

modelo

10 horizontal: La usamos para hablar.
14 vertical: Es el médico que examina los dientes.

¡Qué dolor!

Jimena no se siente bien y tiene que ir al doctor.

PERSONAJES

ELENA

JIMENA

Video

ELENA ¿Cómo te sientes?

JIMENA Me duele un poco la garganta. Pero no tengo fiebre.

ELENA Creo que tienes un resfriado. Te voy a llevar a casa.

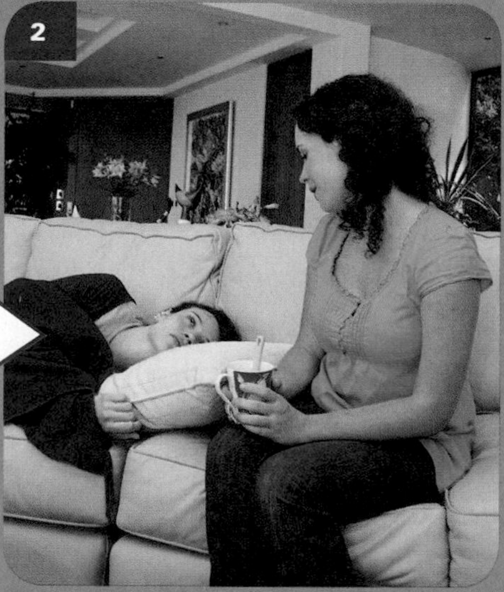

ELENA ¿Don Diego ya fue a la farmacia? ¿Cuánto tiempo hace que lo llamaste?

JIMENA Hace media hora. Ay, qué cosas, de niña apenas me enfermaba. No perdí ni un solo día de clases.

ELENA Yo tampoco.

ELENA Nunca tenía resfriados, pero me rompí el brazo dos veces. Mi hermana y yo estábamos paseando en bicicleta y casi me di con un señor que caminaba por la calle. Me caí y me rompí el brazo.

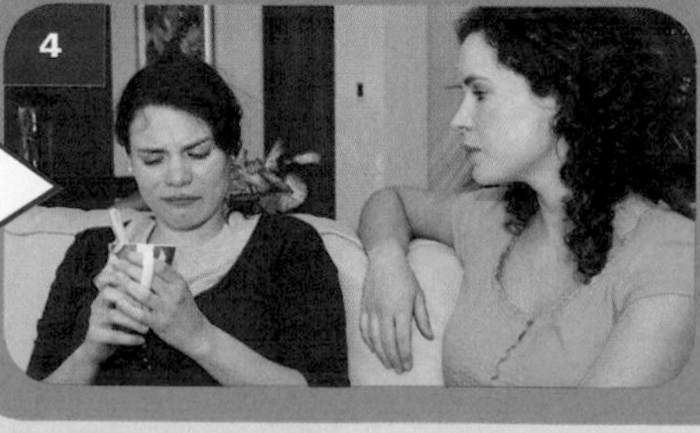

JIMENA ¿Qué es esto?

ELENA Es té de jengibre. Cuando me dolía el estómago, mi mamá siempre me hacía tomarlo. Se dice que es bueno para el dolor de estómago.

JIMENA Pero no me duele el estómago.

JIMENA Hola, don Diego. Gracias por venir.

DON DIEGO Fui a la farmacia. Aquí están las pastillas para el resfriado. Se debe tomar una cada seis horas con las comidas. Y no se deben tomar más de seis pastillas al día.

(La Sra. Díaz llama a Jimena.)

JIMENA Hola, mamá. Don Diego me trajo los medicamentos... ¿Al doctor? ¿Estás segura? Allá nos vemos. (*A Elena*) Mi mamá ya hizo una cita para mí con el Dr. Meléndez.

DON DIEGO

SRA. DÍAZ

DR. MELÉNDEZ

SRA. DÍAZ ¿Te pusiste un suéter anoche?

JIMENA No, mamá. Se me olvidó.

SRA. DÍAZ Doctor, esta jovencita salió anoche, se le olvidó ponerse un suéter y parece que le dio un resfriado.

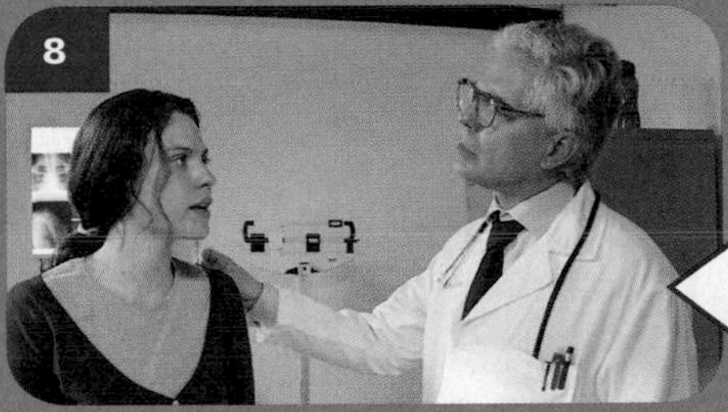

DR. MELÉNDEZ Jimena, ¿cuáles son tus síntomas?

JIMENA Toso con frecuencia y me duele la garganta.

DR. MELÉNDEZ ¿Cuánto tiempo hace que tienes estos síntomas?

JIMENA Hace dos días que me duele la garganta.

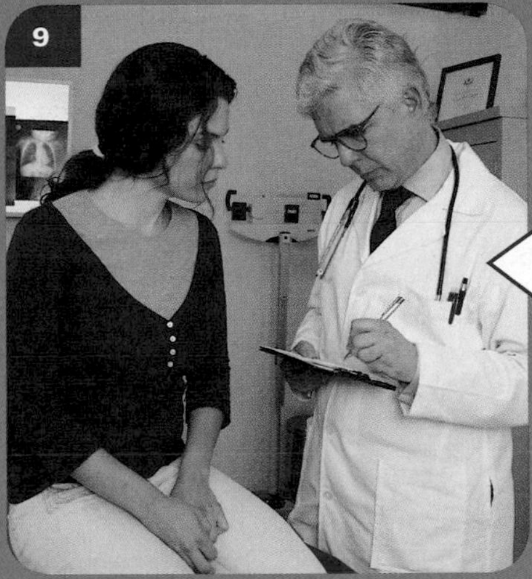

DR. MELÉNDEZ Muy bien. Aquí no tienes infección. No tienes fiebre. Te voy a mandar algo para la garganta. Puedes ir por los medicamentos inmediatamente a la farmacia.

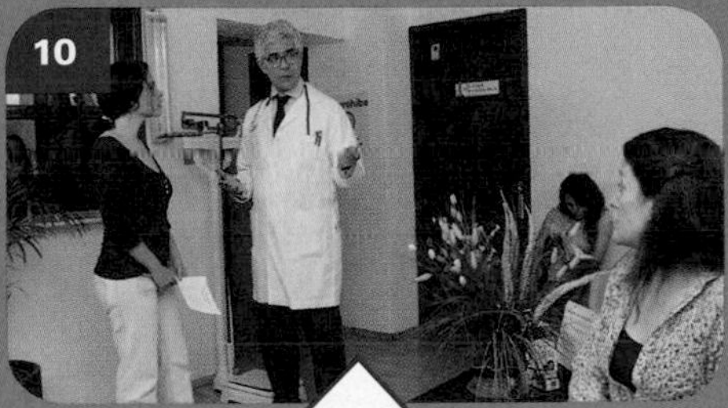

SRA. DÍAZ Doctor, ¿cómo está? ¿Es grave?

DR. MELÉNDEZ No, no es nada grave. Jimena, la próxima vez, escucha a tu mamá. ¡Tienes que usar suéter!

More activities

vhlcentral | VM pp. 19–20 | Online activities

Expresiones útiles

Discussing medical conditions

¿Cómo te sientes?
How do you feel?
Me duele un poco la garganta.
My throat hurts a little.
No me duele el estómago.
My stomach doesn't hurt.
De niño/a apenas me enfermaba.
As a child, I rarely got sick.
¡Soy alérgico/a a chile!
I'm allergic to chili powder!

Discussing remedies

Se dice que el té de jengibre es bueno para el dolor de estómago.
They say ginger tea is good for stomachaches.
Aquí están las pastillas para el resfriado.
Here are the pills for your cold.
Se debe tomar una cada seis horas.
You should take one every six hours.

Expressions with hacer

Hace + [*period of time*] **que** + [*present/preterite*]
¿Cuánto tiempo hace que tienes estos síntomas?
How long have you had these symptoms?
Hace dos días que me duele la garganta.
My throat has been hurting for two days.
¿Cuánto tiempo hace que lo llamaste?
How long has it been since you called him?
Hace media hora.
It's been a half hour (since I called).

Additional vocabulary

canela *cinnamon*
miel *honey*
terco *stubborn*

¿Qué pasó?

1

¿Cierto o falso? Decide si lo que dicen estas oraciones sobre Jimena es **cierto** o **falso**. Corrige las oraciones falsas.

	Cierto	Falso
1. Dice que de niña apenas se enfermaba.	❍	❍
2. Tiene dolor de garganta y fiebre.	❍	❍
3. Olvidó ponerse un suéter anoche.	❍	❍
4. Hace tres días que le duele la garganta.	❍	❍
5. El doctor le dice que tiene una infección.	❍	❍

2

Identificar Identifica quién dice las oraciones equivalentes.

1. Como dice tu mamá, tienes que usar suéter.
2. Por pasear en bicicleta me rompí el brazo dos veces.
3. ¿Cuánto tiempo hace que toses y te duele la garganta?
4. Tengo cita con el Dr. Meléndez.
5. Dicen que el té de jengibre es muy bueno para los dolores de estómago.
6. Nunca perdí un día de clases porque apenas me enfermaba.

DR. MELÉNDEZ

ELENA

JIMENA

3

Ordenar Pon estos sucesos en el orden correcto.

a. Jimena va a ver al doctor. ______
b. El doctor le dice a la Sra. Díaz que no es nada serio. ______
c. Elena le habla a Jimena de cuando se rompió el brazo. ______
d. El doctor le receta medicamentos. ______
e. Jimena le dice a Elena que le duele la garganta. ______
f. Don Diego le trae a Jimena las pastillas para el resfriado. ______

4

En el consultorio Trabajen en parejas para representar los papeles de un(a) médico/a y su paciente.

El/La médico/a	El/La paciente
Pregúntale al / a la paciente qué le pasó.	→ Dile que te caíste en casa. Describe tu dolor.
Pregúntale cuánto tiempo hace que se cayó.	→ Describe la situación. Piensas que te rompiste el dedo.
Mira el dedo. Debes recomendar un tratamiento (*treatment*) al / a la paciente.	→ Debes hacer preguntas al / a la médico/a sobre el tratamiento (*treatment*).

AYUDA

Here are some useful expressions:
¿Cómo se lastimó...?
¿Qué le pasó?
¿Cuánto tiempo hace que...?
Tengo...
Estoy...
¿Es usted alérgico/a a algún medicamento?
Usted debe...

Ortografía

Tutorial

El acento y las sílabas fuertes

In Spanish, written accent marks are used on many words. Here is a review of some of the principles governing word stress and the use of written accents.

as-pi-ri-na **gri-pe** **to-man** **an-tes**

In Spanish, when a word ends in a vowel, **-n**, or **-s**, the spoken stress usually falls on the next-to-last syllable. Words of this type are very common and do not need a written accent.

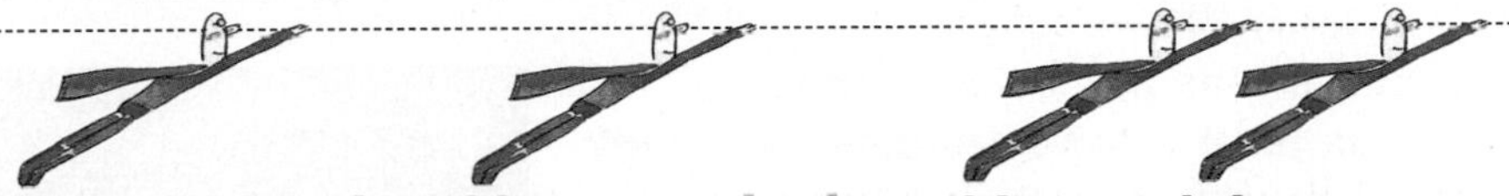

a-sí **in-glés** **in-fec-ción** **hé-ro-e**

When a word ends in a vowel, **-n**, or **-s**, and the spoken stress does *not* fall on the next-to-last syllable, then a written accent is needed.

hos-pi-tal **na-riz** **re-ce-tar** **to-ser**

When a word ends in any consonant *other* than **-n** or **-s**, the spoken stress usually falls on the last syllable. Words of this type are very common and do not need a written accent.

lá-piz **fút-bol** **hués-ped** **sué-ter**

When a word ends in any consonant *other* than **-n** or **-s** and the spoken stress does *not* fall on the last syllable, then a written accent is needed.

far-ma-cia **bio-lo-gí-a** **su-cio** **frí-o**

Diphthongs (two weak vowels or a strong and weak vowel together) are normally pronounced as a single syllable. A written accent is needed when a diphthong is broken into two syllables.

sol **pan** **mar** **tos**

Spanish words of only one syllable do not usually carry a written accent (unless it is to distinguish meaning: **se** and **sé**).

CONSULTA

In Spanish, **a**, **e**, and **o** are considered strong vowels while **i** and **u** are weak vowels. To review this concept, see **Lección 3, Pronunciación**, p. 77.

Práctica Busca las palabras que necesitan acento escrito y escribe su forma correcta.

1. sal-mon
2. ins-pec-tor
3. nu-me-ro
4. fa-cil
5. ju-go
6. a-bri-go
7. ra-pi-do
8. sa-ba-do
9. vez
10. me-nu
11. o-pe-ra-cion
12. im-per-me-a-ble
13. a-de-mas
14. re-ga-te-ar
15. an-ti-pa-ti-co
16. far-ma-cia
17. es-qui
18. pen-sion
19. pa-is
20. per-don

El ahorcado Juega al ahorcado (*hangman*) para adivinar las palabras.

1. __ l __ __ __ __ a — Vas allí cuando estás enfermo.
2. __ __ __ e __ c __ __ n — Se usa para poner una vacuna (*vaccination*).
3. __ __ d __ o __ __ __ __ __ a — Permite ver los huesos.
4. __ __ __ i __ o — Trabaja en un hospital.
5. a __ __ __ b __ __ __ __ __ __ — Es una medicina.

More activities

vhlcentral LM p. 56

Flash CULTURA

EN DETALLE

Video

Servicios de salud

¿Sabías que en los países hispanos no necesitas pagar por los servicios de salud? Ésta es una de las diferencias que hay entre países como los Estados Unidos y los países hispanos.

En la mayor parte de estos países, el gobierno ofrece servicios médicos muy baratos o gratuitos° a sus ciudadanos°. Los turistas y extranjeros también pueden tener acceso a los servicios médicos a bajo° costo. La Seguridad Social y organizaciones similares son las responsables de gestionar° estos servicios.

Naturalmente, esto no funciona igual° en todos los países. En Ecuador, México y Perú, la situación varía según las regiones. Los habitantes de las ciudades y pueblos grandes tienen acceso a más servicios médicos, mientras que quienes viven en pueblos remotos sólo cuentan con° pequeñas clínicas.

Cruz verde de farmacia en Madrid, España

Por su parte, Costa Rica, Colombia, Cuba y España tienen sistemas de salud muy desarrollados°. En España, por ejemplo, la mayoría de la gente tiene acceso a ellos y en muchos casos son completamente gratuitos. Según un informe de la Organización Mundial de la Salud, el sistema de salud español ocupa uno de los primeros diez lugares del mundo. Esto se debe no sólo al buen funcionamiento° del sistema, sino también al nivel de salud general de la población. Impresionante, ¿no?

Paramédicos colombianos

Las farmacias

Farmacia de guardia: Las farmacias generalmente tienen un horario comercial. Sin embargo°, en cada barrio° hay una farmacia de guardia que abre las veinticuatro horas del día.

Productos farmacéuticos: Hay muchas farmacias tradicionales especializadas en medicinas y en productos farmacéuticos. No venden una gran variedad de productos.

Recetas: Muchos medicamentos se venden sin receta médica. Los farmacéuticos aconsejan° a las personas sobre problemas de salud y les dan las medicinas.

Cruz° verde: En muchos países, las farmacias tienen como símbolo una cruz verde. Cuando la cruz verde está encendida°, la farmacia está abierta.

gratuitos *free (of charge)* **ciudadanos** *citizens* **bajo** *low* **gestionar** *to manage* **igual** *in the same way* **cuentan con** *have* **desarrollados** *developed* **funcionamiento** *operation* **Sin embargo** *However* **barrio** *neighborhood* **aconsejan** *advise* **Cruz** *Cross* **encendida** *lit (up)*

ACTIVIDADES

1 **¿Cierto o falso?** Indica si lo que dicen las oraciones es cierto o falso. Corrige la información falsa.

1. En los países hispanos los gobiernos ofrecen servicios de salud accesibles a sus ciudadanos.
2. En los países hispanos los extranjeros tienen que pagar mucho dinero por los servicios médicos.
3. El sistema de salud español es uno de los mejores del mundo.
4. Las farmacias de guardia abren sólo los sábados y domingos.
5. En los países hispanos las farmacias venden una gran variedad de productos.
6. Los farmacéuticos de los países hispanos aconsejan a los enfermos y venden algunas medicinas sin necesidad de receta.
7. En México y otros países, los pueblos remotos cuentan con grandes centros médicos.
8. Muchas farmacias usan una cruz verde como símbolo.

ASÍ SE DICE

La salud

el chequeo (Esp., Méx.)	el examen médico
la droguería (Col.)	la farmacia
la herida	*injury; wound*
la píldora	la pastilla
los primeros auxilios	*first aid*
la sangre	*blood*

EL MUNDO HISPANO

Remedios caseros° y plantas medicinales

- **Achiote°** En Suramérica se usa para curar inflamaciones de garganta. Las hojas° de achiote se cuecen° en agua, se cuelan° y se hacen gárgaras° con esa agua.
- **Ají** En Perú se usan cataplasmas° de las semillas° de ají para aliviar los dolores reumáticos y la tortícolis°.
- **Azúcar** En Nicaragua y en otros países centroamericanos se usa el azúcar para detener° la sangre en pequeñas heridas.
- **Sábila (aloe vera)** En Latinoamérica, el jugo de las hojas de sábila se usa para reducir cicatrices°. Se recomienda aplicarlo sobre la cicatriz dos veces al día, durante varios meses.

Remedios caseros *Home remedies* Achiote *Annatto* hojas *leaves* se cuecen *are cooked* se cuelan *they are drained* gárgaras *gargles* cataplasmas *pastes* semillas *seeds* tortícolis *stiff neck* detener *to stop* cicatrices *scars*

PERFIL

Curanderos° y chamanes

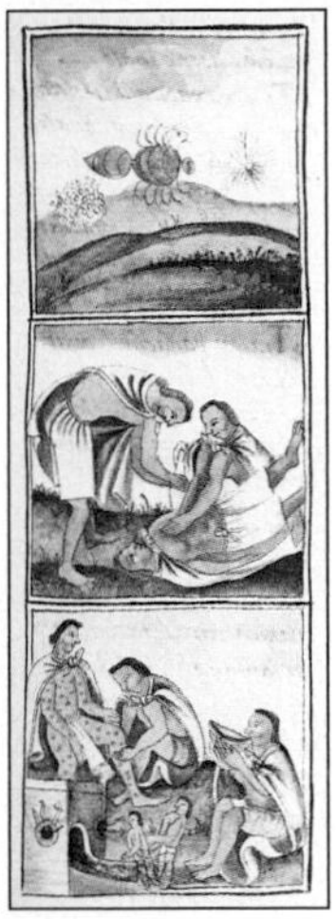

Códice Florentino, México, siglo XVI

¿Quieres ser doctor(a), juez(a)°, político/a o psicólogo/a? En algunas sociedades de las Américas **los curanderos** y **los chamanes** no tienen que escoger entre estas profesiones porque ellos son mediadores de conflictos y dan consejos a la comunidad. Su opinión es muy respetada.

Desde las culturas antiguas° de las Américas muchas personas piensan que la salud del cuerpo y de la mente sólo puede existir si hay un equilibrio entre el ser humano y la naturaleza. Los curanderos y los chamanes son quienes cuidan este equilibrio.

Los curanderos se especializan más en enfermedades físicas, mientras que los chamanes están más relacionados con los males° de la mente y el alma°. Ambos° usan plantas, masajes y rituales y sus conocimientos se basan en la tradición, la experiencia, la observación y la intuición.

Cuzco, Perú

Curanderos *Healers* juez(a) *judge* antiguas *ancient* males *illnesses* alma *soul* Ambos *Both*

CON RITMO HISPANO

Cocofunka (2008–)

Lugar de origen: San José, Costa Rica

Los miembros de Cocofunka son Javier Arce, Reynaldo Escobedo, Miguel Vega, Horacio París, Nacho Páez y Gustavo Gutiérrez. Sus canciones son una mezcla de rock, funk, reggae y diversos géneros latinos.

Go to **vhlcentral.com** to find out more about **Cocofunka**.

ACTIVIDADES

2 **Comprensión** Contesta las preguntas.

1. ¿Cómo se les llama a las farmacias en Colombia?
2. ¿Qué parte del achiote se usa para curar la garganta?
3. ¿Cómo se aplica la sábila para reducir cicatrices?
4. En algunas partes de las Américas, ¿quiénes mantienen el equilibrio entre el ser humano y la naturaleza?
5. ¿Qué usan los curanderos y los chamanes para curar?

3 **¿Qué haces cuando tienes gripe?** Escribe cuatro oraciones sobre las cosas que haces cuando tienes gripe. Explica si vas al médico, si tomas medicamentos o si sigues alguna dieta especial. Después, comparte tu texto con un(a) compañero/a.

More activities

vhlcentral | VM pp. 49–50 | Online activities

10.1 The imperfect tense

Tutorial

ANTE TODO In **Lecciones 6–9,** you learned the preterite tense. You will now learn the imperfect, which describes past activities in a different way.

The imperfect of regular verbs

		cantar	beber	escribir
SINGULAR FORMS	yo	cant**aba**	beb**ía**	escrib**ía**
	tú	cant**abas**	beb**ías**	escrib**ías**
	Ud./él/ella	cant**aba**	beb**ía**	escrib**ía**
PLURAL FORMS	nosotros/as	cant**ábamos**	beb**íamos**	escrib**íamos**
	vosotros/as	cant**abais**	beb**íais**	escrib**íais**
	Uds./ellos/ellas	cant**aban**	beb**ían**	escrib**ían**

¡ATENCIÓN!

Note that the imperfect endings of **-er** and **-ir** verbs are the same. Also note that the **nosotros** form of **-ar** verbs always carries an accent mark on the first **a** of the ending. All forms of **-er** and **-ir** verbs in the imperfect carry an accent on the first **i** of the ending.

De niña apenas me enfermaba.

Cuando me dolía el estómago, mi mamá me daba té de jengibre.

- There are no stem changes in the imperfect.

entender (e:ie) → **Entendíamos** japonés. *We used to understand Japanese.*

servir (e:i) → El camarero les **servía** el café. *The waiter was serving them coffee.*

doler (o:ue) → A Javier le **dolía** el tobillo. *Javier's ankle was hurting.*

- The imperfect form of **hay** is **había** *(there was; there were; there used to be).*
- **¡Atención! Ir, ser,** and **ver** are the only verbs that are irregular in the imperfect.

AYUDA

Like **hay, había** can be followed by a singular or plural noun.

Había un solo médico en la sala.

Había dos pacientes allí.

The imperfect of irregular verbs

		ir	ser	ver
SINGULAR FORMS	yo	**iba**	**era**	**veía**
	tú	**ibas**	**eras**	**veías**
	Ud./él/ella	**iba**	**era**	**veía**
PLURAL FORMS	nosotros/as	**íbamos**	**éramos**	**veíamos**
	vosotros/as	**ibais**	**erais**	**veíais**
	Uds./ellos/ellas	**iban**	**eran**	**veían**

CONSULTA

You will learn more about the contrast between the preterite and the imperfect in **Estructura 10.2**, pp. 322–323.

Uses of the imperfect

▶ As a general rule, the imperfect is used to describe actions that are seen by the speaker as incomplete or "continuing," while the preterite is used to describe actions that have been completed. The imperfect expresses what was happening at a certain time or how things used to be. The preterite, in contrast, expresses a completed action.

—¿Qué te **pasó**?
What happened to you?

—Me **torcí** el tobillo.
I sprained my ankle.

—¿Dónde **vivías** de niño?
Where did you live as a child?

—**Vivía** en San José.
I lived in San José.

▶ These expressions are often used with the imperfect because they express habitual or repeated actions: **de niño/a** (*as a child*), **todos los días** (*every day*), **mientras** (*while*).

Uses of the imperfect

1. Habitual or repeated actions	**Íbamos** al parque los domingos. *We used to go to the park on Sundays.*
2. Events or actions that were in progress	Yo **leía** mientras él **estudiaba**. *I was reading while he was studying.*
3. Physical characteristics	**Era** alto y guapo. *He was tall and handsome.*
4. Mental or emotional states	**Quería** mucho a su familia. *He loved his family very much.*
5. Telling time	**Eran** las tres y media. *It was 3:30.*
6. Age	Los niños **tenían** seis años. *The children were six years old.*

¡INTÉNTALO! Indica la forma correcta de cada verbo en el imperfecto.

1. Mis hermanos ___veían___ (ver) televisión todas las tardes.
2. Yo __________ (viajar) en el tren de las 3:30.
3. ¿Dónde __________ (vivir) Samuel de niño?
4. Leonardo y yo __________ (correr) por el parque.
5. Tú __________ (hablar) con Javier.
6. Ustedes __________ (ir) a la clínica.
7. Nadia __________ (bailar) merengue.
8. Yo __________ (ser) muy feliz.
9. ¿Cuándo __________ (asistir) tú a clase de español?
10. Nosotras __________ (comprender) las preguntas.

More activities

vhlcentral

LM p. 57

WB pp. 111–112

Online activities

Práctica

1

Completar Primero, completa las oraciones con el imperfecto de los verbos. Luego, pon las oraciones en orden lógico y compáralas con las de un(a) compañero/a.

a. Miguelito __________ (tener) la nariz hinchada (*swollen*). Fueron al hospital. ______
b. El doctor __________ (querer) ver la nariz del niño. ______
c. Su mamá __________ (estar) dibujando cuando Miguelito entró llorando. ______
d. Miguelito no __________ (ir) a jugar más. Ahora quería ir a casa a descansar. ______
e. El doctor dijo que no __________ (ser) nada grave. ______
f. Miguelito y sus amigos __________ (jugar) al béisbol en el patio. ______
g. __________ (ser) las dos de la tarde. ______
h. Miguelito le dijo a la enfermera que __________ (dolerle) la nariz. ______

2

Transformar Forma oraciones completas para describir lo que hacían Julieta y César. Usa las formas correctas del imperfecto y añade todas las palabras necesarias.

1. Julieta y César / ser / paramédicos
2. trabajar / juntos y / llevarse / muy bien
3. cuando / haber / accidente, / siempre / analizar / situación / con cuidado
4. preocuparse / mucho / por / pacientes
5. si / paciente / tener / mucho / dolor, / ponerle / inyección

3

En la escuela de medicina Usa los verbos para completar las oraciones con las formas correctas del imperfecto. Algunos verbos se usan más de una vez.

caerse	enfermarse	ir	querer	tener
comprender	estornudar	pensar	sentirse	tomar
doler	hacer	poder	ser	toser

1. Cuando Javier y Victoria __________ estudiantes de medicina, siempre __________ que ir al médico.
2. Cuando Victoria __________ ejercicios aeróbicos, siempre __________ mareada.
3. Cada vez que él __________ un examen, a Javier le __________ mucho la cabeza.
4. Victoria también __________ de su bicicleta camino a la escuela.
5. Todas las primaveras, Javier __________ mucho porque es alérgico al polen.
6. Después de comer en la cafetería, a Victoria siempre le __________ el estómago.
7. Javier __________ ser médico para ayudar a los demás.
8. Pero no __________ por qué él __________ con tanta frecuencia.
9. Cuando Victoria __________ fiebre, no __________ ni leer el termómetro.
10. A Javier __________ los dientes, pero nunca __________ ir al dentista.
11. Victoria __________ mucho cuando __________ congestionada.
12. Javier y Victoria __________ que nunca __________ a graduarse.

Comunicación

4

Entrevista Trabajen en parejas. Un(a) estudiante usa estas preguntas para entrevistar a su compañero/a.

1. Cuando eras estudiante de primaria, ¿te gustaban tus profesores/as?
2. ¿Veías mucha televisión cuando eras niño/a?
3. Cuando tenías diez años, ¿cuál era tu programa de televisión favorito?
4. Cuando eras niño/a, ¿qué hacía tu familia durante las vacaciones?
5. ¿Cuántos años tenías en 2010?
6. Cuando estabas en el quinto año escolar, ¿qué hacías con tus amigos/as?
7. Cuando tenías once años, ¿cuál era tu grupo musical favorito?
8. Antes de tomar esta clase, ¿sabías hablar español?

5

Describir En parejas, túrnense para describir cómo eran sus vidas cuando eran niños. Pueden usar las sugerencias u otras ideas.

NOTA CULTURAL

El Parque Nacional Tortuguero está en la costa del Caribe, al norte de la ciudad de Limón, en Costa Rica. Varias especies de tortuga (*turtle*) van a las playas del parque para poner (*lay*) sus huevos. Esto ocurre de noche, y hay guías que llevan pequeños grupos de turistas a observar este fenómeno biológico.

modelo

De niña, mi familia y yo siempre íbamos a Tortuguero. Tomábamos un barco desde Limón, y por las noches mirábamos las tortugas en la playa. Algunas veces teníamos suerte, porque las tortugas venían a poner huevos. Otras veces, volvíamos al hotel sin ver ninguna tortuga.

- las vacaciones
- ocasiones especiales
- qué hacías durante el verano
- celebraciones con tus amigos/as
- celebraciones con tu familia
- cómo era tu escuela
- cómo eran tus amigos/as
- los viajes que hacías
- a qué jugabas
- qué hacías cuando te sentías enfermo/a

Síntesis

6

En el consultorio Tu profesor(a) te va a dar una lista incompleta con los pacientes que fueron al consultorio del doctor Donoso ayer. En parejas, conversen para completar sus listas y saber a qué hora llegaron las personas al consultorio y cuáles eran sus problemas.

10.2 The preterite and the imperfect

Tutorial

ANTE TODO Now that you have learned the forms of the preterite and the imperfect, you will learn more about how they are used. The preterite and the imperfect are not interchangeable. In Spanish, the choice between these two tenses depends on the context and on the point of view of the speaker.

COMPARE & CONTRAST

Use the preterite to...

1. Express actions that are viewed by the speaker as completed

   Sandra **se rompió** la pierna.
   Sandra broke her leg.

   Fueron a Buenos Aires ayer.
   They went to Buenos Aires yesterday.

2. Express the beginning or end of a past action

   La película **empezó** a las nueve.
   The movie began at nine o'clock.

   Ayer **terminé** el proyecto para la clase de química.
   Yesterday I finished the project for chemistry class.

3. Narrate a series of past actions or events

   La doctora me **miró** los oídos, me **hizo** unas preguntas y **escribió** la receta.
   The doctor looked in my ears, asked me some questions, and wrote the prescription.

   Me di con la mesa, **me caí** y **me lastimé** el pie.
   I bumped into the table, I fell, and I injured my foot.

Use the imperfect to...

1. Describe an ongoing past action with no reference to its beginning or end

   Sandra **esperaba** al doctor.
   Sandra was waiting for the doctor.

   El médico **se preocupaba** por sus pacientes.
   The doctor worried about his patients.

2. Express habitual past actions and events

   Cuando **era** joven, **jugaba** al tenis.
   When I was young, I used to play tennis.

   De niño, Eduardo **se enfermaba** con mucha frecuencia.
   As a child, Eduardo used to get sick very frequently.

3. Describe physical and emotional states or characteristics

   La chica **quería** descansar. **Se sentía** mal y **tenía** dolor de cabeza.
   The girl wanted to rest. She felt ill and had a headache.

   Ellos **eran** altos y **tenían** ojos verdes.
   They were tall and had green eyes.

   Estábamos felices de ver a la familia.
   We were happy to see our family.

AYUDA

These words and expressions, as well as similar ones, commonly occur with the preterite: **ayer, anteayer, una vez, dos veces, tres veces, el año pasado, de repente**.

They usually imply that an action has happened at a specific point in time. For a review, see **Estructura 6.3**, p. 191.

AYUDA

These words and expressions, as well as similar ones, commonly occur with the imperfect: **de niño/a, todos los días, mientras, siempre, con frecuencia, todas las semanas.** They usually express habitual or repeated actions in the past.

- The preterite and the imperfect often appear in the same sentence. In such cases, the imperfect describes what *was happening*, while the preterite describes the action that "interrupted" the ongoing activity.

Miraba la tele cuando **sonó** el teléfono.
I was watching TV when the phone rang.

Felicia **leía** el periódico cuando **llegó** Ramiro.
Felicia was reading the newspaper when Ramiro arrived.

- You will also see the preterite and the imperfect together in narratives such as fiction, news, and the retelling of events. The imperfect provides background information, such as time, weather, and location, while the preterite indicates the specific events that occurred.

Eran las dos de la mañana y el detective ya no **podía** mantenerse despierto. **Se bajó** lentamente del coche, **estiró** las piernas y **levantó** los brazos hacia el cielo oscuro.
It was two in the morning, and the detective could no longer stay awake. He slowly stepped out of the car, stretched his legs, and raised his arms toward the dark sky.

La luna **estaba** llena y no **había** en el cielo ni una sola nube. De repente, el detective **escuchó** un grito espeluznante proveniente del parque.
The moon was full and there wasn't a single cloud in the sky. Suddenly, the detective heard a piercing scream coming from the park.

Un médico colombiano desarrolló una vacuna contra la malaria

En 1986, el doctor colombiano Manuel Elkin Patarroyo creó la primera vacuna sintética para combatir la malaria. Esta enfermedad parecía haberse erradicado hacía décadas en muchas partes del mundo. Sin embargo, justo cuando Patarroyo terminó de elaborar la inmunización, los casos de malaria empezaban a aumentar de nuevo. En mayo de 1993, el doctor colombiano cedió la patente de la vacuna a la Organización Mundial de la Salud en nombre de Colombia. Los grandes laboratorios farmacéuticos presionaron a la OMS porque querían la vacuna. Las presiones no tuvieron éxito y, en 1995, el doctor Patarroyo y la OMS pactaron continuar con el acuerdo inicial: la vacuna seguía siendo propiedad de la OMS.

¡INTÉNTALO! Elige el pretérito o el imperfecto para completar la historia. Explica por qué se usa ese tiempo verbal en cada ocasión.

1. ___Eran___ (Fueron/Eran) las doce.
2. Todos los días yo ________ (almorcé/almorzaba) con Tomás al mediodía.
3. ________ (Hubo/Había) mucha gente en la calle.
4. A las doce y media, Tomás y yo ________ (entramos/entrábamos) en el restaurante Tárcoles.
5. El camarero ________ (llegó/llegaba) inmediatamente con el menú.
6. Nosotros ________ (empezamos/empezábamos) a leerlo.
7. Yo ________ (pedí/pedía) el pescado.
8. De repente, el camarero ________ (volvió/volvía) a nuestra mesa.
9. Y nos ________ (dio/daba) una mala noticia.
10. Desafortunadamente, no ________ (tuvieron/tenían) más pescado.
11. Por eso Tomás y yo ________ (decidimos/decidíamos) comer en otro lugar.
12. ________ (Llovió/Llovía) mucho cuando ________ (salimos/salíamos) del restaurante.
13. Así que ________ (regresamos/regresábamos) al restaurante Tárcoles.
14. Esta vez, ________ (pedí/pedía) arroz con pollo.

More activities
vhlcentral
LM p. 58
WB pp. 113–116
Online activities

Práctica

1

En el periódico Completa esta noticia con las formas correctas del pretérito o el imperfecto.

Un accidente trágico

Ayer temprano por la mañana (1)__________ (haber) un trágico accidente en el centro de San José cuando el conductor de un autobús no (2)__________ (ver) venir un carro. La mujer que (3)__________ (conducir) el carro (4)__________ (morir) al instante y los paramédicos (5)__________ (tener) que llevar al pasajero al hospital porque (6)__________ (sufrir) varias fracturas. El conductor del autobús (7)__________ (decir) que no (8)__________ (ver) el carro hasta el último momento porque (9)__________ (estar) muy nublado y (10)__________ (llover). Él (11)__________ (intentar) (*to attempt*) dar un viraje brusco (*to swerve*), pero (12)__________ (perder) el control del autobús y no (13)__________ (poder) evitar (*to avoid*) el accidente. Según nos informaron, no (14)__________ (lastimarse) ningún pasajero del autobús.

AYUDA

Reading Spanish-language newspapers is a good way to practice verb tenses. You will find that both the imperfect and the preterite occur with great regularity. Many newsstands carry international papers, and many Spanish-language newspapers (such as Spain's ***El País***, Mexico's ***Reforma***, and Argentina's ***Clarín***) are on the Web.

2

Seleccionar Utiliza el tiempo verbal adecuado, según el contexto.

1. La semana pasada, Manolo y Aurora ________ (querer) dar una fiesta. __________ (decidir) invitar a seis amigos y servirles mucha comida.
2. Manolo y Aurora ________ (estar) preparando la comida cuando Elena ________ (llamar). Como siempre, ________ (tener) que estudiar para un examen.
3. A las seis, ________ (volver) a sonar el teléfono. Su amigo Francisco tampoco ________ (poder) ir a la fiesta, porque ________ (tener) fiebre. Manolo y Aurora __________ (sentirse) muy tristes, pero ________ (tener) que preparar la comida.
4. Después de otros quince minutos, ________ (sonar) el teléfono. Sus amigos, los señores Vega, __________ (estar) en camino (*en route*) al hospital: a su hijo le ________ (doler) mucho el estómago. Sólo dos de los amigos ________ (poder) ir a la cena.
5. Por supuesto, ________ (ir) a tener demasiada comida. Finalmente, cinco minutos antes de las ocho, __________ (llamar) Ramón y Javier. Ellos __________ (pensar) que la fiesta ________ (ser) la próxima semana.
6. Tristes, Manolo y Aurora ______________ (sentarse) a comer solos. Mientras __________ (comer), pronto ____________ (llegar) a la conclusión de que ________ (ser) mejor estar solos: ¡La comida ________ (estar) malísima!

3

Completar Completa las frases de una manera lógica. Usa el pretérito o el imperfecto. En parejas, comparen sus respuestas.

1. De niño/a, yo...
2. Yo conducía el auto mientras...
3. Anoche mi novio/a...
4. Ayer el/la profesor(a)...
5. La semana pasada un(a) amigo/a...
6. Con frecuencia mis padres...
7. Esta mañana en la cafetería...
8. Hablábamos con el doctor cuando...

Comunicación

4

Entrevista Usa estas preguntas para entrevistar a un(a) compañero/a acerca de su primer(a) novio/a. Si quieres, puedes añadir otras preguntas.

1. ¿Quién fue tu primer(a) novio/a?
2. ¿Cuántos años tenías cuando lo/la conociste?
3. ¿Cómo era él/ella?
4. ¿Qué le gustaba hacer? ¿Tenían ustedes los mismos pasatiempos?
5. ¿Por cuánto tiempo salieron ustedes?
6. ¿Adónde iban cuando salían?
7. ¿Pensaban casarse?
8. ¿Cuándo y por qué rompieron?

5

La sala de emergencias En parejas, inventen qué les pasó a estas personas que están en la sala de emergencias.

modelo

Eran las tres de la tarde. Como todos los días, Pablo jugaba al fútbol con sus amigos. Estaba muy contento. De repente, se cayó y se rompió el brazo. Entonces fue a la sala de emergencias.

Paciente	Edad	Hora	Estado
1. Pablo Romero	9 años	15:20	hueso roto (el brazo)
2. Estela Rodríguez	45 años	15:25	tobillo torcido
3. Lupe Quintana	29 años	15:37	embarazada, dolores
4. Manuel López	52 años	15:45	infección de garganta
5. Marta Díaz	3 años	16:00	congestión, fiebre
6. Roberto Salazar	32 años	16:06	dolor de oído
7. Marco Brito	18 años	16:18	daño en el cuello, posible fractura
8. Ana María Ortiz	66 años	16:29	reacción alérgica a un medicamento

6

Situación Anoche alguien robó (*stole*) el examen de la **Lección 10** de la oficina de tu profesor(a) y tú tienes que averiguar quién lo hizo. Pregúntales a tres compañeros dónde estaban, con quién estaban y qué hicieron entre las ocho y las doce de la noche.

Síntesis

7

La primera vez En grupos, cuéntense cómo fue la primera vez que les pusieron una inyección, se rompieron un hueso, pasaron la noche en un hospital, estuvieron marcados/as, etc. Incluyan estos datos en su conversación: una descripción del tiempo que hacía, sus edades, qué pasó y cómo se sentían.

10.3 Constructions with se

Tutorial

ANTE TODO In **Lección 7,** you learned how to use **se** as the third person reflexive pronoun (**Él <u>se</u> despierta. Ellos <u>se</u> visten. Ella <u>se</u> baña.**). **Se** can also be used to form constructions in which the person performing the action is not expressed or is de-emphasized.

Impersonal constructions with se

- In Spanish, verbs that are not reflexive can be used with **se** to form impersonal constructions. These are statements in which the person performing the action is not defined.

Se habla español en Costa Rica.
Spanish is spoken in Costa Rica.

Se hacen operaciones aquí.
They perform operations here.

Se puede leer en la sala de espera.
You can read in the waiting room.

Se necesitan medicinas enseguida.
They need medicine right away.

AYUDA

In English, the passive voice or indefinite subjects (*you, they, one*) are used where Spanish uses impersonal constructions with **se**.

- **¡Atención!** Note that the third person singular verb form is used with singular nouns and the third person plural form is used with plural nouns.

Se vende ropa.

Se venden camisas.

- You often see the impersonal **se** in signs, advertisements, and directions.

Se prohíbe nadar

Se entra por la izquierda

Se for unplanned events

- **Se** also describes accidental or unplanned events. In this construction, the person who performs the action is de-emphasized, implying that the accident or unplanned event is not his or her direct responsibility. Note this construction.

se + [INDIRECT OBJECT PRONOUN] + [VERB] + [SUBJECT]

Se me cayó la pluma.

▶ In this type of construction, what would normally be the direct object of the sentence becomes the subject, and it agrees with the verb, not with the indirect object pronoun.

	I.O. PRONOUN	VERB		SUBJECT
Se	me, te, le, nos, os, les	quedó	SINGULAR	la receta.
		cayó		la taza.
		dañó		el radio.
		rompieron	PLURAL	las botellas.
		olvidaron		las pastillas.
		perdieron		las llaves.

▶ These verbs are the ones most frequently used with **se** to describe unplanned events.

Verbs commonly used with se

caer	*to fall; to drop*	**perder (e:ie)**	*to lose*
dañar	*to damage; to break down*	**quedar**	*to be left behind*
olvidar	*to forget*	**romper**	*to break*

Se me perdió el teléfono de la farmacia.
I lost the pharmacy's phone number.

Se nos olvidaron los pasajes.
We forgot the tickets.

▶ **¡Atención!** While Spanish has a verb for *to fall* (**caer**), there is no direct translation for *to drop*. **Dejar caer** (*To let fall*) or a **se** construction is often used to mean *to drop*.

El médico **dejó caer** la aspirina.
The doctor dropped the aspirin.

A mí **se me cayeron** los cuadernos.
I dropped the notebooks.

▶ To clarify or emphasize who the person involved in the action is, this construction commonly begins with the preposition **a** + [*noun*] or **a** + [*prepositional pronoun*].

Al paciente se le perdió la receta.
The patient lost his prescription.

A ustedes se les quedaron los libros en casa.
You left the books at home.

CONSULTA

For an explanation of prepositional pronouns, refer to **Estructura 9.4**, p. 294.

¡INTÉNTALO! Completa las oraciones con **se** impersonal y los verbos en presente.

A

1. Se enseñan (enseñar) cinco lenguas en esta universidad.
2. ________ (comer) muy bien en Las Delicias.
3. ________ (servir) platos exquisitos cada noche.
4. ________ (vender) muchas camisetas allí.

Completa las oraciones con **se** y los verbos en pretérito.

B

1. Se me rompieron (*I broke*) las gafas.
2. ________ (*You* (form., sing.) *left*) aquí la radiografía.
3. ________ (*They lost*) la receta.
4. ________ (*You* (fam., sing.) *dropped*) las pastillas.

More activities
vhlcentral
LM p. 59
WB pp. 117–118
Online activities

Práctica

1

¿Cierto o falso? Indica si lo que dice cada oración sobre la vida en 1901 es **cierto** o **falso**. Luego corrige las oraciones falsas.

1. Se viajaba mucho en tren.
2. Se escribían muchos libros.
3. Se veía mucha televisión.
4. Se montaba a caballo.
5. Se mandaba correo electrónico.
6. Se preparaban comidas en casa.
7. Se pasaba mucho tiempo con la familia.
8. Se llevaban minifaldas.

2

Letreros y anuncios Reescribe los letreros (*signs*) y anuncios usando el **se** impersonal.

modelo

Buscamos vendedores con experiencia

Se buscan vendedores con experiencia

1. Necesitamos profesores de matemáticas
2. Hablamos español
3. Aceptamos tarjetas de crédito
4. Está prohibido hablar por teléfono
5. Vendemos libros
6. Buscamos dentista con experiencia

3

¿Qué pasó? Indica lo que pasó en cada dibujo.

1. Sr. Álvarez / computadora

2. camarero / pastel

3. Arturo / huevos

4. Carla y Lupe / botellas

5. Sra. Domínguez / llaves

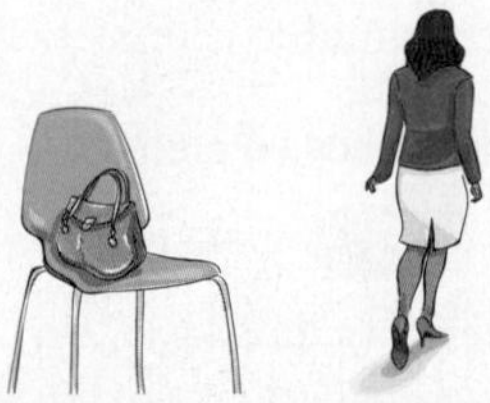

6. Juana / bolsa

Comunicación

4 **¿Distraído/a yo?** Trabajen en parejas y usen estas preguntas para averiguar cuál de los/las dos es más distraído/a (*absentminded*).

¿Alguna vez...

1. se te olvidó invitar a alguien a una fiesta o comida? ¿A quién?
2. se te quedó algo importante en la casa? ¿Qué?
3. se te perdió algo importante durante un viaje? ¿Qué?
4. se te rompió algo muy caro? ¿Qué?

¿Sabes...

5. si se permite el ingreso (*admission*) de perros al parque cercano a la universidad?
6. si en el supermercado se aceptan cheques?
7. dónde se arreglan zapatos y botas?
8. qué se sirve en la cafetería de la universidad los lunes?

5 **Opiniones** En parejas, terminen cada oración con ideas originales.

1. No se tiene que dejar propina cuando...
2. Antes de viajar, se debe...
3. Si se come bien, ...
4. Para tener una vida sana, se debe...
5. Se sirve la mejor comida en...
6. Se hablan muchas lenguas en...

Síntesis

6 **Anuncios** En grupos, preparen dos anuncios de televisión para presentar a la clase. Usen el imperfecto y por lo menos dos construcciones con **se** en cada uno.

modelo

Se me cayeron unos libros en el pie y me dolía mucho. Pero ahora no, gracias a SuperAspirina 500. ¡Dos pastillas y se me fue el dolor! Se puede comprar SuperAspirina 500 en todas las farmacias Recetamax.

10.4 Adverbs

Tutorial

ANTE TODO Adverbs are words that describe how, when, and where actions take place. They can modify verbs, adjectives, and even other adverbs. In previous lessons, you have already learned many Spanish adverbs, such as the ones below.

aquí	hoy	nunca
ayer	mal	siempre
bien	muy	temprano

▶ The most common adverbs end in **-mente**, equivalent to the English ending *-ly*.

verdaderamente *truly, really* **generalmente** *generally* **simplemente** *simply*

▶ To form these adverbs, add **-mente** to the feminine form of the adjective. If the adjective does not have a special feminine form, just add **-mente** to the standard form. **¡Atención!** Adjectives do not lose their accents when adding **-mente**.

ADJECTIVE	FEMININE FORM	SUFFIX	ADVERB
seguro	segura	-mente	seguramente
fabuloso	fabulosa	-mente	fabulosamente
enorme		-mente	enormemente
fácil		-mente	fácilmente

▶ Adverbs that end in **-mente** generally follow the verb, while adverbs that modify an adjective or another adverb precede the word they modify.

Maira dibuja **maravillosamente**.
Maira draws wonderfully.

Sergio está **casi siempre** ocupado.
Sergio is almost always busy.

Common adverbs and adverbial expressions

a menudo	*often*	**así**	*like this; so*	**menos**	*less*
a tiempo	*on time*	**bastante**	*enough; rather*	**muchas veces**	*a lot; many times*
a veces	*sometimes*	**casi**	*almost*	**poco**	*little*
además (de)	*furthermore; besides*	**con frecuencia**	*frequently*	**por lo menos**	*at least*
apenas	*hardly; scarcely*	**de vez en cuando**	*from time to time*	**pronto**	*soon*
		despacio	*slowly*	**rápido**	*quickly*

¡ATENCIÓN!

When a sentence contains two or more adverbs in sequence, the suffix **-mente** is dropped from all but the last adverb.

Ex: **El médico nos habló simple y abiertamente.** *The doctor spoke to us simply and openly.*

¡ATENCIÓN!

Rápido functions as an adjective (**Ella tiene una computadora rápida.**) as well as an adverb (**Ellas corren rápido.**). Note that as an adverb, **rápido** does not need to agree with any other word in the sentence. You can also use the adverb **rápidamente** (**Ella corre rápidamente.**).

More activities

vhlcentral

LM p. 60

WB pp. 119–120

Online activities

¡INTÉNTALO! Transforma los adjetivos en adverbios.

1. alegre *alegremente*
2. perfecto ______
3. gradual ______
4. constante ______
5. regular ______
6. frecuente ______
7. tranquilo ______
8. real ______
9. maravilloso ______
10. básico ______
11. normal ______
12. afortunado ______

Práctica

1

Escoger Completa la historia con los adverbios adecuados.

1. La cita era a las dos, pero llegamos ______________. (menos, nunca, tarde)
2. El problema fue que ______________ se nos dañó el despertador. (aquí, ayer, despacio)
3. La recepcionista no se enojó porque sabe que normalmente llego ______________. (a veces, a tiempo, poco)
4. ______________ el doctor estaba listo. (Por lo menos, Muchas veces, Casi)
5. ______________ tuvimos que esperar cinco minutos. (Así, Además, Apenas)
6. El doctor dijo que nuestra hija Irene necesitaba cambiar su rutina diaria ______________. (temprano, menos, inmediatamente)
7. El doctor nos explicó ______________ las recomendaciones del Cirujano General (*Surgeon General*) sobre la salud de los jóvenes. (de vez en cuando, bien, apenas)
8. ______________ nos dijo que Irene estaba bien, pero tenía que hacer más ejercicio y comer mejor. (Bastante, Afortunadamente, A menudo)

NOTA CULTURAL

La doctora Antonia Novello, de Puerto Rico, fue la primera mujer y la primera hispana en tomar el cargo de **Cirujana General** de los Estados Unidos (1990–1993).

Comunicación

2

Aspirina Responde a las preguntas con un(a) compañero/a.

1. ¿Cuáles son los adverbios que aparecen en el anuncio?
2. Según el anuncio, ¿cuáles son las ventajas (*advantages*) de este tipo de aspirina?
3. ¿Tienen ustedes dolores de cabeza? ¿Qué toman para curarlos?
4. ¿Qué productos ven con frecuencia en los anuncios de televisión? Escriban descripciones de varios de estos anuncios. Usen adverbios en sus descripciones.

Recapitulación

RESUMEN GRAMATICAL

Completa estas actividades para repasar los conceptos de gramática que aprendiste en esta lección.

1 Completar Completa el cuadro con la forma correcta del imperfecto. 24 pts.

yo/Ud./él/ella	tú	nosotros	Uds./ellos/ellas
era			
	cantabas		
		veníamos	
			querían

2 Adverbios Escoge el adverbio correcto de la lista para completar estas oraciones. Lee con cuidado las oraciones; los adverbios sólo se usan una vez. 16 pts.

a menudo	apenas	fácilmente
a tiempo	casi	maravillosamente
además	despacio	por lo menos

1. Pablito se cae ________; un promedio (*average*) de cuatro veces por semana.
2. No me duele nada y no sufro de ninguna enfermedad; me siento ________ bien.
3. —Doctor, ¿cómo supo que tuve una operación de garganta? —Muy ________, lo leí en su historial médico (*medical history*).
4. ¿Le duele mucho la espalda (*back*)? Entonces tiene que levantarse ________.
5. Ya te sientes mucho mejor, ¿verdad? Mañana puedes volver al trabajo; tu temperatura es ________ normal.
6. Es importante hacer ejercicio con regularidad, ________ tres veces a la semana.
7. El examen médico no comenzó ni tarde ni temprano. Comenzó ________, a las tres de la tarde.
8. Parece que ya te estás curando del resfriado. ________ estás congestionada.

10.1 The imperfect tense pp. 318–319

The imperfect of regular verbs		
cantar	**beber**	**escribir**
cantaba	bebía	escribía
cantabas	bebías	escribías
cantaba	bebía	escribía
cantábamos	bebíamos	escribíamos
cantabais	bebíais	escribíais
cantaban	bebían	escribían

- There are no stem changes in the imperfect: **entender (e:ie) → entendía; servir (e:i) → servía; doler (o:ue) → dolía**
- The imperfect of **hay** is **había.**
- Only three verbs are irregular in the imperfect.
  ir: **iba, ibas, iba, íbamos, ibais, iban**
  ser: **era, eras, era, éramos, erais, eran**
  ver: **veía, veías, veía, veíamos, veíais, veían**

10.2 The preterite and the imperfect pp. 322–323

Preterite	Imperfect
1. Completed actions **Fueron a Buenos Aires ayer.**	1. Ongoing past action **Usted miraba el fútbol.**
2. Beginning or end of past action **La película empezó a las nueve.**	2. Habitual past actions **Todos los domingos yo visitaba a mi abuela.**
3. Series of past actions or events **Me caí y me lastimé el pie.**	3. Description of states or characteristics **Ella era alta. Quería descansar.**

10.3 Constructions with se pp. 326–327

Impersonal constructions with se	
Se	prohíbe fumar.
	habla español.
	hablan varios idiomas.

Se for unplanned events

Se	me, te, le, nos, os, les	cayó la taza.
		dañó el radio.
		rompieron las botellas.
		olvidaron las llaves.

10.4 Adverbs *p. 330*

Formation of adverbs

fácil	→	fácilmente
seguro	→	seguramente
verdadero	→	verdaderamente

3 Un accidente Escoge el imperfecto o el pretérito según el contexto para completar esta conversación. 20 pts.

NURIA Hola, Felipe. ¿Estás bien? ¿Qué es eso? ¿(1) (Te lastimaste/Te lastimabas) el pie?

FELIPE Ayer (2) (tuve/tenía) un pequeño accidente.

NURIA Cuéntame. ¿Cómo (3) (pasó/pasaba)?

FELIPE Bueno, (4) (fueron/eran) las cinco de la tarde y (5) (llovió/llovía) mucho cuando (6) (salí/salía) de la casa en mi bicicleta. No (7) (vi/veía) a una chica que (8) (caminó/caminaba) en mi dirección, y los dos (9) (nos caímos/nos caíamos) al suelo (*ground*).

NURIA Y la chica, ¿está bien ella?

FELIPE Sí. Cuando llegamos al hospital, ella sólo (10) (tuvo/tenía) dolor de cabeza.

4 Oraciones Escribe oraciones con **se** a partir de los elementos dados (*given*). Usa el tiempo especificado y añade pronombres cuando sea necesario. 10 pts.

modelo

Carlos / quedar / la tarea en casa (pretérito)
A Carlos se le quedó la tarea en casa.

1. en la farmacia / vender / medicamentos (presente)
2. ¿(tú) / olvidar / las llaves / otra vez? (pretérito)
3. (yo) / dañar / la computadora (pretérito)
4. en esta clase / prohibir / hablar inglés (presente)
5. ellos / romper / las gafas / en el accidente (pretérito)

5 En la consulta Escribe al menos cinco oraciones sobre tu última visita al médico. Incluye cinco verbos en pretérito y cinco en imperfecto. Habla de qué te pasó, cómo te sentías, cómo era el/la doctor(a), qué te dijo, etc. Usa tu imaginación. 30 pts.

6 Refrán Completa el refrán con las palabras que faltan. ¡4 puntos EXTRA!

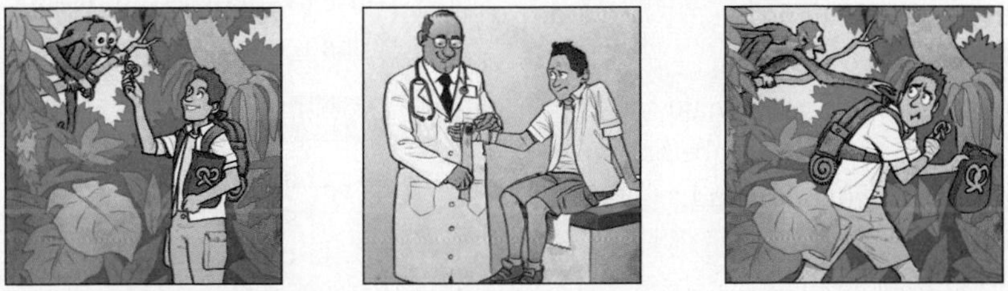

"Lo que ________ (*well*) se aprende, nunca ________ pierde."

Audio: Reading

Lectura

Antes de leer

Estrategia

Activating background knowledge

Using what you already know about a particular subject will often help you better understand a reading selection. For example, if you read an article about a recent medical discovery, you might think about what you already know about health in order to understand unfamiliar words or concepts.

Examinar el texto

Utiliza las estrategias de lectura que tú consideras más efectivas para hacer algunas observaciones preliminares acerca del texto. Después trabajen en parejas para comparar sus observaciones acerca del texto. Luego contesten estas preguntas:

- Analicen el formato del texto: ¿Qué tipo de texto es? ¿Dónde creen que se publicó este artículo?
- ¿Quiénes son Carla Baron y Tomás Monterrey?
- Miren la foto del libro. ¿Qué sugiere el título del libro sobre su contenido?

Conocimiento previo

Ahora piensen en su conocimiento previo° sobre el cuidado de la salud en los viajes. Consideren estas preguntas:

- ¿Viajaron alguna vez a otro estado o a otro país?
- ¿Tuvieron problemas durante sus viajes con el agua, la comida o el clima del lugar?
- ¿Olvidaron poner en su maleta algún medicamento que después necesitaron?
- Imaginen que su compañero/a se va de viaje. Díganle por lo menos cinco cosas que debe hacer para prevenir cualquier problema de salud.

conocimiento previo *background knowledge*

More activities

vhlcentral | Online activities

Libro de la semana

Después de leer

Correspondencias

Busca las correspondencias entre los problemas y las recomendaciones.

Problemas

1. el agua _____
2. el sol _____
3. la comida _____
4. la identificación _____
5. el clima _____

Recomendaciones

a. Hay que adaptarse a los ingredientes desconocidos (*unknown*).
b. Toma sólo productos purificados (*purified*).
c. Es importante llevar ropa adecuada cuando viajas.
d. Lleva loción o crema con alta protección solar.
e. Lleva tu pasaporte.

Entrevista a Carla Baron

por Tomás Monterrey

Tomás: ¿Por qué escribió su libro *Cómo hacer un viaje saludable y feliz*?

Carla: Me encanta viajar, conocer otras culturas y escribir. Mi primer viaje lo hice cuando era estudiante universitaria. Todavía recuerdo el día en que llegamos a San Juan, Puerto Rico. Era el panorama ideal para unas vacaciones maravillosas, pero al llegar a la habitación del hotel, bebí mucha agua de la llave° y luego pedí un jugo de frutas con mucho hielo°. El clima en San Juan es tropical y yo tenía mucha sed y calor. Los síntomas llegaron en menos de media hora: pasé dos días con dolor de estómago y corriendo al cuarto de baño cada diez minutos. Desde entonces, siempre que viajo sólo bebo agua mineral y llevo un pequeño bolso con medicinas necesarias, como pastillas para el dolor y también bloqueador solar, una crema repelente de mosquitos y un desinfectante.

Tomás: ¿Son reales° las situaciones que se narran en su libro?

Carla: Sí, son reales y son mis propias° historias°. A menudo los autores crean caricaturas divertidas de un turista en dificultades. ¡En mi libro la turista en dificultades soy yo!

Tomás: ¿Qué recomendaciones puede encontrar el lector en su libro?

Carla: Bueno, mi libro es anecdótico y humorístico, pero el tema de la salud se trata° de manera seria. En general, se dan recomendaciones sobre ropa adecuada para cada sitio, consejos para protegerse del sol, y comidas y bebidas adecuadas para el turista que viaja al Caribe o Suramérica.

Tomás: ¿Tiene algún consejo para las personas que se enferman cuando viajan?

Carla: Muchas veces los turistas toman el avión sin saber nada acerca del país que van a visitar. Ponen toda su ropa en la maleta, toman el pasaporte, la cámara fotográfica y ¡a volar°! Es necesario tomar precauciones porque nuestro cuerpo necesita adaptarse al clima, al sol, a la humedad, al agua y a la comida. Se trata de° viajar, admirar las maravillas del mundo y regresar a casa con hermosos recuerdos. En resumen, el secreto es "prevenir en vez de° curar".

llave *faucet* hielo *ice* reales *true* propias *own* historias *stories* se trata *is treated* ¡a volar! *Off they go!* Se trata de *It's a question of* en vez de *instead of*

Seleccionar

Selecciona la respuesta correcta.

1. El tema principal de este libro es ____.
   a. Puerto Rico b. la salud y el agua c. otras culturas
   d. el cuidado de la salud en los viajes
2. Las situaciones narradas en el libro son ____.
   a. autobiográficas b. inventadas c. ficticias
   d. imaginarias
3. ¿Qué recomendaciones no vas a encontrar en este libro? ____
   a. cómo vestirse adecuadamente
   b. cómo prevenir las quemaduras solares
   c. consejos sobre la comida y la bebida
   d. cómo dar propina en los países del Caribe o de Suramérica
4. En opinión de la señorita Baron, ____.
   a. es bueno tomar agua de la llave y beber jugo de frutas con mucho hielo
   b. es mejor tomar solamente agua embotellada (*bottled*)
   c. los minerales son buenos para el dolor abdominal
   d. es importante visitar el cuarto de baño cada diez minutos
5. ¿Cuál de estos productos no lleva la autora cuando viaja a otros países? ____
   a. desinfectante
   b. crema repelente
   c. detergente
   d. pastillas medicinales

Video

Costa Rica

El país en cifras

- **Área:** 51.100 km² (19.730 millas²), *aproximadamente el área de Virginia Occidental°*
- **Población:** 4.930.000

Costa Rica es el país de Centroamérica con la población más homogénea. El 84% de sus habitantes es blanco y mestizo°. Más del 50% de la población es de ascendencia° española y un alto porcentaje tiene sus orígenes en otros países europeos.

- **Capital:** San José—1.170.000
- **Ciudades principales:** Alajuela, Cartago, Puntarenas, Heredia
- **Moneda:** colón costarricense
- **Idioma:** español (oficial)

Bandera de Costa Rica

Costarricenses célebres

- **Carmen Lyra,** escritora (1888–1949)
- **Chavela Vargas,** cantante (1919–2012)
- **Óscar Arias Sánchez,** expresidente de Costa Rica (1941–)
- **Laura Chinchilla Miranda,** expresidenta de Costa Rica (1959–)
- **Claudia Poll,** nadadora° olímpica (1972–)

Óscar Arias recibió el Premio Nobel de la Paz en 1987.

Virginia Occidental *West Virginia* mestizo *of indigenous and white parentage* ascendencia *descent* nadadora *swimmer*

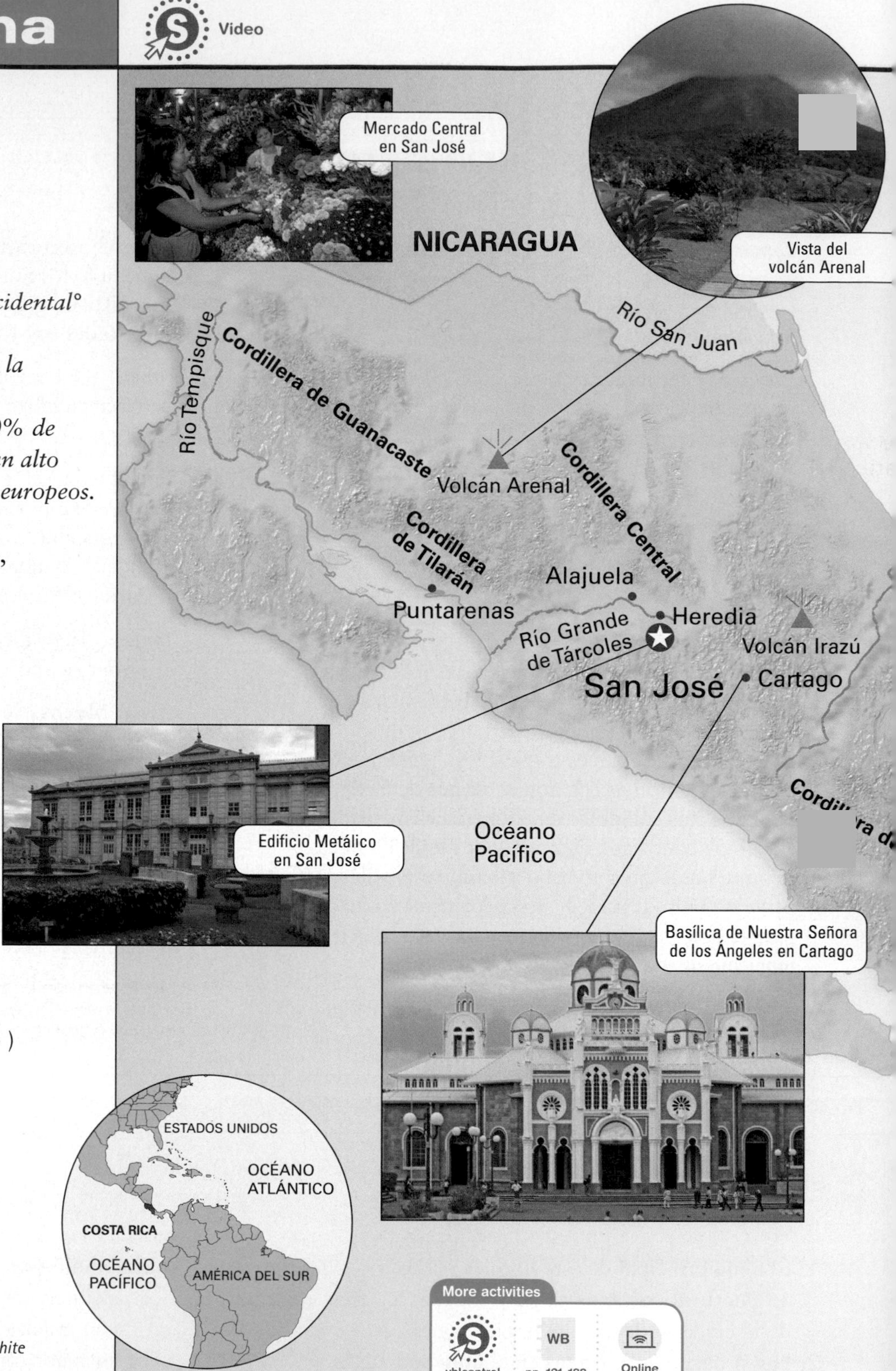

Mercado Central en San José

Vista del volcán Arenal

Edificio Metálico en San José

Basílica de Nuestra Señora de los Ángeles en Cartago

More activities
vhlcentral
WB pp. 121–122
Online activities

ACTIVIDADES

1 ¿Cierto o falso? Indica si lo que dicen las oraciones es **cierto** o **falso**.

1. El colón costarricense es la moneda de Costa Rica.
2. Laura Chinchilla Miranda es la presidenta de Costa Rica.
3. Óscar Arias Sánchez trabaja en un consultorio.
4. Se pueden ver quetzales, monos y jaguares en algunos de los parques nacionales de Costa Rica.
5. En Centroamérica, Costa Rica fue el primer país que desarrolló la industria del café.
6. Pocas personas saben leer y escribir en Costa Rica.
7. Costa Rica gasta mucho dinero en su ejército.
8. La educación en Costa Rica es gratuita para todos sus ciudadanos.
9. En Costa Rica, las carretas de bueyes se utilizaban para transportar el maíz.
10. El Museo Nacional de Costa Rica fue antes un cuartel del ejército.

Lugares • Los parques nacionales

El sistema de parques nacionales de Costa Rica ocupa aproximadamente el 12% de su territorio y fue establecido° para la protección de su biodiversidad. En los parques, los ecoturistas pueden admirar montañas, cataratas° y una gran variedad de plantas exóticas. Algunos ofrecen también la oportunidad de ver quetzales°, monos°, jaguares, armadillos y mariposas° en su hábitat natural.

Economía • Las plantaciones de café

Costa Rica fue el primer país centroamericano en desarrollar° la industria del café. En el siglo° XIX, los costarricenses empezaron a exportar esta semilla a Inglaterra°, lo que significó una contribución importante a la economía de la nación. Actualmente, más de 50.000 costarricenses trabajan en el cultivo del café. Este producto representa cerca del 10% de sus exportaciones anuales.

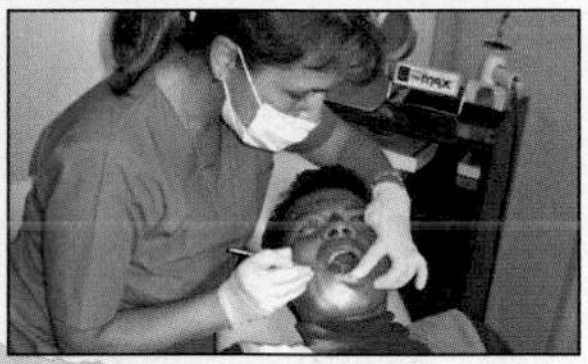

Sociedad • Una nación progresista

Costa Rica es un país progresista. Tiene un nivel de alfabetización° del 96%, uno de los más altos de Latinoamérica. En 1871, esta nación centroamericana abolió la pena de muerte°, y en 1948 eliminó el ejército° e hizo obligatoria y gratuita° la educación para todos sus ciudadanos.

Artesanía • La carreta

La carreta de bueyes es uno de los símbolos nacionales de Costa Rica. Entre 1850 y 1935, se utilizó principalmente para transportar el café desde las montañas del Valle Central hasta los puertos del océano Pacífico, y desde allí se exportaba a Europa. Su decorado de figuras geométricas de colores brillantes la convierte en la artesanía costarricense más famosa.

Parque Morazán en San José

establecido *established* cataratas *waterfalls* quetzales *type of tropical bird* monos *monkeys* mariposas *butterflies* en desarrollar *to develop* siglo *century* Inglaterra *England* nivel de alfabetización *literacy rate* pena de muerte *death penalty* ejército *army* gratuita *free*

¡Increíble pero cierto!

Costa Rica no tiene ejército. Sin gastos° militares, el gobierno puede invertir° más dinero en la educación y en las artes. En la foto aparece el Museo Nacional de Costa Rica, antiguo cuartel° del ejército.

gastos *expenditures* invertir *to invest* cuartel *barracks*

2 ¿Qué aprendiste? Contesta las preguntas.

1. ¿Cómo se llama la capital de Costa Rica?
2. ¿Quién es Claudia Poll?
3. ¿Qué porcentaje del territorio de Costa Rica ocupan los parques nacionales?
4. ¿Cuántos costarricenses trabajan en las plantaciones de café hoy día?
5. ¿Cuándo eliminó Costa Rica la pena de muerte?

3 ¿Qué se hace? En parejas, túrnense para decir qué se hace en Costa Rica.

modelo

Estudiante 1: En Costa Rica se habla español.
Estudiante 2: En Costa Rica se exporta café.

Video

Nicaragua

El país en cifras

- **Área:** 130.370 km² (50.336 millas²), *aproximadamente el área de Nueva York. Nicaragua es el país más grande de Centroamérica. Su terreno es muy variado e incluye bosques tropicales, montañas, sabanas° y marismas°, además de unos 40 volcanes.*
- **Población:** 6.026.000
- **Capital:** Managua—956.000

Managua está en una región de una notable inestabilidad geográfica, con muchos volcanes y terremotos°. En décadas recientes, los nicaragüenses han decidido que no vale la pena° construir rascacielos° porque no resisten los terremotos.

- **Ciudades principales:** León, Masaya, Granada
- **Moneda:** córdoba
- **Idiomas:** español (oficial); lenguas indígenas y criollas (oficiales); inglés

Bandera de Nicaragua

Nicaragüenses célebres

- **Rubén Darío,** poeta (1867–1916)
- **Violeta Barrios de Chamorro,** política y expresidenta (1929–)
- **Daniel Ortega,** político y presidente (1945–)
- **Gioconda Belli,** poeta (1948–)
- **Luis Enrique,** cantante y compositor (1962–)

sabanas *grasslands* marismas *marshes* terremotos *earthquakes*
no vale la pena *it's not worthwhile* rascacielos *skyscrapers*

Iglesia en León

Teatro Nacional Rubén Darío en Managua

Calle en Granada

Luis Enrique

More activities: vhlcentral | WB pp. 123–124 | Online activities

ACTIVIDADES

1 ¿Cierto o falso? **Indica si lo que dicen las oraciones es cierto o falso.**

1. Nicaragua es el país más grande de Centroamérica.
2. Gioconda Belli fue presidenta de Nicaragua.
3. En Nicaragua hay aproximadamente 40 volcanes.
4. Violeta Barrios de Chamorro y Daniel Ortega son políticos.
5. La moneda de Nicaragua es el dólar.
6. Las huellas de Acahualinca se dirigen hacia el lago de Managua.
7. Ernesto Cardenal es doctor.
8. El lago de Nicaragua es el lago más grande de Latinoamérica.
9. Ometepe es la isla más grande del mundo en un lago de agua dulce.
10. Los chicheros son bandas musicales muy populares en Nicaragua.

Historia • Las huellas° de Acahualinca

La región de Managua se caracteriza por tener un gran número de sitios prehistóricos. Las huellas de Acahualinca son uno de los restos° más famosos y antiguos°. Se formaron hace más de 6.000 años, a orillas° del lago de Managua. Las huellas, tanto de humanos como de animales, se dirigen° hacia una misma dirección, hacia el lago.

Artes • Ernesto Cardenal (1925–2020)

Ernesto Cardenal, poeta, escultor y sacerdote° católico, es uno de los escritores más famosos de Nicaragua, país conocido° por sus grandes poetas. Escribió más de 35 libros y es considerado uno de los principales autores de Latinoamérica. Desde joven creyó en el poder de la poesía para mejorar la sociedad y trabajó por establecer la igualdad° y la justicia en su país. En los años 60, Cardenal estableció la comunidad artística del archipiélago de Solentiname en el lago de Nicaragua. Fue ministro de cultura del país desde 1979 hasta 1988 y participó en la fundación de Casa de los Tres Mundos, una organización creada para el intercambio cultural internacional.

Naturaleza • El lago de Nicaragua

El lago de Nicaragua, con un área de más de 8.000 km^2 (3.100 $millas^2$), es el lago más grande de Centroamérica. Tiene más de 400 islas e islotes° de origen volcánico, entre ellas la isla Zapatera. Allí se han encontrado° numerosos objetos de cerámica y estatuas prehispánicos. Se cree que la isla era un centro ceremonial indígena.

Música • Los chicheros

Los chicheros son bandas musicales que animan las fiestas populares en Nicaragua. Están conformadas principalmente por instrumentos de viento y percusión, como clarinetes, tubas, trombones, trompetas, platillos° y tambores°. Los chicheros deben su nombre a una parte del pago que recibían por sus servicios: la chicha, una bebida alcohólica a base de maíz fermentado en agua azucarada.

huellas *footprints* restos *remains* antiguos *ancient* orillas *shores* se dirigen *are headed* sacerdote *priest* conocido *known* igualdad *equality* islotes *islets* se han encontrado *have been found* platillos *cymbals* tambores *drums*

¡Increíble pero cierto!

Ometepe, que en náhuatl significa "dos montañas", es la isla más grande del mundo en un lago de agua dulce°. Surgió° en el lago de Nicaragua por la actividad de los volcanes Maderas y Concepción. Por su valor natural y arqueológico, fue nominada para las siete nuevas maravillas° del mundo en 2009.

agua dulce *fresh water* Surgió *Emerged* maravillas *wonders*

2 ¿Qué aprendiste? Contesta las preguntas.

1. ¿Por qué no hay muchos rascacielos en Managua?
2. Nombra dos poetas de Nicaragua.
3. ¿Qué significa Ometepe en náhuatl?
4. ¿Qué cree Ernesto Cardenal acerca de la poesía?

3 Preguntas En parejas, túrnense para hacer y contestar preguntas sobre Nicaragua. Utilicen el pretérito y el imperfecto.

modelo

Estudiante 1: ¿Cuándo se formaron las huellas de Acahualinca?
Estudiante 2: Se formaron hace más de 6.000 años.

Vocabulary Tools

El cuerpo

la boca	*mouth*
el brazo	*arm*
la cabeza	*head*
el corazón	*heart*
el cuello	*neck*
el cuerpo	*body*
el dedo	*finger*
el dedo del pie	*toe*
el estómago	*stomach*
la garganta	*throat*
el hueso	*bone*
la nariz	*nose*
el oído	*(sense of) hearing; inner ear*
el ojo	*eye*
la oreja	*(outer) ear*
el pie	*foot*
la pierna	*leg*
la rodilla	*knee*
el tobillo	*ankle*

La salud

el accidente	*accident*
el antibiótico	*antibiotic*
la aspirina	*aspirin*
la clínica	*clinic*
el consultorio	*doctor's office*
el/la dentista	*dentist*
el/la doctor(a)	*doctor*
el dolor (de cabeza)	*(head)ache; pain*
el/la enfermero/a	*nurse*
el examen médico	*physical exam*
la farmacia	*pharmacy*
la gripe	*flu*
el hospital	*hospital*
la infección	*infection*
el medicamento	*medication*
la medicina	*medicine*
la operación	*operation*
el/la paciente	*patient*
la pastilla	*pill*
la radiografía	*X-ray*
la receta	*prescription*
el resfriado	*cold (illness)*
la sala de emergencia(s)	*emergency room*
la salud	*health*
el síntoma	*symptom*
la tos	*cough*

Verbos

caerse	*to fall (down)*
dañar	*to damage; to break down*
darse con	*to bump into; to run into*
doler (o:ue)	*to hurt*
enfermarse	*to get sick*
estar enfermo/a	*to be sick*
estornudar	*to sneeze*
lastimarse (el pie)	*to injure (one's foot)*
olvidar	*to forget*
poner una inyección	*to give an injection*
prohibir	*to prohibit*
recetar	*to prescribe*
romper	*to break*
romperse (la pierna)	*to break (one's leg)*
sacar(se) un diente	*to have a tooth removed*
ser alérgico/a (a)	*to be allergic (to)*
sufrir una enfermedad	*to suffer an illness*
tener dolor (*m.*)	*to have pain*
tener fiebre (*f.*)	*to have a fever*
tomar la temperatura	*to take someone's temperature*
torcerse (o:ue) (el tobillo)	*to sprain (one's ankle)*
toser	*to cough*

Adjetivos

congestionado/a	*congested*
embarazada	*pregnant*
grave	*grave; serious*
mareado/a	*dizzy; nauseated*
médico/a	*medical*
saludable	*healthy*
sano/a	*healthy*

More activities

vhlcentral | LM p. 60

Adverbios

a menudo	*often*
a tiempo	*on time*
a veces	*sometimes*
además (de)	*furthermore; besides*
apenas	*hardly; scarcely*
así	*like this; so*
bastante	*enough; rather*
casi	*almost*
con frecuencia	*frequently*
de niño/a	*as a child*
de vez en cuando	*from time to time*
despacio	*slowly*
menos	*less*
muchas veces	*a lot; many times*
poco	*little*
por lo menos	*at least*
pronto	*soon*
rápido	*quickly*
todos los días	*every day*

Conjunción

mientras	*while*

Expresiones útiles	*See page 313.*

La tecnología 11

Communicative Goals

You will learn how to:

- Talk about using technology and electronics
- Use common expressions on the telephone
- Talk about car trouble

A PRIMERA VISTA

- ¿Qué hacen las chicas?
- ¿Lo pasan bien o mal?
- ¿Son unas chicas saludables?
- ¿Qué partes del cuerpo se ven en la foto?

Hotspots

La tecnología

Más vocabulario

la batería	*battery*
la cámara digital	*digital camera*
el canal	*(TV) channel*
el correo de voz	*voice mail*
el archivo	*file*
la arroba	*@ symbol*
el blog	*blog*
el buscador	*browser*
la conexión inalámbrica	*wireless connection*
la contraseña	*password*
la dirección electrónica	*e-mail address*
la impresora	*printer*
Internet	*Internet*
la página principal	*home page*
el perfil	*profile*
el programa de computación	*software*
la red	*network; Web*
el sitio web	*website*
apagar	*to turn off*
borrar	*to erase*
cargar	*to charge; to upload*
chatear	*to chat*
conectarse a Internet	*to get connected to the Internet*
descargar	*to download*
funcionar	*to work*
grabar	*to record*
guardar	*to save*
imprimir	*to print*
llamar	*to call*
poner, prender	*to turn on*
sonar (o:ue)	*to ring*
descompuesto/a	*not working; out of order*
lento/a	*slow*
lleno/a	*full*

Variación léxica

computadora ⟷ ordenador (*Esp.*), computador (*Col.*)

descargar ⟷ bajar (*Arg., Col., Esp., Ven.*)

More activities

vhlcentral | LM p. 61 | WB pp. 125–126 | Online activities

Práctica

1 **¿Lógico o ilógico?** Indica si las situaciones que vas a escuchar son **lógicas** o **ilógicas**.

1. ______ 5. ______
2. ______ 6. ______
3. ______ 7. ______
4. ______ 8. ______

2 **Nuevo celular** Escucha la conversación entre Liliana y un empleado de una tienda de artículos electrónicos e indica si cada afirmación es **cierta** o **falsa**.

	Cierto	Falso
1. Liliana quiere comprar un celular con acceso a Internet.	❍	❍
2. En la tienda no hay nuevos modelos de celulares.	❍	❍
3. El celular tiene acceso a Internet pero no tiene cámara.	❍	❍
4. En el celular se pueden usar muchas aplicaciones.	❍	❍
5. Liliana también quiere ver algunas cámaras digitales.	❍	❍
6. En la tienda no hay tabletas.	❍	❍

3 **Emparejar** Empareja las palabras de forma lógica.

_____ 1. conexión inalámbrica	a. archivo
_____ 2. imprimir	b. arroba
_____ 3. textear	c. batería
_____ 4. control remoto	d. canal
_____ 5. perfil	e. lenta
_____ 6. cargador	f. mensaje de texto
_____ 7. página principal	g. sitio web
_____ 8. dirección electrónica	h. red social

4 **Oraciones** Escribe oraciones usando estos elementos. Usa el pretérito y añade las palabras necesarias.

1. Jaime / decidir / comprar / tableta
2. tú / apagar / televisor / diez / noche
3. Daniel y su esposa / comprar / computadora portátil / ayer
4. Sara y yo / ir / tienda / para / buscar / impresora
5. yo / descargar / fotos
6. teléfono celular / sonar / pero / yo / no contestar

En la gasolinera

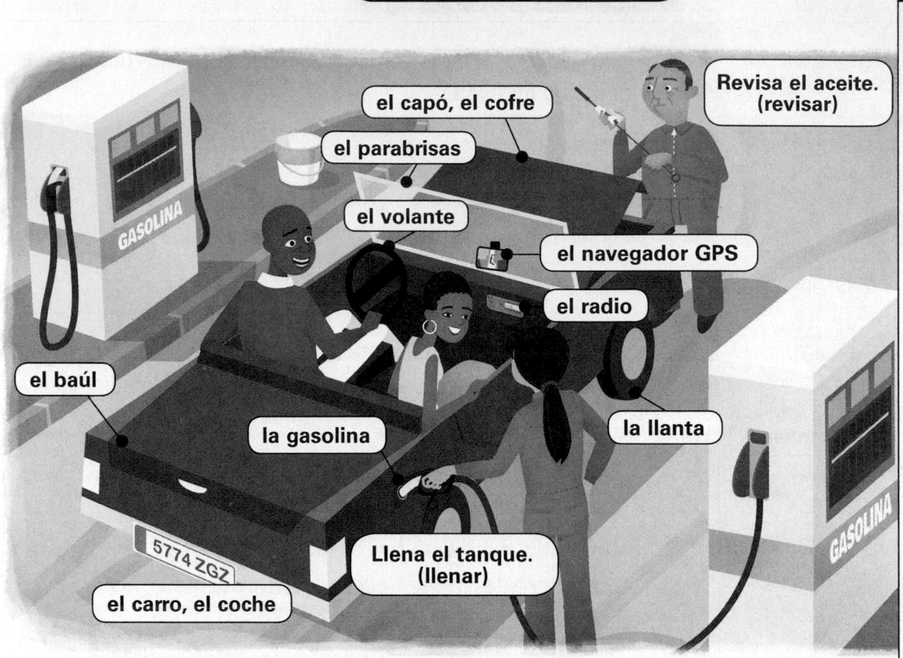

Más vocabulario

la autopista	*highway*
la calle	*street*
la carretera	*highway; (main) road*
la circulación, el tráfico	*traffic*
el garaje, el taller (mecánico)	*garage; (mechanic's) repair shop*
la licencia de conducir	*driver's license*
el/la mecánico/a	*mechanic*
la policía	*police (force)*
la velocidad máxima	*speed limit*
arrancar	*to start*
arreglar	*to fix; to arrange*
bajar(se) de	*to get off of/out of (a vehicle)*
conducir, manejar	*to drive*
estacionar	*to park*
parar	*to stop*
subir(se) a	*to get on/into (a vehicle)*

5

Conversación Completa la conversación.

el aceite	la gasolina	llenar	el parabrisas	el taller
el baúl	las llantas	manejar	revisar	el volante

EMPLEADO Bienvenido al (1) __________ mecánico *Óscar*. ¿En qué le puedo servir?

JUAN Buenos días. Quiero (2) __________ el tanque y revisar (3) __________, por favor.

EMPLEADO Con mucho gusto. Si quiere, también le limpio (4) __________.

JUAN Sí, gracias. Está un poquito sucio. La próxima semana tengo que (5) __________ hasta Buenos Aires. ¿Puede cambiar (6) __________? Están gastadas (*worn*).

EMPLEADO Claro que sí, pero voy a tardar (*it will take me*) un par de horas.

JUAN Mejor regreso mañana. Ahora no tengo tiempo. ¿Cuánto le debo por (7) __________?

EMPLEADO Sesenta pesos. Y veinticinco por (8) __________ y cambiar el aceite.

CONSULTA

For more information about **Buenos Aires**, see **Panorama**, p. 370.

6

Completar Completa estas oraciones.

1. Otra palabra para coche es...
2. Para poder conducir legalmente, necesitas...
3. Si tu carro no funciona, debes llevarlo a...
4. Para llenar el tanque de tu coche, necesitas ir a...
5. Antes de un viaje largo, es importante revisar...
6. Otra palabra para autopista es...
7. Mientras hablas por teléfono celular, no es buena idea...
8. Puedes poner las maletas en...

¡LENGUA VIVA!

Aunque **carro** es el término que se usa en la mayoría de países hispanos, no es el único. En España, por ejemplo, se dice **coche**, y en Argentina, Chile y Uruguay se dice **auto**.

Comunicación

7

Preguntas Trabajen en parejas y túrnense para contestar estas preguntas.

1. a. ¿Tienes un teléfono celular? ¿Para qué lo usas?
   b. ¿Qué utilizas más: el teléfono o el correo electrónico? ¿Por qué?
   c. En tu opinión, ¿cuáles son las ventajas (*advantages*) y desventajas de los diferentes modos de comunicación?
2. a. ¿Con qué frecuencia usas la computadora?
   b. ¿Para qué usas Internet?
   c. ¿Tienes tu propio blog? ¿Cómo es?
3. a. ¿Miras la televisión con frecuencia? ¿Qué programas ves?
   b. ¿Dónde miras tus programas favoritos, en la tele o en la computadora?
   c. ¿Ves películas en la computadora? ¿Cuál es tu película favorita de todos los tiempos (*of all time*)?
   d. ¿A través de (*By*) qué medio escuchas música? ¿Radio, teléfono celular o computadora?
4. a. ¿Tienes licencia de conducir?
   b. ¿Tienes carro? Descríbelo.

NOTA CULTURAL

Algunos sitios web utilizan códigos para identificar su país de origen. Éstos son los códigos para algunos países hispanohablantes:

Argentina	**.ar**
Colombia	**.co**
España	**.es**
México	**.mx**
Venezuela	**.ve**

8

Postal En parejas, lean la tarjeta postal. Después contesten las preguntas.

19 julio de 1979

Hola, Paco:

¡Saludos! Estamos de viaje por unas semanas. La Costa del Sol es muy bonita. No hemos encontrado (*we haven't found*) a tus amigos porque nunca están en casa cuando llamamos. El teléfono suena y suena y nadie contesta. Vamos a seguir llamando.

Sacamos muchas fotos muy divertidas. Cuando regresemos y las revelemos (*get them developed*), te las voy a enseñar. Las playas son preciosas. Hasta ahora el único problema fue que la oficina en la cual reservamos un carro perdió nuestros papeles y tuvimos que esperar mucho tiempo.

También tuvimos un pequeño problema con el hotel. La agencia de viajes nos reservó una habitación en un hotel que está muy lejos de todo. No podemos cambiarla, pero no me importa mucho. A pesar de eso, estamos contentos.

Tu hermana, Gabriela

Francisco Jiménez
San Lorenzo 3250
Rosario, Argentina 2000

1. ¿Cuáles son los problemas que ocurren en el viaje de Gabriela?
2. Con la tecnología de hoy, ¿existen los mismos problemas cuando se viaja? ¿Por qué?
3. Hagan una comparación entre la tecnología de los años 70 y 80 y la de hoy.
4. Imaginen que la hija de Gabriela escribe un mensaje electrónico sobre el mismo tema con fecha de hoy. Escriban ese mensaje, incorporando la tecnología actual (teléfonos celulares, Internet, cámaras digitales, etc.). Inventen nuevos problemas.

En el taller

El coche de Miguel está descompuesto y Maru tiene problemas con su computadora.

PERSONAJES

MIGUEL

JORGE

Video

MIGUEL ¿Cómo lo ves?

JORGE Creo que puedo arreglarlo. ¿Me pasas la llave?

JORGE ¿Y dónde está Maru?

MIGUEL Acaba de enviarme un mensaje de texto: "Última noticia sobre la computadora portátil: todavía está descompuesta. Moni intenta arreglarla. Voy para allá".

JORGE ¿Está descompuesta tu computadora?

MIGUEL No, la mía no, la suya. Una amiga la está ayudando.

JORGE Un mal día para la tecnología, ¿no?

MIGUEL Ella está preparando un proyecto para ver si puede hacer sus prácticas profesionales en el Museo de Antropología.

JORGE ¿Y todo está en la computadora?

MIGUEL Y claro.

MARU Buenos días, Jorge.

JORGE ¡Qué gusto verte, Maru! ¿Cómo está la computadora?

MARU Mi amiga Mónica recuperó muchos archivos, pero muchos otros se borraron.

MARU Estamos en una triste situación. Yo necesito una computadora nueva, y Miguel necesita otro coche.

JORGE Y un televisor nuevo para mí, por favor.

MARU

7

MARU ¿Qué vamos a hacer, Miguel?

MIGUEL Tranquila, cariño. Por eso tenemos amigos como Jorge y Mónica. Nos ayudamos los unos a los otros.

8

JORGE ¿No te sientes afortunada, Maru? No te preocupes. Sube.

MIGUEL ¡Por fin!

MARU Gracias, Jorge. Eres el mejor mecánico de la ciudad.

9

MIGUEL ¿Cuánto te debo por el trabajo?

JORGE Hombre, no es nada. Guárdalo para el coche nuevo. Eso sí, recomiéndame con tus amigos.

MIGUEL Gracias, Jorge.

10

JORGE No manejes en carretera. Revisa el aceite cada 1.500 kilómetros y asegúrate de llenarle el tanque... No manejes con el cofre abierto. Nos vemos.

Expresiones útiles

Giving instructions to a friend

¿Me pasas la llave?
Can you pass me the wrench?
No lo manejes en carretera.
Don't drive it on the highway.
Revisa el aceite cada 1.500 kilómetros.
Check the oil every 1,500 kilometers.
Asegúrate de llenar el tanque.
Make sure to fill up the tank.
No manejes con el cofre abierto.
Don't drive with the hood open.
Recomiéndame con tus amigos.
Recommend me to your friends.

Taking a phone call

Aló./Bueno./Diga.
Hello.
¿Quién habla?/¿De parte de quién?
Who is speaking/calling?
Con él/ella habla.
Speaking.
¿Puedo dejar un recado?
May I leave a message?

Reassuring someone

Tranquilo/a, cariño.
Relax, sweetie.
Nos ayudamos los unos a los otros.
We help each other out.
No te preocupes.
Don't worry.

Additional vocabulary

entregar *to hand in*
el intento *attempt*
la noticia *news*
el proyecto *project*
recuperar *to recover*

More activities
vhlcentral | VM pp. 21–22 | Online activities

¿Qué pasó?

1

Seleccionar Selecciona las respuestas que completan correctamente estas oraciones.

1. Jorge intenta arreglar ____.
   a. la computadora de Maru b. el coche de Miguel c. el teléfono celular de Felipe
2. Maru dice que se borraron muchos ____ de su computadora.
   a. archivos b. sitios web c. mensajes de texto
3. Jorge dice que necesita un ____.
   a. navegador GPS b. radio c. televisor
4. Maru dice que Jorge es el mejor ____.
   a. mecánico de la ciudad b. amigo del mundo c. compañero de la clase
5. Jorge le dice a Miguel que no maneje su coche en ____.
   a. el tráfico b. el centro de la ciudad c. la carretera

2

Identificar Identifica quién dice estas oraciones.

1. Hombre, no es nada. Guárdalo para el coche nuevo.
2. ¿Y qué pasó con tu proyecto?
3. Si no puedo usar mi computadora, ¿me prestas la tuya?
4. Revisa el aceite cada 1.500 kilómetros y asegúrate de llenarle el tanque.
5. La copia que tengo más actualizada es de la semana pasada. El problema es que hice muchos cambios desde entonces.

MARU

MIGUEL

JORGE

3

Problema mecánico Trabajen en parejas para representar los papeles de un(a) mecánico/a y un(a) cliente/a que está llamando al taller porque su carro está descompuesto.

Mecánico/a	Cliente/a
Contesta el teléfono con un saludo y el nombre del taller.	→ Saluda y explica que tu carro está descompuesto.
Pregunta qué tipo de problema tiene exactamente.	→ Explica que tu carro no arranca cuando hace frío.
Di que debe traer el carro al taller.	→ Pregunta cuándo puedes llevarlo.
Ofrece una hora para revisar el carro.	→ Acepta la hora que ofrece el/la mecánico/a.

Ahora cambien los papeles y representen otra conversación. Ustedes son un(a) técnico/a y un(a) cliente/a. Usen estas ideas:

- el celular no guarda mensajes
- la computadora no descarga fotos
- la impresora imprime muy lentamente
- el televisor está descompuesto

Ortografía

Tutorial

La acentuación de palabras similares

Although accent marks usually indicate which syllable in a word is stressed, they are also used to distinguish between words that have the same or similar spellings.

Él maneja el coche. **Sí, voy si quieres.**

Although one-syllable words do not usually carry written accents, some *do* have accent marks to distinguish them from words that have the same spelling but different meanings.

Sé cocinar. **Se baña.** **¿Tomas té?** **Te duermes.**

Sé (*I know*) and **té** (*tea*) have accent marks to distinguish them from the pronouns **se** and **te**.

para mí **mi cámara** **Tú lees.** **tu estéreo**

Mí (*Me*) and **tú** (*you*) have accent marks to distinguish them from the possessive adjectives **mi** and **tu**.

¿Por qué vas? **Voy porque quiero.**

Several words of more than one syllable also have accent marks to distinguish them from words that have the same or similar spellings.

Éste es rápido. **Este tren es rápido.**

Demonstrative pronouns may have accent marks to distinguish them from demonstrative adjectives.

¿Cuándo fuiste? **Fui cuando me llamó.**
¿Dónde trabajas? **Voy al taller donde trabajo.**

Adverbs have accent marks when they are used to convey a question.

Práctica Marca los acentos en las palabras que los necesitan.

ANA Alo, soy Ana. ¿Que tal?
JUAN Hola, pero... ¿por que me llamas tan tarde?
ANA Porque mañana tienes que llevarme a la universidad. Mi auto esta dañado.
JUAN ¿Como se daño?
ANA Se daño el sabado. Un vecino (*neighbor*) choco con (*crashed into*) el.

Crucigrama Utiliza las siguientes pistas (*clues*) para completar el crucigrama. ¡Ojo con los acentos!

Horizontales
1. Él __________ levanta.
4. No voy __________ no puedo.
7. Tú __________ acuestas.
9. ¿ __________ es el examen?
10. Quiero este video y __________.

Verticales
2. ¿Cómo __________ usted?
3. Eres __________ mi hermano.
5. ¿ __________ tal?
6. Me gusta __________ suéter.
8. Pongo las maletas __________ el baúl.

	1	2			3				
				4			5		6
		7	8						
9							10		

More activities
vhlcentral
LM p. 62

Flash CULTURA

EN DETALLE

Video

Las redes sociales

¿Cómo te comunicas con tu familia y con tus amigos? Al igual que° en los Estados Unidos, en los países hispanohablantes las redes sociales han tenido° un gran impacto en los últimos años. Los usos básicos de los teléfonos celulares ya no son las llamadas° y los mensajes de texto, sino el contacto entre amigos y familiares por medio de° redes sociales y de aplicaciones como Facebook, Twitter, WhatsApp o Instagram.

La mayoría de los hispanos tiene un perfil en Facebook o en Twitter, pero el método de comunicación más popular en los países hispanohablantes es WhatsApp. Por medio de esta aplicación de mensajería los usuarios° pueden crear grupos y enviarse° un número ilimitado de imágenes, videos y mensajes de texto y de audio. Su popularidad se debe a que es una forma rápida y prácticamente gratuita° de comunicarse.

Hoy en día, los teléfonos inteligentes y los contratos telefónicos son más asequibles°, por lo que la mayoría de los hispanos disfruta de estos celulares y de sus ventajas tecnológicas. Gracias a las redes sociales y a las aplicaciones, las personas pueden estar en constante comunicación con sus seres queridos° más lejanos°. La inevitable pregunta es: ¿qué ocurre con los seres queridos que están cerca? La influencia que tienen las redes sociales en las relaciones humanas es cada vez un tema más polémico.

El español en las redes sociales

- El español es la tercera lengua más utilizada en las redes sociales.
- El español es la segunda lengua más usada en Twitter, con un crecimiento° de más de 1.100% en los últimos diez años.
- Facebook tiene más de 80 millones de usuarios hispanohablantes.
- Sólo en España, WhatsApp tiene 15 millones de usuarios que usan la aplicación un promedio° de 45 minutos al día.

Al igual que *Like* **han tenido** *have had* **llamadas** *calls* **por medio de** *through* **usuarios** *users* **enviarse** *send each other* **gratuita** *free* **asequibles** *affordable* **seres queridos** *loved ones* **lejanos** *distant* **crecimiento** *growth* **promedio** *average*

ACTIVIDADES

1 **¿Cierto o falso?** Indica si lo que dicen estas oraciones es **cierto** o **falso**. Corrige la información falsa.

1. Los hispanos prefieren las llamadas para comunicarse con sus familias y con sus amigos.
2. Twitter no se usa en Latinoamérica.
3. WhatsApp es un método de comunicación muy común en los países hispanos.
4. WhatsApp permite enviar fotos a los contactos del celular.
5. Pocos hispanos pueden comprar un teléfono inteligente.
6. Una ventaja de las redes sociales es el contacto con las personas que están lejos.
7. El español es la segunda lengua más utilizada en las redes sociales.
8. Los españoles usan mucho la aplicación WhatsApp.

ASÍ SE DICE

La tecnología

los audífonos (Méx., Col.), los auriculares (Arg.), los cascos (Esp.)	*headset; earphones*
el móvil (Esp.)	el celular
el manos libres (Amér. S.)	*hands-free system*
la memoria	*memory*
mensajear (Méx.)	textear

EL MUNDO HISPANO

Las bicimotos

- **Argentina** El *ciclomotor* se usa mayormente° para repartir a domicilio° comidas y medicinas.
- **Perú** La *motito* se usa mucho para el reparto a domicilio de pan fresco todos los días.
- **México** La *Vespa* se usa para evitar° el tráfico en grandes ciudades.
- **España** La población usa el *Vespino* para ir y volver al trabajo cada día.
- **Puerto Rico** Una *scooter* es el medio de transporte favorito en las zonas rurales.
- **República Dominicana** Las *moto-taxis* son el medio de transporte más económico, ¡pero no olvides el casco°!

mayormente *mainly* **repartir a domicilio** *home delivery of* **evitar** *to avoid* **casco** *helmet*

PERFIL

Los mensajes de texto

¿Qué tienen en común un **mensaje de texto** y un telegrama?: la necesidad de decir lo máximo en el menor espacio posible —y rápidamente—. Así como los abuelos se las arreglaron° para hacer más baratos sus telegramas, que se cobraban° por número de palabras, ahora los jóvenes buscan ahorrar° espacio, tiempo y dinero, en sus mensajes de texto. Esta economía del lenguaje dio origen al **lenguaje chat**, una forma de escritura muy creativa y compacta. Olvídate de la gramática, la puntuación y la ortografía: es tan flexible que evoluciona° todos los días con el uso que cada quien° le da, aunque° hay muchas palabras y expresiones ya establecidas°. Fácilmente encontrarás° abreviaturas (**xq?**, "¿Por qué?"; **tkm**, "Te quiero mucho."), sustitución de sonidos por números (**a2**, "Adiós."; **5mntrios**, "Sin comentarios."), símbolos (**ad+**, "además") y omisión de vocales y acentos (**tb**, "también"; **k tl?**, "¿Qué tal?"). Ahora que lo sabes, si un amigo te envía: **cont xfa, m dbs $!**°, puedes responderle: **ntp, ns vms + trd**°.

se las arreglaron *they managed to* **se cobraban** *were charged* **ahorrar** *to save* **evoluciona** *evolves* **cada quien** *each person* **aunque** *although* **establecidas** *fixed* **encontrarás** *you will find* **cont xfa, m dbs $!** Contesta, por favor, ¡me debes dinero! **ntp, ns vms +trd** No te preocupes, nos vemos más tarde.

CON RITMO HISPANO

Andrés Calamaro (1961–)

Lugar de nacimiento: Buenos Aires, Argentina

Andrés Calamaro es uno de los rockeros más influyentes de Latinoamérica. Formó parte de Los Abuelos de la Nada y de Los Rodríguez.

Go to **vhlcentral.com** to find out more about **Andrés Calamaro** and his music.

ACTIVIDADES

2 **Comprensión** Responde a las preguntas.

1. ¿Cuáles son tres formas de decir *headset*?
2. ¿Para qué se usan las bicimotos en Argentina?
3. ¿Qué dio origen al "lenguaje chat"?
4. ¿Es importante escribir los acentos en los mensajes de texto?

3 **¿Cómo te comunicas?** Escribe un párrafo breve en donde expliques qué utilizas para comunicarte con tus amigos/as (correo electrónico, redes sociales, teléfono, etc.) y de qué hablan cuando se llaman por teléfono.

More activities

vhlcentral | VM pp. 51–52 | Online activities

11.1 Familiar commands

Tutorial

ANTE TODO In Spanish, the command forms are used to give orders or advice. You use **tú** commands (**mandatos familiares**) when you want to give an order or advice to someone you normally address with the familiar **tú**.

Affirmative tú commands

Infinitive	Present tense él/ella form	Affirmative tú command
hablar	habla	**habla** (tú)
guardar	guarda	**guarda** (tú)
prender	prende	**prende** (tú)
volver	vuelve	**vuelve** (tú)
pedir	pide	**pide** (tú)
imprimir	imprime	**imprime** (tú)

- Affirmative **tú** commands usually have the same form as the **él/ella** form of the present indicative.

Guarda el documento antes de cerrarlo.
Save the document before closing it.

Imprime tu tarea para la clase de inglés.
Print your homework for English class.

- The following verbs have irregular affirmative **tú** commands.

Irregular affirmative tú commands

decir	**di**	salir	**sal**
hacer	**haz**	ser	**sé**
ir	**ve**	tener	**ten**
poner	**pon**	venir	**ven**

¡**Sal** ahora mismo!
Leave at once!

Haz los ejercicios.
Do the exercises.

- Since **ir** and **ver** have the same **tú** command (**ve**), context will determine the meaning.

Ve al taller con Yolanda.
Go to the repair shop with Yolanda.

Ve ese programa... es muy interesante.
See that program... it's very interesting.

Súbete al coche y préndelo.

No lo manejes en la carretera.

▶ The negative **tú** commands are formed by dropping the final **-o** of the **yo** form of the present tense. For **-ar** verbs, add **-es**. For **-er** and **-ir** verbs, add **-as**.

Negative tú commands

Infinitive	Present tense yo form	Negative tú command
hablar	hablo	**no hables** (tú)
guardar	guardo	**no guardes** (tú)
prender	prendo	**no prendas** (tú)
volver	vuelvo	**no vuelvas** (tú)
pedir	pido	**no pidas** (tú)

Héctor, **no pares** el carro aquí.
Héctor, don't stop the car here.

No prendas la computadora todavía.
Don't turn on the computer yet.

▶ Verbs with irregular **yo** forms maintain the same irregularity in their negative **tú** commands. These verbs include **conducir, conocer, decir, hacer, ofrecer, oír, poner, salir, tener, traducir, traer, venir,** and **ver**.

No pongas el disco en la computadora.
Don't put the disk in the computer.

No conduzcas tan rápido.
Don't drive so fast.

▶ Note also that stem-changing verbs keep their stem changes in negative **tú** commands.

No p**ie**rdas tu celular.
Don't lose your cell phone.

No v**ue**lvas a esa gasolinera.
Don't go back to that gas station.

No rep**i**tas las instrucciones.
Don't repeat the instructions.

▶ Verbs ending in **-car**, **-gar**, and **-zar** have a spelling change in the negative **tú** commands.

sa**car**	**c** → **qu**	no sa**qu**es
apa**gar**	**g** → **gu**	no apa**gu**es
almor**zar**	**z** → **c**	no almuer**c**es

▶ The following verbs have irregular negative **tú** commands.

Irregular negative tú commands

dar	**no des**
estar	**no estés**
ir	**no vayas**
saber	**no sepas**
ser	**no seas**

¡ATENCIÓN!

In affirmative commands, reflexive, indirect, and direct object pronouns are always attached to the end of the verb. In negative commands, these pronouns always precede the verb.

Bórralos./No los borres.

Escríbeles un mensaje electrónico./**No les escribas** un mensaje electrónico.

•••

When a pronoun is attached to an affirmative command that has two or more syllables, an accent mark is added to maintain the original stress:

borra → **bórralos**

prende → **préndela**

imprime → **imprímelo**

More activities

vhlcentral

LM p. 63

WB pp. 127–128

Online activities

¡INTÉNTALO! Indica los mandatos familiares afirmativos y negativos de estos verbos.

1. correr ___Corre___ más rápido. No ___corras___ más rápido.
2. llenar ________ el tanque. No ________ el tanque.
3. salir ________ ahora. No ________ ahora.
4. descargar ________ ese documento. No ________ ese documento.
5. hacerlo ________ ya. No ________ ahora.
6. levantarse ________ temprano. No ________ temprano.

Práctica

1

Completar Completa los comentarios con el mandato de cada verbo.

1. __________ tu teléfono celular, pero no __________ la computadora. (apagar)
2. __________ tu tarea después. No la __________ ahora. (hacer)
3. No __________ a la tienda a comprar papel para la impresora. __________ a la cafetería a comprarme algo de comer. (ir)
4. No __________ que no puedes abrir un archivo. __________ que el programa de computación funciona sin problemas. (decirme)
5. __________ generoso con tu tiempo y no __________ antipático si no entiendo fácilmente. (ser)
6. __________ mucha paciencia y no __________ prisa. (tener)
7. No __________ en una hora. __________ ahora mismo. (venir)

2

Cambiar Cuando Pedro dice que algo es necesario, Marina expresa una opinión diferente. Usa la información entre paréntesis para formar las órdenes que Marina le da a Pedro.

modelo

Pedro: Necesito revisar el aceite del carro. (seguir hasta el próximo pueblo)
Marina: *No revises el aceite del carro. Sigue hasta el próximo pueblo.*

1. Necesito poner el radio. (hablarme)
2. Necesito conducir más rápido. (parar el carro)
3. Necesito almorzar ahora. (comer más tarde)
4. Necesito sacar una foto. (manejar con cuidado)
5. Necesito estacionar el carro en esta calle. (pensar en otra opción)
6. Necesito volver a esa gasolinera. (arreglar el carro en un taller)
7. Necesito leer el mapa. (pedirle ayuda a aquella señora)
8. Necesito dormir en el carro. (acostarse en una cama)

3

Problemas Tú y tu compañero/a trabajan en el centro de computadoras de la universidad. Muchos estudiantes están llamando con problemas. Denles órdenes para ayudarlos a resolverlos.

modelo

Problema: *No veo nada en la pantalla.*
Tu respuesta: *Prende la pantalla de tu computadora.*

apagar...	conectarse...	funcionar...	guardar...	prender...
borrar...	descargar...	grabar...	imprimir...	volver...

1. No me gusta este programa de computación.
2. Tengo miedo de perder mi documento.
3. Prefiero leer este sitio web en papel.
4. Mi correo electrónico funciona muy lentamente.
5. Busco información sobre los gauchos de Argentina.
6. Tengo demasiados archivos en mi computadora.
7. Mi computadora se congeló (*froze*).
8. Quiero ver las fotos del cumpleaños de mi hermana.

NOTA CULTURAL

Los gauchos (*nomadic cowboys*), conocidos por su habilidad (*skill*) para montar a caballo y utilizar el lazo, viven en la Región Pampeana, una llanura muy extensa ubicada en el centro de Argentina y dedicada a la agricultura (*agriculture*

Comunicación

4

Órdenes Intercambia mandatos negativos y afirmativos con tu compañero/a. Debes seguir las órdenes que él o ella te da o reaccionar apropiadamente.

modelo

Estudiante 1: *Dame todo tu dinero.*
Estudiante 2: *No, no quiero dártelo. Muéstrame tu cuaderno.*
Estudiante 1: *Aquí está.*
Estudiante 2: *Ve a la pizarra y escribe tu nombre.*
Estudiante 1: *No quiero. Hazlo tú.*

5

Consejos En parejas, imaginen que un(a) amigo/a de ustedes tiene muy poca experiencia en el uso de nuevas tecnologías. Denle consejos a su amigo/a.

modelo

Apaga tu teléfono celular antes de clase.

6

Anuncios En grupos pequeños, preparen tres anuncios adicionales para tres escuelas que compiten (*compete*) con ésta.

Síntesis

7

¡Tanto que hacer! Tu profesor(a) te va a dar una lista de diligencias (*errands*). Algunas las hiciste tú y algunas las hizo tu compañero/a. Las diligencias que ya hicieron tienen esta marca ✔. Pero quedan cuatro diligencias por hacer. Dale órdenes a tu compañero/a y él/ella responde para confirmar si hay que hacerla o si ya la hizo.

modelo

Estudiante 1: *Llena el tanque.*
Estudiante 2: *Ya llené el tanque. / ¡Ay, no! Tenemos que llenar el tanque.*

11.2 Por and para

Tutorial

ANTE TODO Unlike English, Spanish has two words that mean *for*: **por** and **para**. These two prepositions are not interchangeable. Study the following charts to see how they are used.

▶ **Por** and **para** are most commonly used to describe aspects of movement, time, and action, but in different circumstances.

Por	Para
Movement	
Through or by a place La excursión nos llevó **por** el centro. *The tour took us through downtown.*	**Toward a destination** Mis amigos van **para** el estadio. *My friends are going to the stadium.*
Time	
Duration of an event Ana chateó **por** dos horas. *Ana chatted for two hours.*	**Action deadline** Tengo que escribir un ensayo **para** mañana. *I have to write an essay by tomorrow.*
Action	
Reason or motive for an action or circumstance Llegué a casa tarde **por** el tráfico. *I got home late because of the traffic.*	**Indication of for whom something is intended or done** Estoy preparando una sorpresa **para** Eduardo. *I'm preparing a surprise for Eduardo.*

▶ Here is a list of the uses of **por** and **para**.

Por is used to indicate...	
1. Movement: Motion or a general location . . *(around, through, along, by)*	Pasamos **por** el parque y **por** el río. *We passed by the park and along the river.*
2. Time: Duration of an action . . . . *(for, during, in)*	Estuve en la Patagonia **por** un mes. *I was in Patagonia for a month.*
3. Action: Reason or motive for an action . . *(because of, on account of, on behalf of)*	Lo hizo **por** su familia. *She did it on behalf of her family.*
4. Object of a search . . . . *(for, in search of)*	Vengo **por** ti a las ocho. *I'm coming for you at eight.* Manuel fue **por** su cámara digital. *Manuel went in search of his digital camera.*
5. Means by which something is done . . . *(by, by way of, by means of)*	Ellos viajan **por** la autopista. *They travel by (by way of) the highway.*
6. Exchange or substitution . . . . *(for, in exchange for)*	Le di dinero **por** el cargador. *I gave him money for the charger.*
7. Unit of measure . . . . *(per, by)*	José manejaba a 120 kilómetros **por** hora. *José was driving 120 kilometers per hour.*

¡ATENCIÓN!

Por is also used in several idiomatic expressions, including:

por aquí *around here*

por ejemplo *for example*

por eso *that's why; therefore*

por fin *finally*

AYUDA

Remember that when giving an exact time, **de** is used instead of **por** before **la mañana, la tarde,** or **la noche**.

La clase empieza a las nueve **de** la mañana.

•••

In addition to **por**, **durante** is also commonly used to mean *for* when referring to time.

Esperé al mecánico **durante** cincuenta minutos.

Para is used to indicate...

1. Movement: Destination . . . . (*toward, in the direction of*)	Salimos **para** Córdoba el sábado. *We are leaving for Córdoba on Saturday.*
2. Time: Deadline or a specific time in the future . . . . (*by, for*)	Él va a arreglar el carro **para** el viernes. *He will fix the car by Friday.*
3. Action: Purpose or goal + [*infinitive*]. . . . (*in order to*)	Juan estudia **para** (ser) mecánico. *Juan is studying to be a mechanic.*
4. Purpose + [*noun*] . . . . (*for, used for*)	Es una llanta **para** el carro. *It's a tire for the car.*
5. The recipient of something . . . . (*for*)	Compré una impresora **para** mi hijo. *I bought a printer for my son.*
6. Comparison with others or an opinion . . (*for, considering*)	**Para** un joven, es demasiado serio. *For a young person, he is too serious.* **Para** mí, esta lección no es difícil. *For me, this lesson isn't difficult.*
7. In the employment of . . . . (*for*)	Sara trabaja **para** Telecom Argentina. *Sara works for Telecom Argentina.*

▶ In many cases it is grammatically correct to use either **por** or **para** in a sentence. The meaning of the sentence is different, however, depending on which preposition is used.

Caminé **por** el parque. *I walked through the park.*	Caminé **para** el parque. *I walked to (toward) the park.*
Trabajó **por** su padre. *He worked for (in place of) his father.*	Trabajó **para** su padre. *He worked for his father('s company).*

¡INTÉNTALO! Completa estas oraciones con las preposiciones **por** o **para**.

1. Fuimos al café ___por___ la tarde.
2. Necesitas un navegador GPS ______ encontrar la casa de Luis.
3. Entraron ______ la puerta.
4. Quiero un pasaje ______ Buenos Aires.
5. ______ arrancar el carro, necesito la llave.
6. Estuvieron nerviosos ______ el examen.
7. Arreglé el televisor ______ mi amigo.
8. ¿No hay una gasolinera ______ aquí?
9. El radio es ______ usted.
10. ______ mí, el español es fácil.
11. Estuvimos en Canadá ______ dos meses.
12. Juan está enfermo. Tengo que trabajar ______ él.
13. Tengo que estudiar la lección ______ el lunes.
14. Compré dulces ______ mi novia.
15. Voy a ir ______ la carretera.
16. Compramos el auto ______ un buen precio.

More activities
vhlcentral
LM p. 64
WB pp. 129–130
Online activities

Práctica

1

Completar Completa este párrafo con las preposiciones **por** o **para**.

El mes pasado mi esposo y yo hicimos un viaje a Buenos Aires y sólo pagamos dos mil dólares (1)______ los pasajes. Estuvimos en Buenos Aires (2)______ una semana y paseamos por toda la ciudad. Durante el día caminamos (3)______ la plaza San Martín, el microcentro y el barrio de La Boca, donde viven muchos artistas. (4)______ la noche fuimos a una tanguería, que es una especie de teatro, (5)______ mirar a la gente bailar tango. Dos días después decidimos hacer una excursión (6)______ las pampas (7)______ ver el paisaje y un rodeo con gauchos. Alquilamos (*We rented*) un carro y manejamos (8)______ todas partes y pasamos unos días muy agradables. El último día que estuvimos en Buenos Aires fuimos a Galerías Pacífico (9)______ comprar recuerdos (*souvenirs*) (10)______ nuestros hijos y nietos. Compramos tantos regalos que tuvimos que pagar impuestos (*duties*) en la aduana al regresar.

2

Oraciones Crea oraciones originales con los elementos de las columnas. Une los elementos usando **por** o **para**.

modelo

Fuimos a Mar del Plata por razones de salud para visitar a un especialista.

(no) fue al mercado	por/para	comprar frutas	por/para	¿?
(no) fuimos a las montañas	por/para	tres días	por/para	¿?
(no) fuiste a Mar del Plata	por/para	razones de salud	por/para	¿?
(no) fueron a Buenos Aires	por/para	tomar el sol	por/para	¿?

NOTA CULTURAL

Mar del Plata es un centro turístico en la costa de Argentina. La ciudad es conocida como "la perla del Atlántico" y todos los años muchos turistas visitan sus playas y casinos.

3

Describir Usa **por** o **para** y el tiempo presente para describir estos dibujos.

1. ______________________

2. ______________________

3. ______________________

4. ______________________

5. ______________________

6. ______________________

Comunicación

4

Descripciones Usa **por** o **para** y completa estas frases de manera lógica. Luego, compara tus respuestas con las de un(a) compañero/a.

1. En casa, hablo con mis amigos...
2. Mi padre/madre trabaja...
3. Ayer fui al taller...
4. Los miércoles tengo clases...
5. A veces voy a la biblioteca...
6. Esta noche tengo que estudiar...
7. Necesito... dólares...
8. Compré un regalo...
9. Mi mejor amigo/a estudia...
10. Necesito hacer la tarea...

5

Situación En parejas, dramaticen esta situación. Utilicen muchos ejemplos de **por** y **para.**

Hijo/a	Padre/Madre
Pídele dinero a tu padre/madre.	Pregúntale a tu hijo/a para qué lo necesita.
Dile que quieres comprar un carro.	Pregúntale por qué necesita un carro.
Explica tres razones por las que necesitas un carro.	Explica por qué sus razones son buenas o malas.
Dile que por no tener un carro tu vida es muy difícil.	Decide si vas a darle el dinero y explica por qué.

Síntesis

6

Una subasta (*auction*) Cada estudiante debe traer a la clase un objeto o una foto del objeto para vender. En grupos, túrnense para ser el/la vendedor(a) y los postores (*bidders*). Para empezar, el/la vendedor(a) describe el objeto y explica para qué se usa y por qué alguien debe comprarlo.

modelo

Vendedora: *Aquí tengo una tableta fantástica. Pueden usarla para conectarse a Internet, chatear con sus amigos y tomar notas en la universidad. La batería funciona perfectamente. ¿Quién ofrece $500 para empezar?*

Postor(a) 1: *Pero una computadora portátil nueva cuesta eso. Te doy $25.*

Vendedora: *Ah, pero ésta es muy especial porque viene con un teclado y un ratón, los dos inalámbricos.*

Postor(a) 2: *Ah, ¡entonces te doy $50!*

11.3 Reciprocal reflexives

Tutorial

ANTE TODO In **Lección 7**, you learned that reflexive verbs indicate that the subject of a sentence does the action to itself. Reciprocal reflexives, on the other hand, express a shared or reciprocal action between two or more people or things. In this context, the pronoun means *(to) each other* or *(to) one another*.

Luis y Marta **se** miran en el espejo.
Luis and Marta look at themselves in the mirror.

Luis y Marta **se** miran.
Luis and Marta look at each other.

▶ Only the plural forms of the reflexive pronouns (**nos**, **os**, **se**) are used to express reciprocal actions because the action must involve more than one person or thing.

Cuando **nos vimos** en la calle, **nos abrazamos**.
When we saw each other on the street, we hugged (one another).

Ustedes **se** van a **encontrar** en el café, ¿no?
You are meeting (each other) at the café, right?

Nos ayudamos cuando usamos la computadora.
We help each other when we use the computer.

Las amigas **se saludaron** y **se besaron**.
The friends greeted each other and kissed (one another).

¡ATENCIÓN!

Here is a list of common verbs that can express reciprocal actions:

abrazar(se) *to hug; to embrace (each other)*
ayudar(se) *to help (each other)*
besar(se) *to kiss (each other)*
encontrar(se) *to meet (each other); to run into (each other)*
saludar(se) *to greet (each other)*

¡INTÉNTALO! Indica el reflexivo recíproco adecuado de estos verbos en el presente o el pretérito.

presente

1. (escribir) Los novios se escriben.
   Nosotros ______.
   Ana y Ernesto ______.
2. (llamar) Ellas ______.
   Mis hermanos ______.
   Pepa y yo ______.
3. (ver) Nosotros ______.
   Fernando y Tomás ______.
   Ustedes ______.
4. (escuchar) Mis tíos ______.
   Nosotros ______.
   Ellos ______.

pretérito

1. (saludar) Nicolás y tú se saludaron.
   Nuestros vecinos ______.
   Nosotros ______.
2. (conocer) Alberto y yo ______.
   Ustedes ______.
   Ellos ______.
3. (hablar) Los amigos ______.
   Elena y yo ______.
   Ustedes ______.
4. (encontrar) Ana y Javier ______.
   Los primos ______.
   Mi hermana y yo ______.

More activities
vhlcentral
LM p. 65
WB pp. 131–132
Online activities

Práctica y Comunicación

1

Un amor recíproco Describe a Laura y a Elián usando los verbos recíprocos.

modelo

Laura veía a Elián todos los días. Elián veía a Laura todos los días.
Laura y Elián se veían todos los días.

1. Laura conocía bien a Elián. Elián conocía bien a Laura.
2. Laura miraba a Elián con amor. Elián la miraba con amor también.
3. Laura entendía bien a Elián. Elián entendía bien a Laura.
4. Laura ayudaba a Elián con sus problemas. Elián la ayudaba también con sus problemas.
5. Laura hablaba con Elián todas las noches por teléfono. Elián hablaba con Laura todas las noches por teléfono.

2

Describir Describe lo que estas personas hicieron.

1. Ellos ____________.

2. Las amigas ____________.

3. Gilberto y Mercedes ____________ / ____________ / ____________.

4. Tú y yo ____________ /

3

Preguntas En parejas, túrnense para hacerse estas preguntas.

1. ¿Se vieron tú y tu mejor amigo/a ayer? ¿Cuándo se ven ustedes normalmente?
2. ¿Dónde se encuentran tú y tus amigos?
3. ¿Se ayudan tú y tu mejor amigo/a con sus problemas?
4. ¿Se entienden bien tus compañeros de clase?
5. ¿Dónde se conocieron tú y tu mejor amigo/a? ¿Cuánto tiempo hace que se conocen ustedes?
6. ¿Cuándo se dan regalos tú y tu novio/a?
7. ¿Se escriben tú y tus amigos mensajes de texto o prefieren llamarse por teléfono?
8. ¿Siempre se llevan bien tú y tu compañero/a de cuarto? Explica.

11.4 Stressed possessive adjectives and pronouns

Tutorial

ANTE TODO Spanish has two types of possessive adjectives: the unstressed (or short) forms you learned in **Lección 3** and the stressed (or long) forms. The stressed forms are used for emphasis or to express *of mine*, *of yours*, and so on.

Stressed possessive adjectives

Masculine singular	Feminine singular	Masculine plural	Feminine plural	
mío	**mía**	**míos**	**mías**	*my; (of) mine*
tuyo	**tuya**	**tuyos**	**tuyas**	*your; (of) yours* (fam.)
suyo	**suya**	**suyos**	**suyas**	*your; (of) yours* (form.)*; his; (of) his; her; (of) hers; its*
nuestro	**nuestra**	**nuestros**	**nuestras**	*our; (of) ours*
vuestro	**vuestra**	**vuestros**	**vuestras**	*your; (of) yours* (fam.)
suyo	**suya**	**suyos**	**suyas**	*your; (of) yours; their; (of) theirs*

▶ **¡Atención!** Used with **un/una**, these possessives are similar in meaning to the English expression *of mine/yours/*etc.

Juancho es **un** amigo **mío**.
Juancho is a friend of mine.

Ella es **una** compañera **nuestra**.
She is a classmate of ours.

▶ Stressed possessive adjectives agree in gender and number with the nouns they modify. While unstressed possessive adjectives are placed before the noun, stressed possessive adjectives are placed after the noun they modify.

su impresora
her printer
→ la impresora **suya**
her printer

nuestros televisores
our television sets
→ los televisores **nuestros**
our television sets

▶ A definite article, an indefinite article, or a demonstrative adjective usually precedes a noun modified by a stressed possessive adjective.

Me encantan { **unos** blogs **tuyos**. *I love some of your blogs.*
los blogs **tuyos**. *I love your blogs.*
estos blogs **tuyos**. *I love these blogs of yours.* }

▶ Since **suyo, suya, suyos,** and **suyas** have more than one meaning, you can avoid confusion by using the construction: [*article*] + [*noun*] + **de** + [*subject pronoun*].

el teclado **suyo** → el teclado **de él/ella/usted**
el teclado **de ustedes/ellos/ellas**

CONSULTA

This is the same construction you learned in **Lección 3** for clarifying **su** and **sus**. To review unstressed possessive adjectives, see **Estructura 3.2**, p. 85.

Possessive pronouns

- Possessive pronouns are used to replace a noun + [*possessive adjective*]. In Spanish, the possessive pronouns have the same forms as the stressed possessive adjectives, but they are preceded by a definite article.

la cámara **nuestra**	▶	**la nuestra**
el navegador GPS **tuyo**	▶	**el tuyo**
los archivos **suyos**	▶	**los suyos**

- A possessive pronoun agrees in number and gender with the noun it replaces.

—Aquí está **mi coche**. ¿Dónde está **el tuyo**?
Here's my car. Where is yours?

—**El mío** está en el taller de mi hermano.
Mine is at my brother's garage.

—¿Tienes **las revistas** de Carlos?
Do you have Carlos' magazines?

—No, pero tengo **las nuestras**.
No, but I have ours.

¡INTÉNTALO! Indica las formas tónicas (*stressed*) de estos adjetivos posesivos y los pronombres posesivos correspondientes.

	adjetivos	pronombres
1. su cámara digital	la cámara digital suya	la suya
2. mi televisor		
3. tus aplicaciones		
4. nuestros radios		
5. su ratón		
6. mis videos		
7. nuestra impresora		
8. nuestro blog		
9. tu perfil		
10. mi computadora		

More activities
vhlcentral
LM p. 66
WB pp. 133–134
Online activities

Práctica

1

Oraciones Forma oraciones con estas palabras. Usa el presente y haz los cambios necesarios.

1. un / amiga / suyo / vivir / Mendoza
2. ¿me / prestar / calculadora / tuyo?
3. el / coche / suyo / nunca / funcionar / bien
4. yo / querer / cámara digital / mío / ahora mismo
5. no / nos / interesar / problemas / suyo
6. un / amigos / nuestro / manejar / como / loco

2

¿Es suyo? Un policía ha capturado (*has captured*) al hombre que robó (*robbed*) en tu casa. Ahora quiere saber qué cosas son tuyas. Túrnate con un(a) compañero/a para hacer el papel del policía y usa las pistas (*clues*) para contestar las preguntas.

modelo

no/viejo
Policía: *Esta impresora, ¿es suya?*
Estudiante: *No, no es mía. La mía era más vieja.*

1. sí

2. no/grande

3. sí

4. sí

5. no/pequeño

6. no/caro

3

Conversaciones Completa estas conversaciones con las formas adecuadas de los pronombres posesivos.

1. —A Carmen le encanta su televisor nuevo.
   —¿Sí? A José no le gusta __________.
2. —La casa de ellos estaba en la Avenida Alvear. ¿Dónde estaba la casa de ustedes?
   —__________ estaba en la calle Bolívar.
3. —Puse mis libros aquí. ¿Dónde pusiste __________, Alfonso?
   —Puse __________ en el escritorio.
4. —Se me olvidó traer mis llaves. ¿Trajeron ustedes __________?
   —No, dejamos __________ en casa.
5. —Yo compré mi computadora en una tienda y Marta compró __________ en Internet. Y __________, ¿dónde la compraste?
   —__________ es de Cíbermax.

Comunicación

4

Vendedores competitivos Trabajen en grupos de tres. Uno/a de ustedes va a una tienda a comprar un aparato tecnológico (tableta, computadora portátil, impresora, etc.). Los/Las otros/as dos son empleados/as de dos marcas rivales y compiten para convencer al/a la cliente/a de que compre su producto. Usen los adjetivos posesivos y túrnense para comprar y vender.

modelo

Estudiante 1: *Buenos días, quiero comprar una impresora.*
Estudiante 2: *Tengo lo que necesita. La mía imprime con excelente calidad.*
Estudiante 3: *La tuya es vieja: necesita cable y es muy lenta. La mía puede imprimir hasta desde el teléfono celular, ¡sin usar ningún cable!*

5

Comparar Trabajen en parejas. Intenta (*Try to*) convencer a tu compañero/a de que algo que tú tienes es mejor que lo que él/ella tiene. Pueden hablar de sus carros, computadoras, teléfonos celulares, clases, horarios o trabajos.

modelo

Estudiante 1: *Mi computadora tiene una pantalla de quince pulgadas (inches). ¿Y la tuya?*
Estudiante 2: *La mía es mejor porque tiene una pantalla de diecisiete pulgadas.*
Estudiante 1: *Pues la mía...*

Síntesis

6

Inventos locos En grupos pequeños, imaginen que construyeron un aparato tecnológico revolucionario. Dibujen su invento y descríbanlo contestando estas preguntas. Utilicen los posesivos, **por** y **para** y el vocabulario de **Contextos**.

modelo

Nuestro aparato se usa para cocinar huevos y funciona de una manera muy fácil...

- ¿Para qué se usa?
- ¿Cómo es?
- ¿Cuánto cuesta?
- ¿Qué personas van a comprar este aparato?

Recapitulación

Completa estas actividades para repasar los conceptos de gramática que aprendiste en esta lección.

1 Completar Completa la tabla con las formas de los mandatos familiares. 16 pts.

Infinitivo	Mandato	
	Afirmativo	**Negativo**
comer	**come**	**no comas**
hacer		
sacar		
venir		
ir		

2 Por y para Completa el diálogo con **por** o **para.** 20 pts.

MARIO Hola, yo trabajo (1) ________ el periódico de la universidad. ¿Puedo hacerte unas preguntas?

INÉS Sí, claro.

MARIO ¿Navegas mucho (2) ________ la red?

INÉS Sí, todos los días me conecto a Internet (3) ________ leer mi correo y navego (4) ________ una hora. También me gusta hablar (5) ________ *Skype* con mis amigos. Es muy bueno y, (6) ________ mí, es divertido.

MARIO ¿Y qué piensas sobre hacer la tarea en la computadora?

INÉS En general, me parece bien, pero (7) ________ ejemplo, anoche hice unos ejercicios (8) ________ la clase de álgebra y al final me dolieron los ojos. (9) ________ eso a veces prefiero hacer la tarea a mano.

MARIO Muy bien. Muchas gracias (10) ________ tu tiempo.

3 Posesivos Completa las oraciones y confirma de quién son las cosas. 12 pts.

1. —¿Éste es mi video? —Sí, es el ________ (*fam.*).
2. —¿Ésta es la cámara de tu papá? —Sí, es la ________.
3. —¿Ese teléfono es de Pilar? —Sí, es el ________.
4. —¿Éstos son los cargadores de ustedes? —No, no son ________.
5. —¿Ésta es tu computadora portátil? —No, no es ________.
6. —¿Ésas son mis fotos? —Sí, son las ________ (*form.*).

RESUMEN GRAMATICAL

11.1 Familiar commands *pp. 352–353*

tú commands		
Infinitive	**Affirmative**	**Negative**
guardar	**guarda**	**no guardes**
volver	**vuelve**	**no vuelvas**
imprimir	**imprime**	**no imprimas**

► Irregular **tú** command forms

dar → **no des**
decir → **di**
estar → **no estés**
hacer → **haz**
ir → **ve, no vayas**
poner → **pon**
saber → **no sepas**
salir → **sal**
ser → **sé, no seas**
tener → **ten**
venir → **ven**

► Verbs ending in **-car, -gar, -zar** have a spelling change in the negative **tú** commands:

sacar → no saques
apagar → no apagues
almorzar → no almuerces

11.2 Por and para *pp. 356–357*

► Uses of **por:**

motion or general location; duration; reason or motive; object of a search; means by which something is done; exchange or substitution; unit of measure

► Uses of **para:**

destination; deadline; purpose or goal; recipient of something; comparison or opinion; in the employment of

11.3 Reciprocal reflexives *p. 360*

► Reciprocal reflexives express a shared or reciprocal action between two or more people or things. Only the plural forms (**nos, os, se**) are used.

Cuando **nos vimos** en la calle, **nos abrazamos.**

► Common verbs that can express reciprocal actions:

abrazar(se), ayudar(se), besar(se), conocer(se), encontrar(se), escribir(se), escuchar(se), hablar(se), llamar(se), mirar(se), saludar(se), ver(se)

11.4 Stressed possessive adjectives and pronouns

pp. 362–363

Stressed possessive adjectives	
Masculine	**Feminine**
mío(s)	mía(s)
tuyo(s)	tuya(s)
suyo(s)	suya(s)
nuestro(s)	nuestra(s)
vuestro(s)	vuestra(s)
suyo(s)	suya(s)

la impresora **suya** → **la suya**

las llaves **mías** → **las mías**

4 **Ángel y diablito** A Juan le gusta pedir consejos a su ángel y a su diablito imaginarios. Completa las respuestas con mandatos familiares desde las dos perspectivas. 16 pts.

1. Estoy manejando. ¿Voy más rápido?
   Á No, no ________ más rápido.
   D Sí, ________ más rápido.
2. Es el cargador de mi hermana.
   ¿Lo pongo en mi mochila?
   Á No, no ________ en tu mochila.
   D Sí, ________ en tu mochila.
3. Necesito estirar (*to stretch*) las piernas.
   ¿Doy un paseo?
   Á Sí, ________ un paseo.
   D No, no ________ un paseo.
4. Mi amigo necesita imprimir algo. ¿Apago la impresora?
   Á No, no ________ la impresora.
   D Sí, ________ la impresora.

5 **Oraciones** Forma oraciones para expresar acciones recíprocas con el tiempo indicado. 12 pts.

modelo

tú y yo / conocer / bien (presente) *Tú y yo nos conocemos bien.*

1. José y Paco / llamar / una vez por semana (imperfecto)
2. mi novia y yo / ver / todos los días (presente)
3. los compañeros de clase / ayudar / con la tarea (pretérito)
4. tú y tu mamá / escribir / por correo electrónico / cada semana (imperfecto)
5. mis hermanas y yo / entender / perfectamente (presente)
6. los profesores / saludar / con mucho respeto (pretérito)

6 **La tecnología** Escribe al menos seis oraciones diciéndole a un(a) amigo/a qué hacer para tener "una buena relación" con la tecnología. Usa mandatos familiares afirmativos y negativos. 24 pts.

7 **Saber compartir** Completa la expresión con los dos pronombres posesivos que faltan.
¡4 puntos EXTRA!

"Lo que° es ________
es ________."

Lo que *What*

Audio: Reading

Lectura

Antes de leer

Estrategia

Recognizing borrowed words

One way languages grow is by borrowing words from each other. English words that relate to technology often are borrowed by Spanish and other languages throughout the world. Sometimes the words are modified slightly to fit the sounds of the languages that borrow them. When reading in Spanish, you can often increase your understanding by looking for words borrowed from English or other languages you know.

Examinar el texto

Observa la tira cómica°. ¿De qué trata°? ¿Cómo lo sabes?

Buscar

Esta lectura contiene una palabra tomada° del inglés. Trabaja con un(a) compañero/a para encontrarla.

____

Repasa° las palabras nuevas relacionadas con la tecnología que aprendiste en **Contextos** y expande la lista de palabras tomadas del inglés.

________________ ________________

________________ ________________

________________ ________________

Sobre el autor

Juan Matías Loiseau (1974–). Más conocido como Tute, este artista nació en Buenos Aires, Argentina. Estudió diseño gráfico, humorismo y cine. Sus tiras cómicas se publican en Estados Unidos, Francia y toda Latinoamérica.

tira cómica *comic strip* ¿De qué trata? *What is it about?* tomada *taken* Repasa *Review*

More activities: vhlcentral | Online activities

Después de leer

Comprensión

Indica si las oraciones son **ciertas** o **falsas**. Corrige las falsas.

Cierto	Falso	
_____	_____	1. Hay tres personajes en la tira cómica: un usuario de teléfono, un amigo y un empleado de la empresa (*company*) telefónica.
_____	_____	2. El nuevo servicio de teléfono incluye las llamadas telefónicas únicamente.
_____	_____	3. El empleado duerme en su casa.
_____	_____	4. El contrato de teléfono dura (*lasts*) un año.
_____	_____	5. El usuario y el amigo están trabajando (*working*).

Preguntas

Responde a estas preguntas con oraciones completas. Usa el pretérito y el imperfecto.

1. ¿Al usuario le gustaba usar el teléfono celular todo el tiempo?
____
2. ¿Por qué el usuario decidió tirar el teléfono al mar?
____
3. Según el amigo, ¿para qué tenía el usuario que tirar el teléfono celular al mar?
____
4. ¿Qué ocurrió cuando el usuario tiró el teléfono?
____
5. ¿Qué le dijo el empleado al usuario cuando salió del mar?
____

Conversar

En grupos pequeños, hablen de estos temas.

1. ¿Se sienten identificados/as con el usuario de teléfono de la tira cómica? ¿Por qué?
2. ¿Cuáles son los aspectos positivos y los negativos de tener teléfono celular?
3. ¿Cuál es para ustedes el límite que debe tener la tecnología en nuestras vidas?

te viene *comes with* **tipo** *guy, dude* **te avisa** *alerts you* **escuchás** *listen (Arg.)* **distraídos** *careless* **piso** *floor* **bolsa de dormir** *sleeping bag* **darle de baja** *to suspend* **harto** *fed up* **revolear** *throw it away with energy (S. America)* **bien hecho** *well done* **llamada perdida** *missed call*

Video

Argentina

El país en cifras

- **Área:** 2.780.400 km² (1.074.000 millas²)
  Argentina es el país de habla española más grande del mundo. Su territorio es dos veces el tamaño° de Alaska.
- **Población:** 44.293.000
- **Capital:** Buenos Aires (y su área metropolitana)—15.180.000
  En el gran Buenos Aires vive más del treinta por ciento de la población total del país. La ciudad es conocida° como el "París de Suramérica" por su estilo parisino°.

Buenos Aires

- **Ciudades principales:** Córdoba—1.511.000, Rosario—1.381.000, Mendoza—1.009.000
- **Moneda:** peso argentino
- **Idiomas:** español (oficial), lenguas indígenas

Bandera de Argentina

Argentinos célebres

- **Jorge Luis Borges,** escritor (1899–1986)
- **María Eva Duarte de Perón ("Evita"),** primera dama° (1919–1952)
- **Mercedes Sosa,** cantante (1935–2009)
- **Leandro "Gato" Barbieri,** saxofonista (1932– 2016)
- **Adolfo Pérez Esquivel,** activista (1931–), Premio Nobel de la Paz en 1980

tamaño *size* **conocida** *known* **parisino** *Parisian* **primera dama** *First Lady*

Monte Fitz Roy (Chaltén)

More activities: vhlcentral | WB pp. 135–136 | Online activities

ACTIVIDADES

1 ¿Cierto o falso? Indica si lo que dicen las oraciones es **cierto** o **falso**.

1. La ciudad de Buenos Aires es conocida como el "Madrid de Suramérica".
2. La moneda oficial de Argentina es el peso argentino.
3. Jorge Luis Borges era un cantante de tango argentino.
4. Para Adolfo Pérez Esquivel, el activismo es importante.
5. El río Paraná pasa por Argentina.
6. Argentina es el país más "europeo" por los inmigrantes italianos, alemanes, españoles e ingleses.
7. El tango se originó en el siglo XX.
8. Las cataratas del Iguazú se encuentran en la frontera con Chile.
9. Los productos de exportación más importantes de Argentina son el mate y el café.
10. La Avenida 9 de Julio es una de las calles más anchas del mundo.

BRASIL

Historia • Inmigración europea

Se dice que Argentina es el país más "europeo" de toda Latinoamérica. Después del año 1880, inmigrantes italianos, alemanes, españoles e ingleses llegaron para establecerse en esta nación. Esta diversidad cultural ha dejado° una profunda huella° en la música, en el cine y en la arquitectura argentinos.

Artes • El tango

El tango es uno de los símbolos culturales más importantes de Argentina. Este género° musical es una mezcla de ritmos de origen africano, italiano y español, y se originó a finales del siglo XIX entre los porteños°. Poco después se hizo popular entre el resto de los argentinos y su fama llegó hasta París. Como baile, el tango en un principio° era provocativo y violento, pero se hizo más romántico durante los años 30. Hoy día, este estilo musical tiene adeptos° en muchas partes del mundo°.

Lugares • Las cataratas del Iguazú

Las famosas cataratas° del Iguazú se encuentran entre las fronteras de Argentina, Paraguay y Brasil, al norte de Buenos Aires. Cerca de ellas confluyen° los ríos Iguazú y Paraná. Estas extensas caídas de agua tienen hasta 80 metros (262 pies) de altura°, y en época° de lluvias llegan a medir 4 kilómetros (2,5 millas) de ancho. Situadas en el Parque Nacional Iguazú, las cataratas son un destino° turístico muy visitado.

Economía • La soja, el maíz y los camiones

La economía de Argentina es la tercera más importante de América Latina, después de las de Brasil y México. Sus productos más emblemáticos son la carne, el vino y el mate, cuyas industrias se asociaron en 2017 para consolidarse internacionalmente. Los principales productos de exportación de Argentina son los derivados de la soja°, el maíz, el trigo° y los camiones de reparto°.

ha dejado *has left* huella *mark* género *genre* porteños *people of Buenos Aires* en un principio *at first* adeptos *followers* mundo *world* cataratas *waterfalls* confluyen *converge* altura *height* época *season* destino *destination* soja *soybean* trigo *wheat* camiones de reparto *delivery trucks*

¡Increíble pero cierto!

La Avenida 9 de Julio en Buenos Aires es una de las calles más anchas° del mundo. De lado a lado mide° cerca de 140 metros, lo que es equivalente a un campo° y medio de fútbol. Su nombre conmemora el Día de la Independencia de Argentina.

anchas *wide* mide *it measures* campo *field*

2 ¿Qué aprendiste? Contesta las preguntas.

1. ¿Qué porcentaje de la población de Argentina vive en el gran Buenos Aires?
2. ¿Quién era Mercedes Sosa?
3. ¿Qué tipo de baile es uno de los símbolos culturales más importantes de Argentina?
4. ¿Cómo era el baile del tango originalmente?
5. ¿En qué parque nacional están las cataratas del Iguazú?

3 Describir En parejas, imaginen que visitaron Argentina y túrnense para describir cómo fue su experiencia. Utilicen las preposiciones **por** y **para**.

modelo

Estudiante 1: *Yo compré boletos para un show de tango.*

Video

Uruguay

El país en cifras

- **Área:** 176.220 km² (68.039 millas²), *el tamaño° del estado de Washington*
- **Población:** 3.360.000
- **Capital:** Montevideo—1.707.000

Casi la mitad° de la población de Uruguay vive en Montevideo. Situada en la desembocadura° del famoso Río de la Plata, esta ciudad cosmopolita e intelectual es también un destino popular para las vacaciones, debido a sus numerosas playas de arena° blanca que se extienden hasta la ciudad de Punta del Este.

- **Ciudades principales:** Salto, Paysandú, Las Piedras, Rivera
- **Moneda:** peso uruguayo
- **Idiomas:** español (oficial)

Bandera de Uruguay

Uruguayos célebres

- **Horacio Quiroga,** escritor (1878–1937)
- **Juana de Ibarbourou,** escritora (1892–1979)
- **Mario Benedetti,** escritor (1920–2009)
- **Cristina Peri Rossi,** escritora y profesora (1941–)
- **Jorge Drexler,** cantante y compositor (1964–)

tamaño *size* mitad *half* desembocadura *mouth* arena *sand*

Gauchos uruguayos

Entrada a la Ciudad Vieja, Colonia del Sacramento

More activities
vhlcentral | WB pp. 137–138 | Online activities

ACTIVIDADES

1 **¿Cierto o falso?** Indica si lo que dicen las oraciones es **cierto** o **falso**.

1. Aproximadamente la mitad de la población de Uruguay vive en Punta del Este.
2. La moneda de Uruguay es el peso uruguayo.
3. Mario Benedetti fue doctor.
4. Jorge Drexler es un expresidente de Uruguay.
5. Uno de los platos representativos de Uruguay son las pupusas.
6. El fútbol es el deporte nacional de los uruguayos.
7. El Carnaval de Montevideo dura 40 días.
8. El candombe es una danza de tradición africana.
9. Juan Carlos Onetti y Eduardo Galeano escribieron blogs.
10. El ñandú es un animal pequeño pero peligroso.

Comida • La carne y el mate

En Uruguay y Argentina, la carne es un elemento esencial de la dieta diaria. Algunos platillos representativos de estas naciones son el asado° y la parrillada°. El mate, una infusión similar al té, también es típico de la región. Esta bebida de origen indígena está muy presente en la vida social y familiar de estos países aunque, curiosamente, no se puede consumir en bares o en restaurantes.

Deportes • El fútbol

El fútbol es el deporte nacional de Uruguay. El primer equipo de balompié uruguayo se formó en 1891 y en 1930 el país suramericano fue la sede° de la primera Copa Mundial de esta disciplina. El equipo nacional ha conseguido grandes éxitos° a lo largo de los años: dos campeonatos olímpicos, en 1924 y 1928, y dos campeonatos mundiales, en 1930 y 1950. De hecho, para celebrar el centenario del primer torneo de la historia, Uruguay y Argentina presentaron su candidatura para ser los países anfitriones de la Copa Mundial de Fútbol de 2030. En 2017, Paraguay lanzó su propuesta para unirse a esta celebración.

Costumbres • El Carnaval

El Carnaval de Montevideo es el de mayor duración en el mundo. A lo largo de 40 días, los uruguayos disfrutan de° los desfiles° y de la música que inundan las calles de su capital. La celebración más conocida es el Desfile de Llamadas, en el que participan bailarines al ritmo del candombe, una danza de tradición africana.

Literatura • Escritores

A pesar de ser el segundo país más pequeño de Latinoamérica, Uruguay ha sido cuna° de importantes escritores: Horacio Quiroga (1878–1937), Juana de Ibarbourou (1892–1979), Felisberto Hernández (1902–1964), Juan Carlos Onetti (1909–1994), Mario Benedetti (1920–2009), Eduardo Galeano (1940–2015) y Cristina Peri Rossi (1941–) han inspirado a muchos autores en el mundo. Estos escritores se han destacado° en géneros literarios como la novela, el cuento°, la poesía y el ensayo.

asado *barbecued beef* **parrillada** *grilled meats* **sede** *site* **éxitos** *successes* **disfrutan de** *enjoy* **desfiles** *parades* **ha sido cuna** *has been the cradle* **se han destacado** *have stood out* **cuento** *short story*

¡Increíble pero cierto!

En Uruguay hay muchos animales curiosos, entre ellos el ñandú. De la misma familia del avestruz°, el ñandú es el ave no voladora° más grande del hemisferio occidental. Puede llegar a medir° dos metros. Normalmente, va en grupos de veinte o treinta y vive en el campo. Es muy cotizado° por su carne, sus plumas y sus huevos.

avestruz *ostrich* **no voladora** *flightless* **medir** *measure* **cotizado** *valued*

2 **¿Qué aprendiste?** Contesta cada pregunta con una oración completa.

1. ¿Cuál es el elemento esencial de la dieta uruguaya?
2. ¿Qué es el ñandú?
3. ¿Cuándo se formó el primer equipo uruguayo de fútbol?
4. ¿Cuándo se celebró la primera Copa Mundial de fútbol?

3 **Mandatos** Tú y tu compañero/a están en Uruguay. Túrnense para decir qué hacer. Usen mandatos familiares.

modelo

Ve a un partido de fútbol.

Vocabulary Tools

La tecnología

la aplicación	*app*
la batería	*battery*
la cámara digital	*digital camera*
el canal	*(TV) channel*
el cargador	*charger*
el control remoto	*remote control*
el correo de voz	*voice mail*
el radio	*radio (set)*
el (teléfono) celular	*(cell) phone*
el televisor	*television set*
apagar	*to turn off*
funcionar	*to work*
llamar	*to call*
poner, prender	*to turn on*
sonar (o:ue)	*to ring*
textear	*to text*
descompuesto/a	*not working; out of order*
lento/a	*slow*
lleno/a	*full*

Verbos

abrazar(se)	*to hug; to embrace (each other)*
ayudar(se)	*to help (each other)*
besar(se)	*to kiss (each other)*
encontrar(se) (o:ue)	*to meet (each other); to run into (each other)*
saludar(se)	*to greet (each other)*

La computadora

el archivo	*file*
la arroba	*@ symbol*
el blog	*blog*
el buscador	*browser*
la computadora (portátil)	*(portable) computer; (laptop)*
la conexión inalámbrica	*wireless connection*
la contraseña	*password*
la dirección electrónica	*e-mail address*
la impresora	*printer*
Internet	*Internet*
el mensaje de texto	*text message*
la página principal	*home page*
la pantalla	*screen*
el perfil	*profile*
el programa de computación	*software*
el ratón	*mouse*
la red	*network; Web*
el sitio web	*website*
la tableta	*tablet (computer)*
el teclado	*keyboard*
borrar	*to erase*
cargar	*to charge; to upload*
chatear	*to chat*
conectarse a Internet	*to get connected to the Internet*
descargar	*to download*
escanear	*to scan*
grabar	*to record*
guardar	*to save*
imprimir	*to print*

El carro

la autopista	*highway*
el baúl	*trunk*
la calle	*street*
la carretera	*highway; (main) road*
el capó, el cofre	*hood*
el carro, el coche	*car*
la circulación, el tráfico	*traffic*
el garaje, el taller (mecánico)	*garage; (mechanic's) repair shop*
la gasolina	*gasoline*
la gasolinera	*gas station*
la licencia de conducir	*driver's license*
la llanta	*tire*
el/la mecánico/a	*mechanic*
el navegador GPS	*GPS*
el parabrisas	*windshield*
la policía	*police (force)*
la velocidad máxima	*speed limit*
el volante	*steering wheel*
arrancar	*to start*
arreglar	*to fix; to arrange*
bajar(se) de	*to get off of/out of (a vehicle)*
conducir, manejar	*to drive*
estacionar	*to park*
llenar (el tanque)	*to fill (the tank)*
parar	*to stop*
revisar (el aceite)	*to check (the oil)*
subir(se) a	*to get on/into (a vehicle)*

Otras palabras y expresiones

por aquí	*around here*
por ejemplo	*for example*
por eso	*that's why; therefore*
por fin	*finally*

Por and **para**	*See pages 356–357.*
Stressed possessive adjectives and pronouns	*See pages 362–363.*
Expresiones útiles	*See page 347.*

More activities

vhlcentral | LM p. 66

La vivienda

12

Communicative Goals

You will learn how to:

- **Welcome people to your home**
- **Describe your house or apartment**
- **Talk about household chores**
- **Give instructions**

A PRIMERA VISTA

- ¿Está el chico en casa?
- ¿Vive en una casa o en un apartamento?
- ¿De qué color es la camiseta suya?
- ¿Está limpia o sucia la ventana?

La vivienda

Más vocabulario

las afueras	*suburbs; outskirts*
el alquiler	*rent (payment)*
el amo/a (*m., f.*) de casa	*homemaker*
el barrio	*neighborhood*
el edificio de apartamentos	*apartment building*
el/la vecino/a	*neighbor*
la vivienda	*housing*
el balcón	*balcony*
la entrada	*entrance*
la escalera	*stairs*
el garaje	*garage*
el jardín	*garden; yard*
el patio	*patio; yard*
el pasillo	*hallway*
el sótano	*basement*
la cafetera	*coffee maker*
el electrodoméstico	*electrical appliance*
el horno (de microondas)	*(microwave) oven*
la lavadora	*washing machine*
la luz	*light; electricity*
la secadora	*clothes dryer*
la tostadora	*toaster*
el cartel	*poster*
la mesita de noche	*night stand*
los muebles	*furniture*
alquilar	*to rent*
mudarse	*to move (from one house to another)*

Variación léxica

dormitorio ⟷ alcoba (*Arg.*); aposento (*Rep. Dom.*); recámara (*Méx.*)

apartamento ⟷ departamento (*Arg., Chile, Méx.*); piso (*Esp.*)

lavar los platos ⟷ lavar/fregar los trastes (*Amér. C., Rep. Dom.*)

More activities

vhlcentral | LM p. 67 | WB pp. 139–140 | Online activities

Los quehaceres domésticos

arreglar	*to straighten up*
barrer el suelo	*to sweep the floor*
ensuciar	*to get (something) dirty*
hacer quehaceres domésticos	*to do household chores*
lavar (el suelo, los platos)	*to wash (the floor, the dishes)*
limpiar la casa	*to clean the house*
planchar la ropa	*to iron the clothes*
quitar la mesa	*to clear the table*
quitar el polvo	*to dust*
sacar la basura	*to take out the trash*

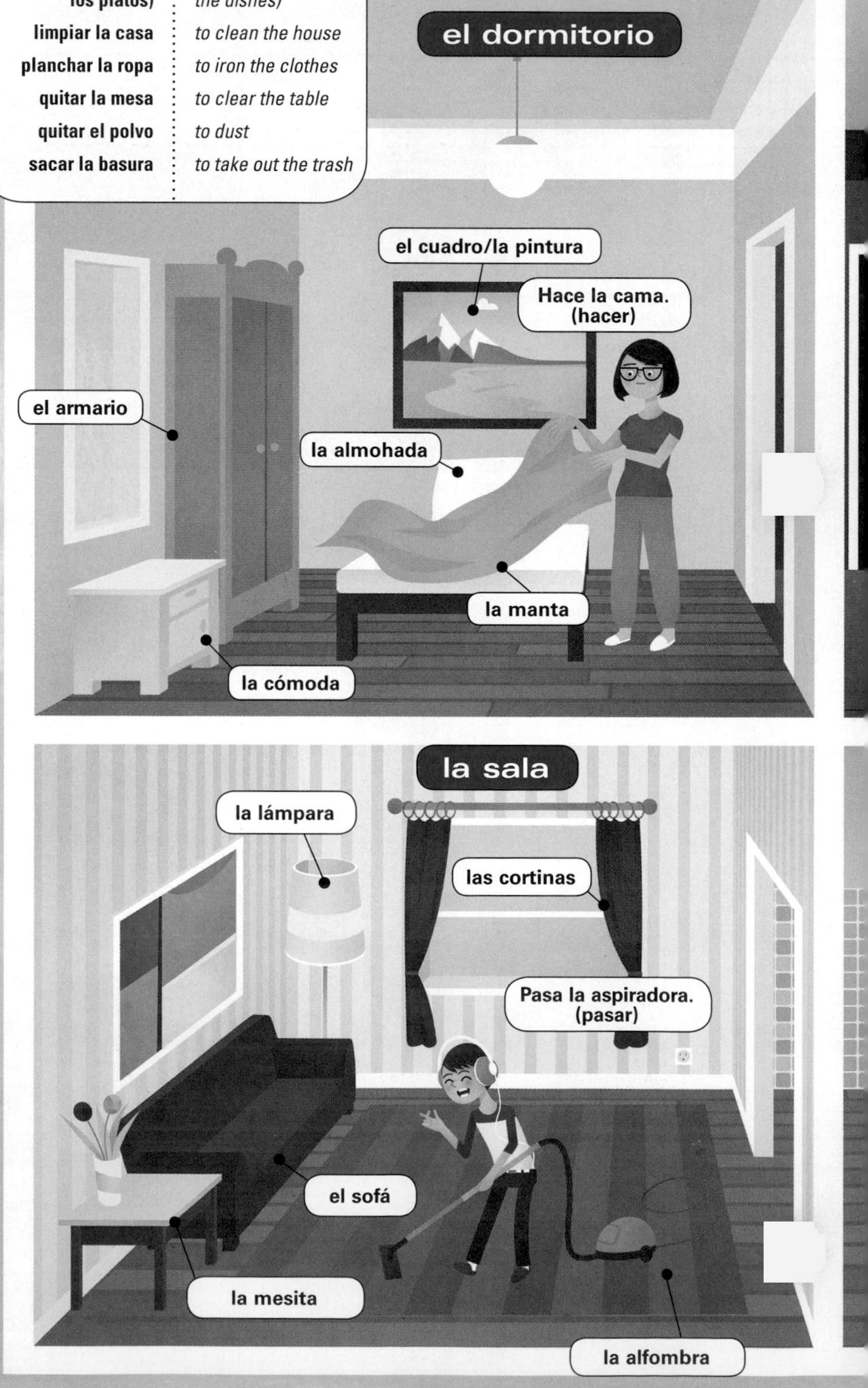

Práctica

1 **¿Dónde?** Indica el lugar de la casa donde se presentan las situaciones.

1. ________ 5. ________
2. ________ 6. ________
3. ________ 7. ________
4. ________ 8. ________

2 **¿Cierto o falso?** Indica si las oraciones son **ciertas** o **falsas**.

	Cierto	Falso
1. El nombre de los apartamentos es Buena Vida.	❍	❍
2. Los apartamentos son ideales para personas solteras.	❍	❍
3. Cada apartamento tiene tres dormitorios.	❍	❍
4. Hay una oficina en cada apartamento.	❍	❍
5. Es posible encontrar un parque cerca de los apartamentos.	❍	❍
6. Cada apartamento tiene sólo un baño.	❍	❍
7. Cerca de los apartamentos hay un museo.	❍	❍
8. Cada apartamento tiene una bonita cocina.	❍	❍

3 **Escoger** Escoge la letra de la respuesta correcta.

1. Ponemos cuadros y pinturas en ______.
   a. las paredes b. los quehaceres c. los jardines
2. Si no quieres vivir en el centro, puedes mudarte ______.
   a. al alquiler b. a las afueras c. a la vivienda
3. Guardamos (*We keep*) los pantalones, las camisas y los zapatos en ______.
   a. la secadora b. el armario c. el patio
4. Para subir de la planta baja al primer piso, usas ______.
   a. la entrada b. el cartel c. la escalera
5. Cuando quieres tener una lámpara y un despertador cerca de tu cama, puedes ponerlos en ______.
   a. el barrio b. el cuadro c. la mesita de noche

4 **Definiciones** En parejas, identifiquen cada cosa que se describe. Luego inventen sus propias descripciones de algunas palabras y expresiones de **Contextos**.

modelo

Estudiante 1: *Es donde pones los libros.*
Estudiante 2: *el estante*

1. Son las personas que viven en tu barrio.
2. Es el quehacer doméstico que haces después de comer.
3. Algunos de ellos son las cómodas y los sillones.
4. Es donde pones la cabeza cuando duermes.

el comedor

5 **Completar** Completa estas frases con las palabras más adecuadas.

1. Para tomar café necesitas...
2. Para comer una ensalada necesitas...
3. Para tomar vino necesitas...
4. Para poner la comida en la mesa necesitas...
5. Para limpiarte la boca después de comer necesitas...
6. Para cortar (*to cut*) un bistec necesitas...
7. Para tomar agua necesitas...
8. Para tomar sopa necesitas...

6 **Los quehaceres** Trabajen en grupos para indicar quién hace estos quehaceres domésticos en sus casas. Luego contesten las preguntas.

barrer el suelo	lavar los platos	planchar la ropa
cocinar	lavar la ropa	sacar la basura
hacer las camas	pasar la aspiradora	sacudir los muebles

modelo

Estudiante 1: ¿Quién pasa la aspiradora en tu casa?
Estudiante 2: Mi hermano y yo pasamos la aspiradora.

1. ¿Quién hace más quehaceres, tú o tus compañeros/as?
2. ¿Quiénes hacen la mayoría de los quehaceres, los hombres o las mujeres?
3. ¿Piensas que debes hacer más quehaceres? ¿Por qué?

Comunicación

7

La vida doméstica En parejas, describan las habitaciones que ven en estas fotos. Identifiquen y describan cinco muebles o adornos (*accessories*) de cada foto y digan dos quehaceres que se pueden hacer en cada habitación.

8

Mi apartamento Dibuja el plano (*floor plan*) de un apartamento amueblado (*furnished*) imaginario y escribe los nombres de las habitaciones y de los muebles. En parejas, siéntense espalda contra espalda (*sit back to back*). Uno/a de ustedes describe su apartamento mientras su compañero/a lo dibuja según la descripción. Cuando terminen, miren el segundo dibujo. ¿Es similar al dibujo original?

CONSULTA

To review bathroom-related vocabulary, see **Lección 7, Contextos,** p. 210.

9

¡Corre, corre! Tu profesor(a) va a darte una serie incompleta de dibujos que forman una historia. Tú y tu compañero/a tienen dos series diferentes. Descríbanse los dibujos para completar la historia.

modelo

Estudiante 1: Marta quita la mesa.
Estudiante 2: Francisco...

10

¡A arreglar! Tu compañero/a de apartamento y tú dieron ayer una gran fiesta en casa, y ahora tienen que arreglarla. En parejas, pónganse de acuerdo sobre qué va a hacer cada uno/a de ustedes.

modelo

Estudiante 1: La alfombra de la sala está muy sucia. Yo paso la aspiradora allí. Y tú, ¿qué haces?
Estudiante 2: Si quieres, yo puedo sacar la basura. Y luego, ¿qué hacemos?

Los quehaceres

Jimena y Felipe deben limpiar el apartamento para poder ir de viaje con Marissa.

PERSONAJES

JIMENA

FELIPE

Video

SR. DÍAZ Quieren ir a Yucatán con Marissa, ¿verdad?

SRA. DÍAZ Entonces, les sugiero que arreglen este apartamento. Regresamos más tarde.

SR. DÍAZ Les aconsejo que preparen la cena para las 8:30.

MARISSA ¿Qué pasa?

JIMENA Nuestros papás quieren que Felipe y yo arreglemos toda la casa.

FELIPE Y que, además, preparemos la cena.

MARISSA ¡Pues, yo les ayudo!

MARISSA Mis padres siempre quieren que mis hermanos y yo ayudemos con los quehaceres. No me molesta ayudar. Pero odio limpiar el baño.

JIMENA Lo que más odio yo es sacar la basura.

JUAN CARLOS Hola, Jimena. ¿Está Felipe? (*a Felipe*) Te olvidaste del partido de fútbol.

FELIPE Juan Carlos, ¿verdad que mi papá te considera como de la familia?

JUAN CARLOS Sí.

(*Don Diego llega a ayudar a los chicos.*)

FELIPE Tenemos que limpiar la casa hoy.

JIMENA ¿Nos ayuda, don Diego?

DON DIEGO Claro. Recomiendo que se organicen en equipos para limpiar.

MARISSA Yo lleno el lavaplatos... después de vaciarlo.

DON DIEGO Juan Carlos, ¿por qué no terminas de pasar la aspiradora? Y Felipe, tú limpia el polvo. ¡Ya casi acaban!

SRA. DÍAZ

SR. DÍAZ

MARISSA

JUAN CARLOS

DON DIEGO

(*Los chicos preparan la cena y ponen la mesa.*)

JUAN CARLOS ¿Dónde están los tenedores?

JIMENA Allá.

JUAN CARLOS ¿Y las servilletas?

MARISSA Aquí están.

FELIPE La sala está tan limpia. Le pasamos la aspiradora al sillón y a las cortinas. ¡Y también a las almohadas!

JIMENA Yucatán, ¡ya casi llegamos!

(*Papá y mamá regresan a casa.*)

SRA. DÍAZ ¡Qué bonita está la casa!

SR. DÍAZ Buen trabajo, muchachos. ¿Qué hay para cenar?

JIMENA Quesadillas. Vengan.

SRA. DÍAZ Don Diego, quédese a cenar con nosotros. Venga.

SR. DÍAZ Sí, don Diego. Pase.

DON DIEGO Gracias.

Expresiones útiles

Making recommendations

Le(s) sugiero que arregle(n) este apartamento.
I suggest you tidy up this apartment.
Le(s) aconsejo que prepare(n) la cena para las ocho y media.
I recommend that you have dinner ready for eight thirty.

Organizing work

Recomiendo que se organicen en equipos para limpiar.
I recommend that you divide yourselves into teams to clean.
Yo lleno el lavaplatos... después de vaciarlo.
I'll fill the dishwasher... after I empty it.
¿Por qué no terminas de pasar la aspiradora?
Why don't you finish vacuuming?
¡Ya casi acaban!
You're almost finished!
Felipe, tú quita el polvo.
Felipe, you dust.

Making polite requests

Don Diego, quédese a cenar con nosotros.
Don Diego, stay and have dinner with us.
Venga.
Come on.
Don Diego, pase.
Don Diego, come in.

Additional vocabulary

el plumero *duster*

More activities
vhlcentral
VM pp. 23–24
Online activities

¿Qué pasó?

1

¿Cierto o falso? Indica si lo que dicen estas oraciones es **cierto** o **falso**. Corrige las oraciones falsas.

	Cierto	Falso
1. Felipe y Jimena tienen que preparar el desayuno.	❍	❍
2. Don Diego ayuda a los chicos organizando los quehaceres domésticos.	❍	❍
3. Jimena le dice a Juan Carlos dónde están los tenedores.	❍	❍
4. A Marissa no le molesta limpiar el baño.	❍	❍
5. Juan Carlos termina de lavar los platos.	❍	❍

2

Identificar Identifica quién dice las oraciones equivalentes.

1. Yo les ayudo, no me molesta hacer quehaceres domésticos.
2. No me gusta sacar la basura.
3. Es importante que termines de pasar la aspiradora, Juan Carlos.
4. Pasamos la aspiradora en toda la sala.
5. ¡Buen trabajo, chicos! ¿Qué vamos a cenar?

3

Completar Los chicos y don Diego están haciendo los quehaceres. Adivina en qué cuarto está cada uno de ellos.

1. Jimena limpia el congelador. Jimena está en ______________.
2. Don Diego limpia el escritorio. Don Diego está en ______________.
3. Felipe pasa la aspiradora debajo de la mesa y las sillas. Felipe está en ______________.
4. Juan Carlos sacude el sillón. Juan Carlos está en ______________.
5. Marissa hace la cama. Marissa está en ______________.

4

Mi casa Dibuja el plano de una casa o de un apartamento. Puede ser el plano de la casa o del apartamento donde vives o de donde te gustaría (*you would like*) vivir. Después, trabajen en parejas y describan lo que se hace en cuatro de las habitaciones. Para terminar, pídanse (*ask for*) ayuda para hacer dos quehaceres domésticos.

Quiero mostrarte...	Al fondo hay...
Ésta es (la cocina).	Quiero que me ayudes a (sacar la basura).
Allí yo (preparo la comida).	Por favor, ayúdame con...

Ortografía

Tutorial

Mayúsculas y minúsculas

Here are some of the rules that govern the use of capital letters (**mayúsculas**) and lowercase letters (**minúsculas**) in Spanish.

Los estudiantes llegaron al aeropuerto a las dos.
Luego fueron al hotel.

In both Spanish and English, the first letter of every sentence is capitalized.

Rubén Blades **Panamá** **Colón** **los Andes**

The first letter of all proper nouns (names of people, countries, cities, geographical features, etc.) is capitalized.

Cien años de soledad ***Don Quijote de la Mancha***
El País ***Muy Interesante***

The first letter of the first word in titles of books, films, and works of art is generally capitalized, as well as the first letter of any proper names. In newspaper and magazine titles, as well as other short titles, the initial letter of each word is often capitalized.

---

la señora Ramos **don Francisco**
el presidente **Sra. Vives**

Titles associated with people are *not* capitalized unless they appear as the first word in a sentence. Note, however, that the first letter of an abbreviated title is capitalized.

Último **Álex** **MENÚ** **PERDÓN**

Accent marks should be retained on capital letters. In practice, however, this rule is often ignored.

---

lunes **viernes** **marzo** **primavera**

The first letter of days, months, and seasons is not capitalized.

---

español **estadounidense** **japonés** **panameños**

The first letter of nationalities and languages is not capitalized.

Práctica Corrige las mayúsculas y minúsculas incorrectas.

1. soy lourdes romero. Soy Colombiana.
2. éste Es mi Hermano álex.
3. somos De panamá.
4. ¿es ud. La sra. benavides?
5. ud. Llegó el Lunes, ¿no?

Palabras desordenadas Lee el diálogo de las serpientes. Ordena las letras para saber de qué palabras se trata. Después escribe las letras indicadas para descubrir por qué llora Pepito.

m n a a P á ______
s t e m r a ______
i g s l é n ______
y a U r u g u _______
r o ñ e s a ______

¡_orque _e acabo de morder° la _en_u_!

Respuestas: Panamá, martes, inglés, Uruguay, señora.
¡Porque me acabo de morder la lengua!

More activities
vhlcentral
LM p. 68

venenosas *venomous* morder *to bite*

Flash CULTURA

EN DETALLE

Video

El patio central

En las tardes cálidas° de Oaxaca, México, Córdoba, España, o Popayán, Colombia, es un placer sentarse en **el patio central** de una casa y tomar un refresco disfrutando de° una buena conversación. Esta característica arquitectónica°, de influencia árabe, fue traída° a las Américas por los españoles. En la época° colonial, se construyeron casas, palacios, monasterios, hospitales y escuelas con patio central. Éste es un espacio privado e íntimo en donde se disfruta del sol y de la brisa, y, al mismo tiempo, se puede estar aislado° de la calle.

El centro del patio es un espacio abierto. Alrededor de° él, separado por columnas, hay un pasillo cubierto°. Así, en el patio hay zonas de sol y de sombra°. El patio es una parte importante de la vivienda familiar y su decoración se cuida° mucho. En el centro del patio muchas veces hay una fuente°, plantas e incluso árboles°. El agua es un elemento muy importante en la cultura islámica porque simboliza la purificación del cuerpo y del alma°. Por esta razón y también para disminuir° la temperatura, el agua es muy importante en estas construcciones. Así, mientras el agua y la vegetación ayudan a mantener la temperatura fresca, el patio proporciona° luz y ventilación a todas las habitaciones.

La distribución

Las casas con patio central eran usualmente las viviendas de familias adineradas°. Son casas de dos o tres pisos. Los cuartos de la planta baja son las áreas comunes: cocina, comedor, sala, etc., y tienen puertas al patio. En los pisos superiores están las habitaciones privadas de la familia.

cálidas *hot* **disfrutando de** *enjoying* **arquitectónica** *architectural* **traída** *brought* **época** *era* **brisa** *breeze* **aislado** *isolated* **Alrededor de** *Surrounding* **cubierto** *covered* **sombra** *shade* **se cuida** *is looked after* **fuente** *fountain* **árboles** *trees* **alma** *soul* **disminuir** *lower* **proporciona** *provides* **adineradas** *wealthy*

ACTIVIDADES

1 **¿Cierto o falso?** Indica si lo que dicen las oraciones es **cierto** o **falso**. Corrige las falsas.

1. Los patios centrales de Latinoamérica tienen su origen en la tradición indígena.
2. Los españoles llevaron a América el concepto de patio.
3. En la época colonial las casas eran las únicas construcciones con patio central.
4. El patio es una parte importante en estas construcciones, y es por eso que se le presta atención a su decoración.
5. El patio central es un lugar de descanso que da luz y ventilación a las habitaciones.
6. Las fuentes en los patios tienen importancia por razones culturales y porque bajan la temperatura.
7. En la cultura española el agua simboliza la salud y el bienestar del cuerpo y del alma.
8. Las casas con patio central eran para personas adineradas.
9. Los cuartos de la planta baja son privados.
10. Los dormitorios están en los pisos superiores.

ASÍ SE DICE

La vivienda

el ático, el desván	el altillo
la cobija (Col., Méx.), la frazada (Arg., Cuba, Ven.)	la manta
el escaparate (Cuba, Ven.), el ropero (Méx.)	el armario
el fregadero	*kitchen sink*
el frigidaire (Perú); el frigorífico (Esp.), la nevera	el refrigerador
el lavavajillas (Arg., Esp., Méx.)	el lavaplatos

EL MUNDO HISPANO

Los muebles

- **Mecedora°** La mecedora es un mueble típico de Latinoamérica, especialmente de la zona del Caribe. A las personas les gusta relajarse mientras se mecen° en el patio.

- **Mesa camilla** Era un mueble popular en España hasta hace algunos años. Es una mesa con un bastidor° en la parte inferior° para poner un brasero°. En invierno, las personas se sentaban alrededor de la mesa camilla para conversar, jugar a las cartas o tomar café.
- **Hamaca** Se cree que los taínos hicieron las primeras hamacas con fibras vegetales. Su uso es muy popular en toda Latinoamérica para dormir y descansar.

Mecedora *Rocking chair* **se mecen** *they rock themselves* **bastidor** *frame* **inferior** *bottom* **brasero** *container for hot coals*

PERFIL

Las islas flotantes del lago Titicaca

Bolivia y Perú comparten el **lago Titicaca**, donde viven **los uros**, uno de los pueblos indígenas más antiguos de América. Hace muchos años, los uros fueron a vivir al lago escapando de **los incas.** Hoy en día, siguen viviendo allí en **islas flotantes** que ellos mismos hacen con unos juncos° llamados **totora**. Primero, tejen° grandes plataformas. Luego, con el mismo material, construyen sus casas sobre las plataformas. La totora es resistente, pero con el tiempo el agua la pudre°. Los habitantes de las islas necesitan renovar continuamente las plataformas y las casas. Sus muebles y sus barcos también están hechos° de juncos. Los uros viven de la pesca y del turismo; en las islas hay unas tiendas donde venden artesanías° hechas con totora.

juncos *reeds* **tejen** *they weave* **la pudre** *rots it* **hechos** *made* **artesanías** *handcrafts*

CON RITMO HISPANO

Erika Ender (1974–)

Lugar de nacimiento: Ciudad de Panamá, Panamá

Erika Ender es hija de padre estadounidense y madre brasileña. Compuso con Luis Fonsi el éxito internacional "Despacito".

Go to **vhlcentral.com** to find out more about **Erika Ender** and her music.

ACTIVIDADES

2 Comprensión Responde a las preguntas.

1. Tu amigo mexicano te dice: "La **cobija** azul está en el **ropero**". ¿Qué quiere decir?
2. ¿Quiénes hicieron las primeras hamacas? ¿Qué material usaron?
3. ¿Qué grupo indígena vive en el lago Titicaca?
4. ¿Qué pueden comprar los turistas en las islas flotantes del lago Titicaca?

3 Viviendas tradicionales Escribe cuatro oraciones sobre una vivienda tradicional que conoces. Explica en qué lugar se encuentra, de qué materiales está hecha y cómo es.

More activities

vhlcentral | VM pp. 53–54 | Online activities

12.1 Relative pronouns

Tutorial

ANTE TODO In both English and Spanish, relative pronouns are used to combine two sentences or clauses that share a common element, such as a noun or pronoun. Study this diagram.

Mis padres me regalaron **la aspiradora**.
My parents gave me the vacuum cleaner.

La aspiradora funciona muy bien.
The vacuum cleaner works really well.

La aspiradora **que** mis padres me regalaron funciona muy bien.
The vacuum cleaner that my parents gave me works really well.

Lourdes es muy inteligente.
Lourdes is very intelligent.

Lourdes estudia español.
Lourdes is studying Spanish.

Lourdes, **quien** estudia español, es muy inteligente.
Lourdes, who studies Spanish, is very intelligent.

Eso fue todo lo que dijimos.

Mi papá se lleva bien con Juan Carlos, quien es como mi hermano.

- Spanish has three frequently used relative pronouns. **¡Atención!** Even though interrogative words (**qué**, **quién**, etc.) always carry an accent, relative pronouns never carry a written accent.

que	*that; which; who*
quien(es)	*who; whom; that*
lo que	*that which; what*

- **Que** is the most frequently used relative pronoun. It can refer to things or to people. Unlike its English counterpart, *that*, **que** is never omitted.

¿Dónde está la cafetera **que** compré?
Where is the coffee maker (that) I bought?

El hombre **que** limpia es Pedro.
The man who is cleaning is Pedro.

- The relative pronoun **quien** refers only to people, and is often used after a preposition or the personal **a**. **Quien** has only two forms: **quien** (singular) and **quienes** (plural).

¿Son las chicas **de quienes** me hablaste la semana pasada?
Are they the girls (that) you told me about last week?

Eva, **a quien** conocí anoche, es mi nueva vecina.
Eva, whom I met last night, is my new neighbor.

¡LENGUA VIVA!

In English, it is generally recommended that *who(m)* be used to refer to people, and that *that* and *which* be used to refer to things. In Spanish, however, it is perfectly acceptable to use **que** when referring to people.

- **Quien(es)** is occasionally used instead of **que** in clauses set off by commas.

Lola, **quien** es cubana, es médica.
Lola, who is Cuban, is a doctor.

Su tía, **que** es alemana, ya llegó.
His aunt, who is German, already arrived.

- Unlike **que** and **quien(es), lo que** doesn't refer to a specific noun. It refers to an idea, a situation, or a past event and means *what, that which,* or *the thing that.*

Lo que me molesta es el calor.
What bothers me is the heat.

Lo que quiero es una casa.
What I want is a house.

Este supermercado tiene todo **lo que** necesito.

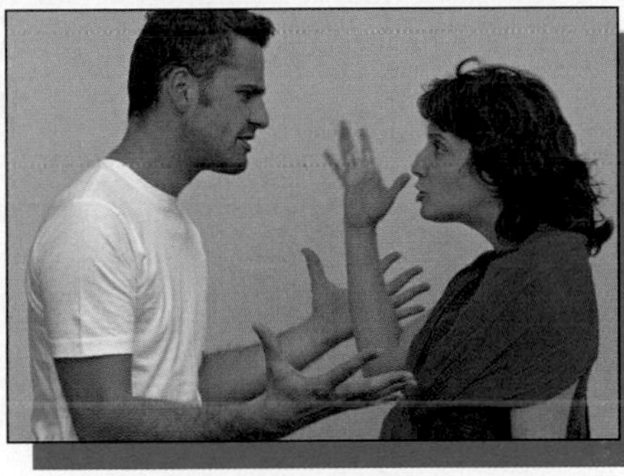

A Samuel no le gustó **lo que** le dijo Violeta.

¡INTÉNTALO! Completa estas oraciones con pronombres relativos.

1. Voy a utilizar los platos ___que___ me regaló mi abuela.
2. Ana comparte un apartamento con la chica a ________ conocimos en la fiesta de Jorge.
3. Puedes estudiar en el dormitorio ________ está a la derecha de la cocina.
4. Esta oficina tiene todo ________ necesitamos.
5. Los señores ________ viven en esa casa acaban de llegar de Centroamérica.
6. Los niños a ________ viste en nuestro jardín son mis sobrinos.
7. La piscina ________ ves desde la ventana es la piscina de mis vecinos.
8. Úrsula, ________ ayudó a mamá a limpiar el refrigerador, es muy simpática.
9. ________ te dijo Pablo no es cierto.
10. El hombre de ________ hablo es mi padre.
11. Tengo que sacudir los muebles ________ están en el altillo una vez al mes.
12. No entiendo por qué no lavaste los vasos ________ te dije.
13. La mujer a ________ saludaste vive en las afueras.
14. ¿Sabes ________ necesita este dormitorio? ¡Unas cortinas!
15. No me gusta vivir con personas a ________ no conozco.
16. No quiero volver a hacer ________ hice ayer.

More activities

vhlcentral

LM p. 69

WB pp. 141–142

Online activities

Práctica

1 **Combinar** Combina elementos de las dos columnas para formar oraciones lógicas.

A

1. ¿Cómo se llama el programa ____?
2. Rubén Blades, ____.
3. No traje ____.
4. ¿Te gusta la manta ____?
5. Ése es el hombre ____.
6. La mujer ____.

B

a. con quien bailaba es mi vecina
b. que te compró Cecilia
c. quien es de Panamá, es un cantante muy bueno
d. que arregló mi lavadora
e. lo que necesito para la clase de matemáticas
f. que comiste en el restaurante
g. que escuchaste en la radio anoche

NOTA CULTURAL

Rubén Blades es un cantante, compositor y actor panameño muy famoso. Este versátil abogado fue también Ministro de Turismo en su país (2004–2009) y fue nombrado Embajador contra el racismo por las Naciones Unidas en el 2000.

2 **Completar** Completa la historia con los pronombres relativos **que, quien, quienes** o **lo que**.

1. Jaime y Tina son los chicos a ________ conocí la semana pasada.
2. Quieren comprar una casa ________ está en las afueras de la ciudad.
3. Es una casa ________ era de una artista famosa.
4. La artista, a ________ yo conocía, murió el año pasado y no tenía hijos.
5. Ahora se vende la casa con todos los muebles ________ ella tenía.
6. La casa tiene muchos estantes, ________ a Tina le encanta.
7. La sala tiene una alfombra ________ ella trajo de Kuwait.

3 **Oraciones** Combina las declaraciones de dos recién casados para formar una sola oración con los pronombres relativos **que, quien(es)** y **lo que**.

modelo

Vamos a usar los vasos nuevos mañana. Los pusimos en el comedor.
Mañana vamos a usar los vasos nuevos que pusimos en el comedor.

1. Esos platos no nos costaron mucho. Están encima del horno.
2. Tenemos una cómoda nueva. Es bueno porque no hay espacio en el armario.
3. Tenemos una cafetera nueva. Mi prima nos la regaló.
4. Esas copas me las regaló mi amiga Amalia. Ella viene a visitarme mañana.
5. La lavadora está casi nueva. Nos la regalaron mis suegros.
6. La vecina nos dio una manta de lana. Ella la compró en México.

Comunicación

4

Entrevista En parejas, túrnense para hacerse estas preguntas.

1. ¿Qué es lo que más te gusta de vivir en las afueras o en la ciudad?
2. ¿Quién es la persona que hace los quehaceres domésticos en tu casa?
3. ¿Hay vecinos que te caen bien? ¿Quiénes?
4. ¿De qué vecino es el coche que más te gusta?
5. ¿Cuál es el barrio de tu ciudad que más te gusta y por qué?
6. ¿Cuál es el lugar de la casa donde te sientes más cómodo/a? ¿Por qué?
7. ¿Qué es lo que más te gusta de tu barrio?
8. ¿Qué es lo que menos te gusta de tu barrio?

5

Adivinanza En grupos, túrnense para describir distintas partes de una vivienda usando pronombres relativos. Los demás compañeros tienen que hacer preguntas hasta que adivinen (*they guess*) la palabra.

modelo

Estudiante 1: *Es lo que tenemos en el dormitorio.*
Estudiante 2: *¿Es el mueble que usamos para dormir?*
Estudiante 1: *No. Es lo que usamos para guardar la ropa.*
Estudiante 3: *Lo sé. Es la cómoda.*

6

Describir En parejas, imaginen que el semestre pasado participaron en un programa de intercambio estudiantil (*student exchange program*) en una ciudad de Latinoamérica. Túrnense para describir cómo era el lugar y contar cómo fue la experiencia. Usa los pronombres **que**, **quien**(**es**) y **lo que**.

modelo

Yo estuve en Bogotá, Colombia, y compartí un apartamento con dos chicas colombianas, quienes eran muy amables. El apartamento, que estaba en el décimo piso, tenía vistas increíbles de la ciudad…

Síntesis

7

Definir En parejas, definan las palabras. Usen los pronombres relativos **que, quien(es)** y **lo que**. Luego compartan sus definiciones con la clase.

alquiler	flan	patio	tenedor
amigos	guantes	postre	termómetro
aspiradora	jabón	sillón	vaso
enfermera	manta	sótano	vecino

modelo

lavadora *Es lo que se usa para lavar la ropa.*
pastel *Es un postre que comes en tu cumpleaños.*

AYUDA

Remember that **de,** followed by the name of a material, means *made of.*

Es de algodón.
It's made of cotton.

•••

Es un tipo de *means It's a kind/sort of…*

Es un tipo de flor.
It's a kind of flower.

12.2 Formal (usted/ustedes) commands

Tutorial

ANTE TODO As you learned in **Lección 11**, the command forms are used to give orders or advice. Formal commands are used with people you address as **usted** or **ustedes**. Observe these examples, then study the chart.

Hable con ellos, don Francisco.
Talk with them, Don Francisco.

Coma frutas y verduras.
Eat fruits and vegetables.

Laven los platos ahora mismo.
Wash the dishes right now.

Beban menos té y café.
Drink less tea and coffee.

AYUDA

By learning formal commands, it will be easier for you to learn the subjunctive forms that are presented in **Estructura 12.3**, p. 394.

Formal commands (Ud. and Uds.)

Infinitive	Present tense yo form	Ud. command	Uds. command
limpiar	limpi**o**	limpi**e**	limpi**en**
barrer	barr**o**	barr**a**	barr**an**
sacudir	sacud**o**	sacud**a**	sacud**an**
decir (e:i)	dig**o**	dig**a**	dig**an**
pensar (e:ie)	piens**o**	piens**e**	piens**en**
volver (o:ue)	vuelv**o**	vuelv**a**	vuelv**an**
servir (e:i)	sirv**o**	sirv**a**	sirv**an**

▶ The **usted** and **ustedes** commands, like the negative **tú** commands, are formed by dropping the final **-o** of the **yo** form of the present tense. For **-ar** verbs, add **-e** or **-en**. For **-er** and **-ir** verbs, add **-a** or **-an**.

▶ Verbs with irregular **yo** forms maintain the same irregularity in their formal commands. These verbs include **conducir, conocer, decir, hacer, ofrecer, oír, poner, salir, tener, traducir, traer, venir,** and **ver**.

Oiga, don Manolo...
Listen, Don Manolo...

¡Salga inmediatamente!
Leave immediately!

Ponga la mesa, por favor.
Set the table, please.

Hagan la cama antes de salir.
Make the bed before leaving.

▶ Note also that verbs maintain their stem changes in **usted** and **ustedes** commands.

e:ie

No **pierda** la llave.
Cierren la puerta.

o:ue

Vuelva temprano, joven.
Duerman bien, chicos.

e:i

Sirva la sopa, por favor.
Repitan las frases.

AYUDA

These spelling changes are necessary to ensure that the words are pronounced correctly. See **Lección 8, Pronunciación,** p. 251, and **Lección 9, Pronunciación,** p. 283.

• • •

It may help you to study the following series of syllables. Note that, within each series, the consonant sound doesn't change.

ca que qui co cu
za ce ci zo zu
ga gue gui go gu
ja ge gi jo ju

▶ Verbs ending in **-car**, **-gar**, and **-zar** have a spelling change in the command forms.

sa**car**	**c → qu**	sa**qu**e, sa**qu**en
ju**gar**	**g → gu**	jue**gu**e, jue**gu**en
almor**zar**	**z → c**	almuer**c**e, almuer**c**en

▶ These verbs have irregular formal commands.

Infinitive	Ud. command	Uds. command
dar	**dé**	**den**
estar	**esté**	**estén**
ir	**vaya**	**vayan**
saber	**sepa**	**sepan**
ser	**sea**	**sean**

▶ To make a formal command negative, simply place **no** before the verb.

No ponga las maletas en la cama.
Don't put the suitcases on the bed.

No ensucien los sillones.
Don't dirty the armchairs.

▶ In affirmative commands, reflexive, indirect, and direct object pronouns are always attached to the end of the verb.

Siénten**se**, por favor.
Síga**me,** Laura.

Acuésten**se** ahora.
Póngan**las** en el suelo, por favor.

▶ **¡Atención!** When a pronoun is attached to an affirmative command that has two or more syllables, an accent mark is added to maintain the original stress.

limpie → límpielo
diga → dígamelo

lean → léanlo
sacudan → sacúdanlos

▶ In negative commands, these pronouns always precede the verb.

No **se** preocupe.
No **me lo** dé.

No **los** ensucien.
No **nos las** traigan.

▶ **Usted** and **ustedes** can be used with the command forms to strike a more formal tone. In such instances, they follow the command form.

Muéstrele usted la foto a su amigo.
Show the photo to your friend.

Tomen ustedes esta mesa.
Take this table.

More activities

vhlcentral

LM p. 70

WB pp. 143–144

Online activities

¡INTÉNTALO! Indica los mandatos (*commands*) afirmativos y negativos correspondientes.

1. escucharlo (Ud.) Escúchelo. No lo escuche.
2. salir (Ud.) ______. ______.
3. decírmelo (Uds.) ______. ______.
4. servírnoslo (Uds.) ______. ______.
5. barrerla (Ud.) ______. ______.
6. hacerlo (Ud.) ______. ______.

Práctica

1

Completar Indica el mandato formal de cada verbo para ayudar a la señora González, que quiere mudarse.

1. __________ los anuncios del periódico y __________. (leer, guardarlos)
2. __________ personalmente y __________ las casas usted misma. (ir, ver)
3. Decida qué casa quiere y __________ al agente. __________ un contrato de alquiler. (llamar, pedirle)
4. __________ un camión (*truck*) para ese día y __________ la hora exacta de llegada. (contratar, preguntarles)
5. El día de la mudanza (*On moving day*) __________ tranquila. __________ a revisar su lista para completar todo lo que tiene que hacer. (estar, volver)
6. Primero, __________ a todos en casa que usted va a estar ocupada. No __________ que usted va a hacerlo todo. (decirles, decirles)
7. __________ tiempo para hacer las maletas tranquilamente. No __________ las maletas a los niños más grandes. (sacar, hacerles)
8. No __________. __________ que todo va a salir bien. (preocuparse, saber)

2

¿Qué dicen? Mira los dibujos y escribe un mandato lógico para cada uno.

1. ______________________________

2. ______________________________

3. ______________________________

4. ______________________________

5. ______________________________

6. ______________________________

Comunicación

3

Solucionar Trabajen en parejas. Un(a) estudiante presenta los problemas de la columna A y el/la otro/a los de la columna B. Usen mandatos formales y túrnense para ofrecer soluciones.

modelo

Estudiante 1: Vilma se torció un tobillo jugando al tenis. Es la tercera vez.
Estudiante 2: *No juegue más al tenis. / Vaya a ver a un especialista.*

A

1. Se me perdió el libro de español con todas mis notas.
2. A Vicente se le cayó la botella de vino para la cena.
3. ¿Cómo? ¿Se le olvidó traer el traje de baño a la playa?
4. Se nos quedaron los pasaportes en la casa. El avión sale en una hora.

B

1. Mis hijas no se levantan temprano. Siempre llegan tarde a la escuela.
2. A mi abuela le robaron (*stole*) las maletas. Era su primer día de vacaciones.
3. Nuestra casa es demasiado pequeña para nuestra familia.
4. Me preocupo constantemente por Roberto. Trabaja demasiado.

4

Conversaciones En parejas, escojan dos situaciones y preparen conversaciones para presentar a la clase. Usen mandatos formales.

modelo

Lupita: Señor Ramírez, siento mucho llegar tan tarde. Mi niño se enfermó. ¿Qué debo hacer?
Sr. Ramírez: *No se preocupe. Siéntese y descanse un poco.*

SITUACIÓN 1 Profesor Rosado, no vine la semana pasada porque el equipo jugaba en Boquete. ¿Qué debo hacer para ponerme al día (*catch up*)?

SITUACIÓN 2 Los invitados de la boda llegan a las cuatro de la tarde, las mesas están sin poner y el champán sin servir. Son las tres de la tarde y los camareros apenas están llegando. ¿Qué deben hacer los camareros?

SITUACIÓN 3 Mi novio es un poco aburrido. No le gustan ni el cine, ni los deportes, ni salir a comer. Tampoco habla mucho. ¿Qué puedo hacer?

▶**SITUACIÓN 4** Tengo que preparar una presentación para mañana sobre el Canal de Panamá. ¿Por dónde comienzo?

NOTA CULTURAL

El 31 de diciembre de 1999, los Estados Unidos cedió el control del **Canal de Panamá** al gobierno de Panamá, terminando así con casi cien años de administración estadounidense.

Síntesis

5

Presentar En grupos, preparen un anuncio de televisión para presentar a la clase. El anuncio debe tratar de un detergente, un electrodoméstico o una agencia inmobiliaria (*real estate agency*). Usen mandatos, los pronombres relativos y el **se** impersonal.

modelo

Compre el lavaplatos Destellos. Tiene todo lo que usted desea. Es el lavaplatos que mejor funciona. Venga a verlo ahora mismo... No pierda ni un minuto más. Se aceptan tarjetas de crédito.

12.3 The present subjunctive

Tutorial

ANTE TODO With the exception of commands, all the verb forms you have been using have been in the indicative mood. The indicative is used to state facts and to express actions or states that the speaker considers to be real and definite. In contrast, the subjunctive mood expresses the speaker's attitudes toward events, as well as actions or states the speaker views as uncertain or hypothetical.

▶ The present subjunctive is formed very much like **usted**, **ustedes**, and *negative* **tú** commands. From the **yo** form of the present indicative, drop the **-o** ending, and replace it with the subjunctive endings.

INFINITIVE	PRESENT INDICATIVE	VERB STEM	PRESENT SUBJUNCTIVE
hablar	**hablo**	**habl-**	**hable**
comer	**como**	**com-**	**coma**
escribir	**escribo**	**escrib-**	**escriba**

▶ The present subjunctive endings are:

-ar verbs		-er and -ir verbs	
-e	**-emos**	**-a**	**-amos**
-es	**-éis**	**-as**	**-áis**
-e	**-en**	**-a**	**-an**

Present subjunctive of regular verbs

		hablar	comer	escribir
SINGULAR FORMS	yo	habl**e**	com**a**	escrib**a**
	tú	habl**es**	com**as**	escrib**as**
	Ud./él/ella	habl**e**	com**a**	escrib**a**
PLURAL FORMS	nosotros/as	habl**emos**	com**amos**	escrib**amos**
	vosotros/as	habl**éis**	com**áis**	escrib**áis**
	Uds./ellos/ellas	habl**en**	com**an**	escrib**an**

AYUDA

Note that, in the present subjunctive, **-ar** verbs use endings normally associated with present tense **-er** and **-ir** verbs. Likewise, **-er** and **-ir** verbs in the present subjunctive use endings normally associated with **-ar** verbs in the present tense. Note also that, in the present subjunctive, the **yo** form is the same as the **Ud./él/ella** form.

¡LENGUA VIVA!

You may think that English has no subjunctive, but it does! While once common, it now survives mostly in set expressions such as *If I were you...* and *Be that as it may...*

▶ Verbs with irregular **yo** forms show the same irregularity in all forms of the present subjunctive.

Infinitive	Present indicative	Verb stem	Present subjunctive
conducir	conduzco	**conduzc-**	**conduzca**
conocer	conozco	**conozc-**	**conozca**
decir	digo	**dig-**	**diga**
hacer	hago	**hag-**	**haga**
ofrecer	ofrezco	**ofrezc-**	**ofrezca**
oír	oigo	**oig-**	**oiga**
parecer	parezco	**parezc-**	**parezca**
poner	pongo	**pong-**	**ponga**
tener	tengo	**teng-**	**tenga**
traducir	traduzco	**traduzc-**	**traduzca**
traer	traigo	**traig-**	**traiga**
venir	vengo	**veng-**	**venga**
ver	veo	**ve-**	**vea**

▶ To maintain the **c, g,** and **z** sounds, verbs ending in **-car, -gar,** and **-zar** have a spelling change in all forms of the present subjunctive.

sacar:	sa**qu**e, sa**qu**es, sa**qu**e, sa**qu**emos, sa**qu**éis, sa**qu**en
jugar:	jue**gu**e, jue**gu**es, jue**gu**e, ju**gu**emos, ju**gu**éis, jue**gu**en
almorzar:	almuer**c**e, almuer**c**es, almuer**c**e, almor**c**emos, almor**c**éis, almuer**c**en

Present subjunctive of stem-changing verbs

AYUDA

Note that stem-changing verbs and verbs that have a spelling change have the same ending as regular verbs in the present subjunctive.

▶ **-Ar** and **-er** stem-changing verbs have the same stem changes in the subjunctive as they do in the present indicative.

pensar (e:ie):	pi**e**nse, pi**e**nses, pi**e**nse, pensemos, penséis, pi**e**nsen
mostrar (o:ue):	m**ue**stre, m**ue**stres, m**ue**stre, mostremos, mostréis, m**ue**stren
entender (e:ie):	enti**e**nda, enti**e**ndas, enti**e**nda, entendamos, entendáis, enti**e**ndan
volver (o:ue):	v**ue**lva, v**ue**lvas, v**ue**lva, volvamos, volváis, v**ue**lvan

▶ **-Ir** stem-changing verbs have the same stem changes in the subjunctive as they do in the present indicative, but in addition, the **nosotros/as** and **vosotros/as** forms undergo a stem change. The unstressed **e** changes to **i**, while the unstressed **o** changes to **u**.

pedir (e:i):	p**i**da, p**i**das, p**i**da, p**i**damos, p**i**dáis, p**i**dan
sentir (e:ie):	s**ie**nta, s**ie**ntas, s**ie**nta, s**i**ntamos, s**i**ntáis, s**ie**ntan
dormir (o:ue):	d**ue**rma, d**ue**rmas, d**ue**rma, d**u**rmamos, d**u**rmáis, d**ue**rman

Irregular verbs in the present subjunctive

▶ These five verbs are irregular in the present subjunctive.

Irregular verbs in the present subjunctive

		dar	estar	ir	saber	ser
SINGULAR FORMS	yo	**dé**	**esté**	**vaya**	**sepa**	**sea**
	tú	**des**	**estés**	**vayas**	**sepas**	**seas**
	Ud./él/ella	**dé**	**esté**	**vaya**	**sepa**	**sea**
PLURAL FORMS	nosotros/as	**demos**	**estemos**	**vayamos**	**sepamos**	**seamos**
	vosotros/as	**deis**	**estéis**	**vayáis**	**sepáis**	**seáis**
	Uds./ellos/ellas	**den**	**estén**	**vayan**	**sepan**	**sean**

▶ **¡Atención!** The subjunctive form of **hay** (*there is, there are*) is also irregular: **haya**.

General uses of the subjunctive

▶ The subjunctive is mainly used to express: 1) will and influence, 2) emotion, 3) doubt, disbelief, and denial, and 4) indefiniteness and nonexistence.

▶ The subjunctive is most often used in sentences that consist of a main clause and a subordinate clause. The main clause contains a verb or expression that triggers the use of the subjunctive. The conjunction **que** connects the subordinate clause to the main clause.

Main clause | Connector | Subordinate clause

Es muy importante | que | **vayas** al hotel ahora mismo.

▶ These impersonal expressions are always followed by clauses in the subjunctive:

Es bueno que... *It's good that...*	**Es mejor que...** *It's better that...*	**Es malo que...** *It's bad that...*
Es importante que... *It's important that...*	**Es necesario que...** *It's necessary that...*	**Es urgente que...** *It's urgent that...*

¡INTÉNTALO! Indica el presente de subjuntivo de estos verbos.

1. (alquilar, beber, vivir) que yo alquile, beba, viva
2. (estudiar, aprender, asistir) que tú ____________
3. (encontrar, poder, tener) que él ____________
4. (hacer, pedir, dormir) que nosotras ____________
5. (dar, hablar, escribir) que ellos ____________
6. (ser, ir, saber) que yo ____________
7. (pagar, empezar, buscar) que ustedes ____________
8. (estar, dar, oír) que tú ____________

More activities
vhlcentral
LM p. 71
WB pp. 145–146
Online activities

Práctica y Comunicación

1 **Completar** Completa las oraciones con el presente de subjuntivo de los verbos. Luego empareja las oraciones del primer grupo con las del segundo grupo.

NOTA CULTURAL

Las casas colgadas (*hanging*) de Cuenca, España, son muy famosas. Situadas en un acantilado (*cliff*), forman parte del paisaje de la ciudad.

A

1. Es importante que ________ las casas colgadas de Cuenca. (tú, visitar) ____
2. Es mejor que ________ en casa. (nosotros, cenar) ____
3. Señora, es urgente que le ________ el diente. Tiene una infección. (yo, sacar) ____
4. Es malo que Ana les ________ tantos dulces a los niños. (dar) ____
5. Es necesario que ________ a la una de la tarde. (ustedes, llegar) ____
6. Es importante que ________ temprano. (nosotros, acostarse) ____

B

a. Es importante que ________ más verduras. (ellos, comer)
b. No, es mejor que ________ a comer. (nosotros, salir)
c. Y yo creo que es bueno que ________ a Madrid después. (yo, ir)
d. En mi opinión, no es necesario que ________ tanto. (nosotros, dormir)
e. ¿Ah, sí? ¿Es necesario que me ________ un antibiótico también? (yo, tomar)
f. Para llegar a tiempo, es necesario que ________ temprano. (nosotros, almorzar)

2 **Minidiálogos** En parejas, completen los minidiálogos con expresiones impersonales de una manera lógica.

modelo

Miguelito: Mamá, no quiero arreglar mi cuarto.
Sra. Casas: *Es necesario que lo arregles. Y es importante que sacudas los muebles también.*

1. **MIGUELITO** Mamá, no quiero estudiar. Quiero salir a jugar con mis amigos.
   SRA. CASAS ____________________
2. **MIGUELITO** Mamá, es que no me gustan las verduras. Prefiero comer pasteles.
   SRA. CASAS ____________________
3. **MIGUELITO** ¿Tengo que poner la mesa, mamá?
   SRA. CASAS ____________________
4. **MIGUELITO** No me siento bien, mamá. Me duele todo el cuerpo y tengo fiebre.
   SRA. CASAS ____________________

3 **Entrevista** Trabajen en parejas. Entrevístense usando estas preguntas. Expliquen sus respuestas.

1. ¿Es importante que las personas sepan una segunda lengua? ¿Por qué?
2. ¿Es urgente que los norteamericanos aprendan otras lenguas?
3. Si un(a) norteamericano/a quiere aprender francés, ¿es mejor que lo aprenda en Francia?
4. ¿Es necesario que una persona sepa decir "te amo" en la lengua nativa de su pareja?
5. ¿Es importante que un cantante de ópera entienda italiano?
6. ¿Es bueno que los turistas extranjeros digan unas frases en la lengua del país que visitan?

12.4 Subjunctive with verbs of will and influence

Tutorial

ANTE TODO You will now learn how to use the subjunctive with verbs and expressions of will and influence.

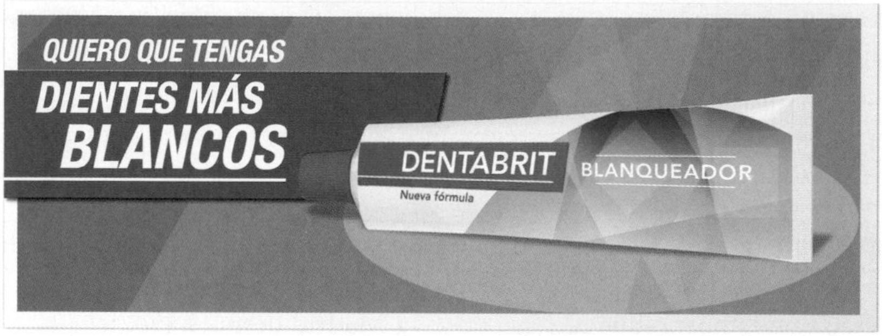

- Verbs of will and influence are often used when someone wants to affect the actions or behavior of other people.

Enrique **quiere** que salgamos a cenar.
Enrique wants us to go out to dinner.

Paola **prefiere** que cenemos en casa.
Paola prefers that we have dinner at home.

- Here is a list of widely used verbs of will and influence.

Verbs of will and influence

aconsejar	*to advise*	**pedir** (e:i)	*to ask (for)*
desear	*to wish; to desire*	**preferir** (e:ie)	*to prefer*
importar	*to be important; to matter*	**prohibir**	*to prohibit*
insistir (en)	*to insist (on)*	**querer** (e:ie)	*to want*
mandar	*to order*	**recomendar** (e:ie)	*to recommend*
necesitar	*to need*	**rogar** (o:ue)	*to beg*
		sugerir (e:ie)	*to suggest*

- Some impersonal expressions, such as **es necesario que, es importante que, es mejor que,** and **es urgente que,** are considered expressions of will or influence.

- When the main clause contains an expression of will or influence, the subjunctive is required in the subordinate clause, provided that the two clauses have different subjects.

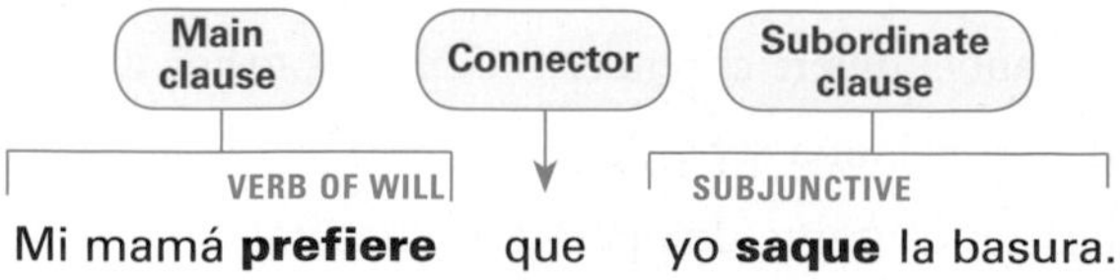

¡ATENCIÓN!

In English, verbs or expressions of will and influence often use a construction with an infinitive, such as *I want you to go.* This is not the case in Spanish, where the subjunctive would be used in a subordinate clause.

- Indirect object pronouns are often used with the verbs **aconsejar, importar, mandar, pedir, prohibir, recomendar, rogar,** and **sugerir.**

Te aconsejo que estudies.
I advise you to study.

Le sugiero que vaya a casa.
I suggest that he go home.

Les recomiendo que barran el suelo.
I recommend that you sweep the floor.

Le ruego que no venga.
I'm begging you not to come.

- Note that all the forms of **prohibir** in the present tense carry a written accent, except for the **nosotros/as** form: **prohíbo, prohíbes, prohíbe, prohibimos, prohibís, prohíben.**

Ella les **prohíbe** que miren la televisión.
She prohibits them from watching TV.

Nos **prohíben** que nademos en la piscina.
They prohibit us from swimming in the swimming pool.

- The infinitive is used with words or expressions of will and influence if there is no change of subject in the sentence.

No quiero **sacudir** los muebles.
I don't want to dust the furniture.

Paco prefiere **descansar**.
Paco prefers to rest.

Es importante **sacar** la basura.
It's important to take out the trash.

No es necesario **quitar** la mesa.
It's not necessary to clear the table.

¡INTÉNTALO! Completa cada oración con la forma correcta del verbo.

1. Te sugiero que ___vayas___ (ir) con ella al supermercado.
2. Mis papás quieren que yo ____________ (limpiar) mi cuarto.
3. No queremos que tú ____________ (hacer) nada especial para nosotros.
4. Él necesita que yo le ____________ (prestar) dinero.
5. Nos piden que la ____________ (ayudar) a preparar la comida.
6. Quieren que tú ____________ (sacar) la basura todos los días.
7. Es importante que ustedes ____________ (limpiar) los estantes.
8. Quiero ____________ (descansar) esta noche.
9. Su tía les manda que ____________ (poner) la mesa.
10. Te aconsejo que no ____________ (salir) con él.
11. Prefiero ____________ (ir) al cine.
12. Mi tío insiste en que mi prima ____________ (hacer) la cama.
13. Es necesario ____________ (estudiar).
14. Recomiendo que ustedes ____________ (pasar) la aspiradora.

More activities
vhlcentral
LM p. 72
WB pp. 147–148
Online activities

Práctica

1 **Completar** Completa el diálogo.

cocina	haga	quiere	sea
comas	ponga	saber	ser
diga	prohíbe	sé	vaya

IRENE Tengo problemas con Vilma. Sé que debo hablar con ella. ¿Qué me recomiendas que le (1)__________?

JULIA Pues, necesito (2)__________ más antes de darte consejos.

IRENE Bueno, para empezar me (3)__________ que traiga dulces a la casa.

JULIA Pero chica, tiene razón. Es mejor que tú no (4)__________ cosas dulces.

IRENE Sí, ya lo sé. Pero quiero que (5)__________ más flexible. Además, insiste en que yo (6)__________ todo en la casa.

JULIA Yo (7)__________ que Vilma (8)__________ y hace los quehaceres todos los días.

IRENE Sí, pero siempre que hay fiesta me pide que (9)__________ los cubiertos (*silverware*) y las copas en la mesa y que (10)__________ al sótano por las servilletas y los platos. ¡Es lo que más odio: ir al sótano!

JULIA Mujer, ¡Vilma sólo (11)__________ que ayudes en la casa!

2 **Aconsejar** En parejas, den consejos lógicos usando verbos como **aconsejar, recomendar** y **prohibir**. Sus consejos deben ser diferentes de lo que la persona quiere hacer.

modelo

Isabel: Quiero conseguir un comedor con los muebles más caros del mundo.

Consejo: *Te aconsejamos que consigas unos muebles menos caros.*

1. **DAVID** Pienso poner el cuadro del lago de Maracaibo en la cocina.
2. **SARA** Voy en bicicleta a comprar unas copas de cristal.
3. **SR. ALARCÓN** Insisto en comenzar a arreglar el jardín en marzo.
4. **SRA. VILLA** Quiero ver las tazas y los platos de la tienda El Ama de Casa Feliz.
5. **DOLORES** Voy a poner servilletas de tela (*cloth*) para los cuarenta invitados.
6. **SR. PARDO** Pienso poner todos mis muebles nuevos en el altillo.
7. **SRA. GONZÁLEZ** Hay una fiesta en casa esta noche, pero no quiero limpiarla.
8. **CARLITOS** Hoy no tengo ganas de hacer las camas ni de quitar la mesa.

NOTA CULTURAL

En el **lago de Maracaibo,** en Venezuela, hay casas suspendidas sobre el agua que se llaman **palafitos**. Este tipo de construcciones les recordó a los conquistadores la ciudad de Venecia, Italia, de donde viene el nombre "Venezuela", que significa "pequeña Venecia".

3 **Preguntas** En parejas, túrnense para contestar las preguntas. Usen el subjuntivo.

1. ¿Te dan consejos tus amigos/as? ¿Qué te aconsejan? ¿Aceptas sus consejos? ¿Por qué?
2. ¿Qué te sugieren tus profesores que hagas antes de terminar los cursos que tomas?
3. ¿Insisten tus amigos/as en que salgas mucho con ellos?
4. ¿Qué quieres que te regalen tu familia y tus amigos/as en tu cumpleaños?
5. ¿Qué le recomiendas tú a un(a) amigo/a que no quiere salir los sábados con su novio/a?
6. ¿Qué les aconsejas a los nuevos estudiantes de tu universidad?

Comunicación

4

Inventar En parejas, preparen una lista de seis personas famosas. Un(a) estudiante da el nombre de una persona famosa y el/la otro/a le da un consejo.

modelo

Estudiante 1: Judge Judy.
Estudiante 2: Le recomiendo que sea más simpática con la gente.
Estudiante 2: Chris Pine.
Estudiante 1: Le aconsejo que haga más películas.

5

Hablar En parejas, imaginen que Gerardo es su hermano y necesita ayuda para arreglar su casa y resolver sus problemas románticos y económicos. Usen expresiones impersonales y verbos como **aconsejar**, **sugerir** y **recomendar**.

modelo

Es mejor que arregles el apartamento más a menudo.
Te aconsejo que no dejes para mañana lo que puedes hacer hoy.

Síntesis

6

La doctora Salvamórez Hernán tiene problemas con su novia y le escribe a la doctora Salvamórez, columnista del periódico *Panamá y su gente*. Ella responde a las cartas de personas con problemas románticos. En parejas, usen el subjuntivo para escribir los consejos de la doctora.

Estimada doctora Salvamórez:
Mi novia nunca quiere que yo salga de casa. No le molesta que vengan mis amigos a visitarme. Pero insiste en que nosotros sólo miremos los programas de televisión que ella quiere. Necesita saber dónde estoy en cada momento, y yo necesito que ella me dé un poco de independencia. ¿Qué hago?

Hernán

Recapitulación

RESUMEN GRAMATICAL

Completa estas actividades para repasar los conceptos de gramática que aprendiste en esta lección.

1 **Completar** Completa el cuadro con la forma correspondiente del presente de subjuntivo. 24 pts.

yo/él/ella	tú	nosotros/as	Uds./ellos/ellas
limpie			
	vengas		
		queramos	
			ofrezcan

2 **El apartamento ideal** Completa este folleto (*brochure*) informativo con la forma correcta del presente de subjuntivo. 16 pts.

¿Eres joven y buscas tu primera vivienda? Te ofrezco estos consejos:

- Te sugiero que primero (tú) (1) __________ (escribir) una lista de las cosas que quieres en un apartamento.
- Quiero que después (2) __________ (pensar) muy bien cuáles son tus prioridades. Es necesario que cada persona (3) __________ (tener) sus prioridades claras, porque el hogar (*home*) perfecto no existe.
- Antes de decidir en qué área quieren vivir, les aconsejo a ti y a tu futuro/a compañero/a de apartamento que (4) __________ (salir) a ver la ciudad y que (5) __________ (conocer) los distintos barrios y las afueras.
- Pidan que el agente les (6) __________ (mostrar) todas las partes de cada casa.
- Finalmente, como consumidores, es importante que nosotros (7) __________ (saber) bien nuestros derechos (*rights*); por eso, deben insistir en que todos los puntos del contrato (8) __________ (estar) muy claros antes de firmarlo (*signing it*).

¡Buena suerte!

12.1 Relative pronouns *pp. 386–387*

Relative pronouns	
que	*that; which; who*
quien(es)	*who; whom; that*
lo que	*that which; what*

12.2 Formal commands *pp. 390–391*

Formal commands (**Ud.** and **Uds.**)

Infinitive	Present tense yo form	Ud(s). command
limpiar	limpio	limpie(n)
barrer	barro	barra(n)
sacudir	sacudo	sacuda(n)

- Verbs with stem changes or irregular **yo** forms maintain the same irregularity in the formal commands:

hacer: yo **hago** → **Hagan** la cama.

Irregular formal commands	
dar	**dé (Ud.); den (Uds.)**
estar	**esté(n)**
ir	**vaya(n)**
saber	**sepa(n)**
ser	**sea(n)**

12.3 The present subjunctive *pp. 394–396*

Present subjunctive of regular verbs

hablar	comer	escribir
hable	coma	escriba
hables	comas	escribas
hable	coma	escriba
hablemos	comamos	escribamos
habléis	comáis	escribáis
hablen	coman	escriban

Irregular verbs in the present subjunctive		
dar		dé, des, dé, demos, deis, den
estar	est- +	-é, -és, -é, -emos, -éis, -én
ir	vay- +	
saber	sep- +	-a, -as, -a, -amos, -áis, -an
ser	se- +	

12.4 Subjunctive with verbs of will and influence

pp. 398–399

- Verbs of will and influence: **aconsejar, desear, importar, insistir (en), mandar, necesitar, pedir** (e:i), **preferir** (e:ie), **prohibir, querer** (e:ie), **recomendar** (e:ie), **rogar** (o:ue), **sugerir** (e:ie)

3 **Relativos** Completa las oraciones con **lo que, que** o **quien(es)**. 16 pts.

1. Me encanta la alfombra _______ está en el comedor.
2. Mi amiga Tere, con _______ trabajo, me regaló ese cuadro.
3. Todas las cosas _______ tenemos vienen de la casa de mis abuelos.
4. Hija, no compres más cosas. _______ debes hacer ahora es organizarlo todo.
5. La agencia de decoración de _______ le hablé se llama Casabella.
6. Esas flores las dejaron en la puerta mis nuevos vecinos, a _______ aún (*yet*) no conozco.
7. Leonor no compró nada, porque _______ le gustaba era muy caro.
8. Mi amigo Aldo, a _______ visité ayer, es un cocinero excelente.

4 **Preparando la casa** Completa las instrucciones con mandatos formales. Usa cada verbo una sola vez y agrega pronombres de objeto directo o indirecto si es necesario. 20 pts.

arreglar	dejar	hacer	pedir	sacudir
barrer	ensuciar	limpiar	poner	tener

Primero, (1) _________ ustedes las maletas. Las cosas que no se llevan a Costa Rica, (2) _________ en el altillo. Ángela, (3) _________ las habitaciones y Martín, (4) _________ usted la cocina y el baño. Después, los dos (5) _________ el suelo y (6) _________ los muebles de toda la casa. Ángela, no (7) _________ sus joyas (*jewelry*) en el apartamento. (8) _________ cuidado ¡y no (9) _________ nada antes de irse! Por último, (10) _________ a alguien que recoja (*pick up*) su correo.

5 **Los quehaceres** A tu compañero/a de cuarto no le gusta ayudar con los quehaceres. Escribe al menos seis oraciones dándole consejos para hacer más divertidos los quehaceres. 24 pts.

modelo

Te sugiero que pongas música mientras lavas los platos...

6 **El circo** Completa esta famosa frase que tiene su origen en el circo (*circus*). ¡4 puntos EXTRA!

“¡_______ (pasar) ustedes y _______ (ver)! El espectáculo va a comenzar.”

Lectura

Antes de leer

Estrategia

Locating the main parts of a sentence

Did you know that a text written in Spanish is an average of 15% longer than the same text written in English? Since the Spanish language tends to use more words to express ideas, you will often encounter long sentences when reading in Spanish. Of course, the length of sentences varies with genre and with authors' individual styles. To help you understand long sentences, identify the main parts of the sentence before trying to read it in its entirety. First locate the main verb of the sentence, along with its subject, ignoring any words or phrases set off by commas. Then reread the sentence, adding details like direct and indirect objects, transitional words, and prepositional phrases.

Examinar el texto

Mira el formato de la lectura. ¿Qué tipo de documento es? ¿Qué cognados encuentras en la lectura? ¿Qué te dicen sobre el tema de la selección?

¿Probable o improbable?

Mira brevemente el texto e indica si estas oraciones son probables o improbables.

1. Este folleto° es de interés turístico.
2. Describe un edificio moderno cubano.
3. Incluye algunas explicaciones de arquitectura.
4. Espera atraer° a visitantes al lugar.

Oraciones largas

Mira el texto y busca algunas oraciones largas. Con un(a) compañero/a, identifiquen las partes principales de la oración y después examinen las descripciones adicionales. ¿Qué significan las oraciones?

folleto *brochure* **atraer** *to attract* **épocas** *time periods*

More activities
vhlcentral | Online activities

Bienvenidos al Palacio de las Garzas

El palacio está abierto de martes a domingo.
Para más información,
llame al teléfono 507-226-7000.
También puede solicitar° un folleto
a la casilla° 3467,
Ciudad de Panamá, Panamá.

Después de leer

Ordenar

Pon estos eventos en el orden cronológico adecuado.

_____ El palacio se convirtió en residencia presidencial.
_____ Durante diferentes épocas°, maestros, médicos y banqueros ejercieron su profesión en el palacio.
_____ El Dr. Belisario Porras ocupó el palacio por primera vez.
_____ Los españoles construyeron el palacio.
_____ Se renovó el palacio.
_____ Los turistas pueden visitar el palacio de martes a domingo.

El Palacio de las Garzas° es la residencia oficial del Presidente de Panamá desde 1903. Fue construido en 1673 para ser la casa de un gobernador español. Con el paso de los años fue almacén, escuela, hospital, aduana, banco y por último, palacio presidencial.

En la actualidad el edificio tiene tres pisos, pero los planos originales muestran una construcción de un piso con un gran patio en el centro. La restauración del palacio comenzó en el año 1922 y los trabajos fueron realizados por el arquitecto Villanueva-Meyer y el pintor Roberto Lewis. El palacio, un monumento al estilo colonial, todavía conserva su elegancia y buen gusto, y es una de las principales atracciones turísticas del barrio Casco Viejo°.

Planta baja

El Patio de las Garzas

Una antigua puerta de hierro° recibe a los visitantes. El patio interior todavía conserva los elementos originales de la construcción: piso de mármol°, columnas cubiertas° de nácar° y una magnífica fuente° de agua en el centro. Aquí están las nueve garzas que le dan el nombre al palacio y que representan las nueve provincias de Panamá.

Primer piso

El Salón Amarillo

Aquí el turista puede visitar una galería de cuarenta y un retratos° de gobernadores y personajes ilustres de Panamá. La principal atracción de este salón es el sillón presidencial, que se usa especialmente cuando hay cambio de presidente. Otros atractivos de esta área son el comedor Los Tamarindos, que se destaca° por la elegancia de sus muebles y sus lámparas de cristal, y el Patio Andaluz, con sus coloridos mosaicos que representan la unión de la cultura indígena y la española.

El Salón Dr. Belisario Porras

Este elegante y majestuoso salón es uno de los lugares más importantes del Palacio de las Garzas. Lleva su nombre en honor al Dr. Belisario Porras, quien fue tres veces presidente de Panamá (1912–1916, 1918–1920 y 1920–1924).

Segundo piso

Es el área residencial del palacio y el visitante no tiene acceso a ella. Los armarios, las cómodas y los espejos de la alcoba fueron comprados en Italia y Francia por el presidente Porras, mientras que las alfombras, cortinas y frazadas° son originarias de España.

solicitar *request* **casilla** *post office box* **Garzas** *Herons* **Casco Viejo** *Old Quarter* **hierro** *iron* **mármol** *marble* **cubiertas** *covered* **nácar** *mother-of-pearl* **fuente** *fountain* **retratos** *portraits* **se destaca** *stands out* **frazadas** *blankets*

Preguntas

Contesta las preguntas.

1. ¿Qué sala es notable por sus muebles elegantes y sus lámparas de cristal?
2. ¿En qué parte del palacio se encuentra la residencia del presidente?
3. ¿Dónde empiezan los turistas su visita al palacio?
4. ¿En qué lugar se representa artísticamente la rica herencia cultural de Panamá?
5. ¿Qué salón honra la memoria de un gran panameño?
6. ¿Qué partes del palacio te gustaría (*would you like*) visitar? ¿Por qué? Explica tu respuesta.

Conversación

En grupos de tres o cuatro, hablen sobre lo siguiente:

1. ¿Qué tiene en común el Palacio de las Garzas con otras residencias presidenciales u otras casas muy grandes?
2. ¿Te gustaría vivir en el Palacio de las Garzas? ¿Por qué?
3. Imagina que puedes diseñar tu palacio ideal. Describe los planos para cada piso del palacio.

Escritura

Estrategia
Using linking words

You can make your writing sound more sophisticated by using linking words to connect simple sentences or ideas and create more complex sentences. Consider these passages, which illustrate this effect:

Without linking words

En la actualidad el edificio tiene tres pisos. Los planos originales muestran una construcción de un piso con un gran patio en el centro. La restauración del palacio comenzó en el año 1922. Los trabajos fueron realizados por el arquitecto Villanueva-Meyer y el pintor Roberto Lewis.

With linking words

En la actualidad el edificio tiene tres pisos, pero los planos originales muestran una construcción de un piso con un gran patio en el centro. La restauración del palacio comenzó en el año 1922 y los trabajos fueron realizados por el arquitecto Villanueva-Meyer y el pintor Roberto Lewis.

Linking words

cuando	*when*
mientras	*while*
o	*or*
pero	*but*
porque	*because*
pues	*since*
que	*that; who; which*
quien(es)	*who*
sino	*but (rather)*
y	*and*

Tema

Escribir un contrato de arrendamiento°

Eres el/la administrador(a)° de un edificio de apartamentos. Prepara un contrato de arrendamiento para los nuevos inquilinos°. El contrato debe incluir estos detalles:

- la dirección° del apartamento y del/de la administrador(a)
- las fechas del contrato
- el precio del alquiler y el día que se debe pagar
- el precio del depósito
- información y reglas° acerca de:
  - la basura
  - el correo
  - los animales domésticos
  - el ruido°
  - los servicios de electricidad y agua
  - el uso de electrodomésticos
- otros aspectos importantes de la vida comunitaria

contrato de arrendamiento *lease* administrador(a) *manager* inquilinos *tenants* dirección *address* reglas *rules* ruido *noise*

Escuchar

Antes de escuchar

Estrategia

Using visual cues

Visual cues like illustrations and headings provide useful clues about what you will hear.

To practice this strategy, you will listen to a passage related to the following photo. Jot down the clues the photo gives you as you listen.

Preparación

Mira el dibujo. ¿Qué pistas te da para comprender lo que vas a escuchar? ¿Qué significa *bienes raíces*?

Ahora escucha

La vivienda

Mira los anuncios de esta página y escucha la conversación. Luego indica si cada descripción se refiere a la casa ideal de Adriana y Felipe, a la casa del anuncio o al apartamento del anuncio.

Oraciones	La casa ideal	La casa del anuncio	El apartamento del anuncio
Es barato.	___	___	___
Tiene 4 dormitorios.	___	___	___
Tiene una oficina.	___	___	___
Tiene un balcón.	___	___	___
Tiene una cocina moderna.	___	___	___
Tiene un jardín muy grande.	___	___	___
Tiene un patio.	___	___	___

18G

Bienes raíces

Se vende.
4 dormitorios,
3 baños, cocina moderna, jardín con árboles frutales.
B/. 225.000

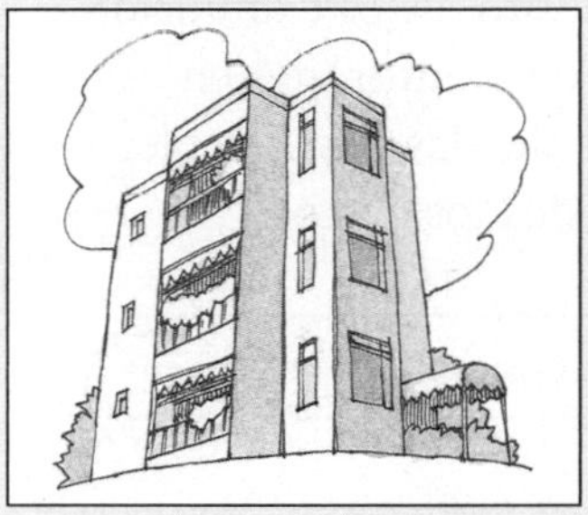

Se alquila.
2 dormitorios,
1 baño.
Balcón.
Urbanización Las Brisas. B/. 525

Comprensión

Preguntas

1. ¿Cuál es la relación entre el señor Núñez, Adriana y Felipe? ¿Cómo lo sabes?
2. ¿Qué diferencia de opinión hay entre Adriana y Felipe sobre dónde quieren vivir?
3. Usa la información de los dibujos y la conversación para entender lo que dice Adriana al final. ¿Qué significa "todo a su debido tiempo"?

Conversación

En parejas, túrnense para hacer y contestar las preguntas.

1. ¿Qué tienen en común el apartamento y la casa del anuncio con el lugar donde tú vives?
2. ¿Qué piensas de la recomendación del señor Núñez?
3. ¿Qué tipo de sugerencias te da tu familia sobre dónde vivir?
4. ¿Dónde prefieres vivir tú, en un apartamento o en una casa? Explica por qué.

En pantalla

Video

Anuncio

La compañía francesa Conforama abrió sus puertas en España en el año 1992. Actualmente°, tiene 28 tiendas en total y planea abrir otras 22 a pesar de la crisis económica que afectó el mercado español entre los años 2008 y 2014. La cadena° ofrece una amplia gama° de muebles y electrodomésticos a precios asequibles°. El propósito° de este anuncio es promover° la presencia de Conforama en España y sugerir que en sus tiendas hay muebles y electrodomésticos para todos los gustos.

Vocabulario útil

caber	*to fit*
colchón	*mattress*
duro	*hard*
madera	*wood*
me da igual	*it's all the same to me*

Preparación

¿Qué muebles tienes en tu casa? ¿Qué muebles te faltan o te gustaría comprar para decorar más tu casa?

¿Qué buscan?

Indica lo que buscan estas personas en la tienda.

1. chico
2. familia de cinco
3. niña
4. Juan y su esposa
5. hombre

a. un sofá
b. una cama
c. una cocina de madera
d. un televisor
e. un colchón

De compras

En parejas, escriban un diálogo entre dos compañeros de cuarto o dos esposos que van a Conforama para comprar algo. Utilicen el subjuntivo.

modelo

Esposo: Es importante que compremos un sofá cómodo.

Esposa: Quiero que el sofá sea grande...

Actualmente *Currently* **cadena** *chain* **gama** *range* **asequibles** *affordable* **propósito** *purpose* **promover** *to promote* **colcha** *bedspread* **piedra** *stone*

Conforama

Aquí cabemos todos, ¿no?

Tenemos la cama de rayas, la colcha° de rayas, el sofá de rayas, las cortinas de rayas.

Piedra°. Una cocina tiene que ser de piedra.

More activities

vhlcentral

Online activities

Cortometraje

Diego Porral es el director del cortometraje animado *Un día en el parque*, que fue nominado en los Premios Goya de 2018. Los Goya son los premios de cine más importantes de España, como los Oscar en los Estados Unidos. La historia de *Un día en el parque* es sencilla°: un abuelo le cuenta a su nieto cómo era su vida cuando era joven. Sin embargo, esta sencillez es sólo aparente. Humor y drama se combinan para hacernos pensar en nuestro presente y nuestro futuro.

Preparación

En parejas, túrnense para hacerse estas preguntas.

1. ¿Cuándo fue la última vez que fuiste a un parque? ¿Con quién fuiste? ¿Qué hiciste allí?
2. ¿Qué relación tienes con la tecnología?
3. ¿Cómo te imaginas la vida en cincuenta años? ¿Cómo será la vivienda? ¿Las diversiones? ¿La tecnología?

Después de ver

Contesta las preguntas.

1. ¿Qué estaba moviendo la abuela cuando se cayó por la escalera?
2. ¿Qué hueso se rompió la abuela cuando se cayó?
3. ¿Qué dice el abuelo sobre los hologramas?
4. ¿Cómo se conocieron los abuelos?
5. ¿Cuál es la sorpresa al final del cortometraje?

Generaciones

En parejas, escriban una conversación entre un(a) abuelo/a y su nieto/a. El/La abuelo/a debe describir cómo era la vida en la primera parte del siglo XXI. El/La nieto/a debe hacer preguntas y ofrecer sugerencias. Pueden usar estas frases:

- de niño/a
- todos los días
- es mejor/necesario que...
- te aconsejo/sugiero que...

Expresiones útiles

acosar	*to stalk*
los años dorados	*golden age*
la cadera rota	*broken hip*
en aquel entonces	*back then*
experimentar	*to experience*
teletransportar	*to teleport*
la tontería	*nonsense*

Para hablar del corto

el banco	*bench*
la nostalgia	*nostalgia*
quejarse	*to complain*
la realidad virtual	*virtual reality*
los recuerdos	*memories*

sencilla *simple*

Video

Panamá

El país en cifras

- **Área:** 75.420 km² (29.119 millas²), *aproximadamente el área de Carolina del Sur*
- **Población:** 3.753.000
- **Capital:** Ciudad de Panamá—1.673.000
- **Ciudades principales:** Colón, David
- **Moneda:** balboa; es equivalente al dólar estadounidense.

En Panamá circulan los billetes de dólar estadounidense. El país centroamericano, sin embargo, acuña° su propia moneda. "El peso" es una moneda grande equivalente a cincuenta centavos°. La moneda de cinco centavos es llamada frecuentemente "real".

- **Idiomas:** español (oficial), lenguas indígenas, inglés *Muchos panameños son bilingües. La lengua materna del 14% de los panameños es el inglés.*

Bandera de Panamá

Mujer kuna vendiendo molas

Panameños célebres

- **Mariano Rivera,** beisbolista (1969–)
- **Mireya Moscoso,** política (1946–)
- **Rubén Blades,** músico y político (1948–)
- **Danilo Pérez,** pianista (1965–)
- **Jorge Cham,** caricaturista (1976–)

acuña *mints* centavos *cents*

Una turista disfruta del bosque tropical colgado de un cable.

Vista de la Ciudad de Panamá

Ruinas de un fuerte panameño

More activities: vhlcentral | WB pp. 149–150 | Online activities

ACTIVIDADES

1 ¿Cierto o falso? Indica si lo que dicen las oraciones es **cierto** o **falso**.

1. El balboa es la única (*only*) moneda aceptada en Panamá.
2. Rubén Blades es el beisbolista más famoso de Panamá.
3. Jorge Cham, quien nació en 1976, es un caricaturista panameño.
4. El Canal de Panamá se terminó de construir en 1903.
5. Un promedio de 40 barcos usa el Canal de Panamá en un solo día.
6. Las molas que hacen los kunas tienen colores vivos.
7. Antiguamente, las molas se usaban como mantas y servilletas.
8. Panamá es frecuentado gracias a sus extensas montañas.
9. En el Parque Nacional Marino Isla Bastimentos hay gran diversidad de fauna marina.
10. La diversidad étnica y cultural de Panamá se presenta también en su arte y en su gastronomía.

Lugares • El Canal de Panamá

El Canal de Panamá conecta el océano Pacífico con el océano Atlántico. La construcción de este cauce° artificial empezó en 1903 y concluyó diez años después. Es una de las principales fuentes° de ingresos° del país, gracias al dinero que aportan los más de 14.000 buques° que transitan anualmente por esta ruta y a las actividades comerciales que se han desarrollado° en torno a° ella.

Artes • La mola

La mola es una forma de arte textil de los kunas, una tribu indígena que vive principalmente en las islas San Blas. Esta pieza artesanal se confecciona con fragmentos de tela° de colores vivos. Algunos de sus diseños son abstractos, inspirados en las formas del coral, y otros son geométricos, como en las molas más tradicionales. Antiguamente, estos tejidos se usaban sólo como ropa, pero hoy día también sirven para decorar las casas.

Naturaleza • El mar

Panamá, cuyo° nombre significa "lugar de muchos peces°", es un país muy frecuentado por los aficionados al buceo y a la pesca. El territorio panameño cuenta con una gran variedad de playas en los dos lados del istmo°, con el mar Caribe a un lado y el océano Pacífico al otro. Algunas zonas costeras están destinadas al turismo. Otras están protegidas por la diversidad de su fauna marina, en la que abundan los arrecifes° de coral, como el Parque Nacional Marino Isla Bastimentos.

Gente • Diversidad étnica y cultural

La población de Panamá está conformada por indígenas, blancos, mestizos°, afrodescendientes y asiáticos, provenientes de países como los Estados Unidos, Colombia, España, Argentina, China, India, República Dominicana y Turquía, entre otros. Este mestizaje°, que también se percibe en la gastronomía, la música, el arte y la moda, convierte a Panamá en uno de los países más multiétnicos y multiculturales del mundo.

cauce *channel* fuentes *sources* ingresos *income* buques *ships* han desarrollado *have developed* en torno a *around* tela *fabric* cuyo *whose* peces *fish* istmo *isthmus* arrecifes *reefs* mestizos *people of indigenous and white parentage* mestizaje *cultural mixing*

COLOMBIA

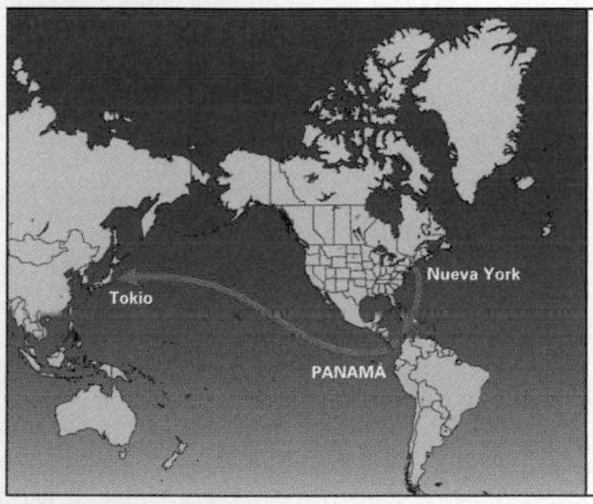

¡Increíble pero cierto!

¿Conocías estos datos sobre el Canal de Panamá?

- Gracias al Canal de Panamá, el viaje en barco de Nueva York a Tokio es 3.000 millas más corto.
- Su construcción costó 639 millones de dólares.
- Hoy lo usan en promedio° 40 barcos al día.
- El peaje° promedio cuesta 54.000 dólares.

promedio *average* peaje *toll*

2 ¿Qué aprendiste? Contesta las preguntas.

1. ¿Cuál es la lengua materna del catorce por ciento de los panameños?
2. ¿A qué unidad monetaria es equivalente el balboa?
3. ¿Qué océanos une el Canal de Panamá?
4. ¿Quién es Mariano Rivera?
5. ¿Qué significa "Panamá"?

3 Consejos Aconseja a tu compañero/a sobre lo que debe hacer en su viaje a Panamá. Utilicen el subjuntivo.

modelo

Estudiante 1: *Te aconsejo que visites el canal.*
Estudiante 2: *Te sugiero que vayas a la playa.*

El Salvador

El país en cifras

- **Área:** 21.040 km² (8.124 millas²), *el tamaño° de Massachusetts*
- **Población:** 6.172.000

El Salvador es el país centroamericano más pequeño y el más densamente poblado. Su población, al igual que la de Honduras, es muy homogénea: casi el 90 por ciento es mestiza.

- **Capital:** San Salvador—1.098.000
- **Ciudades principales:** Soyapango, Santa Ana, San Miguel, Mejicanos
- **Moneda:** dólar estadounidense
- **Idiomas:** español (oficial), náhuatl, lenca

Bandera de El Salvador

Salvadoreños célebres

- **Óscar Romero,** arzobispo° y activista por los derechos humanos° (1917–1980)
- **Claribel Alegría,** poeta, novelista y cuentista (1924–2018)
- **Roque Dalton,** poeta, ensayista y novelista (1935–1975)
- **María Eugenia Brizuela,** política (1956–)
- **Francesca Miranda,** diseñadora (1957–)

Óscar Romero

tamaño *size* arzobispo *archbishop* derechos humanos *human rights*

Ruinas de Tazumal

Catedral Metropolitana de San Salvador

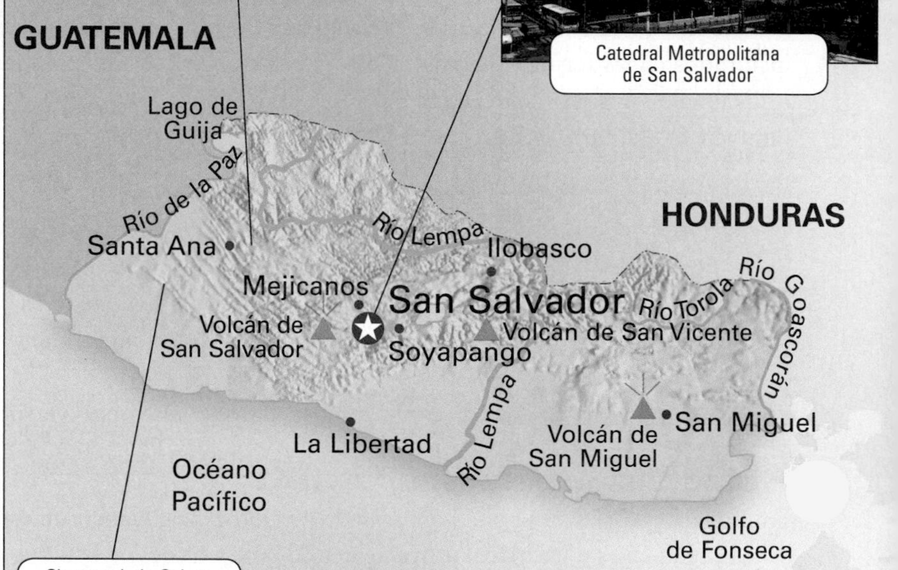

Chorros de la Calera en Juayúa

More activities: vhlcentral | WB pp. 151–152 | Online activities

ACTIVIDADES

1 ¿Cierto o falso? Indica si lo que dicen las oraciones es **cierto** o **falso**.

1. El Salvador es el país más grande de Centroamérica.
2. Aproximadamente el 90% de la población de El Salvador es mestiza.
3. Claribel Alegría fue una famosa ingeniera salvadoreña.
4. La moneda de El Salvador es el dólar estadounidense.
5. Roque Dalton fue poeta y novelista.
6. La Libertad es una playa famosa en El Salvador por sus artesanías.
7. El Parque Nacional Montecristo se conoce también como El Trifinio.
8. Las "sorpresas" de Ilobasco son tazas.
9. Las pupusas son tortillas de maíz o de arroz.
10. La leyenda sobre la laguna de Alegría es parte del folclor salvadoreño.

Deportes • El surfing

El Salvador es uno de los destinos favoritos en Latinoamérica para la práctica del surfing. Cuenta con 300 kilómetros de costa a lo largo del océano Pacífico y sus olas° altas son ideales para quienes practican este deporte. De sus playas, La Libertad es la más visitada por surfistas de todo el mundo, gracias a que está muy cerca de la capital salvadoreña. Sin embargo, los fines de semana muchos visitantes prefieren viajar a la Costa del Bálsamo, donde se concentra menos gente.

Naturaleza • El Parque Nacional Montecristo

El Parque Nacional Montecristo se encuentra en la región norte del país. Se le conoce también como El Trifinio porque se ubica° en el punto donde se unen las fronteras de Guatemala, Honduras y El Salvador. Este bosque reúne muchas especies vegetales y animales, como orquídeas, monos araña°, pumas, quetzales y tucanes. Además, las copas° de sus enormes árboles forman una bóveda° que impide° el paso de la luz solar. Este espacio natural se encuentra a una altitud de 2.400 metros (7.900 pies) sobre el nivel del mar y recibe 200 centímetros (80 pulgadas°) de lluvia al año.

Artes • La artesanía de Ilobasco

Ilobasco es un pueblo conocido por sus artesanías. En él se elaboran objetos con arcilla° y cerámica pintada a mano, como juguetes°, adornos° y utensilios de cocina. Además, son famosas sus "sorpresas", que son pequeñas piezas° de cerámica en cuyo interior se representan escenas de la vida diaria. Los turistas realizan excursiones para ver la elaboración, paso a paso°, de estos productos.

Comida • Pupusas

Las pupusas son el plato nacional de El Salvador. Son tortillas hechas con masa° de maíz o de arroz, rellenas° de queso, frijoles, calabaza°, chicharrón°, pollo o pescado. Son muy parecidas a las tortillas panameñas y a las arepas venezolanas y colombianas. Desde 2005, el segundo domingo de noviembre, el gobierno salvadoreño celebra por decreto el Día Nacional de las Pupusas.

olas *waves* se ubica *it is located* monos araña *spider monkeys* copas *tops* bóveda *cap* impide *blocks* pulgadas *inches* arcilla *clay* juguetes *toys* adornos *ornaments* piezas *pieces* paso a paso *step by step* masa *dough* rellenas *stuffed* calabaza *pumpkin* chicharrón *pork rind*

¡Increíble pero cierto!

El rico folclor salvadoreño se basa sobre todo en sus extraordinarios recursos naturales. Por ejemplo, según una leyenda, las muertes que se producen en la laguna° de Alegría tienen su explicación en la existencia de una sirena° solitaria que vive en el lago y captura a los jóvenes atractivos.

laguna *lagoon* sirena *mermaid*

2 ¿Qué aprendiste? Contesta las preguntas.

1. ¿Qué tienen en común las poblaciones de El Salvador y Honduras?
2. ¿Qué es el náhuatl?
3. ¿Quién es María Eugenia Brizuela?
4. ¿Cuáles son algunos de los animales y las plantas que viven en el Parque Nacional Montecristo?

3 Anuncio de televisión En parejas, escriban un anuncio de televisión para atraer a turistas a El Salvador. Utilicen los mandatos formales y los pronombres relativos.

modelo

Hagan surf en La Libertad, que está muy cerca de la capital.

Vocabulary Tools

Las viviendas

las afueras	*suburbs; outskirts*
el alquiler	*rent (payment)*
el ama/o (*m., f.*) de casa	*homemaker*
el barrio	*neighborhood*
el edificio de apartamentos	*apartment building*
el/la vecino/a	*neighbor*
la vivienda	*housing*
alquilar	*to rent*
mudarse	*to move (from one house to another)*

Los cuartos y otros lugares

el altillo	*attic*
el balcón	*balcony*
la cocina	*kitchen*
el comedor	*dining room*
el dormitorio	*bedroom*
la entrada	*entrance*
la escalera	*stairs*
el garaje	*garage*
el jardín	*garden; yard*
la oficina	*office*
el pasillo	*hallway*
el patio	*patio; yard*
la sala	*living room*
el sótano	*basement*

Los muebles y otras cosas

la alfombra	*carpet; rug*
la almohada	*pillow*
el armario	*closet*
el cartel	*poster*
la cómoda	*chest of drawers*
las cortinas	*curtains*
el cuadro	*picture*
el estante	*bookcase; bookshelves*
la lámpara	*lamp*
la luz	*light; electricity*
la manta	*blanket*
la mesita	*end table*
la mesita de noche	*night stand*
los muebles	*furniture*
la pared	*wall*
la pintura	*painting; picture*
el sillón	*armchair*
el sofá	*sofa*

Los electrodomésticos

la cafetera	*coffee maker*
la cocina, la estufa	*stove*
el congelador	*freezer*
el electrodoméstico	*electric appliance*
el horno (de microondas)	*(microwave) oven*
la lavadora	*washing machine*
el lavaplatos	*dishwasher*
el refrigerador	*refrigerator*
la secadora	*clothes dryer*
la tostadora	*toaster*

La mesa

la copa	*wineglass*
la cuchara	*(table or large) spoon*
el cuchillo	*knife*
el plato	*plate*
la servilleta	*napkin*
la taza	*cup*
el tenedor	*fork*
el vaso	*glass*

Los quehaceres domésticos

arreglar	*to straighten up*
barrer el suelo	*to sweep the floor*
cocinar	*to cook*
ensuciar	*to get (something) dirty*
hacer la cama	*to make the bed*
hacer quehaceres domésticos	*to do household chores*
lavar (el suelo, los platos)	*to wash (the floor, the dishes)*
limpiar la casa	*to clean the house*
pasar la aspiradora	*to vacuum*
planchar la ropa	*to iron the clothes*
poner la mesa	*to set the table*
quitar la mesa	*to clear the table*
quitar el polvo	*to dust*
sacar la basura	*to take out the trash*
sacudir los muebles	*to dust the furniture*

Verbos y expresiones verbales

aconsejar	*to advise*
insistir (en)	*to insist (on)*
mandar	*to order*
recomendar (e:ie)	*to recommend*
rogar (o:ue)	*to beg*
sugerir (e:ie)	*to suggest*
Es bueno que…	*It's good that…*
Es importante que…	*It's important that…*
Es malo que…	*It's bad that…*
Es mejor que…	*It's better that…*
Es necesario que…	*It's necessary that…*
Es urgente que…	*It's urgent that…*

Relative pronouns	*See page 386.*
Expresiones útiles	*See page 381.*

More activities

vhlcentral | LM p. 72

La naturaleza 13

Communicative Goals

You will learn how to:

- Talk about and discuss the environment
- Express your beliefs and opinions about issues

A PRIMERA VISTA

- ¿Está mareada esta mujer?
- ¿Es importante que use ropa cómoda?
- ¿Es necesario que tenga cuidado?
- ¿Le interesa la naturaleza?

Hotspots

La naturaleza

Más vocabulario

el desierto	*desert*
la naturaleza	*nature*
la selva, la jungla	*jungle*
el sendero	*trail; path*
la tierra	*land; soil*
el valle	*valley*
el animal	*animal*
la ballena	*whale*
la tortuga (marina)	*(sea) turtle*
la vaca	*cow*
el cielo	*sky*
la estrella	*star*
la luna	*moon*
el calentamiento global	*global warming*
el cambio climático	*climate change*
la conservación	*conservation*
la ecología	*ecology*
el/la ecologista	*ecologist*
el ecoturismo	*ecotourism*
la energía (nuclear; solar)	*(nuclear; solar) energy*
la extinción	*extinction*
el medio ambiente	*environment*
el peligro	*danger*
el recurso natural	*natural resource*
la solución	*solution*
el gobierno	*government*
la ley	*law*
la (sobre)población	*(over)population*
ecológico/a	*ecological*
puro/a	*pure*
renovable	*renewable*

Variación léxica

hierba ⟷ pasto (*Perú*); grama (*Venez., Col.*); zacate (*Méx.*)

More activities

vhlcentral | LM p. 73 | WB pp. 155–156 | Online activities

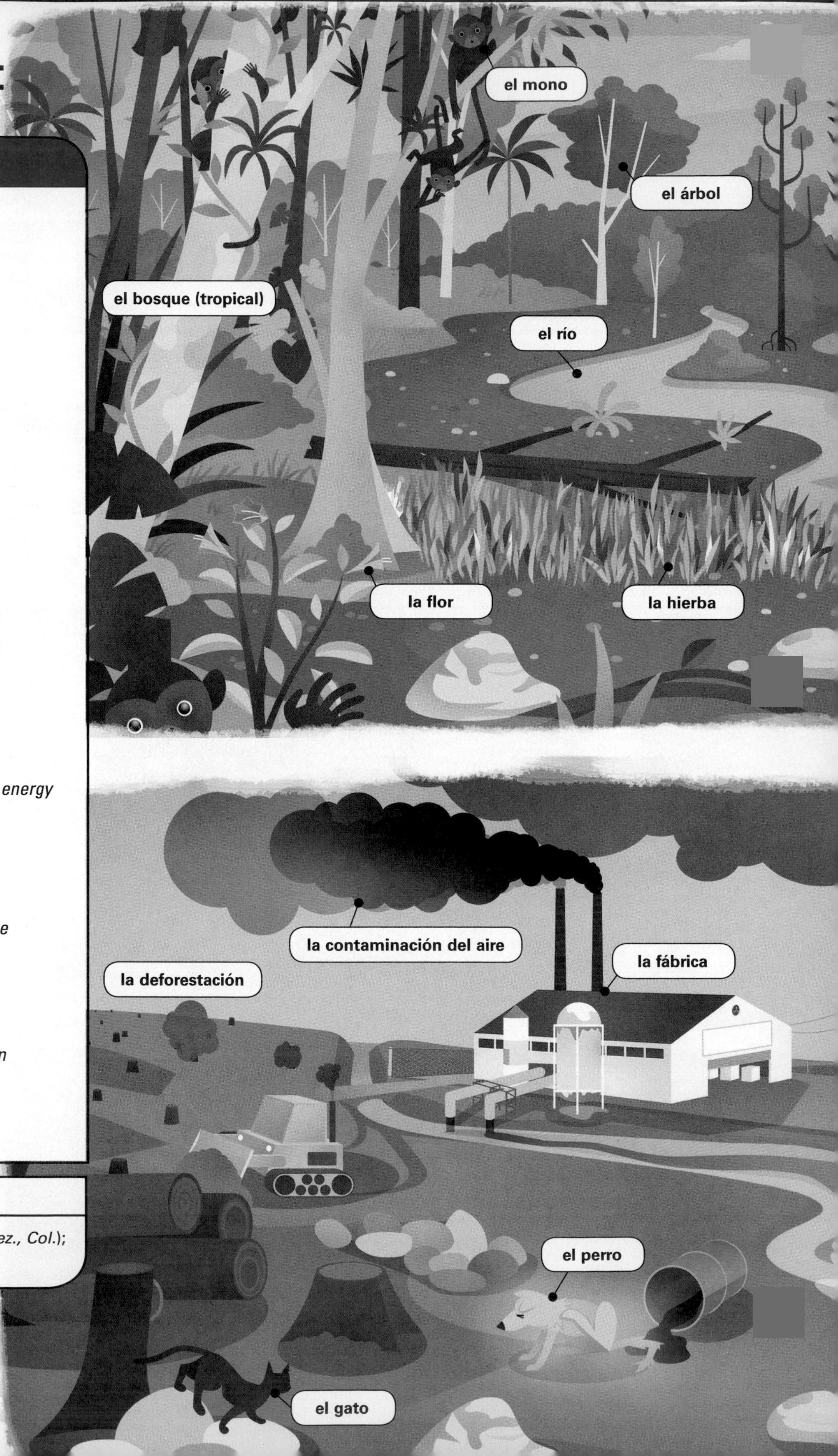

Práctica

1 **Escuchar** Mientras escuchas estas oraciones, anota los sustantivos (*nouns*) que se refieren a las plantas, los animales, la tierra y el cielo.

Plantas	Animales	Tierra	Cielo
________	________	________	________
________	________	________	________

2 **Una invitación** Completa las oraciones sobre la invitación de Claudia.

1. Hay muchos tipos de ____________ y de árboles en el parque.
2. Claudia quiere almorzar sobre la ____________.
3. Hay un ____________ muy grande en el parque.
4. Claudia quiere estar en contacto con la ____________.

3 **Seleccionar** Selecciona la palabra que no está relacionada.

1. estrella • gobierno • luna • sol
2. flor • hierba • renovable • árbol
3. vaca • ballena • pájaro • población
4. cielo • cráter • aire • nube
5. desierto • solución • selva • bosque
6. lago • río • mar • peligro

4 **Definiciones** Indica la palabra adecuada para cada definición.

modelo

lugar que está lleno de árboles
el bosque

1. animal que produce la leche que tomamos ____________
2. estrella más grande de nuestro sistema planetario ____________
3. lugar donde llueve poco ____________
4. cuando la temperatura del planeta sube ____________
5. cuando una especie animal ya no existe más ____________
6. parte de un volcán ____________

5 **Describir** Trabajen en parejas para describir estas fotos.

El reciclaje

Más vocabulario

cazar	*to hunt*
conservar	*to conserve*
contaminar	*to pollute*
controlar	*to control*
cuidar	*to take care of*
dejar de (+ *inf.*)	*to stop (doing something)*
desarrollar	*to develop*
descubrir	*to discover*
destruir	*to destroy*
estar afectado/a (por)	*to be affected (by)*
estar contaminado/a	*to be polluted*
evitar	*to avoid*
mejorar	*to improve*
proteger	*to protect*
reducir	*to reduce*
resolver (o:ue)	*to resolve; to solve*
respirar	*to breathe*

6 **Completar** Selecciona la palabra o la expresión adecuada para completar cada oración.

contaminar	destruyen	reciclamos
controlan	están afectadas	recoger
cuidan	mejoramos	resolver
descubrir	proteger	se desarrollaron

1. Si vemos basura en las calles, la debemos ____________.
2. Los científicos trabajan para ____________ nuevas soluciones.
3. Todas las personas ____________ por la contaminación.
4. Debemos ____________ el medio ambiente porque hoy día está en peligro.
5. Es necesario que todos trabajemos juntos para ____________ los problemas del medio ambiente.
6. Las primeras civilizaciones ____________ cerca de los ríos y los mares.
7. Muchas leyes nuevas ____________ el nivel de emisiones que producen las fábricas.
8. Los turistas deben tener cuidado de no ____________ los lugares que visitan.
9. Podemos conservar los recursos si ____________ el aluminio, el vidrio y el plástico.
10. La contaminación y la deforestación ____________ el medio ambiente.

Comunicación

7

Preguntas En parejas, túrnense para hacerse estas preguntas.

1. ¿Te preocupas por el medio ambiente? ¿Por qué?
2. ¿Qué forma de energía prefieres? ¿Por qué?
3. ¿Cómo podemos reducir la cantidad de basura?
4. ¿Crees que es importante reciclar? ¿Lo haces? ¿Por qué?
5. ¿Cómo podemos proteger los animales en peligro de extinción?
6. ¿Qué lugares están contaminados en tu estado o región?
7. ¿Qué podemos hacer para mejorar la calidad del aire?
8. ¿Quiénes deben resolver los problemas del medio ambiente? ¿Los gobiernos, los ecologistas...?

8

Alternativas En parejas, hablen sobre las alternativas y el efecto que tienen en el medio ambiente.

- manejar un coche o pasear en bicicleta
- ser vegetariano/a o comer carne
- ducharse o bañarse
- lavar los platos a mano o usar el lavaplatos
- leer libros en papel o electrónicos
- hacer ecoturismo o turismo tradicional

9

Situaciones Trabajen en grupos pequeños para representar estas situaciones.

1. Unos/as representantes de una agencia ambiental (*environmental*) hablan con el/la presidente/a de una fábrica que está contaminando el aire o el río de la zona.
2. Un(a) guía de ecoturismo habla con un grupo sobre cómo disfrutar (*enjoy*) de la naturaleza y conservar el medio ambiente.
3. Un(a) representante de la universidad habla con un grupo de nuevos estudiantes sobre la campaña (*campaign*) ambiental de la universidad y trata de reclutar (*tries to recruit*) miembros para un club que trabaja para la protección del medio ambiente.

10

Escribir una carta Trabajen en parejas para escribir una carta a una fábrica real o imaginaria que esté contaminando el medio ambiente. Expliquen las consecuencias que sus acciones van a tener para el medio ambiente. Sugiéranle algunas ideas para que solucione el problema.

11

A debatir Trabajen en grupos y discutan cuáles creen que son los problemas ambientales más graves que afectan nuestro planeta. Cada uno/a debe escoger dos o tres opciones y decir por qué son problemas serios. Después, ofrezcan posibles soluciones para cada problema.

- contaminación del aire
- contaminación del agua
- pérdida (*loss*) de biodiversidad
- cambio climático/calentamiento global
- disminución de la capa de ozono
- agotamiento (*depletion*) de recursos naturales
- residuos (*waste*) industriales
- actividades mineras
- deforestación
- sobrepoblación
- lluvia ácida
- exceso de basura

Aventuras en la naturaleza

Las chicas visitan un santuario de tortugas, mientras los chicos pasean por la selva.

PERSONAJES

MARISSA

JIMENA

Video

MARISSA Querida tía Ana María, lo estoy pasando muy bien. Es maravilloso que México tenga tantos programas estupendos para proteger a las tortugas. Hoy estamos en Tulum, y ¡el paisaje es espectacular! Con cariño, Marissa.

MARISSA Estoy tan feliz de que estés aquí conmigo.

JIMENA Es mucho más divertido cuando se viaja con amigos.

(*Llegan Felipe y Juan Carlos*)

JIMENA ¿Qué pasó?

JUAN CARLOS No lo van a creer.

GUÍA A menos que protejamos a los animales de la contaminación y la deforestación, en poco tiempo muchos de ellos van a estar extintos. Por favor, síganme y eviten pisar las plantas.

FELIPE Nos retrasamos sólo cinco minutos... Qué extraño. Estaban aquí hace unos minutos.

JUAN CARLOS ¿Adónde se fueron?

FELIPE No creo que puedan ir muy lejos.

(*Se separan para buscar al grupo.*)

FELIPE Juan Carlos encontró al grupo. ¡Yo esperaba encontrarlos también! ¡Pero nunca vinieron por mí! Yo estaba asustado. Regresé al lugar de donde salimos y esperé. Me perdí todo el recorrido.

FELIPE Decidí seguir un río y...

MARISSA No es posible que un guía continúe el recorrido cuando hay dos personas perdidas.

JIMENA Vamos a ver, chicos, ¿qué pasó? Díganos la verdad.

JUAN CARLOS

FELIPE

GUÍA

7

JUAN CARLOS Felipe se cayó. Él no quería contarles.

JIMENA ¡Lo sabía!

8

FELIPE Y ustedes, ¿qué hicieron hoy?

JIMENA Marissa y yo fuimos al santuario de las tortugas.

9

MARISSA Aprendimos sobre las normas que existen para proteger a las tortugas marinas.

JIMENA Pero no cabe duda de que necesitamos aprobar más leyes para mantenerlas protegidas.

MARISSA Fue muy divertido verlas tan cerca.

10

JUAN CARLOS Entonces se divirtieron. ¡Qué bien!

JIMENA Gracias, y tú, pobrecito, pasaste todo el día con mi hermano. Siempre te mete en problemas.

Expresiones útiles

Talking about the environment

Aprendimos sobre las normas
que existen para proteger a las tortugas marinas.
We learned about the regulations that exist to protect sea turtles.

Afortunadamente, ahora la población está aumentando.
Fortunately, the population is now growing.

No cabe duda de que necesitamos aprobar más leyes para mantenerlas protegidas.
There is no doubt that we need to pass more laws to keep them protected.

Es maravilloso que México tenga tantos programas estupendos para proteger a las tortugas.
It's marvelous that Mexico has so many wonderful programs to protect the turtles.

A menos que protejamos a los animales de la contaminación y la deforestación, en poco tiempo muchos de ellos van a estar extintos.
Unless we protect animals from pollution and habitat loss, soon many of them will be extinct.

Additional vocabulary

aumentar
to grow; to get bigger

meterse en problemas
to get into trouble

perdido/a
lost

el recorrido
tour

sobre todo
above all

More activities
vhlcentral | VM pp. 25–26 | Online activities

¿Qué pasó?

1

Seleccionar Selecciona la respuesta más lógica para completar cada oración.

1. México tiene muchos programas para __________ a las tortugas.
   a. destruir b. reciclar c. proteger
2. Según la guía, muchos animales van a estar en peligro de __________ si no los protegemos.
   a. reciclaje b. extinción c. deforestación
3. La guía les pide a los visitantes que eviten pisar __________.
   a. las plantas b. las piedras c. la tierra
4. Felipe no quería contarles a las chicas que se __________.
   a. divirtió b. alegró c. cayó
5. Jimena dice que debe haber más __________ para proteger a las tortugas.
   a. playas b. leyes c. gobiernos

2

Identificar Identifica quién dice estas oraciones.

1. Aprendimos sobre las normas que existen para proteger a las tortugas marinas.
2. A menos que protejamos a los animales de la contaminación y la deforestación, en poco tiempo muchos de ellos van a estar extintos.
3. Hoy estamos en Tulum, y ¡el paisaje es espectacular!
4. Me perdí todo el recorrido.
5. Creo que éste es nuestro último viaje del año.
6. Entonces se divirtieron. ¡Qué bien!
7. Ése es el árbol de la especie de chaká.
8. Dígannos la verdad.

NOTA CULTURAL

Tulum es una importante zona arqueológica que se localiza en la costa del estado de Quintana Roo, México. La ciudad amurallada (*walled*), construida (*built*) por los mayas, es famosa por su ubicación (*location*) dramática en un acantilado (*cliff*) frente al mar.

3

Preguntas Contesta estas preguntas.

1. ¿Qué lugar visitan Marissa y Jimena?
2. ¿Adónde fueron Juan Carlos y Felipe?
3. Según la guía, ¿por qué muchos animales están en peligro de extinción?
4. ¿Por qué Jimena y Marissa no creen la historia de Felipe?
5. ¿Qué esperaba Felipe cuando se perdió?

4

El medio ambiente En parejas, discutan algunos problemas ambientales y sus posibles soluciones. Usen estas preguntas y frases en su conversación.

- ¿Hay problemas de contaminación donde vives?
- Tenemos un problema muy grave de contaminación de...
- ¿Cómo podemos resolver los problemas de la contaminación?

Ortografía

Tutorial

Los signos de puntuación

In Spanish, as in English, punctuation marks are important because they help you express your ideas in a clear, organized way.

No podía ver las llaves. Las buscó por los estantes, las mesas, las sillas, el suelo; minutos después, decidió mirar por la ventana. Allí estaban...

The **punto y coma (;)**, **the tres puntos (...)**, and the **punto (.)** are used in very similar ways in Spanish and English.

Argentina, Brasil, Paraguay y Uruguay son miembros de Mercosur.

In Spanish, the **coma (,)** is not used before **y** or **o** in a series.

13,5%	**29,2°**	**3.000.000**	**$2.999,99**

In numbers, Spanish uses a **coma** where English uses a decimal point and a **punto** where English uses a comma.

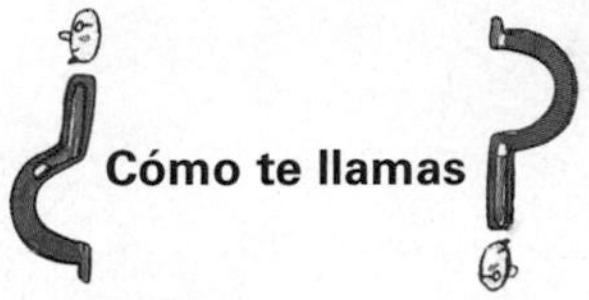

¿Dónde está? **¡Ven aquí!**

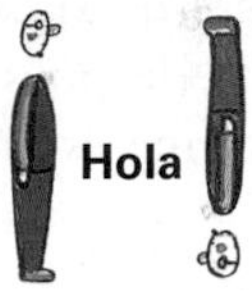

Questions in Spanish are preceded and followed by **signos de interrogación (¿ ?)**, and exclamations are preceded and followed by **signos de exclamación (¡ !)**.

Práctica Lee el párrafo e indica los signos de puntuación necesarios.

Ayer recibí la invitación de boda de Marta mi amiga colombiana inmediatamente empecé a pensar en un posible regalo fui al almacén donde Marta y su novio tenían una lista de regalos había de todo copas cafeteras tostadoras finalmente decidí regalarles un perro ya sé que es un regalo extraño pero espero que les guste a los dos

¿Palabras de amor? El siguiente diálogo tiene diferentes significados (*meanings*) dependiendo de los signos de puntuación que utilices y el lugar donde los pongas. Intenta encontrar los diferentes significados.

JULIÁN me quieres
MARISOL no puedo vivir sin ti
JULIÁN me quieres dejar
MARISOL no me parece mala idea
JULIÁN no eres feliz conmigo
MARISOL no soy feliz

More activities
vhlcentral
LM p. 74

Flash CULTURA

EN DETALLE

Video

¡Los Andes se mueven!

Los Andes, la cadena° de montañas más extensa de América, son conocidos como "la espina dorsal° de Suramérica". Sus 7.240 kilómetros (4.500 millas) van desde el norte° de la región entre Venezuela y Colombia, hasta el extremo sur°, entre Argentina y Chile, y pasan por casi todos los países suramericanos. La cordillera° de los Andes, formada hace 27 millones de años, es la segunda más alta del mundo, después de la del Himalaya (aunque° esta última es mucho más "joven", ya que se formó hace apenas cinco millones de años).

Para poder atravesar° de un lado a otro de los Andes, existen varios pasos o puertos° de montaña. Situados a grandes alturas°, son generalmente estrechos° y peligrosos. En algunos de ellos hay, también, vías ferroviarias°.

De acuerdo con° varias instituciones científicas, la cordillera de los Andes se eleva° y se hace más angosta° cada año. La capital de Chile se acerca° a la capital de Argentina a un ritmo° de 19,4 milímetros por año. Si ese ritmo se mantiene°, Santiago y Buenos Aires podrían unirse° en unos... 63 millones de años, ¡casi el mismo tiempo que ha transcurrido° desde la extinción de los dinosaurios!

Arequipa, Perú

Los Andes en números

3 Cordilleras que forman los Andes: Las cordilleras Central, Occidental y Oriental

900 (A.C.°) Año aproximado en que empezó el desarrollo° de la cultura chavín, en los Andes peruanos

600 Número aproximado de volcanes que hay en los Andes

6.962 Metros (22.841 pies) de altura del Aconcagua (Argentina), el pico° más alto de los Andes

cadena *range* **espina dorsal** *spine* **norte** *north* **sur** *south* **cordillera** *mountain range* **aunque** *although* **atravesar** *to cross* **puertos** *passes* **alturas** *heights* **estrechos** *narrow* **vías ferroviarias** *railroad tracks* **De acuerdo con** *According to* **se eleva** *rises* **angosta** *narrow* **se acerca** *gets closer* **ritmo** *rate* **se mantiene** *keeps going* **podrían unirse** *could join together* **ha transcurrido** *has gone by* **A.C.** *Before Christ* **desarrollo** *development* **pico** *peak*

ACTIVIDADES

1 Escoger Escoge la opción que completa mejor cada oración.

1. Los Andes son la cadena montañosa más extensa del...
   a. mundo. b. continente americano. c. hemisferio norte.
2. "La espina dorsal de Suramérica" es...
   a. los Andes. b. el Himalaya. c. el Aconcagua.
3. La cordillera de los Andes se extiende...
   a. de este a oeste. b. de sur a oeste. c. de norte a sur.
4. El Himalaya y los Andes tienen...
   a. diferente altura. b. la misma altura. c. el mismo color.
5. Es posible atravesar los Andes por medio de...
   a. montañas b. puertos c. metro
6. En algunos de los puertos de montaña de los Andes hay...
   a. puertas. b. vías ferroviarias. c. cordilleras.
7. En 63 millones de años, Buenos Aires y Santiago podrían...
   a. separarse. b. desarrollarse. c. unirse.
8. El Aconcagua es...
   a. una montaña. b. un grupo indígena. c. un volcán.

ASÍ SE DICE

La naturaleza

el arco iris	*rainbow*
la cascada; la catarata	*waterfall*
el cerro; la colina; la loma	*hill, hillock*
la cima; la cumbre; el tope (Col.)	*summit; mountaintop*
la maleza; los rastrojos (Col.); la yerba mala (Cuba); los hierbajos (Méx.); los yuyos (Arg.)	*weeds*
la niebla	*fog*

EL MUNDO HISPANO

Cuerpos de agua

- **Lago de Maracaibo** es el lago natural más grande de Suramérica y tiene una conexión directa y natural con el mar.
- **Lago Titicaca** es el lago navegable más alto del mundo. Se encuentra a más de 3.800 metros de altitud.
- **Bahía Mosquito** es una bahía bioluminiscente. En sus aguas viven unos microorganismos que emiten luz° cuando sienten que algo las agita°.

emiten luz *emit light* **agita** *shakes*

PERFIL

La Sierra Nevada de Santa Marta

La Sierra Nevada de Santa Marta es una cadena de montañas en la costa norte de Colombia. Se eleva abruptamente desde las costas del mar Caribe y en apenas 42 kilómetros llega a una altura de 5.775 metros (18.947 pies) en sus picos nevados°. Tiene las montañas más altas de Colombia y es la formación montañosa costera° más alta del mundo.

Los pueblos indígenas que habitan allí lograron° mantener los frágiles ecosistemas de estas montañas a través de° un sofisticado sistema de terrazas° y senderos empedrados° que permitieron° el control de las aguas en una región de muchas lluvias, evitando así la erosión de la tierra. La Sierra fue nombrada Reserva de la Biosfera por la UNESCO en 1979.

nevados *snowcapped* **costera** *coastal* **lograron** *managed* **a través de** *by means of* **terrazas** *terraces* **empedrados** *cobblestone* **permitieron** *allowed*

CON RITMO HISPANO

ChocQuibTown (2000–)

Lugar de nacimiento: Quibdó y Condoto, Colombia

El nombre de este trío de hip hop y música alternativa significa Chocó Quibdó nuestro pueblo, y es un homenaje a esta región del Pacífico colombiano.

Go to **vhlcentral.com** to find out more about **ChocQuibTown** and their music.

ACTIVIDADES

2 Comprensión Indica si lo que dice cada oración es **cierto** o **falso**. Corrige la información falsa.

1. En Colombia, *weeds* se dice **hierbajos**.
2. El lago Titicaca es el más grande del mundo.
3. La Sierra Nevada de Santa Marta es la formación montañosa costera más alta del mundo.
4. Los indígenas destruyeron el ecosistema de Santa Marta.

3 Maravillas de la naturaleza Escribe un párrafo breve donde describas alguna maravilla de la naturaleza que has (*you have*) visitado y que te impresionó. Puede ser cualquier (*any*) sitio natural: un río, una montaña, una selva, etc.

More activities: vhlcentral | VM pp. 55–56 | Online activities

13.1 The subjunctive with verbs of emotion

Tutorial

ANTE TODO In the previous lesson, you learned how to use the subjunctive with expressions of will and influence. You will now learn how to use the subjunctive with verbs and expressions of emotion.

Main clause: Marta **espera** — que — Subordinate clause: yo **vaya** al lago este fin de semana.

▶ When the verb in the main clause of a sentence expresses an emotion or feeling, such as hope, fear, joy, pity, or surprise, the subjunctive is required in the subordinate clause.

Nos alegramos de que te **gusten** las flores.
We are happy that you like the flowers.

Siento que tú no **puedas** venir mañana.
I'm sorry that you can't come tomorrow.

Temo que Ana no **pueda** ir mañana con nosotros.
I'm afraid that Ana won't be able to go with us tomorrow.

Le **sorprende** que Juan **sea** tan joven.
It surprises him that Juan is so young.

Common verbs and expressions of emotion

alegrarse (de)	*to be happy*	**tener miedo (de)**	*to be afraid (of)*
esperar	*to hope; to wish*	**es extraño**	*it's strange*
gustar	*to like*	**es una lástima**	*it's a shame*
molestar	*to bother*	**es ridículo**	*it's ridiculous*
sentir (e:ie)	*to be sorry; to regret*	**es terrible**	*it's terrible*
sorprender	*to surprise*	**es triste**	*it's sad*
temer	*to be afraid*	**ojalá (que)**	*I hope (that); I wish (that)*

CONSULTA

Certain verbs of emotion, like **gustar, molestar,** and **sorprender,** require indirect object pronouns. For more examples, see **Estructura 7.4,** pp. 230–231.

Me molesta que la gente no **recicle** el plástico.
It bothers me that people don't recycle plastic.

Es triste que **tengamos** problemas como el cambio climático.
It's sad that we have problems like climate change.

- As with expressions of will and influence, the infinitive, not the subjunctive, is used after an expression of emotion when there is no change of subject. Compare these sentences.

Temo **llegar** tarde. *I'm afraid I'll arrive late.*	Temo que mi novio **llegue** tarde. *I'm afraid my boyfriend will arrive late.*

- The expression **ojalá (que)** means *I hope* or *I wish*, and it is always followed by the subjunctive. Note that the use of **que** with this expression is optional.

Ojalá (que) se conserven nuestros recursos naturales. *I hope (that) our natural resources will be conserved.*	**Ojalá (que) recojan** la basura hoy. *I hope (that) they collect the garbage today.*

More activities
vhlcentral
LM p. 75
WB pp. 157–158
Online activities

¡INTÉNTALO! Completa las oraciones con las formas correctas de los verbos.

1. Ojalá que ellos __descubran__ (descubrir) nuevas formas de energía.
2. Espero que Ana nos __________ (ayudar) a recoger la basura en la carretera.
3. Me alegro de que mis amigos __________ (querer) conservar la naturaleza.
4. Esperamos __________ (proteger) a las tortugas marinas que llegan a esta playa.
5. Es una lástima que la gente no __________ (reciclar) más.
6. A mis padres les gusta que nosotros __________ (participar) en la reunión.
7. Es malo __________ (contaminar) el medio ambiente.
8. Espero que tú __________ (venir) a la reunión (*meeting*) del Club de Ecología.
9. Es terrible que nuestras ciudades __________ (estar) afectadas por la contaminación.
10. Ojalá que yo __________ (poder) hacer algo para reducir el calentamiento global.

Práctica

1

Completar Completa el diálogo con palabras de la lista. Compara tus respuestas con las de un(a) compañero/a.

Bogotá, Colombia

alegro	molesta	salga
encuentren	ojalá	tengo miedo de
estén	puedan	vayan
lleguen	reduzcan	visitar

OLGA Me alegro de que Adriana y Raquel (1)__________ a Colombia. ¿Van a estudiar?

SARA Sí. Es una lástima que (2)__________ una semana tarde. Ojalá que la universidad las ayude a buscar casa. (3)__________ que no consigan dónde vivir.

OLGA Me (4)__________ que seas tan pesimista, pero sí, yo también espero que (5)__________ gente simpática y que hablen mucho español.

SARA Sí, ojalá. Van a hacer un estudio sobre la deforestación en las costas. Es triste que en tantos países los recursos naturales (6)__________ en peligro.

OLGA Pues, me (7)__________ de que no se queden mucho en la capital por la contaminación. (8)__________ tengan tiempo de viajar por el país.

SARA Sí, espero que (9)__________ ir a Medellín.
Sé que también quieren (10)__________ la Catedral de Sal de Zipaquirá.

NOTA CULTURAL

Los principales factores que determinan la temperatura de **Bogotá, Colombia,** son su proximidad al ecuador y su altitud, 2.640 metros (8.660 pies) sobre el nivel (*level*) del mar. Con un promedio (*average*) de 13° C (56° F), Bogotá disfruta de un clima templado (*mild*) durante la mayor parte del año. Hay, sin embargo, variaciones considerables entre el día (18° C) y la noche (7° C).

2

Transformar Transforma estos elementos en oraciones completas para formar un diálogo entre Juan y la madre de Raquel. Añade palabras si es necesario. Luego, con un(a) compañero/a, presenta el diálogo a la clase.

1. Juan, / esperar / (tú) escribirle / Raquel. / Ser / tu / novia. / Ojalá / no / sentirse / sola
2. molestarme / (usted) decirme / lo que / tener / hacer. / Ahora / mismo / le / estar / escribiendo
3. alegrarme / oírte / decir / eso. / Ser / terrible / estar / lejos / cuando / nadie / recordarte
4. señora, / ¡yo / tener / miedo de / (ella) no recordarme / mí! / Ser / triste / estar / sin / novia
5. ser / ridículo / (tú) sentirte / así. / Tú / saber / ella / querer / casarse / contigo
6. ridículo / o / no, / sorprenderme / (todos) preocuparse / ella / y / (nadie) acordarse de / mí

Comunicación

3

Comentar En parejas, túrnense para formar oraciones sobre su comunidad, sus clases, su gobierno o algún otro tema, usando expresiones como **me alegro de que**, **temo que** y **es extraño que.** Luego, reaccionen a los comentarios de su compañero/a.

modelo

Estudiante 1: *Me alegro de que vayan a limpiar el río.*
Estudiante 2: *Yo también. Me preocupa que el agua del río esté tan sucia.*

4

Contestar Lee el mensaje electrónico. Luego, en parejas, contesten el mensaje usando expresiones como **me sorprende que**, **me molesta que** y **es una lástima que.**

De: Raquel
Para: Juan
Asunto: ¡Hola!

Hola, Juan:

Mi amor, siento no escribirte más frecuentemente. La verdad es que estoy muy ocupada todo el tiempo. No sabes cuánto me estoy divirtiendo en Colombia. Me sorprende haber podido adaptarme tan bien. Es bueno tener tanto trabajo. Aprendo mucho más aquí que en el laboratorio de la universidad. Me encanta que me den responsabilidades y que compartan sus muchos conocimientos conmigo. Ay, pero pienso mucho en ti. Qué triste es que no podamos estar juntos por tanto tiempo. Ojalá que los días pasen rápido. Bueno, querido, es todo por ahora. Escríbeme pronto.

Te quiero y te extraño mucho,

Raquel

AYUDA

Echar de menos (a alguien) and **extrañar (a alguien)** are two ways of saying *to miss* (*someone*).

Síntesis

5

No te preocupes Estás muy preocupado/a por los problemas del medio ambiente y le comentas a tu compañero/a todas tus preocupaciones. Él/Ella va a darte la solución adecuada para tus preocupaciones. Su profesor(a) les va a dar una hoja distinta a cada uno/a con la información necesaria para completar la actividad.

modelo

Estudiante 1: *Me molesta que las personas tiren basura en las calles.*
Estudiante 2: *Por eso es muy importante que los políticos hagan leyes para conservar las ciudades limpias.*

13.2 The subjunctive with doubt, disbelief, and denial

Tutorial

ANTE TODO Just as the subjunctive is required with expressions of emotion, influence, and will, it is also used with expressions of doubt, disbelief, and denial.

Main clause		Subordinate clause
Dudan	que	su hijo les **diga** la verdad.

- The subjunctive is always used in a subordinate clause when there is a change of subject and the expression in the main clause implies negation or uncertainty.

- Here is a list of some common expressions of doubt, disbelief, or denial.

Expressions of doubt, disbelief, or denial

dudar	*to doubt*	**no es seguro**	*it's not certain*
negar (e:ie)	*to deny*	**no es verdad**	*it's not true*
no creer	*not to believe*	**es imposible**	*it's impossible*
no estar seguro/a (de)	*not to be sure*	**es improbable**	*it's improbable*
no es cierto	*it's not true; it's not certain*	**(no) es posible**	*it's (not) possible*
		(no) es probable	*it's (not) probable*

El gobierno **niega** que el agua **esté** contaminada.
The government denies that the water is contaminated.

Dudo que el gobierno **resuelva** el problema.
I doubt that the government will solve the problem.

Es probable que **haya** menos bosques y selvas en el futuro.
It's probable that there will be fewer forests and jungles in the future.

No es verdad que mi hermano **estudie** ecología.
It's not true that my brother studies ecology.

¡LENGUA VIVA!

In English, the expression *it is probable* indicates a fairly high degree of certainty. In Spanish, however, **es probable** implies uncertainty and therefore triggers the subjunctive in the subordinate clause: **Es probable que venga Elena (pero quizás no puede)**.

▶ The indicative is used in a subordinate clause when there is no doubt or uncertainty in the main clause. Here is a list of some expressions of certainty.

Expressions of certainty

no dudar	*not to doubt*	**estar seguro/a (de)**	*to be sure*
no cabe duda de	*there is no doubt*	**es cierto**	*it's true; it's certain*
no hay duda de	*there is no doubt*	**es seguro**	*it's certain*
no negar (e:ie)	*not to deny*	**es verdad**	*it's true*
creer	*to believe*	**es obvio**	*it's obvious*

No negamos que **hay** demasiados carros en las carreteras.
We don't deny that there are too many cars on the highways.

Es verdad que Colombia **es** un país bonito.
It's true that Colombia is a beautiful country.

No hay duda de que el Amazonas **es** uno de los ríos más largos.
There is no doubt that the Amazon is one of the longest rivers.

Es obvio que las ballenas **están** en peligro de extinción.
It's obvious that whales are in danger of extinction.

▶ In affirmative sentences, the verb **creer** expresses belief or certainty, so it is followed by the indicative. In negative sentences, however, when doubt is implied, **creer** is followed by the subjunctive.

Creo que **debemos** usar exclusivamente la energía solar.
I believe we should use solar energy exclusively.

No creo que **haya** vida en el planeta Marte.
I don't believe that there is life on the planet Mars.

▶ The expressions **quizás** and **tal vez** are usually followed by the subjunctive because they imply doubt about something.

Quizás haga sol mañana.
Perhaps it will be sunny tomorrow.

Tal vez veamos la luna esta noche.
Perhaps we will see the moon tonight.

¡INTÉNTALO! Completa estas oraciones con la forma correcta del verbo.

1. Dudo que ellos trabajen (trabajar).
2. Es cierto que él ________ (comer) mucho.
3. Es imposible que ellos ________ (salir).
4. No creo que ella ________ (volver).
5. No niego que ustedes ________ (estudiar).
6. Es posible que nosotros ________ (ir).
7. Dudamos que tú ________ (reciclar).
8. Creo que ellos ________ (jugar) al fútbol.
9. Es probable que ustedes ________ (ganar).
10. Es posible que ella no ______ (venir) a casa.
11. Es probable que Lucio y Carmen ________ (dormir).
12. Es posible que mi prima Marta ________ (llamar).
13. No es cierto que Paco y Daniel nos ______ (ayudar).
14. Tal vez Juan no nos ________ (oír).

More activities
vhlcentral
LM p. 76
WB pp. 159–160
Online activities

Práctica

1 **Escoger** Escoge las respuestas correctas para completar el diálogo. Luego dramatiza el diálogo con un(a) compañero/a.

RAÚL Ustedes dudan que yo realmente (1)__________ (estudio/estudie). No niego que a veces me (2)__________ (divierto/divierta) demasiado, pero no cabe duda de que (3)__________ (tomo/tome) mis estudios en serio. Estoy seguro de que cuando me vean graduarme van a pensar de manera diferente. Creo que no (4)__________ (tienen/tengan) razón con sus críticas.

PAPÁ Es posible que tu mamá y yo no (5)__________ (tenemos/tengamos) razón. Es cierto que a veces (6)__________ (dudamos/dudemos) de ti. Pero no hay duda de que te (7)__________ (pasas/pases) toda la noche en Internet y oyendo música. No es nada seguro que (8)__________ (estás/estés) estudiando.

RAÚL Es verdad que (9)__________ (uso/use) mucho la computadora pero, ¡piensen! ¿No es posible que (10)__________ (es/sea) para buscar información para mis clases? ¡No hay duda de que Internet (11)__________ (es/sea) el mejor recurso del mundo! Es obvio que ustedes (12)__________ (piensan/piensen) que no hago nada, pero no es cierto.

PAPÁ No dudo que esta conversación nos (13)__________ (va/vaya) a ayudar. Pero tal vez esta noche (14)__________ (puedes/puedas) trabajar sin música. ¿Está bien?

2 **Dudas** Usa las expresiones entre paréntesis para expresar tus dudas sobre lo que una amiga te dice.

modelo

El próximo año Marta y yo vamos de vacaciones por diez meses. (dudar)
¡Ja! Dudo que vayan de vacaciones por ese tiempo. ¡Ustedes no son ricas!

1. Estoy escribiendo una novela en español. (no creer)
2. Mi tía es la directora de PETA. (no ser verdad)
3. Dos profesores míos juegan para los Osos (*Bears*) de Chicago. (ser imposible)
4. Yo ya tengo un doctorado (*doctorate*) en lenguas. (ser improbable)
5. Mi padre es dueño del Centro Rockefeller. (no ser posible)
6. Mi mejor amiga conoce al chef Bobby Flay. (no ser cierto)

AYUDA

Here are some useful expressions to say that you don't believe someone.

¡Qué va!
¡Imposible!
¡No te creo!
¡Es mentira!

3 **Combinar** Combina elementos de las columnas para formar oraciones lógicas.

modelo

Dudo que el gobierno nacional limpie todos los ríos.

dudo que	los ecologistas	cazar animales
es verdad que	el gobierno local	respirar aire puro
es improbable que	el gobierno nacional	proteger el medio ambiente
es posible que	los estadounidenses	desarrollar una solución
no es cierto que	todo el mundo	limpiar todos los ríos

Comunicación

4

Entrevista En parejas, imaginen que tienen que hacerle una entrevista a la ecologista Mary Axtmann, quien colaboró en la fundación de la organización Ciudadanos Pro Bosque San Patricio, en Puerto Rico. Escriban seis preguntas para la entrevista después de leer las declaraciones de Axtmann. Al final, inventen las respuestas de Axtmann.

NOTA CULTURAL

La asociación de **Mary Axtmann** trabaja para la conservación del Bosque San Patricio. También ofrece conferencias sobre temas ambientales, hace un censo anual de pájaros y tiene un grupo de guías voluntarios. La comunidad hace todo el trabajo; la asociación no recibe ninguna ayuda del gobierno.

Declaraciones de Mary Axtmann:

"... que el bosque es un recurso ecológico educativo para la comunidad."

"El Bosque San Patricio es un pulmón (*lung*) que produce oxígeno para la ciudad."

"El Bosque San Patricio está en medio de la ciudad de San Juan. Por eso digo que este bosque es una esmeralda (*emerald*) en un mar de concreto."

"El bosque pertenece (*belongs*) a la comunidad."

"Nosotros salvamos este bosque mediante la propuesta (*proposal*) y no la protesta."

5

Adivinar Escribe cinco oraciones sobre tu vida presente y futura. Cuatro deben ser falsas y sólo una debe ser cierta. Presenta tus oraciones al grupo. El grupo adivina cuál es la oración cierta y expresa sus dudas sobre las oraciones falsas.

modelo

Estudiante 1: *Quiero irme un año a la selva a trabajar.*
Estudiante 2: *Dudo que te guste vivir en la selva.*
Estudiante 3: *En cinco años voy a ser presidente de los Estados Unidos.*
Estudiante 2: *No creo que seas presidente de los Estados Unidos en cinco años. ¡Tal vez en treinta!*

AYUDA

Here are some useful verbs for talking about plans.
esperar → *to hope*
querer → *to want*
pretender → *to intend*
pensar → *to plan*
Note that **pretender** and *pretend* are false cognates. To express *to pretend,* use the verb **fingir**.

Síntesis

6

Intercambiar En grupos, escriban un párrafo sobre los problemas del medio ambiente en su estado o en su comunidad. Compartan su párrafo con otro grupo, que va a ofrecer opiniones y soluciones. Luego presenten su párrafo, con las opiniones y soluciones del otro grupo, a la clase.

13.3 The subjunctive with conjunctions

Tutorial

ANTE TODO Conjunctions are words or phrases that connect other words and clauses in sentences. Certain conjunctions commonly introduce adverbial clauses, which describe *how, why, when,* and *where* an action takes place.

Main clause	Conjunction	Adverbial clause
Vamos a visitar a Carlos	**antes de que**	**regrese** a California.

- With certain conjunctions, the subjunctive is used to express a hypothetical situation, uncertainty as to whether an action or event will take place, or a condition that may or may not be fulfilled.

Voy a dejar un recado **en caso de que Gustavo me llame.**
I'm going to leave a message in case Gustavo calls me.

Voy al supermercado **para que tengas** algo de comer.
I'm going to the store so that you'll have something to eat.

- Here is a list of the conjunctions that always require the subjunctive.

Conjunctions that require the subjunctive

a menos que	*unless*	**en caso (de) que**	*in case (that)*
antes (de) que	*before*	**para que**	*so that*
con tal (de) que	*provided that*	**sin que**	*without*

Algunos animales van a morir **a menos que** haya leyes para protegerlos.
Some animals are going to die unless there are laws to protect them.

Ellos nos llevan a la selva **para que** veamos las plantas tropicales.
They are taking us to the jungle so that we may see the tropical plants.

- The infinitive, not **que** + [*subjunctive*], is used after the prepositions **antes de, para**, and **sin** when there is no change of subject. **¡Atención!** While you may use a present participle with the English equivalent of these phrases, in Spanish you cannot.

Te llamamos **antes de salir** de la casa.
We will call you before leaving the house.

Te llamamos mañana **antes de que salgas**.
We will call you tomorrow before you leave.

Conjunctions with subjunctive or indicative

Conjunctions used with subjunctive or indicative

cuando	*when*	**hasta que**	*until*
después de que	*after*	**tan pronto como**	*as soon as*
en cuanto	*as soon as*		

▶ With the conjunctions above, use the subjunctive in the subordinate clause if the main clause expresses a future action or command.

Vamos a resolver el problema **cuando desarrollemos** nuevas tecnologías.
We are going to solve the problem when we develop new technologies.

Después de que ustedes **tomen** sus refrescos, reciclen las botellas.
After you drink your soft drinks, recycle the bottles.

▶ With these conjunctions, the indicative is used in the subordinate clause if the verb in the main clause expresses an action that habitually happens, or that happened in the past.

Contaminan los ríos **cuando construyen** nuevos edificios.
They pollute the rivers when they build new buildings.

Contaminaron el río **cuando construyeron** ese edificio.
They polluted the river when they built that building.

¡INTÉNTALO! Completa las oraciones con las formas correctas de los verbos.

1. Voy a estudiar ecología cuando __vuelva__ (volver) a la universidad.
2. No podemos evitar el cambio climático, a menos que todos ________ (trabajar) juntos.
3. No podemos conducir sin ________ (contaminar) el aire.
4. La gente recicla con tal de que no ________ (ser) difícil.
5. Elisa habló con el presidente del Club de Ecología después de que ________ (terminar) la reunión.
6. Siempre recogemos mucha basura cuando ________ (ir) al parque.
7. La contaminación va a ser un problema muy serio hasta que nosotros ________ (cambiar) nuestros sistemas de producción y transporte.
8. El gobierno debe crear más parques nacionales antes de que los bosques y ríos ________ (estar) completamente contaminados.
9. Vamos de excursión para ________ (observar) los animales y las plantas.

More activities
vhlcentral
LM p. 77
WB pp. 161–162
Online activities

Práctica

1

Completar Completa las oraciones con la forma correcta de cada verbo.

1. Voy a llevar a mis hijos al parque para que __________ (aprender) sobre la naturaleza.
2. Voy a pasar todo el día allí a menos que ________ (hacer) mucho frío.
3. Podemos explorar el parque en bicicleta sin __________ (caminar) demasiado.
4. Siempre llevamos al perro cuando __________ (ir) al parque.
5. No pensamos ir muy lejos en caso de que __________ (llover).
6. Vamos a bajar al cráter con tal de que no se __________ (prohibir).
7. Vamos a almorzar a la orilla (*shore*) del río cuando nosotros __________ (terminar) de preparar la comida.
8. Mis hijos van a dejar todo limpio antes de __________ (salir) del parque.

2

Frases Completa estas frases de una manera lógica.

1. No podemos controlar la contaminación del aire a menos que...
2. Voy a reciclar los productos de papel y de vidrio en cuanto...
3. Debemos comprar coches eléctricos tan pronto como...
4. Protegemos los animales en peligro de extinción para que...
5. Mis amigos y yo vamos a recoger la basura de la universidad después de que...
6. No podemos desarrollar nuevas fuentes (*sources*) de energía sin...
7. Hay que eliminar la contaminación del agua para...
8. No podemos proteger la naturaleza sin que...

3

Organizaciones colombianas En parejas, lean las descripciones de las organizaciones de conservación. Luego expresen en sus propias (*own*) palabras las opiniones de cada organización.

Organización:
Fundación Río Orinoco

Problema:
La destrucción de los ríos

Solución:
Programa para limpiar las orillas de los ríos y reducir la erosión y así proteger los ríos

Organización:
Oficina de Turismo Internacional

Problema:
Necesidad de mejorar la imagen del país en el mercado turístico internacional

Solución:
Plan para promover el ecoturismo en los 54 parques nacionales, usando agencias de publicidad e implementando un plan agresivo de conservación

Organización:
Asociación Nabusimake-Pico Colón

Problema:
Un lugar turístico popular en la Sierra Nevada de Santa Marta necesita mejor mantenimiento

Solución:
Programa de voluntarios para limpiar y mejorar los senderos

AYUDA

Here are some expressions you can use as you complete **Actividad 3**.

Se puede evitar... con tal de que...
Es necesario... para que...
Debemos prohibir... antes de que...
No es posible... sin que...
Vamos a... tan pronto como...
A menos que... no vamos a...

Comunicación

4

Preguntas En parejas, túrnense para hacerse estas preguntas.

1. ¿Qué haces cada noche antes de acostarte?
2. ¿Qué haces después de salir de la universidad?
3. ¿Qué hace tu familia para que puedas asistir a la universidad?
4. ¿Qué piensas hacer tan pronto como te gradúes?
5. ¿Qué quieres hacer mañana, a menos que haga mal tiempo?
6. ¿Qué haces en tus clases sin que los profesores lo sepan?

5

Comparar En parejas, comparen una actividad rutinaria que ustedes hacen con algo que van a hacer en el futuro.

antes de	después de que	hasta que	sin (que)
antes de que	en caso de que	para (que)	tan pronto como

modelo

Estudiante 1: *El sábado vamos al lago. Tan pronto como volvamos, vamos a estudiar para el examen.*

Estudiante 2: *Todos los sábados llevo a mi primo al parque para que juegue. Pero el sábado que viene, con tal de que no llueva, lo voy a llevar a las montañas.*

Síntesis

6

Tres en raya (*Tic-Tac-Toe*) Formen dos equipos. Con el vocabulario de esta lección, una persona comienza una frase y otra persona de su equipo la termina usando palabras de la gráfica. El primer equipo que forme tres oraciones seguidas (*in a row*) gana el tres en raya. Hay que usar la conjunción o la preposición y el verbo correctamente. Si no, ¡no cuenta!

¡LENGUA VIVA!

Tic-Tac-Toe has various names in the Spanish-speaking world, including **tres en raya, tres en línea, ta-te-ti, gato, la vieja,** and **triqui-triqui**.

modelo

Equipo 1

Estudiante 1: *Dudo que podamos eliminar la deforestación…*

Estudiante 2: *sin que nos ayude el gobierno.*

Equipo 2

Estudiante 1: *Creo que podemos conservar nuestros recursos naturales…*

Estudiante 2: *con tal de que todos hagamos algo para ayudar.*

cuando	con tal de que	para que
antes de que	para	sin que
hasta que	en caso de que	antes de

13.4 Past participles used as adjectives

Tutorial

ANTE TODO In **Lección 5**, you learned about present participles (**estudiando**). Both Spanish and English have past participles. The past participles of English verbs often end in **-ed** (*to turn → turned*), but many are also irregular (*to buy → bought; to drive → driven*).

▶ In Spanish, regular **-ar** verbs form the past participle with **-ado.** Regular **-er** and **-ir** verbs form the past participle with **-ido.**

INFINITIVE	STEM	PAST PARTICIPLE
bailar	bail-	**bailado**
comer	com-	**comido**
vivir	viv-	**vivido**

▶ **¡Atención!** The past participles of **-er** and **-ir** verbs whose stems end in **-a, -e,** or **-o** carry a written accent mark on the **i** of the **-ido** ending.

caer	**caído**	reír	**reído**
creer	**creído**	sonreír	**sonreído**
leer	**leído**	traer	**traído**
oír	**oído**		

Irregular past participles

abrir	**abierto**	morir	**muerto**
decir	**dicho**	poner	**puesto**
describir	**descrito**	resolver	**resuelto**
descubrir	**descubierto**	romper	**roto**
escribir	**escrito**	ver	**visto**
hacer	**hecho**	volver	**vuelto**

▶ In Spanish, as in English, past participles can be used as adjectives. They are often used with the verb **estar** to describe a condition or state that results from an action. Like other Spanish adjectives, they must agree in gender and number with the nouns they modify.

Me gusta usar papel **reciclado.**
I like to use recycled paper.

La mesa está **puesta** y la cena está **servida.**
The table is set and dinner is served.

AYUDA

You already know several past participles used as adjectives: **aburrido, interesado, nublado, perdido,** etc.

• • •

Note that all irregular past participles except **dicho** and **hecho** end in **-to.**

More activities

vhlcentral

LM p. 78

WB pp. 163–164

Online activities

¡INTÉNTALO! Indica la forma correcta del participio pasado de estos verbos.

1. hablar hablado
2. beber ________
3. decidir ________
4. romper ________
5. escribir ________
6. cantar ________
7. traer ________
8. oír ________
9. correr ________
10. ver ________
11. leer ________
12. hacer ________

Práctica

1

Completar Completa las oraciones con la forma adecuada del participio pasado del verbo.

1. Nuestra excursión a la selva ya está __________ (preparar).
2. Todos los detalles están __________ (escribir) en español.
3. Tenemos que comprar los pasajes, pero Sara no encuentra el mapa. ¡Ay no! Creo que estamos __________ (perder).
4. Sabemos que la agencia de viajes está en una plaza muy __________ (conocer), la Plaza Bolívar. Está __________ (abrir) de nueve a tres.
5. El nombre de la agencia está __________ (escribir) en la entrada y en la acera (*sidewalk*).
6. Pero ya son las tres y diez... qué mala suerte. Seguramente la oficina ya está __________ (cerrar).

NOTA CULTURAL

Simón Bolívar (1783–1830) es considerado el "libertador" de cinco países de Suramérica: Venezuela, Perú, Bolivia, Colombia y Ecuador. Su apellido se ve en nombres como Bolivia, Ciudad Bolívar, la Universidad Simón Bolívar, el bolívar (la moneda venezolana) y en los nombres de plazas y calles.

2

Preparativos Tú y tu compañero/a van a hacer un viaje. Túrnense para hacerse estas preguntas sobre los preparativos (*preparations*). Respondan afirmativamente y usen el participio pasado en sus respuestas.

modelo

Estudiante 1: ¿Compraste los pasajes de avión?
Estudiante 2: Sí, los pasajes ya están comprados.

1. ¿Hiciste las maletas?
2. ¿Confirmaste las reservaciones para el hotel?
3. ¿Lavaste la ropa?
4. ¿Compraste tus medicinas?
5. ¿Apagaste todas las luces?
6. ¿Cerraste bien la puerta?

Comunicación

3

Describir Tú y un(a) compañero/a son agentes de policía y tienen que investigar un crimen. Describan lo que encontraron en la habitación del señor Villalonga. Usen el participio pasado en la descripción. Luego, comparen su descripción con la de otra pareja.

modelo

La puerta del baño no estaba cerrada.

AYUDA

You may want to use the past participles of these verbs to describe the illustration: **abrir, desordenar** (*to make untidy*), **hacer, poner, romper, tirar** (*to throw*).

Recapitulación

Completa estas actividades para repasar los conceptos de gramática que aprendiste en esta lección.

1 **Completar** Completa la tabla con la forma correcta de los verbos. 12 pts.

Infinitivo	Participio (f.)	Infinitivo	Participio (m.)
completar	completada	hacer	
decidir		pagar	pagado
decir		perder	
escribir		poner	

2 **Subjuntivo con conjunciones** Escoge la forma correcta del verbo para completar las oraciones. 12 pts.

1. En cuanto (empiecen/empiezan) las vacaciones, vamos a viajar.
2. Por favor, llámeme a las siete y media en caso de que no (me despierto/me despierte).
3. Toni va a usar su bicicleta hasta que los coches híbridos (cuesten/cuestan) menos dinero.
4. Estudiantes, pueden entrar al parque natural con tal de que (van/vayan) todos juntos.
5. Debemos conservar el agua antes de que no (queda/quede) nada para beber.
6. Siempre quiero vender mi coche cuando (yo) (piense/pienso) en la contaminación.

3 **Creer o no creer** Completa esta conversación con la forma correcta del presente de indicativo o de subjuntivo, según el contexto. 12 pts.

CAROLA Creo que (1) __________ (nosotras, deber) escribir nuestra presentación sobre el reciclaje.

MÓNICA Hmm, no estoy segura de que el reciclaje (2) __________ (ser) un buen tema. No hay duda de que la gente ya (3) __________ (saber) reciclar.

CAROLA Sí, pero dudo que todos lo (4) __________ (practicar).

MÓNICA ¿Sabes, Néstor? El sábado vamos a ir a limpiar la playa con un grupo de voluntarios. ¿Quieres ir?

NÉSTOR No creo que (5) __________ (yo, poder) ir, tengo que estudiar.

CAROLA ¿Estás seguro? ¡Es imposible que (6) __________ (tú, ir) a estudiar todo el fin de semana!

NÉSTOR Bueno, sí, tengo un par de horas en la tarde para ir a la playa...

RESUMEN GRAMATICAL

13.1 The subjunctive with verbs of emotion

pp. 426–427

Verbs and expressions of emotion	
alegrarse (de)	tener miedo (de)
esperar	es extraño
gustar	es una lástima
molestar	es ridículo
sentir (e:ie)	es terrible
sorprender	es triste
temer	ojalá (que)

Main clause		Subordinate clause
Marta espera	que	yo **vaya** al lago mañana.
Ojalá		**comamos** en casa.

13.2 The subjunctive with doubt, disbelief, and denial

pp. 4

Expressions of doubt, disbelief, or denial (used with subjunctive)	
dudar	no es verdad
negar (e:ie)	es imposible
no creer	es improbable
no estar seguro/a (de)	(no) es posible
no es cierto	(no) es probable
no es seguro	

Expressions of certainty (used with indicative)	
no dudar	estar seguro/a (de)
no cabe duda de	es cierto
no hay duda de	es seguro
no negar (e:ie)	es verdad
creer	es obvio

► The infinitive is used after these expressions when there is no change of subject.

13.3 The subjunctive with conjunctions

pp. 434–435

Conjunctions that require the subjunctive	
a menos que	en caso (de) que
antes (de) que	para que
con tal (de) que	sin que

4 **Oraciones** Escribe oraciones con estos elementos. Usa el subjuntivo y el participio pasado cuando sea necesario. 20 pts.

1. ser ridículo / los coches / contaminar tanto
2. el gobierno / ir a proteger / las ciudades / afectar / por los tornados
3. no caber duda de / tú y yo / poder / hacer mucho más
4. los ecologistas / temer / no conservarse / los recursos naturales
5. (yo) no estar seguro / los niños / poder ir / porque / el parque / estar / cerrar
6. (yo) alegrarse de / en mi ciudad / reciclarse / el plástico y el vidrio
7. (nosotros) no creer que / la casa / estar / abrir
8. estar prohibido / tocar o dar de comer a / estos animales / proteger
9. es improbable / existir / leyes / contra la deforestación
10. ojalá que / la situación / mejorar / día a día

- The infinitive is used after the prepositions **antes de**, **para**, and **sin** when there is no change of subject.

Te llamamos **antes de salir** de casa.

Te llamamos mañana **antes de que salgas**.

Conjunctions used with subjunctive or indicative	
cuando después de que en cuanto	hasta que tan pronto como

13.4 **Past participles used as adjectives** p. 438

Past participles

Infinitive	Stem	Past participle
bailar	bail-	**bailado**
comer	com-	**comido**
vivir	viv-	**vivido**

Irregular past participles

abrir	**abierto**	morir	**muerto**
decir	**dicho**	poner	**puesto**
describir	**descrito**	resolver	**resuelto**
descubrir	**descubierto**	romper	**roto**
escribir	**escrito**	ver	**visto**
hacer	**hecho**	volver	**vuelto**

- Like common adjectives, past participles must agree with the noun they modify.

Hay unas postales escritas en español.

5 **Escribir** Escribe un diálogo de al menos seis oraciones en el que un(a) amigo/a hace comentarios pesimistas sobre la situación del medio ambiente en tu ciudad o región y tú respondes con comentarios y reacciones optimistas. Usa verbos y expresiones de esta lección. 44 pts.

6 **Canción** Completa estos versos de una canción de Juan Luis Guerra. ¡4 puntos EXTRA!

"Ojalá que __________ (llover)
café en el campo.
Pa'° que todos los niños
__________ (cantar) en el campo."

Pa' *short for* Para

Audio: Reading

Lectura

Antes de leer

Estrategia

Recognizing the purpose of a text

When you are faced with an unfamiliar text, it is important to determine the writer's purpose. If you are reading an editorial in a newspaper, for example, you know that the journalist's objective is to persuade you of his or her point of view. Identifying the purpose of a text will help you better comprehend its meaning.

Examinar los textos

Primero, utiliza la estrategia de lectura para familiarizarte con los textos. Después, contesta estas preguntas y compara tus respuestas con las de un(a) compañero/a.

- ¿De qué tratan los textos?°
- ¿Son fábulas°, poemas, artículos de periódico...?
- ¿Cómo lo sabes?

Predicciones

Lee estas predicciones sobre la lectura e indica si estás de acuerdo° con ellas. Después, compara tus opiniones con las de un(a) compañero/a.

1. Los textos son del género° de ficción.
2. Los personajes son animales.
3. La acción de los textos tiene lugar en un zoológico.
4. Hay alguna moraleja°.

Determinar el propósito

Con un(a) compañero/a, hablen de los posibles propósitos° de los textos. Consideren estas preguntas:

- ¿Qué te dice el género de los textos sobre los posibles propósitos de ellos?
- ¿Piensas que los textos pueden tener más de un propósito? ¿Por qué?

¿De qué tratan los textos? *What are the texts about?* fábulas *fables* estás de acuerdo *you agree* género *genre* moraleja *moral* propósitos *purposes*

More activities

vhlcentral | Online activities

Sobre el autor

Félix María Samaniego (1745–1801) nació en España y escribió las *Fábulas morales* que ilustran de manera humorística el carácter humano. Los protagonistas de muchas de sus fábulas son animales que hablan.

El perro y el cocodrilo

Bebiendo un perro en el Nilo°,
al mismo tiempo corría.
"Bebe quieto°", le decía
un taimado° cocodrilo.

Díjole° el perro prudente:
"Dañoso° es beber y andar°;
pero ¿es sano el aguardar
a que me claves el diente°? "

¡Oh qué docto° perro viejo!
Yo venero° su sentir°
en esto de no seguir
del enemigo el consejo.

Nilo *Nile* quieto *in peace* taimado *sly* Díjole *Said to him* Dañoso *Harmful* andar *to walk* ¿es sano... diente? *Is it good for me to wait for you to sink your teeth into me?* docto *wise* venero *revere* sentir *wisdom*

obre el autor

omás de Iriarte (1750–1791) nació en las islas Canarias y tuvo gran éxito° con su libro *Fábulas literarias*. Su tendencia a representar la lógica a través de° símbolos de la naturaleza fue de gran influencia para muchos autores de su época°.

El pato° y la serpiente

A orillas° de un estanque°,
diciendo estaba un pato:
"¿A qué animal dio el cielo°
los dones que me ha dado°?

"Soy de agua, tierra y aire:
cuando de andar me canso°,
si se me antoja, vuelo°;
si se me antoja, nado".

Una serpiente astuta
que le estaba escuchando,
le llamó con un silbo°,
y le dijo "¡Seo° guapo!

"No hay que echar tantas plantas°;
pues ni anda como el gamo°,
ni vuela como el sacre°,
ni nada como el barbo°;

"y así tenga sabido
que lo importante y raro°
no es entender de todo,
sino ser diestro° en algo".

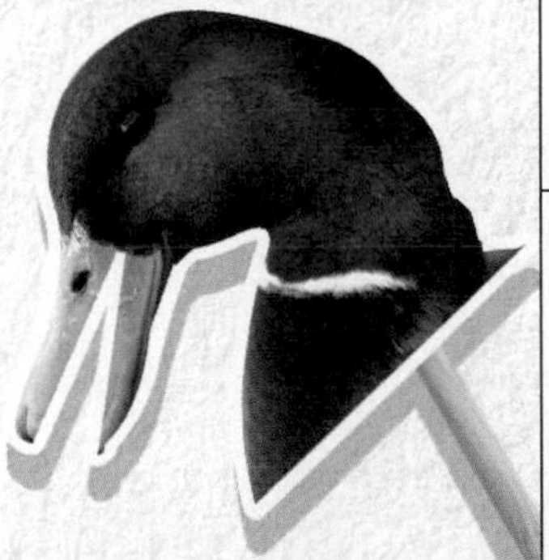

to *success* a través de *through* época *time* pato *duck* orillas *banks* estanque *pond* cielo *heaven* los dones... dado *the gifts that it has given me* me canso *I get tired* si se... vuelo *if I feel like it, I fly* silbo *hiss* Seo *Señor* No hay... plantas *There's no reason to boast* gamo *deer* sacre *falcon* barbo *barbel (a type of fish)* raro *rare* diestro *skillful*

Después de leer

Comprensión

Escoge la mejor opción para completar cada oración.

1. El cocodrilo ____ perro.
   a. está preocupado por el b. quiere comerse al
   c. tiene miedo del
2. El perro ____ cocodrilo.
   a. tiene miedo del b. es amigo del
   c. quiere quedarse con el
3. El pato cree que es un animal ____.
   a. muy famoso b. muy hermoso
   c. de muchos talentos
4. La serpiente cree que el pato es ____.
   a. muy inteligente b. muy tonto c. muy feo

Preguntas

Contesta las preguntas.

1. ¿Qué representa el cocodrilo?
   ____
2. ¿Qué representa el pato?
   ____
3. ¿Cuál es la moraleja (*moral*) de "El perro y el cocodrilo"?
   ____
4. ¿Cuál es la moraleja de "El pato y la serpiente"?
   ____

Coméntalo

En parejas, túrnense para hacerse estas preguntas. ¿Estás de acuerdo con las moralejas de estas fábulas? ¿Por qué? ¿Cuál de estas fábulas te gusta más? ¿Por qué? ¿Conoces otras fábulas? ¿Cuál es su propósito?

Escribir

Escribe una fábula para compartir con la clase. Puedes escoger algunos animales de la lista o escoger otros. ¿Qué características deben tener estos animales?

- una abeja (*bee*)
- un gato
- un mono
- un burro
- un perro
- una tortuga
- un águila (*eagle*)
- un pavo real (*peacock*)

Video

Colombia

El país en cifras

- **Área:** 1.138.910 km² (439.734 millas²), *tres veces el área de Montana*
- **Población:** 47.698.000

De todos los países de habla hispana, sólo México tiene más habitantes que Colombia. Casi toda la población colombiana vive en las áreas montañosas y la costa occidental° del país. Aproximadamente el 55% de la superficie° del país está sin poblar°.

- **Capital:** Bogotá—9.765.000
- **Ciudades principales:** Medellín—3.911.000, Cali—2.646.000, Barranquilla—1.991.000, Cartagena—1.092.000

Medellín

- **Moneda:** peso colombiano
- **Idiomas:** español (oficial); lenguas indígenas, criollas y gitanas

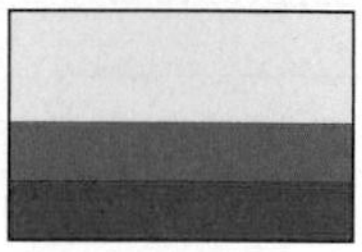

Bandera de Colombia

Colombianos célebres

- **Edgar Negret,** escultor°, pintor (1920–2012)
- **Juan Pablo Montoya,** automovilista (1975–)
- **Fernando Botero,** pintor, escultor (1932–)
- **Shakira,** cantante (1977–)
- **Sofía Vergara,** actriz (1972–)

occidental *western* superficie *surface* sin poblar *unpopulated* escultor *sculptor*

Palacio de San Francisco, Bogotá

Desfile en Cartagena

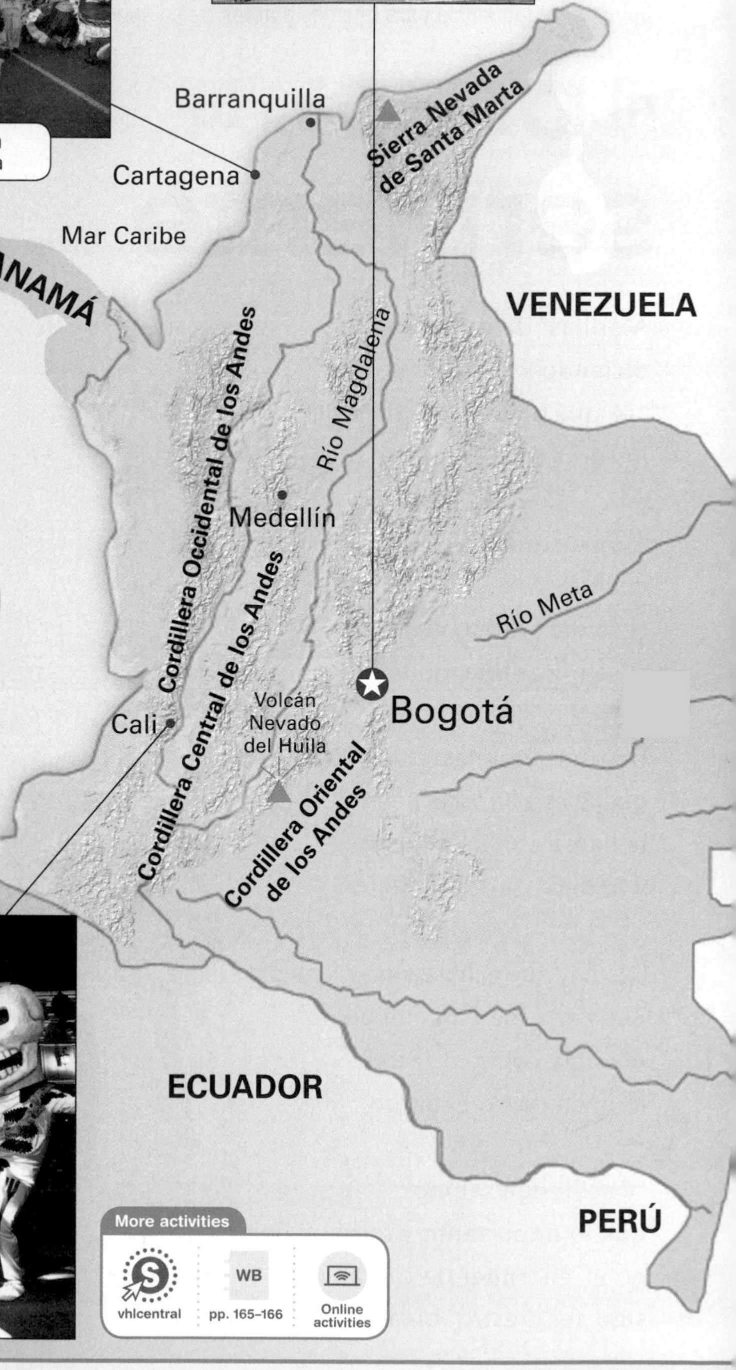

Feria de Cali

More activities: vhlcentral | WB pp. 165–166 | Online activities

ACTIVIDADES

1 **¿Cierto o falso?** Indica si lo que dicen las oraciones es **cierto** o **falso**.

1. Colombia tiene la población más grande de todos los países de habla hispana.
2. En Colombia sólo se habla español.
3. Fernando Botero es un famoso pintor colombiano.
4. Juan Pablo Montoya es ecologista.
5. El río Magdalena pasa por Colombia.
6. El Museo del Oro fue fundado en el año 1533.
7. El libro más conocido de Gabriel García Márquez es *Cien años de soledad.*
8. Se conservan muchos edificios de la época colonial en Cartagena de Indi
9. El evento más importante del Carnaval de Barranquilla es la Batalla de Flores.
10. La leyenda de El Dorado nació en la laguna de Guatavita.

Lugares • El Museo del Oro

El famoso Museo del Oro del Banco de la República fue fundado° en Bogotá en 1939 para preservar las piezas de orfebrería° de la época precolombina. Tiene más de 30.000 piezas de oro y otros materiales; en él se pueden ver joyas°, ornamentos religiosos y figuras que representaban ídolos. El cuidado con el que se hicieron los objetos de oro refleja la creencia° de las tribus indígenas de que el oro era la expresión física de la energía creadora° de los dioses°.

Literatura • Gabriel García Márquez (1927–2014)

Gabriel García Márquez, ganador del Premio Nobel de Literatura en 1982, es considerado uno de los escritores más importantes de la literatura universal. García Márquez publicó su primer cuento° en 1947, cuando era estudiante universitario. Su libro más conocido, *Cien años de soledad*, está escrito en el estilo° literario llamado "realismo mágico", un estilo que mezcla° la realidad con lo irreal y lo mítico°.

Historia • Cartagena de Indias

Los españoles fundaron la ciudad de Cartagena de Indias en 1533 y construyeron a su lado la fortaleza° más grande de las Américas: el Castillo de San Felipe de Barajas. En la ciudad de Cartagena se conservan muchos edificios de la época colonial, como iglesias, monasterios, palacios y mansiones. Cartagena es conocida también por el Festival Internacional de Música y por su prestigioso Festival Internacional de Cine.

Costumbres • El Carnaval

Durante el Carnaval de Barranquilla, la ciudad vive casi exclusivamente para esta fiesta. Este festival es una fusión de las culturas que han llegado° a las costas caribeñas de Colombia y de sus grupos autóctonos°. El evento más importante es la Batalla° de Flores, un desfile° de carrozas° decoradas con flores. En 2003, la UNESCO declaró este carnaval como Patrimonio de la Humanidad°.

fundado *founded* orfebrería *goldsmithing* joyas *jewelry* creencia *belief* creadora *creative* dioses *gods* cuento *story* estilo *style* mezcla *mixes* mítico *mythical* fortaleza *fortress* han llegado *have arrived* autóctonos *indigenous* Batalla *Battle* desfile *parade* carrozas *floats* Patrimonio de la Humanidad *World Heritage*

BRASIL

¡Increíble pero cierto!

En el siglo XVI los exploradores españoles oyeron la leyenda de El Dorado. Esta leyenda cuenta que los indios, como parte de un ritual en honor a los dioses, arrojaban° oro° a la laguna de Guatavita y el cacique° se sumergía en sus aguas cubierto de oro. Aunque esto era cierto, muy pronto la exageración llevó° al mito de una ciudad de oro.

arrojaban *threw* oro *gold* cacique *chief* llevó *led*

2 ¿Qué aprendiste? Contesta las preguntas.

1. ¿Cuáles son las principales ciudades de Colombia?
2. ¿Quién era Edgar Negret?
3. ¿Para qué fue fundado el Museo del Oro?
4. ¿Quién ganó el Premio Nobel de Literatura en 1982?
5. ¿Qué construyeron los españoles al lado de la ciudad de Cartagena de Indias?

3 Impresiones En parejas, túrnense para formar oraciones sobre Colombia. Utilicen expresiones como **es extraño que, me alegro de que, me sorprende que** y **ojalá que.**

modelo

Es obvio que Gabriel García Márquez es el escritor más importante de Colombia.

Honduras

El país en cifras

- **Área:** 112.492 km² (43.870 millas²), *un poco más grande que Tennessee*
- **Población:** 9.038.000

Cerca del 90 por ciento de la población de Honduras es mestiza. Todavía hay pequeños grupos indígenas como los jicaque, los misquito y los paya, que han mantenido su cultura sin influencias exteriores y que no hablan español.

- **Capital:** Tegucigalpa—1.123.000

Tegucigalpa

- **Ciudades principales:** San Pedro Sula, El Progreso, La Ceiba
- **Moneda:** lempira
- **Idiomas:** español (oficial), lenguas indígenas, inglés

Bandera de Honduras

Hondureños célebres

- **José Antonio Velásquez,** pintor (1906–1983)
- **Argentina Díaz Lozano,** escritora (1912–1999)
- **Carlos Roberto Reina,** juez° y presidente del país (1926–2003)
- **Roberto Sosa,** escritor (1930–2011)
- **Salvador Moncada,** científico (1944–)

juez *judge*

Guacamayo

Roatán, Islas de la Bahía

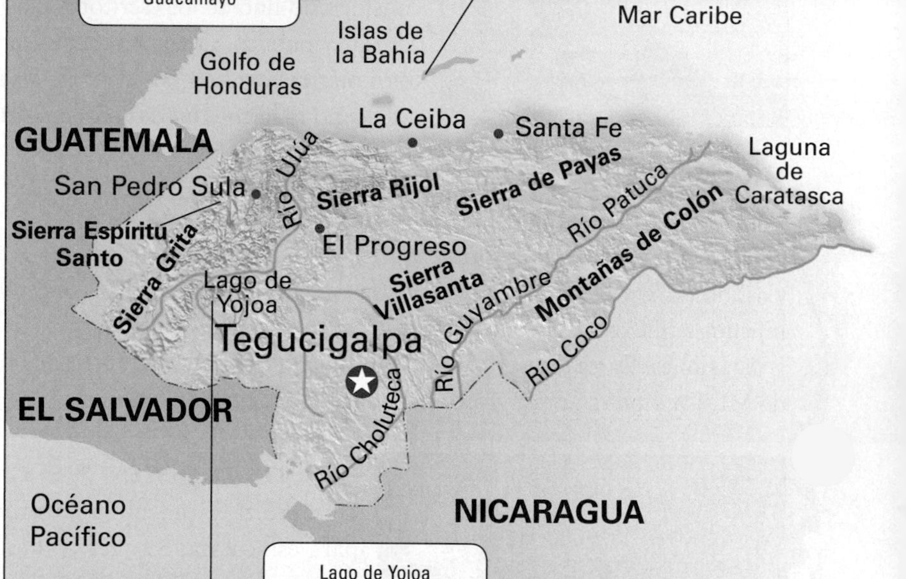

Lago de Yojoa

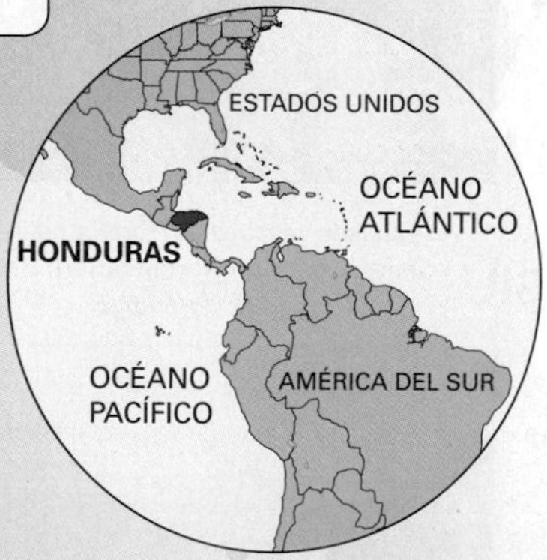

More activities: vhlcentral | WB pp. 167–168 | Online activities

ACTIVIDADES

1 ¿Cierto o falso? Indica si lo que dicen las oraciones es **cierto** o **falso**.

1. En Honduras hay comunidades indígenas que han mantenido su cultura y no hablan español.
2. Argentina Díaz Lozano fue una ecologista hondureña.
3. La capital de Honduras es San Pedro Sula.
4. Roberto Sosa fue un escritor hondureño.
5. Hay edificios adornados con esculturas pintadas a mano en Copán.
6. Los mayas jugaban a la pelota.
7. Las obras de José Antonio Velásquez representan escenas de ciencia ficción.
8. La reserva de biósfera de Río Plátano es conocida como "los pulmones de Centroamérica".
9. En la reserva de biósfera de Río Plátano sólo hay aves.
10. Los presos de la Penitenciaría Central de Tegucigalpa vendían artesanías.

Lugares • Copán

Copán es una zona arqueológica muy importante de Honduras. Fue construida por los mayas y se calcula que en el año 400 d. C. albergaba° a una ciudad con más de 150 edificios y una gran cantidad de plazas, patios, templos y canchas° para el juego de pelota°. Las ruinas más famosas del lugar son los edificios adornados con esculturas pintadas a mano, los cetros° ceremoniales de piedra y el templo Rosalila.

Economía • Las plantaciones de bananas

Desde hace más de cien años, las bananas son la exportación principal de Honduras y han tenido un papel fundamental en su historia. En 1899, la Standard Fruit Company empezó a exportar bananas del país centroamericano hacia Nueva Orleans. Esta fruta resultó tan popular en los Estados Unidos que generó grandes beneficios° para esta compañía y para la United Fruit Company, otra empresa norteamericana. Estas trasnacionales intervinieron muchas veces en la política hondureña debido° al enorme poder° económico que alcanzaron en la nación.

San Antonio de Oriente, 1957, José Antonio Velásquez

Artes • José Antonio Velásquez (1906–1983)

José Antonio Velásquez fue un famoso pintor hondureño. Es catalogado como primitivista° porque sus obras° representan aspectos de la vida cotidiana. En la pintura de Velásquez es notorio el énfasis en los detalles°, la falta casi total de los juegos de perspectiva y la pureza en el uso del color. Por todo ello, el artista ha sido comparado con importantes pintores europeos del mismo género° como Paul Gauguin o Emil Nolde.

Naturaleza • Reserva de biósfera de Río Plátano

La reserva de biósfera de Río Plátano está ubicada en el departamento de Gracias a Dios, en la costa noroeste de Honduras. Esta área es llamada "los pulmones de Centroamérica" pues presenta la mayor riqueza ecológica y ambiental de esta parte del continente americano. En sus montañas viven cerca de 2.000 indígenas, y en sus zonas de bosque lluvioso tropical hay una gran variedad de mamíferos, aves, peces, reptiles y árboles. Fue declarada Patrimonio de la Humanidad° por la UNESCO en 1980.

albergaba *housed* canchas *courts* juego de pelota *pre-Columbian ceremonial ball game* cetros *scepters* beneficios *profits* debido a *due to* poder *power* primitivista *primitivist* obras *works* detalles *details* género *genre* Patrimonio de la Humanidad *World Heritage*

¡Increíble pero cierto!

¿Irías de compras a una prisión? Hace un tiempo, cuando la Penitenciaría Central de Tegucigalpa aún funcionaba, los presos° hacían objetos de madera°, hamacas° y hasta instrumentos musicales y los vendían en una tienda dentro de la prisión. Allí, los turistas podían regatear con este especial grupo de artesanos.

presos *prisoners* madera *wood* hamacas *hammocks*

2 ¿Qué aprendiste? Contesta las preguntas.

1. ¿Qué es el lempira?
2. ¿Por qué es famoso Copán?
3. ¿Dónde está el templo Rosalila?
4. ¿Cuál es la exportación principal de Honduras?
5. ¿Cómo es el estilo de José Antonio Velásquez?

3 Preguntas En parejas, formen y contesten preguntas sobre Honduras. Utilicen los participos pasados.

modelo

Estudiante 1: ¿Dónde hay edificios adornados con esculturas pintadas a mano?

Estudiante 2: En Copán.

Vocabulary Tools

La naturaleza

el árbol	*tree*
el bosque (tropical)	*(tropical; rain) forest*
el cielo	*sky*
el cráter	*crater*
el desierto	*desert*
la estrella	*star*
la flor	*flower*
la hierba	*grass*
el lago	*lake*
la luna	*moon*
la naturaleza	*nature*
la nube	*cloud*
la piedra	*stone*
la planta	*plant*
el río	*river*
la selva, la jungla	*jungle*
el sendero	*trail; path*
el sol	*sun*
la tierra	*land; soil*
el valle	*valley*
el volcán	*volcano*

Los animales

el animal	*animal*
el ave, el pájaro	*bird*
la ballena	*whale*
el gato	*cat*
el mono	*monkey*
el perro	*dog*
el pez (sing.), los peces (pl.)	*fish*
la tortuga (marina)	*(sea) turtle*
la vaca	*cow*

More activities

vhlcentral | LM p. 78

El medio ambiente

el calentamiento global	*global warming*
el cambio climático	*climate change*
la conservación	*conservation*
la contaminación (del aire; del agua)	*(air; water) pollution*
la deforestación	*deforestation*
la ecología	*ecology*
el/la ecologista	*ecologist*
el ecoturismo	*ecotourism*
la energía (nuclear, solar)	*(nuclear, solar) energy*
el envase	*container*
la extinción	*extinction*
la fábrica	*factory*
el gobierno	*government*
la lata	*(tin) can*
la ley	*law*
el medio ambiente	*environment*
el peligro	*danger*
la (sobre)población	*(over)population*
el reciclaje	*recycling*
el recurso natural	*natural resource*
la solución	*solution*
cazar	*to hunt*
conservar	*to conserve*
contaminar	*to pollute*
controlar	*to control*
cuidar	*to take care of*
dejar de (+ *inf.*)	*to stop (doing something)*
desarrollar	*to develop*
descubrir	*to discover*
destruir	*to destroy*
estar afectado/a (por)	*to be affected (by)*
estar contaminado/a	*to be polluted*
evitar	*to avoid*
mejorar	*to improve*
proteger	*to protect*
reciclar	*to recycle*
recoger	*to pick up*
reducir	*to reduce*
resolver (o:ue)	*to resolve; to solve*
respirar	*to breathe*
de aluminio	*(made) of aluminum*
de plástico	*(made) of plastic*
de vidrio	*(made) of glass*
ecológico/a	*ecological*
puro/a	*pure*
renovable	*renewable*

Las emociones

alegrarse (de)	*to be happy*
esperar	*to hope; to wish*
sentir (e:ie)	*to be sorry; to regret*
temer	*to be afraid*
es extraño	*it's strange*
es una lástima	*it's a shame*
es ridículo	*it's ridiculous*
es terrible	*it's terrible*
es triste	*it's sad*
ojalá (que)	*I hope (that); I wish (that)*

Las dudas y certezas

(no) creer	*(not) to believe*
(no) dudar	*(not) to doubt*
(no) negar (e:ie)	*(not) to deny*
es imposible	*it's impossible*
es improbable	*it's improbable*
es obvio	*it's obvious*
no cabe duda de	*there is no doubt that*
no hay duda de	*there is no doubt that*
(no) es cierto	*it's (not) certain*
(no) es posible	*it's (not) possible*
(no) es probable	*it's (not) probable*
(no) es seguro	*it's (not) certain*
(no) es verdad	*it's (not) true*

Conjunciones

a menos que	*unless*
antes (de) que	*before*
con tal (de) que	*provided (that)*
cuando	*when*
después de que	*after*
en caso (de) que	*in case (that)*
en cuanto	*as soon as*
hasta que	*until*
para que	*so that*
sin que	*without*
tan pronto como	*as soon as*

Past participles used as adjectives	*See page 438.*
Expresiones útiles	*See page 421.*

En la ciudad

14

Communicative Goals

You will learn how to:

- **Give advice to others**
- **Give and receive directions**
- **Discuss daily errands and city life**

A PRIMERA VISTA

- ¿Está la mujer en una ciudad o en un bosque?
- ¿Tiene una lata o un mapa en la mano?
- ¿Hay árboles?
- ¿Tiene balcones el edificio?

Hotspots

En la ciudad

Más vocabulario

la carnicería	*butcher shop*
la heladería	*ice cream shop*
la panadería	*bakery*
el supermercado	*supermarket*
la cuadra	*(city) block*
la dirección	*address*
la esquina	*corner*
el estacionamiento	*parking lot*
derecho	*straight (ahead)*
enfrente de	*opposite; facing*
hacia	*toward*
cruzar	*to cross*
doblar	*to turn*
hacer diligencias	*to run errands*
quedar	*to be located*
el cheque	*check*
la cuenta corriente	*checking account*
la cuenta de ahorros	*savings account*
ahorrar	*to save (money)*
cobrar	*to cash (a check)*
depositar	*to deposit*
firmar	*to sign*
llenar (un formulario)	*to fill out (a form)*
pagar a plazos	*to pay in installments*
pagar al contado/ en efectivo	*to pay in cash*
pedir prestado/a	*to borrow*
pedir un préstamo	*to apply for a loan*
ser gratis	*to be free of charge*

Variación léxica

cuadra ⟷ manzana (*Esp.*)
estacionamiento ⟷ aparcamiento (*Esp.*)
doblar ⟷ girar; virar; dar vuelta
hacer diligencias ⟷ hacer mandados

More activities

vhlcentral | LM p. 79 | WB pp. 169–170 | Online activities

Práctica

1 **Emparejar** Empareja las oraciones con las tiendas apropiadas.

1. ____	a. la joyería
2. ____	b. la pastelería
3. ____	c. la carnicería
4. ____	d. la frutería
5. ____	e. la zapatería
6. ____	f. la pescadería
7. ____	g. la panadería
8. ____	h. el banco

2 **Cita** Indica si cada afirmación es **cierta** o **falsa**.

1. Sandra fue a la peluquería.
2. Jorge fue a la zapatería.
3. Sandra fue a la lavandería.
4. Jorge va a encontrarse con Sandra en la pastelería.
5. Sandra también quiere ir a una heladería.
6. La panadería queda en la esquina.

3 **Seleccionar** Indica dónde haces estas diligencias.

banco	joyería	pescadería
carnicería	lavandería	salón de belleza
frutería	pastelería	zapatería

modelo

pedir un préstamo *banco*

1. comprar galletas
2. comprar manzanas
3. lavar la ropa
4. comprar pollo
5. comprar mariscos
6. comprar sandalias

4 **Completar** Completa las oraciones con las palabras más adecuadas.

1. El banco me regaló un reloj. Fue ________.
2. La cajera me dijo que tenía que ________ el cheque en el dorso (*on the back*) para cobrarlo.
3. Me gusta ________ dinero, pero no me molesta gastarlo.
4. Para pagar con un cheque, necesito tener dinero en mi ________.
5. Mi madre va a un ________ para obtener dinero en efectivo cuando el banco está cerrado.
6. Julio debe pedir un ________ para pagar sus estudios.
7. Ana ________ su cheque en su cuenta de ahorros.
8. Siempre pago mis compras en efectivo o con tarjeta de crédito; no me gusta pagar ________.

En el correo

¡LENGUA VIVA!

Note that **correo** can mean either *mail* or *post office.* Other ways to say *post office* are **la oficina de correos** and **correos.**

5 **Conversación** Completa la conversación con las palabras más adecuadas.

CARTERO Buenas tardes, ¿es usted la señorita Ramírez? Le traigo un (1) ____________.

JUANITA Sí, soy yo. ¿Quién lo envía?

CARTERO La señora Brito. Y también tiene dos (2) ____________.

JUANITA Ay, pero ¡ninguna es de mi novio! ¿No llegó nada de Manuel Fuentes?

CARTERO Sí, pero él echó la carta al (3) ____________ sin poner un (4) ____________ en el sobre.

JUANITA Entonces, ¿qué recomienda usted que haga?

CARTERO Sugiero que vaya al (5) ____________. Con tal de que pague el costo del sello, se le puede dar la carta sin ningún problema.

JUANITA Uy, otra diligencia, y no tengo mucho tiempo esta tarde para (6) ____________ cola en el correo, pero voy enseguida. ¡Ojalá que sea una carta de amor!

¡LENGUA VIVA!

In Spanish, **Soy yo** means *That's me or It's me.* **¿Eres tú?/ ¿Es usted?** means *Is that you?*

6 **Situaciones** En parejas, hagan una lista de las palabras que pueden necesitar para representar estas situaciones.

- Dos compañeros/as de cuarto van a la lavandería.
- Un(a) cliente/a habla con un(a) empleado/a de banco sobre abrir una cuenta corriente.
- Una pareja de recién casados quiere pedir un préstamo para comprar una casa.
- Dos amigos no recuerdan dónde estacionaron el carro.
- Una persona habla con un(a) empleado/a de correo sobre mandar un paquete.

Ahora, escojan una de las cinco situaciones y represéntenla para la clase.

Comunicación

7

Diligencias En parejas, decidan quién va a hacer cada diligencia y cuál es la manera más rápida de llegar a los diferentes lugares desde el campus.

AYUDA

Note these different meanings:

quedar *to be located; to be left over; to fit*

quedarse *to stay, to remain*

modelo

comprar una pizza

Estudiante 1: *Yo voy a comprar una pizza. ¿Cómo llego al restaurante italiano?*

Estudiante 2: *Conduce hacia el norte hasta cruzar la calle Oak. El restaurante queda en la esquina a la izquierda.*

1. enviar un paquete
2. comprar botas nuevas
3. comprar un pastel de cumpleaños
4. lavar unas camisas
5. comprar helado
6. cortarse (*to cut*) el pelo

8

El Hatillo Trabajen en parejas para representar los papeles de un(a) turista que está perdido/a en El Hatillo y de un(a) residente de la ciudad que quiere ayudarlo/la.

NOTA CULTURAL

El Hatillo es un municipio del área metropolitana de Caracas. Forma parte del Patrimonio Cultural de Venezuela y es muy popular por su arquitectura pintoresca, sus restaurantes y sus tiendas de artesanía.

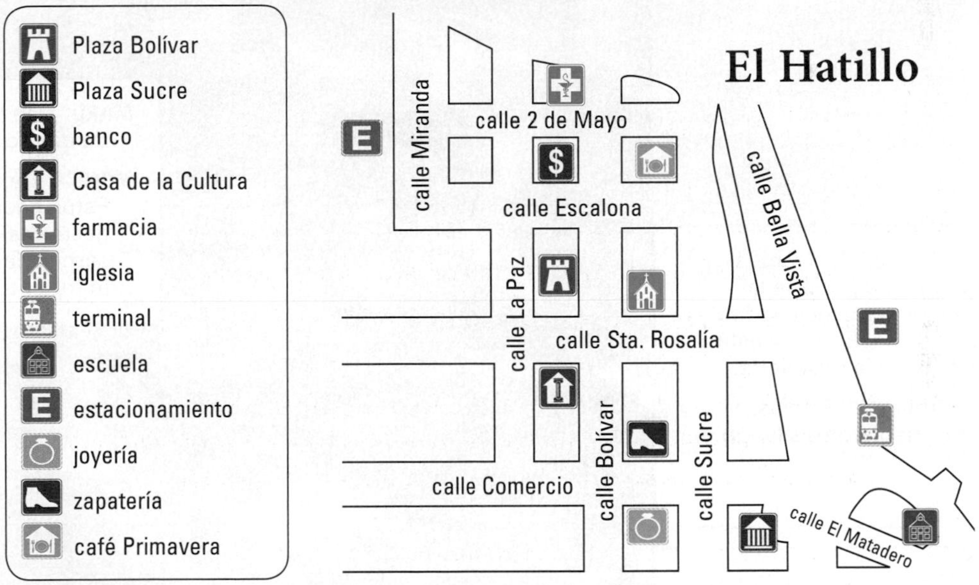

modelo

Plaza Sucre, café Primavera

Estudiante 1: *Perdón, ¿por dónde queda la Plaza Sucre?*

Estudiante 2: *Del café Primavera, camine derecho por la calle Sucre hasta cruzar la calle Comercio…*

1. Plaza Bolívar, farmacia
2. Casa de la Cultura, Plaza Sucre
3. banco, terminal
4. estacionamiento (este), escuela
5. Plaza Sucre, estacionamiento (oeste)
6. joyería, banco
7. farmacia, joyería
8. zapatería, iglesia

9

Cómo llegar En grupos, escriban un minidrama en el que unos/as turistas están preguntando cómo llegar a diferentes sitios de la comunidad en la que ustedes viven.

Corriendo por la ciudad

Maru necesita entregar unos documentos en el Museo de Antropología.

PERSONAJES

MARU

MIGUEL

Video

1

MARU Miguel, ¿estás seguro de que tu coche está estacionado en la calle de Independencia? Estoy en la esquina de Zaragoza y Francisco Sosa. OK. Estoy enfrente del salón de belleza.

2

MIGUEL Dobla a la avenida Hidalgo. Luego cruza la calle Independencia y dobla a la derecha. El coche está enfrente de la pastelería.

MARU ¡Ahí está! Gracias, cariño. Hablaremos luego.

3

MARU Vamos, arranca. Pensé que podías aguantar unos kilómetros más. Necesito un coche que funcione bien. (*en el teléfono*) Miguel, tu coche está descompuesto. Voy a pasar al banco porque necesito dinero, y luego me iré en taxi al museo.

4

MARU Hola, Moni. Lo siento, tengo que ir a entregar un paquete y todavía tengo que ir a un cajero.

MÓNICA ¡Uf! Y la cola está súper larga.

5

MARU ¿Me puedes prestar algo de dinero?

MÓNICA Déjame ver cuánto tengo. Estoy haciendo diligencias, y me gasté casi todo el efectivo en la carnicería y en la panadería y en la frutería.

6

MÓNICA ¿Estás bien? Te ves pálida. Sentémonos un minuto.

MARU ¡No tengo tiempo! Tengo que llegar al Museo de Antropología. Necesito entregar...

MÓNICA ¡Ah, sí, tu proyecto!

MÓNICA

MÓNICA ¿Puedes mandarlo por correo? El correo está muy cerca de aquí.

MARU El plazo para mandarlo por correo se venció la semana pasada. Tengo que entregarlo personalmente.

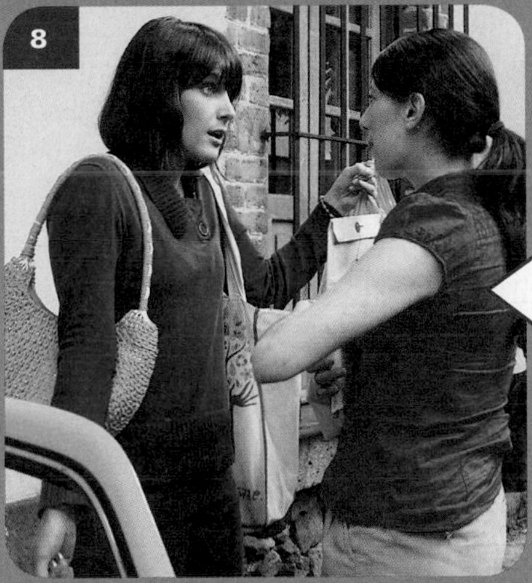

MARU ¿Me podrías prestar tu coche?

MÓNICA Estás muy nerviosa para manejar con este tráfico. Te acompaño. ¡No!, mejor, yo te llevo. Mi coche está en el estacionamiento de la calle Constitución.

MARU En esta esquina dobla a la derecha. En el semáforo, a la izquierda y sigue derecho.

MÓNICA Hay demasiado tráfico. No sé si podemos...

MARU Hola, Miguel. No, no hubo más problemas. Lo entregué justo a tiempo. Nos vemos más tarde. (*a Mónica*) ¡Vamos a celebrar!

Expresiones útiles

Getting/giving directions

Estoy en la esquina de Zaragoza y Francisco Sosa.
I'm at the corner of Zaragoza and Francisco Sosa.
Dobla a la avenida Hidalgo.
Turn on Hidalgo Avenue.
Luego cruza la calle Independencia y dobla a la derecha.
Then cross Independencia Street and turn right.
El coche está enfrente de la pastelería.
The car is in front of the bakery.
En el semáforo, a la izquierda y sigue derecho.
Left at the light, then straight ahead.

Talking about errands

Voy a pasar al banco porque necesito dinero.
I'm going to the bank because I need money.
No tengo tiempo.
I don't have time.
Estoy haciendo diligencias, y me gasté casi todo el efectivo.
I'm running errands, and I spent most of my cash.

Asking for a favor

¿Me puedes prestar algo de dinero?
Could you lend me some money?
¿Me podrías prestar tu coche?
Could I borrow your car?

Talking about deadlines

Tengo que entregar mi proyecto.
I have to turn in my project.
El plazo para mandarlo por correo se venció la semana pasada.
The deadline to mail it in passed last week.

Additional vocabulary

acompañar *to accompany*
aguantar *to endure, to hold up*
ándale *come on*
pálido/a *pale*
¿Qué onda? *What's up?*

More activities
vhlcentral | VM pp. 27–28 | Online activities

¿Qué pasó?

1

¿Cierto o falso? Decide si lo que dicen estas oraciones es **cierto** o **falso**. Corrige las oraciones falsas.

	Cierto	Falso
1. Miguel dice que su coche está estacionado enfrente de la carnicería.	❍	❍
2. Maru necesita pasar al banco porque necesita dinero.	❍	❍
3. Mónica gastó el efectivo en la joyería y el supermercado.	❍	❍
4. Maru puede mandar el paquete por correo.	❍	❍

2

Ordenar Pon los sucesos en el orden correcto.

a. Maru le pide dinero prestado a Mónica. ______
b. Maru entregó el paquete justo a tiempo (*just in time*). ______
c. Mónica dice que hay una cola súper larga en el banco. ______
d. Mónica lleva a Maru en su coche. ______
e. Maru dice que se irá en taxi al museo. ______
f. Maru le dice a Mónica que doble a la derecha en la esquina. ______

3

Otras diligencias En parejas, hagan una lista de las diligencias que Miguel, Maru y Mónica necesitan hacer para completar estas actividades.

1. enviar un paquete por correo
2. pedir una beca (*scholarship*)
3. visitar una nueva ciudad
4. abrir una cuenta corriente
5. celebrar el cumpleaños de Mónica
6. comprar una nueva computadora portátil

MARU

MIGUEL

MÓNICA

4

Conversación Un(a) compañero/a y tú son vecinos/as. Uno/a de ustedes acaba de mudarse y necesita ayuda porque no conoce la ciudad. Los/Las dos tienen que hacer algunas diligencias y deciden hacerlas juntos/as. Preparen una conversación breve incluyendo planes para ir a estos lugares.

modelo

Estudiante 1: Necesito lavar mi ropa. ¿Sabes dónde queda una lavandería?
Estudiante 2: Sí. Aquí a dos cuadras hay una. También tengo que lavar mi ropa. ¿Qué te parece si vamos juntos?

- un cajero automático
- una lavandería
- un supermercado
- una heladería
- una panadería

AYUDA

primero *first*
luego *then*
¿Sabes dónde queda...? *Do you know where...is?*
¿Qué te parece? *What do you think?*
¡Cómo no! *But of course!*

Ortografía

Tutorial

Las abreviaturas

In Spanish, as in English, abbreviations are often used in order to save space and time while writing. Here are some of the most commonly used abbreviations in Spanish.

usted → Ud. **ustedes → Uds.**

As you have already learned, the subject pronouns **usted** and **ustedes** are often abbreviated

don → D. **doña → Dña.** **doctor(a) → Dr(a).**
señor → Sr. **señora → Sra.** **señorita → Srta.**

These titles are frequently abbreviated.

centímetro → cm **metro → m** **kilómetro → km**
litro → l **gramo → g** **kilogramo → kg**

The abbreviations for these units of measurement are often used, but without periods.

por ejemplo → p. ej. **página(s) → pág(s).**

These abbreviations are often seen in books.

derecha → dcha. **izquierda → izq., izqda.**
código postal → C.P. **número → n.º**

These abbreviations are often used in mailing addresses.

Banco → Bco. **Compañía → Cía.**
cuenta corriente → c/c. **Sociedad Anónima (*Inc.*) → S.A.**

These abbreviations are frequently used in the business world.

Práctica Escribe otra vez esta información usando las abreviaturas adecuadas.

1. doña María
2. señora Pérez
3. Compañía Mexicana de Inversiones
4. usted
5. Banco de Santander
6. doctor Medina
7. Código Postal 03697
8. cuenta corriente número 20-453

Emparejar En la tabla hay nueve abreviaturas. Empareja los cuadros necesarios para formarlas.

S.	c.	C.	c	co.	U
B	c/	Sr	A.	D	dc
ta.	P.	ña.	ha.	m	d.

More activities
vhlcentral
LM p. 80

Flash CULTURA

EN DETALLE

Video

Las bicicletas en la ciudad

La bicicleta es un medio de transporte que tiene múltiples beneficios. Es ideal a la hora de recorrer la ciudad si se quieren evitar los atascos° y, además, su uso no sólo evita la contaminación ambiental, también es una forma de cuidar la salud.

En este sentido°, las ciudades de Latinoamérica están desarrollando políticas para la promoción del uso de las bicicletas en la vida urbana. El objetivo es lograr° que las calles se conviertan en un espacio seguro y respetuoso° para todos.

Desde hace años, Bogotá está a la cabeza de la iniciativa que propone el uso de la bicicleta como medio de transporte alternativo y amigable° con el medio ambiente. De esta manera, todos los domingos y días festivos, desde las siete de la mañana hasta las dos de la tarde, se prohíbe la circulación de carros por las principales calles de esta ciudad de nueve millones de habitantes: sólo pueden pasear por estas calles los peatones° y las bicicletas. Se calcula que cerca de un millón y medio de bicicletas llenan la ciudad en esos días. Hay también ciclovías° nocturnas, es decir, vías vehiculares que, por unas horas en las noches, permiten el uso exclusivo de bicicletas, y ciclopaseos, que son visitas programadas a lugares históricos de la ciudad. Además, desde el año 2000, el primer jueves de febrero se celebra en la ciudad el Día sin carro.

En otras ciudades la gran novedad es el sistema de bicicletas compartidas. En Buenos Aires, el programa Ecobici nació en 2010 y funciona todos los días del año durante las 24 horas. Cualquier persona (incluso los turistas) puede buscar una bicicleta en una estación automática cercana, pasear en ella por la ciudad y devolverla° en otra estación. ¡Y es totalmente gratis! La ciudad tiene 190 kilómetros de ciclovías y 200 estaciones con 2.450 bicicletas públicas. Y el programa sigue aumentando.

Otros sistemas de bicicletas compartidas

Caracas, Venezuela: Caracas Rueda Libre (2015)
Ciudad de México, México: ECOBICI (2010)
Medellín, Colombia: EnCicla (2011)
Montevideo, Uruguay: Movete (2014)
Quito, Ecuador: BiciQuito (2012)
Santiago, Chile: Bikesantiago (2013)

atascos *traffic jams* **sentido** *regard* **lograr** *to achieve* **respetuoso** *respectful* **amigable** *friendly* **peatones** *pedestrians* **ciclovías** *bikeways* **devolverla** *return it*

ACTIVIDADES

1 **¿Cierto o falso?** Indica si lo que dice cada oración es **cierto** o **falso**. Corrige la información falsa.

1. Todos los domingos y días festivos, sólo los peatones y las bicicletas pueden pasear por las principales calles de Bogotá.
2. En Bogotá se prohíbe la circulación de los carros desde las siete de la mañana hasta las seis de la tarde.
3. Los ciclopaseos son calles sólo para bicicletas.
4. En Bogotá está prohibido usar carros durante todo el mes de febrero.
5. Ecobici es un sistema de bicicletas compartidas en Buenos Aires.
6. Puedes usar bicicletas de Ecobici sólo de lunes a viernes.
7. Los ciclistas pagan para usar Ecobici.
8. El sistema de bicicletas compartidas de Medellín se llama EnCicla.

ASÍ SE DICE

En la ciudad

el parqueadero (Col., Pan.) el parqueo (Bol., Cuba, Amér. C.)	el estacionamiento
dar un aventón (Méx.); dar botella (Cuba)	*to give (someone) a ride*
el subterráneo, el subte (Arg.)	el metro

EL MUNDO HISPANO

Apodos de ciudades

Así como Nueva York es la Gran Manzana, muchas ciudades hispanas tienen un apodo°.

- **La tacita de plata°** A Cádiz, España, se le llama así por sus edificios blancos de estilo árabe.
- **Ciudad de la eterna primavera** Arica, Chile; Cuernavaca, México, y Medellín, Colombia, llevan este sobrenombre por su clima templado° durante todo el año.
- **La docta°** Así se conoce a la ciudad argentina de Córdoba por su gran tradición universitaria.
- **La ciudad de los reyes** Así se conoce Lima, Perú, porque fue la capital del Virreinato° del Perú y allí vivían los virreyes°.
- **La arenosa** A Barranquilla, Colombia, se le llama así porque sus calles y espacios públicos siempre están cubiertos° de arena debido a los vientos constantes.

apodo *nickname* **plata** *silver* **templado** *mild* **docta** *erudite* **Virreinato** *Viceroyalty* **virreyes** *viceroys* **cubiertos** *covered*

PERFIL

Luis Barragán: arquitectura y emoción

Para el arquitecto mexicano **Luis Barragán** (1902–1988) los sentimientos° y emociones que despiertan sus diseños eran muy importantes. Afirmaba° que la arquitectura tiene una dimensión espiritual. Para él, era belleza, inspiración, magia°, serenidad, misterio, silencio, privacidad, asombro°...

Casa Barragán, Ciudad de México, 1947-1948

Las obras de Barragán muestran un suave° equilibrio entre la naturaleza y la creación humana. Su estilo también combina la arquitectura tradicional mexicana con conceptos modernos. Una característica de sus casas son las paredes envolventes° de diferentes colores con muy pocas ventanas.

En 1980, Barragán obtuvo° el Premio Pritzker, algo así como el Premio Nobel de Arquitectura. Está claro que este artista logró° que sus casas transmitieran sentimientos especiales.

sentimientos *feelings* **Afirmaba** *He stated* **magia** *magic* **asombro** *amazement* **suave** *smooth* **envolventes** *enveloping* **obtuvo** *received* **logró** *managed*

CON RITMO HISPANO

Oscar D'León (1943–)

Lugar de nacimiento: Caracas, Venezuela

Oscar D'León es uno de los grandes cantantes de salsa de América Latina. Fue mecánico y taxista antes de ser músico.

Go to **vhlcentral.com** to find out more about **Oscar D'León** and his music.

ACTIVIDADES

2 Comprensión Contesta las preguntas.

1. ¿En qué país estás si te dicen "Dame botella al parqueo"?
2. ¿Qué ciudades tienen clima templado todo el año?
3. ¿Qué es más importante en los diseños de Barragán: la naturaleza o la creación humana?
4. ¿Qué premio obtuvo Barragán y cuándo?

3 ¿Qué ciudad te gusta? Escribe un párrafo breve sobre el sentimiento que despiertan las construcciones que hay en una ciudad o un pueblo que te guste mucho. Explica cómo es y cómo te sientes cuando estás allí. Inventa un apodo para este lugar.

More activities

vhlcentral | VM pp. 57–58 | Online activities

14.1 The subjunctive in adjective clauses

Tutorial

ANTE TODO In **Lección 13**, you learned that the subjunctive is used in adverbial clauses after certain conjunctions. You will now learn how the subjunctive can be used in adjective clauses to express that the existence of someone or something is uncertain or indefinite.

▶ The subjunctive is used in an adjective (or subordinate) clause that refers to a person, place, thing, or idea that either does not exist or whose existence is uncertain or indefinite. In the examples below, compare the differences in meaning between the statements using the indicative and those using the subjunctive.

Indicative	Subjunctive
Necesito **el libro** que **tiene** información sobre Venezuela. *I need the book that has information about Venezuela.*	Necesito **un libro** que **tenga** información sobre Venezuela. *I need a book that has information about Venezuela.*
Quiero vivir en **esta casa** que **tiene** jardín. *I want to live in this house that has a garden.*	Quiero vivir en **una casa** que **tenga** jardín. *I want to live in a house that has a garden.*
En mi barrio, hay **una heladería** que **vende** helado de mango. *In my neighborhood, there's an ice cream shop that sells mango ice cream.*	En mi barrio no hay **ninguna heladería** que **venda** helado de mango. *In my neighborhood, there is no ice cream shop that sells mango ice cream.*

▶ When the adjective clause refers to a person, place, thing, or idea that is clearly known, certain, or definite, the indicative is used.

Quiero ir **al supermercado** que **vende** productos venezolanos.
I want to go to the supermarket that sells Venezuelan products.

Busco **al profesor** que **enseña** japonés.
I'm looking for the professor who teaches Japanese.

Conozco **a alguien** que **va** a esa peluquería.
I know someone who goes to that beauty salon.

Tengo **un amigo** que **vive** cerca de mi casa.
I have a friend who lives near my house.

¡ATENCIÓN!

Adjective clauses are subordinate clauses that modify a noun or pronoun in the main clause of a sentence. That noun or pronoun is called the *antecedent*.

¡ATENCIÓN!

Observe the important role that the indefinite article vs. the definite article plays in determining the use of the subjunctive in adjective clauses. Read the following sentences and notice why they are different:

¿Conoces *un* restaurante italiano que *esté* cerca de mi casa?

¿Conoces *el* restaurante italiano que *está* cerca de mi casa?

- The personal **a** is not used with direct objects that are hypothetical people. However, as you learned in **Lección 7**, **alguien** and **nadie** are always preceded by the personal **a** when they function as direct objects.

Necesitamos **un empleado** que **sepa** usar computadoras. *We need an employee who knows how to use computers.*	Necesitamos **al empleado** que **sabe** usar computadoras. *We need the employee who knows how to use computers.*
Buscamos **a alguien** que **pueda** cocinar. *We're looking for someone who can cook.*	No conocemos **a nadie** que **pueda** cocinar. *We don't know anyone who can cook.*

- The subjunctive is commonly used in questions with adjective clauses when the speaker is trying to find out information about which he or she is uncertain. However, if the person who responds to the question knows the information, the indicative is used.

—¿Hay un parque que **esté** cerca de nuestro hotel? *Is there a park that's near our hotel?*	—Sí, hay un parque que **está** muy cerca del hotel. *Yes, there's a park that's very near the hotel.*

- **¡Atención!** Here are some verbs that are commonly followed by adjective clauses in the subjunctive:

Verbs commonly used with subjunctive

buscar	**haber**
conocer	**necesitar**
encontrar	**querer**

More activities
vhlcentral
LM p. 81
WB pp. 171–172
Online activities

¡INTÉNTALO! Escoge entre el subjuntivo y el indicativo para completar cada oración.

1. Necesito una persona que ___pueda___ (puede/pueda) cantar bien.
2. Buscamos a alguien que __________ (tiene/tenga) paciencia.
3. ¿Hay restaurantes aquí que __________ (sirven/sirvan) comida japonesa?
4. Tengo una amiga que __________ (saca/saque) fotografías muy bonitas.
5. No vemos ningún apartamento que nos __________ (interesa/interese).
6. Hay una carnicería que __________ (está/esté) cerca de aquí.
7. Conozco a un estudiante que __________ (come/coma) hamburguesas todos los días.
8. ¿Hay alguien que __________ (dice/diga) la verdad?

Práctica

1

Completar Completa estas oraciones con la forma correcta del indicativo o del subjuntivo de los verbos.

1. Buscamos un hotel que __________ (tener) piscina.
2. ¿Sabe usted dónde __________ (quedar) el Correo Central?
3. ¿Hay algún buzón por aquí donde yo __________ (poder) echar una carta?
4. Ana quiere ir a la carnicería que __________ (estar) en la avenida Lecuna.
5. No hay nada en este mundo que __________ (ser) gratis.
6. ¿Conoces a alguien que __________ (saber) mandar un *fax* por computadora?
7. Llamas al empleado que __________ (entender) este nuevo programa de computación.
8. Encontramos un restaurante que __________ (servir) comida típica venezolana.

2

Oraciones Forma oraciones con estos elementos, usando el presente de indicativo o de subjuntivo. Haz los cambios que sean necesarios.

1. yo / conocer / un / panadería / que / vender / pan / cubano
2. ¿hay / alguien / que / saber / dirección / de / un / buen / carnicería?
3. yo / querer / comprarle / mi / hija / un / zapatos / que / gustar
4. ella / no / encontrar / nada / que / gustar / en / ese / zapatería
5. ¿tener / dependientas / algo / que / ser / más / barato?
6. nosotras / no / conocer / nadie / que / hacer / tanto / diligencias / como / nosotras
7. ¿conocer / tú / alguno / banco / que / ofrecer / cuentas / corrientes / gratis?
8. nosotras / necesitar / un / línea / de / metro / que / nos / llevar / a / casa

NOTA CULTURAL

El **metro** de Caracas empezó a funcionar en 1983, después de varios años de intensa publicidad para promoverlo (*promote it*). El arte fue un recurso importante en la promoción del metro. En las estaciones se pueden admirar obras (*works*) de famosos escultores venezolanos como Carlos Cruz-Diez y Jesús Rafael Soto.

3

Anuncios clasificados En parejas, describan el tipo de persona u objeto que se busca en cada anuncio.

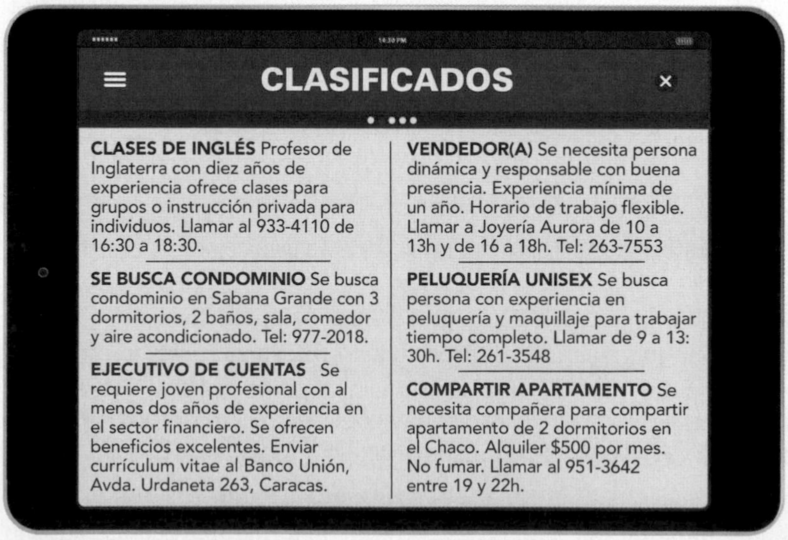
CLASIFICADOS

CLASES DE INGLÉS Profesor de Inglaterra con diez años de experiencia ofrece clases para grupos o instrucción privada para individuos. Llamar al 933-4110 de 16:30 a 18:30.

SE BUSCA CONDOMINIO Se busca condominio en Sabana Grande con 3 dormitorios, 2 baños, sala, comedor y aire acondicionado. Tel: 977-2018.

EJECUTIVO DE CUENTAS Se requiere joven profesional con al menos dos años de experiencia en el sector financiero. Se ofrecen beneficios excelentes. Enviar currículum vitae al Banco Unión, Avda. Urdaneta 263, Caracas.

VENDEDOR(A) Se necesita persona dinámica y responsable con buena presencia. Experiencia mínima de un año. Horario de trabajo flexible. Llamar a Joyería Aurora de 10 a 13h y de 16 a 18h. Tel: 263-7553

PELUQUERÍA UNISEX Se busca persona con experiencia en peluquería y maquillaje para trabajar tiempo completo. Llamar de 9 a 13: 30h. Tel: 261-3548

COMPARTIR APARTAMENTO Se necesita compañera para compartir apartamento de 2 dormitorios en el Chaco. Alquiler $500 por mes. No fumar. Llamar al 951-3642 entre 19 y 22h.

Comunicación

4

Subjuntivo Completa estas frases de una manera lógica. Luego, con un(a) compañero/a, túrnense para comparar sus respuestas.

modelo

Estudiante 1: Tengo una novia que sabe bailar tango. ¿Y tú?
Estudiante 2: Yo tengo un novio que habla alemán.

1. Deseo un trabajo (*job*) que...
2. Algún día espero tener un apartamento/una casa que...
3. Mis padres buscan un carro que..., pero yo quiero un carro que...
4. Tengo un(a) novio/a que...
5. Un(a) consejero/a (*advisor*) debe ser una persona que...
6. Me gustaría (*I would like*) conocer a alguien que...
7. En esta clase no hay nadie que...
8. No tengo ningún profesor que...

5

Encuesta Tu profesor(a) va a darte una hoja de actividades. Circula por la clase y pregúntales a tus compañeros/as si conocen a alguien que haga cada actividad de la lista. Si responden que sí, pregúntales quién es y anota sus respuestas. Luego informa a la clase de los resultados de tu encuesta.

6

¿Compatibles? Vas a mudarte a un apartamento con dos dormitorios. Como no quieres pagar el alquiler tú solo/a, estás buscando a un(a) compañero/a para que viva contigo. Escribe un anuncio buscando a alguien con cuatro características que consideres importantes y pégalo en la pared de la clase. Puedes usar algunas de estas opciones u otras en tu anuncio y no olvides usar el subjuntivo.

- cocinar
- escuchar hip-hop
- estar informado/a
- gustarle la política/el arte/los deportes
- llevarse bien con los animales
- ser vegetariano/a / limpio/a / optimista
- tener paciencia

modelo

Busco a alguien a quien no le guste el fútbol, que sea vegetariano, juegue videojuegos y le fascine la ciencia ficción.

Luego lee los anuncios de tus compañeros/as. ¿Con quién(es) podrías compartir tu apartamento? Busca tres candidatos/as y entrevístalos/las en dos minutos. Túrnate para entrevistar y ser entrevistado. ¿Encontraste a la persona ideal para que viva contigo?

Síntesis

7

Busca los cuatro Tu profesor(a) te va a dar una hoja con ocho anuncios clasificados y a tu compañero/a otra hoja con ocho anuncios distintos a los tuyos. Háganse preguntas para encontrar los cuatro anuncios de cada hoja que tienen su respuesta en la otra.

14.2 Nosotros/as commands

Tutorial

ANTE TODO You have already learned familiar (**tú**) commands and formal (**usted/ustedes**) commands. You will now learn **nosotros/as** commands, which are used to give orders or suggestions that include yourself and other people.

- **Nosotros/as** commands correspond to the English *Let's*.

***Nosotros/as* commands**

Infinitive	*Nosotros/as* form of present subjunctive	*Nosotros/as* command
cruzar	crucemos	**(no) crucemos**
comer	comamos	**(no) comamos**
escribir	escribamos	**(no) escribamos**
pedir	pidamos	**(no) pidamos**
salir	salgamos	**(no) salgamos**
volver	volvamos	**(no) volvamos**

- As the chart shows, both affirmative and negative **nosotros/as** commands are generally formed by using the first-person plural form of the present subjunctive.

Crucemos la calle.
Let's cross the street.

No crucemos la calle.
Let's not cross the street.

- The affirmative *Let's* + [*verb*] command may also be expressed with **vamos a** + [*infinitive*]. Remember, however, that **vamos a** + [*infinitive*] can also mean *we are going to (do something)*. Context and tone of voice determine which meaning is being expressed.

Vamos a cruzar la calle.
Let's cross the street.

Vamos a trabajar mucho.
We're going to work a lot.

- To express *Let's go*, the present indicative form of **ir** (**vamos**) is used, not the subjunctive. For the negative command, however, the subjunctive is used.

Vamos a la pescadería.
Let's go to the fish market.

No **vayamos** a la pescadería.
Let's not go to the fish market.

CONSULTA

Remember that stem-changing **–ir** verbs have an additional stem change in the **nosotros/as** and **vosotros/as** forms of the present subjunctive. To review these forms, see **Estructura 12.3**, p. 395.

▶ Object pronouns are always attached to affirmative **nosotros/as** commands. A written accent is added to maintain the original stress.

Firmemos el cheque. → **Firmémoslo.**
Let's sign the check. *Let's sign it.*

Escribamos a Ana y Raúl. → **Escribámosles.**
Let's write Ana and Raúl. *Let's write them.*

▶ Object pronouns are placed in front of negative **nosotros/as** commands.

No **les paguemos** el préstamo. *Let's not pay them the loan.*

No **se lo digamos** a ellos. *Let's not tell them.*

No **lo compremos.** *Let's not buy it.*

No **se la presentemos.** *Let's not introduce her to him.*

▶ When **nos** or **se** is attached to an affirmative **nosotros/as** command, the final **–s** is dropped from the verb ending.

Sentémonos allí. *Let's sit there.*

Démoselo a ella. *Let's give it to her.*

▶ The **nosotros/as** command form of **irse** is **vámonos**. Its negative form is **no nos vayamos**.

¡Vámonos de vacaciones! *Let's go away on vacation!*

No nos vayamos de aquí. *Let's not go away from here.*

More activities
vhlcentral
LM p. 82
WB pp. 173–174
Online activities

¡INTÉNTALO! Indica los mandatos afirmativos y negativos de **nosotros/as** de estos verbos.

1. estudiar *estudiemos, no estudiemos*
2. decidir ______
3. leer ______
4. cenar ______
5. decir ______
6. cerrar ______
7. levantarse ______
8. irse ______
9. depositar ______
10. pedir ______
11. quedarse ______
12. vestirse ______

Práctica

1

Completar Completa esta conversación con mandatos de **nosotros/as**. Luego, representa la conversación con un(a) compañero/a.

MARÍA Sergio, ¿quieres hacer diligencias ahora o por la tarde?

SERGIO No (1)__________ (dejarlas) para más tarde. (2)__________ (hacerlas) ahora. ¿Qué tenemos que hacer?

MARÍA Necesito sacar dinero de mi cuenta corriente.

SERGIO Bueno, (3)__________ (buscar) un cajero automático.

MARÍA ¿Tienes hambre?

SERGIO Sí. (4)__________ (cruzar) la calle y (5)__________ (entrar) en ese café.

MARÍA Buena idea.

SERGIO ¿Nos sentamos aquí?

MARÍA No, no (6)__________ (sentarse) aquí; (7)__________ (sentarse) enfrente de la ventana.

SERGIO ¿Qué pedimos?

MARÍA (8)__________ (pedir) café y pan dulce.

2

Responder Responde a cada mandato de **nosotros/as** según las indicaciones. Sustituye los sustantivos por los objetos directos e indirectos.

modelo

Vamos a vender el carro.

Sí, vendámoslo./No, no lo vendamos.

1. Vamos a levantarnos a las seis. (sí)
2. Vamos a enviar los paquetes. (no)
3. Vamos a depositar el cheque. (sí)
4. Vamos al supermercado. (no)
5. Vamos a bailar. (sí)
6. Vamos a pintar la sala. (no)
7. Vamos a limpiar la habitación. (sí)
8. Vamos a mirar la televisión. (no)

3

Mandatos Forma mandatos de **nosotros/as** con estos elementos.

modelo

sacar / dinero / este cajero automático

Saquemos dinero de este cajero automático.

1. no / beber / café / esta pastelería
2. pagar / el sofá / plazos
3. no / poner / la radio / el estacionamiento
4. ir / la pescadería / comprar salmón
5. llevar / este paquete / correo

Comunicación

4

Preguntar Tú y tu compañero/a están de vacaciones en Caracas y se hacen sugerencias para resolver las situaciones que se presentan. Inventen mandatos afirmativos o negativos de **nosotros/as**.

modelo

Se nos olvidaron las tarjetas de crédito.
Paguemos en efectivo./No compremos más regalos.

A	B
1. El museo está a sólo una cuadra de aquí.	1. Perdimos una maleta en el aeropuerto.
2. Tenemos hambre.	2. Tenemos prisa para llegar al cine.
3. Hay una cola larga en el cine.	3. Estamos cansados y queremos dormir.

5

Decisiones Trabajen en grupos pequeños. Ustedes están en Caracas por dos días. Decidan qué van a hacer hoy por la mañana, por la tarde y por la noche. Hagan oraciones con mandatos afirmativos o negativos de **nosotros/as**.

NOTA CULTURAL

Jesús Rafael Soto (1923–2005) fue un escultor y pintor venezolano. Sus obras cinéticas (*kinetic works*) frecuentemente incluyen formas que brillan (*shimmer*) y vibran. En muchas de ellas el espectador se puede integrar a la obra.

modelo

Visitemos el Museo de Arte Contemporáneo de Caracas esta tarde. Quiero ver las esculturas de Jesús Rafael Soto.

Síntesis

6

Situación Tú y un(a) compañero/a viven juntos/as en un apartamento y tienen problemas económicos. Describan los problemas y sugieran algunas soluciones. Hagan oraciones con mandatos afirmativos o negativos de **nosotros/as**.

modelo

Hagamos un presupuesto (*budget*).
No gastemos tanto dinero.

14.3 The future

Tutorial

ANTE TODO You have already learned ways of expressing the near future in Spanish. You will now learn how to form and use the future tense. Compare the different ways of expressing the future in Spanish and English.

Present indicative

Voy al cine mañana.
I'm going to the movies tomorrow.

Present subjunctive

Ojalá **vaya al cine** mañana.
I hope I will go to the movies tomorrow.

ir a + [*infinitive*]

Voy a ir al cine.
I'm going to go to the movies.

Future

Iré al cine.
I will go to the movies.

CONSULTA

To review **ir a +** [*infinitive*], see **Estructura 4.1**, p. 118.

▶ In Spanish, the future is a simple tense that consists of one word, whereas in English it is made up of the auxiliary verb *will* or *shall*, and the main verb.

Future tense

		estudiar	aprender	recibir
SINGULAR FORMS	yo	estudiar**é**	aprender**é**	recibir**é**
	tú	estudiar**ás**	aprender**ás**	recibir**ás**
	Ud./él/ella	estudiar**á**	aprender**á**	recibir**á**
PLURAL FORMS	nosotros/as	estudiar**emos**	aprender**emos**	recibir**emos**
	vosotros/as	estudiar**éis**	aprender**éis**	recibir**éis**
	Uds./ellos/ellas	estudiar**án**	aprender**án**	recibir**án**

¡ATENCIÓN!

Note that **-ar**, **-er**, and **-ir** verbs all have the same endings in the future tense.

▶ **¡Atención!** Note that all of the future endings have a written accent except the **nosotros/as** form.

¿Cuándo **recibirás** la carta?
*When **will you receive** letter?*

Mañana **aprenderemos** más.
*Tomorrow **we will learn** more.*

▶ The future endings are the same for regular and irregular verbs. For regular verbs, simply add the endings to the infinitive. For irregular verbs, add the endings to the irregular stem.

Irregular verbs in the future

INFINITIVE	STEM	FUTURE FORMS
decir	dir-	dir**é**
hacer	har-	har**é**
poder	podr-	podr**é**
poner	pondr-	pondr**é**
querer	querr-	querr**é**
saber	sabr-	sabr**é**
salir	saldr-	saldr**é**
tener	tendr-	tendr**é**
venir	vendr-	vendr**é**

▶ The future of **hay** (*inf.* **haber**) is **habrá** *(there will be)*.

La próxima semana **habrá** un nuevo director.
Next week there will be a new director.

Habrá más formularios en el correo.
There will be more forms at the post office.

▶ Although the English word *will* can refer to future time, it also refers to someone's willingness to do something. In this case, Spanish uses **querer** + [*infinitive*], not the future tense.

¿Quieres llamarme, por favor?
Will you please call me?

¿Quieren ustedes escucharnos, por favor?
Will you please listen to us?

COMPARE & CONTRAST

In Spanish, the future tense has an additional use: expressing conjecture or probability. English sentences involving expressions such as *I wonder, I bet, must be, may, might,* and *probably* are often translated into Spanish using the *future of probability*.

—¿Dónde **estarán** mis llaves?
I wonder where my keys are.

—¿Qué hora **será**?
What time can it be? (I wonder what time it is.)

—**Estarán** en la cocina.
They're probably in the kitchen.

—**Serán** las once o las doce.
It must be (It's probably) eleven or twelve.

Note that although the future tense is used, these verbs express conjecture about *present* conditions, events, or actions.

CONSULTA

To review these conjunctions of time, see **Estructura 13.3**, p. 435.

▶ The future may also be used in the main clause of sentences in which the present subjunctive follows a conjunction of time such as **cuando, después (de) que, en cuanto, hasta que,** and **tan pronto como**.

Cuando llegues a casa, **hablaremos**.
When you get home, we will talk.

Nos verás en cuanto entres en la cafetería.
You'll see us as soon as you enter the cafeteria.

More activities
vhlcentral
LM p. 83
WB pp. 175–176
Online activities

¡INTÉNTALO! Conjuga los verbos en futuro.

1. (dejar, correr, pedir) yo *dejaré, correré, pediré*
2. (hacer, poner, venir) Lola ____________
3. (ir, ser, estar) ustedes ____________
4. (tener, decir, querer) nosotros ____________
5. (cobrar, beber, vivir) tú ____________
6. (firmar, comer, repetir) usted ____________
7. (saber, salir, poder) yo ____________
8. (encontrar, jugar, servir) tú ____________

Práctica

1

Planes Repite lo que Celia dice, usando el tiempo futuro.

modelo

Hoy voy a hacer unas compras.
Hoy haré unas compras.

1. Voy a pasar por el banco a cobrar un cheque.
2. Mi hermana va a venir conmigo al supermercado.
3. Vamos a buscar las mejores rebajas.
4. Voy a comprarme unas botas.
5. Después voy a volver a casa y me voy a duchar.
6. Seguramente mis amigos me van a llamar para salir esta noche.

2

¿Quién será? En parejas, imaginen que están en un café y ven entrar a un hombre o una mujer. Imaginen cómo será su vida y utilicen el futuro de probabilidad en su conversación. Usen estas preguntas como guía.

modelo

Estudiante 1: *¿Será simpático?*
Estudiante 2: *Creo que no, está muy serio. Será antipático.*

- ¿Estará soltero/a?
- ¿Cuántos años tendrá?
- ¿Vivirá por aquí cerca?
- ¿Será famoso/a?
- ¿Será de otro país?
- ¿Con quién vivirá?
- ¿Estará esperando a alguien? ¿A quién?

3

¿Qué pasará? Imagina que tienes que adivinar (*to predict*) el futuro de tu compañero/a. Túrnense para hablar sobre cada una de estas categorías usando el futuro.

modelo

Estudiante 1: *¿Seré rico? ¿Tendré una casa grande?*
Estudiante 2: *Mmm... tendrás muy poco dinero durante los próximos cinco años, pero después serás muy, muy rico con una casa enorme. Luego te mudarás a una isla desierta donde conocerás a...*

- amor
- dinero
- salud
- trabajo
- vivienda

Comunicación

4

Conversar Tú y tu compañero/a viajarán a la República Dominicana por siete días. Indiquen lo que harán y no harán. Digan dónde, cómo, con quién o en qué fechas lo harán, usando el anuncio como guía. Pueden usar sus propias ideas también.

modelo

Estudiante 1: *¿Qué haremos el martes?*
Estudiante 2: *Visitaremos el Jardín Botánico.*
Estudiante 1: *Pues, tú visitarás el Jardín Botánico y yo caminaré por el Mercado Modelo.*

www.republicadominicana.com

¡BIENVENIDO a la República Dominicana!

Se divertirá desde el momento en que llegue al **Aeropuerto Internacional de las Américas.**

- Visite la ciudad colonial de **Santo Domingo** con su interesante arquitectura.
- Vaya al **Jardín Botánico** y disfrute de nuestra abundante naturaleza.
- En el **Mercado Modelo** no va a poder resistir la tentación de comprar artesanías.
- No deje de escalar el **Pico Duarte** (se recomiendan 3 días).
- ¿Le gusta bucear? **Cabarete** tiene todo el equipo que usted necesita.
- ¿Desea nadar? Punta Cana le ofrece hermosas playas.

NOTA CULTURAL

En la **República Dominicana** están el punto más alto y el más bajo de las Antillas. El Pico Duarte mide (*measures*) 3.087 metros y el lago nriquillo está a 45 netros bajo el nivel lel mar (*sea level*).

5

Planear En parejas, hagan planes para empezar un negocio (*business*). Elijan una de las opciones y usen las preguntas como guía.

un supermercado | un salón de belleza | una heladería

1. ¿Cómo se llamará?
2. ¿Cuánta gente trabajará en este lugar? ¿Qué hará cada persona?
3. ¿En qué parte de la ciudad estará? ¿Cómo llegará la gente?
4. ¿Quién será el/la director(a)? ¿Por qué?
5. ¿Van a necesitar un préstamo? ¿Cómo lo pedirán?
6. Este/a supermercado / salón de belleza / heladería será el/la mejor de la ciudad porque...

Síntesis

6

El futuro de Cristina Tu profesor(a) va a darte una serie incompleta de dibujos sobre el futuro de Cristina. Tú y tu compañero/a tienen dos series diferentes. Háganse preguntas y respondan de acuerdo a los dibujos para completar la historia.

modelo

Estudiante 1: *¿Qué hará Cristina en el año 2030?*
Estudiante 2: *Ella se graduará en el año 2030.*

Recapitulación

Completa estas actividades para repasar los conceptos de gramática que aprendiste en esta lección.

1 Completar Completa el cuadro con la forma correspondiente del futuro. **20 pts.**

Infinitive	yo	ella	nosotros
ahorrar	ahorraré		
decir		dirá	
poner			pondremos
querer	querré		
salir		saldrá	

2 Los novios Completa este diálogo entre dos novios con mandatos en la forma de **nosotros/as**. **20 pts.**

SIMÓN ¿Quieres ir al cine mañana?

CARLA Sí, ¡qué buena idea! (1) ________ (comprar) los boletos (*tickets*) en línea.

SIMÓN No, mejor (2) ________ (pedírselos) a mi prima, quien trabaja en el cine y los consigue gratis.

CARLA ¡Fantástico!

SIMÓN Y también quiero visitar la nueva galería de arte el fin de semana que viene.

CARLA ¿Por qué esperar? (3) ________ (visitarla) esta tarde.

SIMÓN Bueno, pero primero tengo que limpiar mi apartamento.

CARLA No hay problema. (4) ________ (limpiarlo) juntos.

SIMÓN Muy bien. ¿Y tú no tienes que hacer diligencias hoy? (5) ________ (hacerlas) también.

CARLA Sí, tengo que ir al correo y al banco. (6) ________ (ir) al banco hoy, pero no (7) ________ (ir) al correo todavía. Antes tengo que escribir una carta.

SIMÓN ¿Una carta misteriosa? (8) ________ (escribirla) ahora.

CARLA No, mejor no (9) ________ (escribirla) hasta que regresemos de la galería donde venden un papel reciclado muy lindo (*cute*).

SIMÓN ¿Papel lindo? Pues, ¿para quién es la carta?

CARLA No importa. (10) ________ (empezar) a limpiar.

RESUMEN GRAMATICAL

14.1 The subjunctive in adjective clauses

pp. 460–461

- When adjective clauses refer to something that is known, certain, or definite, the indicative is used.

Necesito el **libro** que **tiene** fotos.

- When adjective clauses refer to something that is uncertain or indefinite, the subjunctive is used.

Necesito **un libro** que **tenga** fotos.

14.2 Nosotros/as commands

pp. 464–465

- Same as **nosotros/as** form of present subjunctive.

Affirmative	Negative
Démosle un libro a Lola. **Démoselo.**	**No le demos un libro a Lola.** **No se lo demos.**

- While the subjunctive form of the verb **ir** is used for the negative **nosotros/as** command, the indicative is used for the affirmative command.

No **vayamos** a la plaza. **Vamos** a la plaza.

14.3 The future

pp. 468–469

Future tense of **estudiar***	
estudiar**é**	estudiar**emos**
estudiar**ás**	estudiar**éis**
estudiar**á**	estudiar**án**

*Same ending for **-ar**, **-er**, and **-ir** verbs.

- The future of **hay** is **habrá** (*there will be*).
- The future can also express conjecture or probability.

Irregular verbs in the future		
Infinitive	**Stem**	**Future forms**
decir	dir-	diré
hacer	har-	haré
poder	podr-	podré
poner	pondr-	pondré
querer	querr-	querré
saber	sabr-	sabré
salir	saldr-	saldré
tener	tendr-	tendré
venir	vendr-	vendré

3 **Frases** Escribe oraciones con los elementos que se dan. Usa el tiempo futuro. 10 pts.

1. Lorenzo y yo / ir / al banco / mañana / y / pedir / un préstamo
2. la empleada del banco / hacernos / muchas preguntas / y / también / darnos / un formulario
3. Lorenzo / llenar / el formulario / y / yo / firmarlo
4. nosotros / salir / del banco / contentos / porque el dinero / llegar / a nuestra cuenta / muy pronto
5. los dos / tener / que trabajar mucho / para pagar el préstamo / pero nuestros padres / ayudarnos

4 **Verbos** Escribe los verbos en el presente de indicativo o de subjuntivo. 20 pts.

1. —¿Sabes dónde hay un restaurante donde nosotros (1) __________ (poder) comer paella valenciana? —No, no conozco ninguno que (2) __________ (servir) paella, pero conozco uno que (3) __________ (especializarse) en tapas españolas.
2. Busco vendedores que (4) __________ (ser) educados. No estoy seguro de conocer a alguien que (5) __________ (tener) esa característica. Pero ahora que lo pienso, ¡sí! Tengo dos amigos que (6) __________ (trabajar) en el almacén Excelencia. Los voy a llamar. Y debo decirles que necesitamos que (ellos) (7) __________ (saber) hablar inglés.
3. Se busca apartamento que (8) __________ (estar) bien situado, que (9) __________ (costar) menos de $800 al mes y que (10) __________ (permitir) tener perros.

5 **La ciudad ideal** Escribe un párrafo de al menos cinco oraciones describiendo cómo es la comunidad ideal donde te gustaría (*you would like*) vivir en el futuro y compárala con la comunidad donde vives ahora. Usa cláusulas adjetivas y el vocabulario de esta lección. 30 pts.

6 **Adivinanza** Completa la adivinanza y adivina la respuesta. ¡4 puntos EXTRA!

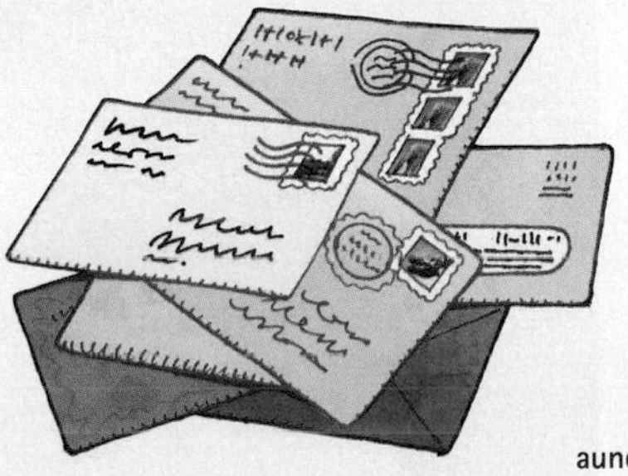

"Me llegan las cartas
y no sé ________ (*to read*)
y, aunque° me las como,
no mancho° el papel."
¿Quién soy? ________

aunque *although* no mancho *I don't stain*

Audio: Reading

Lectura

Antes de leer

Estrategia
Visualizing

Visualizing a text as you read can help you comprehend it. Before you begin, read the title and create a picture in your mind. Then skim each paragraph and visualize what you read. As you create these mental pictures, think about not only the sights, but also the sounds, smells, tastes, and feelings that are conveyed in the text. These visualizations will help you create an image of what the story will be about.

¿Qué va a pasar?

Responde a estas preguntas para hacer predicciones sobre el cuento.

1. ¿Quién es Olegario?
____
2. ¿Cuál es la emergencia?
____
3. ¿Tiene un final feliz el cuento?
____

Visualizar

Lee el título y echa una ojeada (*skim*) a los párrafos del cuento. ¿Qué visualizas?

____

____

Sobre el autor

Mario Benedetti (1920-2009) fue un escritor uruguayo. Aunque es conocido principalmente por sus poemas, escribió también ensayos, novelas y cuentos. Gran parte de la obra de Benedetti se centra en la temática urbana y se caracteriza por su compromiso político y social.

More activities

vhlcentral | Online activities

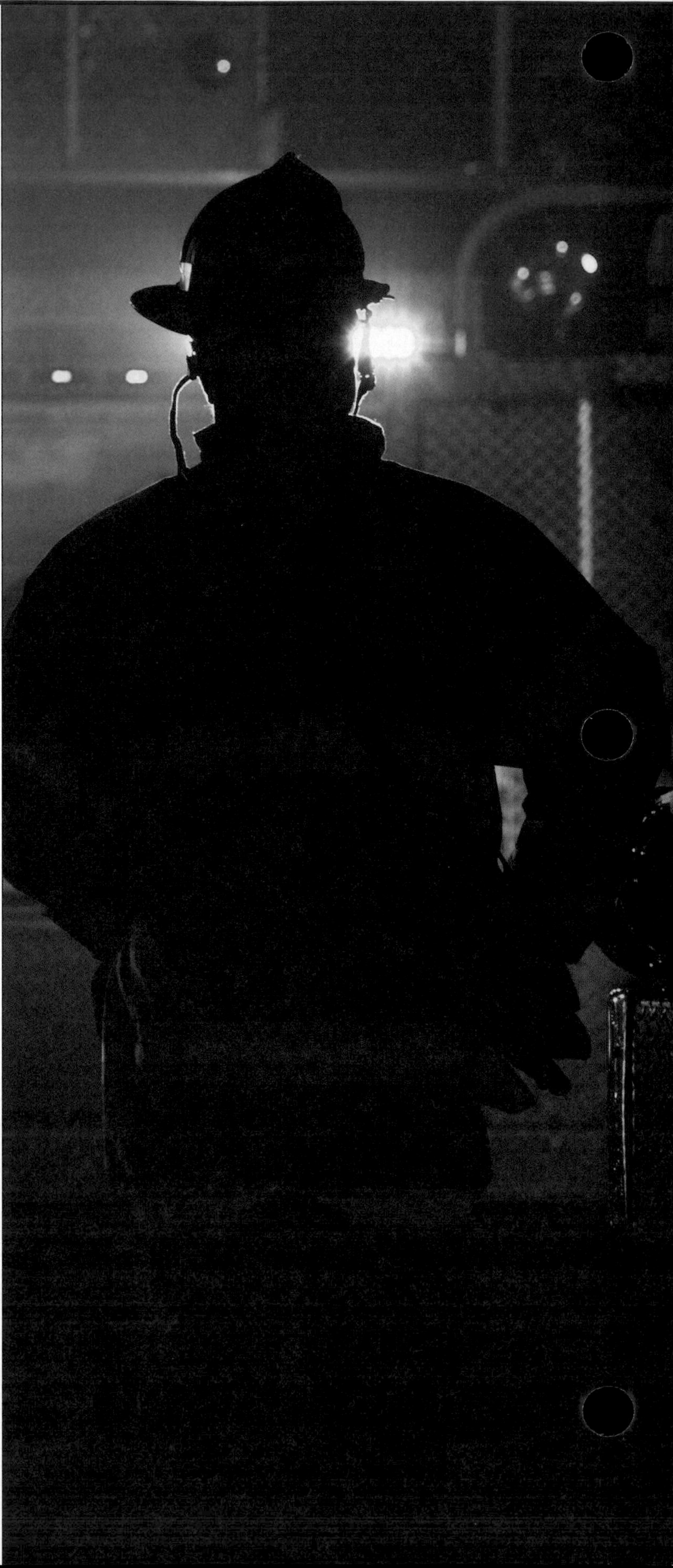

Los bomberos

Mario Benedetti

Olegario no sólo fue un as del presentimiento°, sino que además siempre estuvo muy orgulloso° de su poder. A veces se quedaba absorto° por un instante, y luego decía: "Mañana va a llover". Y llovía. Otras veces se rascaba la nuca° y anunciaba: "El martes saldrá el 57 a la cabeza". Y el martes salía el 57 a la cabeza. Entre sus amigos gozaba de° una admiración sin límites.

Algunos de ellos recuerdan el más famoso de sus aciertos°. Caminaban con él frente a la Universidad, cuando de pronto el aire matutino° fue atravesado° por el sonido y la furia de los bomberos°. Olegario sonrió de modo casi imperceptible, y dijo: "Es posible que mi casa se esté quemando".

Llamaron un taxi y encargaron° al chofer que siguiera de cerca a los bomberos. Éstos tomaron por Rivera, y Olegario dijo: "Es casi seguro que mi casa se esté quemando". Los amigos guardaron un respetuoso y afable silencio; tanto lo admiraban.

Los bomberos siguieron por Pereyra y la nerviosidad llegó a su colmo°. Cuando doblaron por la calle en que vivía Olegario, los amigos se pusieron tiesos° de expectativa. Por fin, frente mismo a la llameante° casa de Olegario, el carro de bomberos se detuvo° y los hombres comenzaron rápida y serenamente los preparativos de rigor. De vez en cuando, desde las ventanas de la planta alta, alguna astilla° volaba por los aires.

Con toda parsimonia°, Olegario bajó del taxi. Se acomodó el nudo° de la corbata, y luego, con un aire de humilde vencedor°, se aprestó° a recibir las felicitaciones y los abrazos de sus buenos amigos.

as del presentimiento *master of premonition* **orgulloso** *proud* **absorto** *absorbed* **se rascaba la nuca** *he scratched the back of his neck* **gozaba de** *he enjoyed* **aciertos** *correct predictions* **matutino** *morning* **atravesado** *pierced* **bomberos** *firefighters* **encargaron** *asked* **colmo** *peak* **tiesos** *tense, stiff* **llameante** *flaming* **se detuvo** *stopped* **astilla** *splinter* **parsimonia** *lack of urgency* **nudo** *knot* **vencedor** *victor* **se aprestó** *he prepared*

Después de leer

Comprensión

Indica si las oraciones son **ciertas** o **falsas**. Corrige las oraciones falsas.

1. Las predicciones de Olegario a veces son correctas.
2. Los amigos de Olegario dudan de sus predicciones.
3. Un día, Olegario y sus amigos caminaban por la calle cuando oyeron el carro de los bomberos.
4. Olegario y sus amigos siguieron a los bomberos en un taxi.
5. Los amigos de Olegario tuvieron miedo al ver que su casa se quemaba.

Interpretación

Responde a las preguntas con oraciones completas.

1. Busca las dos predicciones de Olegario en el primer párrafo del cuento. ¿Expresan un grado de certeza (*certainty*) alto o bajo?
   ____
2. Ahora, busca las dos predicciones que hace sobre la casa. ¿Expresan certeza o dejan lugar a dudas?
   ____
3. Al final, ¿crees que a Olegario le importa que se queme su casa? Explica tu respuesta.
   ____
4. ¿Tiene Olegario una actitud arrogante con respecto a su talento? ¿Por qué?
   ____

Comentar

En parejas, comenten el cuento. Usen como guía estas preguntas.

- ¿Cómo creen que ocurrió el incendio (*fire*)?
- ¿Creen que el final del cuento es lógico? ¿Por qué?
- ¿Les gustaría predecir el futuro? ¿Por qué?
- ¿Cómo usarían el poder de predecir el futuro?

Video

Venezuela

El país en cifras

- **Área:** 912.050 km² (352.144 millas²), *aproximadamente dos veces el área de California*
- **Población:** 31.304.000
- **Capital:** Caracas—2.916.000
- **Ciudades principales:** Maracaibo—2.196.000, Valencia—1.734.000, Barquisimeto —1.039.000, Maracay—1.166.000
- **Moneda:** bolívar
- **Idiomas:** español (oficial), lenguas indígenas (oficiales)

El yanomami es uno de los idiomas indígenas que se habla en Venezuela. La cultura de los yanomami tiene su centro en el sur de Venezuela, en el bosque tropical. Son cazadores° y agricultores y viven en comunidades de hasta 400 miembros.

Bandera de Venezuela

Venezolanos célebres

- **Teresa Carreño,** compositora y pianista (1853–1917)
- **Rómulo Gallegos,** escritor y político (1884–1969)
- **Andrés Eloy Blanco,** poeta (1896–1955)
- **Gustavo Dudamel,** director de orquesta (1981–)
- **Baruj Benacerraf,** científico (1920–2011)

En 1980, Baruj Benacerraf, junto con dos de sus colegas, recibió el Premio Nobel por sus investigaciones en el campo° de la inmunología y las enfermedades autoinmunes. Nacido en Caracas, Benacerraf también vivió en París y los Estados Unidos.

cazadores *hunters* campo *field*

Isla Margarita

Vista de Caracas

Una piragua

More activities
vhlcentral | WB pp. 177–178 | Online activities

ACTIVIDADES

1 ¿Cierto o falso? Indica si lo que dicen las oraciones es **cierto** o **falso**.

1. El yanomami es una lengua indígena que se habla en Venezuela.
2. Gustavo Dudamel es un científico venezolano ganador de un Premio Nobel.
3. Nacido en Caracas, Baruj Benacerraf también vivió en París.
4. La mayor concentración de petróleo de Venezuela se encuentra en la Isla Margarita.
5. Maracaibo queda al norte de Venezuela.
6. El arpa, las maracas y las guitarras son los instrumentos más comunes del joropo venezolano.
7. Simón Bolívar es conocido como "El Libertador".
8. El Salto Ángel es la tercera catarata más alta del mundo.
9. La arepa está hecha de maíz cocido y molido.

Economía • El petróleo

La industria petrolera° es muy importante para la economía venezolana. La mayor concentración de petróleo del país se encuentra debajo del lago Maracaibo. En 1976 se nacionalizaron las empresas° petroleras y pasaron a ser propiedad° del Estado con el nombre de *Petróleos de Venezuela*. Este producto representa más del 90% de las exportaciones del país.

Música y danza • El joropo

El joropo venezolano es un género musical y también una danza popular de origen europeo, árabe, africano e indígena. Sus instrumentos más comunes son el arpa, las maracas y distintos tipos de guitarras. Las personas bailan joropo zapateando°, tomadas de la mano o separadas, y realizando diferentes figuras. Fue declarado patrimonio cultural de Venezuela en 2014.

Historia • Simón Bolívar (1783–1830)

A principios del siglo° XIX, el territorio de la actual Venezuela, al igual que gran parte de América, todavía estaba bajo el dominio de la Corona° española. El general Simón Bolívar, nacido en Caracas, es llamado "El Libertador" porque fue el líder del movimiento independentista suramericano en el área que hoy es Venezuela, Colombia, Ecuador, Perú y Bolivia.

Comida • La arepa

La arepa es una de las comidas más representativas de Venezuela. Es de origen indígena y está hecha de maíz cocido° y molido°. Se prepara frita o a la plancha°, y se come con queso, verduras y carnes como el jamón, el pollo o el solomillo°. La palabra **arepa** viene de **aripo**, que era una base de arcilla° donde se cocinaban las arepas.

industria petrolera *oil industry* empresas *companies* propiedad *property* zapateando *stomping* siglo *century* Corona *Crown* cocido *cooked* molido *ground* a la plancha *grilled* solomillo *sirloin* arcilla *clay*

¡Increíble pero cierto!

Con una caída° de 979 metros (3.212 pies) desde la meseta de Auyan Tepuy, Salto Ángel°, en Venezuela, es la catarata° más alta del mundo, ¡diecisiete veces más alta que las cataratas del Niágara! James C. Angel la dio a conocer° en 1935. Los indígenas de la zona la denominan "Kerepakupai Merú".

caída *drop* Salto Ángel *Angel Falls* catarata *waterfall* la dio a conocer *made it known*

2 **¿Qué aprendiste?** Contesta cada pregunta con una oración completa.

1. ¿Cuál es la moneda de Venezuela?
2. ¿Quién fue Rómulo Gallegos?
3. ¿Cuándo se dio a conocer el Salto Ángel?
4. ¿Cuál es el producto más exportado de Venezuela?
5. ¿Cómo se llama la capital de Venezuela?

3 **Impresiones** En parejas, imaginen que hacen un viaje a Venezuela. Describan lo que quieren hacer y lo que buscan en este país. Utilicen cláusulas adjetivas.

modelo

Yo busco un hotel que tenga la mejor vista de Caracas.

La República Dominicana

El país en cifras

- **Área:** 48.730 km^2 (18.815 millas^2), *el área combinada de New Hampshire y Vermont*
- **Población:** 10.734.000

La isla La Española, llamada así tras° el primer viaje de Cristóbal Colón, estuvo bajo el completo dominio de la corona° española hasta 1697, cuando la parte oeste de la isla pasó a ser propiedad° francesa. Hoy día está dividida políticamente en dos países, la República Dominicana en la zona este y Haití en el oeste.

- **Capital:** Santo Domingo—2.945.000
- **Ciudades principales:** Santiago de los Caballeros, La Vega, Puerto Plata, San Pedro de Macorís
- **Moneda:** peso dominicano
- **Idiomas:** español (oficial), criollo haitiano

Bandera de la República Dominicana

Dominicanos célebres

- **Juan Pablo Duarte,** político y padre de la patria° (1813–1876)
- **Celeste Woss y Gil,** pintora (1891–1985)
- **Juan Luis Guerra,** compositor y cantante de merengue (1957–)
- **Pedro Martínez,** beisbolista (1971–)
- **Marcos Díaz,** nadador de ultradistancia (1975–)

tras *after* corona *crown* propiedad *property*
padre de la patria *founding father*

Músicos dominicanos

Catedral de Santa María la Menor

Cultivación de arroz

More activities: vhlcentral | WB pp. 179–180 | Online activities

ACTIVIDADES

1 **¿Cierto o falso?** Indica si lo que dicen las oraciones es **cierto** o **falso.**

1. La Española recibió este nombre después del primer viaje de Colón.
2. La moneda de la República Dominicana es el peso dominicano.
3. Celeste Woss y Gil fue una pintora dominicana.
4. La República Dominicana fue el primer país hispano que tuvo una liga de béisbol.
5. Marcos Díaz es un cartero dominicano.
6. El merengue se transformó en un estilo urbano entre 1930 y 1960.
7. Juan Luis Guerra es un actor dominicano.
8. Se dice que una de las tumbas de Colón está en Santo Domingo.
9. Una de las principales actividades económicas de la República Dominicana es la minería.
10. En la República Dominicana se encuentra la mina de plata más grande de Latinoamérica.

Ciudades • Santo Domingo

La zona colonial de Santo Domingo, ciudad fundada en 1496, posee° algunas de las construcciones más antiguas del hemisferio. Gracias a las restauraciones°, la arquitectura de la ciudad es famosa no sólo por su belleza sino también por el buen estado de sus edificios. Entre sus sitios más visitados se cuentan° la Calle de las Damas, llamada así porque allí paseaban las señoras de la corte del Virrey; el Alcázar de Colón, un palacio construido entre 1510 y 1514 por Diego Colón, hijo de Cristóbal; y la Fortaleza Ozama, la más vieja de las Américas, construida entre 1502 y 1508.

Deportes • El béisbol

El béisbol es un deporte muy practicado en el Caribe. Los primeros países hispanos en tener una liga fueron Cuba y México, donde se empezó a jugar al béisbol en el siglo° XIX. Hoy día este deporte es una afición° nacional en la República Dominicana. Albert Pujols (foto, derecha), Carlos Gómez y David Ortiz son sólo tres de los muchísimos beisbolistas dominicanos que han alcanzado° enorme éxito e inmensa popularidad entre los aficionados.

Artes • El merengue

El merengue, un ritmo originario de la República Dominicana, tiene sus raíces° en el campo. Tradicionalmente, las canciones hablaban de los problemas sociales de los campesinos°. Sus instrumentos eran la guitarra, el acordeón, el guayano° y la tambora, un tambor° característico del lugar. Entre 1930 y 1960, el merengue se popularizó en las ciudades; adoptó un tono más urbano, en el que se incorporaron instrumentos como el saxofón y el bajo°, y empezaron a formarse grandes orquestas. Uno de los cantantes y compositores de merengue más famosos es Juan Luis Guerra.

Economía • El turismo y la minería

La economía dominicana es la de mayor crecimiento° en Latinoamérica. Una de sus principales actividades es el turismo. Éste representa aproximadamente el 8% del Producto Interno Bruto (PIB)° de la República Dominicana. Este país, además, tiene una importante riqueza minera: en República Dominicana se encuentra la mina de oro° más grande de Latinoamérica. También tiene reservas de plata°, níquel, mármol°, entre otros.

posee *possesses* restauraciones *restorations* se cuentan *are included* siglo *century* afición *pastime* han alcanzado *have reached* raíces *roots* campesinos *rural people* guayano *metal scraper* tambor *drum* bajo *bass* crecimiento *growth* Producto Interno Bruto (PIB) *Gross National Product (GNP)* oro *gold* plata *silver* mármol *marble*

¡Increíble pero cierto!

Los restos° de Cristóbal Colón pasaron por varias ciudades desde su muerte en el siglo XVI hasta el siglo XIX. Por esto, se conocen dos tumbas° de este navegante°: una en la Catedral de Sevilla, España y otra en el Museo Faro a Colón en Santo Domingo, que reemplazó° la tumba inicial en la catedral de la capital dominicana.

restos *remains* tumbas *graves* navegante *sailor* reemplazó *replaced*

2 ¿Qué aprendiste? Contesta las preguntas.

1. ¿Cuándo se fundó la ciudad de Santo Domingo?
2. ¿Qué es el Alcázar de Colón?
3. ¿De qué hablaban las canciones de merengue tradicionales?
4. ¿Qué instrumentos se utilizaban para tocar (*play*) el merengue?
5. ¿Qué cantante ha ayudado a internacionalizar el merengue?

3 Planear En parejas, imaginen que el próximo año pasarán unos meses de intercambio en la República Dominicana. Hablen sobre lo que harán.

modelo

El próximo año visitaré la mina de oro más grande de Latinoamérica.

Vocabulary Tools

En la ciudad

el banco	*bank*
la carnicería	*butcher shop*
el correo	*post office*
el estacionamiento	*parking lot*
la frutería	*fruit store*
la heladería	*ice cream shop*
la joyería	*jewelry store*
la lavandería	*laundromat*
la panadería	*bakery*
la pastelería	*pastry shop*
la peluquería, el salón de belleza	*beauty salon*
la pescadería	*fish market*
el supermercado	*supermarket*
la zapatería	*shoe store*
hacer cola	*to stand in line*
hacer diligencias	*to run errands*

En el correo

el cartero	*mail carrier*
el correo	*mail; post office*
la estampilla, el sello	*stamp*
el paquete	*package*
el sobre	*envelope*
echar (una carta) al buzón	*to put (a letter) in the mailbox; to mail*
enviar, mandar	*to send; to mail*

En el banco

el cajero automático	*ATM*
el cheque	*check*
la cuenta corriente	*checking account*
la cuenta de ahorros	*savings account*
ahorrar	*to save (money)*
cobrar	*to cash (a check)*
depositar	*to deposit*
firmar	*to sign*
llenar (un formulario)	*to fill out (a form)*
pagar a plazos	*to pay in installments*
pagar al contado/ en efectivo	*to pay in cash*
pedir prestado/a	*to borrow*
pedir un préstamo	*to apply for a loan*
ser gratis	*to be free of charge*

Cómo llegar

la cuadra	*(city) block*
la dirección	*address*
la esquina	*corner*
el letrero	*sign*
cruzar	*to cross*
doblar	*to turn*
estar perdido/a	*to be lost*
indicar cómo llegar	*to give directions*
quedar	*to be located*
(al) este	*(to the) east*
(al) norte	*(to the) north*
(al) oeste	*(to the) west*
(al) sur	*(to the) south*
derecho	*straight (ahead)*
enfrente de	*opposite; facing*
hacia	*toward*

Expresiones útiles	*See page 455.*

More activities

vhlcentral | LM p. 83

El bienestar

15

Communicative Goals

You will learn how to:

- **Talk about health, well-being, and nutrition**
- **Talk about physical activities**

A PRIMERA VISTA

- ¿Está la chica en un gimnasio o en un lugar al aire libre?
- ¿Practica ella deportes frecuentemente?
- ¿Es activa o sedentaria?
- ¿Tiene los ojos abiertos o cerrados?

Hotspots

El bienestar

Más vocabulario

adelgazar	*to lose weight; to slim down*
aliviar el estrés	*to reduce stress*
aliviar la tensión	*to reduce tension*
apurarse, darse prisa	*to hurry; to rush*
aumentar de peso, engordar	*to gain weight*
calentarse (e:ie)	*to warm up*
disfrutar (de)	*to enjoy; to reap the benefits (of)*
entrenarse	*to train*
estar a dieta	*to be on a diet*
estar en buena forma	*to be in good shape*
hacer gimnasia	*to work out*
llevar una vida sana	*to lead a healthy lifestyle*
mantenerse en forma	*to stay in shape*
sufrir muchas presiones	*to be under a lot of pressure*
tratar de (+ *inf.*)	*to try (to do something)*
la droga	*drug*
el/la drogadicto/a	*drug addict*
activo/a	*active*
débil	*weak*
en exceso	*in excess; too much*
flexible	*flexible*
fuerte	*strong*
sedentario/a	*sedentary*
tranquilo/a	*calm; quiet*
el bienestar	*well-being*

Variación léxica

hacer ejercicios aeróbicos ⟷ hacer aeróbic *(Esp.)*
el/la entrenador(a) ⟷ el/la monitor(a)

More activities

vhlcentral | LM p. 85 | WB pp. 181–182 | Online activities

Práctica

1 **Emparejar** Empareja las oraciones que vas a escuchar con las palabras más apropiadas.

a. débil	1.
b. fuerte	2.
c. activo	3.
d. masaje	4.
e. flexible	5.
f. sedentario	6.
g. engordar	7.
h. apurarse	8.

2 **¿Cierto o falso?** Indica si lo que dice cada oración sobre el anuncio es **cierto** o **falso**.

1. El gimnasio sólo ofrece un servicio para las personas que quieren estar en buena forma.
2. El gimnasio tiene un equipo de entrenadores.
3. El gimnasio tiene entrenadores personales.
4. Hay programas privados de pesas y masajes.
5. El gimnasio no abre los domingos.
6. Puedes ir al gimnasio desde las siete de la mañana hasta las nueve de la noche.

3 **Identificar** Identifica el antónimo (*antonym*) de cada palabra.

apurarse	fuerte
disfrutar	mantenerse en forma
engordar	sedentario
estar enfermo	sufrir muchas presiones
flexible	tranquilo

1. débil
2. adelgazar
3. aliviar el estrés
4. activo
5. estar sano
6. ir despacio
7. nervioso
8. ser teleadicto

4 **Combinar** Combina elementos de cada columna para formar oraciones lógicas.

1. David levanta pesas	a. aumentó de peso.
2. Estás en buena forma	b. estiramiento.
3. Felipe se lastimó	c. para correr un maratón.
4. José y Rafael	d. porque haces ejercicio.
5. Sara hace ejercicios de	e. sudan mucho en el gimnasio.
6. Mi hermano	f. un músculo de la pierna.
7. Mis primas se entrenan	g. no se debe fumar.
8. Para llevar una vida sana,	h. y corre mucho.

La nutrición

Más vocabulario

la bebida alcohólica	*alcoholic beverage*
la cafeína	*caffeine*
la caloría	*calorie*
la merienda	*afternoon snack*
la nutrición	*nutrition*
el/la nutricionista	*nutritionist*
comer una dieta equilibrada	*to eat a balanced diet*
consumir alcohol	*to consume alcohol*
descafeinado/a	*decaffeinated*

5 **Completar** Completa cada oración con la palabra adecuada.

1. Mi entrenador no come queso ni papas fritas porque contienen ______.
   a. dietas b. vitaminas c. mucha grasa
2. Para ______, es necesario consumir comidas de todos los grupos alimenticios (*nutrition groups*).
   a. aliviar el estrés b. correr c. comer una dieta equilibrada
3. Mis primas ______ una buena comida.
   a. disfrutan de b. tratan de c. sudan
4. Después de hacer ejercicio, como pollo o bistec porque contienen ______.
   a. drogas b. proteínas c. grasa
5. Mi padre no come mantequilla porque él necesita reducir ______.
   a. la nutrición b. el colesterol c. el bienestar
6. Mi novio cuenta ______ porque está a dieta.
   a. las pesas b. los músculos c. las calorías

CONSULTA

To review what you have learned about nutrition and food, see **Contextos, Lección 8**, pp. 242–244.

6 **Frecuencia** Di con qué frecuencia haces estas actividades.

siempre	una vez a la semana	una vez al año
todos los días	una vez al mes	nunca

modelo

fumar
Nunca fumo.

1. beber café descafeinado
2. hacer ejercicio
3. comer papas fritas
4. usar la cinta caminadora
5. levantar pesas
6. trabajar con un(a) entrenador(a)
7. salir a correr
8. tomar vitaminas

Comunicación

7

La nutrición En parejas, hablen de los tipos de comida que comen y las consecuencias que tienen para su salud.

AYUDA

Some useful words:
sano = saludable
en general = por lo general
estricto
normalmente
muchas veces
a veces
de vez en cuando

1. ¿Cuántas comidas con mucha grasa comes regularmente? ¿Piensas que debes comer menos comidas de este tipo? ¿Por qué?
2. ¿Compras comidas con muchos minerales y vitaminas? ¿Necesitas consumir más comidas que los contienen? ¿Por qué?
3. ¿Algún miembro de tu familia tiene problemas con el colesterol? ¿Qué haces para evitar problemas con el colesterol?
4. ¿Eres vegetariano/a? ¿Conoces a alguien que sea vegetariano/a? ¿Qué piensas de la idea de no comer carne u otros productos animales? ¿Es posible comer una dieta equilibrada sin comer carne? Explica.
5. ¿Tomas cafeína en exceso? ¿Qué ventajas (*advantages*) y desventajas tiene la cafeína? Da ejemplos de productos que contienen cafeína y de productos descafeinados.
6. ¿Llevas una vida sana? ¿Y tus amigos? ¿Crees que, en general, los estudiantes llevan una vida sana? ¿Por qué?

8

Un anuncio En grupos de cuatro, imaginen que son dueños/as de un gimnasio con un equipo (*equipment*) moderno, entrenadores cualificados y un(a) nutricionista. Preparen y presenten un anuncio para la televisión que hable del gimnasio y atraiga (*attracts*) a una gran variedad de nuevos clientes. No se olviden de presentar esta información:

- las ventajas de estar en buena forma
- el equipo que tienen
- los servicios y clases que ofrecen
- las características únicas
- la dirección y el teléfono
- el precio para los socios (*members*)

9

Recomendaciones para la salud En parejas, imaginen que están preocupados/as por los malos hábitos de un(a) amigo/a que no está bien últimamente (*lately*). Escriban y representen una conversación en la cual hablen de lo que está pasando en la vida de su amigo/a y los cambios que necesita hacer para llevar una vida sana.

10

El teleadicto Con un(a) compañero/a, representen los papeles de un(a) nutricionista y un(a) teleadicto/a. La persona sedentaria habla de sus malos hábitos para la comida y de que no hace ejercicio. También dice que toma demasiado café y que siente mucho estrés. El/La nutricionista le sugiere una dieta equilibrada con bebidas descafeinadas y una rutina para mantenerse en forma.

11

El gimnasio perfecto Tú y tu compañero/a quieren encontrar el gimnasio perfecto. Su profesor(a) les va a dar a cada uno/a de ustedes el anuncio de un gimnasio. Túrnense para hacerse preguntas sobre las actividades que se ofrecen en cada uno. Al final, decidan cuál es el mejor gimnasio y compartan su decisión con la clase.

Chichén Itzá

Los chicos exploran Chichén Itzá y se relajan en un spa.

PERSONAJES

MARISSA

FELIPE

Video

1

MARISSA ¡Chichén Itzá es impresionante! Qué lástima que Maru y Miguel no estén con nosotros. Sobre todo Maru.

FELIPE Ha estado bajo mucha presión.

2

MARISSA Podría quedarme aquí para siempre. ¿Ustedes ya habían venido antes?

FELIPE Sí. Nuestros papás nos trajeron cuando éramos niños.

3

(*en otro lugar de las ruinas*)

JUAN CARLOS ¡Hace calor!

JIMENA ¡Sí! Hay que estar en buena forma para recorrer las ruinas.

4

JUAN CARLOS Siempre había llevado una vida sana antes de entrar a la universidad.

JIMENA Tienes razón. La universidad hace que seamos muy sedentarios.

JUAN CARLOS ¡Busquemos a Felipe y a Marissa!

5

FELIPE El otro día le gané a Juan Carlos en el parque.

JUAN CARLOS Estaba mirando hacia otro lado, cuando me di cuenta, Felipe ya había empezado a correr.

6

FELIPE ¡Gané!

JIMENA Qué calor. Tengo una idea. Vamos.

JUAN CARLOS

JIMENA

EMPLEADA

EMPLEADA Ofrecemos varios servicios para aliviar el estrés: masajes, saunas...

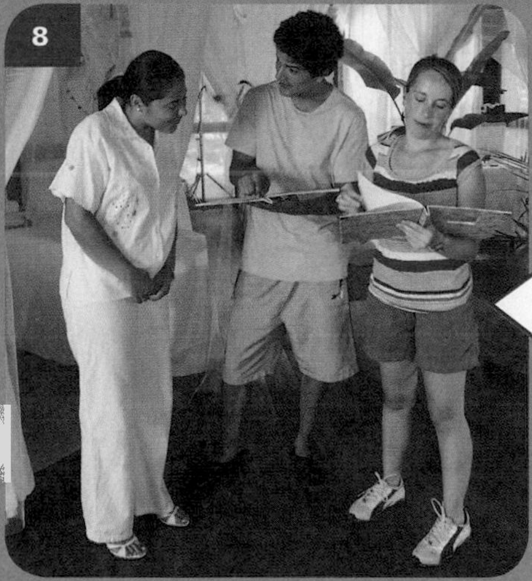

FELIPE Me gustaría un masaje.

MARISSA Yo prefiero un baño mineral.

JUAN CARLOS ¿Crees que tendrías un poco de tiempo libre la semana que viene? Me gustaría invitarte a salir.

JIMENA ¿Sin Felipe?

JUAN CARLOS Sin Felipe.

EMPLEADA ¿Ya tomaron una decisión?

JIMENA Sí.

Expresiones útiles

Wishing a friend were with you

Qué lástima que no estén con nosotros.
What a shame that they aren't with us.
Sobre todo Maru.
Especially Maru.
Él/Ella ha estado bajo mucha presión.
He/She has been under a lot of pressure.
Creo que ellos ya habían venido antes.
I think they had already come (here) before.

Talking about trips

¿Ustedes ya habían venido antes?
Had you been (here) before?
Sí. He querido regresar desde que leí el *Chilam Balam*.
Yes. I have wanted to come back ever since I read the Chilam Balam.
¿Recuerdas cuando nos trajo papá?
Remember when Dad brought us?
Al llegar a la cima, comenzaste a llorar.
When we got to the top, you started to cry.

Talking about well-being

Siempre había llevado una vida sana antes de entrar a la universidad.
I had always maintained a healthy lifestyle before starting college.
Ofrecemos varios servicios para aliviar el estrés.
We offer many services to relieve stress.
Me gustaría un masaje.
I would like a massage.

Additional vocabulary

la cima *top, peak*
el escalón *step*
el muro *wall*
tomar una decisión *to make a decision*

More activities

vhlcentral | VM pp. 29–30 | Online activities

¿Qué pasó?

1

Seleccionar Selecciona la respuesta que completa mejor cada oración.

1. Felipe y Marissa piensan que Maru ________.
   a. debe hacer ejercicio b. aumentó de peso c. ha estado bajo mucha presión
2. Felipe y Jimena visitaron Chichén Itzá ________.
   a. para aliviar el estrés b. cuando eran niños c. para llevar una vida sana
3. Jimena dice que la universidad hace a los estudiantes ________.
   a. comer una dieta equilibrada b. ser sedentarios c. levantar pesas
4. En el spa ofrecen servicios para ________.
   a. sudar b. aliviar el estrés c. ser flexibles
5. Felipe elige que le den un ________.
   a. baño mineral b. almuerzo c. masaje

2

Identificar Identifica quién dice estas oraciones.

1. Estaba mirando hacia otro lado, cuando me di cuenta, Felipe ya había empezado a correr.
2. Chichén Itzá es impresionante. Qué lástima que Maru y Miguel no estén con nosotros.
3. Hay que estar en buena forma para recorrer las ruinas.
4. Ofrecemos varios servicios para aliviar el estrés: masajes, saunas, tratamientos con vitaminas y minerales para la piel...
5. Estudié mucho antes de salir del D.F.
6. Creo que ésa fue la última vez que papá hizo ejercicio.

3

Inventar En parejas, hagan descripciones de los personajes de la **Fotonovela**.

aliviar el estrés	hacer ejercicios de estiramiento	masaje
bienestar	llevar una vida sana	teleadicto/a
grasa	mantenerse en forma	vitamina

modelo

Estudiante 1: *Felipe es activo, flexible y fuerte.*
Estudiante 2: *Marissa siempre hace ejercicios de estiramiento. Está en buena forma y lleva una vida muy sana...*

1. A Juan Carlos le duelen los músculos después de hacer gimnasia.
2. Maru a veces sufre presiones y estrés en la universidad.
3. A Jimena le encanta salir con amigos o leer un buen libro.
4. Felipe trata de comer una dieta equilibrada.
5. Juan Carlos no es muy flexible.

Ortografía

Tutorial

Las letras b y v

Since there is no difference in pronunciation between the Spanish letters **b** and **v**, spelling words that contain these letters can be tricky. Here are some tips.

nombre **blusa** **absoluto** **descubrir**

The letter **b** is always used before consonants.

bonita **botella** **buscar** **bienestar**

At the beginning of words, the letter **b** is usually used when it is followed by the letter combinations **-on, -or, -ot, -u, -ur, -us, -ien,** and **-ene.**

adelgazaba **disfrutaban** **ibas** **íbamos**

The letter **b** is used in the verb endings of the imperfect tense for **-ar** verbs and the verb **ir.**

voy **vamos** **estuvo** **tuvieron**

The letter **v** is used in the present tense forms of **ir** and in the preterite forms of **estar** and **tener.**

octavo **huevo** **activa** **grave**

The letter **v** is used in these noun and adjective endings: **-avo/a, -evo/a, -ivo/a, -ave, -eve.**

Práctica Completa las palabras con las letras **b** o **v**.

1. Una ___ez me lastimé el ___razo cuando esta___a ___uceando.
2. Manuela ol___idó sus li___ros en el auto___ús.
3. Ernesto tomó el ___orrador y se puso todo ___lanco de tiza.
4. Para tener una ___ida sana y saluda___le, necesitas tomar ___itaminas.
5. En mi pue___lo hay un ___ule___ar que tiene muchos ár___oles.

El ahorcado (*Hangman*) Juega al ahorcado para adivinar las palabras.

1. ___ u ___ ___ s — Están en el cielo.
2. ___ u ___ ___ n — Relacionado con el correo
3. ___ o ___ e ___ ___ a — Está llena de líquido.
4. ___ i ___ ___ e — Fenómeno meteorológico
5. ___ e ___ ___ ___ ___ ___ s — Los "ojos" de la casa

More activities
vhlcentral | LM p. 86

Flash CULTURA

EN DETALLE

Video

Spas naturales

Muchas veces no hay nada mejor que un buen baño° para descansar y aliviar la tensión. Y si el baño se toma en una terma°, el beneficio° es mayor. Los tratamientos con agua y lodo° para mejorar la salud y el bienestar son populares en las Américas desde hace muchos siglos°. Las termas son manantiales° naturales de agua caliente. La temperatura de estos manantiales facilita la absorción de minerales y otros elementos que contiene el agua y que son buenos para la salud. El agua de las termas se usa en piscinas, baños y duchas o en el sitio natural en el que surge°: pozas°, estanques° o cuevas°.

Volcán de lodo El Totumo, Colombia

En Baños de San Vicente, en Ecuador, son muy populares los tratamientos° con lodo volcánico.

El lodo caliente se extiende por el cuerpo; así la piel° absorbe los minerales beneficiosos para la salud; también se usa para dar masajes. La lodoterapia es útil para tratar varias enfermedades, además hace que la piel se vea radiante.

Ecotermales en Arenal, Costa Rica

En Costa Rica, la actividad volcánica también ha dado° origen a fuentes° y pozas termales. Si te gusta cuidarte y amas la naturaleza, recuerda estos nombres: Las Hornillas y Las Pailas. Son pozas naturales de aguas termales que están cerca del volcán Rincón de la Vieja. Un baño termal en medio de un paisaje tan hermoso es una experiencia única.

baño *bath* **terma** *hot spring* **beneficio** *benefit* **lodo** *mud* **siglos** *centuries* **manantiales** *springs* **surge** *springs forth* **pozas** *small pools* **estanques** *ponds* **cuevas** *caves* **tratamientos** *treatments* **piel** *skin* **ha dado** *has given* **fuentes** *springs* **balnearios** *spas* **cascadas** *waterfalls* **algas** *seaweed* **temazcales** *steam and medicinal herb baths*

Otros balnearios°

Todos ofrecen piscinas, baños, pozas y duchas de aguas termales y además...

Lugar	Servicios
El Edén y Yanasara, Curgos (Perú)	cascadas° de aguas termales
Montbrió del Camp, Tarragona (España)	baños de algas°
Puyuhuapi (Chile)	duchas de agua de mar; baños de algas
Termas de Río Hondo, Santiago del Estero (Argentina)	baños de lodo
Tepoztlán, Morelos (México)	temazcales° aztecas
Uyuni, Potosí (Bolivia)	baños de sal

ACTIVIDADES

1 **¿Cierto o falso?** Indica si lo que dicen las oraciones es cierto o falso. Corrige la información falsa.

1. Las aguas termales son beneficiosas para algunas enfermedades, incluido el estrés.
2. Los tratamientos con agua y lodo se conocen sólo desde hace pocos años.
3. Las termas son manantiales naturales de agua caliente.
4. La lodoterapia es un tratamiento con barro (*mud*).
5. La temperatura de las aguas termales no afecta la absorción de los minerales.
6. Mucha gente va a Baños de San Vicente, Ecuador, por sus playas.
7. Las Hornillas son pozas de aguas termales en Costa Rica.
8. Montbrió del Camp ofrece baños de sal.
9. Es posible ver aguas termales en forma de cascadas.
10. Tepoztlán ofrece temazcales aztecas.

ASÍ SE DICE

El ejercicio

los abdominales	*sit-ups*
la bicicleta estática	*stationary bicycle*
el calambre muscular	*(muscular) cramp*
el (fisi)culturismo; la musculación (Esp.)	*bodybuilding*
las flexiones de pecho; las lagartijas (Méx.; Col.); las planchas (Esp.)	*push-ups*
la cinta (trotadora) (Arg.; Chile)	**la cinta caminadora**

EL MUNDO HISPANO

Creencias° sobre la salud

- **Colombia** Como algunos suelos son de baldosas°, se cree que si se camina descalzo° se enfrían° los pies y esto puede causar un resfriado o artritis.
- **Cuba** Por la mañana, muchas madres sacan a sus bebés a los patios y a las puertas de las casas. La creencia es que unos cinco minutos de sol ayudan a fijar° el calcio en los huesos y aumentan la inmunidad contra las enfermedades.
- **México** Muchas personas tienen la costumbre de tomar a diario un vaso de jugo del cactus conocido como "nopal". Se dice que es bueno para reducir el colesterol y el azúcar en la sangre y que ayuda a adelgazar.

Creencias *Beliefs* **baldosas** *tiles* **descalzo** *barefoot*
se enfrían *get cold* **fijar** *to set*

PERFIL

La quinua

La quinua es una semilla° de gran valor° nutricional. Se produce en los Andes de Bolivia, Perú, Argentina, Colombia, Chile y Ecuador, y también en los Estados Unidos. Forma parte de la dieta básica de esos países andinos desde hace más de 5.000 años.

La quinua es rica en proteínas, hierro° y magnesio. Contiene los ocho aminoácidos básicos para el ser humano; por esto es un alimento muy completo, ideal para vegetarianos y veganos. Otra de las ventajas de la quinua es que no contiene gluten, por lo que la pueden consumir personas con alergias e intolerancia a esta proteína.

Aunque es técnicamente una semilla, la quinua es considerada un cereal por su composición y por su uso. Los granos° de la quinua pueden ser tostados para hacer harina° o se pueden cocinar de múltiples maneras. Se utiliza como

reemplazo° del arroz o de la pasta, con verduras, carnes, etc., en ensaladas, o como reemplazo de la avena° en el desayuno.

semilla *seed* **valor** *value* **hierro** *iron*
granos *grains* **harina** *flour*
reemplazo *replacement* **avena** *oats*

CON RITMO HISPANO

Chila Jatun (2008–)

Lugar de origen: Cochabamba, Bolivia

Este grupo de música andina está conformado por los hijos y los sobrinos de Los Kjarkas, una de las bandas de música folclórica más importantes de Bolivia. Su nombre, de origen quechua, significa "pequeños grandes".

Go to **vhlcentral.com** to find out more about **Chila Jatun** and its music.

ACTIVIDADES

2 Comprensión Responde a las preguntas.

1. Una argentina te dice: "Voy a usar la cinta." ¿Qué va a hacer?
2. Según los colombianos, ¿qué efectos negativos tiene el no usar zapatos en casa?
3. ¿Qué es la quinua?
4. ¿Qué proteína no contiene la quinua?

3 Para sentirte mejor Entrevista a un(a) compañero/a sobre las cosas que hace todos los días y las cosas que hace al menos una o dos veces a la semana para sentirse mejor. Hablen sobre actividades deportivas, la alimentación y lo que hacen en sus ratos libres.

More activities
vhlcentral | VM pp. 59–60 | Online activities

15.1 The conditional

Tutorial

ANTE TODO The conditional tense in Spanish expresses what you *would do* or what *would happen* under certain circumstances.

The conditional tense

		visitar	comer	escribir
SINGULAR FORMS	yo	visitar**ía**	comer**ía**	escribir**ía**
	tú	visitar**ías**	comer**ías**	escribir**ías**
	Ud./él/ella	visitar**ía**	comer**ía**	escribir**ía**
PLURAL FORMS	nosotros/as	visitar**íamos**	comer**íamos**	escribir**íamos**
	vosotros/as	visitar**íais**	comer**íais**	escribir**íais**
	Uds./ellos/ellas	visitar**ían**	comer**ían**	escribir**ían**

- The conditional tense is formed much like the future tense. The endings are the same for all verbs, both regular and irregular. For regular verbs, you simply add the appropriate endings to the infinitive. **¡Atención!** All forms of the conditional have an accent mark.
- For irregular verbs, add the conditional endings to the irregular stems.

INFINITIVE	STEM	CONDITIONAL	INFINITIVE	STEM	CONDITIONAL
decir	dir-	dir**ía**	querer	querr-	querr**ía**
hacer	har-	har**ía**	saber	sabr-	sabr**ía**
poder	podr-	podr**ía**	salir	saldr-	saldr**ía**
poner	pondr-	pondr**ía**	tener	tendr-	tendr**ía**
haber	habr-	habr**ía**	venir	vendr-	vendr**ía**

- While in English the conditional is a compound verb form made up of the auxiliary verb *would* and a main verb, in Spanish it is a simple verb form that consists of one word.

Yo no **iría** a ese gimnasio.
I would not go to that gym.

¿**Vendrías** conmigo a la clase de yoga?
Would you come to yoga class with me?

¡ATENCIÓN!

The polite expressions **Me gustaría...** (*I would like...*) and **Te gustaría** (*You would like...*) are commonly used examples of the conditional.

AYUDA

The infinitive of **hay** is **haber**, so its conditional form is **habría**.

- The conditional is commonly used to make polite requests.

¿Podrías abrir la ventana, por favor?
Would you open the window, please?

¿Sería tan amable de venir a mi oficina?
Would you be so kind as to come to my office?

- In Spanish, as in English, the conditional expresses the future in relation to a past action or state of being. In other words, the future indicates what *will happen* whereas the conditional indicates what *would happen.*

Creo que mañana **hará** sol.
I think it will be sunny tomorrow.

Creía que hoy **haría** sol.
I thought it would be sunny today.

- The English *would* is often used with a verb to express the conditional, but it can also mean *used to,* in the sense of past habitual action. To express past habitual actions, Spanish uses the imperfect, not the conditional.

Íbamos al parque los sábados.
We would go to the park on Saturdays.

Antes, me **entrenaba** todos los días.
Before, I used to work out every day.

AYUDA

Keep in mind the two parallel combinations shown in the example sentences:
1) present tense in main clause → future tense in subordinate clause
2) past tense in main clause → conditional tense in subordinate clause

COMPARE & CONTRAST

In **Lección 14**, you learned the *future of probability.* Spanish also has the *conditional of probability,* which expresses conjecture or probability about a past condition, event, or action. Compare these Spanish and English sentences.

Serían las once de la noche cuando Elvira me llamó.
It must have been (It was probably) 11 p.m. when Elvira called me.

Sonó el teléfono. **¿Llamaría** Emilio para cancelar nuestra cita?
The phone rang. I wondered if it was Emilio calling to cancel our date.

Note that English conveys conjecture or probability with phrases such as *I wondered if, probably,* and *must have been.* In contrast, Spanish gets these same ideas across with conditional forms.

More activities
vhlcentral
LM p. 87
WB pp. 183–184
Online activities

¡INTÉNTALO! Indica la forma apropiada del condicional de los verbos.

1. Yo escucharía, leería, me apuraría (escuchar, leer, apurarse)
2. Tú ______ (mantenerse, comprender, compartir)
3. Ustedes ______ (adelgazar, deber, sufrir)
4. Marcos ______ (poner, venir, querer)
5. Nosotras ______ (ser, saber, ir)
6. Ella ______ (salir, poder, hacer)
7. Yo ______ (tener, tratar, fumar)
8. Tú ______ (decir, ver, engordar)

Práctica

1

¡A ponerse en forma! Completa las oraciones con el condicional del verbo.

VÍCTOR Buenas tardes. Necesitamos información sobre el gimnasio.
GERENTE Por supuesto. Me (1)__________ (encantar) ayudar.
EMILIA Primero, ¿ (2)__________ (poder) usted decirnos cuánto cuesta al mes?
GERENTE (3)__________ (costar) setenta dólares por persona.
VÍCTOR Y además del uso de las máquinas, ¿qué otros servicios (4)__________ (estar) incluidos?
GERENTE Ustedes (5)__________ (tener) un entrenador particular (*personal*) que los (6)__________ (ayudar) a estar en buena forma y les (7)__________ (recomendar) qué clases de ejercicios les (8)__________ (ser) más beneficiosos.
EMILIA Víctor, ¿qué piensas? ¿Tú (9)__________ (ir) al gimnasio dos veces por semana?

2

¿Qué harías? En parejas, pregúntense qué harían en las siguientes situaciones.

modelo

¡No me perdería mi clase de ejercicios aeróbicos por nada del mundo! Me movería a un lado para poder ver bien al instructor y hablaría con la persona de enfrente amablemente.

Estás en una clase de ejercicios aeróbicos y la persona de enfrente no te deja ver.

Vas al banco y te das cuenta de (*you realize*) que en tu cuenta hay por error un millón de dólares que no es tuyo.

Estás manejando por el desierto y te quedas sin gasolina.

Vuelves a tu apartamento después de tus clases y tu exnovio/a no te deja entrar.

3

Presidente por un día Imagina que eres el/la presidente/a de tu universidad por un día. Escribe ocho cosas que harías en esa situación. Usa el condicional. Luego compara tus ideas con las de un(a) compañero/a.

modelo

Yo tendría un jet privado para mis viajes.

conocer	hacer	poner
dar	invitar	sufrir
disfrutar	mejorar	tener

Comunicación

4

Conversaciones Tu profesor(a) te dará una hoja de actividades. En ella se presentan dos listas con diferentes problemas que supuestamente tienen los estudiantes. En parejas, túrnense para explicar los problemas de su lista; uno/a cuenta lo que le pasa y el/la otro/a dice lo que haría en esa situación usando la frase "Yo en tu lugar..." (*If I were you...*).

AYUDA

Here are two ways of saying *If I were you:*
Si yo fuera tú...
Yo en tu lugar...

modelo

Estudiante 1: *¡Qué problema! Mi novio/a no me habla desde el domingo.*
Estudiante 2: *Yo en tu lugar, no le diría nada por unos días para ver qué pasa.*

5

Roberto en el gimnasio Roberto es una persona muy sedentaria. El médico le dice que tiene que adelgazar para mejorar su salud. Dile ocho cosas que tú harías si fueras él. Usa el condicional. Después, compara tus sugerencias con las de un(a) compañero/a.

modelo

Si yo fuera tú, vería menos la televisión y haría gimnasia.

Síntesis

6

Encuesta Tu profesor(a) te dará una hoja de actividades. Circula por la clase y pregúntales a tres compañeros/as qué actividad(es) de las que se describen les gustaría realizar. Usa el condicional de los verbos. Anota las respuestas e informa a la clase de los resultados de la encuesta.

modelo

Estudiante 1: *¿Dejarías de fumar?*
Estudiante 2: *Claro que sí. Sería difícil al principio, pero podría hacerlo.*

Actividades	Nombre de tu compañero/a y su respuesta	Nombre de tu compañero/a y su respuesta	Nombre de tu compañero/a y su respuesta
1. tomar vitaminas			
2. adelgazar			
3. levantar pesas			
4. entrenarse para un maratón			
5. comer una dieta equilibrada			
6. mantenerse en forma			

15.2 The present perfect

Tutorial

ANTE TODO In **Lección 13**, you learned how to form past participles. You will now learn how to form the present perfect indicative (**el pretérito perfecto de indicativo**), a compound tense that uses the past participle. The present perfect is used to talk about what someone *has done*. In Spanish, it is formed with the present tense of the auxiliary verb **haber** and a past participle.

Present indicative of haber

Singular forms		Plural forms	
yo	**he**	nosotros/as	**hemos**
tú	**has**	vosotros/as	**habéis**
Ud./él/ella	**ha**	Uds./ellos/ellas	**han**

Tú no **has aumentado** de peso.
You haven't gained weight.

Yo ya **he leído** esos libros.
I've already read those books.

¿**Ha asistido** Juan a la clase de yoga?
Has Juan attended the yoga class?

Hemos conocido al entrenador.
We have met the trainer.

- The past participle does not change in form when it is part of the present perfect tense; it only changes in form when it is used as an adjective.

Clara **ha abierto** las ventanas.
Clara has opened the windows.

Yo **he cerrado** la puerta del gimnasio.
I've closed the door to the gym.

Las ventanas están **abiertas**.
The windows are open.

La puerta del gimnasio está **cerrada**.
The door to the gym is closed.

- In Spanish, the present perfect indicative generally is used just as in English: to talk about what someone has done or what has occurred. It usually refers to the recent past.

He trabajado cuarenta horas esta semana.
I have worked forty hours this week.

¿Cuál es el último libro que **has leído**?
What is the last book that you have read?

NOTA CULTURAL

El *Chilam Balam* es un grupo de libros sobre la civilización maya. Hablan sobre historia, rituales, medicina, astronomía y literatura, entre otros temas. Fueron escritos en diferentes épocas (*times*) por autores anónimos y en lengua maya.

CONSULTA

To review what you have learned about past participles, see **Estructura 13.4**, p. 438.

CONSULTA

Remember that the Spanish equivalent of the English *to have just* (*done something*) is **acabar de** + [*infinitive*]. Do not use the present perfect to express that English structure.

Juan acaba de llegar.
Juan has just arrived.

See **Estructura 6.3**, p. 191.

- In English, the auxiliary verb and the past participle are often separated. In Spanish, however, these two elements—**haber** and the past participle—cannot be separated by any word.

Siempre **hemos vivido** en Bolivia.
We have always lived in Bolivia.

Usted nunca **ha venido** a mi oficina.
You have never come to my office.

- The word **no** and any object or reflexive pronouns are placed immediately before **haber**.

Yo **no he comido** la merienda.
I haven't eaten the snack.

¿Por qué **no la has comido**?
Why haven't you eaten it?

Susana ya **se ha entrenado**.
Susana has already trained.

Ellos **no lo han terminado**.
They haven't finished it.

- Note that *to have* can be either a main verb or an auxiliary verb in English. As a main verb, it corresponds to **tener,** while as an auxiliary, it corresponds to **haber**.

Tengo muchos amigos.
I have a lot of friends.

He sufrido muchas presiones.
I have been under a lot of pressure.

- To form the present perfect of **hay,** use the third-person singular of **haber (ha) + habido**.

Ha habido muchos problemas con la nueva entrenadora.
There have been a lot of problems with the new trainer.

Ha habido un accidente en la calle Central.
There has been an accident on Central Street.

More activities
vhlcentral
LM p. 88
WB pp. 185–186
Online activities

¡INTÉNTALO! Indica el pretérito perfecto de indicativo de estos verbos.

1. (disfrutar, comer, vivir) yo he disfrutado, he comido, he vivido
2. (leer, resolver, poner) ella ________
3. (venir, estar, correr) usted ________
4. (traer, adelgazar, compartir) tú ________
5. (decir, romper, hacer) ellos ________
6. (mantenerse, dormirse) nosotros ________
7. (estar, escribir, ver) yo ________
8. (vivir, correr, morir) él ________

Práctica

1 **Completar** Completa las oraciones con el pretérito perfecto de indicativo de los verbos.

adelgazar | aumentar | comer | hacer | llevar | sufrir

1. Juan y Raúl _____________ de peso porque no hacen ejercicio.
2. Luisa _____________ muchas presiones este año.
3. Pero María y yo _____________ porque trabajamos en exceso y nos olvidamos de comer.
4. Desde siempre, yo _____________ una vida muy sana.
5. Pero tú y yo no _____________ gimnasia este semestre.

2 **Oraciones** Combina los elementos para formar oraciones completas con el pretérito perfecto.

modelo
tú / nunca / estar / a dieta *Tú nunca has estado a dieta.*

1. ustedes / usar / muchas veces / la cinta caminadora
2. Patricia / asistir / una vez / a la clase de karate
3. yo / nunca / correr / más de cinco millas
4. los niños / nunca / comer / espárragos
5. Antonio y yo / jamás / levantar / pesas
6. mis compañeros de clase / nunca / hacer ejercicios de estiramiento

3 **¿Qué has hecho?** Indica si has hecho lo siguiente.

modelo
escalar una montaña
Sí, he escalado varias montañas./No, no he escalado nunca una montaña.

1. jugar al baloncesto
2. viajar a Bolivia
3. conocer a una persona famosa
4. recibir un masaje
5. bailar salsa
6. ver una película en español
7. estar despierto/a 24 horas
8. bucear

AYUDA

You may use some of these expressions in your answers:

una vez *once*
un par de veces *a couple of times*
algunas veces *a few times*
varias veces *several times*
muchas veces *many times, often*

4 **La vida sana** En parejas, túrnense para hacer preguntas sobre el tema de la vida sana.

modelo
encontrar un gimnasio
Estudiante 1: *¿Has encontrado un buen gimnasio cerca de tu casa?*
Estudiante 2: *Yo no he encontrado un gimnasio, pero sé que debo buscar uno.*

1. tratar de estar en forma
2. dejar de tomar refrescos
3. hacerse una prueba del colesterol
4. entrenarse cinco días a la semana
5. cambiar de una vida sedentaria a una vida activa
6. hacer ejercicio para aliviar la tensión

Comunicación

5

Descripción En parejas, describan lo que han hecho y no han hecho estas personas. Usen la imaginación.

1. Jorge y Raúl

2. Luisa

3. Jacobo

4. Natalia y Diego

5. Ricardo

6. Carmen

6

Describir En parejas, identifiquen a una persona que lleva una vida muy sana. Puede ser una persona que conocen o un personaje que aparece en una película o programa de televisión. Entre los dos, escriban una descripción de lo que esta persona ha hecho para llevar una vida sana.

modelo

Mario López siempre ha hecho todo lo posible para mantenerse en forma. Él…

NOTA CULTURAL

Nacido en San Diego e hijo de padres mexicanos, el actor **Mario López** se mantiene en forma haciendo ejercicio todos los días.

Síntesis

7

Situación Trabajen en parejas para representar una conversación entre un(a) enfermero/a de la clínica de la universidad y un(a) estudiante.

- El/La estudiante no se siente nada bien.
- El/La enfermero/a debe averiguar de dónde viene el problema e investigar los hábitos del/de la estudiante.
- El/La estudiante le explica lo que ha hecho en los últimos meses y cómo se ha sentido.
- Luego el/la enfermero/a le da recomendaciones de cómo llevar una vida más sana.

15.3 The past perfect

Tutorial

ANTE TODO The past perfect indicative (**el pretérito pluscuamperfecto de indicativo**) is used to talk about what someone *had done* or what *had occurred* before another past action, event, or state. Like the present perfect, the past perfect uses a form of **haber**—in this case, the imperfect—plus the past participle.

Past perfect indicative

		cerrar	perder	asistir
SINGULAR FORMS	yo	**había** cerrado	**había** perdido	**había** asistido
	tú	**habías** cerrado	**habías** perdido	**habías** asistido
	Ud./él/ella	**había** cerrado	**había** perdido	**había** asistido
PLURAL FORMS	nosotros/as	**habíamos** cerrado	**habíamos** perdido	**habíamos** asistido
	vosotros/as	**habíais** cerrado	**habíais** perdido	**habíais** asistido
	Uds./ellos/ellas	**habían** cerrado	**habían** perdido	**habían** asistido

Antes de 2014, **había vivido** en La Paz.
Before 2014, I had lived in La Paz.

Cuando llegamos, Luis ya **había salido**.
When we arrived, Luis had already left.

- The past perfect is often used with the word **ya** (*already*) to indicate that an action, event, or state had already occurred before another. Remember that, unlike its English equivalent, **ya** cannot be placed between **haber** and the past participle.

Ella **ya había salido** cuando llamaron.
She had already left when they called.

Cuando llegué, Raúl **ya se había acostado**.
When I arrived, Raúl had already gone to bed.

- **¡Atención!** The past perfect is often used in conjunction with **antes de** + [*noun*] or **antes de** + [*infinitive*] to describe when the action(s) occurred.

Antes de este año, nunca **había estudiado español**.
Before this year, I had never studied Spanish.

Luis **me había llamado antes de venir**.
Luis had called me before he came.

More activities
vhlcentral
LM p. 89
WB pp. 187–188
Online activities

¡INTÉNTALO! Indica el pretérito pluscuamperfecto de indicativo de cada verbo.

1. Nosotros ya <u>habíamos cenado</u> (cenar) cuando nos llamaron.
2. Eduardo nunca ______________ (entrenarse) tanto en invierno.
3. Antes de ir a México, ellos nunca ______________ (ir) a otro país.
4. Antes de tomar esta clase, yo no ______________ (estudiar) nunca el español.
5. Tú siempre ______________ (llevar) una vida sana antes del año pasado.
6. Antes de conocerte, yo ya te ______________ (ver) muchas veces.

Práctica

1 **Completar** Completa los minidiálogos con las formas correctas del pretérito pluscuamperfecto de indicativo.

NOTA CULTURAL

El mate, una bebida similar al té, es muy popular en Argentina, Uruguay y Paraguay. Se dice que controla el estrés y la obesidad, y que estimula el sistema inmunológico.

1. **ANTONIO** Antes de este año, ¿_____________ (correr) usted en un maratón?
   SRA. VERA No, nunca lo _____________ (hacer).
2. **DOLORES** Antes de ir a Argentina, ¿_____________ (probar) tú y tu familia el mate?
   TOMÁS Sí, ya _____________ (tomar) mate muchas veces.
3. **SARA** Antes de cumplir los 15 años, ¿_____________ (estudiar) tú otra lengua?
   JOSÉ Sí, _____________ (tomar) clases de inglés y de italiano.
4. **SOFÍA** Antes de su enfermedad, ¿_____________ (sufrir) muchas presiones tu tío?
   IRENE Sí... y él nunca _____________ (mantenerse) en forma.

2 **Tu vida** Indica si ya habías hecho estas cosas antes de cumplir los dieciséis años.

1. hacer un viaje en avión
2. escalar una montaña
3. escribir un poema
4. filmar un video
5. enamorarte
6. tomar clases de ejercicios aeróbicos
7. montar a caballo
8. acampar
9. manejar un carro
10. cantar frente a 50 o más personas

Comunicación

3 **Gimnasio Olímpico** En parejas, contesten las preguntas sobre el anuncio.

1. Identifiquen los elementos del pretérito pluscuamperfecto de indicativo en el anuncio.
2. ¿Cómo era la vida del hombre cuando llevaba una vida sedentaria? ¿Cómo es ahora?
3. ¿Se identifican ustedes con algunos de los hábitos, presentes o pasados, de este hombre? ¿Con cuáles?
4. ¿Qué les recomienda el hombre del anuncio a los lectores? ¿Creen que les da buenos consejos?

Recapitulación

Completa estas actividades para repasar los conceptos de gramática que aprendiste en esta lección.

1 Verbos

Verbos Completa el cuadro con la forma correcta de los verbos. 24 pts.

Infinitivo	tú	nosotros	ellas
tratar		trataríamos	
	querrías		querrían
		podríamos	
	habrías		habrían
vivir			

2 Completar

Completar Completa el cuadro con el pretérito perfecto de los verbos. 12 pts.

Infinitivo	yo	él	ellas
tratar			
entrenarse			

3 Diálogo

Diálogo Completa la conversación con la forma adecuada del condicional de los verbos. 16 pts.

aconsejar	encantar	ir	poder
dejar	gustar	llover	volver

OMAR ¿Sabes? La demostración de yoga al aire libre fue un éxito. Yo creía que (1) ________, pero hizo sol.

NIDIA Ah, me alegro. Te dije que Jaime y yo (2) ________, pero tuvimos un imprevisto (*something came up*) y no pudimos. Y a Laura, ¿la viste allí?

OMAR Sí, ella vino. Al contrario que tú, al principio me dijo que ella y su esposo no (3) ________ venir, pero al final aparecieron (*showed up*). Necesitaba relajarse un poco; está muy estresada con su trabajo.

NIDIA Yo le (4) ________ que busque otra cosa. En su lugar, (5) ________ esa compañía y (6) ________ a escribir un libro.

OMAR Estoy de acuerdo. Oye, esta noche voy a ir al gimnasio. ¿(7) ________ venir conmigo?

NIDIA Sí, (8) ________. ¿A qué hora vamos?

OMAR A las siete y media.

RESUMEN GRAMATICAL

15.1 The conditional pp. 492–493

The conditional tense* of **disfrutar**	
disfrutaría	**disfrutaríamos**
disfrutarías	**disfrutaríais**
disfrutaría	**disfrutarían**

*Same ending for **-ar**, **-er**, and **-ir** verbs.

► Verbs with irregular conditional: **decir, haber, hacer, poder, poner, querer, saber, salir, tener, venir**

15.2 The present perfect pp. 496–497

Present indicative of **haber**	
he	hemos
has	habéis
ha	han

Present perfect: present tense of **haber** + past participle

Present perfect indicative	
he empezado	**hemos** empezado
has empezado	**habéis** empezado
ha empezado	**han** empezado

He empezado a ir al gimnasio con regularidad.
*I **have begun** to go to the gym regularly.*

15.3 The past perfect p. 500

Past perfect: imperfect tense of **haber** + past participle

Past perfect indicative	
había vivido	**habíamos** vivido
habías vivido	**habíais** vivido
había vivido	**habían** vivido

Antes de 2015, yo ya **había vivido** en tres países diferentes.
*Before 2015, **I had already lived** in three different countries.*

4 **Preguntas** Completa las preguntas para estas respuestas usando el pretérito perfecto de indicativo. 16 pts.

modelo

—¿*Has llamado* a tus padres? —Sí, los <u>llamé</u> ayer.

1. —¿Tú ________ ejercicio esta mañana en el gimnasio? —No, <u>hice</u> ejercicio en el parque.
2. —Y ustedes, ¿________ ya? —Sí, <u>desayunamos</u> en el hotel.
3. —Y Juan y Felipe, ¿adónde ________ ? —<u>Fueron</u> al cine.
4. —Paco, ¿(nosotros) ________ la cuenta del gimnasio? —Sí, la <u>recibimos</u> la semana pasada.
5. —Señor Martín, ¿________ algo ya? —Sí, <u>pesqué</u> uno grande. Ya me puedo ir a casa contento.
6. —Inés, ¿________ mi pelota de fútbol? —Sí, la <u>vi</u> esta mañana en el coche.
7. —Yo no ________ café todavía. ¿Alguien quiere acompañarme? —No, gracias. Yo ya <u>tomé</u> mi café en casa.
8. —¿Ya te ________ el doctor que puedes comer chocolate? —Sí, me lo <u>dijo</u> ayer.

5 **Antes de graduarse** Di lo que cada una de estas personas ya había hecho o no había hecho todavía antes de graduarse de la universidad. Sigue el modelo. 12 pts.

modelo

yo / ya conocer a muchos amigos
Yo ya había conocido a muchos amigos.

1. Margarita / ya dejar de fumar
2. tú / ya aprender a mantenerse en forma
3. Julio / ya casarse
4. Mabel y yo / ya practicar yoga
5. los hermanos Falsero / todavía no perder un partido de vóleibol
6. yo / ya entrenarse para el maratón

6 **Manteniéndote en forma** Escribe al menos cinco oraciones para describir cómo te has mantenido en forma este semestre. Di qué cosas han cambiado este semestre en relación con el año pasado. Por ejemplo, ¿qué cosas has hecho o practicado este semestre que nunca habías probado antes? 20 pts.

7 **Poema** Completa este fragmento de un poema de Nezahualcóyotl con el pretérito perfecto de indicativo de los verbos. ¡4 puntos EXTRA!

“ ________ (llegar) aquí,
soy Yoyontzin.
Sólo busco las flores
sobre la tierra, ________ (venir)
a cortarlas. ”

Audio: Reading

Lectura

Antes de leer

Estrategia

Analyzing story structure

You can understand a narrative more completely by analyzing story structure. Stories have characters, settings, and plots. A character is the fictional person in a story. The setting refers to the place and time of the action. The plot indicates what happens. Description, dialogue, and actions reveal information about characters, setting, and plot.

Examinar el texto

Mira las fotos y lee el título. Haz predicciones sobre el cuento.

Estructura del cuento

Mientras lees el cuento, contesta estas preguntas.

1. ¿Quiénes son los personajes (*characters*) del cuento?
2. ¿Cuál es el ambiente (*setting*)?
3. ¿Cuál es la trama (*plot*)?
4. ¿Qué te dice algo sobre los personajes, el ambiente y la trama: la descripción, el diálogo y/o las acciones?

Sobre el autor

Álvaro Menén Desleal es su pseudónimo. Su nombre real es Álvaro Menéndez Leal (1931–2000). Este salvadoreño fue un polifacético personaje con una vida muy intensa. Fue periodista de prensa y televisión, escritor de cuentos, poesía, ensayo y obras de teatro. Fue profesor, boxeador y diplomático. A lo largo de su vida obtuvo varios premios por su labor creativa: el Premio Nacional de Cultura, dos premios de teatro, dos de cuentos y uno de ensayo.

More activities

vhlcentral | Online activities

Después de leer

Comprensión

Indica si las oraciones son **ciertas** o **falsas**. Corrige las oraciones falsas.

1. El paciente lleva un traje sucio.
2. El paciente está sentado en una silla.
3. El médico cree que el hombre tiene esquizofrenia.
4. La consulta dura casi dos horas.
5. El paciente da respuestas cortas.
6. El paciente se despide del psiquiatra y le paga la consulta a la secretaria.

LA CONSULTA

ÁLVARO MENÉN DESLEAL

—Tengo razones fundadas°, Doctor —dijo el hombre de impoluto° traje blanco, pacientemente recostado° en el diván del psiquiatra—, para suponer que padezco° de una personalidad dividida.

El psiquiatra anotó en su libretita° que, tentativamente, desechaba° la presencia de una esquizofrenia: en general, una persona afectada de tal dolencia° evita la consulta con el médico.

La consulta duró casi dos horas. Hubo preguntas cortas y respuestas largas. Aparentemente más tranquilo, el hombre se despidió del° psiquiatra, pagó a una secretaria el valor de la consulta, y ganó° la puerta.

En la calle, vestido de negro riguroso, le esperaba otro hombre.

—¿Lo confirmaste? —preguntó el hombre de negro.

—No sé —fue la respuesta del hombre de blanco.

Luego se fundieron° en un solo individuo, enfundado° en un traje gris. ■

fundadas *well-founded* **impoluto** *spotless* **recostado** *lying down* **padezco** *I suffer* **libretita** *little notebook* **desechaba** *rejected* **tal dolencia** *such an illness* **se despidió de** *said goodbye to* **ganó** *reached* **se fundieron** *they merged* **enfundado** *wrapped*

Interpretación

Responde a las preguntas con oraciones completas.

1. ¿El paciente está seguro de que tiene una personalidad dividida? ¿Por qué?
2. ¿El psiquiatra está seguro del diagnóstico? ¿Por qué?
3. ¿En qué se basa el médico para dar su diagnóstico?
4. Al final del cuento, ¿el hombre está seguro de que no padece de una personalidad dividida? ¿Por qué?

¿Qué piensas?

En parejas, respondan a estas preguntas.

1. ¿Por qué creen que el hombre decide visitar al psiquiatra?
2. ¿Piensan que el hombre tiene o no tiene esquizofrenia?
3. ¿Creen que el hombre vestido de negro es real? ¿Por qué?
4. ¿Qué piensan que ocurre al final del cuento?

Escritura

Estrategia

Organizing information logically

Many times a written piece may require you to include a great deal of information. You might want to organize your information in one of three different ways:

- chronologically (e.g., events in the history of a country)
- sequentially (e.g., steps in a recipe)
- in order of importance

Organizing your information beforehand will make both your writing and your message clearer to your readers. If you were writing a piece on weight reduction, for example, you would need to organize your ideas about two general areas: eating right and exercise. You would need to decide which of the two is more important according to your purpose in writing the piece. If your main idea is that eating right is the key to losing weight, you might want to start your piece with a discussion of good eating habits. You might want to discuss the following aspects of eating right in order of their importance:

- quantities of food
- selecting appropriate foods
- healthy recipes
- percentage of fat in each meal
- calorie count
- percentage of carbohydrates in each meal
- frequency of meals

You would then complete the piece by following the same process to discuss the various aspects of the importance of getting exercise.

Tema

Escribir un plan personal de bienestar

Desarrolla un plan personal para mejorar tu bienestar, ta[n] físico como emocional. Tu plan debe describir:

1. lo que has hecho para mejorar tu bienestar y llevar una vida sana
2. lo que no has podido hacer todavía
3. las actividades que debes hacer en los próximos meses

Considera también estas preguntas:

La nutrición

- ¿Comes una dieta equilibrada?
- ¿Consumes suficientes vitaminas y minerales?
- ¿Consumes demasiada grasa?
- ¿Quieres aumentar de peso o adelgazar?
- ¿Qué puedes hacer para mejorar tu dieta?

El ejercicio

- ¿Haces ejercicio? ¿Con qué frecuencia?
- ¿Vas al gimnasio? ¿Qué tipo de ejercicios haces allí?
- ¿Practicas algún deporte?
- ¿Qué puedes hacer para mejorar tu bienestar físico?

El estrés

- ¿Sufres muchas presiones?
- ¿Qué actividades o problemas te causan estrés?
- ¿Qué haces (o debes hacer) para aliviar el estrés y sentirte más tranquilo/a?
- ¿Qué puedes hacer para mejorar tu bienestar emocional?

Escuchar

Antes de escuchar

Estrategia

Listening for the gist/ Listening for cognates

Combining these two strategies is an easy way to get a good sense of what you hear. When you listen for the gist, you get the general idea of what you're hearing, which allows you to interpret cognates and other words in a meaningful context. Similarly, the cognates give you information about the details of the story that you might not have understood when listening for the gist.

To practice these strategies, you will listen to a short paragraph. Write down the gist of what you hear and jot down a few cognates. Based on the gist and the cognates, what conclusions can you draw about what you heard?

Preparación

Mira la foto. ¿Qué pistas (*clues*) te da de lo que vas a oír?

Ahora escucha

Programa de radio

Escucha lo que dice Ofelia Cortez de Bauer. Anota algunos de los cognados que escuchas y también la idea general del discurso (*speech*).

____

____

____

____

Idea general: ________________________

Ahora contesta las siguientes preguntas.

1. ¿Cuál es el género (*genre*) del discurso?
2. ¿Cuál es el tema?
3. ¿Cuál es el propósito (*purpose*)?

Comprensión

¿Cierto o falso?

Indica si lo que dicen estas oraciones es **cierto** o **falso**. Corrige las oraciones falsas.

	Cierto	Falso
1. La señora Bauer habla de la importancia de estar en buena forma y de hacer ejercicio.	❍	❍
2. Según ella, lo más importante es que lleves el programa sugerido por los expertos.	❍	❍
3. La señora Bauer participa en actividades individuales y de grupo.	❍	❍
4. El único objetivo del tipo de programa que ella sugiere es adelgazar.	❍	❍

Preguntas

Responde a las preguntas.

1. Imagina que el programa de radio sigue. Según las pistas que ella dio, ¿qué vas a oír en la segunda parte?
2. ¿A qué tipo de público (*audience*) le interesa el tema del que habla la señora Bauer?
3. ¿Sigues los consejos de la señora Bauer? Explica tu respuesta.
4. ¿Qué piensas de los consejos que ella da? ¿Hay otra información que ella debía haber incluido (*should have included*)?

En pantalla

Video

Anuncio

El objetivo de esta original y divertida campaña es informar y sensibilizar° a la sociedad sobre la enfermedad del Parkinson y el sufrimiento que ocasiona° a los que la padecen°. Además de darse a conocer° y enfrentarse a° la indiferencia, con esta campaña también se pretende° recaudar fondos°, ya que la Asociación Parkinson Alicante se ha visto afectada por la crisis económica española, disminuyendo así el número de ayudas recibidas.

Vocabulario útil	
aullar	*to howl*
hombre lobo	*werewolf*
lucha	*fight, battle*
manada	*pack (of wolves)*
subvenciones	*subsidies*
tiembla	*trembles, shakes*

Preparación

¿Conoces alguna ONG (organización no gubernamental)? ¿Cuál? ¿Qué cosas ha hecho esa organización para ayudar a los demás?

Escoger

Elige la opción correcta.

1. Las _____ a la asociación estaban fallando.
   a. subvenciones b. peticiones
2. La asociación decidió inventar una _____ para el Parkinson.
   a. pastilla b. causa
3. Michael J. Fox hizo el papel de un _____ y tiene Parkinson.
   a. hombre lobo b. hombre araña
4. La forma para llegar a todo el mundo es _____ lo más fuerte (*loud*) posible.
   a. cantar b. aullar

Una campaña

En parejas, creen una campaña para transformar una organización, real o ficticia. Utilicen el condicional.

sensibilizar *to raise awareness* **ocasiona** *causes* **la padecen** *suffer from it* **darse a conocer** *spreading the word* **enfrentarse a** *to fight against* **se pretende** *the hope is to* **recaudar fondos** *to raise money*

Asociación Parkinson Alicante

1 **Hemos decidido inventarnos una causa para el Parkinson.**

2 **Tal vez la gente pueda creerse que ser hombre lobo provoque Parkinson.**

3 **Queremos que la gente conozca la asociación y nos ayude en esta lucha.**

More activities
vhlcentral
Online activities

Cortometraje

Todos tenemos metas en nuestras vidas, pero no siempre es fácil llegar a ellas. José, el protagonista del cortometraje *Cham-piñón*, vive con su familia en una zona rural de Colombia durante los años ochenta. Tiene que trabajar para ayudar a sus padres. Aunque° tiene una discapacidad física, José sabe que es importante superar las adversidades para alcanzar° sus metas.

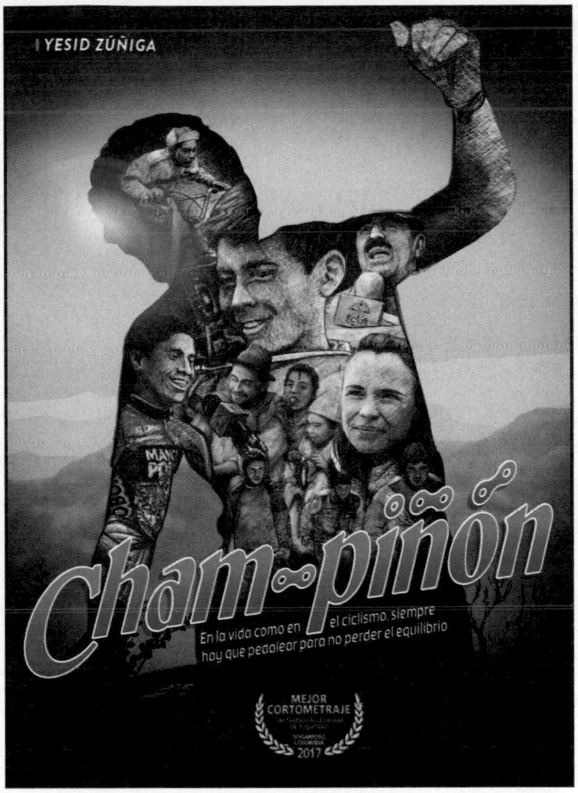

Preparación

Responde a las preguntas:

- ¿Cuáles son las metas que te has fijado (*set*) en la vida?
- ¿Qué dificultades tienes que superar para cumplir esas metas?

Después de ver

Pon las oraciones en orden.

_____ a. José se cae cuando tres chicos lo atacan con sus bicicletas.

_____ b. La mamá de José le pide a su esposo que le permita a su hijo ver la llegada de la carrera.

_____ c. El padre de José dice que no puede ir a ver la llegada de la carrera.

_____ d. José encuentra unas bicicletas y se para a mirarlas.

_____ e. José tiene miedo de los tres chicos que lo insultan y se va.

_____ f. José consigue ver la llegada a la meta y la victoria de su ídolo Emilio.

¿Qué harías tú?

En parejas, digan qué harían ustedes en el lugar de José.

1. José pensaba quedarse a trabajar porque su papá no le permitió ir a la carrera.
2. Cuando los chicos lo insultan, José se va.
3. Aunque tiene una discapacidad, José quiere ser un ciclista profesional.
4. Después de la carrera, José les da las gracias a su familia y a su pueblo.

Expresiones útiles

el campeón/la campeona	*champion*
la carrera	*race*
la etapa	*stage*
el/la ganador(a)	*winner*
la meta	*finish line; goal*
el sueño	*dream*
la victoria	*victory*

Para hablar del corto

el aparato ortopédico	*brace*
cojear	*to limp*
la discapacidad	*disability*
la ruana	*poncho of Andes region in Colombia*
superar	*to overcome*

Aunque *Although* alcanzar *to reach*

Video

Bolivia

El país en cifras

Plaza Murillo

- **Área:** 1.098.580 km² (424.162 millas²), *equivalente al área total de Francia y España*
- **Población:** 11.138.000

Los indígenas quechua y aimara constituyen más de la mitad° de la población de Bolivia. Estos grupos indígenas han mantenido sus culturas y lenguas tradicionales. Las personas de ascendencia° indígena y europea representan la tercera parte de la población. Los demás son de ascendencia europea nacida en Latinoamérica. Una gran mayoría de los bolivianos, más o menos el 70%, vive en el altiplano°.

- **Capital:** La Paz, sede° del gobierno, capital administrativa—1.816.000; Sucre, sede del Tribunal Supremo, capital constitucional y judicial
- **Ciudades principales:** Santa Cruz de la Sierra—2.107.000; Cochabamba, Oruro, Potosí
- **Moneda:** peso boliviano
- **Idiomas:** español (oficial), aimara (oficial), quechua (oficial)

Bandera de Bolivia

Carnaval de Oruro

Bolivianos célebres

- **Jesús Lara,** escritor (1898–1980)
- **Víctor Paz Estenssoro,** político y presidente (1907–2001)
- **María Luisa Pacheco,** pintora (1919–1982)
- **Matilde Casazola,** poeta (1943–)
- **Edmundo Paz Soldán,** escritor (1967–)

mitad *half* ascendencia *descent* altiplano *high plateau* sede *seat*

Vista de la ciudad de Sucre

More activities
vhlcentral | WB pp. 189–190 | Online activities

ACTIVIDADES

1 ¿Cierto o falso? Indica si lo que dicen las oraciones es **cierto** o **falso**.

1. Más de la mitad de la población de Bolivia corresponde a indígenas quechua y aimara.
2. La población indígena de Bolivia ha cambiado su lengua y su cultura.
3. La moneda de Bolivia es el peso boliviano.
4. Cochabamba es una merienda boliviana.
5. Edmundo Paz Soldán es un escritor boliviano.
6. El lago Titicaca es el lago más grande de Suramérica.
7. La música andina tiene origen indígena.
8. Tiahuanaco es un lugar muy activo.
9. La vestimenta de la chola paceña es blanca y negra.
10. Sucre es la capital más alta del mundo.

Lugares • El lago Titicaca

Titicaca, situado en los Andes de Bolivia y Perú, es el lago navegable más alto del mundo, a una altitud de 3.812 metros (12.506 pies). Con un área de más de 8.300 kilómetros^2 (3.200 millas^2), también es el segundo lago más grande de Suramérica, después del lago de Maracaibo (Venezuela). La mitología inca cuenta que los hijos del dios° Sol emergieron de las profundas aguas del lago Titicaca para fundar su imperio°.

Artes • La música andina

La música andina, compartida por Bolivia, Perú, Ecuador, Chile y Argentina, es el aspecto más conocido de su folclore. Hay muchos conjuntos° profesionales que dan a conocer° esta música popular, de origen indígena, alrededor° del mundo. Algunos de los grupos más importantes y que llevan más de treinta años actuando en escenarios internacionales son Los Kjarkas (Bolivia), Inti Illimani (Chile), Los Chaskis (Argentina) e Illapu (Chile).

Historia • Tiahuanaco

Tiahuanaco, que significa "Ciudad de los dioses", es un sitio arqueológico de ruinas preincaicas situado cerca de La Paz y del lago Titicaca. Se piensa que los antepasados° de los indígenas aimara fundaron este centro ceremonial hace unos 15.000 años. En el año 1100, la ciudad tenía unos 60.000 habitantes. En este sitio se pueden ver el Templo de Kalasasaya, el Monolito Ponce, el Templete Subterráneo, la Puerta del Sol y la Puerta de la Luna. La Puerta del Sol es un impresionante monumento que tiene tres metros de alto y cuatro de ancho°, y pesa unas diez toneladas.

Gente • La chola paceña

La palabra **cholo** significa mestizo de sangre indígena y europea, y hace referencia al campesino que ha emigrado a la ciudad. Con el paso del tiempo, la chola paceña° se ha convertido en un símbolo de la identidad boliviana y en un ícono de la moda. Su vestimenta llena de color se compone de sombrero, mantón°, chaquetilla, falda, enagua°, botas y joyas, prendas que la chola lleva con elegancia y orgullo°.

dios *god* imperio *empire* conjuntos *groups* dan a conocer *make known* alrededor *around* antepasados *ancestors* ancho *wide* paceña *from La Paz* mantón *shawl* enagua *petticoat* orgullo *pride*

¡Increíble pero cierto!

La Paz es la capital más alta del mundo. Su aeropuerto está situado a una altitud de 4.061 metros (13.325 pies). Ah, y si viajas en carro hasta La Paz, ¡no te olvides del paraguas°! En la carretera, que cruza 9.000 metros de densa selva, te encontrarás con una cascada°.

paraguas *umbrella* cascada *waterfall*

2 ¿Qué aprendiste? Responde a las preguntas con una oración completa.

1. ¿Qué idiomas se hablan en Bolivia?
2. ¿Dónde vive la mayoría de los bolivianos?
3. ¿Cuál es la capital administrativa de Bolivia?
4. ¿De qué países es la música andina?

3 Preguntas En parejas, imaginen que están en Bolivia y túrnense para preguntarse qué han hecho o qué lugares han conocido en este país. Utilicen el pretérito perfecto de indicativo.

modelo

Estudiante 1: ¿Has visitado el lago Titicaca?
Estudiante 2: No, todavía no lo he visitado.

Paraguay

El país en cifras

- **Área:** 406.750 km² (157.046 millas²), *el tamaño° de California*
- **Población:** 6.944.000
- **Capital:** Asunción—2.356.000
- **Ciudades principales:** Ciudad del Este, San Lorenzo, Lambaré, Fernando de la Mora
- **Moneda:** guaraní
- **Idiomas:** español (oficial), guaraní (oficial)

Las tribus indígenas que habitaban la zona antes de la llegada de los españoles hablaban guaraní. Ahora el 90% de los paraguayos habla esta lengua, que se usa con frecuencia en canciones, poemas, periódicos y libros. Varios institutos y asociaciones, como el Teatro Guaraní, se dedican a preservar la cultura y la lengua guaraníes.

Bandera de Paraguay

Paraguayos célebres

- **Agustín Barrios,** guitarrista y compositor (1885–1944)
- **Josefina Plá,** escritora y ceramista (1903–1999)
- **Augusto Roa Bastos,** escritor (1917–2005)
- **Olga Blinder,** pintora (1921–2008)
- **Berta Rojas,** guitarrista (1966–)

tamaño *size*

Mujeres guaraníes

Palacio de Gobierno en Asunción

Itapúa

More activities
vhlcentral | WB pp. 191–192 | Online activities

ACTIVIDADES

1 ¿Cierto o falso? Indica si lo que dicen las oraciones es **cierto** o **falso**.

1. La capital de Paraguay se llama Asunción.
2. El guaraní es una lengua hablada sólo por las tribus indígenas de Paraguay.
3. Josefina Plá fue una conocida escritora y ceramista paraguaya.
4. Augusto Roa Bastos fue un entrenador paraguayo.
5. El ñandutí es un tipo de encaje hecho a mano.
6. Itaipú se encuentra en la frontera entre Paraguay y Uruguay.
7. La construcción de la represa Itaipú duró ocho años.
8. El Gran Chaco queda completamente en Paraguay.
9. En Paraguay es una obligación participar en las elecciones.
10. Los ciudadanos de Paraguay tienen que pagar una multa al gobierno si no van a votar.

Artesanía • El ñandutí

La artesanía° más famosa de Paraguay se llama ñandutí y es un encaje° hecho a mano originario de Itauguá. En guaraní, la palabra *ñandutí* significa telaraña°; esta pieza recibe ese nombre porque imita el trazado° que crean los arácnidos. Estos encajes suelen ser° blancos, pero también los hay de colores, con formas geométricas o florales.

Ciencias • La represa Itaipú

La represa° Itaipú es una instalación hidroeléctrica que se encuentra en la frontera entre Paraguay y Brasil. Su construcción inició en 1974 y duró ocho años. La cantidad de concreto que se utilizó durante los primeros cinco años de esta obra fue similar a la que se necesita para construir un edificio de 350 pisos. Cien mil trabajadores paraguayos participaron en el proyecto. En 1984 se puso en funcionamiento la Central Hidroeléctrica de Itaipú y, gracias a su cercanía con las famosas cataratas del Iguazú, muchos turistas la visitan diariamente.

Naturaleza • Los ríos Paraguay y Paraná

Los ríos Paraguay y Paraná sirven de frontera natural entre Argentina y Paraguay, y son las principales rutas de transporte de este último país. El Paraná tiene unos 3.200 kilómetros navegables, y por esta ruta pasan barcos de más de 5.000 toneladas, los cuales viajan desde el estuario° del Río de la Plata hasta la ciudad de Asunción. El río Paraguay divide el Gran Chaco de la meseta° Paraná, donde vive la mayoría de los paraguayos.

Geografía • El Gran Chaco

El Gran Chaco es una región geográfica que comparten Argentina, Brasil, Bolivia y Paraguay. Tiene una extensión aproximada de 1.141.000 km^2 (440.542 $millas^2$), cinco veces mayor que la de Ecuador. El Chaco paraguayo o Región Occidental° representa el 60% del territorio y tan sólo el 2% de la población. A lo largo del territorio hay variaciones térmicas todos los días, aunque las lluvias son constantes en el verano y los meses de invierno son secos.

artesanía *crafts* **encaje** *lace* **telaraña** *spiderweb* **trazado** *outline; design* **suelen ser** *are usually* **represa** *dam* **estuario** *estuary* **meseta** *plateau* **Región Occidental** *Western Region*

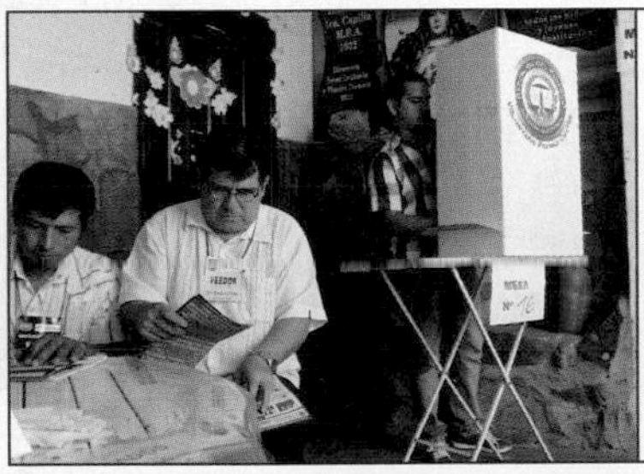

¡Increíble pero cierto!

¿Te imaginas qué pasaría si el gobierno multara° a los ciudadanos que no van a votar? En Paraguay es una obligación. Ésta es una ley nacional, que otros países también tienen, para obligar a los ciudadanos a participar en las elecciones. En Paraguay los ciudadanos que no van a votar tienen que pagar una multa al gobierno.

multara *fined*

2 ¿Qué aprendiste? Contesta cada pregunta con una oración completa.

1. ¿Quién fue Augusto Roa Bastos?
2. ¿Cómo se llama la moneda de Paraguay?
3. ¿Qué forma imita el ñandutí?
4. ¿Qué países separan los ríos Paraguay y Paraná?

3 En televisión En parejas, imaginen que van a hacer un programa de televisión sobre Paraguay. Hablen sobre lo que les gustaría mostrar en su programa. Utilicen el condicional.

modelo

Para nuestro programa de televisión me gustaría mostrar el Teatro Guaraní.

Vocabulary Tools

El bienestar

el bienestar	*well-being*
la droga	*drug*
el/la drogadicto/a	*drug addict*
el masaje	*massage*
el/la teleadicto/a	*couch potato*
adelgazar	*to lose weight; to slim down*
aliviar el estrés	*to reduce stress*
aliviar la tensión	*to reduce tension*
apurarse, darse prisa	*to hurry; to rush*
aumentar de peso, engordar	*to gain weight*
disfrutar (de)	*to enjoy; to reap the benefits (of)*
estar a dieta	*to be on a diet*
(no) fumar	*(not) to smoke*
llevar una vida sana	*to lead a healthy lifestyle*
sufrir muchas presiones	*to be under a lot of pressure*
tratar de (+ *inf.*)	*to try (to do something)*
activo/a	*active*
débil	*weak*
en exceso	*in excess; too much*
flexible	*flexible*
fuerte	*strong*
sedentario/a	*sedentary*
tranquilo/a	*calm; quiet*

En el gimnasio

la cinta caminadora	*treadmill*
la clase de ejercicios aeróbicos	*aerobics class*
el/la entrenador(a)	*trainer*
el músculo	*muscle*
calentarse (e:ie)	*to warm up*
entrenarse	*to train*
estar en buena forma	*to be in good shape*
hacer ejercicio	*to exercise*
hacer ejercicios aeróbicos	*to do aerobics*
hacer ejercicios de estiramiento	*to do stretching exercises*
hacer gimnasia	*to work out*
levantar pesas	*to lift weights*
mantenerse en forma	*to stay in shape*
sudar	*to sweat*

La nutrición

la bebida alcohólica	*alcoholic beverage*
la cafeína	*caffeine*
la caloría	*calorie*
el colesterol	*cholesterol*
la grasa	*fat*
la merienda	*afternoon snack*
el mineral	*mineral*
la nutrición	*nutrition*
el/la nutricionista	*nutritionist*
la proteína	*protein*
la vitamina	*vitamin*
comer una dieta equilibrada	*to eat a balanced diet*
consumir alcohol	*to consume alcohol*
descafeinado/a	*decaffeinated*

Expresiones útiles	*See page 487.*

More activities

vhlcentral | LM p. 89

Consulta

Plan de escritura

1. **Ideas y organización**

   Begin by organizing your writing materials. If you prefer to write by hand, you may want to have a few spare pens and pencils on hand, as well as an eraser or correction fluid. If you prefer to use a word-processing program, make sure you know how to type Spanish accent marks, the **tilde**, and Spanish punctuation marks. Then make a list of the resources you can consult while writing. Finally, make a list of the basic ideas you want to cover. Beside each idea, jot down a few Spanish words and phrases you may want to use while writing.

2. **Primer borrador**

   Write your first draft, using the resources and ideas you gathered in **Ideas y organización.**

3. **Comentario**

   Exchange papers with a classmate and comment on each other's work, using these questions as a guide. Begin by mentioning what you like about your classmate's writing.

   a. How can your classmate make his or her writing clearer, more logical, or more organized?
   b. What suggestions do you have for making the writing more interesting or complete?
   c. Do you see any spelling or grammatical errors?

4. **Redacción**

   Revise your first draft, keeping in mind your classmate's comments. Also, incorporate any new information you may have. Before handing in the final version, review your work using these guidelines:

   a. Make sure each verb agrees with its subject. Then check the gender and number of each article, noun, and adjective.
   b. Check your spelling and punctuation.
   c. Consult your **Anotaciones para mejorar la escritura** (see description below) to avoid repetition of previous errors.

5. **Evaluación y progreso**

   You may want to share what you've written with a classmate, a small group, or the entire class. After your instructor has returned your paper, review the comments and corrections. On a separate sheet of paper, write the heading **Anotaciones para mejorar** (*Notes for improving*) **la escritura** and list your most common errors. Place this list and your corrected document in your writing portfolio (**Carpeta de trabajos**) and consult it from time to time to gauge your progress.

Spanish Terms for Direction Lines and Classroom Use

Below is a list of useful terms that you might hear your instructor say in class. It also includes Spanish terms that appear in the direction lines of your textbook.

En las instrucciones *In direction lines*

Cambia/Cambien...	*Change...*
Camina/Caminen por la clase.	*Walk around the classroom.*
Ciertas o falsas	*True or false*
Cierto o falso	*True or false*
Circula/Circulen por la clase.	*Walk around the classroom.*
Completa las oraciones de una manera lógica.	*Complete the sentences logically.*
Con un(a) compañero/a...	*With a classmate...*
Contesta las preguntas.	*Answer the questions.*
Corrige las oraciones falsas.	*Correct the false statements.*
Cuenta/Cuenten...	*Tell...*
Di/Digan...	*Say...*
Discute/Discutan...	*Discuss...*
En grupos...	*In groups...*
En parejas...	*In pairs...*
Entrevista...	*Interview...*
Escúchala	*Listen to it*
Forma oraciones completas.	*Create/Make complete sentences.*
Háganse preguntas.	*Ask each other questions.*
Haz el papel de...	*Play the role of...*
Haz los cambios necesarios.	*Make the necessary changes.*
Indica/Indiquen si las oraciones...	*Indicate if the sentences...*
Intercambia/Intercambien...	*Exchange...*
Lee/Lean en voz alta.	*Read aloud.*
Pon/Pongan...	*Put...*
... que mejor completa...	*...that best completes...*
Reúnete...	*Get together...*
... se da/dan como ejemplo.	*...is/are given as a model.*
Toma nota...	*Take note...*
Tomen apuntes.	*Take notes.*
Túrnense...	*Take turns...*

Palabras útiles *Useful words*

la adivinanza	*riddle*
el anuncio	*advertisement/ad*
los apuntes	*notes*
el borrador	*draft*
la canción	*song*
la concordancia	*agreement*
el contenido	*contents*
el cortometraje	*short film*
eficaz	*efficient; effective*
la encuesta	*survey*
el equipo	*team*
el esquema	*outline*
el folleto	*brochure*
las frases	*phrases*
la hoja de actividades	*activity sheet/handout*
la hoja de papel	*piece of paper*
la información errónea	*incorrect information*
el/la lector(a)	*reader*
la lectura	*reading*
las oraciones	*sentences*
la ortografía	*spelling*
el papel	*role*
el párrafo	*paragraph*
el paso	*step*
la(s) persona(s) descrita(s)	*the person (people) described*
la pista	*clue*
por ejemplo	*for example*
el propósito	*purpose*
los recursos	*resources*
el reportaje	*report*
los resultados	*results*
según	*according to*
siguiente	*following*
la sugerencia	*suggestion*
el sustantivo	*noun*
el tema	*topic*
último	*last*
el último recurso	*last resort*

Verbos útiles *Useful verbs*

adivinar	*to guess*
anotar	*to jot down*
añadir	*to add*
apoyar	*to support*
averiguar	*to find out*
cambiar	*to change*
combinar	*to combine*
compartir	*to share*
comprobar (o:ue)	*to check*
contestar	*to answer*
corregir (e:i)	*to correct*
crear	*to create*
devolver (o:ue)	*to return*
doblar	*to fold*
dramatizar	*to act out*
elegir (e:i)	*to choose/select*
emparejar	*to match*
entrevistar	*to interview*
escoger	*to choose*
identificar	*to identify*
incluir	*to include*
informar	*to report*
intentar	*to try*
intercambiar	*to exchange*
investigar	*to research*
marcar	*to mark*
preguntar	*to ask*
recordar (o:ue)	*to remember*
responder	*to answer*
revisar	*to revise*
seguir (e:i)	*to follow*
seleccionar	*to select*
subrayar	*to underline*
traducir	*to translate*
tratar de	*to be about*

Expresiones útiles *Useful expressions*

Ahora mismo.	*Right away.*
¿Cómo no?	*But of course.*
¿Cómo se dice ______ en español?	*How do you say ______ in Spanish?*
¿Cómo se escribe ______?	*How do you spell ______?*
¿Comprende(n)?	*Do you understand?*
Con gusto.	*With pleasure.*
Con permiso.	*Excuse me.*
De acuerdo.	*OK.*
De nada.	*You're welcome.*
¿De veras?	*Really?*
¿En qué página estamos?	*What page are we on?*
¿En serio?	*Seriously?*
Enseguida.	*Right away.*
hoy día	*nowadays*
Más despacio, por favor.	*Slower, please.*
Muchas gracias.	*Thanks a lot.*
No entiendo.	*I don't understand.*
No hay de qué.	*Don't mention it.*
No importa.	*No problem./It doesn't matter.*
¡No me digas!	*You don't say!*
No sé.	*I don't know.*
¡Ojalá!	*Hopefully!*
Perdone.	*Pardon me.*
Por favor.	*Please.*
Por supuesto.	*Of course.*
¡Qué bien!	*Great!*
¡Qué gracioso!	*How funny!*
¡Qué pena!	*What a shame/pity!*
¿Qué significa ______?	*What does ______ mean?*
Repite, por favor.	*Please repeat.*
Tengo una pregunta.	*I have a question.*
¿Tiene(n) alguna pregunta?	*Do you have any questions?*
Vaya(n) a la página dos.	*Go to page 2.*

Glossary of Grammatical Terms

ADJECTIVE A word that modifies, or describes, a noun or pronoun.

muchos libros *many books*	un hombre **rico** *a rich man*
las mujeres **altas** *the tall women*	

Demonstrative adjective An adjective that specifies which noun a speaker is referring to.

esta fiesta ***this** party*	**ese** chico ***that** boy*
aquellas flores ***those** flowers*	

Possessive adjective An adjective that indicates ownership or possession.

mi mejor vestido ***my** best dress*	Éste es **mi** hermano. *This is **my** brother.*

Stressed possessive adjective A possessive adjective that emphasizes the owner or possessor.

Es un libro **mío**.
*It's **my** book./It's a book **of mine**.*

Es amiga **tuya**; yo no la conozco.
*She's a friend **of yours**; I don't know her.*

ADVERB A word that modifies, or describes, a verb, adjective, or other adverb.

Pancho escribe **rápidamente**.
*Pancho writes **quickly**.*

Este cuadro es **muy** bonito.
*This picture is **very** pretty.*

ARTICLE A word that points out a noun in either a specific or a non-specific way.

Definite article An article that points out a noun in a specific way.

el libro ***the** book*	**la** maleta ***the** suitcase*
los diccionarios ***the** dictionaries*	**las** palabras ***the** words*

Indefinite article An article that points out a noun in a general, non-specific way.

un lápiz ***a** pencil*	**una** computadora ***a** computer*
unos pájaros ***some** birds*	**unas** escuelas ***some** schools*

CLAUSE A group of words that contains both a conjugated verb and a subject, either expressed or implied.

Main (or Independent) clause A clause that can stand alone as a complete sentence.

Pienso ir a cenar pronto.
I plan to go to dinner soon.

Subordinate (or Dependent) clause A clause that does not express a complete thought and therefore cannot stand alone as a sentence.

Trabajo en la cafetería **porque necesito dinero para la escuela.**
*I work in the cafeteria **because I need money for school.***

COMPARATIVE A construction used with an adjective or adverb to express a comparison between two people, places, or things.

Este programa es **más interesante** que el otro.
*This program is **more interesting than** the other one.*

Tomás no es **tan alto como** Alberto.
*Tomás is not **as tall as** Alberto.*

CONJUGATION A set of the forms of a verb for a specific tense or mood or the process by which these verb forms are presented.

Preterite conjugation of **cantar:**

cant**é**	cant**amos**
cant**aste**	cant**asteis**
cant**ó**	cant**aron**

CONJUNCTION A word used to connect words, clauses, or phrases.

Susana es de Cuba **y** Pedro es de España.
*Susana is from Cuba **and** Pedro is from Spain.*

No quiero estudiar **pero** tengo que hacerlo.
*I don't want to study, **but** I have to.*

CONTRACTION The joining of two words into one. The only contractions in Spanish are **al** and **del**.

Mi hermano fue **al** concierto ayer.
*My brother went **to the** concert yesterday.*

Saqué dinero **del** banco.
*I took money **from the** bank.*

DIRECT OBJECT A noun or pronoun that directly receives the action of the verb.

Tomás lee **el libro**.
*Tomás reads **the book**.*

La pagó ayer.
*She paid **it** yesterday.*

GENDER The grammatical categorizing of certain kinds of words, such as nouns and pronouns, as masculine, feminine, or neuter.

Masculine
articles **el, un**
pronouns **él, lo, mío, éste, ése, aquél**
adjective **simpático**

Feminine
articles **la, una**
pronouns **ella, la, mía, ésta, ésa, aquélla**
adjective **simpática**

IMPERSONAL EXPRESSION A third-person expression with no expressed or specific subject.

Es muy importante.
It's very important.

Llueve mucho.
***It's raining** hard.*

Aquí **se habla** español.
*Spanish **is spoken** here.*

INDIRECT OBJECT A noun or pronoun that receives the action of the verb indirectly; the object, often a living being, to or for whom an action is performed.

Eduardo **le** dio un libro **a Linda**.
*Eduardo gave a book **to Linda**.*

La profesora **me** puso una C en el examen.
*The professor gave **me** a C on the test.*

INFINITIVE The basic form of a verb. Infinitives in Spanish end in **-ar**, **-er**, or **-ir**.

hablar	**correr**	**abrir**
to speak	*to run*	*to open*

INTERROGATIVE An adjective, adverb, or pronoun used to ask a question.

¿**Quién** habla?
***Who** is speaking?*

¿**Cuántos** compraste?
***How many** did you buy?*

¿**Qué** piensas hacer hoy?
***What** do you plan to do today?*

INVERSION Changing the word order of a sentence, often to form a question.

Statement: Elena pagó la cuenta del restaurante.

Inversion: ¿Pagó Elena la cuenta del restaurante?

MOOD A grammatical distinction of verbs that indicates whether the verb is intended to make a statement or command or to express a doubt, emotion, or condition contrary to fact.

Imperative mood Verb forms used to make commands.

Di la verdad.
***Tell** the truth.*

Caminen ustedes conmigo.
***Walk** with me.*

¡**Comamos** ahora!
***Let's eat** now!*

Indicative mood Verb forms used to state facts, actions, and states considered to be real.

Sé que **tienes** el dinero.
***I know** that **you have** the money.*

Subjunctive mood Verb forms used principally in subordinate (dependent) clauses to express wishes, desires, emotions, doubts, and certain conditions, such as contrary-to-fact situations.

Prefieren que **hables** en español.
*They prefer that **you speak** in Spanish.*

Dudo que Luis **tenga** el dinero necesario.
*I doubt that Luis **has** the necessary money.*

NOUN A word that identifies people, animals, places, things, and ideas.

hombre *man*	**gato** *cat*
México *Mexico*	**casa** *house*
libertad *freedom*	**libro** *book*

NUMBER A grammatical term that refers to singular or plural. Nouns in Spanish and English have number. Other parts of a sentence, such as adjectives, articles, and verbs, can also have number.

Singular	Plural
una cosa *a thing*	unas cosas *some things*
el profesor *the professor*	los profesores *the professors*

NUMBERS Words that represent amounts.

Cardinal numbers Words that show specific amounts.

cinco minutos
***five** minutes*

el año **dos mil veintitrés**
*the year **2023***

Ordinal numbers Words that indicate the order of a noun in a series.

el **cuarto** jugador *the **fourth** player*	la **décima** hora *the **tenth** hour*

PAST PARTICIPLE A past form of the verb used in compound tenses. The past participle may also be used as an adjective, but it must then agree in number and gender with the word it modifies.

Han **buscado** por todas partes.
*They have **searched** everywhere.*

Yo no había **estudiado** para el examen.
*I hadn't **studied** for the exam.*

Hay una **ventana abierta** en la sala.
*There is an **open window** in the living room.*

PERSON The form of the verb or pronoun that indicates the speaker, the one spoken to, or the one spoken about. In Spanish, as in English, there are three persons: first, second, and third.

Person	Singular	Plural
1st	**yo** *I*	**nosotros/as** *we*
2nd	**tú, Ud.** *you*	**vosotros/as, Uds.** *you*
3rd	**él, ella** *he, she*	**ellos, ellas** *they*

PREPOSITION A word or words that describe(s) the relationship, most often in time or space, between two other words.

Anita es **de** California.
*Anita is **from** California.*

La chaqueta está **en** el carro.
*The jacket is **in** the car.*

Marta se peinó **antes de** salir.
*Marta combed her hair **before** going out.*

PRESENT PARTICIPLE In English, a verb form that ends in *-ing*. In Spanish, the present participle ends in **-ndo**, and is often used with **estar** to form a progressive tense.

Mi hermana está **hablando** por teléfono ahora mismo.
*My sister is **talking** on the phone right now.*

PRONOUN A word that takes the place of a noun or nouns.

Demonstrative pronoun A pronoun that takes the place of a specific noun.

Quiero **ésta**.
*I want **this one**.*

¿Vas a comprar **ése**?
*Are you going to buy **that one**?*

Juan prefirió **aquéllos**.
*Juan preferred **those** (over there).*

Object pronoun A pronoun that functions as a direct or indirect object of the verb.

Te digo la verdad.
*I'm telling **you** the truth.*

Me lo trajo Juan.
*Juan brought **it** to **me**.*

Reflexive pronoun A pronoun that indicates that the action of a verb is performed by the subject on itself. These pronouns are often expressed in English with *-self*: *myself, yourself*, etc.

Yo **me bañé** antes de salir.
***I bathed (myself)** before going out.*

Elena **se acostó** a las once y media.
*Elena **went to bed** at eleven-thirty.*

Relative pronoun A pronoun that connects a subordinate clause to a main clause.

El chico **que** nos escribió viene de visita mañana.
*The boy **who** wrote us is coming to visit tomorrow.*

Ya sé **lo que** tenemos que hacer.
*I already know **what** we have to do.*

Subject pronoun A pronoun that replaces the name or title of a person or thing, and acts as the subject of a verb.

Tú debes estudiar más.
***You** should study more.*

Él llegó primero.
***He** arrived first.*

SUBJECT A noun or pronoun that performs the action of a verb and is often implied by the verb.

María va al supermercado.
***María** goes to the supermarket.*

(**Ellos**) Trabajan mucho.
***They** work hard.*

Esos **libros** son muy caros.
*Those **books** are very expensive.*

SUPERLATIVE A word or construction used with an adjective or adverb to express the highest or lowest degree of a specific quality among three or more people, places, or things.

De todas mis clases, ésta es la **más interesante**.
*Of all my classes, this is the **most interesting**.*

Raúl es el **menos simpático** de los chicos.
*Raúl is the **least likeable** of the boys.*

TENSE A set of verb forms that indicates the time of an action or state: past, present, or future.

Compound tense A two-word tense made up of an auxiliary verb and a present or past participle. In Spanish, **estar** and **haber** are auxiliary verbs.

En este momento, **estoy estudiando**.
*At this time, **I am studying**.*

El paquete no **ha llegado** todavía.
*The package **has** not **arrived** yet.*

Simple tense A tense expressed by a single verb form.

María **estaba** enferma anoche.
*María **was** sick last night.*

Juana **hablará** con su mamá mañana.
*Juana **will speak** with her mom tomorrow.*

VERB A word that expresses actions or states of being.

Auxiliary verb A verb used with a present or past participle to form a compound tense. **Haber** is the most commonly used auxiliary verb in Spanish.

Los chicos **han** visto los elefantes.
*The children **have** seen the elephants.*

Espero que **hayas** comido.
*I hope you **have** eaten.*

Reflexive verb A verb that describes an action performed by the subject on itself and is always used with a reflexive pronoun.

Me compré un carro nuevo.
*I **bought myself** a new car.*

Pedro y Adela **se levantan** muy temprano.
*Pedro and Adela **get (themselves) up** very early.*

Spelling change verb A verb that undergoes a predictable change in spelling, in order to reflect its actual pronunciation in the various conjugations.

practicar	c→qu	practico	practi**qu**é
dirigir	g→j	dirigí	diri**j**o
almorzar	z→c	almorzó	almor**c**é

Stem-changing verb A verb whose stem vowel undergoes one or more predictable changes in the various conjugations.

entender (e:ie)	ent**ie**ndo
pedir (e:i)	p**i**den
dormir (o:ue, u)	d**ue**rmo, d**u**rmieron

Verb Conjugation Tables

The verb lists

The list of verbs below and the model-verb tables that start on page A-11 show you how to conjugate the verbs taught in **Panorama**. Each verb in the list is followed by a model verb conjugated according to the same pattern. The number in parentheses indicates where in the verb tables you can find the conjugated forms of the model verb. If you want to find out how to conjugate **divertirse**, for example, look up number 33, **sentir**, the model for verbs that follow the **e:ie** stem-change pattern.

How to use the verb tables

In the tables you will find the infinitive, present and past participles, and all the simple forms of each model verb. The formation of the compound tenses of any verb can be inferred from the table of compound tenses, pages A-11–12, either by combining the past participle of the verb with a conjugated form of **haber** or by combining the present participle with a conjugated form of **estar.**

abrazar (z:c) like cruzar (37)
abrir like vivir (3) *except* past participle is **abierto**
aburrir like vivir (3)
acabar like hablar (1)
acampar like hablar (1)
acompañar like hablar (1)
aconsejar like hablar (1)
acordarse (o:ue) like contar (24)
acostarse (o:ue) like contar (24)
adelgazar (z:c) like cruzar (37)
afeitarse like hablar (1)
ahorrar like hablar (1)
alegrarse like hablar (1)
aliviar like hablar (1)
almorzar (o:ue) like contar (24) *except* (z:c)
alquilar like hablar (1)
andar like hablar (1) *except* preterite stem is **anduv-**
apagar (g:gu) like llegar (41)
aprender like comer (2)
apurarse like hablar (1)
arrancar (c:qu) like tocar (44)
arreglar like hablar (1)
asistir like vivir (3)
aumentar like hablar (1)
ayudar(se) like hablar (1)
bailar like hablar (1)
bajar(se) like hablar (1)
bañarse like hablar (1)
barrer like comer (2)
beber like comer (2)
besar(se) like hablar (1)
borrar like hablar (1)
brindar like hablar (1)
bucear like hablar (1)
buscar (c:qu) like tocar (44)
caber (4)
caer(se) (5)
calentarse (e:ie) like pensar (30)
calzar (z:c) like cruzar (37)
cambiar like hablar (1)
caminar like hablar (1)
cantar like hablar (1)
cargar like llegar (41)
casarse like hablar (1)
cazar (z:c) like cruzar (37)
celebrar like hablar (1)
cenar like hablar (1)
cepillarse like hablar (1)
cerrar (e:ie) like pensar (30)
chatear like hablar (1)
cobrar like hablar (1)
cocinar like hablar (1)
comenzar (e:ie) (z:c) like empezar (26)
comer (2)
compartir like vivir (3)
comprar like hablar (1)
comprender like comer (2)
comprometerse like comer (2)
conducir (c:zc) (6)
conectar(se) like hablar (1)
confirmar like hablar (1)
conocer (c:zc) (35)
conseguir (e:i) (g:gu) like seguir (32)
conservar like hablar (1)
consumir like vivir (3)
contaminar like hablar (1)
contar (o:ue) (24)
contestar like hablar (1)
controlar like hablar (1)
conversar like hablar (1)
correr like comer (2)
costar (o:ue) like contar (24)
creer (y) (36)
cruzar (z:c) (37)
cuidar like hablar (1)
dañar like hablar (1)
dar (7)
deber like comer (2)
decidir like vivir (3)
decir (e:i) (8)
dejar like hablar (1)
depositar like hablar (1)
desarrollar like hablar (1)
desayunar like hablar (1)
descansar like hablar (1)
descargar like llegar (41)
describir like vivir (3) *except* past participle is **descrito**
descubrir like vivir (3) *except* past participle is **descubierto**
desear like hablar (1)
despertarse (e:ie) like pensar (30)
destruir (y) (38)
dibujar like hablar (1)
disfrutar like hablar (1)
divertirse (e:ie) like sentir (33)
divorciarse like hablar (1)
doblar like hablar (1)
doler (o:ue) like volver (34) *except* past participle is regular
dormir(se) (o:ue) (25)
ducharse like hablar (1)
dudar like hablar (1)
echar like hablar (1)
empezar (e:ie) (z:c) (26)
enamorarse like hablar (1)
encantar like hablar (1)
encontrar(se) (o:ue) like contar (24)
enfermarse like hablar (1)
engordar like hablar (1)
enojarse like hablar (1)
enseñar like hablar (1)
ensuciar like hablar (1)

entender (e:ie) (27)
entrenarse like hablar (1)
enviar (envío) (39)
escalar like hablar (1)
escanear like hablar (1)
escoger (g:j) like proteger (43)
escribir like vivir (3) *except* past participle is escrito
escuchar like hablar (1)
esperar like hablar (1)
esquiar (esquío) like enviar (39)
establecer (c:zc) like conocer (35)
estacionar like hablar (1)
estar (9)
estornudar like hablar (1)
estudiar like hablar (1)
evitar like hablar (1)
explicar (c:qu) like tocar (44)
faltar like hablar (1)
fascinar like hablar (1)
firmar like hablar (1)
fumar like hablar (1)
funcionar like hablar (1)
ganar like hablar (1)
gastar like hablar (1)
grabar like hablar (1)
graduarse (gradúo) (40)
guardar like hablar (1)
gustar like hablar (1)
haber (hay) (10)
hablar (1)
hacer (11)
importar like hablar (1)
imprimir like vivir (3)
indicar (c:qu) like tocar (44)
insistir like vivir (3)
interesar like hablar (1)
invitar like hablar (1)
ir(se) (12)
jubilarse like hablar (1)
jugar (u:ue) (g:gu) (28)
lastimarse like hablar (1)
lavar(se) like hablar (1)
leer (y) like creer (36)
levantar(se) like hablar (1)
limpiar like hablar (1)
llamar(se) like hablar (1)
llegar (g:gu) (41)
llenar like hablar (1)
llevar(se) like hablar (1)
llover (o:ue) like volver (34) *except* past participle is regular
mandar like hablar (1)
manejar like hablar (1)
mantener(se) (e:ie) like tener (20)
maquillarse like hablar (1)
mejorar like hablar (1)
merendar (e:ie) like pensar (30)
mirar like hablar (1)
molestar like hablar (1)
montar like hablar (1)
morir (o:ue) like dormir (25) *except* past participle is muerto
mostrar (o:ue) like contar (24)
mudarse like hablar (1)
nacer (c:zc) like conocer (35)
nadar like hablar (1)
necesitar like hablar (1)
negar (e:ie) like pensar (30) *except* (g:gu)
nevar (e:ie) like pensar (30)
odiar like hablar (1)
ofrecer (c:zc) like conocer (35)
oír (13)
olvidar like hablar (1)
pagar (g:gu) like llegar (41)
parar like hablar (1)
parecer (c:zc) like conocer (35)
pasar like hablar (1)
pasear like hablar (1)
patinar like hablar (1)
pedir (e:i) (29)
peinarse like hablar (1)
pensar (e:ie) (30)
perder (e:ie) like entender (27)
pescar (c:qu) like tocar (44)
planchar like hablar (1)
poder (o:ue) (14)
poner(se) (15)
practicar (c:qu) like tocar (44)
preferir (e:ie) like sentir (33)
preguntar like hablar (1)
prender like comer (2)
preocuparse like hablar (1)
preparar like hablar (1)
presentar like hablar (1)
prestar like hablar (1)
probar(se) (o:ue) like contar (24)
prohibir (prohíbo) (42)
proteger (g:j) (43)
quedar(se) like hablar (1)
querer (e:ie) (16)
quitar(se) like hablar (1)
recetar like hablar (1)
recibir like vivir (3)
reciclar like hablar (1)
recoger (g:j) like proteger (43)
recomendar (e:ie) like pensar (30)
recordar (o:ue) like contar (24)
reducir (c:zc) like conducir (6)
regalar like hablar (1)
regatear like hablar (1)
regresar like hablar (1)
reír(se) (e:i) (31)
relajarse like hablar (1)
repetir (e:i) like pedir (29)
resolver (o:ue) like volver (34)
respirar like hablar (1)
revisar like hablar (1)
rogar (o:ue) like contar (24) *except* (g:gu)
romper(se) like comer (2) *except* past participle is roto
saber (17)
sacar (c:qu) like tocar (44)
sacudir like vivir (3)
salir (18)
saludar(se) like hablar (1)
secar(se) (c:qu) like tocar (44)
seguir (e:i) (32)
sentarse (e:ie) like pensar (30)
sentir(se) (e:ie) (33)
separarse like hablar (1)
ser (19)
servir (e:i) like pedir (29)
sonar (o:ue) like contar (24)
sonreír (e:i) like reír(se) (31)
sorprender like comer (2)
subir like vivir (3)
sudar like hablar (1)
sufrir like vivir (3)
sugerir (e:ie) like sentir (33)
suponer like poner (15)
temer like comer (2)
tener (e:ie) (20)
terminar like hablar (1)
textear like hablar (1)
tocar (c:qu) (44)
tomar like hablar (1)
torcerse (o:ue) like volver (34) *except* (c:z) and past participle is regular; e.g., yo tuerzo
toser like comer (2)
trabajar like hablar (1)
traducir (c:zc) like conducir (6)
traer (21)
tratar like hablar (1)
usar like hablar (1)
vender like comer (2)
venir (e:ie) (22)
ver (23)
vestirse (e:i) like pedir (29)
viajar like hablar (1)
visitar like hablar (1)
vivir (3)
volver (o:ue) (34)

Regular verbs: simple tenses

	INDICATIVE					SUBJUNCTIVE		IMPERATIVE
Infinitive	**Present**	**Imperfect**	**Preterite**	**Future**	**Conditional**	**Present**	**Past**	
1 hablar	hablo	hablaba	hablé	hablaré	hablaría	hable	hablara	
	hablas	hablabas	hablaste	hablarás	hablarías	hables	hablaras	habla tú (no hables)
Participles:	habla	hablaba	habló	hablará	hablaría	hable	hablara	hable Ud.
hablando	hablamos	hablábamos	hablamos	hablaremos	hablaríamos	hablemos	habláramos	hablemos
hablado	habláis	hablabais	hablasteis	hablaréis	hablaríais	habléis	hablarais	hablad (no habléis)
	hablan	hablaban	hablaron	hablarán	hablarían	hablen	hablaran	hablen Uds.
2 comer	como	comía	comí	comeré	comería	coma	comiera	
	comes	comías	comiste	comerás	comerías	comas	comieras	come tú (no comas)
Participles:	come	comía	comió	comerá	comerían	coma	comiera	coma Ud.
comiendo	comemos	comíamos	comimos	comeremos	comeríamos	comamos	comiéramos	comamos
comido	coméis	comíais	comisteis	comeréis	comeríais	comáis	comierais	comed (no comáis)
	comen	comían	comieron	comerán	comerían	coman	comieran	coman Uds.
3 vivir	vivo	vivía	viví	viviré	viviría	viva	viviera	
	vives	vivías	viviste	vivirás	vivirías	vivas	vivieran	vive tú (no vivas)
Participles:	vive	vivía	vivió	vivirá	viviría	viva	viviera	viva Ud.
viviendo	vivimos	vivíamos	vivimos	viviremos	viviríamos	vivamos	viviéramos	vivamos
vivido	vivís	vivíais	vivisteis	viviréis	viviríais	viváis	vivierais	vivid (no viváis)
	viven	vivían	vivieron	vivirán	vivirían	vivan	vivieran	vivan Uds.

All verbs: compound tenses

PERFECT TENSES											
INDICATIVE								SUBJUNCTIVE			
Present Perfect		**Past Perfect**		**Future Perfect**		**Conditional Perfect**		**Present Perfect**		**Past Perfect**	
he		había		habré		habría		haya		hubiera	
has	hablado	habías	hablado	habrás	hablado	habrías	hablado	hayas	hablado	hubieras	hablado
ha	comido	había	comido	habrá	comido	habría	comido	haya	comido	hubiera	comido
hemos	vivido	habíamos	vivido	habremos	vivido	habríamos	vivido	hayamos	vivido	hubiéramos	vivido
habéis		habíais		habréis		habríais		hayáis		hubierais	
han		habían		habrán		habrían		hayan		hubieran	

PROGRESSIVE TENSES											
INDICATIVE								SUBJUNCTIVE			
Present Progressive		Past Progressive		Future Progressive		Conditional Progressive		Present Progressive		Past Progressive	
estoy		estaba		estaré		estaría		esté		estuviera	
estás	hablando	estabas	hablando	estarás	hablando	estarías	hablando	estés	hablando	estuvieras	hablando
está	comiendo	estaba	comiendo	estará	comiendo	estaría	comiendo	esté	comiendo	estuviera	comiendo
estamos	viviendo	estábamos	viviendo	estaremos	viviendo	estaríamos	viviendo	estemos	viviendo	estuviéramos	viviendo
estáis		estabais		estaréis		estaríais		estéis		estuvierais	
están		estaban		estarán		estarían		estén		estuvieran	

Irregular verbs

		INDICATIVE					SUBJUNCTIVE		IMPERATIVE
	Infinitive	Present	Imperfect	Preterite	Future	Conditional	Present	Past	
4	caber	**quepo**	cabía	**cupe**	**cabré**	**cabría**	**quepa**	**cupiera**	
		cabes	cabías	**cupiste**	**cabrás**	**cabrías**	**quepas**	**cupieras**	cabe tú (no **quepas**)
	Participles:	cabe	cabía	**cupo**	**cabrá**	**cabría**	**quepa**	**cupiera**	**quepa** Ud.
	cabiendo	cabemos	cabíamos	**cupimos**	**cabremos**	**cabríamos**	**quepamos**	**cupiéramos**	**quepamos**
	cabido	cabéis	cabíais	**cupisteis**	**cabréis**	**cabríais**	**quepáis**	**cupierais**	cabed (no **quepáis**)
		caben	cabían	**cupieron**	**cabrán**	**cabrían**	**quepan**	**cupieran**	**quepan** Uds.
5	caer(se)	**caigo**	caía	caí	caeré	caería	**caiga**	**cayera**	
		caes	caías	**caíste**	caerás	caerías	**caigas**	**cayeras**	cae tú (no **caigas**)
	Participles:	cae	caía	**cayó**	caerá	caería	**caiga**	**cayera**	**caiga** Ud.
	cayendo	caemos	caíamos	**caímos**	caeremos	caeríamos	**caigamos**	**cayéramos**	**caigamos**
	caído	caéis	caíais	**caísteis**	caeréis	caeríais	**caigáis**	**cayerais**	caed (no **caigáis**)
		caen	caían	**cayeron**	caerán	caerían	**caigan**	**cayeran**	**caigan** Uds.
6	conducir (c:zc)	**conduzco**	conducía	**conduje**	conduciré	conduciría	**conduzca**	**condujera**	
		conduces	conducías	**condujiste**	conducirás	conducirías	**conduzcas**	**condujeras**	conduce tú (no **conduzcas**)
		conduce	conducía	**condujo**	conducirá	conduciría	**conduzca**	**condujera**	**conduzca** Ud.
	Participles:	conducimos	conducíamos	**condujimos**	conduciremos	conduciríamos	**conduzcamos**	**condujéramos**	**conduzcamos**
	conduciendo	conducís	conducíais	**condujisteis**	conduciréis	conduciríais	**conduzcáis**	**condujerais**	conducid (no **conduzcáis**)
	conducido	conducen	conducían	**condujeron**	conducirán	conducirían	**conduzcan**	**condujeran**	**conduzcan** Uds.

		INDICATIVE					SUBJUNCTIVE		IMPERATIVE
	Infinitive	Present	Imperfect	Preterite	Future	Conditional	Present	Past	
7	dar	**doy**	daba	**di**	daré	daría	**dé**	**diera**	
		das	dabas	**diste**	darás	darías	**des**	**dieras**	da tú (no des)
	Participles:	da	daba	**dio**	dará	daría	**dé**	**diera**	**dé** Ud.
	dando	damos	dábamos	**dimos**	daremos	daríamos	**demos**	**diéramos**	**demos**
	dado	dais	dabais	**disteis**	daréis	daríais	**deis**	**dierais**	dad (no **deis**)
		dan	daban	**dieron**	darán	darían	**den**	**dieran**	**den** Uds.
8	decir (e:i)	**digo**	decía	**dije**	**diré**	**diría**	**diga**	**dijera**	
		dices	decías	**dijiste**	**dirás**	**dirías**	**digas**	**dijeras**	**di** tú (no **digas**)
	Participles:	**dice**	decía	**dijo**	**dirá**	**diría**	**diga**	**dijera**	**diga** Ud.
	diciendo	decimos	decíamos	**dijimos**	**diremos**	**diríamos**	**digamos**	**dijéramos**	**digamos**
	dicho	decís	decíais	**dijisteis**	**diréis**	**diríais**	**digáis**	**dijerais**	decid (no **digáis**)
		dicen	decían	**dijeron**	**dirán**	**dirían**	**digan**	**dijeran**	**digan** Uds.
9	estar	**estoy**	estaba	**estuve**	estaré	estaría	**esté**	**estuviera**	
		estás	estabas	**estuviste**	estarás	estarías	**estés**	**estuvieras**	**está** tú (no **estés**)
	Participles:	**está**	estaba	**estuvo**	estará	estaría	**esté**	**estuviera**	**esté** Ud.
	estando	estamos	estábamos	**estuvimos**	estaremos	estaríamos	estemos	**estuviéramos**	estemos
	estado	estáis	estabais	**estuvisteis**	estaréis	estaríais	estéis	**estuvierais**	estad (no estéis)
		están	estaban	**estuvieron**	estarán	estarían	**estén**	**estuvieran**	**estén** Uds.
10	haber	**he**	había	**hube**	**habré**	**habría**	**haya**	**hubiera**	
		has	habías	**hubiste**	**habrás**	**habrías**	**hayas**	**hubieras**	
	Participles:	**ha**	había	**hubo**	**habrá**	**habría**	**haya**	**hubiera**	
	habiendo	**hemos**	habíamos	**hubimos**	**habremos**	**habríamos**	**hayamos**	**hubiéramos**	
	habido	**habéis**	habíais	**hubisteis**	**habréis**	**habríais**	**hayáis**	**hubierais**	
		han	habían	**hubieron**	**habrán**	**habrían**	**hayan**	**hubieran**	
11	hacer	**hago**	hacía	**hice**	**haré**	**haría**	**haga**	**hiciera**	
		haces	hacías	**hiciste**	**harás**	**harías**	**hagas**	**hicieras**	**haz** tú (no **hagas**)
	Participles:	hace	hacía	**hizo**	**hará**	**haría**	**haga**	**hiciera**	**haga** Ud.
	haciendo	hacemos	hacíamos	**hicimos**	**haremos**	**haríamos**	**hagamos**	**hiciéramos**	**hagamos**
	hecho	hacéis	hacíais	**hicisteis**	**haréis**	**haríais**	**hagáis**	**hicierais**	haced (no **hagáis**)
		hacen	hacían	**hicieron**	**harán**	**harían**	**hagan**	**hicieran**	**hagan** Uds.
12	ir	**voy**	**iba**	**fui**	iré	iría	**vaya**	**fuera**	
		vas	**ibas**	**fuiste**	irás	irías	**vayas**	**fueras**	**ve** tú (no **vayas**)
	Participles:	**va**	**iba**	**fue**	irá	iría	**vaya**	**fuera**	**vaya** Ud.
	yendo	**vamos**	**íbamos**	**fuimos**	iremos	iríamos	**vayamos**	**fuéramos**	**vamos** (no **vayamos**)
	ido	**vais**	**ibais**	**fuisteis**	iréis	iríais	**vayáis**	**fuerais**	id (no **vayáis**)
		van	**iban**	**fueron**	irán	irían	**vayan**	**fueran**	**vayan** Uds.
13	oír (y)	**oigo**	oía	**oí**	oiré	oiría	**oiga**	**oyera**	
		oyes	oías	**oíste**	oirás	oirías	**oigas**	**oyeras**	**oye** tú (no **oigas**)
	Participles:	**oye**	oía	**oyó**	oirá	oiría	**oiga**	**oyera**	**oiga** Ud.
	oyendo	**oímos**	oíamos	**oímos**	oiremos	oiríamos	**oigamos**	**oyéramos**	**oigamos**
	oído	**oís**	oíais	**oísteis**	oiréis	oiríais	**oigáis**	**oyerais**	oíd (no **oigáis**)
		oyen	oían	**oyeron**	oirán	oirían	**oigan**	**oyeran**	**oigan** Uds.

		INDICATIVE					SUBJUNCTIVE		IMPERATIVE
	Infinitive	**Present**	**Imperfect**	**Preterite**	**Future**	**Conditional**	**Present**	**Past**	
14	poder (o:ue)	**puedo**	podía	**pude**	**podré**	**podría**	**pueda**	**pudiera**	
		puedes	podías	**pudiste**	**podrás**	**podrías**	**puedas**	**pudieras**	**puede** tú (no **puedas**)
	Participles:	**puede**	podía	**pudo**	**podrá**	**podría**	**pueda**	**pudiera**	**pueda** Ud.
	pudiendo	podemos	podíamos	**pudimos**	**podremos**	**podríamos**	podamos	**pudiéramos**	podamos
	podido	podéis	podíais	**pudisteis**	**podréis**	**podríais**	podáis	**pudierais**	poded (no podáis)
		pueden	podían	**pudieron**	**podrán**	**podrían**	**puedan**	**pudieran**	**puedan** Uds.
15	poner	**pongo**	ponía	**puse**	**pondré**	**pondría**	**ponga**	**pusiera**	
		pones	ponías	**pusiste**	**pondrás**	**pondrías**	**pongas**	**pusieras**	**pon** tú (no **pongas**)
	Participles:	pone	ponía	**puso**	**pondrá**	**pondría**	**ponga**	**pusiera**	**ponga** Ud.
	poniendo	ponemos	poníamos	**pusimos**	**pondremos**	**pondríamos**	**pongamos**	**pusiéramos**	**pongamos**
	puesto	ponéis	poníais	**pusisteis**	**pondréis**	**pondríais**	**pongáis**	**pusierais**	poned (no **pongáis**)
		ponen	ponían	**pusieron**	**pondrán**	**pondrían**	**pongan**	**pusieran**	**pongan** Uds.
16	querer (e:ie)	**quiero**	quería	**quise**	**querré**	**querría**	**quiera**	**quisiera**	
		quieres	querías	**quisiste**	**querrás**	**querrías**	**quieras**	**quisieras**	**quiere** tú (no **quieras**)
	Participles:	**quiere**	quería	**quiso**	**querrá**	**querría**	**quiera**	**quisiera**	**quiera** Ud.
	queriendo	queremos	queríamos	**quisimos**	**querremos**	**querríamos**	queramos	**quisiéramos**	queramos
	querido	queréis	queríais	**quisisteis**	**querréis**	**querríais**	queráis	**quisierais**	quered (no queráis)
		quieren	querían	**quisieron**	**querrán**	**querrían**	**quieran**	**quisieran**	**quieran** Uds.
17	saber	**sé**	sabía	**supe**	**sabré**	**sabría**	**sepa**	**supiera**	
		sabes	sabías	**supiste**	**sabrás**	**sabrías**	**sepas**	**supieras**	sabe tú (no **sepas**)
	Participles:	sabe	sabía	**supo**	**sabrá**	**sabría**	**sepa**	**supiera**	**sepa** Ud.
	sabiendo	sabemos	sabíamos	**supimos**	**sabremos**	**sabríamos**	**sepamos**	**supiéramos**	**sepamos**
	sabido	sabéis	sabíais	**supisteis**	**sabréis**	**sabríais**	**sepáis**	**supierais**	sabed (no **sepáis**)
		saben	sabían	**supieron**	**sabrán**	**sabrían**	**sepan**	**supieran**	**sepan** Uds.
18	salir	**salgo**	salía	salí	**saldré**	**saldría**	**salga**	saliera	
		sales	salías	saliste	**saldrás**	**saldrías**	**salgas**	salieras	**sal** tú (no **salgas**)
	Participles:	sale	salía	salió	**saldrá**	**saldría**	**salga**	saliera	**salga** Ud.
	saliendo	salimos	salíamos	salimos	**saldremos**	**saldríamos**	**salgamos**	saliéramos	**salgamos**
	salido	salís	salíais	salisteis	**saldréis**	**saldríais**	**salgáis**	salierais	salid (no **salgáis**)
		salen	salían	salieron	**saldrán**	**saldrían**	**salgan**	salieran	**salgan** Uds.
19	ser	**soy**	**era**	**fui**	seré	sería	**sea**	**fuera**	
		eres	**eras**	**fuiste**	serás	serías	**seas**	**fueras**	**sé** tú (no **seas**)
	Participles:	**es**	**era**	**fue**	será	sería	**sea**	**fuera**	**sea** Ud.
	siendo	**somos**	**éramos**	**fuimos**	seremos	seríamos	**seamos**	**fuéramos**	**seamos**
	sido	**sois**	**erais**	**fuisteis**	seréis	seríais	**seáis**	**fuerais**	sed (no **seáis**)
		son	**eran**	**fueron**	serán	serían	**sean**	**fueran**	**sean** Uds.
20	tener	**tengo**	tenía	**tuve**	**tendré**	**tendría**	**tenga**	**tuviera**	
		tienes	tenías	**tuviste**	**tendrás**	**tendrías**	**tengas**	**tuvieras**	**ten** tú (no **tengas**)
	Participles:	**tiene**	tenía	**tuvo**	**tendrá**	**tendría**	**tenga**	**tuviera**	**tenga** Ud.
	teniendo	tenemos	teníamos	**tuvimos**	**tendremos**	**tendríamos**	**tengamos**	**tuviéramos**	**tengamos**
	tenido	tenéis	teníais	**tuvisteis**	**tendréis**	**tendríais**	**tengáis**	**tuvierais**	tened (no **tengáis**)
		tienen	tenían	**tuvieron**	**tendrán**	**tendrían**	**tengan**	**tuvieran**	**tengan** Uds.

	INDICATIVE					SUBJUNCTIVE		IMPERATIVE
Infinitive	**Present**	**Imperfect**	**Preterite**	**Future**	**Conditional**	**Present**	**Past**	
21 traer	**traigo**	traía	**traje**	traeré	traería	**traiga**	**trajera**	
	traes	traías	**trajiste**	traerás	traerías	**traigas**	**trajeras**	trae tú (no **traigas**)
Participles:	trae	traía	**trajo**	traerá	traería	**traiga**	**trajera**	**traiga** Ud.
trayendo	traemos	traíamos	**trajimos**	traeremos	traeríamos	**traigamos**	**trajéramos**	**traigamos**
traído	traéis	traíais	**trajisteis**	traeréis	traeríais	**traigáis**	**trajerais**	traed (no **traigáis**)
	traen	traían	**trajeron**	traerán	traerían	**traigan**	**trajeran**	**traigan** Uds.
22 venir	**vengo**	venía	**vine**	**vendré**	**vendría**	**venga**	**viniera**	
	vienes	venías	**viniste**	**vendrás**	**vendrías**	**vengas**	**vinieras**	**ven** tú (no **vengas**)
Participles:	**viene**	venía	**vino**	**vendrá**	**vendría**	**venga**	**viniera**	**venga** Ud.
viniendo	venimos	veníamos	**vinimos**	**vendremos**	**vendríamos**	**vengamos**	**viniéramos**	**vengamos**
venido	venís	veníais	**vinisteis**	**vendréis**	**vendríais**	**vengáis**	**vinierais**	venid (no **vengáis**)
	vienen	venían	**vinieron**	**vendrán**	**vendrían**	**vengan**	**vinieran**	**vengan** Uds.
23 ver	**veo**	**veía**	**vi**	veré	vería	**vea**	**viera**	
	ves	**veías**	**viste**	verás	verías	**veas**	**vieras**	**ve** tú (no **veas**)
Participles:	ve	**veía**	**vio**	verá	vería	**vea**	**viera**	**vea** Ud.
viendo	vemos	**veíamos**	**vimos**	veremos	veríamos	**veamos**	**viéramos**	**veamos**
visto	veis	**veíais**	**visteis**	veréis	veríais	**veáis**	**vierais**	ved (no **veáis**)
	ven	**veían**	**vieron**	verán	verían	**vean**	**vieran**	**vean** Uds.

Stem-changing verbs

	INDICATIVE					SUBJUNCTIVE		IMPERATIVE
Infinitive	**Present**	**Imperfect**	**Preterite**	**Future**	**Conditional**	**Present**	**Past**	
24 contar	**cuento**	contaba	conté	contaré	contaría	**cuente**	contara	
(o:ue)	**cuentas**	contabas	contaste	contarás	contarías	**cuentes**	contaras	**cuenta** tú (no **cuentes**)
	cuenta	contaba	contó	contará	contaría	**cuente**	contara	**cuente** Ud.
Participles:	contamos	contábamos	contamos	contaremos	contaríamos	contemos	contáramos	contemos
contando	contáis	contabais	contasteis	contaréis	contaríais	contéis	contarais	contad (no contéis)
contado	**cuentan**	contaban	contaron	contarán	contarían	**cuenten**	contaran	**cuenten** Uds.
25 dormir	**duermo**	dormía	dormí	dormiré	dormiría	**duerma**	**durmiera**	
(o:ue)	**duermes**	dormías	dormiste	dormirás	dormirías	**duermas**	**durmieras**	**duerme** tú (no **duermas**)
	duerme	dormía	**durmió**	dormirá	dormiría	**duerma**	**durmiera**	**duerma** Ud.
Participles:	dormimos	dormíamos	dormimos	dormiremos	dormiríamos	**durmamos**	**durmiéramos**	**durmamos**
durmiendo	dormís	dormíais	dormisteis	dormiréis	dormiríais	**durmáis**	**durmierais**	dormid (no **durmáis**)
dormido	**duermen**	dormían	**durmieron**	dormirán	dormirían	**duerman**	**durmieran**	**duerman** Uds.
26 empezar	**empiezo**	empezaba	**empecé**	empezaré	empezaría	**empiece**	empezara	
(e:ie) (z:c)	**empiezas**	empezabas	empezaste	empezarás	empezarías	**empieces**	empezaras	**empieza** tú (no **empieces**)
	empieza	empezaba	empezó	empezará	empezaría	**empiece**	empezara	**empiece** Ud.
Participles:	empezamos	empezábamos	empezamos	empezaremos	empezaríamos	**empecemos**	empezáramos	**empecemos**
empezando	empezáis	empezabais	empezasteis	empezaréis	empezaríais	**empecéis**	empezarais	empezad (no **empecéis**)
empezado	**empiezan**	empezaban	empezarán	empezarán	empezarían	**empiecen**	empezaran	**emplecen** Uds.

	Infinitive	INDICATIVE					SUBJUNCTIVE		IMPERATIVE
		Present	Imperfect	Preterite	Future	Conditional	Present	Past	
27	entender	**entiendo**	entendía	entendí	entenderé	entendería	**entienda**	entendiera	
	(e:ie)	**entiendes**	entendías	entendiste	entenderás	entenderías	**entiendas**	entendieras	**entiende** tú (no **entiendas**)
		entiende	entendía	entendió	entenderá	entendería	**entienda**	entendiera	**entienda** Ud.
	Participles:	entendemos	entendíamos	entendimos	entenderemos	entenderíamos	entendamos	entendiéramos	entendamos
	entendiendo	entendéis	entendíais	entendisteis	entenderéis	entenderíais	entendáis	entendierais	entended (no entendáis)
	entendido	**entienden**	entendían	entendieron	entenderán	entenderían	**entiendan**	entendieran	**entiendan** Uds.
28	jugar (u:ue)	**juego**	jugaba	**jugué**	jugaré	jugaría	**juegue**	jugara	
	(g:gu)	**juegas**	jugabas	jugaste	jugarás	jugarías	**juegues**	jugaras	**juega** tú (no **juegues**)
		juega	jugaba	jugó	jugará	jugaría	**juegue**	jugara	**juegue** Ud
	Participles:	jugamos	jugábamos	jugamos	jugaremos	jugaríamos	juguemos	jugáramos	juguemos
	jugando	jugáis	jugabais	jugasteis	jugaréis	jugaríais	juguéis	jugarais	jugad (no juguéis)
	jugado	**juegan**	jugaban	jugaron	jugarán	jugarían	**jueguen**	jugaran	**jueguen** Uds.
29	pedir (e:i)	**pido**	pedía	pedí	pediré	pediría	**pida**	**pidiera**	
		pides	pedías	pediste	pedirás	pedirías	**pidas**	**pidieras**	**pide** tú (no **pidas**)
	Participles:	**pide**	pedía	**pidió**	pedirá	pediría	**pida**	**pidiera**	**pida** Ud.
	pidiendo	pedimos	pedíamos	pedimos	pediremos	pediríamos	**pidamos**	**pidiéramos**	**pidamos**
	pedido	pedís	pedíais	pedisteis	pediréis	pediríais	**pidáis**	**pidierais**	pedid (no **pidáis**)
		piden	pedían	**pidieron**	pedirán	pedirían	**pidan**	**pidieran**	**pidan** Uds.
30	pensar	**pienso**	pensaba	pensé	pensaré	pensaría	**piense**	pensara	
	(e:ie)	**piensas**	pensabas	pensaste	pensarás	pensarías	**pienses**	pensaras	**piensa** tú (no **pienses**)
		piensa	pensaba	pensó	pensará	pensaría	**piense**	pensara	**piense** Ud.
	Participles:	pensamos	pensábamos	pensamos	pensaremos	pensaríamos	pensemos	pensáramos	pensemos
	pensando	pensáis	pensabais	pensasteis	pensaréis	pensaríais	penséis	pensarais	pensad (no penséis)
	pensado	**piensan**	pensaban	pensaron	pensarán	pensarían	**piensen**	pensaran	**piensen** Uds.
31	reír (e:i)	**río**	reía	**reí**	reiré	reiría	**ría**	**riera**	
		ríes	reías	**reíste**	reirás	reirías	**rías**	**rieras**	**ríe** tú (no **rías**)
	Participles:	**ríe**	reía	**rio**	reirá	reiría	**ría**	**riera**	**ría** Ud.
	riendo	**reímos**	reíamos	**reímos**	reiremos	reiríamos	**riamos**	**riéramos**	**riamos**
	reído	**reís**	reíais	**reísteis**	reiréis	reiríais	**riáis**	**rierais**	reíd (no **riáis**)
		ríen	reían	**rieron**	reirán	reirían	**rían**	**rieran**	**rían** Uds.
32	seguir (e:i)	**sigo**	seguía	seguí	seguiré	seguiría	**siga**	**siguiera**	
	(gu:g)	**sigues**	seguías	seguiste	seguirás	seguirías	**sigas**	**siguieras**	**sigue** tú (no **sigas**)
		sigue	seguía	**siguió**	seguirá	seguiría	**siga**	**siguiera**	**siga** Ud.
	Participles:	seguimos	seguíamos	seguimos	seguiremos	seguiríamos	**sigamos**	**siguiéramos**	**sigamos**
	siguiendo	seguís	seguíais	seguisteis	seguiréis	seguiríais	**sigáis**	**siguierais**	seguid (no **sigáis**)
	seguido	**siguen**	seguían	**siguieron**	seguirán	seguirían	**sigan**	**siguieran**	**sigan** Uds.
33	sentir (e:ie)	**siento**	sentía	sentí	sentiré	sentiría	**sienta**	**sintiera**	
		sientes	sentías	sentiste	sentirás	sentirías	**sientas**	**sintieras**	**siente** tú (no **sientas**)
	Participles:	**siente**	sentía	**sintió**	sentirá	sentiría	**sienta**	**sintiera**	**sienta** Ud.
	sintiendo	sentimos	sentíamos	sentimos	sentiremos	sentiríamos	**sintamos**	**sintiéramos**	**sintamos**
	sentido	sentís	sentíais	sentisteis	sentiréis	sentiríais	**sintáis**	**sintierais**	sentid (no **sintáis**)
		sienten	sentían	**sintieron**	sentirán	sentirían	**sientan**	**sintieran**	**sientan** Uds.

	INDICATIVE					SUBJUNCTIVE		IMPERATIVE
Infinitive	**Present**	**Imperfect**	**Preterite**	**Future**	**Conditional**	**Present**	**Past**	
34 volver	**vuelvo**	volvía	volví	volveré	volvería	**vuelva**	volviera	
(o:ue)	**vuelves**	volvías	volviste	volverás	volverías	**vuelvas**	volvieras	**vuelve** tú (no **vuelvas**)
	vuelve	volvía	volvió	volverá	volvería	**vuelva**	volviera	**vuelva** Ud.
Participles:	volvemos	volvíamos	volvimos	volveremos	volveríamos	volvamos	volviéramos	volvamos
volviendo	volvéis	volvíais	volvisteis	volveréis	volveríais	volváis	volvierais	volved (no volváis)
vuelto	**vuelven**	volvían	volvieron	volverán	volverían	**vuelvan**	volvieran	**vuelvan** Uds.

Verbs with spelling changes only

	INDICATIVE					SUBJUNCTIVE		IMPERATIVE
Infinitive	**Present**	**Imperfect**	**Preterite**	**Future**	**Conditional**	**Present**	**Past**	
35 conocer	**conozco**	conocía	conocí	conoceré	conocería	**conozca**	conociera	
(c:zc)	conoces	conocías	conociste	conocerás	conocerías	**conozcas**	conocieras	conoce tú (no **conozcas**)
	conoce	conocía	conoció	conocerá	conocería	**conozca**	conociera	**conozca** Ud.
Participles:	conocemos	conocíamos	conocimos	conoceremos	conoceríamos	**conozcamos**	conociéramos	**conozcamos**
conociendo	conocéis	conocíais	conocisteis	conoceréis	conoceríais	**conozcáis**	conocierais	conoced (no **conozcáis**)
conocido	conocen	conocían	conocieron	conocerán	conocerían	**conozcan**	conocieran	**conozcan** Uds.
creer (y)	creo	creía	**creí**	creeré	creería	crea	**creyera**	
	crees	creías	**creíste**	creerás	creerías	creas	**creyeras**	cree tú (no creas)
Participles:	cree	creía	**creyó**	creerá	creería	crea	**creyera**	crea Ud.
creyendo	creemos	creíamos	**creímos**	creeremos	creeríamos	creamos	**creyéramos**	creamos
creído	creéis	creíais	**creísteis**	creeréis	creeríais	creáis	**creyerais**	creed (no creáis)
	creen	creían	**creyeron**	creerán	creerían	crean	**creyeran**	crean Uds.
37 cruzar (z:c)	cruzo	cruzaba	**crucé**	cruzaré	cruzaría	**cruce**	cruzara	
	cruzas	cruzabas	cruzaste	cruzarás	cruzarías	**cruces**	cruzaras	cruza tú (no **cruces**)
Participles:	cruza	cruzaba	cruzó	cruzará	cruzaría	**cruce**	cruzara	**cruce** Ud.
cruzando	cruzamos	cruzábamos	cruzamos	cruzaremos	cruzaríamos	**crucemos**	cruzáramos	**crucemos**
cruzado	cruzáis	cruzabais	cruzasteis	cruzaréis	cruzaríais	**crucéis**	cruzarais	cruzad (no **crucéis**)
	cruzan	cruzaban	cruzaron	cruzarán	cruzarían	**crucen**	cruzaran	**crucen** Uds.
38 destruir (y)	**destruyo**	destruía	destruí	destruiré	destruiría	**destruya**	**destruyera**	
	destruyes	destruías	destruiste	destruirás	destruirías	**destruyas**	**destruyeras**	**destruye** tú (no **destruyas**)
Participles:	**destruye**	destruía	**destruyó**	destruirá	destruiría	**destruya**	**destruyera**	**destruya** Ud.
destruyendo	destruimos	destruíamos	destruimos	destruiremos	destruiríamos	**destruyamos**	**destruyéramos**	**destruyamos**
destruido	destruís	destruíais	destruisteis	destruiréis	destruiríais	**destruyáis**	**destruyerais**	destruid (no **destruyáis**)
	destruyen	destruían	**destruyeron**	destruirán	destruirían	**destruyan**	**destruyeran**	**destruyan** Uds.
39 enviar	**envío**	enviaba	envié	enviaré	enviaría	**envíe**	enviara	
(envío)	**envías**	enviabas	enviaste	enviarás	enviarías	**envíes**	enviaras	**envía** tú (no **envíes**)
	envía	enviaba	envió	enviará	enviaría	**envíe**	enviara	**envíe** Ud.
Participles:	enviamos	enviábamos	enviamos	enviaremos	enviaríamos	**enviemos**	enviáramos	enviemos
enviando	enviáis	enviabais	enviasteis	enviaréis	enviaríais	**enviéis**	enviarais	enviad (no **enviéis**)
enviado	**envían**	enviaban	enviaron	enviarán	enviarían	**envíen**	enviaran	**envíen** Uds.

		INDICATIVE					SUBJUNCTIVE		IMPERATIVE
	Infinitive	**Present**	**Imperfect**	**Preterite**	**Future**	**Conditional**	**Present**	**Past**	
40	graduarse	**gradúo**	graduaba	gradué	graduaré	graduaría	**gradúe**	graduara	
	(gradúo)	**gradúas**	graduabas	graduaste	graduarás	graduarías	**gradúes**	graduaras	**gradúa** tú (no **gradúes**)
		gradúa	graduaba	graduó	graduará	graduaría	**gradúe**	graduara	**gradúe** Ud.
	Participles:	graduamos	graduábamos	graduamos	graduaremos	graduaríamos	graduemos	graduáramos	graduemos
	graduando	graduáis	graduabais	graduasteis	graduaréis	graduaríais	graduéis	graduarais	graduad (no graduéis)
	graduado	**gradúan**	graduaban	graduaron	graduarán	graduarían	**gradúen**	graduaran	**gradúen** Uds.
41	llegar (g:gu)	llego	llegaba	**llegué**	llegaré	llegaría	**llegue**	llegara	
		llegas	llegabas	llegaste	llegarás	llegarías	**llegues**	llegaras	llega tú (no **llegues**)
	Participles:	llega	llegaba	llegó	llegará	llegaría	**llegue**	llegara	**llegue** Ud.
	llegando	llegamos	llegábamos	llegamos	llegaremos	llegaríamos	**lleguemos**	llegáramos	**lleguemos**
	llegado	llegáis	llegabais	llegasteis	llegaréis	llegaríais	**lleguéis**	llegarais	llegad (no **lleguéis**)
		llegan	llegaban	llegaron	llegarán	llegarían	**lleguen**	llegaran	**lleguen** Uds.
42	prohibir	**prohíbo**	prohibía	prohibí	prohibiré	prohibiría	**prohíba**	prohibiera	**prohíbe** tú (no **prohíbas**)
	(prohíbo)	**prohíbes**	prohibías	prohibiste	prohibirás	prohibirías	**prohíbas**	prohibieras	**prohíba** Ud.
		prohíbe	prohibía	prohibió	prohibirá	prohibiría	**prohíba**	prohibiera	prohibamos
	Participles:	prohibimos	prohibíamos	prohibimos	prohibiremos	prohibiríamos	prohibamos	prohibiéramos	prohibid (no prohibáis)
	prohibiendo	prohibís	prohibíais	prohibisteis	prohibiréis	prohibiríais	prohibáis	prohibierais	**prohíban** Uds.
	prohibido	**prohíben**	prohibían	prohibieron	prohibirán	prohibirían	**prohíban**	prohibieran	
43	proteger	**protejo**	protegía	protegí	protegeré	protegería	**proteja**	protegiera	
	(g:j)	proteges	protegías	protegiste	protegerás	protegerías	**protejas**	protegieras	protege tú (no **protejas**)
		protege	protegía	protegió	protegerá	protegería	**proteja**	protegiera	**proteja** Ud.
	Participles:	protegemos	protegíamos	protegimos	protegeremos	protegeríamos	**protejamos**	protegiéramos	**protejamos**
	protegiendo	protegéis	protegíais	protegisteis	protegeréis	protegeríais	**protejáis**	protegierais	proteged (no **protejáis**)
	protegido	protegen	protegían	protegieron	protegerán	protegerían	protejan	protegieran	**protejan** Uds.
44	tocar (c:qu)	toco	tocaba	**toqué**	tocaré	tocaría	**toque**	tocara	
		tocas	tocabas	tocaste	tocarás	tocarías	**toques**	tocaras	toca tú (no **toques**)
	Participles:	toca	tocaba	tocó	tocará	tocaría	**toque**	tocara	**toque** Ud.
	tocando	tocamos	tocábamos	tocamos	tocaremos	tocaríamos	**toquemos**	tocáramos	**toquemos**
	tocado	tocáis	tocabais	tocasteis	tocaréis	tocaríais	**toquéis**	tocarais	tocad (no **toquéis**)
		tocan	tocaban	tocaron	tocarán	tocarían	**toquen**	tocaran	**toquen** Uds.
45	vencer (c:z)	**venzo**	vencía	vencí	venceré	vencería	**venza**	venciera	
		vences	vencías	venciste	vencerás	vencerías	**venzas**	vencieras	vence tú (no **venzas**)
	Participles:	vence	vencía	venció	vencerá	vencería	**venza**	venciera	**venza** Ud.
	venciendo	vencemos	vencíamos	vencimos	venceremos	venceríamos	**venzamos**	venciéramos	**venzamos**
	vencido	vencéis	vencíais	vencisteis	venceréis	venceríais	**venzáis**	vencierais	venced (no **venzáis**)
		vencen	vencían	vencieron	vencerán	vencerían	**venzan**	vencieran	**venzan** Uds.

Guide to Vocabulary

Note on alphabetization

For purposes of alphabetization, **ch** and **ll** are not treated as separate letters, but **ñ** follows **n**. Therefore, in this glossary you will find that **año**, for example, appears after **anuncio.**

Abbreviations used in this glossary

adj.	adjective	*form.*	formal	*pl.*	plural
adv.	adverb	*indef.*	indefinite	*poss.*	possessive
art.	article	*interj.*	interjection	*prep.*	preposition
conj.	conjunction	*i.o.*	indirect object	*pron.*	pronoun
def.	definite	*m.*	masculine	*ref.*	reflexive
d.o.	direct object	*n.*	noun	*sing.*	singular
f.	feminine	*obj.*	object	*sub.*	subject
fam.	familiar	*p.p.*	past participle	*v.*	verb

Spanish-English

A

a *prep.* at; to 1
¿A qué hora...? At what time...? 1
a bordo aboard
a dieta on a diet 15
a la derecha de to the right of 2
a la izquierda de to the left of 2
a la plancha grilled 8
a la(s) + *time* at + *time* 1
a menos que *conj.* unless 13
a menudo *adv.* often 10
a nombre de in the name of 5
a plazos in installments 14
A sus órdenes. At your service.
a tiempo *adv.* on time 10
a veces *adv.* sometimes 10
a ver let's see
abeja *f.* bee
abierto/a *adj.* open 5, 14
abogado/a *m., f.* lawyer
abrazar(se) *v.* to hug; to embrace (each other) 11
abrazo *m.* hug
abrigo *m.* coat 6
abril *m.* April 5
abrir *v.* to open 3
abuelo/a *m., f.* grandfather/grandmother 3
abuelos *pl.* grandparents 3
aburrido/a *adj.* bored; boring 5
aburrir *v.* to bore 7
aburrirse *v.* to get bored
acabar de (+ *inf.***)** *v.* to have just done something 6
acampar *v.* to camp 5
accidente *m.* accident 10
acción *f.* action
de acción action (genre)
aceite *m.* oil 8
acompañar *v.* to accompany 14
aconsejar *v.* to advise 12
acontecimiento *m.* event
acordarse (de) (o:ue) *v.* to remember 7
acostarse (o:ue) *v.* to go to bed 7
activo/a *adj.* active 15
actor *m.* actor
actriz *f.* actress
actualidades *f., pl.* news; current events
adelgazar *v.* to lose weight; to slim down 15
además (de) *adv.* furthermore; besides 10
adicional *adj.* additional
adiós *m.* goodbye 1
adjetivo *m.* adjective
administración de empresas *f.* business administration 2
adolescencia *f.* adolescence 9
¿adónde? *adv.* where (to)? (destination) 2
aduana *f.* customs
aeróbico/a *adj.* aerobic 15
aeropuerto *m.* airport 5
afectado/a *adj.* affected 13
afeitarse *v.* to shave 7
aficionado/a *m., f.* fan 4
afirmativo/a *adj.* affirmative
afuera *adv.* outside 5
afueras *f., pl.* suburbs; outskirts 12
agencia de viajes *f.* travel agency
agente de viajes *m., f.* travel agent
agosto *m.* August 5
agradable *adj.* pleasant
agua *f.* water 8
agua mineral mineral water 8
aguantar *v.* to endure, to hold up 14**ahora** *adv.* now 2
ahora mismo right now 5
ahorrar *v.* to save (money) 14
ahorros *m., pl.* savings 14
aire *m.* air 13
ajo *m.* garlic 8
al (*contraction of* **a + el)** 4
al aire libre open-air 6
al contado in cash 14
(al) este (to the) east 14
al lado de next to; beside 2
(al) norte (to the) north 14
(al) oeste (to the) west 14
(al) sur (to the) south 14
alcoba *f.* bedroom
alcohol *m.* alcohol 15
alcohólico/a *adj.* alcoholic 15
alegrarse (de) *v.* to be happy 13
alegre *adj.* happy 5
alegría *f.* happiness 9
alemán, alemana *adj.* German 3
alérgico/a *adj.* allergic 10
alfombra *f.* carpet; rug 12
algo *pron.* something; anything 7
algodón *m.* cotton 6
alguien *pron.* someone; somebody; anyone 7
algún, alguno/a(s) *adj.* any; some 7
alimentación *f.* diet
alimento *m.* food
aliviar *v.* to reduce 15
aliviar el estrés/la tensión to reduce stress/tension 15
allá *adv.* over there 2
allí *adv.* there 2
alma *f.* soul 9
almacén *m.* department store 6
almohada *f.* pillow 12
almorzar (o:ue) *v.* to have lunch 4
almuerzo *m.* lunch 4, 8 **aló** *interj.* hello (*on the telephone*) 11
alquilar *v.* to rent 12
alquiler *m.* rent (payment) 12

altar *m.* altar 9
altillo *m.* attic 12
alto/a *adj.* tall 3
aluminio *m.* aluminum 13
amable *adj.* nice; friendly 5
amarillo/a *adj.* yellow 6
amigo/a *m., f.* friend 3
amistad *f.* friendship 9
amo/a de casa *m., f.* homemaker 12
amor *m.* love 9
  amor a primera vista love at first sight 9
anaranjado/a *adj.* orange 6
ándale *interj.* come on 14
andar *v.* **en patineta** to skateboard 4
ángel *m.* angel 9
anillo *m.* ring
animal *m.* animal 13
aniversario (de bodas) *m.* (wedding) anniversary 9
anoche *adv.* last night 6
anteayer *adv.* the day before yesterday 6
antes *adv.* before 7
  antes de *prep.* before 7
  antes (de) que *conj.* before 13
antibiótico *m.* antibiotic 10
antipático/a *adj.* unpleasant 3
anunciar *v.* to announce; to advertise
anuncio *m.* advertisement
año *m.* year 5
  año pasado last year 6
apagar *v.* to turn off 11
aparato *m.* appliance
apartamento *m.* apartment 12
apellido *m.* last name 3
apenas *adv.* hardly; scarcely 10
aplaudir *v.* to applaud
aplicación *f.* app 11
apreciar *v.* to appreciate
aprender (a + ***inf.*****)** *v.* to learn 3
apurarse *v.* to hurry; to rush 15
aquel, aquella *adj.* that (over there) 6
aquél, aquélla *pron.* that (over there) 6
aquello *neuter, pron.* that; that thing; that fact 6
aquellos/as *pl. adj.* those (over there) 6
aquéllos/as *pl. pron.* those (ones) (over there) 6
aquí *adv.* here 1
  Aquí está(n)... Here is/are... 5
árbol *m.* tree 13
archivo *m.* file 11
arete *m.* earring 6
argentino/a *adj.* Argentine 3
armario *m.* closet 12
arqueología *f.* archeology 2
arqueólogo/a *m., f.* archeologist
arquitecto/a *m., f.* architect
arrancar *v.* to start (*a car*) 11
arreglar *v.* to fix; to arrange 11; to straighten up 12
arreglarse *v.* to get ready 7; to fix oneself (*clothes, hair, etc. to go out*) 7
arroba *f.* @ symbol 11
arroz *m.* rice 8
arte *m.* art 2
artes *f., pl.* arts
artesanía *f.* craftsmanship; crafts
artículo *m.* article
artista *m., f.* artist 3
artístico/a *adj.* artistic
arveja *f.* pea 8
asado/a *adj.* roast 8
ascenso *m.* promotion
ascensor *m.* elevator 5
así *adv.* like this; so (*in such a way*) 10
asistir (a) *v.* to attend 3
aspiradora *f.* vacuum cleaner 12
aspirante *m., f.* candidate; applicant
aspirina *f.* aspirin 10
atún *m.* tuna 8
aumentar *v.* to grow; to get bigger 13
aumentar *v.* **de peso** to gain weight 15
aumento *m.* increase
  aumento de sueldo pay raise
aunque although
autobús *m.* bus 1
automático/a *adj.* automatic
auto(móvil) *m.* car 5
autopista *f.* highway 11
ave *f.* bird 13
avenida *f.* avenue
aventura *f.* adventure
  de aventuras adventure (genre)
avergonzado/a *adj.* embarrassed 5
avión *m.* airplane 5
¡Ay! *interj.* Oh!
  ¡Ay, qué dolor! Oh, what pain!
ayer *adv.* yesterday 6
ayudar(se) *v.* to help (each other) 11
azúcar *m.* sugar 8
azul *adj. m., f.* blue 6

B

bailar *v.* to dance 2
bailarín/bailarina *m., f.* dancer
baile *m.* dance
bajar(se) de *v.* to get off of/out of (a vehicle) 11
bajo/a *adj.* short (*in height*) 3
balcón *m.* balcony 12
balde *m.* bucket 5
ballena *f.* whale 13
baloncesto *m.* basketball 4
banana *f.* banana 8
banco *m.* bank 14
banda *f.* band
bandera *f.* flag
bañarse *v.* to take a bath 7
baño *m.* bathroom 7
barato/a *adj.* cheap 6
barco *m.* boat 5
barrer *v.* to sweep 12
  barrer el suelo *v.* to sweep the floor 12
barrio *m.* neighborhood 12
bastante *adv.* enough; rather 10
basura *f.* trash 12
batería *f.* battery 11
baúl *m.* trunk 11
beber *v.* to drink 3
bebida *f.* drink 8
  bebida alcohólica *f.* alcoholic beverage 15
béisbol *m.* baseball 4
bellas artes *f., pl.* fine arts
belleza *f.* beauty 14
beneficio *m.* benefit
besar(se) *v.* to kiss (each other) 11
beso *m.* kiss 9
biblioteca *f.* library 2
bicicleta *f.* bicycle 4
bien *adv.* well 1
bienestar *m.* well-being 15
bienvenido(s)/a(s) *adj.* welcome 1
billete *m.* paper money; ticket
billón *m.* trillion
biología *f.* biology 2
bisabuelo/a *m., f.* great-grandfather/great-grandmother 3
bistec *m.* steak 8
blanco/a *adj.* white 6
blog *m.* blog 11
(blue)jeans *m., pl.* jeans 6
blusa *f.* blouse 6
boca *f.* mouth 10
boda *f.* wedding 9
boleto *m.* ticket 2
bolsa *f.* purse, bag 6
bombero/a *m., f.* firefighter
bonito/a *adj.* pretty 3
borrador *m.* eraser 2
borrar *v.* to erase 11
bosque *m.* forest 13
  bosque tropical tropical forest; rain forest 13
bota *f.* boot 6
botella *f.* bottle 9
  botella de vino bottle of wine 9
botones *m., f. sing.* bellhop 5
brazo *m.* arm 10
brindar *v.* to toast (*drink*) 9

bucear *v.* to scuba dive 4
buen, bueno/a *adj.* good 3, 6
  buena forma good shape (*physical*) 15
  Buenas noches. Good evening; Good night. 1
  Buenas tardes. Good afternoon. 1
  Bueno. Hello. (*on telephone*) 11
  Buenos días. Good morning. 1
bulevar *m.* boulevard
buscador *m.* browser 11
buscar *v.* to look for 2
buzón *m.* mailbox 14

C

caballero *m.* gentleman, sir 8
caballo *m.* horse 5
cabe: no cabe duda de there's no doubt 13
cabeza *f.* head 10
cada *adj. m., f.* each 6
caerse *v.* to fall (down) 10
café *m.* café 4; *adj. m., f.* brown 6; *m.* coffee 8
cafeína *f.* caffeine 15
cafetera *f.* coffee maker 12
cafetería *f.* cafeteria 2
caído/a *p.p.* fallen 14
caja *f.* cash register 6
cajero/a *m., f.* cashier
  cajero automático *m.* ATM 14
calavera de azúcar *f.* skull made out of sugar 9
calcetín (calcetines) *m.* sock(s) 6
calculadora *f.* calculator 2
calentamiento global *m.* global warming 13
calentarse (e:ie) *v.* to warm up 15
calidad *f.* quality 6
calle *f.* street 11
calor *m.* heat
caloría *f.* calorie 15
calzar *v.* to take size... shoes 6
cama *f.* bed 5
cámara digital *f.* digital camera 11
camarero/a *m., f.* waiter/waitress 8
camarón *m.* shrimp 8
cambiar (de) *v.* to change 9
cambio: de cambio in change 2
cambio *m.* **climático** climate change 13
cambio *m.* **de moneda** currency exchange
caminar *v.* to walk 2
camino *m.* road
camión *m.* truck; bus
camisa *f.* shirt 6
camiseta *f.* t-shirt 6
campo *m.* countryside 5
canadiense *adj.* Canadian 3
canal *m.* (TV) channel 11
canción *f.* song
candidato/a *m., f.* candidate
canela *f.* cinnamon 10
cansado/a *adj.* tired 5
cantante *m., f.* singer
cantar *v.* to sing 2
capital *f.* capital city
capó *m.* hood 11
cara *f.* face 7
caramelo *m.* caramel 9
cargador *m.* charger 11
cargar *v.* to charge; to upload 11
carne *f.* meat 8
  carne de res *f.* beef 8
carnicería *f.* butcher shop 14
caro/a *adj.* expensive 6
carpintero/a *m., f.* carpenter
carrera *f.* career
carretera *f.* highway; (main) road 11
carro *m.* car 11
carta *f.* letter 4; (playing) card 5
cartel *m.* poster 12
cartera *f.* wallet 4, 6
cartero *m.* mail carrier 14
casa *f.* house; home 2
casado/a *adj.* married 9
casarse (con) *v.* to get married (to) 9
casi *adv.* almost 10
catorce fourteen 1
cazar *v.* to hunt 13
cebolla *f.* onion 8
celebrar *v.* to celebrate 9
cementerio *m.* cemetery 9
cena *f.* dinner 8
cenar *v.* to have dinner 2
centro *m.* downtown 4
  centro comercial shopping mall 6
cepillarse los dientes/el pelo *v.* to brush one's teeth/one's hair 7
cerámica *f.* pottery
cerca de *prep.* near 2
cerdo *m.* pork 8
cereales *m., pl.* cereal; grains 8
cero *m.* zero 1
cerrado/a *adj.* closed 5
cerrar (e:ie) *v.* to close 4
cerveza *f.* beer 8
césped *m.* grass
ceviche *m.* marinated fish dish 8
  ceviche de camarón *m.* lemon-marinated shrimp 8
chaleco *m.* vest
champán *m.* champagne 9
champiñón *m.* mushroom 8
champú *m.* shampoo 7
chaqueta *f.* jacket 6
chatear *v.* to chat 11
chau *fam. interj.* bye 1
cheque *m.* (bank) check 14
chévere *adj., fam.* terrific
chico/a *m., f.* boy/girl 1
chino/a *adj.* Chinese 3
chocar (con) *v.* to run into
chocolate *m.* chocolate 9
choque *m.* collision
chuleta *f.* chop (*food*) 8
  chuleta de cerdo *f.* pork chop 8
ciclismo *m.* cycling 4
cielo *m.* sky 13
cien(to) one hundred 2
ciencias *f., pl.* sciences 2
  ciencias ambientales environmental science 2
  de ciencia ficción *f.* science fiction (genre)
científico/a *m., f.* scientist
cierto/a *adj.* certain 13
  es cierto it's certain 13
  no es cierto it's not certain 13
cima *f.* top, peak 15
cinco five 1
cincuenta fifty 2
cine *m.* movie theater 4
cinta caminadora *f.* treadmill 15
cinturón *m.* belt 6
circulación *f.* traffic 11
cita *f.* date; appointment 9
ciudad *f.* city
ciudadano/a *m., f.* citizen
Claro (que sí). *fam.* Of course.
clase *f.* class 2
  clase de ejercicios aeróbicos *f.* aerobics class 15
clásico/a *adj.* classical
cliente/a *m., f.* customer 6
clínica *f.* clinic 10
cobrar *v.* to cash (a check) 14
coche *m.* car 11
cocina *f.* kitchen; stove 9, 12
cocinar *v.* to cook 12
cocinero/a *m., f.* cook, chef
cofre *m.* hood 14
cola *f.* line 14
colesterol *m.* cholesterol 15
color *m.* color 6
comedia *f.* comedy; play
comedor *m.* dining room 12
comenzar (e:ie) *v.* to begin 4
comer *v.* to eat 3
comercial *adj.* commercial; business-related
comida *f.* food; meal 4, 8
como like; as 8
¿cómo? what?; how? 1, 2
  ¿Cómo es...? What's... like?
  ¿Cómo está usted? *form.* How are you? 1
  ¿Cómo estás? *fam.* How are you? 1
  ¿Cómo se llama usted? *form.* What's your name? 1
  ¿Cómo te llamas? *fam.* What's your name? 1

cómoda *f.* chest of drawers 12
cómodo/a *adj.* comfortable 5
compañero/a de clase *m., f.* classmate 2
compañero/a de cuarto *m., f.* roommate 2
compañía *f.* company; firm
compartir *v.* to share 3
compositor(a) *m., f.* composer
comprar *v.* to buy 2
  comprar en línea to buy online 6
compras *f., pl.* purchases
  ir de compras to go shopping 5
comprender *v.* to understand 3
comprobar *v.* to check
comprometerse (con) *v.* to get engaged (to) 9
computación *f.* computer science 2
computadora *f.* computer 1
computadora portátil *f.* portable computer; laptop 11
comunicación *f.* communication
comunicarse (con) *v.* to communicate (with)
comunidad *f.* community 1
con *prep.* with 2
  Con él/ella habla. Speaking. (*on telephone*) 11
  con frecuencia *adv.* frequently 10
  Con permiso. Pardon me; Excuse me. 1
  con tal (de) que *conj.* provided (that) 13
concierto *m.* concert
concordar *v.* to agree
concurso *m.* game show; contest
conducir *v.* to drive 6, 11
conductor(a) *m., f.* driver 1
conectarse *v.* **a Internet** to get connected to the Internet 11
conexión *f.* **inalámbrica** wireless connection 11
confirmar *v.* to confirm 5
confirmar *v.* **una reservación** *f.* to confirm a reservation 5
confundido/a *adj.* confused 5
congelador *m.* freezer 12
congestionado/a *adj.* congested 10
conmigo *pron.* with me 4, 9
conocer *v.* to know; to be acquainted with 6
conocido/a *adj.; p.p.* known
conseguir (e:i) *v.* to get; to obtain 4
consejero/a *m., f.* counselor; advisor
consejo *m.* advice
conservación *f.* conservation 13
conservar *v.* to conserve 13
construir *v.* to build
consultorio *m.* doctor's office 10
consumir *v.* to consume 15
contabilidad *f.* accounting 2
contador(a) *m., f.* accountant
contaminación *f.* pollution 13
  contaminación del aire/del agua air/water pollution 13
contaminado/a *adj.* polluted 13
contaminar *v.* to pollute 13
contar (o:ue) *v.* to count; to tell 4
contento/a *adj.* content 5
contestar *v.* to answer 2
contigo *fam. pron.* with you 5, 9
contraseña *f.* password 11
contratar *v.* to hire
control *m.* **remoto** remote control 11
controlar *v.* to control 13
conversación *f.* conversation 1
conversar *v.* to converse, to chat 2
copa *f.* wineglass 12
corazón *m.* heart 10
corbata *f.* tie 6
corredor(a) *m., f.* **de bolsa** stockbroker
correo *m.* mail; post office 14
  correo de voz *m.* voice mail 11
  correo electrónico *m.* e-mail 4
correr *v.* to run 3
cortesía *f.* courtesy
cortinas *f., pl.* curtains 12
corto/a *adj.* short (*in length*) 6
cosa *f.* thing 1
costar (o:ue) *v.* to cost 6
costarricense *adj.* Costa Rican 3
cráter *m.* crater 13
creer *v.* to believe 3, 13
  creer (en) *v.* to believe (in) 3
  no creer *v.* not to believe 13
creído/a *p.p.* believed 14
crema de afeitar *f.* shaving cream 5, 7
crimen *m.* crime; murder
cruzar *v.* to cross 14
cuaderno *m.* notebook 1
cuadra *f.* (city) block 14
¿cuál(es)? which?; which one(s)? 2
  ¿Cuál es la fecha de hoy? What is today's date? 5
cuadro *m.* picture 12
cuando *conj.* when 7; 13
¿cuándo? when? 2
¿cuánto(s)/a(s)? how much/how many? 1, 2
  ¿Cuánto cuesta...? How much does... cost? 6
  ¿Cuántos años tienes? How old are you?
cuarenta forty 2
cuarto *m.* room 2; 7
cuarto de baño *m.* bathroom 7
cuarto/a *adj.* fourth 5
  menos cuarto quarter to (time) 1
  y cuarto quarter after (time) 1
cuatro four 1
cuatrocientos/as four hundred 2
cubano/a *adj.* Cuban 3
cubiertos *m., pl.* silverware
cubierto/a *p.p.* covered
cubrir *v.* to cover
cuchara *f.* (table or large) spoon 12
cuchillo *m.* knife 12
cuello *m.* neck 10
cuenta *f.* bill 8; account 14
  cuenta corriente *f.* checking account 14
  cuenta de ahorros *f.* savings account 14
cuento *m.* short story
cuerpo *m.* body 10
cuidado *m.* care
cuidar *v.* to take care of 13
cultura *f.* culture 2
cumpleaños *m., sing.* birthday 9
cumplir años *v.* to have a birthday
cuñado/a *m., f.* brother-in-law/sister-in-law 3
currículum *m.* résumé
curso *m.* course 2

D

danza *f.* dance
dañar *v.* to damage; to break down 10
dar *v.* to give 6
  dar un consejo *v.* to give advice
  darse con *v.* to bump into; to run into (something) 10
  darse prisa *v.* to hurry; to rush 15
de *prep.* of; from 1
  ¿De dónde eres? *fam.* Where are you from? 1
  ¿De dónde es usted? *form.* Where are you from? 1
  ¿De parte de quién? Who is speaking/calling? (*on telephone*) 11
  ¿de quién...? whose...? (*sing.*) 1
  ¿de quiénes...? whose...? (*pl.*) 1
  de algodón (made) of cotton 6
  de aluminio (made) of aluminum 13
  de buen humor in a good mood 5
  de compras shopping 5
  de cuadros plaid 6
  de excursión hiking 4
  de hecho in fact
  de ida y vuelta roundtrip 5
  de la mañana in the morning; A.M. 1
  de la noche in the evening; at night; P.M. 1
  de la tarde in the afternoon; in the early evening; P.M. 1
  de lana (made) of wool 6
  de lunares polka-dotted 6
  de mal humor in a bad mood 5
  de moda in fashion 6
  De nada. You're welcome. 1
  de niño/a as a child 10
  de parte de on behalf of 11
  de plástico (made) of plastic 13
  de rayas striped 6
  de repente suddenly 6

de seda (made) of silk 6
de vaqueros western (genre)
de vez en cuando from time to time 10
de vidrio (made) of glass 13
debajo de *prep.* below; under 2
deber (+ *inf.*) *v.* should; must; ought to 3
deber *m.* responsibility; obligation
debido a due to (the fact that)
débil *adj.* weak 15
decidir (+ *inf.*) *v.* to decide 3
décimo/a *adj.* tenth 5
decir (e:i) *v.* **(que)** to say (that); to tell (that) 4
decir la respuesta to say the answer 4
decir la verdad to tell the truth 4
decir mentiras to tell lies 4
declarar *v.* to declare
dedo *m.* finger 10
dedo del pie *m.* toe 10
deforestación *f.* deforestation 13
dejar *v.* to let; to quit; to leave behind
dejar de (+ *inf.*) *v.* to stop (*doing something*) 13
dejar una propina *v.* to leave a tip
del (*contraction of* **de + el)** of the; from the 1
delante de *prep.* in front of 2
delgado/a *adj.* thin 3
delicioso/a *adj.* delicious 8
demás *adj.* the rest
demasiado *adv.* too much 6
dentista *m., f.* dentist 10
dentro de (diez años) within (ten years); inside
dependiente/a *m., f.* clerk 6
deporte *m.* sport 4
deportista *m.* sports person
deportivo/a *adj.* sports-related 4
depositar *v.* to deposit 14
derecha *f.* right 2
a la derecha de to the right of 2
derecho *adv.* straight (ahead) 14
derechos *m., pl.* rights
desarrollar *v.* to develop 13
desastre (natural) *m.* (natural) disaster
desayunar *v.* to have breakfast 2
desayuno *m.* breakfast 8
descafeinado/a *adj.* decaffeinated 15
descansar *v.* to rest 2
descargar *v.* to download 11
descompuesto/a *adj.* not working; out of order 11
describir *v.* to describe 3
descrito/a *p.p.* described 14
descubierto/a *p.p.* discovered 14
descubrir *v.* to discover 13
desde *prep.* from 6
desear *v.* to wish; to desire 2
desempleo *m.* unemployment
desierto *m.* desert 13
desigualdad *f.* inequality
desordenado/a *adj.* disorderly 5
despacio *adv.* slowly 10
despedida *f.* farewell; goodbye
despedir (e:i) *v.* to fire
despedirse (de) (e:i) *v.* to say goodbye (to)
despejado/a *adj.* clear (*weather*)
despertador *m.* alarm clock 7
despertarse (e:ie) *v.* to wake up 7
después *adv.* afterward; then 7
después de *prep.* after 7
después de que *conj.* after 13
destruir *v.* to destroy 13
detrás de *prep.* behind 2
día *m.* day 1
día de fiesta holiday 9
diario *m.* diary 1; newspaper
diario/a *adj.* daily 7
dibujar *v.* to draw 2
dibujo *m.* drawing
dibujos animados *m., pl.* cartoons
diccionario *m.* dictionary 1
dicho/a *p.p.* said 14
diciembre *m.* December 5
dictadura *f.* dictatorship
diecinueve nineteen 1
dieciocho eighteen 1
dieciséis sixteen 1
diecisiete seventeen 1
diente *m.* tooth 7
dieta *f.* diet 15
comer una dieta equilibrada to eat a balanced diet 15
diez ten 1
difícil *adj.* difficult 3
Diga. Hello. (*on telephone*) 11
diligencia *f.* errand 14
dinero *m.* money 6
dirección *f.* address 14
dirección electrónica *f.* e-mail address 11
director(a) *m., f.* director; (*musical*) conductor
dirigir *v.* to direct
discriminación *f.* discrimination
discurso *m.* speech
diseñador(a) *m., f.* designer
diseño *m.* design
disfraz *m.* costume 9
disfrutar (de) *v.* to enjoy; to reap the benefits (of) 15
disminuir *v.* to reduce
diversión *f.* fun activity; entertainment; recreation 4
divertido/a *adj.* fun
divertirse (e:ie) *v.* to have fun 9
divorciado/a *adj.* divorced 9
divorciarse (de) *v.* to get divorced (from) 9
divorcio *m.* divorce 9
doblar *v.* to turn 14
doble *adj.* double 5
doce twelve 1
doctor(a) *m., f.* doctor 3; 10
documental *m.* documentary
documentos de viaje *m., pl.* travel documents
doler (o:ue) *v.* to hurt 10
dolor *m.* ache; pain 10
dolor de cabeza *m.* headache 10
doméstico/a *adj.* domestic 12
domingo *m.* Sunday 2
don *m.* Mr.; sir 1
doña *f.* Mrs.; ma'am 1
donde *adv.* where
¿Dónde está...? Where is...? 2
¿dónde? where? 1, 2
dormir (o:ue) *v.* to sleep 4
dormirse (o:ue) *v.* to go to sleep; to fall asleep 7
dormitorio *m.* bedroom 12
dos two 1
dos veces *f.* twice 6
doscientos/as two hundred 2
drama *m.* drama; play
dramático/a *adj.* dramatic
dramaturgo/a *m., f.* playwright
droga *f.* drug 15
drogadicto/a *m., f.* drug addict 15
ducha *f.* shower 7
ducharse *v.* to take a shower 7
duda *f.* doubt 13
dudar *v.* to doubt 13
no dudar *v.* not to doubt 13
dueño/a *m., f.* owner 8
dulces *m., pl.* sweets; candy 9
durante *prep.* during 7
durar *v.* to last

E

e *conj.* (*used instead of* **y** *before words beginning with* **i** *and* **hi**) and
echar *v.* to throw
echar (una carta) al buzón *v.* to put (a letter) in the mailbox; to mail 14
ecología *f.* ecology 13
ecológico/a *adj.* ecological 13
ecologista *m., f.* ecologist 13
economía *f.* economics 2
ecoturismo *m.* ecotourism 13
ecuatoriano/a *adj.* Ecuadorian 3
edad *f.* age 9
edificio *m.* building 12
edificio de apartamentos apartment building 12
(en) efectivo *m.* cash 6
ejercer *v.* to practice/exercise (a degree/profession)

ejercicio *m.* exercise 15
ejercicios aeróbicos aerobic exercises 15
ejercicios de estiramiento stretching exercises 15
ejército *m.* army
el *m., sing., def. art.* the 1
él *sub. pron.* he 1; *obj. pron.* him
elecciones *f., pl.* election
electricista *m., f.* electrician
electrodoméstico *m.* electric appliance 12
elegante *adj. m., f.* elegant 6
elegir (e:i) *v.* to elect
ella *sub. pron.* she 1; *obj. pron.* her
ellos/as *sub. pron.* they 1; *obj. pron.* them
embarazada *adj.* pregnant 10
emergencia *f.* emergency 10
emitir *v.* to broadcast
emocionante *adj. m., f.* exciting
empezar (e:ie) *v.* to begin 4
empleado/a *m., f.* employee 5
empleo *m.* job; employment
empresa *f.* company; firm
en *prep.* in; on 2
en casa at home
en caso (de) que *conj.* in case (that) 13
en cuanto *conj.* as soon as 13
en efectivo in cash 14
en exceso in excess; too much 15
en línea online 6
en punto on the dot; exactly; sharp (*time*) 1
en qué in what; how
¿En qué puedo servirles? How can I help you? 5
en vivo live 7
enamorado/a (de) *adj.* in love (with) 5
enamorarse (de) *v.* to fall in love (with) 9
encantado/a *adj.* delighted; pleased to meet you 1
encantar *v.* to like very much; to love (*inanimate objects*) 7
encima de *prep.* on top of 2
encontrar (o:ue) *v.* to find 4
encontrar(se) (o:ue) *v.* to meet (each other); to run into (each other) 11
encontrarse con to meet up with 7
encuesta *f.* poll; survey
energía *f.* energy 13
energía nuclear nuclear energy 13
energía solar solar energy 13
enero *m.* January 5
enfermarse *v.* to get sick 10
enfermedad *f.* illness 10
enfermero/a *m., f.* nurse 10
enfermo/a *adj.* sick 10
enfrente de *prep.* opposite; facing 14
engordar *v.* to gain weight 15
enojado/a *adj.* angry 5
enojarse (con) *v.* to get angry (with) 7
ensalada *f.* salad 8
ensayo *m.* essay 3
enseguida *adv.* right away
enseñar *v.* to teach 2
ensuciar *v.* to get (something) dirty 12
entender (e:ie) *v.* to understand 4
enterarse *v.* to find out
entonces *adv.* so, then 5, 7
entrada *f.* entrance 12; ticket
entre *prep.* between; among 2
entregar *v.* to hand in 11
entremeses *m., pl.* appetizers 8
entrenador(a) *m., f.* trainer 15
entrenarse *v.* to train 15
entrevista *f.* interview
entrevistador(a) *m., f.* interviewer
entrevistar *v.* to interview
envase *m.* container 13
enviar *v.* to send; to mail 14
equilibrado/a *adj.* balanced 15
equipaje *m.* luggage 5
equipo *m.* team 4
equivocado/a *adj.* wrong 5
eres *fam.* you are 1
es he/she/it is 1
Es bueno que... It's good that... 12
es cierto it's certain 13
es extraño it's strange 13
es igual it's the same 5
Es importante que... It's important that... 12
es imposible it's impossible 13
es improbable it's improbable 13
Es malo que... It's bad that... 12
Es mejor que... It's better that... 12
Es necesario que... It's necessary that... 12
es obvio it's obvious 13
es posible it's possible 13
es probable it's probable 13
es ridículo it's ridiculous 13
es seguro it's certain 13
es terrible it's terrible 13
es triste it's sad 13
Es urgente que... It's urgent that... 12
Es la una. It's one o'clock. 1
es una lástima it's a shame 13
es verdad it's true 13
esa(s) *f., adj.* that; those 6
ésa(s) *f., pron.* that (one); those (ones) 6
escalar *v.* to climb 4
escalar montañas to climb mountains 4
escalera *f.* stairs 12
escalón *m.* step 15
escanear *v.* to scan 11
escoger *v.* to choose 8
escribir *v.* to write 3
escribir un mensaje electrónico to write an e-mail 4
escribir una carta to write a letter 4
escrito/a *p.p.* written 14
escritor(a) *m., f.* writer
escritorio *m.* desk 2
escuchar *v.* to listen (to) 2
escuchar la radio to listen to the radio 2
escuchar música to listen to music 2
escuela *f.* school 1
esculpir *v.* to sculpt
escultor(a) *m., f.* sculptor
escultura *f.* sculpture
ese *m., sing., adj.* that 6
ése *m., sing., pron.* that one 6
eso *neuter, pron.* that; that thing 6
esos *m., pl., adj.* those 6
ésos *m., pl., pron.* those (ones) 6
España *f.* Spain
español *m.* Spanish (*language*) 2
español(a) *adj. m., f.* Spanish 3
espárragos *m., pl.* asparagus 8
especialidad: las especialidades del día today's specials 8
especialización *f.* major 2
espectacular *adj.* spectacular
espectáculo *m.* show
espejo *m.* mirror 7
esperar *v.* to hope; to wish 13
esperar (+ *inf.*) *v.* to wait (for); to hope 2
esposo/a *m., f.* husband/wife; spouse 3
esquí (acuático) *m.* (water) skiing 4
esquiar *v.* to ski 4
esquina *f.* corner 14
está he/she/it is, you are
Está bien. That's fine.
Está (muy) despejado. It's (very) clear. (*weather*)
Está lloviendo. It's raining. 5
Está nevando. It's snowing. 5
Está (muy) nublado. It's (very) cloudy. (*weather*) 5
esta(s) *f., adj.* this; these 6
esta noche tonight
ésta(s) *f., pron.* this (one); these (ones) 6
establecer *v.* to establish
estación *f.* station; season 5
estación de autobuses bus station 5
estación del metro subway station 5
estación de tren train station 5
estacionamiento *m.* parking lot 14

estacionar *v.* to park 11
estadio *m.* stadium 2
estado civil *m.* marital status 9
Estados Unidos *m., pl.* (EE.UU.; E.U.) United States
estadounidense *adj. m., f.* from the United States 3
estampilla *f.* stamp 14
estante *m.* bookcase; bookshelves 12
estar *v.* to be 2
  estar a dieta to be on a diet 15
  estar aburrido/a to be bored 5
  estar afectado/a (por) to be affected (by) 13
  estar cansado/a to be tired 5
  estar contaminado/a to be polluted 13
  estar de acuerdo to agree
    Estoy de acuerdo. I agree.
    No estoy de acuerdo. I don't agree.
  estar de moda to be in fashion 6
  estar de vacaciones *f., pl.* to be on vacation 5
  estar en buena forma to be in good shape 15
  estar enfermo/a to be sick 10
  estar harto/a de... to be sick of...
  estar listo/a to be ready 5
  estar perdido/a to be lost 14
  estar roto/a to be broken
  estar seguro/a to be sure 5
  estar torcido/a to be twisted; to be sprained 10
  No está nada mal. It's not bad at all. 5
estatua *f.* statue
este *m.* east 14
este *m., sing., adj.* this 6
éste *m., sing., pron.* this (one) 6
estéreo *m.* stereo
estilo *m.* style
estiramiento *m.* stretching 15
esto *neuter pron.* this; this thing 6
estómago *m.* stomach 10
estornudar *v.* to sneeze 10
estos *m., pl., adj.* these 6
éstos *m., pl., pron.* these (ones) 6
estrella *f.* star 13
  estrella de cine movie star
estrés *m.* stress 15
estudiante *m., f.* student 1, 2
estudiantil *adj. m., f.* student 2
estudiar *v.* to study 2
estufa *f.* stove 12
estupendo/a *adj.* stupendous 5
etapa *f.* stage 9
evitar *v.* to avoid 13
examen *m.* test; exam 2
  examen médico physical exam 10
excelente *adj. m., f.* excellent 5
exceso *m.* excess 15
excursión *f.* hike; tour; excursion 4
excursionista *m., f.* hiker
éxito *m.* success
experiencia *f.* experience
explicar *v.* to explain 2
explorar *v.* to explore
expresión *f.* expression
extinción *f.* extinction 13
extranjero/a *adj.* foreign
extrañar *v.* to miss
extraño/a *adj.* strange 13

F

fábrica *f.* factory 13
fabuloso/a *adj.* fabulous 5
fácil *adj.* easy 3
falda *f.* skirt 6
faltar *v.* to lack; to need 7
familia *f.* family 3
famoso/a *adj.* famous
farmacia *f.* pharmacy 10
fascinar *v.* to fascinate 7
favorito/a *adj.* favorite 4
febrero *m.* February 5
fecha *f.* date 5
¡Felicidades! Congratulations! 9
¡Felicitaciones! Congratulations! 9
feliz *adj.* happy 5
  ¡Feliz cumpleaños! Happy birthday! 9
fenomenal *adj.* great, phenomenal 5
feo/a *adj.* ugly 3
festival *m.* festival
fiebre *f.* fever 10
fiesta *f.* party 9
fijo/a *adj.* fixed, set 6
fin *m.* end 4
  fin de semana weekend 4
finalmente *adv.* finally
firmar *v.* to sign (*a document*) 14
física *f.* physics 2
flan (de caramelo) *m.* baked (caramel) custard 9
flexible *adj.* flexible 15
flor *f.* flower 13
folclórico/a *adj.* folk; folkloric
folleto *m.* brochure
forma *f.* shape 15
formulario *m.* form 14
foto(grafía) *f.* photograph 1
francés, francesa *adj. m., f.* French 3
frecuentemente *adv.* frequently
frenos *m., pl.* brakes
frente (frío) *m.* (cold) front 5
fresco/a *adj.* cool
frijoles *m., pl.* beans 8
frío/a *adj.* cold
frito/a *adj.* fried 8
fruta *f.* fruit 8
frutería *f.* fruit store 14
fuera *adv.* outside
fuerte *adj. m., f.* strong 15
fumar *v.* to smoke 15
  (no) fumar *v.* (not) to smoke 15
funcionar *v.* to work 11; to function
fútbol *m.* soccer 4
fútbol americano *m.* football 4
futuro/a *adj.* future
  en el futuro in the future

G

gafas (de sol) *f., pl.* (sun)glasses 6
gafas (oscuras) *f., pl.* (sun)glasses
galleta *f.* cookie 9
ganar *v.* to win 4; to earn (money)
ganga *f.* bargain 6
garaje *m.* garage; (mechanic's) repair shop 11; garage (*in a house*) 12
garganta *f.* throat 10
gasolina *f.* gasoline 11
gasolinera *f.* gas station 11
gastar *v.* to spend (*money*) 6
gato *m.* cat 13
gemelo/a *m., f.* twin 3
genial *adj.* great
gente *f.* people 3
geografía *f.* geography 2
gerente *m., f.* manager 8
gimnasio *m.* gymnasium 4
gobierno *m.* government 13
golf *m.* golf 4
gordo/a *adj.* fat 3
grabar *v.* to record 11
gracias *f., pl.* thank you; thanks 1
  Gracias por invitarme. Thanks for inviting me. 9
graduarse (de/en) *v.* to graduate (from/in) 9
grande *adj.* big; large 3
grasa *f.* fat 15
gratis *adj. m., f.* free of charge 14
grave *adj.* grave; serious 10
gripe *f.* flu 10
gris *adj. m., f.* gray 6
gritar *v.* to scream, to shout
grito *m.* scream 5
guantes *m., pl.* gloves 6
guapo/a *adj.* good-looking 3
guardar *v.* to save (on a computer) 11
guerra *f.* war
guía *m., f.* guide
gustar *v.* to be pleasing to; to like 2
  Me gustaría... I would like...
gusto *m.* pleasure 1
  El gusto es mío. The pleasure is mine. 1
  Mucho gusto. Pleased to meet you. 1
  ¡Qué gusto verlo/la! *form.* How nice to see you!
  ¡Qué gusto verte! *fam.* How nice to see you!

H

haber *(auxiliar) v.* to have (done something) 15
habitación *f.* room 5
habitación doble double room 5
habitación individual single room 5
hablar *v.* to talk; to speak 2
hacer *v.* to do; to make 4
Hace buen tiempo. The weather is good. 5
Hace (mucho) calor. It's (very) hot. (*weather*) 5
Hace fresco. It's cool. (*weather*) 5
Hace (mucho) frío. It's (very) cold. (*weather*) 5
Hace mal tiempo. The weather is bad. 5
Hace (mucho) sol. It's (very) sunny. (*weather*) 5
Hace (mucho) viento. It's (very) windy. (*weather*) 5
hacer cola to stand in line 14
hacer diligencias to run errands 14
hacer ejercicio to exercise 15
hacer ejercicios aeróbicos to do aerobics 15
hacer ejercicios de estiramiento to do stretching exercises 15
hacer el papel (de) to play the role (of)
hacer gimnasia to work out 15
hacer juego (con) to match (with) 6
hacer la cama to make the bed 12
hacer las maletas to pack (one's) suitcases 5
hacer quehaceres domésticos to do household chores 12
hacer (wind)surf to (wind)surf 5
hacer turismo to go sightseeing
hacer un viaje to take a trip 5
hacia *prep.* toward 14
hambre *f.* hunger
hamburguesa *f.* hamburger 8
hasta *prep.* until 6; toward
Hasta la vista. See you later. 1
Hasta luego. See you later. 1
Hasta mañana. See you tomorrow. 1
Hasta pronto. See you soon. 1
hasta que *conj.* until 13
hay there is; there are 1
Hay (mucha) niebla. It's (very) foggy.
Hay que It is necessary that
No hay de qué. You're welcome. 1
No hay duda de There's no doubt 13
hecho/a *p.p.* done 14
heladería *f.* ice cream shop 14
helado *m.* ice cream 9
helado/a *adj.* iced 8
hermanastro/a *m., f.* stepbrother/stepsister 3
hermano/a *m., f.* brother/sister 3
hermano/a mayor/menor *m., f.* older/younger brother/sister 3
hermanos *m., pl.* siblings (brothers and sisters) 3
hermoso/a *adj.* beautiful 6
hierba *f.* grass 13
hijastro/a *m., f.* stepson/stepdaughter 3
hijo/a *m., f.* son/daughter 3
hijo/a único/a *m., f.* only child 3
hijos *m., pl.* children 3
híjole *interj.* wow 6
historia *f.* history 2; story
hockey *m.* hockey 4
hola *interj.* hi 1
hombre *m.* man 1
hombre de negocios *m.* businessman
hora *f.* hour 1; the time
horario *m.* schedule 2
horno *m.* oven 12
horno de microondas *m.* microwave oven 12
horror *m.* horror
de horror horror (genre)
hospital *m.* hospital 10
hotel *m.* hotel 5
hoy *adv.* today 2
hoy día *adv.* nowadays
Hoy es... Today is... 2
hueco *m.* hole 4
huelga *f.* strike (*labor*)
hueso *m.* bone 10
huésped *m., f.* guest 5
huevo *m.* egg 8
humanidades *f., pl.* humanities 2
huracán *m.* hurricane

I

ida *f.* one way (*travel*)
idea *f.* idea
iglesia *f.* church 4
igualdad *f.* equality
igualmente *adv.* likewise 1
impermeable *m.* raincoat 6
importante *adj. m., f.* important 3
importar *v.* to be important to; to matter 7
imposible *adj. m., f.* impossible 13
impresora *f.* printer 11
imprimir *v.* to print 11
improbable *adj. m., f.* improbable 13
impuesto *m.* tax
incendio *m.* fire
increíble *adj. m., f.* incredible 5
indicar cómo llegar *v.* to give directions 14
individual *adj.* single (*room*) 5
infección *f.* infection 10
informar *v.* to inform
informe *m.* report
ingeniero/a *m., f.* engineer 3
inglés *m.* English (*language*) 2
inglés, inglesa *adj.* English 3
inodoro *m.* toilet 7
insistir (en) *v.* to insist (on) 12
inspector(a) de aduanas *m., f.* customs inspector 5
inteligente *adj. m., f.* intelligent 3
intento *m.* attempt 11
intercambiar *v.* to exchange
interesante *adj. m., f.* interesting 3
interesar *v.* to be interesting to; to interest 7
internacional *adj. m., f.* international
Internet Internet 11
inundación *f.* flood
invertir (e:ie) *v.* to invest
invierno *m.* winter 5
invitado/a *m., f.* guest 9
invitar *v.* to invite 9
inyección *f.* injection 10
ir *v.* to go 4
ir a (+ *inf.*) to be going to do something 4
ir de compras to go shopping 5
ir de excursión (a las montañas) to go on a hike (in the mountains) 4
ir de pesca to go fishing
ir de vacaciones to go on vacation 5
ir en autobús to go by bus 5
ir en auto(móvil) to go by car 5
ir en avión to go by plane 5
ir en barco to go by boat 5
ir en metro to go by subway
ir en moto(cicleta) to go by motorcycle 5
ir en taxi to go by taxi 5
ir en tren to go by train
irse *v.* to go away; to leave 7
italiano/a *adj.* Italian 3
izquierda *f.* left 2
a la izquierda de to the left of 2

J

jabón *m.* soap 7
jamás *adv.* never; not ever 7
jamón *m.* ham 8
japonés, japonesa *adj.* Japanese 3
jardín *m.* garden; yard 12
jefe, jefa *m., f.* boss
jengibre *m.* ginger 10

joven *adj. m., f., sing.* (**jóvenes** *pl.*) young 3
joven *m., f., sing.* (**jóvenes** *pl.*) young person 1
joyería *f.* jewelry store 14
jubilarse *v.* to retire (*from work*) 9
juego *m.* game
jueves *m., sing.* Thursday 2
jugador(a) *m., f.* player 4
jugar (u:ue) *v.* to play 4
jugar a las cartas *f., pl.* to play cards 5
jugo *m.* juice 8
jugo de fruta *m.* fruit juice 8
julio *m.* July 5
jungla *f.* jungle 13
junio *m.* June 5
juntos/as *adj.* together 9
juventud *f.* youth 9

K

kilómetro *m.* kilometer 11

L

la *f., sing., def. art.* the 1; *f., sing., d.o. pron.* her, it, *form.* you 5
laboratorio *m.* laboratory 2
lago *m.* lake 13
lámpara *f.* lamp 12
lana *f.* wool 6
langosta *f.* lobster 8
lápiz *m.* pencil 1
largo/a *adj.* long 6
las *f., pl., def. art.* the 1; *f., pl., d.o. pron.* them; you 5
lástima *f.* shame 13
lastimarse *v.* to injure oneself 10
lastimarse el pie to injure one's foot 10
lata *f.* (*tin*) can 13
lavabo *m.* sink 7
lavadora *f.* washing machine 12
lavandería *f.* laundromat 14
lavaplatos *m., sing.* dishwasher 12
lavar *v.* to wash 12
lavar (el suelo, los platos) to wash (the floor, the dishes) 12
lavarse *v.* to wash oneself 7
lavarse la cara to wash one's face 7
lavarse las manos to wash one's hands 7
le *sing., i.o. pron.* to/for him, her, *form.* you 6
Le presento a... *form.* I would like to introduce you to (name). 1
lección *f.* lesson 1
leche *f.* milk 8
lechuga *f.* lettuce 8
leer *v.* to read 3
leer el correo electrónico to read e-mail 4
leer un periódico to read a newspaper 4
leer una revista to read a magazine 4
leído/a *p.p.* read 14
lejos de *prep.* far from 2
lengua *f.* language 2
lenguas extranjeras *f., pl.* foreign languages 2
lentes de contacto *m., pl.* contact lenses
lentes (de sol) (sun)glasses
lento/a *adj.* slow 11
les *pl., i.o. pron.* to/for them, you 6
letrero *m.* sign 14
levantar *v.* to lift 15
levantar pesas to lift weights 15
levantarse *v.* to get up 7
ley *f.* law 13
libertad *f.* liberty; freedom
libre *adj. m., f.* free 4
librería *f.* bookstore 2
libro *m.* book 2
licencia de conducir *f.* driver's license 11
limón *m.* lemon 8
limpiar *v.* to clean 12
limpiar la casa *v.* to clean the house 12
limpio/a *adj.* clean 5
línea *f.* line
listo/a *adj.* ready; smart 5
literatura *f.* literature 2
llamar *v.* to call 11
llamar por teléfono to call on the phone
llamarse *v.* to be called; to be named 7
llanta *f.* tire 11
llave *f.* key 5; wrench 11
llegada *f.* arrival 5
llegar *v.* to arrive 2
llenar *v.* to fill 11, 14
llenar el tanque to fill the tank 11
llenar (un formulario) to fill out (a form) 14
lleno/a *adj.* full 11
llevar *v.* to carry 2; to wear; to take 6
llevar una vida sana to lead a healthy lifestyle 15
llevarse bien/mal (con) to get along well/badly (with) 9
llorar *v.* to cry 15
llover (o:ue) *v.* to rain 5
Llueve. It's raining. 5
lluvia *f.* rain
lo *m., sing. d.o. pron.* him, it, *form.* you 5
lo mejor the best (thing)
lo que that which; what 12
Lo siento. I'm sorry. 1
loco/a *adj.* crazy 6
locutor(a) *m., f.* (TV or radio) announcer
lodo *m.* mud
los *m., pl., def. art.* the 1; *m. pl., d.o. pron.* them, you 5
luchar (contra/por) *v.* to fight; to struggle (against/for)
luego *adv.* then 7; later 1
lugar *m.* place 2, 4
luna *f.* moon 13
lunares *m.* polka dots
lunes *m., sing.* Monday 2
luz *f.* light; electricity 12

M

madrastra *f.* stepmother 3
madre *f.* mother 3
madurez *f.* maturity; middle age 9
maestro/a *m., f.* teacher
magnífico/a *adj.* magnificent 5
maíz *m.* corn 8
mal, malo/a *adj.* bad 3
maleta *f.* suitcase 1
mamá *f.* mom
mandar *v.* to order 12; to send; to mail 14
manejar *v.* to drive 11
manera *f.* way
mano *f.* hand 1
manta *f.* blanket 12
mantener *v.* to maintain 15
mantenerse en forma to stay in shape 15
mantequilla *f.* butter 8
manzana *f.* apple 8
mañana *f.* morning, a.m. 1; tomorrow 1
mapa *m.* map 1, 2
maquillaje *m.* makeup 7
maquillarse *v.* to put on makeup 7
mar *m.* sea 5
maravilloso/a *adj.* marvelous 5
marcador *m.* marker 2
mareado/a *adj.* dizzy; nauseated 10
margarina *f.* margarine 8
mariscos *m., pl.* shellfish 8
marrón *adj. m., f.* brown 6
martes *m., sing.* Tuesday 2
marzo *m.* March 5
más *adv.* more 2
más de (+ *number*) more than 8
más tarde later (on) 7
más... que more... than 8
masaje *m.* massage 15
matemáticas *f., pl.* mathematics 2
materia *f.* course 2
matrimonio *m.* marriage 9
máximo/a *adj.* maximum 11
mayo *m.* May 5
mayonesa *f.* mayonnaise 8

mayor *adj.* older 3
el/la mayor *adj.* oldest 8
me *sing., d.o. pron.* me 5; *sing. i.o. pron.* to/for me 6
Me gusta... I like... 2
Me gustaría(n)... I would like... 15
Me llamo... My name is... 1
Me muero por... I'm dying to (for)...
mecánico/a *m., f.* mechanic 11
mediano/a *adj.* medium
medianoche *f.* midnight 1
medias *f., pl.* pantyhose, stockings 6
medicamento *m.* medication 10
medicina *f.* medicine 10
médico/a *m., f.* doctor 3; *adj.* medical 10
medio/a *adj.* half 3
medio ambiente *m.* environment 13
medio/a hermano/a *m., f.* half-brother/half-sister 3
mediodía *m.* noon 1
medios de comunicación *m., pl.* means of communication; media
y media thirty minutes past the hour (*time*) 1
mejor *adj.* better 8
el/la mejor *m., f.* the best 8
mejorar *v.* to improve 13
melocotón *m.* peach 8
menor *adj.* younger 3
el/la menor *m., f.* youngest 8
menos *adv.* less 10
menos cuarto..., menos quince... quarter to... (*time*) 1
menos de (+ *number*) fewer than 8
menos... que less... than 8
mensaje *m.* **de texto** text message 11
mensaje electrónico *m.* e-mail message 4
mentira *f.* lie 4
menú *m.* menu 8
mercado *m.* market 6
mercado al aire libre open-air market 6
merendar (e:ie) *v.* to snack 8; to have an afternoon snack
merienda *f.* afternoon snack 15
mes *m.* month 5
mesa *f.* table 2
mesita *f.* end table 12
mesita de noche night stand 12
meterse en problemas *v.* to get into trouble 13
metro *m.* subway 5
mexicano/a *adj.* Mexican 3
mí *pron., obj. of prep.* me 9
mi(s) *poss. adj.* my 3
microonda *f.* microwave 12
horno de microondas *m.* microwave oven 12
miedo *m.* fear
miel *f.* honey 10
mientras *conj.* while 10
miércoles *m., sing.* Wednesday 2
mil *m.* one thousand 2
mil millones billion
milla *f.* mile
millón *m.* million 2
millones (de) *m.* millions (of)
mineral *m.* mineral 15
minuto *m.* minute
mío(s)/a(s) *poss.* my; (of) mine 11
mirar *v.* to look (at); to watch 2
mirar (la) televisión to watch television 2
mismo/a *adj.* same 3
mochila *f.* backpack 2
moda *f.* fashion 6
moderno/a *adj.* modern
molestar *v.* to bother; to annoy 7
mono *m.* monkey 13
montaña *f.* mountain 4
montar *v.* **a caballo** to ride a horse 5
montón: un montón de a lot of 4
monumento *m.* monument 4
morado/a *adj.* purple 6
moreno/a *adj.* brunet(te) 3
morir (o:ue) *v.* to die 8
mostrar (o:ue) *v.* to show 4
moto(cicleta) *f.* motorcycle 5
motor *m.* motor
muchacho/a *m., f.* boy/girl 3
mucho/a *adj.*, a lot of; much; many 3
(Muchas) gracias. Thank you (very much); Thanks (a lot). 1
muchas veces *adv.* a lot; many times 10
Mucho gusto. Pleased to meet you. 1
mudarse *v.* to move (from one house to another) 12
muebles *m., pl.* furniture 12
muerte *f.* death 9
muerto/a *p.p.* died 14
mujer *f.* woman 1
mujer de negocios *f.* business woman
mujer policía *f.* female police officer
multa *f.* fine
mundial *adj. m., f.* worldwide
mundo *m.* world 8
muro *m.* wall 15
músculo *m.* muscle 15
museo *m.* museum 4
música *f.* music 2
musical *adj. m., f.* musical
músico/a *m., f.* musician
muy *adv.* very 1
(Muy) bien, gracias. (Very) well, thanks. 1

N

nacer *v.* to be born 9
nacimiento *m.* birth 9
nacional *adj. m., f.* national
nacionalidad *f.* nationality 1
nada nothing 1; not anything 7
nada mal not bad at all 5
nadar *v.* to swim 4
nadie *pron.* no one, nobody, not anyone 7
naranja *f.* orange 8
nariz *f.* nose 10
natación *f.* swimming 4
natural *adj. m., f.* natural 13
naturaleza *f.* nature 13
navegador *m.* **GPS** GPS 11
Navidad *f.* Christmas 9
necesario/a *adj.* necessary 12
necesitar (+ *inf.*) *v.* to need 2
negar (e:ie) *v.* to deny 13
no negar (e:ie) *v.* not to deny 13
negocios *m., pl.* business; commerce
negro/a *adj.* black 6
nervioso/a *adj.* nervous 5
nevar (e:ie) *v.* to snow 5
Nieva. It's snowing. 5
ni...ni neither... nor 7
niebla *f.* fog
nieto/a *m., f.* grandson/granddaughter 3
nieve *f.* snow
ningún, ninguno/a(s) *adj.* no; none; not any 7
niñez *f.* childhood 9
niño/a *m., f.* child 3
no no; not 1
¿no? right? 1
no cabe duda de there is no doubt 13
no es seguro it's not certain 13
no es verdad it's not true 13
No está nada mal. It's not bad at all. 5
no estar de acuerdo to disagree
No estoy seguro. I'm not sure.
no hay there is not; there are not 1
No hay de qué. You're welcome. 1
no hay duda de there is no doubt 13
¡No me diga(s)! You don't say!
No me gustan nada. I don't like them at all. 2
no muy bien not very well 1
No quiero. I don't want to. 4
No sé. I don't know.
No te preocupes. *fam.* Don't worry. 7
no tener razón to be wrong 3

noche *f.* night 1
nombre *m.* name 1
norte *m.* north 14
norteamericano/a *adj.* (North) American 3
nos *pl., d.o. pron.* us 5; *pl., i.o. pron.* to/for us 6
  Nos vemos. See you. 1
nosotros/as *sub. pron.* we 1; *obj. pron.* us
noticia *f.* news 11
noticias *f., pl.* news
noticiero *m.* newscast
novecientos/as nine hundred 2
noveno/a *adj.* ninth 5
noventa ninety 2
noviembre *m.* November 5
novio/a *m., f.* boyfriend/girlfriend 3
nube *f.* cloud 13
nublado/a *adj.* cloudy 5
  Está (muy) nublado. It's very cloudy. 5
nuclear *adj. m., f.* nuclear 13
nuera *f.* daughter-in-law 3
nuestro(s)/a(s) *poss. adj.* our 3; our, (of) ours 11
nueve nine 1
nuevo/a *adj.* new 6
número *m.* number 1; (shoe) size 6
nunca *adv.* never; not ever 7
nutrición *f.* nutrition 15
nutricionista *m., f.* nutritionist 15

O

o or 7
o... o; either... or 7
obedecer *v.* to obey
obra *f.* work (*of art, literature, music, etc.*)
  obra maestra *f.* masterpiece
obtener *v.* to obtain; to get
obvio/a *adj.* obvious 13
océano *m.* ocean
ochenta eighty 2
ocho eight 1
ochocientos/as eight hundred 2
octavo/a *adj.* eighth 5
octubre *m.* October 5
ocupación *f.* occupation
ocupado/a *adj.* busy 5
ocurrir *v.* to occur; to happen
odiar *v.* to hate 9
oeste *m.* west 14
oferta *f.* offer
oficina *f.* office 12
oficio *m.* trade
ofrecer *v.* to offer 6
oído *m.* (sense of) hearing; inner ear 10
oído/a *p.p.* heard 14
oír *v.* to hear 4
ojalá (que) *interj.* I hope (that); I wish (that) 13
ojo *m.* eye 10
olvidar *v.* to forget 10
once eleven 1
ópera *f.* opera
operación *f.* operation 10
ordenado/a *adj.* orderly 5
ordinal *adj.* ordinal (*number*)
oreja *f.* (outer) ear 10
organizarse *v.* to organize oneself 12
orquesta *f.* orchestra
ortografía *f.* spelling
ortográfico/a *adj.* spelling
os *fam., pl. d.o. pron.* you 5; *fam., pl. i.o. pron.* to/for you 6
otoño *m.* autumn 5
otro/a *adj.* other; another 6
  otra vez again

P

paciente *m., f.* patient 10
padrastro *m.* stepfather 3
padre *m.* father 3
padres *m., pl.* parents 3
pagar *v.* to pay 6
  pagar a plazos to pay in installments 14
  pagar al contado to pay in cash 14
  pagar en efectivo to pay in cash 14
  pagar la cuenta to pay the bill
página *f.* page 11
  página principal *f.* home page 11
país *m.* country 1
paisaje *m.* landscape 5
pájaro *m.* bird 13
palabra *f.* word 1
paleta helada *f.* popsicle 4
pálido/a *adj.* pale 14
pan *m.* bread 8
  pan tostado *m.* toasted bread 8
panadería *f.* bakery 14
pantalla *f.* screen 11
  pantalla táctil *f.* touch screen
pantalones *m., pl.* pants 6
  pantalones cortos *m., pl.* shorts 6
pantuflas *f., pl.* slippers 7
papa *f.* potato 8
  papas fritas *f., pl.* fried potatoes; French fries 8
papá *m.* dad
  papás *m., pl.* parents
papel *m.* paper 2; role
papelera *f.* wastebasket 2
paquete *m.* package 14
par *m.* pair 6
  par de zapatos pair of shoes 6
para *prep.* for; in order to; by; used for; considering 11
  para que *conj.* so that 13
parabrisas *m., sing.* windshield 11
parar *v.* to stop 11
parecer *v.* to seem 6
pared *f.* wall 12
pareja *f.* (married) couple; partner 9
parientes *m., pl.* relatives 3
parque *m.* park 4
párrafo *m.* paragraph
parte: de parte de on behalf of 11
partido *m.* game; match (*sports*) 4
pasado/a *adj.* last; past 6
  pasado *p.p.* passed
pasaje *m.* ticket 5
  pasaje de ida y vuelta *m.* roundtrip ticket 5
pasajero/a *m., f.* passenger 1
pasaporte *m.* passport 5
pasar *v.* to go through
  pasar la aspiradora to vacuum 12
  pasar por la aduana to go through customs
  pasar tiempo to spend time
  pasarlo bien/mal to have a good/bad time 9
pasatiempo *m.* pastime; hobby 4
pasear *v.* to take a walk; to stroll 4
  pasear en bicicleta to ride a bicycle 4
  pasear por to walk around
pasillo *m.* hallway 12
pasta *f.* **de dientes** toothpaste 7
pastel *m.* cake; pie 9
  pastel de chocolate *m.* chocolate cake 9
  pastel de cumpleaños *m.* birthday cake
pastelería *f.* pastry shop 14
pastilla *f.* pill 10
patata *f.* potato 8
  patatas fritas *f., pl.* fried potatoes; French fries 8
patinar *v.* to skate 4
patineta *f.* skateboard 4
patio *m.* patio; yard 12
pavo *m.* turkey 8
paz *f.* peace
pedir (e:i) *v.* to ask for; to request 4; to order (*food*) 8
  pedir prestado *v.* to borrow 14
  pedir un préstamo *v.* to apply for a loan 14
peinarse *v.* to comb one's hair 7
película *f.* movie 4
peligro *m.* danger 13
peligroso/a *adj.* dangerous
pelirrojo/a *adj.* red-haired 3
pelo *m.* hair 7
pelota *f.* ball 4
peluquería *f.* beauty salon 14
peluquero/a *m., f.* hairdresser
penicilina *f.* penicillin

pensar (e:ie) *v.* to think 4
pensar (+ *inf.*) *v.* to intend to; to plan to (*do something*) 4
pensar en *v.* to think about 4
peor *adj.* worse 8
el/la peor *adj.* the worst 8
pequeño/a *adj.* small 3
pera *f.* pear 8
perder (e:ie) *v.* to lose; to miss 4
perdido/a *adj.* lost 13, 14
Perdón. Pardon me.; Excuse me. 1
perezoso/a *adj.* lazy
perfecto/a *adj.* perfect 5
perfil *m.* profile 11
periódico *m.* newspaper 4
periodismo *m.* journalism 2
periodista *m., f.* journalist 3
permiso *m.* permission
pero *conj.* but 2
perro *m.* dog 13
persona *f.* person 3
personaje *m.* character
personaje principal *m.* main character
pesas *f., pl.* weights 15
pesca *f.* fishing
pescadería *f.* fish market 14
pescado *m.* fish (*cooked*) 8
pescar *v.* to fish 5
peso *m.* weight 15
pez *m., sing.* (**peces** *pl.*) fish (*live*) 13
pie *m.* foot 10
piedra *f.* stone 13
pierna *f.* leg 10
pimienta *f.* black pepper 8
pintar *v.* to paint
pintor(a) *m., f.* painter
pintura *f.* painting; picture 12
piña *f.* pineapple
piscina *f.* swimming pool 4
piso *m.* floor (*of a building*) 5
pizarra *f.* whiteboard 2
placer *m.* pleasure
planchar la ropa *v.* to iron the clothes 12
planes *m., pl.* plans
planta *f.* plant 13
planta baja *f.* ground floor 5
plástico *m.* plastic 13
plato *m.* dish (*in a meal*) 8; *m.* plate 12
plato principal *m.* main dish 8
playa *f.* beach 5
plaza *f.* city or town square 4
plazos *m., pl.* periods; time 14
pluma *f.* pen 2
plumero *m.* duster 12
población *f.* population 13
pobre *adj. m., f.* poor 6
pobrecito/a *adj.* poor thing 3
pobreza *f.* poverty
poco *adv.* little 5, 10
poder (o:ue) *v.* to be able to; can 4
¿Puedo dejar un recado? May I leave a message? 11
poema *m.* poem
poesía *f.* poetry
poeta *m., f.* poet
policía *f.* police (force) 11
política *f.* politics
político/a *m., f.* politician; *adj.* political
pollo *m.* chicken 8
pollo asado *m.* roast chicken 8
poner *v.* to put; to place 4; to turn on (*electrical appliances*) 11
poner la mesa to set the table 12
poner una inyección to give an injection 10
ponerle el nombre to name someone/something 9
ponerse (+ *adj.*) *v.* to become (+ *adj.*) 7; to put on 7
por *prep.* in exchange for; for; by; in; through; around; along; during; because of; on account of; on behalf of; in search of; by way of; by means of 11
por aquí around here 11
por ejemplo for example 11
por eso that's why; therefore 11
por favor please 1
por fin finally 11
por la mañana in the morning 7
por la noche at night 7
por la tarde in the afternoon 7
por lo menos *adv.* at least 10
¿por qué? why? 2
Por supuesto. Of course.
por teléfono by phone; on the phone
por último finally 7
porque *conj.* because 2
portátil *adj.* portable 11
portero/a *m., f.* doorman/doorwoman 1
porvenir *m.* future
por el porvenir for/to the future
posesivo/a *adj.* possessive
posible *adj.* possible 13
es posible it's possible 13
no es posible it's not possible 13
postal *f.* postcard
postre *m.* dessert 9
practicar *v.* to practice 2
practicar deportes *m., pl.* to play sports 4
precio (fijo) *m.* (fixed; set) price 6
preferir (e:ie) *v.* to prefer 4
pregunta *f.* question
preguntar *v.* to ask (*a question*) 2
premio *m.* prize; award
prender *v.* to turn on 11
prensa *f.* press
preocupado/a (por) *adj.* worried (about) 5
preocuparse (por) *v.* to worry (about) 7
preparar *v.* to prepare 2
preposición *f.* preposition
presentación *f.* introduction
presentar *v.* to introduce; to present; to put on (*a performance*)
Le presento a... I would like to introduce you to (name). *form.* 1
Te presento a... I would like to introduce you to (name). *fam.* 1
presiones *f., pl.* pressures 15
prestado/a *adj.* borrowed
préstamo *m.* loan 14
prestar *v.* to lend; to loan 6
primavera *f.* spring 5
primer, primero/a *adj.* first 5
primero *adv.* first 2
primo/a *m., f.* cousin 3
principal *adj. m., f.* main 8
prisa *f.* haste
darse prisa *v.* to hurry; to rush 15
probable *adj. m., f.* probable 13
es probable it's probable 13
no es probable it's not probable 13
probar (o:ue) *v.* to taste; to try 8
probarse (o:ue) *v.* to try on 7
problema *m.* problem 1
profesión *f.* profession 3
profesor(a) *m., f.* teacher 1, 2
programa *m.* program 1
programa de computación *m.* software 11
programa de entrevistas *m.* talk show
programa de realidad *m.* reality show
programador(a) *m., f.* computer programmer 3
prohibir *v.* to prohibit 10; to forbid
pronombre *m.* pronoun
pronto *adv.* soon 10
propina *f.* tip 8
propio/a *adj.* own
proteger *v.* to protect 13
proteína *f.* protein 15
próximo/a *adj.* next 3
proyecto *m.* project 11
prueba *f.* test; quiz 2
psicología *f.* psychology 2
psicólogo/a *m., f.* psychologist
publicar *v.* to publish
público *m.* audience
pueblo *m.* town
puerta *f.* door 2
puertorriqueño/a *adj.* Puerto Rican 3
pues *conj.* well

puesto *m.* position; job
puesto/a *p.p.* put 14
puro/a *adj.* pure 13

Q

que *pron.* that; which; who 12
¿En qué...? In which...?
¡Qué...! How...!
¡Qué dolor! What pain!
¡Qué ropa más bonita! What pretty clothes! 6
¡Qué sorpresa! What a surprise!
¿qué? what? 1, 2
¿Qué día es hoy? What day is it? 2
¿Qué hay de nuevo? What's new? 1
¿Qué hora es? What time is it? 1
¿Qué les parece? What do you (*pl.*) think?
¿Qué onda? What's up? 14
¿Qué pasa? What's happening? What's going on? 1
¿Qué pasó? What happened?
¿Qué precio tiene? What is the price?
¿Qué tal...? How are you?; How is it going? 1
¿Qué talla lleva/usa? What size do you wear? 6
¿Qué tiempo hace? How's the weather? 5
quedar *v.* to be left over; to fit (*clothing*) 7; to be located 14
quedarse *v.* to stay; to remain 7
quehaceres domésticos *m., pl.* household chores 12
querer (e:ie) *v.* to want; to love 4
queso *m.* cheese 8
quien(es) *pron.* who; whom; that 12
¿quién(es)? who?; whom? 1, 2
¿Quién es...? Who is...? 1
¿Quién habla? Who is speaking/calling? (*telephone*) 11
química *f.* chemistry 2
quince fifteen 1
menos quince quarter to (time) 1
y quince quarter after (time) 1
quinceañera *f.* young woman celebrating her fifteenth birthday 9
quinientos/as five hundred 2
quinto/a *adj.* fifth 5
quisiera *v.* I would like
quitar el polvo *v.* to dust 12
quitar la mesa *v.* to clear the table 12
quitarse *v.* to take off 7
quizás *adv.* maybe 5

R

racismo *m.* racism
radio *f.* radio (*medium*) 2; *m.* radio (set) 11
radiografía *f.* X-ray 10
rápido *adv.* quickly 10
ratón *m.* mouse 11
ratos libres *m., pl.* spare (free) time 4
raya *f.* stripe
razón *f.* reason
rebaja *f.* sale 6
receta *f.* prescription 10
recetar *v.* to prescribe 10
recibir *v.* to receive 3
reciclaje *m.* recycling 13
reciclar *v.* to recycle 13
recién casado/a *m., f.* newlywed 9
recoger *v.* to pick up 13
recomendar (e:ie) *v.* to recommend 8, 12
recordar (o:ue) *v.* to remember 4
recorrer *v.* to tour an area
recorrido *m.* tour 13
recuperar *v.* to recover 11
recurso *m.* resource 13
recurso natural *m.* natural resource 13
red *f.* network; Web 11
reducir *v.* to reduce 13
refresco *m.* soft drink 8
refrigerador *m.* refrigerator 12
regalar *v.* to give (a gift) 9
regalo *m.* gift 6
regatear *v.* to bargain 6
región *f.* region; area
regresar *v.* to return 2
regular *adv.* so-so; OK 1
reído/a *p.p.* laughed 14
reírse (e:i) *v.* to laugh 9
relaciones *f., pl.* relationships
relajarse *v.* to relax 9
reloj *m.* clock; watch 2
renovable *adj.* renewable 13
renunciar (a) *v.* to resign (from)
repetir (e:i) *v.* to repeat 4
reportaje *m.* report
reportero/a *m., f.* reporter
representante *m., f.* representative
resfriado *m.* cold (*illness*) 10
residencia estudiantil *f.* dormitory 2
resolver (o:ue) *v.* to resolve; to solve 13
respirar *v.* to breathe 13
responsable *adj.* responsible 8
respuesta *f.* answer
restaurante *m.* restaurant 4
resuelto/a *p.p.* resolved 14
reunión *f.* meeting
revisar *v.* to check 11
revisar el aceite *v.* to check the oil 11
revista *f.* magazine 4
rico/a *adj.* rich 6; *adj.* tasty; delicious 8
ridículo/a *adj.* ridiculous 13
río *m.* river 13
rodilla *f.* knee 10
rogar (o:ue) *v.* to beg 12
rojo/a *adj.* red 6
romántico/a *adj.* romantic
romper *v.* to break 10
romper (con) *v.* to break up (with) 9
romperse la pierna *v.* to break one's leg 10
ropa *f.* clothing; clothes 6
ropa interior *f.* underwear 6
rosado/a *adj.* pink 6
roto/a *p.p.* broken 14
rubio/a *adj.* blond(e) 3
ruso/a *adj.* Russian 3
rutina *f.* routine 7
rutina diaria *f.* daily routine 7

S

sábado *m.* Saturday 2
saber *v.* to know; to know how 6
saber a to taste like 8
sabrosísimo/a *adj.* extremely delicious 8
sabroso/a *adj.* tasty; delicious 8
sacar *v.* to take out
sacar buenas notas to get good grades 2
sacar fotos to take photos 5
sacar la basura to take out the trash 12
sacar(se) un diente to have a tooth removed 10
sacudir *v.* to dust 12
sacudir los muebles to dust the furniture 12
sal *f.* salt 8
sala *f.* living room 12; room
sala de emergencia(s) emergency room 10
salario *m.* salary
salchicha *f.* sausage 8
salida *f.* departure; exit 5
salir *v.* to leave 4; to go out
salir con to go out with; to date 4, 9
salir de to leave from 4
salir para to leave for (*a place*) 4
salmón *m.* salmon 8
salón de belleza *m.* beauty salon 14
salud *f.* health 10
saludable *adj.* healthy 10
saludar(se) *v.* to greet (each other) 11
saludo *m.* greeting 1
saludos a... greetings to... 1
sandalia *f.* sandal 6
sandía *f.* watermelon

sándwich *m.* sandwich 8
sano/a *adj.* healthy 10
se *ref. pron.* himself, herself, itself, *form.* yourself, themselves, yourselves 7
se *impersonal* one 10
  Se hizo... He/she/it became...
secadora *f.* clothes dryer 12
secarse *v.* to dry (oneself) 7
sección de (no) fumar *f.* (non) smoking section 8
secretario/a *m., f.* secretary
secuencia *f.* sequence
sed *f.* thirst
seda *f.* silk 6
sedentario/a *adj.* sedentary 15
seguir (e:i) *v.* to follow; to continue 4
según according to
segundo/a *adj.* second 5
seguro/a *adj.* sure; safe; confident 5
seis six 1
seiscientos/as six hundred 2
sello *m.* stamp 14
selva *f.* jungle 13
semáforo *m.* traffic light 14
semana *f.* week 2
  fin *m.* **de semana** weekend 4
  semana *f.* **pasada** last week 6
semestre *m.* semester 2
sendero *m.* trail; path 13
sentarse (e:ie) *v.* to sit down 7
sentir (e:ie) *v.* to be sorry; to regret 13
sentirse (e:ie) *v.* to feel 7
señor (Sr.); don *m.* Mr.; sir 1
señora (Sra.); doña *f.* Mrs.; ma'am 1
señorita (Srta.) *f.* Miss 1
separado/a *adj.* separated 9
separarse (de) *v.* to separate (from) 9
septiembre *m.* September 5
séptimo/a *adj.* seventh 5
ser *v.* to be 1
  ser aficionado/a (a) to be a fan (of)
  ser alérgico/a (a) to be allergic (to) 10
  ser gratis to be free of charge 14
serio/a *adj.* serious
servicio *m.* service 15
servilleta *f.* napkin 12
servir (e:i) *v.* to serve 8; to help 5
sesenta sixty 2
setecientos/as seven hundred 2
setenta seventy 2
sexismo *m.* sexism
sexto/a *adj.* sixth 5
sí *adv.* yes 1
si *conj.* if 4
SIDA *m.* AIDS
siempre *adv.* always 7
siete seven 1
silla *f.* seat 2
sillón *m.* armchair 12
similar *adj. m., f.* similar
simpático/a *adj.* nice; likeable 3
sin *prep.* without 13
  sin duda without a doubt
  sin embargo however
  sin que *conj.* without 13
sino but (rather) 7
síntoma *m.* symptom 10
sitio *m.* place 3
sitio *m.* **web** website 11
situado/a *p.p.* located
sobre *m.* envelope 14; *prep.* on; over 2
  sobre todo above all 13
(sobre)población *f.* (over)population 13
sobrino/a *m., f.* nephew/niece 3
sociología *f.* sociology 2
sofá *m.* couch; sofa 12
sol *m.* sun 13
solar *adj. m., f.* solar 13
soldado *m., f.* soldier
soleado/a *adj.* sunny
solicitar *v.* to apply (*for a job*)
solicitud (de trabajo) *f.* (job) application
sólo *adv.* only 6
solo/a *adj.* alone
soltero/a *adj.* single 9
solución *f.* solution 13
sombrero *m.* hat 6
Son las dos. It's two o'clock. 1
sonar (o:ue) *v.* to ring 11
sonreído/a *p.p.* smiled 14
sonreír (e:i) *v.* to smile 9
sopa *f.* soup 8
sorprender *v.* to surprise 9
sorpresa *f.* surprise 9
sótano *m.* basement 12
soy I am 1
  Soy de... I'm from... 1
su(s) *poss. adj.* his; her; its; *form.* your; their 3
subir(se) a *v.* to get on/into (*a vehicle*) 11
sucio/a *adj.* dirty 5
sudar *v.* to sweat 15
suegro/a *m., f.* father-in-law/ mother-in-law 3
sueldo *m.* salary
suelo *m.* floor 12
sueño *m.* sleep
suerte *f.* luck
suéter *m.* sweater 6
sufrir *v.* to suffer 10
  sufrir muchas presiones to be under a lot of pressure 15
  sufrir una enfermedad to suffer an illness 10
sugerir (e:ie) *v.* to suggest 12
supermercado *m.* supermarket 14
suponer *v.* to suppose 4
sur *m.* south 14
sustantivo *m.* noun
suyo(s)/a(s) *poss.* (of) his/her; (of) hers; its; *form.* your, (of) yours, (of) theirs, their 11

T

tabla de (wind)surf *f.* surf board/sailboard 5
tableta *f.* tablet (computer) 11
tal vez *adv.* maybe 5
talentoso/a *adj.* talented
talla *f.* size 6
  talla grande *f.* large
taller *m.* **mecánico** garage; mechanic's repair shop 11
también *adv.* also; too 2; 7
tampoco *adv.* neither; not either 7
tan *adv.* so 5
  tan... como as... as 8
  tan pronto como *conj.* as soon as 13
tanque *m.* tank 11
tanto *adv.* so much
  tanto... como as much... as 8
tantos/as... como as many... as 8
tarde *adv.* late 7; *f.* afternoon; evening; P.M. 1
tarea *f.* homework 2
tarjeta *f.* (post) card
tarjeta de crédito *f.* credit card 6
tarjeta de débito *f.* debit card 6
tarjeta postal *f.* postcard
taxi *m.* taxi 5
taza *f.* cup 12
te *sing., fam., d.o. pron.* you 5; *sing., fam., i.o. pron.* to/for you 6
  Te presento a... *fam.* I would like to introduce you to (name). 1
  ¿Te gustaría? Would you like to?
  ¿Te gusta(n)...? Do you like...? 2
té *m.* tea 8
  té helado *m.* iced tea 8
teatro *m.* theater
teclado *m.* keyboard 11
técnico/a *m., f.* technician
tejido *m.* weaving
teleadicto/a *m., f.* couch potato 15
(teléfono) celular *m.* (cell) phone 11
telenovela *f.* soap opera
teletrabajo *m.* telecommuting
televisión *f.* television 2
televisor *m.* television set 11
temer *v.* to fear; to be afraid 13
temperatura *f.* temperature 10
temporada *f.* period of time 5
temprano *adv.* early 7
tenedor *m.* fork 12
tener *v.* to have 3
  tener... años to be... years old 3
  tener (mucho) calor to be (very) hot 3
  tener (mucho) cuidado to be (very) careful 3

tener dolor to have pain 10
tener éxito to be successful
tener fiebre to have a fever 10
tener (mucho) frío to be (very) cold 3
tener ganas de (+ *inf.*) to feel like (*doing something*) 3
tener (mucha) hambre *f.* to be (very) hungry 3
tener (mucho) miedo (de) to be (very) afraid (of); to be (very) scared (of) 3
tener miedo (de) que to be afraid that
tener planes *m., pl.* to have plans
tener (mucha) prisa to be in a (big) hurry 3
tener que (+ *inf.*) *v.* to have to (*do something*) 3
tener razón *f.* to be right 3
tener (mucha) sed *f.* to be (very) thirsty 3
tener (mucho) sueño to be (very) sleepy 3
tener (mucha) suerte to be (very) lucky 3
tener tiempo to have time 14
tener una cita to have a date; to have an appointment 9
tenis *m.* tennis 4
tensión *f.* tension 15
tercer, tercero/a *adj.* third 5
terco/a *adj.* stubborn 10
terminar *v.* to end; to finish 2
terminar de (+ *inf.*) *v.* to finish (*doing something*)
terremoto *m.* earthquake
terrible *adj. m., f.* terrible 13
textear *v.* to text 11
ti *obj. of prep., sing., fam.* you 9
tiempo *m.* time 14; weather 5
tiempo libre free time
tienda *f.* store 6
tierra *f.* land; soil 13
tinto/a *adj.* red (wine) 8
tío/a *m., f.* uncle/aunt 3
tíos *m., pl.* aunts and uncles 3
título *m.* title
tiza *f.* chalk
toalla *f.* towel 7
tobillo *m.* ankle 10
tocar *v.* to play (*a musical instrument*); to touch
todavía *adv.* yet; still 3, 5
todo *m.* everything 5
todo(s)/a(s) *adj.* all
todos *m., pl.* all of us; *m., pl.* everybody; everyone
todos los días *adv.* every day 10
tomar *v.* to take; to drink 2
tomar clases *f., pl.* to take classes 2
tomar el sol to sunbathe 4
tomar en cuenta to take into account
tomar fotos *f., pl.* to take photos 5
tomar la temperatura to take someone's temperature 10
tomar una decisión to make a decision 15
tomate *m.* tomato 8
tonto/a *adj.* foolish 3
torcerse (o:ue) (el tobillo) *v.* to sprain (one's ankle) 10
tormenta *f.* storm
tornado *m.* tornado
tortuga (marina) *f.* (sea) turtle 13
tos *f., sing.* cough 10
toser *v.* to cough 10
tostado/a *adj.* toasted 8
tostadora *f.* toaster 12
trabajador(a) *adj.* hard-working 3
trabajar *v.* to work 2
trabajo *m.* job; work
traducir *v.* to translate 6
traer *v.* to bring 4
tráfico *m.* traffic 11
tragedia *f.* tragedy
traído/a *p.p.* brought 14
traje *m.* suit 6
traje de baño *m.* bathing suit 6
trajinera *f.* type of barge 3
tranquilo/a *adj.* calm; quiet 15
Tranquilo/a. Relax. 7
Tranquilo/a, cariño. Relax, sweetie. 11
transmitir *v.* to broadcast
tratar de (+ *inf.*) *v.* to try (*to do something*) 15
trece thirteen 1
treinta thirty 1, 2
y treinta thirty minutes past the hour (*time*) 1
tren *m.* train 5
tres three 1
trescientos/as three hundred 2
trimestre *m.* trimester; quarter 2
triste *adj.* sad 5
tú *sing., fam. sub. pron.* you 1
tu(s) *fam. poss. adj.* your 3
turismo *m.* tourism
turista *m., f.* tourist 1
turístico/a *adj.* touristic
tuyo(s)/a(s) *fam. poss. pron.* your; (of) yours 11

U

Ud. *form. sing.* you 1
Uds. *pl.* you 1
último/a *adj.* last 7
la última vez the last time 7
un, uno/a *indef. art.* a; one 1
a la una at one o'clock 1
una vez once 6
una vez más one more time
uno one 1
único/a *adj.* only 3; unique 9
universidad *f.* university; college 2
unos/as *m., f., pl. indef. art.* some 1
urgente *adj.* urgent 12
usar *v.* to wear; to use 6
usted (Ud.) *form. sing.* you 1
ustedes (Uds.) *pl.* you 1
útil *adj.* useful
uva *f.* grape 8

V

vaca *f.* cow 13
vacaciones *f., pl.* vacation 5
valle *m.* valley 13
vamos let's go 4
vaquero *m.* cowboy
de vaqueros *m., pl.* western (genre)
varios/as *adj. m. f., pl.* various; several
vaso *m.* glass 12
veces *f., pl.* times 6
vecino/a *m., f.* neighbor 12
veinte twenty 1
veinticinco twenty-five 1
veinticuatro twenty-four 1
veintidós twenty-two 1
veintinueve twenty-nine 1
veintiocho twenty-eight 1
veintiséis twenty-six 1
veintisiete twenty-seven 1
veintitrés twenty-three 1
veintiún, veintiuno/a *adj.* twenty-one 1
veintiuno twenty-one 1
vejez *f.* old age 9
velocidad *f.* speed 11
velocidad máxima *f.* speed limit 11
vencer *v.* to expire 14
vendedor(a) *m., f.* salesperson 6
vender *v.* to sell 6
venir *v.* to come 3
ventana *f.* window 2
ver *v.* to see 4
a ver *v.* let's see
ver películas *f., pl.* to see movies 4
verano *m.* summer 5
verbo *m.* verb
verdad *f.* truth 4
(no) es verdad it's (not) true 13
¿verdad? right? 1
verde *adj., m. f.* green 6
verduras *pl., f.* vegetables 8
vestido *m.* dress 6
vestirse (e:i) *v.* to get dressed 7
vez *f.* time 6
viajar *v.* to travel 2
viaje *m.* trip 5
viajero/a *m., f.* traveler 5
vida *f.* life 9
video *m.* video 1
videoconferencia *f.* videoconference
videojuego *m.* video game 4
vidrio *m.* glass 13

viejo/a *adj.* old 3
viento *m.* wind
viernes *m., sing.* Friday 2
vinagre *m.* vinegar 8
vino *m.* wine 8
  vino blanco *m.* white wine 8
  vino tinto *m.* red wine 8
violencia *f.* violence
visitar *v.* to visit 4
  visitar monumentos *m., pl.* to visit monuments 4
visto/a *p.p.* seen 14
vitamina *f.* vitamin 15
viudo/a *adj.* widower/widow 9
vivienda *f.* housing 12
vivir *v.* to live 3
vivo/a *adj.* clever; living
volante *m.* steering wheel 11
volcán *m.* volcano 13
vóleibol *m.* volleyball 4
volver (o:ue) *v.* to return 4
volver a ver(te, lo, la) *v.* to see (you, him, her) again
vos *pron.* you
vosotros/as *fam., pl.* you 1
votar *v.* to vote
vuelta *f.* return trip
vuelto/a *p.p.* returned 14
vuestro(s)/a(s) *poss. adj.* your 3; your, (of) yours *fam., pl.* 11

Y

y *conj.* and 1
  y cuarto quarter after (time) 1
  y media half-past (time) 1
  y quince quarter after (time) 1
  y treinta thirty (minutes past the hour) 1
  ¿Y tú? *fam.* And you? 1
  ¿Y usted? *form.* And you? 1
ya *adv.* already 6
yerno *m.* son-in-law 3
yo *sub. pron.* I 1
yogur *m.* yogurt 8

Z

zanahoria *f.* carrot 8
zapatería *f.* shoe store 14
zapatos de tenis *m., pl.* tennis shoes, sneakers 6

English-Spanish

A

a **un/a** *m., f., sing.; indef. art.* 1
@ (*symbol*) **arroba** *f.* 11
a.m. **de la mañana** *f.* 1
able: be able to **poder (o:ue)** *v.* 4
aboard **a bordo**
above all **sobre todo** 13
accident **accidente** *m.* 10
accompany **acompañar** *v.* 14
account **cuenta** *f.* 14
on account of **por** *prep.* 11
accountant **contador(a)** *m., f.*
accounting **contabilidad** *f.* 2
ache **dolor** *m.* 10
acquainted: be acquainted with **conocer** *v.* 6
action (genre) **de acción** *f.*
active **activo/a** *adj.* 15
actor **actor** *m.*, **actriz** *f.*
addict (*drug*) **drogadicto/a** *m., f.* 15
additional **adicional** *adj.*
address **dirección** *f.* 14
adjective **adjetivo** *m.*
adolescence **adolescencia** *f.* 9
adventure (genre) **de aventuras** *f., pl.*
advertise **anunciar** *v.*
advertisement **anuncio** *m.*
advice **consejo** *m.*
give advice **dar consejos** 6
advise **aconsejar** *v.* 12
advisor **consejero/a** *m., f.*
aerobic **aeróbico/a** *adj.* 15
aerobics class **clase de ejercicios aeróbicos** 15
to do aerobics **hacer ejercicios aeróbicos** 15
affected **afectado/a** *adj.* 13
be affected (by) **estar** *v.* **afectado/a (por)** 13
affirmative **afirmativo/a** *adj.*
afraid: be (very) afraid (of) **tener (mucho) miedo (de)** 3
be afraid that **tener miedo (de) que**
after **después de** *prep.* 7; **después de que** *conj.* 13
afternoon **tarde** *f.* 1
afterward **después** *adv.* 7
again **otra vez**
age **edad** *f.* 9
agree **estar** *v.* **de acuerdo**
I agree. **Estoy de acuerdo.**
I don't agree. **No estoy de acuerdo.**
agreement **acuerdo** *m.*
AIDS **SIDA** *m.*
air **aire** *m.* 13
air pollution **contaminación del aire** 13
airplane **avión** *m.* 5
airport **aeropuerto** *m.* 5
alarm clock **despertador** *m.* 7
alcohol **alcohol** *m.* 15
to consume alcohol **consumir alcohol** 15
alcoholic **alcohólico/a** *adj.* 15
all **todo(s)/a(s)** *adj.*
all of us **todos**
allergic **alérgico/a** *adj.* 10
be allergic (to) **ser alérgico/a (a)** 10
alleviate **aliviar** *v.*
almost **casi** *adv.* 10
alone **solo/a** *adj.*
along **por** *prep.* 11
already **ya** *adv.* 6
also **también** *adv.* 2; 7
altar **altar** *m.* 9
aluminum **aluminio** *m.* 13
(made) of aluminum **de aluminio** 13
always **siempre** *adv.* 7
American (*North*) **norteamericano/a** *adj.* 3
among **entre** *prep.* 2
amusement **diversión** *f.*
and **y** 1, **e** (*before words beginning with **i** or **hi***)
And you? **¿Y tú?** *fam.* 1; **¿Y usted?** *form.* 1
angel **ángel** *m.* 9
angry **enojado/a** *adj.* 5
get angry (with) **enojarse** *v.* **(con)** 7
animal **animal** *m.* 13
ankle **tobillo** *m.* 10
anniversary **aniversario** *m.* 9
(wedding) anniversary **aniversario** *m.* **(de bodas)** 9
announce **anunciar** *v.*
announcer (*TV/radio*) **locutor(a)** *m., f.*
annoy **molestar** *v.* 7
another **otro/a** *adj.* 6
answer **contestar** *v.* 2; **respuesta** *f.*
antibiotic **antibiótico** *m.* 10
any **algún, alguno/a(s)** *adj.* 7
anyone **alguien** *pron.* 7
anything **algo** *pron.* 7
apartment **apartamento** *m.* 12
apartment building **edificio de apartamentos** 12
app **aplicación** *f.* 11
appear **parecer** *v.*
appetizers **entremeses** *m., pl.* 8
applaud **aplaudir** *v.*
apple **manzana** *f.* 8
appliance (electric) **electrodoméstico** *m.* 12
applicant **aspirante** *m., f.*
application **solicitud** *f.*
job application **solicitud de trabajo**
apply (*for a job*) **solicitar** *v.*
apply for a loan **pedir (e:i)** *v.* **un préstamo** 14
appointment **cita** *f.* 9
have an appointment **tener** *v.* **una cita** 9
appreciate **apreciar** *v.*
April **abril** *m.* 5
archeologist **arqueólogo/a** *m., f.*
archeology **arqueología** *f.* 2
architect **arquitecto/a** *m., f.*
area **región** *f.*
Argentine **argentino/a** *adj.* 3
arm **brazo** *m.* 10
armchair **sillón** *m.* 12
army **ejército** *m.*
around **por** *prep.* 11
around here **por aquí** 11
arrange **arreglar** *v.* 11
arrival **llegada** *f.* 5
arrive **llegar** *v.* 2
art **arte** *m.* 2
(fine) arts **bellas artes** *f., pl.*
article **artículo** *m.*
artist **artista** *m., f.* 3
artistic **artístico/a** *adj.*
arts **artes** *f., pl.*
as **como** 8
as a child **de niño/a** 10
as... as **tan... como** 8
as many... as **tantos/as... como** 8
as much... as **tanto... como** 8
as soon as **en cuanto** *conj.* 13; **tan pronto como** *conj.* 13
ask (*a question*) **preguntar** *v.* 2
ask for **pedir (e:i)** *v.* 4
asparagus **espárragos** *m., pl.* 8
aspirin **aspirina** *f.* 10
at **a** *prep.* 1; **en** *prep.* 2
at + *time* **a la(s)** + *time* 1
at home **en casa**
at least **por lo menos** 10
at night **por la noche** 7
At what time...? **¿A qué hora...?** 1
At your service. **A sus órdenes.**
ATM **cajero automático** *m.* 14
attempt **intento** *m.* 11
attend **asistir (a)** *v.* 3
attic **altillo** *m.* 12
audience **público** *m.*
August **agosto** *m.* 5
aunt **tía** *f.* 3
aunts and uncles **tíos** *m., pl.* 3
autumn **otoño** *m.* 5
avenue **avenida** *f.*
avoid **evitar** *v.* 13
award **premio** *m.*

B

backpack **mochila** *f.* 2
bad **mal, malo/a** *adj.* 3
It's bad that... **Es malo que...** 12
It's not bad at all. **No está nada mal.** 5
bag **bolsa** *f.* 6
bakery **panadería** *f.* 14
balanced **equilibrado/a** *adj.* 15
to eat a balanced diet **comer una dieta equilibrada** 15

balcony **balcón** *m.* 12
ball **pelota** *f.* 4
banana **banana** *f.* 8
band **banda** *f.*
bank **banco** *m.* 14
bargain **ganga** *f.* 6; **regatear** *v.* 6
baseball (*game*) **béisbol** *m.* 4
basement **sótano** *m.* 12
basketball (*game*) **baloncesto** *m.* 4
bath: take a bath **bañarse** *v.* 7
bathing suit **traje** *m.* **de baño** 6
bathroom **baño** *m.* 7; **cuarto de baño** *m.* 7
battery **batería** *f.* 11
be **ser** *v.* 1; **estar** *v.* 2
  be... years old **tener... años** 3
  be sick of... **estar harto/a de...**
beach **playa** *f.* 5
beans **frijoles** *m., pl.* 8
beautiful **hermoso/a** *adj.* 6
beauty **belleza** *f.* 14
  beauty salon **peluquería** *f.* 14; **salón** *m.* **de belleza** 14
because **porque** *conj.* 2
  because of **por** *prep.* 11
become (+ *adj.*) **ponerse (+ *adj.*)** 7; **convertirse** *v.*
bed **cama** *f.* 5
  go to bed **acostarse (o:ue)** *v.* 7
bedroom **alcoba** *f.*, **recámara** *f.*; **dormitorio** *m.* 12
beef **carne de res** *f.* 8
beer **cerveza** *f.* 8
before **antes** *adv.* 7; **antes de** *prep.* 7; **antes (de) que** *conj.* 13
beg **rogar (o:ue)** *v.* 12
begin **comenzar (e:ie)** *v.* 4; **empezar (e:ie)** *v.* 4
behalf: on behalf of **de parte de** 11
behind **detrás de** *prep.* 2
believe (in) **creer** *v.* **(en)** 3; **creer** *v.* 13
  not to believe **no creer** 13
believed **creído/a** *p.p.* 14
bellhop **botones** *m., f. sing.* 5
below **debajo de** *prep.* 2
belt **cinturón** *m.* 6
benefit **beneficio** *m.*
beside **al lado de** *prep.* 2
besides **además (de)** *adv.* 10
best **mejor** *adj.*
  the best **el/la mejor** *m., f.* 8 **lo mejor** *neuter*
better **mejor** *adj.* 8
  It's better that... **Es mejor que...** 12
between **entre** *prep.* 2
beverage **bebida** *f.* 8
  alcoholic beverage **bebida alcohólica** *f.* 15
bicycle **bicicleta** *f.* 4
big **grande** *adj.* 3
bill **cuenta** *f.* 8
billion **mil millones**
biology **biología** *f.* 2
bird **ave** *f.* 13; **pájaro** *m.* 13
birth **nacimiento** *m.* 9
birthday **cumpleaños** *m., sing.* 9
  have a birthday **cumplir** *v.* **años**
black **negro/a** *adj.* 6
blanket **manta** *f.* 12
block (city) **cuadra** *f.* 14
blog **blog** *m.* 11
blond(e) **rubio/a** *adj.* 3
blouse **blusa** *f.* 6
blue **azul** *adj. m., f.* 6
boat **barco** *m.* 5
body **cuerpo** *m.* 10
bone **hueso** *m.* 10
book **libro** *m.* 2
bookcase **estante** *m.* 12
bookshelves **estante** *m.* 12
bookstore **librería** *f.* 2
boot **bota** *f.* 6
bore **aburrir** *v.* 7
bored **aburrido/a** *adj.* 5
  be bored **estar** *v.* **aburrido/a** 5
  get bored **aburrirse** *v.*
boring **aburrido/a** *adj.* 5
born: be born **nacer** *v.* 9
borrow **pedir (e:i)** *v.* **prestado** 14
borrowed **prestado/a** *adj.*
boss **jefe** *m.*, **jefa** *f.*
bother **molestar** *v.* 7
bottle **botella** *f.* 9
  bottle of wine **botella de vino** 9
bottom **fondo** *m.*
boulevard **bulevar** *m.*
boy **chico** *m.* 1; **muchacho** *m.* 3
boyfriend **novio** *m.* 3
brakes **frenos** *m., pl.*
bread **pan** *m.* 8
break **romper** *v.* 10
  break (one's leg) **romperse (la pierna)** 10
  break down **dañar** *v.* 10
  break up (with) **romper** *v.* **(con)** 9
breakfast **desayuno** *m.* 8
  have breakfast **desayunar** *v.* 2
breathe **respirar** *v.* 13
bring **traer** *v.* 4
broadcast **transmitir** *v.*; **emitir** *v.*
brochure **folleto** *m.*
broken **roto/a** *p.p.* 14
  be broken **estar roto/a**
brother **hermano** *m.* 3
brother-in-law **cuñado** *m.* 3
brothers and sisters **hermanos** *m., pl.* 3
brought **traído/a** *p.p.* 14
brown **café** *adj.* 6; **marrón** *adj.* 6
browser **buscador** *m.* 11
brunet(te) **moreno/a** *adj.* 3
brush **cepillar(se)** *v.* 7
  brush one's hair **cepillarse el pelo** 7
  brush one's teeth **cepillarse los dientes** 7
bucket **balde** *m.* 5
build **construir** *v.*
building **edificio** *m.* 12
bump into (*something accidentally*) **darse con** 10; (*someone*) **encontrarse** *v.* 11
bus **autobús** *m.* 1
  bus station **estación** *f.* **de autobuses** 5
business **negocios** *m., pl.*
  business administration **administración** *f.* **de empresas** 2
  business-related **comercial** *adj.*
businessperson **hombre** *m.* **/ mujer** *f.* **de negocios**
busy **ocupado/a** *adj.* 5
but **pero** *conj.* 2; (rather) **sino** *conj.* (*in negative sentences*) 7
butcher shop **carnicería** *f.* 14
butter **mantequilla** *f.* 8
buy **comprar** *v.* 2
  buy online **comprar en línea** 6
by **por** *prep.* 11; **para** *prep.* 11
  by means of **por** *prep.* 11
  by phone **por teléfono**
  by way of **por** *prep.* 11
bye **chau** *interj. fam.* 1

C

café **café** *m.* 4
cafeteria **cafetería** *f.* 2
caffeine **cafeína** *f.* 15
cake **pastel** *m.* 9
  chocolate cake **pastel de chocolate** *m.* 9
calculator **calculadora** *f.* 2
call **llamar** *v.* 11
  be called **llamarse** *v.* 7
  call on the phone **llamar por teléfono**
calm **tranquilo/a** *adj.* 15
calorie **caloría** *f.* 15
camera **cámara** *f.* 11
camp **acampar** *v.* 5
can (*tin*) **lata** *f.* 13
can **poder (o:ue)** *v.* 4
Canadian **canadiense** *adj.* 3
candidate **aspirante** *m., f.*; **candidato/a** *m., f.*
candy **dulces** *m., pl.* 9
capital city **capital** *f.*
car **coche** *m.* 11; **carro** *m.* 11; **auto(móvil)** *m.* 5
caramel **caramelo** *m.* 9
card **tarjeta** *f.*; (*playing*) **carta** *f.* 5
care **cuidado** *m.*
  take care of **cuidar** *v.* 13
career **carrera** *f.*
careful: be (very) careful **tener** *v.* **(mucho) cuidado** 3
carpenter **carpintero/a** *m., f.*
carpet **alfombra** *f.* 12
carrot **zanahoria** *f.* 8
carry **llevar** *v.* 2

cartoons **dibujos** *m., pl.* **animados**
case: in case (that) **en caso (de) que** 13
cash (a check) **cobrar** *v.* 14;
  cash **(en) efectivo** 6
  cash register **caja** *f.* 6
  pay in cash **pagar** *v.* **al contado** 14; **pagar en efectivo** 14
cashier **cajero/a** *m., f.*
cat **gato** *m.* 13
celebrate **celebrar** *v.* 9
celebration **celebración** *f.*
(cell) phone **(teléfono) celular** *m.* 11
cemetery **cementerio** *m.* 9
cereal **cereales** *m., pl.* 8
certain **cierto/a** *adj.*; **seguro/a** *adj.* 13
  it's (not) certain **(no) es cierto/seguro** 13
chalk **tiza** *f.*
champagne **champán** *m.* 9
change **cambiar** *v.* **(de)** 9
change: in change **de cambio** 2
channel (*TV*) **canal** *m.* 11
character (*fictional*) **personaje** *m.*
  (main) character *m.* **personaje (principal)**
charge **cargar** *v.* 11
charger **cargador** *m.* 11
chat **conversar** *v.* 2; **chatear** *v.* 11
cheap **barato/a** *adj.* 6
check **comprobar (o:ue)** *v.*; **revisar** *v.* 11; (*bank*) **cheque** *m.* 14
  check the oil **revisar el aceite** 11
checking account **cuenta** *f.* **corriente** 14
cheese **queso** *m.* 8
chef **cocinero/a** *m., f.*
chemistry **química** *f.* 2
chest of drawers **cómoda** *f.* 12
chicken **pollo** *m.* 8
child **niño/a** *m., f.* 3
childhood **niñez** *f.* 9
children **hijos** *m., pl.* 3
Chinese **chino/a** *adj.* 3
chocolate **chocolate** *m.* 9
  chocolate cake **pastel** *m.* **de chocolate** 9
cholesterol **colesterol** *m.* 15
choose **escoger** *v.* 8
chop (*food*) **chuleta** *f.* 8
Christmas **Navidad** *f.* 9
church **iglesia** *f.* 4
cinnamon **canela** *f.* 10
citizen **ciudadano/a** *m., f.*
city **ciudad** *f.*
class **clase** *f.* 2
  take classes **tomar clases** 2
classical **clásico/a** *adj.*
classmate **compañero/a** *m., f.* **de clase** 2
clean **limpio/a** *adj.* 5; **limpiar** *v.* 12
  clean the house *v.* **limpiar la casa** 12 clear (*weather*) **despejado/a** *adj.*
  clear the table **quitar la mesa** 12
  It's (very) clear. (*weather*) **Está (muy) despejado.**
clerk **dependiente/a** *m., f.* 6
climate change **cambio climático** *m.* 13
climb **escalar** *v.* 4
  climb mountains **escalar montañas** 4
clinic **clínica** *f.* 10
clock **reloj** *m.* 2
close **cerrar (e:ie)** *v.* 4
closed **cerrado/a** *adj.* 5
closet **armario** *m.* 12
clothes **ropa** *f.* 6
  clothes dryer **secadora** *f.* 12
clothing **ropa** *f.* 6
cloud **nube** *f.* 13
cloudy **nublado/a** *adj.* 5
  It's (very) cloudy. **Está (muy) nublado.** 5
coat **abrigo** *m.* 6
coffee **café** *m.* 8
  coffee maker **cafetera** *f.* 12
cold **frío** *m.* 5;
  (*illness*) **resfriado** *m.* 10
  be (*feel*) (very) cold **tener (mucho) frío** 3
  It's (very) cold. (*weather*) **Hace (mucho) frío.** 5
college **universidad** *f.* 2
collision **choque** *m.*
color **color** *m.* 6
comb one's hair **peinarse** *v.* 7
come **venir** *v.* 3
come on **ándale** *interj.* 14
comedy **comedia** *f.*
comfortable **cómodo/a** *adj.* 5
commerce **negocios** *m., pl.*
commercial **comercial** *adj.*
communicate (with) **comunicarse** *v.* **(con)**
communication **comunicación** *f.*
  means of communication **medios** *m., pl.* **de comunicación**
community **comunidad** *f.* 1
company **compañía** *f.*; **empresa** *f.*
comparison **comparación** *f.*
composer **compositor(a)** *m., f.*
computer **computadora** *f.* 1
  computer programmer **programador(a)** *m., f.* 3
  computer science **computación** *f.* 2
concert **concierto** *m.*
conductor (*musical*) **director(a)** *m., f.*
confident **seguro/a** *adj.* 5
confirm **confirmar** *v.* 5
  confirm a reservation **confirmar una reservación** 5
confused **confundido/a** *adj.* 5
congested **congestionado/a** *adj.* 10
Congratulations! **¡Felicidades!**; **¡Felicitaciones!** *f., pl.* 9
conservation **conservación** *f.* 13
conserve **conservar** *v.* 13
considering **para** *prep.* 11
consume **consumir** *v.* 15
container **envase** *m.* 13
contamination **contaminación** *f.*
content **contento/a** *adj.* 5
contest **concurso** *m.*
continue **seguir (e:i)** *v.* 4
control **control** *m.*; **controlar** *v.* 13
conversation **conversación** *f.* 1
converse **conversar** *v.* 2
cook **cocinar** *v.* 12; **cocinero/a** *m., f.*
cookie **galleta** *f.* 9
cool **fresco/a** *adj.* 5
  It's cool. (*weather*) **Hace fresco.** 5
corn **maíz** *m.* 8
corner **esquina** *f.* 14
cost **costar (o:ue)** *v.* 6
Costa Rican **costarricense** *adj.* 3
costume **disfraz** *m.* 9
cotton **algodón** *m.* 6
  (made of) cotton **de algodón** 6
couch **sofá** *m.* 12
couch potato **teleadicto/a** *m., f.* 15
cough **tos** *f.* 10; **toser** *v.* 10
counselor **consejero/a** *m., f.*
count **contar (o:ue)** *v.* 4
country (*nation*) **país** *m.* 1
countryside **campo** *m.* 5
(married) couple **pareja** *f.* 9
course **curso** *m.* 2; **materia** *f.* 2
courtesy **cortesía** *f.*
cousin **primo/a** *m., f.* 3
cover **cubrir** *v.*
covered **cubierto/a** *p.p.*
cow **vaca** *f.* 13
crafts **artesanía** *f.*
craftsmanship **artesanía** *f.*
crater **cráter** *m.* 13
crazy **loco/a** *adj.* 6
create **crear** *v.*
credit **crédito** *m.* 6
  credit card **tarjeta** *f.* **de crédito** 6
crime **crimen** *m.*
cross **cruzar** *v.* 14
cry **llorar** *v.* 15
Cuban **cubano/a** *adj.* 3
culture **cultura** *f.* 2
cup **taza** *f.* 12
currency exchange **cambio** *m.* **de moneda**
current events **actualidades** *f., pl.*
curtains **cortinas** *f., pl.* 12
custard (*baked*) **flan** *m.* 9
custom **costumbre** *f.*
customer **cliente/a** *m., f.* 6
customs **aduana** *f.*
  customs inspector **inspector(a)** *m., f.* **de aduanas** 5
cycling **ciclismo** *m.* 4

D

dad **papá** *m.*
daily **diario/a** *adj.* 7
  daily routine **rutina** *f.* **diaria** 7
damage **dañar** *v.* 10
dance **bailar** *v.* 2; **danza** *f.*; **baile** *m.*
dancer **bailarín/bailarina** *m., f.*
danger **peligro** *m.* 13
dangerous **peligroso/a** *adj.*
date (*appointment*) **cita** *f.* 9; (*calendar*) **fecha** *f.* 5; (*someone*) **salir** *v.* **con (alguien)** 9
  have a date **tener una cita** 9
daughter **hija** *f.* 3
daughter-in-law **nuera** *f.* 3
day **día** *m.* 1
  day before yesterday **anteayer** *adv.* 6
death **muerte** *f.* 9
debit card **tarjeta** *f.* **de débito** 6
decaffeinated **descafeinado/a** *adj.* 15
December **diciembre** *m.* 5
decide **decidir** *v.* **(+ *inf.*)** 3
declare **declarar** *v.*
deforestation **deforestación** *f.* 13
delicious **delicioso/a** *adj.* 8; **rico/a** *adj.* 8; **sabroso/a** *adj.* 8
delighted **encantado/a** *adj.* 1
dentist **dentista** *m., f.* 10
deny **negar (e:ie)** *v.* 13
  not to deny **no negar** 13
department store **almacén** *m.* 6
departure **salida** *f.* 5
deposit **depositar** *v.* 14
describe **describir** *v.* 3
described **descrito/a** *p.p.* 14
desert **desierto** *m.* 13
design **diseño** *m.*
designer **diseñador(a)** *m., f.*
desire **desear** *v.* 2
desk **escritorio** *m.* 2
dessert **postre** *m.* 9
destroy **destruir** *v.* 13
develop **desarrollar** *v.* 13
diary **diario** *m.* 1
dictatorship **dictadura** *f.*
dictionary **diccionario** *m.* 1
die **morir (o:ue)** *v.* 8
died **muerto/a** *p.p.* 14
diet **dieta** *f.* 15; **alimentación**
  balanced diet **dieta equilibrada** 15
  be on a diet **estar a dieta** 15
difficult **difícil** *adj. m., f.* 3
digital camera **cámara** *f.* **digital** 11
dining room **comedor** *m.* 12
dinner **cena** *f.* 8
  have dinner **cenar** *v.* 2
direct **dirigir** *v.*
director **director(a)** *m., f.*
dirty **ensuciar** *v.*; **sucio/a** *adj.* 5
  get (something) dirty **ensuciar** *v.* 12
disagree **no estar de acuerdo**
disaster **desastre** *m.*
discover **descubrir** *v.* 13
discovered **descubierto/a** *p.p.* 14
discrimination **discriminación** *f.*
dish **plato** *m.* 8, 12
  main dish *m.* **plato principal** 8
dishwasher **lavaplatos** *m., sing.* 12
disorderly **desordenado/a** *adj.* 5
divorce **divorcio** *m.* 9
divorced **divorciado/a** *adj.* 9
  get divorced (from) **divorciarse** *v.* **(de)** 9
dizzy **mareado/a** *adj.* 10
do **hacer** *v.* 4
  do aerobics **hacer ejercicios aeróbicos** 15
  do household chores **hacer quehaceres domésticos** 12
  do stretching exercises **hacer ejercicios de estiramiento** 15
  (I) don't want to. **No quiero.** 4
doctor **doctor(a)** *m., f.* 3; 10; **médico/a** *m., f.* 3
documentary (*film*) **documental** *m.*
dog **perro** *m.* 13
domestic **doméstico/a** *adj.*
  domestic appliance **electrodoméstico** *m.*
done **hecho/a** *p.p.* 14
door **puerta** *f.* 2
doorman/doorwoman **portero/a** *m., f.* 1
dormitory **residencia** *f.* **estudiantil** 2
double **doble** *adj.* 5
  double room **habitación** *f.* **doble** 5
doubt **duda** *f.* 13; **dudar** *v.* 13
  not to doubt **no dudar** 13
  there is no doubt that **no cabe duda de** 13; **no hay duda de** 13
download **descargar** *v.* 11
downtown **centro** *m.* 4
drama **drama** *m.*
dramatic **dramático/a** *adj.*
draw **dibujar** *v.* 2
drawing **dibujo** *m.*
dress **vestido** *m.* 6
  get dressed **vestirse (e:i)** *v.* 7
drink **beber** *v.* 3; **bebida** *f.* 8; **tomar** *v.* 2
drive **conducir** *v.* 6; **manejar** *v.* 11
driver **conductor(a)** *m., f.* 1
drug **droga** *f.* 15
  drug addict **drogadicto/a** *m., f.* 15
dry (oneself) **secarse** *v.* 7
during **durante** *prep.* 7; **por** *prep.* 11
dust **sacudir** *v.* 12; **quitar** *v.* **el polvo** 12
dust the furniture **sacudir los muebles** 12
duster **plumero** *m.* 12

E

each **cada** *adj.* 6
ear (outer) **oreja** *f.* 10
early **temprano** *adv.* 7
earn **ganar** *v.*
earring **arete** *m.* 6
earthquake **terremoto** *m.*
ease **aliviar** *v.*
east **este** *m.* 14
  to the east **al este** 14
easy **fácil** *adj. m., f.* 3
eat **comer** *v.* 3
ecological **ecológico/a** *adj.* 13
ecologist **ecologista** *m., f.* 13
ecology **ecología** *f.* 13
economics **economía** *f.* 2
ecotourism **ecoturismo** *m.* 13
Ecuadorian **ecuatoriano/a** *adj.* 3
effective **eficaz** *adj. m., f.*
egg **huevo** *m.* 8
eight **ocho** 1
eight hundred **ochocientos/as** 2
eighteen **dieciocho** 1
eighth **octavo/a** *adj.* 5
eighty **ochenta** 2
either... or **o... o** *conj.* 7
elect **elegir (e:i)** *v.*
election **elecciones** *f. pl.*
electric appliance **electrodoméstico** *m.* 12
electrician **electricista** *m., f.*
electricity **luz** *f.* 12
elegant **elegante** *adj. m., f.* 6
elevator **ascensor** *m.* 5
eleven **once** 1
e-mail **correo** *m.* **electrónico** 4
  e-mail address **dirección** *f.* **electrónica** 11
  e-mail message **mensaje** *m.* **electrónico** 4
  read e-mail **leer** *v.* **el correo electrónico** 4
embarrassed **avergonzado/a** *adj.* 5
embrace (each other) **abrazar(se)** *v.* 11
emergency **emergencia** *f.* 10
  emergency room **sala** *f.* **de emergencia(s)** 10
employee **empleado/a** *m., f.* 5
employment **empleo** *m.*
end **fin** *m.* 4; **terminar** *v.* 2
  end table **mesita** *f.* 12
endure **aguantar** *v.* 14
energy **energía** *f.* 13
engaged: get engaged (to) **comprometerse** *v.* **(con)** 9
engineer **ingeniero/a** *m., f.* 3
English (*language*) **inglés** *m.* 2; **inglés, inglesa** *adj.* 3
enjoy **disfrutar** *v.* **(de)** 15
enough **bastante** *adv.* 10
entertainment **diversión** *f.* 4
entrance **entrada** *f.* 12
envelope **sobre** *m.* 14
environment **medio ambiente** *m.* 13
environmental science **ciencias ambientales** 2

equality **igualdad** *f.*
erase **borrar** *v.* 11
eraser **borrador** *m.* 2
errand **diligencia** *f.* 14
essay **ensayo** *m.* 3
establish **establecer** *v.*
event **acontecimiento** *m.*
every day **todos los días** 10
everything **todo** *m.* 5
exactly **en punto** 1
exam **examen** *m.* 2
excellent **excelente** *adj.* 5
excess **exceso** *m.* 15
in excess **en exceso** 15
exchange **intercambiar** *v.*
in exchange for **por** 11
exciting **emocionante** *adj. m., f.*
excursion **excursión** *f.*
excuse **disculpar** *v.*
Excuse me. (*May I?*) **Con permiso.** 1; (*I beg your pardon.*) **Perdón.** 1
exercise **ejercicio** *m.* 15; **hacer** *v.* **ejercicio** 15; (a degree/profession) **ejercer** *v.*
exit **salida** *f.* 5
expensive **caro/a** *adj.* 6
experience **experiencia** *f.*
expire **vencer** *v.* 14
explain **explicar** *v.* 2
explore **explorar** *v.*
expression **expresión** *f.*
extinction **extinción** *f.* 13
eye **ojo** *m.* 10

F

fabulous **fabuloso/a** *adj.* 5
face **cara** *f.* 7
facing **enfrente de** *prep.* 14
fact: in fact **de hecho**
factory **fábrica** *f.* 13
fall (down) **caerse** *v.* 10
fall asleep **dormirse (o:ue)** *v.* 7
fall in love (with) **enamorarse** *v.* **(de)** 9
fall (season) **otoño** *m.* 5
fallen **caído/a** *p.p.* 14
family **familia** *f.* 3
famous **famoso/a** *adj.*
fan **aficionado/a** *m., f.* 4
be a fan (of) **ser aficionado/a (a)**
far from **lejos de** *prep.* 2
farewell **despedida** *f.*
fascinate **fascinar** *v.* 7
fashion **moda** *f.* 6
be in fashion **estar de moda** 6
fast **rápido/a** *adj.*
fat **gordo/a** *adj.* 3; **grasa** *f.* 15
father **padre** *m.* 3
father-in-law **suegro** *m.* 3
favorite **favorito/a** *adj.* 4
fear **miedo** *m.*; **temer** *v.* 13
February **febrero** *m.* 5
feel **sentir(se) (e:ie)** *v.* 7
feel like (*doing something*) **tener ganas de (+** *inf.***)** 3
festival **festival** *m.*
fever **fiebre** *f.* 10
have a fever **tener** *v.* **fiebre** 10
few **pocos/as** *adj. pl.*
fewer than **menos de** (+ *number*) 8
fifteen **quince** 1
fifteen-year-old girl celebrating her birthday **quinceañera** *f.* 9
fifth **quinto/a** *adj.* 5
fifty **cincuenta** 2
fight (for/against) **luchar** *v.* **(por/contra)**
figure (*number*) **cifra** *f.*
file **archivo** *m.* 11
fill **llenar** *v.* 11
fill out (a form) **llenar (un formulario)** 14
fill the tank **llenar el tanque** 11
finally **finalmente** *adv.*; **por último** 7; **por fin** 11
find **encontrar (o:ue)** *v.* 4
find (each other) **encontrar(se)**
find out **enterarse** *v.*
fine **multa** *f.*
(fine) arts **bellas artes** *f., pl.*
finger **dedo** *m.* 10
finish **terminar** *v.* 2
finish (*doing something*) **terminar** *v.* **de (+** *inf.***)**
fire **incendio** *m.*; **despedir (e:i)** *v.*
firefighter **bombero/a** *m., f.*
firm **compañía** *f.*, **empresa** *f.*
first **primer, primero/a** *adj.* 2, 5
fish (*food*) **pescado** *m.* 8; **pescar** *v.* 5; (*live*) **pez** *m., sing.* **(peces** *pl.***)** 13
fish market **pescadería** *f.* 14
fishing **pesca** *f.*
fit (*clothing*) **quedar** *v.* 7
five **cinco** 1
five hundred **quinientos/as** 2
fix (*put in working order*) **arreglar** *v.* 11; (*clothes, hair, etc. to go out*) **arreglarse** *v.* 7
fixed **fijo/a** *adj.* 6
flag **bandera** *f.*
flexible **flexible** *adj.* 15
flood **inundación** *f.*
floor (*of a building*) **piso** *m.* 5; **suelo** *m.* 12
ground floor **planta baja** *f.* 5
top floor **planta** *f.* **alta**
flower **flor** *f.* 13
flu **gripe** *f.* 10
fog **niebla** *f.*
folk **folclórico/a** *adj.*
follow **seguir (e:i)** *v.* 4
food **comida** *f.* 4, 8
foolish **tonto/a** *adj.* 3
foot **pie** *m.* 10
football **fútbol** *m.* **americano** 4
for **para** *prep.* 11; **por** *prep.* 11
for example **por ejemplo** 11
for me **para mí** 8
forbid **prohibir** *v.*
foreign **extranjero/a** *adj.*
foreign languages **lenguas** *f., pl.* **extranjeras** 2
forest **bosque** *m.* 13
forget **olvidar** *v.* 10
fork **tenedor** *m.* 12
form **formulario** *m.* 14
forty **cuarenta** 2
four **cuatro** 1
four hundred **cuatrocientos/as** 2
fourteen **catorce** 1
fourth **cuarto/a** *adj.* 5
free **libre** *adj. m., f.* 4
be free (of charge) **ser gratis** 14
free time **tiempo libre**; spare (free) time **ratos libres** 4
freedom **libertad** *f.*
freezer **congelador** *m.* 12
French **francés, francesa** *adj.* 3
French fries **papas** *f., pl.* **fritas** 8; **patatas** *f., pl.* **fritas** 8
frequently **frecuentemente** *adv.*; **con frecuencia** *adv.* 10
Friday **viernes** *m., sing.* 2
fried **frito/a** *adj.* 8
fried potatoes **papas** *f., pl.* **fritas** 8; **patatas** *f., pl.* **fritas** 8
friend **amigo/a** *m., f.* 3
friendly **amable** *adj. m., f.* 5
friendship **amistad** *f.* 9
from **de** *prep.* 1; **desde** *prep.* 6
from the United States **estadounidense** *m., f. adj.* 3
from time to time **de vez en cuando** 10
I'm from... **Soy de...** 1
front: (cold) front **frente (frío)** *m.* 5
fruit **fruta** *f.* 8
fruit juice **jugo** *m.* **de fruta** 8
fruit store **frutería** *f.* 14
full **lleno/a** *adj.* 11
fun **divertido/a** *adj.*
fun activity **diversión** *f.* 4
have fun **divertirse (e:ie)** *v.* 9
function **funcionar** *v.*
furniture **muebles** *m., pl.* 12
furthermore **además (de)** *adv.* 10
future **porvenir** *m.*
for/to the future **por el porvenir**
in the future **en el futuro**

G

gain weight **aumentar** *v.* **de peso** 15; **engordar** *v.* 15
game **juego** *m.*; (*match*) **partido** *m.* 4
game show **concurso** *m.*
garage (*in a house*) **garaje** *m.* 12; **garaje** *m.* 11; **taller (mecánico)** 11
garden **jardín** *m.* 12
garlic **ajo** *m.* 8
gas station **gasolinera** *f.* 11
gasoline **gasolina** *f.* 11
gentleman **caballero** *m.* 8
geography **geografía** *f.* 2
German **alemán, alemana** *adj.* 3
get **conseguir (e:i)** *v.* 4; **obtener** *v.*
  get along well/badly (with) **llevarse bien/mal (con)** 9
  get bigger **aumentar** *v.* 13
  get bored **aburrirse** *v.*
  get connected to the Internet **conectarse** *v.* **a Internet** 11
  get good grades **sacar buenas notas** 2
  get into trouble **meterse en problemas** *v.* 13
  get off of (a vehicle) **bajar(se)** *v.* **de** 11
  get on/into (a vehicle) **subir(se)** *v.* **a** 11
  get out of (a vehicle) **bajar(se)** *v.* **de** 11
  get ready **arreglarse** *v.* 7
  get up **levantarse** *v.* 7
gift **regalo** *m.* 6
ginger **jengibre** *m.* 10
girl **chica** *f.* 1; **muchacha** *f.* 3
girlfriend **novia** *f.* 3
give **dar** *v.* 6; (*as a gift*) **regalar** 9
  give directions **indicar cómo llegar** 14
glass (*drinking*) **vaso** *m.* 12; **vidrio** *m.* 13
  (made) of glass **de vidrio** 13
glasses **gafas** *f., pl.* 6
  sunglasses **gafas** *f., pl.* **de sol** 6
global warming **calentamiento global** *m.* 13
gloves **guantes** *m., pl.* 6
go **ir** *v.* 4
  go away **irse** 7
  go by boat **ir en barco** 5
  go by bus **ir en autobús** 5
  go by car **ir en auto(móvil)** 5
  go by motorcycle **ir en moto(cicleta)** 5
  go by plane **ir en avión** 5
  go by taxi **ir en taxi** 5
  go down **bajar(se)** *v.*
  go on a hike **ir de excursión** 4
  go out (with) **salir** *v.* **(con)** 9
  go up **subir** *v.*
  Let's go. **Vamos.** 4
going to: be going to (*do something*) **ir a (+ *inf.*)** 4
golf **golf** *m.* 4
good **buen, bueno/a** *adj.* 3, 6
  Good afternoon. **Buenas tardes.** 1
  Good evening. **Buenas noches.** 1
  Good morning. **Buenos días.** 1
  Good night. **Buenas noches.** 1
  It's good that... **Es bueno que...** 12
goodbye **adiós** *m.* 1
  say goodbye (to) **despedirse** *v.* **(de) (e:i)**
good-looking **guapo/a** *adj.* 3
government **gobierno** *m.* 13
GPS **navegador GPS** *m.* 11
graduate (from/in) **graduarse** *v.* **(de/en)** 9
grains **cereales** *m., pl.* 8
granddaughter **nieta** *f.* 3
grandfather **abuelo** *m.* 3
grandmother **abuela** *f.* 3
grandparents **abuelos** *m., pl.* 3
grandson **nieto** *m.* 3
grape **uva** *f.* 8
grass **hierba** *f.* 13
grave **grave** *adj.* 10
gray **gris** *adj. m., f.* 6
great **fenomenal** *adj. m., f.* 5; **genial** *adj.*
great-grandfather **bisabuelo** *m.* 3
great-grandmother **bisabuela** *f.* 3
green **verde** *adj. m., f.* 6
greet (each other) **saludar(se)** *v.* 11
greeting **saludo** *m.* 1
  Greetings to... **Saludos a...** 1
grilled **a la plancha** 8
ground floor **planta baja** *f.* 5
grow **aumentar** *v.* 13
guest (*at a house/hotel*) **huésped** *m., f.* 5 (*invited to a function*) **invitado/a** *m., f.* 9
guide **guía** *m., f.*
gymnasium **gimnasio** *m.* 4

H

hair **pelo** *m.* 7
hairdresser **peluquero/a** *m., f.*
half **medio/a** *adj.* 3
  half-brother **medio hermano** *m.* 3
  half-past... (*time*) **...y media** 1
  half-sister **media hermana** *f.* 3
hallway **pasillo** *m.* 12
ham **jamón** *m.* 8
hamburger **hamburguesa** *f.* 8
hand **mano** *f.* 1
hand in **entregar** *v.* 11
handsome **guapo/a** *adj.* 3
happen **ocurrir** *v.*
happiness **alegría** *v.* 9
happy **alegre** *adj.* 5; **contento/a** *adj.* 5; **feliz** *adj. m., f.* 5
  be happy **alegrarse** *v.* **(de)** 13
  Happy birthday! **¡Feliz cumpleaños!** 9
hard **difícil** *adj. m., f.* 3
hard-working **trabajador(a)** *adj.* 3
hardly **apenas** *adv.* 10
hat **sombrero** *m.* 6
hate **odiar** *v.* 9
have **tener** *v.* 3
  have time **tener tiempo** 14
  have to (*do something*) **tener que (+ *inf.*)** 3
  have a tooth removed **sacar(se) un diente** 10
he **él** 1
head **cabeza** *f.* 10
headache **dolor** *m.* **de cabeza** 10
health **salud** *f.* 10
healthy **saludable** *adj. m., f.* 10; **sano/a** *adj.* 10
  lead a healthy lifestyle **llevar** *v.* **una vida sana** 15
hear **oír** *v.* 4
heard **oído/a** *p.p.* 14
hearing: sense of hearing **oído** *m.* 10
heart **corazón** *m.* 10
heat **calor** *m.*
Hello. (*on the telephone*) **Aló.** 11; **Bueno.** 11; **Diga.** 11
help **ayudar** *v.*; **servir (e:i)** *v.* 5
  help each other **ayudarse** *v.* 11
her **su(s)** *poss. adj.* 3; (of) hers **suyo(s)/a(s)** *poss. pron.* 11
  her **la** *f., sing., d.o. pron.* 5
  to/for her **le** *f., sing., i.o. pron.* 6
here **aquí** *adv.* 1
  Here is/are... **Aquí está(n)...** 5
Hi. **Hola.** 1
highway **autopista** *f.* 11; **carretera** *f.* 11
hike **excursión** *f.* 4
  go on a hike **ir de excursión** 4
hiker **excursionista** *m., f.*
hiking **de excursión** 4
him *m., sing., d.o. pron.* **lo** 5; to/for him **le** *m., sing., i.o. pron.* 6
hire **contratar** *v.*
his **su(s)** *poss. adj.* 3; (of) his **suyo(s)/a(s)** *poss. pron.* 11
history **historia** *f.* 2
hobby **pasatiempo** *m.* 4
hockey **hockey** *m.* 4
hold up **aguantar** *v.* 14
hole **hueco** *m.* 4
holiday **día** *m.* **de fiesta** 9
home **casa** *f.* 2
  home page **página** *f.* **principal** 11

large **grande** *adj.* 3
large (*clothing size*) **talla grande**
last **durar** *v.;* **pasado/a** *adj.* 6; **último/a** *adj.* 7
last name **apellido** *m.* 3
last night **anoche** *adv.* 6
last week **semana** *f.* **pasada** 6
last year **año** *m.* **pasado** 6
the last time **la última vez** 7
late **tarde** *adv.* 7
later (on) **más tarde** 7
See you later. **Hasta la vista.** 1; **Hasta luego.** 1
laugh **reírse (e:i)** *v.* 9
laughed **reído/a** *p.p.* 14
laundromat **lavandería** *f.* 14
law **ley** *f.* 13
lawyer **abogado/a** *m., f.*
lazy **perezoso/a** *adj.*
learn **aprender** *v.* **(a +** *inf.***)** 3
least, at **por lo menos** *adv.* 10
leave **salir** *v.* 4; **irse** *v.* 7
leave a tip **dejar una propina**
leave behind **dejar** *v.*
leave for (*a place*) **salir para**
leave from **salir de**
left **izquierda** *f.* 2
be left over **quedar** *v.* 7
to the left of **a la izquierda de** 2
leg **pierna** *f.* 10
lemon **limón** *m.* 8
lend **prestar** *v.* 6
less **menos** *adv.* 10
less... than **menos... que** 8
less than **menos de (+** *number***)** 8
lesson **lección** *f.* 1
let **dejar** *v.*
let's see **a ver**
letter **carta** *f.* 4, 14
lettuce **lechuga** *f.* 8
liberty **libertad** *f.*
library **biblioteca** *f.* 2
license (*driver's*) **licencia** *f.* **de conducir** 11
lie **mentira** *f.* 4
life **vida** *f.* 9
lifestyle: lead a healthy lifestyle **llevar una vida sana** 15
lift **levantar** *v.* 15
lift weights **levantar pesas** 15
light **luz** *f.* 12
like **como** *prep.* 8; **gustar** *v.* 2
I like... **Me gusta(n)...** 2
like this **así** *adv.* 10
like very much **encantar** *v.;* **fascinar** *v.* 7
Do you like...? **¿Te gusta(n)...?** 2
likeable **simpático/a** *adj.* 3
likewise **igualmente** *adv.* 1
line **línea** *f.;* **cola** (*queue*) *f.* 14
listen (to) **escuchar** *v.* 2
listen to music **escuchar música** 2
listen to the radio **escuchar la radio** 2
literature **literatura** *f.* 2
little (*quantity*) **poco** *adv.* 10
live **vivir** *v.* 3; **en vivo** *adj.* 7
living room **sala** *f.* 12
loan **préstamo** *m.* 14; **prestar** *v.* 6, 14
lobster **langosta** *f.* 8
located **situado/a** *adj.*
be located **quedar** *v.* 14
long **largo/a** *adj.* 6
look (at) **mirar** *v.* 2
look for **buscar** *v.* 2
lose **perder (e:ie)** *v.* 4
lose weight **adelgazar** *v.* 15
lost **perdido/a** *adj.* 13, 14
be lost **estar perdido/a** 14
lot, a **muchas veces** *adv.* 10
lot of, a **mucho/a** *adj.* 3; **un montón de** 4
love (*another person*) **querer (e:ie)** *v.* 4; (*inanimate objects*) **encantar** *v.* 7; **amor** *m.* 9
in love **enamorado/a** *adj.* 5
love at first sight **amor a primera vista** 9
luck **suerte** *f.*
lucky: be (very) lucky **tener (mucha) suerte** 3
luggage **equipaje** *m.* 5
lunch **almuerzo** *m.* 4, 8
have lunch **almorzar (o:ue)** *v.* 4

M

ma'am **señora (Sra.); doña** *f.* 1
mad **enojado/a** *adj.* 5
magazine **revista** *f.* 4
magnificent **magnífico/a** *adj.* 5
mail **correo** *m.* 14; **enviar** *v.,* **mandar** *v.* 14; **echar (una carta) al buzón** 14
mail carrier **cartero** *m.* 14
mailbox **buzón** *m.* 14
main **principal** *adj. m., f.* 8
maintain **mantener** *v.* 15
major **especialización** *f.* 2
make **hacer** *v.* 4
make a decision **tomar una decisión** 15
make the bed **hacer la cama** 12
makeup **maquillaje** *m.* 7
put on makeup **maquillarse** *v.* 7
man **hombre** *m.* 1
manager **gerente** *m., f.* 8
many **mucho/a** *adj.* 3
many times **muchas veces** 10
map **mapa** *m.* 1, 2
March **marzo** *m.* 5
margarine **margarina** *f.* 8
marinated fish **ceviche** *m.* 8
lemon-marinated shrimp **ceviche** *m.* **de camarón** 8
marital status **estado** *m.* **civil** 9
marker **marcador** *m.* 2
market **mercado** *m.* 6
open-air market **mercado al aire libre** 6
marriage **matrimonio** *m.* 9
married **casado/a** *adj.* 9
get married (to) **casarse** *v.* **(con)** 9
marvelous **maravilloso/a** *adj.* 5
massage **masaje** *m.* 15
masterpiece **obra maestra** *f.*
match (*sports*) **partido** *m.* 4
match (with) **hacer** *v.* **juego (con)** 6
mathematics **matemáticas** *f., pl.* 2
matter **importar** *v.* 7
maturity **madurez** *f.* 9
maximum **máximo/a** *adj.* 11
May **mayo** *m.* 5
May I leave a message? **¿Puedo dejar un recado?** 11
maybe **tal vez** 5; **quizás** 5
mayonnaise **mayonesa** *f.* 8
me **me** *sing., d.o. pron.* 5
to/for me **me** *sing., i.o. pron.* 6
meal **comida** *f.* 8
means of communication **medios** *m., pl.* **de comunicación**
meat **carne** *f.* 8
mechanic **mecánico/a** *m., f.* 11
mechanic's repair shop **taller mecánico** 11
media **medios** *m., pl.* **de comunicación**
medical **médico/a** *adj.* 10
medication **medicamento** *m.* 10
medicine **medicina** *f.* 10
medium **mediano/a** *adj.*
meet (each other) **encontrar(se)** *v.* 11; **conocer(se)** *v.* 8
meet up with **encontrarse con** 7
meeting **reunión** *f.*
menu **menú** *m.* 8
message **mensaje** *m.*
Mexican **mexicano/a** *adj.* 3
microwave **microonda** *f.* 12
microwave oven **horno** *m.* **de microondas** 12
middle age **madurez** *f.* 9
midnight **medianoche** *f.* 1
mile **milla** *f.*
milk **leche** *f.* 8
million **millón** *m.* 2
million of **millón de** 2
mine **mío(s)/a(s)** *poss.* 11
mineral **mineral** *m.* 15
mineral water **agua** *f.* **mineral** 8
minute **minuto** *m.*
mirror **espejo** *m.* 7
Miss **señorita (Srta.)** *f.* 1
miss **perder (e:ie)** *v.* 4; **extrañar** *v.*
mistaken **equivocado/a** *adj.*
modern **moderno/a** *adj.*
mom **mamá** *f.*

Monday **lunes** *m., sing.* 2
money **dinero** *m.* 6
monkey **mono** *m.* 13
month **mes** *m.* 5
monument **monumento** *m.* 4
moon **luna** *f.* 13
more **más** 2
more... than **más... que** 8
more than **más de (+ *number*)** 8
morning **mañana** *f.* 1
mother **madre** *f.* 3
mother-in-law **suegra** *f.* 3
motor **motor** *m.*
motorcycle **moto(cicleta)** *f.* 5
mountain **montaña** *f.* 4
mouse **ratón** *m.* 11
mouth **boca** *f.* 10
move (*from one house to another*) **mudarse** *v.* 12
movie **película** *f.* 4
movie star **estrella** *f.* **de cine**
movie theater **cine** *m.* 4
Mr. **señor (Sr.)**; **don** *m.* 1
Mrs. **señora (Sra.)**; **doña** *f.* 1
much **mucho/a** *adj.* 3
mud **lodo** *m.*
murder **crimen** *m.*
muscle **músculo** *m.* 15
museum **museo** *m.* 4
mushroom **champiñón** *m.* 8
music **música** *f.* 2
musical **musical** *adj., m., f.*
musician **músico/a** *m., f.*
must **deber** *v.* **(+ *inf.*)** 3
my **mi(s)** *poss. adj.* 3; **mío(s)/a(s)** *poss. pron.* 11

N

name **nombre** *m.* 1
be named **llamarse** *v.* 7
in the name of **a nombre de** 5
last name **apellido** *m.* 3
My name is... **Me llamo...** 1
name someone/something **ponerle el nombre** 9
napkin **servilleta** *f.* 12
national **nacional** *adj. m., f.*
nationality **nacionalidad** *f.* 1
natural **natural** *adj. m., f.* 13
natural disaster **desastre** *m.* **natural**
natural resource **recurso** *m.* **natural** 13
nature **naturaleza** *f.* 13
nauseated **mareado/a** *adj.* 10
near **cerca de** *prep.* 2
necessary **necesario/a** *adj.* 12
It is necessary that... **Es necesario que...** 12
neck **cuello** *m.* 10
need **faltar** *v.* 7; **necesitar** *v.* **(+ *inf.*)** 2
neighbor **vecino/a** *m., f.* 12
neighborhood **barrio** *m.* 12
neither **tampoco** *adv.* 7
neither... nor **ni... ni** *conj.* 7
nephew **sobrino** *m.* 3
nervous **nervioso/a** *adj.* 5
network **red** *f.* 11
never **nunca** *adv.* 7; **jamás** *adv.* 7
new **nuevo/a** *adj.* 6
newlywed **recién casado/a** *m., f.* 9
news **noticias** *f., pl.*; **actualidades** *f., pl.*; **noticia** *f.* 11
newscast **noticiero** *m.*
newspaper **periódico** 4; **diario** *m.*
next **próximo/a** *adj.* 3
next to **al lado de** *prep.* 2
nice **simpático/a** *adj.* 3; **amable** *adj.* 5
niece **sobrina** *f.* 3
night **noche** *f.* 1
night stand **mesita** *f.* **de noche** 12
nine **nueve** 1
nine hundred **novecientos/as** 2
nineteen **diecinueve** 1
ninety **noventa** 2
ninth **noveno/a** *adj.* 5
no **no** 1; **ningún, ninguno/a(s)** *adj.* 7
no one **nadie** *pron.* 7
nobody **nadie** *pron.* 7
none **ningún, ninguno/a(s)** *adj.* 7
noon **mediodía** *m.* 1
nor **ni** *conj.* 7
north **norte** *m.* 14
to the north **al norte** 14
nose **nariz** *f.* 10
not **no** 1
not any **ningún, ninguno/a(s)** *adj.* 7
not anyone **nadie** *pron.* 7
not anything **nada** *pron.* 7
not bad at all **nada mal** 5
not either **tampoco** *adv.* 7
not ever **nunca** *adv.* 7; **jamás** *adv.* 7
not very well **no muy bien** 1
not working **descompuesto/a** *adj.* 11
notebook **cuaderno** *m.* 1
nothing **nada** 1; 7
noun **sustantivo** *m.*
November **noviembre** *m.* 5
now **ahora** *adv.* 2
nowadays **hoy día** *adv.*
nuclear **nuclear** *adj. m., f.* 13
nuclear energy **energía nuclear** 13
number **número** *m.* 1
nurse **enfermero/a** *m., f.* 10
nutrition **nutrición** *f.* 15
nutritionist **nutricionista** *m., f.* 15

O

o'clock: It's... o'clock. **Son las...** 1
It's one o'clock. **Es la una.** 1
obey **obedecer** *v.*
obligation **deber** *m.*
obtain **conseguir (e:i)** *v.* 4; **obtener** *v.*
obvious **obvio/a** *adj.* 13
it's obvious **es obvio** 13
occupation **ocupación** *f.*
occur **ocurrir** *v.*
October **octubre** *m.* 5
of **de** *prep.* 1
Of course. **Claro que sí.; Por supuesto.**
offer **oferta** *f.*; **ofrecer (c:zc)** *v.* 6
office **oficina** *f.* 12
doctor's office **consultorio** *m.* 10
often **a menudo** *adv.* 10
Oh! **¡Ay!**
oil **aceite** *m.* 8
OK **regular** *adj.* 1
old **viejo/a** *adj.* 3
old age **vejez** *f.* 9
older **mayor** *adj. m., f.* 3
older brother, sister **hermano/a mayor** *m., f.* 3
oldest **el/la mayor** 8
on **en** *prep.* 2; **sobre** *prep.* 2
on behalf of **por** *prep.* 11
on the dot **en punto** 1
on time **a tiempo** 10
on top of **encima de** 2
once **una vez** 6
one **uno** 1
one hundred **cien(to)** 2
one million **un millón** *m.* 2
one more time **una vez más**
one thousand **mil** 2
onion **cebolla** *f.* 8
online: to buy online **comprar** *v.* **en línea** 6
only **sólo** *adv.* 6; **único/a** *adj.* 3
only child **hijo/a único/a** *m., f.* 3
open **abierto/a** *adj.* 5, 14; **abrir** *v.* 3
open-air **al aire libre** 6
opera **ópera** *f.*
operation **operación** *f.* 10
opposite **enfrente de** *prep.* 14
or **o** *conj.* 7
orange **anaranjado/a** *adj.* 6; **naranja** *f.* 8

orchestra **orquesta** *f.*
order **mandar** 12; (*food*) **pedir (e:i)** *v.* 8
in order to **para** *prep.* 11
orderly **ordenado/a** *adj.* 5
ordinal (*numbers*) **ordinal** *adj.*
organize oneself **organizarse** *v.* 12
other **otro/a** *adj.* 6
ought to **deber** *v.* **(+ *inf.*)** *adj.* 3
our **nuestro(s)/a(s)** *poss. adj.* 3; *poss. pron.* 11
out of order **descompuesto/a** *adj.* 11
outside **afuera** *adv.* 5
outskirts **afueras** *f., pl.* 12
oven **horno** *m.* 12
over **sobre** *prep.* 2
(over)population **(sobre)población** *f.* 13
over there **allá** *adv.* 2
own **propio/a** *adj.*
owner **dueño/a** *m., f.* 8

P

p.m. **de la tarde, de la noche** *f.* 1
pack (one's suitcases) **hacer** *v.* **las maletas** 5
package **paquete** *m.* 14
page **página** *f.* 11
pain **dolor** *m.* 10
have pain **tener** *v.* **dolor** 10
paint **pintar** *v.*
painter **pintor(a)** *m., f.*
painting **pintura** *f.* 12
pair **par** *m.* 6
pair of shoes **par** *m.* **de zapatos** 6
pale **pálido/a** *adj.* 14
pants **pantalones** *m., pl.* 6
pantyhose **medias** *f., pl.* 6
paper **papel** *m.* 2
Pardon me. (*May I?*) **Con permiso.** 1; (*Excuse me.*) **Perdón.** 1
parents **padres** *m., pl.* 3; **papás** *m., pl.*
park **estacionar** *v.* 11; **parque** *m.* 4
parking lot **estacionamiento** *m.* 14
partner (*one of a married couple*) **pareja** *f.* 9
party **fiesta** *f.* 9
passed **pasado/a** *p.p.*
passenger **pasajero/a** *m., f.* 1
passport **pasaporte** *m.* 5
password **contraseña** *f.* 11
past **pasado/a** *adj.* 6
pastime **pasatiempo** *m.* 4
pastry shop **pastelería** *f.* 14
path **sendero** *m.* 13
patient **paciente** *m., f.* 10
patio **patio** *m.* 12
pay **pagar** *v.* 6
pay in cash **pagar** *v.* **al contado; pagar en efectivo** 14
pay in installments **pagar** *v.* **a plazos** 14
pay the bill **pagar la cuenta**
pea **arveja** *m.* 8
peace **paz** *f.*
peach **melocotón** *m.* 8
peak **cima** *f.* 15
pear **pera** *f.* 8
pen **pluma** *f.* 2
pencil **lápiz** *m.* 1
penicillin **penicilina** *f.*
people **gente** *f.* 3
pepper (*black*) **pimienta** *f.* 8
per **por** *prep.* 11
perfect **perfecto/a** *adj.* 5
period of time **temporada** *f.* 5
person **persona** *f.* 3
pharmacy **farmacia** *f.* 10
phenomenal **fenomenal** *adj.* 5
photograph **foto(grafía)** *f.* 1
physical (exam) **examen** *m.* **médico** 10
physician **doctor(a), médico/a** *m., f.* 3
physics **física** *f. sing.* 2
pick up **recoger** *v.* 13
picture **cuadro** *m.* 12; **pintura** *f.* 12
pie **pastel** *m.* 9
pill (tablet) **pastilla** *f.* 10
pillow **almohada** *f.* 12
pineapple **piña** *f.*
pink **rosado/a** *adj.* 6
place **lugar** *m.* 2, 4; **sitio** *m.* 3; **poner** *v.* 4
plaid **de cuadros** 6
plans **planes** *m., pl.*
have plans **tener planes**
plant **planta** *f.* 13
plastic **plástico** *m.* 13
(made) of plastic **de plástico** 13
plate **plato** *m.* 12
play **drama** *m.*; **comedia** *f.* **jugar (u:ue)** *v.* 4; (*a musical instrument*) **tocar** *v.*; (*a role*) **hacer el papel de;** (*cards*) **jugar a (las cartas)** 5; (*sports*) **practicar deportes** 4
player **jugador(a)** *m., f.* 4
playwright **dramaturgo/a** *m., f.*
pleasant **agradable** *adj.*
please **por favor** 1
Pleased to meet you. **Mucho gusto.** 1; **Encantado/a.** *adj.* 1
pleasing: be pleasing to **gustar** *v.* 7
pleasure **gusto** *m.* 1; **placer** *m.*
The pleasure is mine. **El gusto es mío.** 1
poem **poema** *m.*
poet **poeta** *m., f.*
poetry **poesía** *f.*
police (force) **policía** *f.* 11
political **político/a** *adj.*
politician **político/a** *m., f.*
politics **política** *f.*
polka-dotted **de lunares** 6
poll **encuesta** *f.*
pollute **contaminar** *v.* 13
polluted **contaminado/a** *adj.* 13
be polluted **estar contaminado/a** 13
pollution **contaminación** *f.* 13
pool **piscina** *f.* 4
poor **pobre** *adj., m., f.* 6
poor thing **pobrecito/a** *adj.* 3
popsicle **paleta helada** *f.* 4
population **población** *f.* 13
pork **cerdo** *m.* 8
pork chop **chuleta** *f.* **de cerdo** 8
portable **portátil** *adj.* 11
portable computer **computadora** *f.* **portátil** 11
position **puesto** *m.*
possessive **posesivo/a** *adj.*
possible **posible** *adj.* 13
it's (not) possible **(no) es posible** 13
post office **correo** *m.* 14
postcard **postal** *f.*
poster **cartel** *m.* 12
potato **papa** *f.* 8; **patata** *f.* 8
pottery **cerámica** *f.*
practice **practicar** *v.* 2; (a degree/profession) **ejercer** *v.*
prefer **preferir (e:ie)** *v.* 4
pregnant **embarazada** *adj. f.* 10
prepare **preparar** *v.* 2
preposition **preposición** *f.*
prescribe (*medicine*) **recetar** *v.* 10
prescription **receta** *f.* 10
present **regalo** *m.* 6; **presentar** *v.*
press **prensa** *f.*
pressure **presión** *f.*
be under a lot of pressure **sufrir muchas presiones** 15
pretty **bonito/a** *adj.* 3
price **precio** *m.* 6
(fixed, set) price **precio** *m.* **fijo** 6
print **imprimir** *v.* 11
printer **impresora** *f.* 11
prize **premio** *m.*
probable **probable** *adj.* 13
it's (not) probable **(no) es probable** 13
problem **problema** *m.* 1
profession **profesión** *f.* 3
professor **profesor(a)** *m., f.*
profile **perfil** *m.* 11
program **programa** *m.* 1
programmer **programador(a)** *m., f.* 3
prohibit **prohibir** *v.* 10
project **proyecto** *m.* 11
promotion (*career*) **ascenso** *m.*
pronoun **pronombre** *m.*
protect **proteger** *v.* 13

protein **proteína** *f.* 15
provided (that) **con tal (de) que** *conj.* 13
psychologist **psicólogo/a** *m., f.*
psychology **psicología** *f.* 2
publish **publicar** *v.*
Puerto Rican **puertorriqueño/a** *adj.* 3
purchases **compras** *f., pl.*
pure **puro/a** *adj.* 13
purple **morado/a** *adj.* 6
purse **bolsa** *f.* 6
put **poner** *v.* 4; **puesto/a** *p.p.* 14
put (a letter) in the mailbox **echar (una carta) al buzón** 14
put on (*a performance*) **presentar** *v.*
put on (*clothing*) **ponerse** *v.* 7
put on makeup **maquillarse** *v.* 7

Q

quality **calidad** *f.* 6
quarter (*academic*) **trimestre** *m.* 2
quarter after (*time*) **y cuarto** 1; **y quince** 1
quarter to (*time*) **menos cuarto** 1; **menos quince** 1
question **pregunta** *f.*
quickly **rápido** *adv.* 10
quiet **tranquilo/a** *adj.* 15
quit **dejar** *v.*
quiz **prueba** *f.* 2

R

racism **racismo** *m.*
radio (*medium*) **radio** *f.* 2
radio (set) **radio** *m.* 11
rain **llover (o:ue)** *v.* 5; **lluvia** *f.*
It's raining. **Llueve.** 5; **Está lloviendo.** 5
raincoat **impermeable** *m.* 6
rain forest **bosque** *m.* **tropical** 13
raise (*salary*) **aumento** *m.* **de sueldo**
rather **bastante** *adv.* 10
read **leer** *v.* 3; **leído/a** *p.p.* 14
read e-mail **leer el correo electrónico** 4
read a magazine **leer una revista** 4
read a newspaper **leer un periódico** 4
ready **listo/a** *adj.* 5
reality show **programa de realidad** *m.*
reap the benefits (of) **disfrutar** *v.* **(de)** 15
receive **recibir** *v.* 3
recommend **recomendar (e:ie)** *v.* 8; 12
record **grabar** *v.* 11
recover **recuperar** *v.* 11
recreation **diversión** *f.* 4
recycle **reciclar** *v.* 13
recycling **reciclaje** *m.* 13
red **rojo/a** *adj.* 6
red-haired **pelirrojo/a** *adj.* 3
reduce **reducir** *v.* 13; **disminuir** *v.*
reduce stress/tension **aliviar el estrés/la tensión** 15
refrigerator **refrigerador** *m.* 12
region **región** *f.*
regret **sentir (e:ie)** *v.* 13
relatives **parientes** *m., pl.* 3
relax **relajarse** *v.* 9
Relax. **Tranquilo/a.** 7
Relax, sweetie. **Tranquilo/a, cariño.** 11
remain **quedarse** *v.* 7
remember **acordarse (o:ue)** *v.* **(de)** 7; **recordar (o:ue)** *v.* 4
remote control **control remoto** *m.* 11
renewable **renovable** *adj.* 13
rent **alquilar** *v.* 12; (payment) **alquiler** *m.* 12
repeat **repetir (e:i)** *v.* 4
report **informe** *m.*; **reportaje** *m.*
reporter **reportero/a** *m., f.*
representative **representante** *m., f.*
request **pedir (e:i)** *v.* 4
reservation **reservación** *f.* 5
resign (from) **renunciar (a)** *v.*
resolve **resolver (o:ue)** *v.* 13
resolved **resuelto/a** *p.p.* 14
resource **recurso** *m.* 13
responsibility **deber** *m.*; **responsabilidad** *f.*
responsible **responsable** *adj.* 8
rest **descansar** *v.* 2
restaurant **restaurante** *m.* 4
résumé **currículum** *m.*
retire (from work) **jubilarse** *v.* 9
return **regresar** *v.* 2; **volver (o:ue)** *v.* 4
returned **vuelto/a** *p.p.* 14
rice **arroz** *m.* 8
rich **rico/a** *adj.* 6
ride a bicycle **pasear** *v.* **en bicicleta** 4
ride a horse **montar** *v.* **a caballo** 5
ridiculous **ridículo/a** *adj.* 13
it's ridiculous **es ridículo** 13
right **derecha** *f.* 2
be right **tener razón** 3
right? (*question tag*) **¿no?** 1; **¿verdad?** 1
right away **enseguida** *adv.*
right now **ahora mismo** 5
to the right of **a la derecha de** 2
rights **derechos** *m., pl.*
ring **anillo** *m.*
ring **sonar (o:ue)** *v.* 11
river **río** *m.* 13
road **carretera** f. 11; **camino** *m.*
roast **asado/a** *adj.* 8
roast chicken **pollo** *m.* **asado** 8
romantic **romántico/a** *adj.*
room **habitación** *f.* 5; **cuarto** *m.* 2; 7
living room **sala** *f.* 12
roommate **compañero/a** *m., f.* **de cuarto** 2
roundtrip **de ida y vuelta** 5
roundtrip ticket **pasaje** *m.* **de ida y vuelta** 5
routine **rutina** *f.* 7
rug **alfombra** *f.* 12
run **correr** *v.* 3
run errands **hacer diligencias** 14
run into (*have an accident*) **chocar (con)** *v.*; (*meet accidentally*) **encontrar(se) (o:ue)** *v.* 11; (*run into something*) **darse (con)** 10
run into (each other) **encontrar(se) (o:ue)** *v.* 11
rush **apurarse, darse prisa** *v.* 15
Russian **ruso/a** *adj.* 3

S

sad **triste** *adj.* 5; 13
it's sad **es triste** 13
safe **seguro/a** *adj.* 5
said **dicho/a** *p.p.* 14
sailboard **tabla de windsurf** *f.* 5
salad **ensalada** *f.* 8
salary **salario** *m.*; **sueldo** *m.*
sale **rebaja** *f.* 6
salesperson **vendedor(a)** *m., f.* 6
salmon **salmón** *m.* 8
salt **sal** *f.* 8
same **mismo/a** *adj.* 3
sandal **sandalia** *f.* 6
sandwich **sándwich** *m.* 8
Saturday **sábado** *m.* 2
sausage **salchicha** *f.* 8
save (*on a computer*) **guardar** *v.* 11; save (money) **ahorrar** *v.* 14
savings **ahorros** *m., pl.* 14
savings account **cuenta** *f.* **de ahorros** 14
say **decir** *v.* 4
say (that) **decir (que)** *v.* 4
say the answer **decir la respuesta** 4
scan **escanear** *v.* 11
scarcely **apenas** *adv.* 10
scared: be (very) scared (of) **tener (mucho) miedo (de)** 3
schedule **horario** *m.* 2

school **escuela** *f.* 1
sciences **ciencias** *f., pl.* 2
science fiction (genre) **de ciencia ficción** *f.*
scientist **científico/a** *m., f.*
scream **grito** *m.* 5; **gritar** *v.*
screen **pantalla** *f.* 11
scuba dive **bucear** *v.* 4
sculpt **esculpir** *v.*
sculptor **escultor(a)** *m., f.*
sculpture **escultura** *f.*
sea **mar** *m.* 5
(sea) turtle **tortuga (marina)** *f.* 13
season **estación** *f.* 5
seat **silla** *f.* 2
second **segundo/a** *adj.* 5
secretary **secretario/a** *m., f.*
sedentary **sedentario/a** *adj.* 15
see **ver** *v.* 4
see (you, him, her) again **volver a ver(te, lo, la)**
see movies **ver películas** 4
See you. **Nos vemos.** 1
See you later. **Hasta la vista.** 1; **Hasta luego.** 1
See you soon. **Hasta pronto.** 1
See you tomorrow. **Hasta mañana.** 1
seem **parecer** *v.* 6
seen **visto/a** *p.p.* 14
sell **vender** *v.* 6
semester **semestre** *m.* 2
send **enviar; mandar** *v.* 14
separate (from) **separarse** *v.* **(de)** 9
separated **separado/a** *adj.* 9
September **septiembre** *m.* 5
sequence **secuencia** *f.*
serious **grave** *adj.* 10
serve **servir (e:i)** *v.* 8
service **servicio** *m.* 15
set (*fixed*) **fijo/a** *adj.* 6
set the table **poner la mesa** 12
seven **siete** 1
seven hundred **setecientos/as** 2
seventeen **diecisiete** 1
seventh **séptimo/a** *adj.* 5
seventy **setenta** 2
several **varios/as** *adj., pl.*
sexism **sexismo** *m.*
shame **lástima** *f.* 13
it's a shame **es una lástima** 13
shampoo **champú** *m.* 7
shape **forma** *f.* 15
be in good shape **estar en buena forma** 15
stay in shape **mantenerse en forma** 15
share **compartir** *v.* 3
sharp (*time*) **en punto** 1
shave **afeitarse** *v.* 7
shaving cream **crema** *f.* **de afeitar** 5, 7
she **ella** 1
shellfish **mariscos** *m., pl.* 8
ship **barco** *m.*
shirt **camisa** *f.* 6
shoe **zapato** *m.* 6
shoe size **número** *m.* 6
shoe store **zapatería** *f.* 14
tennis shoes **zapatos** *m., pl.* **de tenis** 6
shop **tienda** *f.* 6
shopping, to go **ir de compras** 5
shopping mall **centro comercial** *m.* 6
short (*in height*) **bajo/a** *adj.* 3; (*in length*) **corto/a** *adj.* 6
short story **cuento** *m.*
shorts **pantalones cortos** *m., pl.* 6
should (*do something*) **deber** *v.* **(+ *inf.*)** 3
shout **gritar** *v.*
show **espectáculo** *m.;* **mostrar (o:ue)** *v.* 4
game show **concurso** *m.*
shower **ducha** *f.* 7
shrimp **camarón** *m.* 8
siblings **hermanos/as** *pl.* 3
sick **enfermo/a** *adj.* 10
be sick **estar enfermo/a** 10
get sick **enfermarse** *v.* 10
sign **firmar** *v.* 14; **letrero** *m.* 14
silk **seda** *f.* 6
(made of) silk **de seda** 6
since **desde** *prep.*
sing **cantar** *v.* 2
singer **cantante** *m., f.*
single **soltero/a** *adj.* 9
single room **habitación** *f.* **individual** 5
sink **lavabo** *m.* 7
sir **señor (Sr.), don** *m.* 1; **caballero** *m.* 8
sister **hermana** *f.* 3
sister-in-law **cuñada** *f.* 3
sit down **sentarse (e:ie)** *v.* 7
six **seis** 1
six hundred **seiscientos/as** 2
sixteen **dieciséis** 1
sixth **sexto/a** *adj.* 5
sixty **sesenta** 2
size **talla** *f.* 6
shoe size *m.* **número** 6
skate **patinar** *v.* 4
skateboard **andar en patineta** *v.* 4
ski **esquiar** *v.* 4
skiing **esquí** *m.* 4
water-skiing **esquí** *m.* **acuático** 4
skirt **falda** *f.* 6
skull made out of sugar **calavera de azúcar** *f.* 9
sky **cielo** *m.* 13
sleep **dormir (o:ue)** *v.* 4; **sueño** *m.*
go to sleep **dormirse (o:ue)** *v.* 7
sleepy: be (very) sleepy **tener (mucho) sueño** 3
slender **delgado/a** *adj.* 3
slim down **adelgazar** *v.* 15
slippers **pantuflas** *f., pl.* 7
slow **lento/a** *adj.* 11
slowly **despacio** *adv.* 10
small **pequeño/a** *adj.* 3
smart **listo/a** *adj.* 5
smile **sonreír (e:i)** *v.* 9
smiled **sonreído/a** *p.p.* 14
smoke **fumar** *v.* 15
(not) to smoke **(no) fumar** 15
smoking section **sección** *f.* **de fumar** 8
(non) smoking section *f.* **sección de (no) fumar** 8
snack **merendar (e:ie)** *v.* 8
afternoon snack **merienda** *f.* 15
have a snack **merendar** *v.* 8
sneakers **zapatos** *m., pl.* **de tenis** 6
sneeze **estornudar** *v.* 10
snow **nevar (e:ie)** *v.* 5; **nieve** *f.*
snowing: It's snowing. **Nieva.** 5; **Está nevando.** 5
so (*in such a way*) **así** *adv.* 10; **tan** *adv.* 5
so much **tanto** *adv.*
so-so **regular** 1
so that **para que** *conj.* 13
soap **jabón** *m.* 7
soap opera **telenovela** *f.*
soccer **fútbol** *m.* 4
sociology **sociología** *f.* 2
sock(s) **calcetín (calcetines)** *m.* 6
sofa **sofá** *m.* 12
soft drink **refresco** *m.* 8
software **programa** *m.* **de computación** 11
soil **tierra** *f.* 13
solar **solar** *adj., m., f.* 13
solar energy **energía solar** 13
soldier **soldado** *m., f.*
solution **solución** *f.* 13
solve **resolver (o:ue)** *v.* 13
some **algún, alguno/a(s)** *adj.* 7; **unos/as** *indef. art.* 1
somebody **alguien** *pron.* 7
someone **alguien** *pron.* 7
something **algo** *pron.* 7
sometimes **a veces** *adv.* 10
son **hijo** *m.* 3
song **canción** *f.*
son-in-law **yerno** *m.* 3
soon **pronto** *adv.* 10
See you soon. **Hasta pronto.** 1
sorry: be sorry **sentir (e:ie)** *v.* 13
I'm sorry. **Lo siento.** 1
soul **alma** *f.* 9
soup **sopa** *f.* 8
south **sur** *m.* 14
to the south **al sur** 14
Spain **España** *f.*
Spanish (*language*) **español** *m.* 2; **español(a)** *adj.* 3
spare (free) time **ratos libres** 4
speak **hablar** *v.* 2
Speaking. (*on the telephone*) **Con él/ella habla.** 11
special: today's specials **las especialidades del día** 8
spectacular **espectacular** *adj. m., f.*

speech **discurso** *m.*
speed **velocidad** *f.* 11
  speed limit **velocidad** *f.* **máxima** 11
spelling **ortografía** *f.*, **ortográfico/a** *adj.*
spend (*money*) **gastar** *v.* 6
spoon (*table or large*) **cuchara** *f.* 12
sport **deporte** *m.* 4
  sports-related **deportivo/a** *adj.* 4
spouse **esposo/a** *m., f.* 3
sprain (one's ankle) **torcerse (o:ue)** *v.* **(el tobillo)** 10
spring **primavera** *f.* 5
(city or town) square **plaza** *f.* 4
stadium **estadio** *m.* 2
stage **etapa** *f.* 9
stairs **escalera** *f.* 12
stamp **estampilla** *f.* 14; **sello** *m.* 14
stand in line **hacer** *v.* **cola** 14
star **estrella** *f.* 13
start (*a vehicle*) **arrancar** *v.* 11
station **estación** *f.* 5
statue **estatua** *f.*
status: marital status **estado** *m.* **civil** 9
stay **quedarse** *v.* 7
  stay in shape **mantenerse en forma** 15
steak **bistec** *m.* 8
steering wheel **volante** *m.* 11
step **escalón** *m.* 15
stepbrother **hermanastro** *m.* 3
stepdaughter **hijastra** *f.* 3
stepfather **padrastro** *m.* 3
stepmother **madrastra** *f.* 3
stepsister **hermanastra** *f.* 3
stepson **hijastro** *m.* 3
stereo **estéreo** *m.*
still **todavía** *adv.* 5
stockbroker **corredor(a)** *m., f.* **de bolsa**
stockings **medias** *f., pl.* 6
stomach **estómago** *m.* 10
stone **piedra** *f.* 13
stop **parar** *v.* 11
  stop (*doing something*) **dejar de (+** ***inf.*)** 13
store **tienda** *f.* 6
storm **tormenta** *f.*
story **cuento** *m.*; **historia** *f.*
stove **cocina, estufa** *f.* 12
straight **derecho** *adv.* 14
  straight (ahead) **derecho** 14
straighten up **arreglar** *v.* 12
strange **extraño/a** *adj.* 13
  it's strange **es extraño** 13
street **calle** *f.* 11
stress **estrés** *m.* 15
stretching **estiramiento** *m.* 15
  do stretching exercises **hacer ejercicios** *m., pl.* **de estiramiento** 15
strike (*labor*) **huelga** *f.*
striped **de rayas** 6
stroll **pasear** *v.* 4
strong **fuerte** *adj. m., f.* 15
struggle (for/against) **luchar** *v.* **(por/contra)**
student **estudiante** *m., f.* 1; 2; **estudiantil** *adj.* 2
study **estudiar** *v.* 2
stupendous **estupendo/a** *adj.* 5
style **estilo** *m.*
suburbs **afueras** *f., pl.* 12
subway **metro** *m.* 5
  subway station **estación** *f.* **del metro** 5
success **éxito** *m.*
successful: be successful **tener éxito**
such as **tales como**
suddenly **de repente** *adv.* 6
suffer **sufrir** *v.* 10
  suffer an illness **sufrir una enfermedad** 10
sugar **azúcar** *m.* 8
suggest **sugerir (e:ie)** *v.* 12
suit **traje** *m.* 6
suitcase **maleta** *f.* 1
summer **verano** *m.* 5
sun **sol** *m.* 13
sunbathe **tomar** *v.* **el sol** 4
Sunday **domingo** *m.* 2
(sun)glasses **gafas** *f., pl.* **(de sol)** 6
sunny: It's (very) sunny. **Hace (mucho) sol.** 5
supermarket **supermercado** *m.* 14
suppose **suponer** *v.* 4
sure **seguro/a** *adj.* 5
  be sure **estar seguro/a** 5
surf **hacer** *v.* **surf** 5
surfboard **tabla de surf** *f.* 5
surprise **sorprender** *v.* 9; **sorpresa** *f.* 9
survey **encuesta** *f.*
sweat **sudar** *v.* 15
sweater **suéter** *m.* 6
sweep the floor **barrer el suelo** 12
sweets **dulces** *m., pl.* 9
swim **nadar** *v.* 4
swimming **natación** *f.* 4
  swimming pool **piscina** *f.* 4
symptom **síntoma** *m.* 10

T

table **mesa** *f.* 2
tablespoon **cuchara** *f.* 12
tablet (*computer*) **tableta** *f.* 11
take **tomar** *v.* 2; **llevar** *v.* 6
  take care of **cuidar** *v.* 13
  take someone's temperature **tomar** *v.* **la temperatura** 10
  take (*wear*) a shoe size **calzar** *v.* 6
  take a bath **bañarse** *v.* 7
  take a shower **ducharse** *v.* 7
  take off **quitarse** *v.* 7
  take out the trash **sacar** *v.* **la basura** 12
  take photos **tomar** *v.* **fotos** 5; **sacar** *v.* **fotos** 5
talented **talentoso/a** *adj.*
talk **hablar** *v.* 2
  talk show **programa** *m.* **de entrevistas**
tall **alto/a** *adj.* 3
tank **tanque** *m.* 11
taste **probar (o:ue)** *v.* 8
  taste like **saber a** 8
tasty **rico/a** *adj.* 8; **sabroso/a** *adj.* 8
tax **impuesto** *m.*
taxi **taxi** *m.* 5
tea **té** *m.* 8
teach **enseñar** *v.* 2
teacher **profesor(a)** *m., f.* 1, 2; **maestro/a** *m., f.*
team **equipo** *m.* 4
technician **técnico/a** *m., f.*
telecommuting **teletrabajo** *m.*
telephone **teléfono** 11
television **televisión** *f.* 2
  television set **televisor** *m.* 11
tell **contar** *v.* 4; **decir** *v.* 4
  tell (that) **decir** *v.* **(que)** 4
  tell lies **decir mentiras** 4
  tell the truth **decir la verdad** 4
temperature **temperatura** *f.* 10
ten **diez** 1
tennis **tenis** *m.* 4
  tennis shoes **zapatos** *m., pl.* **de tenis** 6
tension **tensión** *f.* 15
tent **tienda** *f.* **de campaña**
tenth **décimo/a** *adj.* 5
terrible **terrible** *adj. m., f.* 13
  it's terrible **es terrible** 13
terrific **chévere** *adj.*
test **prueba** *f.* 2; **examen** *m.* 2
text **textear** *v.* 11
text message **mensaje** *m.* **de texto** 11
Thank you. **Gracias.** *f., pl.* 1
  Thank you (very much). **(Muchas) gracias.** 1
  Thanks (a lot). **(Muchas) gracias.** 1
  Thanks for inviting me. **Gracias por invitarme.** 9
that **que, quien(es)** *pron.* 12
  that (one) **ése, ésa, eso** *pron.* 6; **ese, esa** *adj.* 6
  that (*over there*) **aquél, aquélla, aquello** *pron.* 6; **aquel, aquella** *adj.* 6
  that which **lo que** 12
  that's why **por eso** 11
the **el** *m.*, **la** *f. sing.*, **los** *m.*, **las** *f., pl.* 1
theater **teatro** *m.*
their **su(s)** *poss. adj.* 3; **suyo(s)/a(s)** *poss. pron.* 11
them **los/las** *pl., d.o. pron.* 5
  to/for them **les** *pl., i.o. pron.* 6
then (*afterward*) **después** *adv.* 7; (*as a result*) **entonces** *adv.* 5, 7; (*next*) **luego** *adv.* 7

there **allí** *adv.* 2
There is/are... **Hay...** 1
There is/are not... **No hay...** 1
therefore **por eso** 11
these **éstos, éstas** *pron.* 6; **estos, estas** *adj.* 6
they **ellos** *m.*, **ellas** *f. pron.* 1
thin **delgado/a** *adj.* 3
thing **cosa** *f.* 1
think **pensar (e:ie)** *v.* 4; (believe) **creer** *v.*
think about **pensar en** *v.* 4
third **tercero/a** *adj.* 5
thirst **sed** *f.*
thirsty: be (very) thirsty **tener (mucha) sed** 3
thirteen **trece** 1
thirty **treinta** 1; thirty (*minutes past the hour*) **y treinta; y media** 1
this **este, esta** *adj.*; **éste, ésta, esto** *pron.* 6
those **ésos, ésas** *pron.* 6; **esos, esas** *adj.* 6
those (over there) **aquéllos, aquéllas** *pron.* 6; **aquellos, aquellas** *adj.* 6
thousand **mil** *m.* 2
three **tres** 1
three hundred **trescientos/as** 2
throat **garganta** *f.* 10
through **por** *prep.* 11
Thursday **jueves** *m., sing.* 2
thus (*in such a way*) **así** *adv.*
ticket **boleto** *m.* 2; **pasaje** *m.* 5
tie **corbata** *f.* 6
time **vez** *f.* 6; **tiempo** *m.* 14
have a good/bad time **pasarlo bien/mal** 9
What time is it? **¿Qué hora es?** 1
(At) What time...? **¿A qué hora...?** 1
times **veces** *f., pl.* 6
many times **muchas veces** 10
tip **propina** *f.* 8
tire **llanta** *f.* 11
tired **cansado/a** *adj.* 5
be tired **estar cansado/a** 5
title **título** *m.*
to **a** *prep.* 1
toast (*drink*) **brindar** *v.* 9
toast **pan** *m.* **tostado** 8
toasted **tostado/a** *adj.* 8
toasted bread **pan tostado** *m.* 8
toaster **tostadora** *f.* 12
today **hoy** *adv.* 2
Today is... **Hoy es...** 2
toe **dedo** *m.* **del pie** 10
together **juntos/as** *adj.* 9
toilet **inodoro** *m.* 7
tomato **tomate** *m.* 8
tomorrow **mañana** *f.* 1
See you tomorrow. **Hasta mañana.** 1
tonight **esta noche** *adv.*
too **también** *adv.* 2; 7
too much **demasiado** *adv.* 6; **en exceso** 15
tooth **diente** *m.* 7
toothpaste **pasta** *f.* **de dientes** 7
top **cima** *f.* 15
tornado **tornado** *m.*
touch **tocar** *v.*
touch screen **pantalla táctil** *f.*
tour **excursión** *f.* 4; **recorrido** *m.* 13
tour an area **recorrer** *v.*
tourism **turismo** *m.*
tourist **turista** *m., f.* 1; **turístico/a** *adj.*
toward **hacia** *prep.* 14; **para** *prep.* 11
towel **toalla** *f.* 7
town **pueblo** *m.*
trade **oficio** *m.*
traffic **circulación** *f.* 11; **tráfico** *m.* 11
traffic light **semáforo** *m.* 14
tragedy **tragedia** *f.*
trail **sendero** *m.* 13
train **entrenarse** *v.* 15; **tren** *m.* 5
train station **estación** *f.* **de tren** *m.* 5
trainer **entrenador(a)** *m., f.* 15
translate **traducir** *v.* 6
trash **basura** *f.* 12
travel **viajar** *v.* 2
travel agency **agencia** *f.* **de viajes**
travel agent **agente** *m., f.* **de viajes**
traveler **viajero/a** *m., f.* 5
treadmill **cinta caminadora** *f.* 15
tree **árbol** *m.* 13
trillion **billón** *m.*
trimester **trimestre** *m.* 2
trip **viaje** *m.* 5
take a trip **hacer un viaje** 5
tropical forest **bosque** *m.* **tropical** 13
true: it's (not) true **(no) es verdad** 13
trunk **baúl** *m.* 11
truth **verdad** *f.* 4
try **intentar** *v.*; **probar (o:ue)** *v.* 8
try (*to do something*) **tratar de (+ *inf.*)** 15
try on **probarse (o:ue)** *v.* 7
t-shirt **camiseta** *f.* 6
Tuesday **martes** *m., sing.* 2
tuna **atún** *m.* 8
turkey **pavo** *m.* 8
turn **doblar** *v.* 14
turn off (*electricity/appliance*) **apagar** *v.* 11
turn on (*electricity/appliance*) **poner** *v.* 11; **prender** *v.* 11
twelve **doce** 1
twenty **veinte** 1
twenty-eight **veintiocho** 1
twenty-five **veinticinco** 1
twenty-four **veinticuatro** 1
twenty-nine **veintinueve** 1
twenty-one **veintiuno** 1; **veintiún, veintiuno/a** *adj.* 1
twenty-seven **veintisiete** 1
twenty-six **veintiséis** 1
twenty-three **veintitrés** 1
twenty-two **veintidós** 1
twice **dos veces** 6
twin **gemelo/a** *m., f.* 3
two **dos** 1
two hundred **doscientos/as** 2

U

ugly **feo/a** *adj.* 3
uncle **tío** *m.* 3
under **debajo de** *prep.* 2
understand **comprender** *v.* 3; **entender (e:ie)** *v.* 4
underwear **ropa interior** 6
unemployment **desempleo** *m.*
unique **único/a** *adj.* 9
United States **Estados Unidos (EE.UU.)** *m., pl.*
university **universidad** *f.* 2
unless **a menos que** *conj.* 13
unmarried **soltero/a** *adj.* 9
unpleasant **antipático/a** *adj.* 3
until **hasta** *prep.* 6; **hasta que** *conj.* 13
upload **cargar** *v.* 11
urgent **urgente** *adj.* 12
It's urgent that... **Es urgente que...** 12
us **nos** *pl., d.o. pron.* 5
to/for us **nos** *pl., i.o. pron.* 6
use **usar** *v.* 6
used for **para** *prep.* 11
useful **útil** *adj. m., f.*

V

vacation **vacaciones** *f., pl.* 5
be on vacation **estar de vacaciones** 5
go on vacation **ir de vacaciones** 5
vacuum **pasar** *v.* **la aspiradora** 12
vacuum cleaner **aspiradora** *f.* 12
valley **valle** *m.* 13
various **varios/as** *adj. m., f. pl.*
vegetables **verduras** *pl., f.* 8
verb **verbo** *m.*
very **muy** *adv.* 1
(Very) well, thank you. **(Muy) bien, gracias.** 1
video **video** *m.* 1
video game **videojuego** *m.* 4
videoconference **videoconferencia** *f.*
vinegar **vinagre** *m.* 8
violence **violencia** *f.*
visit **visitar** *v.* 4
visit monuments **visitar monumentos** 4
vitamin **vitamina** *f.* 15
voice mail **correo de voz** *m.* 11
volcano **volcán** *m.* 13
volleyball **vóleibol** *m.* 4
vote **votar** *v.*

you *fam. sing.* **te** *pl.* **os** 6; *form. sing.* **le** *pl.* **les** 6
you **te** *fam., sing.,* **lo/la** *form., sing.,* **os** *fam., pl.,* **los/las** *pl., d.o. pron.* 5
You don't say! **¡No me digas!** *fam.;* **¡No me diga!** *form.*
You're welcome. **De nada.** 1; **No hay de qué.** 1
young **joven** *adj., sing.* (**jóvenes** *pl.*) 3
young person **joven** *m., f., sing.* (**jóvenes** *pl.*) 1
young woman **señorita (Srta.)** *f.*
younger **menor** *adj. m., f.* 3
younger: younger brother, sister *m., f.* **hermano/a menor** 3
youngest **el/la menor** *m., f.* 8
your **su(s)** *poss. adj. form.* 3; **tu(s)** *poss. adj. fam. sing.* 3; **vuestro/a(s)** *poss. adj. fam. pl.* 3
your(s) **suyo(s)/a(s)** *poss. pron. form.* 11; **tuyo(s)/a(s)** *poss. fam. sing.* 11; **vuestro(s)/a(s)** *poss. fam.* 11
youth *f.* **juventud** 9

Z

zero **cero** *m.* 1

Photography and Art Credits

All images © by Vista Higher Learning unless otherwise noted.

Cover: Ian CuiYi/Getty Images.

Lesson 1
1: Lumi Images/Alamy; **2:** John Henley/Getty Images; **3:** Martín Bernetti; **10:** (l) Rachel Distler; (r) Ali Burafi; **11:** (t) Hans Georg Roth/Getty Images; (ml) Elisabetta A. Villa/Getty Images; (mr) Paola Rios; (b) Chelsea Lauren/Variety/REX/Shutterstock; **12:** (l) Janet Dracksdorf; (r) Tom Grill/Corbis; **16:** (l) José Girarte/iStockphoto; (r) Blend Images/Alamy; **19:** (l) Goodluz/Shutterstock; (m) Anne Loubet; (r) Digital Vision/Getty Images; **28:** (all) Martín Bernetti; **32:** (t) Robert Huberman/Alamy; (b) Photogal/Shutterstock; **33:** (tl) Timolina/Deposit Photos; (tr) Sean Drakes/Alamy; (ml) Stocksnapper/123RF; (mr) Toronto-Images.com/Shutterstock; (b) Andres R/Shutterstock.

Lesson 2
35: Radius Images/MaXx Images; **44:** (l) Rido/123RF; (r) Pablo Corral/Getty Images; **45:** (t) Murle/Alamy; (m) Paul Almasy/Getty Images; (b) S. Bukley/Shutterstock; **53:** Stephen Coburn/Shutterstock; **55:** (l) Paola Rios-Schaaf; (r) Image Source/Corbis; **64:** José Blanco; **65:** PNC/Media Bakery; **66:** (tl) José Blanco; (tr) José Blanco; (bl) Jose Tandem/Deposit Photos; (br) Iconotec/Fotosearch; **67:** (tl) Jacquelyn Martin/AP/REX/Shutterstock; (tr) José Blanco; (ml) José Blanco; (mr) Pete Goding/SIME/eStockphoto; (b) David Ramos/Getty Images.

Lesson 3
69: Hero Images/Getty Images; **72:** (tl) Anne Loubet; (tr) Elena Kouptsova-Vasic/Shutterstock; (ml) Ana Cabezas Martin; (mr) Blend Images/Alamy; (bl) Martín Bernetti; (br) Bikerider London/Shutterstock; **78:** (tl) David Cantor/AP Images; (tr) Rafael Perez/Reuters; (b) Jeff Vespa/WireImage/Getty Images; **79:** (t) Chelsea Lauren/REX/Shutterstock; (ml) Marc Piasecki/Getty Images; (mm) Eamonn McCormack/WireImage/Getty Images; (mr) Carlos Alvarez/Getty Images; (b) PG/Splash News/Newscom; **82:** (l) VaLiza/Shutterstock; (r) Fotoluminate/123RF; **84:** Andres Rodriguez/Alamy; **89:** (l) Tyler Olsen/Fotolia; (r) Blend Images/Alamy; **90:** Aldo Murillo/iStockphoto; **94:** (tl) Shakzu/Fotolia; (tm) Mihailomilovanovic/iStockphoto; (tr) Rosa Images/Media Bakery; (bl) Onoky/Fotolia; (bm) Jamie Grill/Getty Images; (br) Paula Diez; **98:** (t) Glow Images/AGE Fotostock; (m) Hill Street Studios/Media Bakery; (b) GM Visuals/AGE Fotostock; **99:** (t) Nora y Susana/Fotocolombia; (m) Chuck Savage/Getty Images; (b) Antonio Diaz/Shutterstock; **100:** Janet Dracksdorf; **101:** ASIFE/Alamy; **104:** (t) Wildlife GmbH/Alamy; (ml) John Beatty/Getty Images; (mr) Ecuadorpostales/Shutterstock; (bl) Onairda/Getty Images; (br) Lauren Krolick; **105:** (tl) Michael S. Nolan/AGE Fotostock; (tr) Pablo Corral/Getty Images; (ml) Marin Stefani; (mr) Fotos593/Shutterstock; (b) Patricio Hidalgo/Alamy.

Lesson 4
107: Manu Prats/Offset; **109:** George Shelley/Getty Images; **111:** Nora y Susana/Fotocolombia; **116:** (l) Javier Soriano/AFP/Getty Images; (r) Fernando Bustamante/AP Images; **117:** (t) Photoworks/Shutterstock; (m) Zuma Press/Alamy; (b) RB/Bauer-Griffin/Getty Images; **119:** (t) Radu Bercan/Shutterstock; (ml) Fotomicar/Shutterstock; (mm) David R. Frazier Photolibrary/Alamy; (mr) Iakov Filimonov/123RF; (bl) Henn Photography/Getty Images; (bm) Sigrid son/AGE Fotostock; (br) Janet Dracksdorf; **127:** Warner Bros Pictures/Everett Collection; **131:** Anne Loubet; **133:** Agan/Shutterstock; **134:** Jolopes/lia; **135:** Fernando Llano/AP Images; **136:** (tl) Randy Miramontez/Shutterstock; (tr) Self-Portrait with Thorn Necklace and Hummingbird, 1940 (oil on canvas), Kahlo, Frida (1907-54) / Harry Ransom Center, University of Texas at Austin, Austin, USA/Leemage/Bridgeman Images; (bl) Ruben Varela; (br) Carolina Zapata; **137:** (tl) Radius Images/Alamy; (tr) Bettmann/Getty Images; (mt) Corel/Corbis; (mb) David R. Frazier Photolibrary/Alamy; (b) Diego Grandi/Alamy.

Lesson 5
139: Gemma Ferrando/Offset; **150:** (l) Emporarcosar/Shutterstock; (r) Efrain Padro/Alamy; **151:** (t) AFP/Getty Images; (m) Pierre-Yves Babelon/123RF; (b) Neilson Barnard/Getty Images; **153:** (tl) Nenetus/Fotolia; (tr) Hart Creations/iStockphoto; (ml) Fotografixx/iStockphoto; (mr) Mediaphotos/iStockphoto; **155:** Ronnie Kaufman/Getty Images; **168:** Janet Dracksdorf; **169:** (tl) Corel/Corbis; (tr) Dudarev Mikhail/Shutterstock; (m) Epicstockmedia/123RF; (b) Volodymyr Goinyk/Shutterstock; **170:** (tl) Eddie Toro/123RF; (tr) José Blanco; (bl) Israel Pabon/Shutterstock; (br) Capricornis Photographic/Shutterstock; **171:** (tl) Jose Blanco; (tr) Lawrence Manning/Getty Images; (bl) Michele Falzone/Getty Images; (br) Daniel Alvarez/123RF; (b) Ricardo Arduengo/Getty Images.

Lesson 6
173: Antonio Diaz/Shutterstock; **182:** (l) Jose Caballero Digital Press Photos/Newscom; (r) Janet Dracksdorf; **183:** (t) Carlos Alvarez/Getty Images; (ml) Guiseppe Carace/Getty Images; (mr) Mark Mainz/Getty Images; (b) John Parra/Getty Images; **185:** Jack Hollingsworth/Corbis; **188:** (all) Pascal Pernix; **193:** (tl) Mauro Grigollo/AGE Fotostock; (tr) Syda Productions/AGE Fotostock; (bl) James Carman/AGE Fotostock; (br) Ben Welsh/AGE Fotostock; **194:** (all) Paula Díez; **195:** Paula Díez; **200-201:** Paula Díez and Shutterstock; **202:** Noam/Fotolia; **203:** Martín Bernetti; **206:** (all) Pascal Pernix; **207:** (tl) Don Emmert/AFP/Getty Images; (tr) Pascal Pernix; (ml) Pascal Pernix; (mr) Road Movie Prods/Kobal/REX/Shutterstock; (b) James Bloor Griffiths/Shutterstock.

Lesson 7
209: Media Bakery; **212:** (tl) PhotoAlto/Alamy; (tr) Radnatt/Fotolia; (tml) Bernd Vogel/Getty Images; (tmr) Blend Images/Media Bakery; (bml) Kemler/iStockphoto; (bmr) Paula Diez; (bl) Zeljkosantrac/iStockphoto; (br) Paula Diez; **218:** Stewart Cohen/Blend Images/Corbis; **219:** (t) Ali Burafi; (m) Janet Dracksdorf; (b) Tommy Lindholm/Alamy; **221:** (l) Paula Diez; (r) PeopleImages/Getty Images; **223:** (l) Paula Diez; (r) Igor Mojzes/123RF; **226:** José Blanco; **227:** Anya Berkut/Fotolia; **236-237:** Didem Hizar/Fotolia; **238:** (t) Christian Vinces/Shutterstock; (ml) Reiner Elsen/Alamy; (mr) Ian Wood/Alamy; (bl) Juan Manuel Serrano Arce/Getty Images; (br) Oscar Espinosa/123RF; **239:** (tl) Martín Bernetti; (tr) Nicolamargaret/Getty Images; (ml) Manual Romaris/Getty Images; (mr) Marshall Bruce/iStockphoto; (b) Jarno Gonzalez Zarraonandia/Shutterstock.

Lesson 8
241: Terry Vine/Media Bakery; **245:** Lauren Krolick; **247:** (l) Monkey Business/Shutterstock; (r) Anne Loubet; **252:** (l) Rachel Distler; (r) Greg Elms/Lonely Planet Images/Getty Images; **253:** (t) Pablo Cuadra/Getty Images; (bl) Rafael Rios; (br) Studio Bonisolli/Stockfood; **254:** Gerardo Mora/Getty Images; **255:** (t) Vanessa Bertozzi; (ml) Annie Pickert Fuller; (mm) Martin Bernetti; (mr) Margouillat Photo/Shutterstock; (bl) Susan Schmitz/Shutterstock; (bm) Nitr/Shutterstock; (br) Adlife Marketing/iStockphoto; **256:** Paula Diez; **258:** (l) Pixtal/AGE Fotostock; (r) Jose Blanco; **262:** (l) Andresr/Shutterstock; (r) José Blanco; **263:** (l) José Blanco; (r) Monkey Business/Shutterstock; **272:** (t) Henryk Sadura/Shutterstock; (m) Martin Engelmann/Media Bakery; (b) Henryk Sadura/Shutterstock; **273:** (tl) Jenkedco/Shutterstock; (tr) Robert Matton AB/Alamy; (ml) Vladimir Korostyshevskiy/Shutterstock; (mr) Tom Salyer/Alamy; (b) Phil Clarke Hill/In Pictures/Getty Images.

Lesson 9
275: Jupiter Images/Getty Images; **279:** Cathy Yeulet/123RF; **284:** (l) Javier Larrea/AGE Fotostock; (r) PictureNet/Getty Images; **285:** (t) GDA/El Mercurio/Chile/El Mercurio de Chile/Newscom; (m) GDA/El Mercurio/Chile/El Mercurio de Chile/Newscom; (b) Tim Mosenfelder/Getty Images; **298:** (t) Katrina Brown/123RF; (b) Digital Vision/Media Bakery; **299:** Carlos Hernandez/Media Bakery; **300:** Blend Images/Alamy; **305:** (tl) Lauren Krolick; (tr) Lauren Krolick; (ml) Kathryn Alena-Korf; (mr) Lauren Krolick; (bl) Bettmann/Getty Images; (br) Martin Bernetti/AFP/Getty Images; **306:** (tl) Lars Rosen Gunnilstam; (tr) Lauren Krolick; (ml) Nikolay Starchenko/Shutterstock; (mr) Lauren Krolick; (b) Bruce R. Korf.

Lesson 10
307: Custom Medical Stock Photo/Alamy; **316:** (t) Ali Burafi; (b) Andresr/Shutterstock; **317:** (t) Courtesy of Arizona State University Hispanic Research Center; (ml) Photolicensors International AG/Alamy; (mr) AFP/Getty Images; (b) Jealex Photo/Getty Images; **321:** ISO K Photography/Fotolia; **325:** Oscar Artavia Solano; **331:** Martin Bernetti; **334:** Dream Pictures/Getty Images; **335:** Danita Delimont/Newscom; **336:** (tl) Oscar Artavia Solano; (tr) Oscar Artavia Solano; (bl) Timothy A. Clary/AFP/Getty Images; (bm) Oscar Artavia Solano; (br) Oscar Artavia Solano; **337:** (tl) Nik Wheeler/Alamy; (tr) Atlantide Phototravel/Getty Images; (ml) Jacques M. Chenet/Corbis/Getty Images; (mr) Megapress/Alamy; (bt) Oscar Artavia Solano; (bb) E. Rojas/Shutterstock; **338:** (tl) Endless Traveller/Shutterstock; (tr) RJ Lerich/Shutterstock; (m) Tobe_dw/Shutterstock; (b) Johnny Louis/FilmMagic/Getty Images; **339:** (tl) Grigory Kubatyan/Shutterstock; (tr) Dennis Drenner/Washington Post/Getty Images; (ml) Holdeneye/Shutterstock; (mr) Thornton Cohen/Alamy; (b) Scott B. Rosen/Alamy.

Lesson 11
341: Stefan Dahl Langstrup/Alamy; **350:** (l) GM Visuals/AGE Fotostock; (r) Quka/Shutterstock; **351:** (t) Zsolt Nyulaszi/Shutterstock; (bl) M. Timothy O'Keefe/Alamy; (br) Difusion/El Comercio de Peru/Newscom; **355:** LdF/iStockphoto; **359:** Katie Wade; **360:** (all) Paula Diez; **361:** (tl) AGE Fotostock; (tr) Ali Burafi; (bl) JGI/Jamie Grill/Getty Images; (br) Paula Diez; **364:** (t) Gmnicholas/iStockphoto; (ml) Elen 418/Shutterstock; (mm) Aleksandr Kurganov/Shutterstock; (mr) Liliana Bobadilla; (bl) LdF/iStockphoto; (bm) Auris/iStockphoto; (br) Scanrail1/Shutterstock; **370:** (t) Ali Burafi; (ml) María Eugenia Corbo; (mr) Ali Burafi; (bl) F. Neukirchen/AGE Fotostock; (br) Lauren Krolick; **371:** (tl) María Eugenia Corbo; (tr) Ali Burafi; (ml) Ali Burafi; (mr) Rocharibeiro/Shutterstock; (b) Ali Burafi; **372:** (tl) Peter Groenendijk/Robert Harding/Media Bakery; (tr) Hans Neleman/Getty Images; (b) Maria Eugenia Corbo; **373:** (tl) Janet Dracksdorf; (tr) Jonathon Larsen/Diadem Images/Alamy; (ml) Richard I'Anson/Getty Images; (mr) JMN/Cover/Getty Images; (b) Maria Eugenia Corbo.

Lesson 12
375: Gravity Images/Getty Images; **379:** (t) Terry J/iStockphoto; (b) Harry Neave/Fotolia; **384:** (l) Balate Dorin/Shutterstock; (r) Martín Bernetti; **385:** (tl) Fran Fernandez; (tr) Rafal Cichaway/123RF; (b) AB1/Adriana M. Barraza/WENN/Newscom; **387:** (l) JGI/Tom Grill/Media Bakery; (r) Anne Loubet; **388:** Blend Images/Alamy; **404:** Wilmar Photography/Alamy; **406:** Dragon Images/Shutterstock; **407:** Jolanda Van Den Oudenalder/123RF; **410:** (tl) Sergi Reboredo/Alamy; (tr) Melba/AGE Fotostock; (m) Claudio Lovo/Shutterstock; (b) Hernan H. Hernandez/Shutterstock; **411:** (tl) Galina Savina/Shutterstock; (tr) Danny Lehman/Corbis; (bl) Courtesy of www.Tahiti-Tourisme.com; (br) Jupiter Images/Getty Images; **412:** (tl) John Coletti/Getty Images; (tr) L. Kragt Bakker/Shutterstock; (bl) Leif Skogfors/Getty Images; (br) Andre Nantel/Shutterstock; **413:** (tl) Edfuentesg/iStockphoto; (tr) Ondrej Prosicky/Shutterstock; (ml) Jose Cabezas/Reuters/Newscom; (mr) Sheridan Stancliff/Getty Images; (b) Corbis.

Lesson 13
415: Blend Images/Alamy; **417:** (tl) Gaccworship/Big Stock; (tr) Goodshoot/Alamy; (bl) National Geographic Singles 65/Inmagine; (bm) Les Cunliffe/123RF; **424:** (t) Lauren Krolick; (b) Digital Vision/Fotosearch; **425:** (t) Oscar Garces/AGE Fotostock; (m) David South/Alamy; (bl) David Liittschwager/Getty Images; (br) Agencia el Universal GDA Photo Service/Newscom; **428:** Andy Shchekalev/123RF; **433:** (all) Courtesy of Mary Axtmann; **442:** Apisit Sorin/EyeEm/Getty Images; **442-443:** (background, t) Borja Andreu/Shutterstock; (background, b) Yeryomina Anastassiya/Shutterstock; **443:** Kitzzeh/Shutterstock; **444:** (tl) Andrey Gontarev/Shutterstock; (tr) Foto593/Shutterstock; (m) José Blanco; (b) Santiago Saldarriaga GDA Photo Service/Newscom; **445:** (tl) Ulf Andersen/Getty Images; (tr) Monica Maria Gonzalez; (ml) Jeremy Horner/Getty Images; (mr) Jess Kraft/Shutterstock; (b) Ardea.com/Mary Evans/Renato Granieri/AGE Fotostock; **446:** (tl) B & T Media Group Inc/Shutterstock; (tr) Philippe Turpin/AGE Fotostock; (bl) Sandra A. Dunlap/Shutterstock; (br) Christian Kober/Alamy; **447:** (tl) Vik Vojtech/AGE Fotostock; (tr) Elmer Martinez/Stringer/Getty Images; (ml) Jose Antonio Velasquez. San Antonio de Oriente. 1957. Collection OAS AMA/Art Museum of Americas; (mr) B. Trapp/AGE Fotostock; (b) Martin Bernetti.

Lesson 14
449: Hilary Jane Morgan/AGE Fotostock; **458:** (l) Stuwdamdorp/Alamy; (r) David Wall/Alamy; **459:** (t) John Mitchell/Alamy; (m) Courtesy of the Barragan Foundation; (b) GV Cruz/WireImage/Alamy; **466:** Paula Diez; **474-475:** Filo/Getty Images; **476:** (t) Janne Hamalainen/Shutterstock; (m) Alexander Chaikin/Shutterstock; (b) F. Neukirchen/AGE Fotostock; **477:** (tl) Julio Etchart/Alamy; (tr) Daniel Romero/VW Pics/Getty Images; (ml) Ken Welsh/Alamy; (mr) Nehophoto/Shutterstock; (b) Vladimir Melnik/Shutterstock; **478:** (tl) Salim October/Shutterstock; (tr) Daniel Indiana/Shutterstock; (b) Werner Otto/Alamy; **479:** (tl) Alvaro Leiva/Alamy; (tr) Aspen Photo/Shutterstock; (ml) Lucas Vallecillos/AGE Fotostock; (mr) Evannovostro/Shutterstock; (b) AKG-Images/The Image Works.

Lesson 15
481: Henglein and Steets/AGE Fotostock; **485:** Javier Larrea/AGE Fotostock; **490:** (l) Posztos/Shutterstock; (r) Oscar Artavia Solano; **491:** (t) David Mercado/Reuters/Newscom; (m) Stockcreations/Shutterstock; (b) Courtesy of Chila Jatun; **501:** Diego Cervo/iStockphoto; **504-505:** Michael Klippfeld/Getty Images; **506:** Martin Bernetti; **507:** Javier Larrea/AGE Fotostock; **510:** (tl) Elzbieta Sekowska/Shutterstock; (tr) Massimo Borchi/SIME/eStockphoto; (b) Peter Langer/AGE Fotostock; **511:** (tl) Daniel Wiedmann/Shutterstock; (tr) Anders Ryman/Alamy; (ml) VHL; (mr) Ben Pipe/SIME/eStockphoto; (b) Jess Kraft/Shutterstock; **512:** (t) Julian Peters Photography/Getty Images; (bl) Ian Trower/Getty Images; (br) Choups/Alamy; **513:** (tl) De Agostini/G. Kiner/Getty Images; (tr) Christian Rizzi/AFP/Getty Images; (ml) Hugh Percival/Fotolia; (mr) Thomas Vinke/Getty Images; (b) Jorge Saenz/AP Images.

Back Cover: Demaerre/iStockphoto.

Text and Video Credits

Text
31: Joaquín Salvador Lavado (QUINO) Toda Mafalda - Ediciones de La Flor,1993; **297:** Courtesy of Fondo de Cultura Economica; **368-369:** Courtesy of TUTE; **475:** Fundación mario Benedetti c/o Schavelzon Graham Agencia Literaria www.schavelzongraham.com; **505:** Cecilia de Menéndez Leal.

Video
102: Courtesy of Banco Galicia; **103:** Courtesy of IMCINE; **204:** Courtesy of Juguettos; **205:** Courtesy of Content Line S.L; **302:** Courtesy of Javier Ugarte; **303:** Courtesy of IMCINE; **408:** Courtesy of Conforama España; **409:** Courtesy of Marta Salvador Tato (Film Distributor) and Diego Porral (Director); **508:** Courtesy of Getting Better Creative Studio; **509:** Courtesy of Content Line S.L.

About the Authors

José A. Blanco founded Vista Higher Learning in 1998. A native of Barranquilla, Colombia, Mr. Blanco holds a B.A. in Literature from the University of California, Santa Cruz, and a M.A. in Hispanic Studies from Brown University. He has worked as a writer, editor, and translator for Houghton Mifflin and D.C. Heath and Company and has taught Spanish at the secondary and university levels. Mr. Blanco is also the co-author of several other Vista Higher Learning programs: **Panorama, Aventuras,** and **¡Viva!** at the introductory level; **Enlaces, Facetas, Enfoques, Imagina,** and **Sueña** at the intermediate level; and **Revista** at the advanced conversation level.

Philip Redwine Donley received his M.A. in Hispanic Literature from the University of Texas at Austin in 1986 and his Ph.D. in Foreign Language Education from the University of Texas at Austin in 1997. Dr. Donley taught Spanish at Austin Community College, Southwestern University, and the University of Texas at Austin. He published articles and conducted workshops about language anxiety management, and the development of critical thinking skills, and was involved in research about teaching languages to the visually impaired. Dr. Donley was also the co-author of **Aventuras** and **Panorama,** two other introductory college Spanish textbook programs published by Vista Higher Learning.

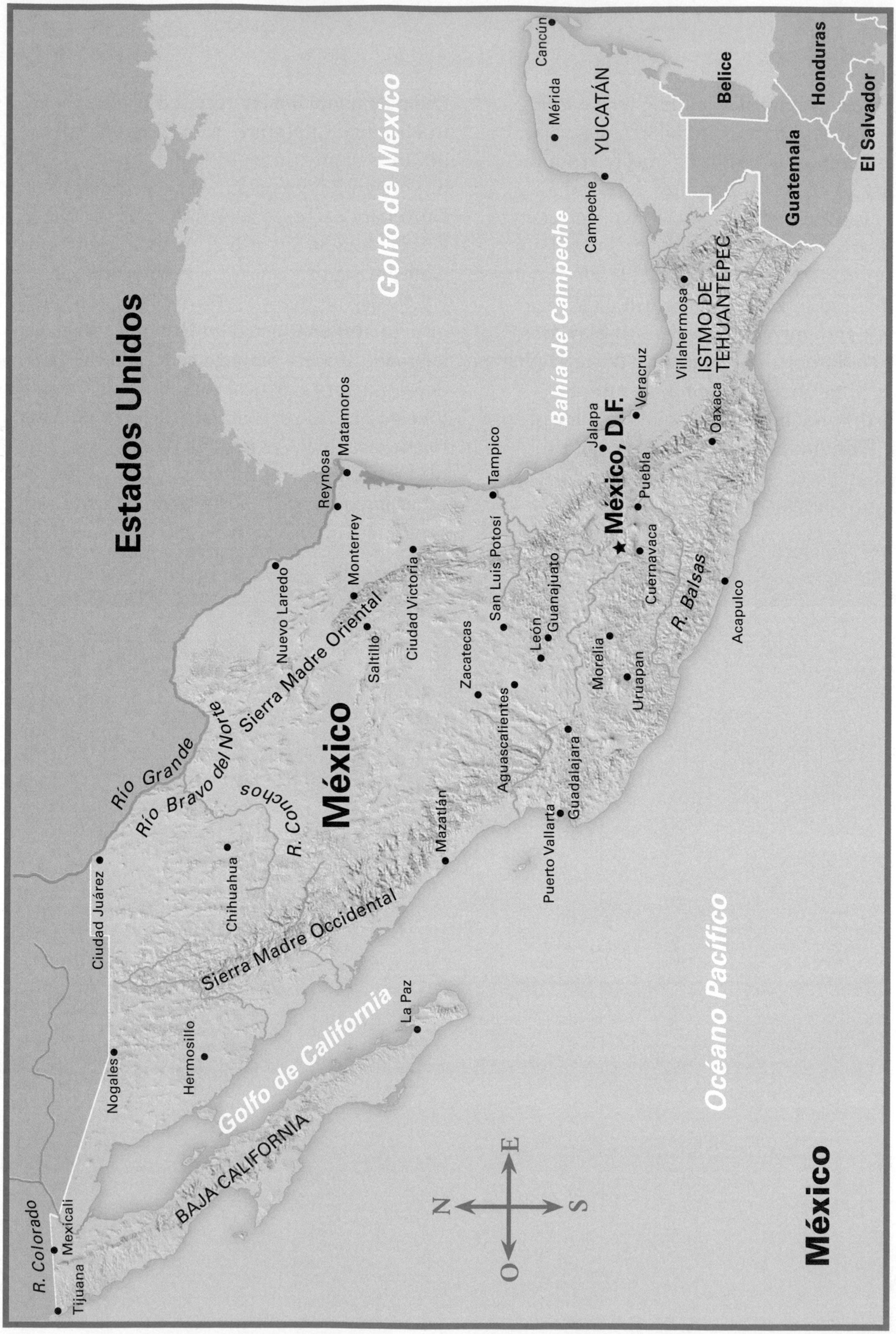
México
Estados Unidos
México
Golfo de México
Bahía de Campeche
Océano Pacífico
Golfo de California
BAJA CALIFORNIA
R. Colorado
Río Grande
Río Bravo del Norte
R. Conchos
Sierra Madre Oriental
Sierra Madre Occidental
R. Balsas
YUCATÁN
ISTMO DE TEHUANTEPEC
México, D.F.
Tijuana
Mexicali
Nogales
Hermosillo
La Paz
Ciudad Juárez
Chihuahua
Mazatlán
Nuevo Laredo
Monterrey
Saltillo
Reynosa
Matamoros
Ciudad Victoria
Tampico
Zacatecas
San Luis Potosí
Aguascalientes
León
Guanajuato
Guadalajara
Puerto Vallarta
Morelia
Uruapan
Cuernavaca
Puebla
Jalapa
Veracruz
Oaxaca
Acapulco
Villahermosa
Campeche
Mérida
Cancún
Belice
Guatemala
Honduras
El Salvador
N
S
E
O

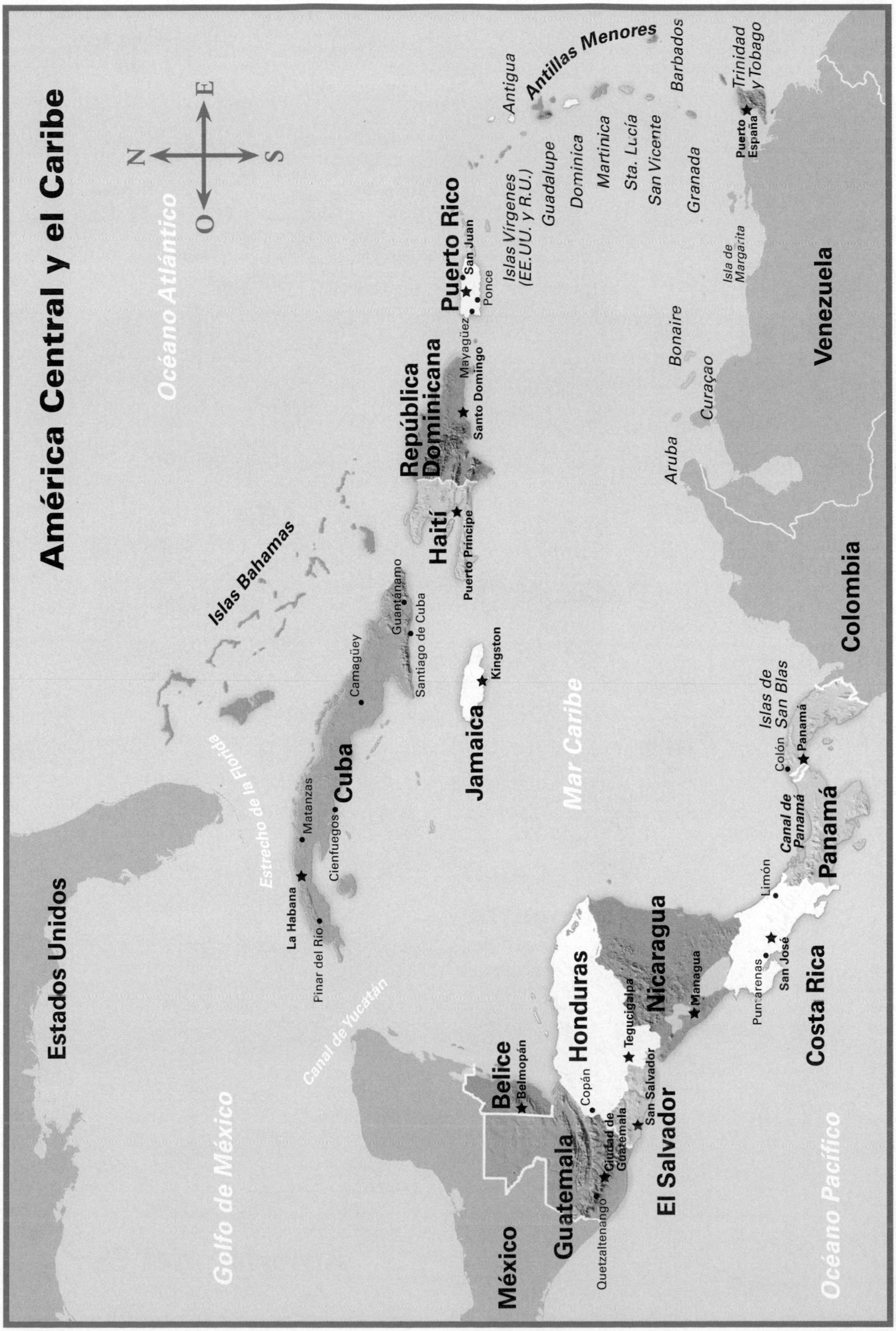
América Central y el Caribe
N
S
E
O
Océano Atlántico
Estados Unidos
Golfo de México
México
Canal de Yucatán
Estrecho de la Florida
Islas Bahamas
Cuba
La Habana
Pinar del Río
Matanzas
Cienfuegos
Camagüey
Santiago de Cuba
Guantánamo
Jamaica
Kingston
Haití
Puerto Príncipe
República Dominicana
Santo Domingo
Puerto Rico
San Juan
Mayagüez
Ponce
Islas Vírgenes (EE.UU. y R.U.)
Antillas Menores
Antigua
Guadalupe
Dominica
Martinica
Sta. Lucía
San Vicente
Barbados
Granada
Trinidad y Tobago
Puerto España
Isla de Margarita
Aruba
Curaçao
Bonaire
Mar Caribe
Venezuela
Colombia
Islas de San Blas
Panamá
Colón
Canal de Panamá
Limón
Costa Rica
San José
Puntarenas
Nicaragua
Managua
Honduras
Tegucigalpa
Copán
Belice
Belmopán
Guatemala
Ciudad de Guatemala
Quetzaltenango
El Salvador
San Salvador
Océano Pacífico

América del Sur
Mar Caribe
Océano Pacífico
Océano Atlántico
Venezuela
Caracas
Maracaibo
Barranquilla
Puerto España
Trinidad y Tobago
Colombia
Bogotá
Medellín
Cali
Pasto
Ecuador
Quito
Guayaquil
Perú
Iquitos
Lima
Cuzco
Arequipa
Lago Titicaca
Cordillera de los Andes
Guyana
Georgetown
Surinam
Paramaribo
Guayana Francesa
Cayena
R. Orinoco
R. Negro
R. Amazonas
R. Madeira
Manaus
Belém
Recife
Salvador
Brasil
Brasilia
Belo Horizonte
Río de Janeiro
São Paulo
Santos
Porto Alegre
R. Paraguay
R. Paraná
R. Uruguay
Bolivia
La Paz
Sucre
Arica
Iquique
Antofagasta
Paraguay
Asunción
Salta
Chile
Córdoba
Valparaíso
Mendoza
Santiago
Rosario
Buenos Aires
Uruguay
Montevideo
Concepción
Argentina
Bahía Blanca
Puerto Montt
Cordillera de los Andes
Estrecho de Magallanes
Punta Arenas
Islas Malvinas
Tierra del Fuego
N
O
E
S
Islas Galápagos
Océano Pacífico
Isla Pinta
Isla Marchena
Isla Genovesa
Isla Isabela
Línea Ecuatorial
ECUADOR
Volcán Darwin
Isla Santiago
(San Salvador)
Isla Fernandina
Puerto Ayora
Isla San Cristóbal
Isla Santa Cruz
Santo Tomás
Puerto Barquerizo Moreno
Isla Santa María
Isla Española

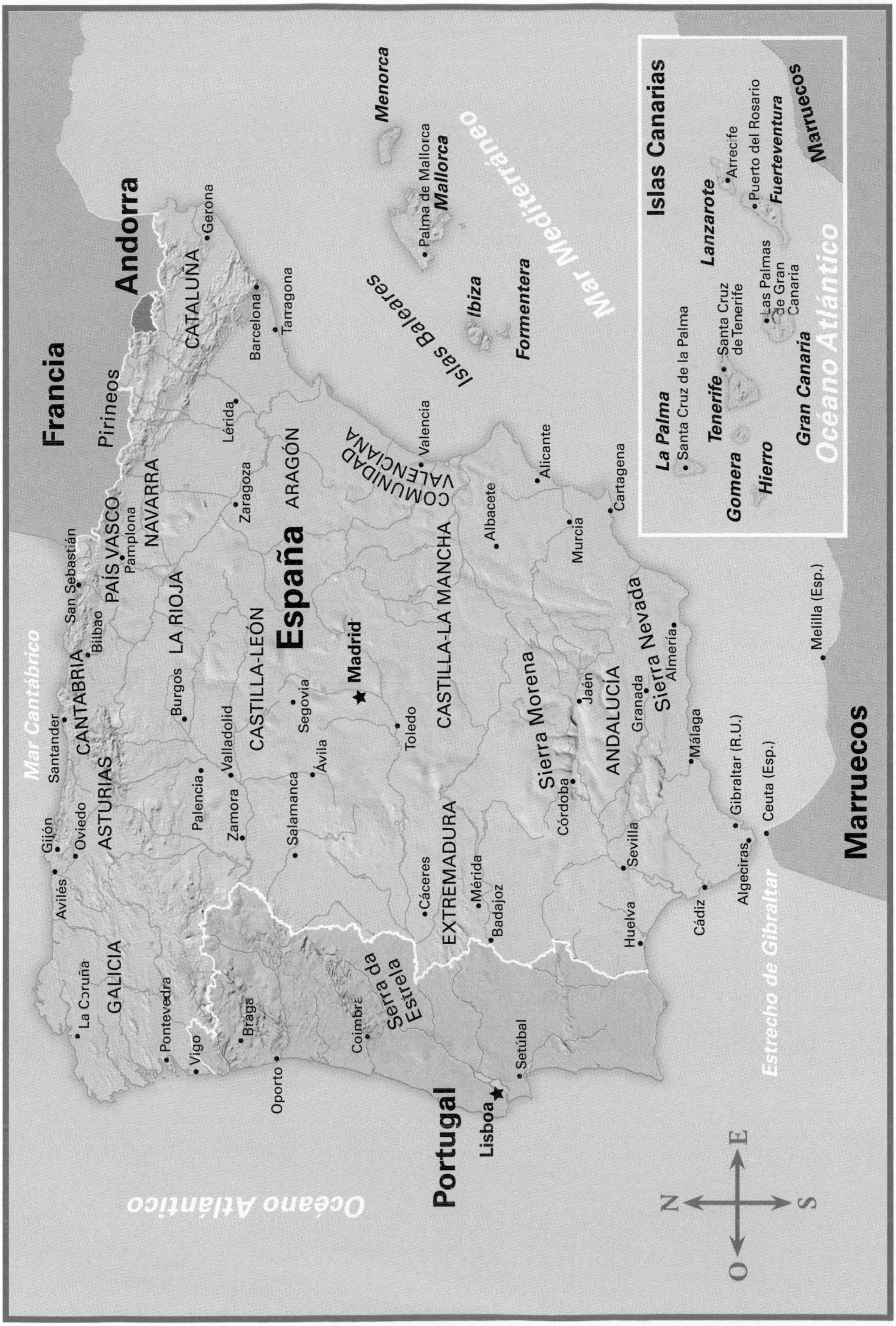

Francia
Andorra
Pirineos
Mar Cantábrico
Océano Atlántico
Portugal
Lisboa
Oporto
Coimbra
Braga
Setúbal
Serra da Estrela
España
Madrid
GALICIA
ASTURIAS
CANTABRIA
PAÍS VASCO
NAVARRA
LA RIOJA
CATALUÑA
ARAGÓN
CASTILLA-LEÓN
CASTILLA-LA MANCHA
COMUNIDAD VALENCIANA
EXTREMADURA
ANDALUCÍA
La Coruña
Pontevedra
Vigo
Avilés
Gijón
Oviedo
Santander
Bilbao
San Sebastián
Pamplona
Burgos
Palencia
Valladolid
Zamora
Salamanca
Ávila
Segovia
Toledo
Cáceres
Mérida
Badajoz
Zaragoza
Lérida
Barcelona
Tarragona
Gerona
Valencia
Albacete
Alicante
Murcia
Cartagena
Córdoba
Jaén
Granada
Almería
Málaga
Sevilla
Huelva
Cádiz
Algeciras
Gibraltar (R.U.)
Ceuta (Esp.)
Melilla (Esp.)
Sierra Morena
Sierra Nevada
Estrecho de Gibraltar
Marruecos
Islas Baleares
Mallorca
Palma de Mallorca
Menorca
Ibiza
Formentera
Mar Mediterráneo
Islas Canarias
La Palma
Santa Cruz de la Palma
Tenerife
Santa Cruz de Tenerife
Gomera
Hierro
Gran Canaria
Las Palmas de Gran Canaria
Lanzarote
Arrecife
Fuerteventura
Puerto del Rosario
Océano Atlántico
Marruecos
N
S
E
O